# 《马克思主义发展史》（十卷本）
## 编 委 会

# 马克思主义发展史

## 第四卷

## 第二国际后半期马克思主义的发展与演变

## (1895—1917)

总主编 庄福龄 杨瑞森 梁树发 郝立新 张 新
本卷主编 张 新

人民出版社

中国人民大学科学研究基金项目成果
（批准号：15XNLG03 ）

# 总 序

19 世纪 40 年代，马克思和恩格斯创立了他们的伟大科学学说——马克思主义。马克思主义的产生是人类思想史上的伟大变革。它对自然界、人类社会和人的思维的本质与规律作了科学回答，使社会主义由空想发展为科学，无产阶级革命实践从此有了科学理论的指导。

马克思主义自形成以来，在世界历史、人类生活、科学和思想文化的发展中，在指导无产阶级实现自身解放的伟大斗争中，留下了深刻的印记，形成了一部内容极其丰富、壮观，既充满曲折又创新不止的历史画卷。正如习近平总书记所说："一部马克思主义发展史就是马克思、恩格斯以及他们的后继者们不断根据时代、实践、认识发展而发展的历史，是不断吸收人类历史上一切优秀思想文化成果丰富自己的历史。"①

马克思主义发展史是马克思主义理论研究的基础。马克思主义发展的经验和规律、关于什么是马克思主义和怎样对待马克思主义的确切答案，就在马克思主义发展的历史中，需要通过对马克思主义发展史的研究获得。

一旦我们进入马克思主义发展史研究，就会发现以下事实：

第一，无论是两位马克思主义伟大创始人，还是他们的战友、学生和后继者中的严格的马克思主义理论家，无不重视对马克思主义发展史的研究，无不是马克思主义理论和马克思主义发展史修养兼备的理论家。

第二，马克思主义发展史作为历史进程中发展着的马克思主义，是马克思主义理论发展史和实践发展史的有机统一。也就是说，完整意义上的马克思主义发展史，既不是单纯的马克思主义理论史，也不是单纯的马克思主义实践

① 习近平：《在纪念马克思诞辰 200 周年大会上的讲话》，人民出版社 2018 年版，第 9 页。

史。这决定了马克思主义发展史研究和书写的基本方法论原则是理论与实践的统一。

第三，马克思主义发展史的存在形式是具体的和多样的，有实践的也有理论的，有文本性的也有非文本性的。马克思主义创始人和马克思主义理论家们始终在利用一切可能的形式进行他们的马克思主义理论研究、创造、阐释和传播。一部在内容上充分而且准确地反映马克思主义实际发展过程的马克思主义史，必定是对它的尽可能多的存在形式研究的结果。

第四，以马克思和恩格斯的战友、学生为主体的早期的马克思主义研究，其主要形式和成就正是马克思主义发展史研究。具体表现为：

（1）多种版本的马克思主义创始人传记问世。马克思主义创始人、其他马克思主义经典作家和无产阶级革命领袖的传记，是马克思主义发展史的存在形式之一，因而也是它的研究形式之一。它是在关于马克思主义创始人、其他马克思主义经典作家和无产阶级革命领袖的生平、事业、思想、著作的生成、演变与发展的历史记忆和追述中展示马克思主义形成与发展的过程。恩格斯是马克思传记的第一位作者。他的《卡尔·马克思》和其他未出版的马克思传记作品，在详尽介绍马克思作为伟大无产阶级革命家和理论家如何为无产阶级和全人类的解放而斗争一生的同时，阐述了以唯物史观、剩余价值学说为标志的他的理论、思想形成与发展过程。《弗里德里希·恩格斯》是列宁在1895年恩格斯逝世一个月后写的一篇悼文，它向读者介绍了恩格斯的生平、活动，特别是他实现哲学和政治转变的过程。《卡尔·马克思》是1914年列宁应邀为《格拉纳特百科词典》撰写的一个词条，在这里他提出马克思主义“是马克思的观点和学说的体系”①命题，强调了马克思主义的整体性；把阶级斗争和无产阶级使命的理论纳入“新的世界观”范畴，凸显马克思主义哲学的实践性；阐明无产阶级斗争策略是马克思主义理论体系中不可忽视的内容，凸显马克思主义的现实性。

（2）初步提出马克思主义发展规律问题。当考茨基还是一位马克思主义者的时候，他发表了一篇题为《马克思主义的三次危机》的文章，以纪念马克思逝世20周年。在这篇文章中，他用19世纪中叶以来欧洲发生的“三个事件”的命运——1848年欧洲革命的失败、1871年巴黎公社的失败和19世纪末修正

---

①《列宁选集》第2卷，人民出版社2012年版，第418页。

主义的出现——说明所谓马克思主义“危机”的发生。在他看来，“危机”虽然不是马克思主义发展中的积极现象，但是也不必把它看作威胁到马克思主义命运的现象。它只是表现了马克思主义发展的曲折性。他认为，在上述每一事件发生的前后，马克思主义其实都经历过一个由高潮到危机、再由危机到高潮的过程，并且在危机被克服之后，马克思主义“总是赢得了新的基地”①。这种关于马克思主义“高潮—危机—高潮”的周期性变化、发展的认识，表明考茨基已经有了关于马克思主义发展规律的意识。同时期德国另一位著名马克思主义理论家罗莎·卢森堡善于在马克思主义发展的历史经验中理解马克思主义发展规律。在《马克思主义的停滞和进步》一文中，她通过对造成马克思主义发展中“停滞”现象的原因的分析而阐明了实质说来是马克思主义理论与实践的关系的独特见解。她认为，一定时期和一定地区的马克思主义发展中的“停滞”，原因往往不在于马克思的理论落后于工人阶级的“现阶段斗争”，而在于“现阶段斗争”以及“作为实际斗争政党的我们”的行为落后于马克思的理论。她说：“如果我们现在因此而觉察出运动中存在理论停滞状况，这并不是由于我们赖以生存的马克思理论无力向前发展或是它本身已经‘过时’，相反，是由于我们已经把现阶段斗争必须的思想武器从马克思的武库取来却又不充分运用；这并不是由于我们在实际斗争中‘超越’了马克思，相反，是由于马克思在科学创造中事先已经超越了作为实际斗争政党的我们；这并不是由于马克思不再能满足我们的需要，而是由于我们的需要还没有达到运用马克思思想的程度。”②这就是说，在理论与实践的关系上，虽然一般说来实践是主要的决定的方面，理论来源于实践，接受实践的检验。但就19世纪末20世纪初这一时期的马克思主义发展来说，在卢森堡看来，则是实践落后于理论，落后于马克思的“科学创造”。卢森堡的这个观点在马克思主义理论家中引起了争议。曾是德国共产党理论家的卡尔·柯尔施在题为《关于“马克思主义和哲学”问题的现状（1930年）》中谈到“马克思的马克思主义理论同后来工人阶级运动的表现形式的关系”问题时，对卢森堡的这个观点提出了批评，认为它“头足倒置地改变了理论对实践的关系”③，并把它“变为一种体系”，然后再用这个体

① ［德］卡·考茨基：《马克思主义的三次危机》，载《国际共运史研究资料》第3辑，人民出版社1981年版，第238页。
② 《卢森堡文选》上卷，人民出版社1984年版，第476页。
③ ［德］卡尔·柯尔施：《马克思主义和哲学》，重庆出版社1989年版，第67页注⑪。

系解释马克思主义“停滞”的原因。他说，马克思主义“不是一种能够神话般地预见将来一个长时期里工人运动的未来发展的理论。因而不能说随后的无产阶级的实际进步，实际上落在了它自己的理论后面，或者它只能逐渐充实由理论给它规定的构架”①。列宁是把马克思主义发展史研究推向新的高度的马克思主义理论家。《马克思主义和修正主义》、《论马克思主义历史发展中的几个特点》、《马克思学说的历史命运》等是关于马克思主义发展史问题的著名篇章，它们从不同方面阐述了马克思主义发展规律。在《马克思主义和修正主义》中，列宁根据马克思主义发展的经验，得出马克思主义“在其生命的途程中每走一步都得经过战斗”②的结论。在《论马克思主义历史发展中的几个特点》中，列宁提出在“具体的社会政治形势改变了，迫切的直接行动的任务也有了极大的改变”的情况下，“马克思主义这一活的学说的各个不同方面也就不能不分别提到首要地位”。③

（3）阐述了马克思主义发展阶段思想。在《马克思主义的三次危机》中，考茨基关于马克思主义在危机与高潮交替中运行与发展的认识实际包含了马克思主义发展阶段思想。他是把马克思主义发展的高潮时期的起点理解为马克思主义发展新阶段的起点。他认为，马克思主义发展的第一个时期是1848年革命失败以前；第二个时期的开端是新高潮在60年代初到来的时候，止于1871年巴黎公社的失败；第三个时期是“1874年德国社会民主党在选举中赢得了辉煌的胜利”和1875年在抵抗普鲁士政府对它的迫害中“敌对的弟兄们”联合起来的时候，止于19世纪末由于修正主义的产生导致的马克思主义的“第三次危机”。考茨基指出，在马克思逝世20周年的时候，马克思主义正处于这次危机的结尾，意味着马克思主义的一个新的发展时期的到来。列宁总是“从世界各国的革命经验和革命思想的总和中”④理解马克思主义的形成和发展，理解马克思主义发展的阶段性。在《马克思学说的历史命运》中，他按照世界历史的“三个主要时期”的划分，即从1848年革命到巴黎公社（1871年），从巴黎公社到俄国革命（1905年），从这次俄国革命至1913年撰写该文时，阐述马克思主义在每一时期的发展状况，并从中得出总的结论：“自马克思主

---

① ［德］卡尔·柯尔施：《马克思主义和哲学》，重庆出版社1989年版，第67页。
② 《列宁选集》第2卷，人民出版社2012年版，第1页。
③ 《列宁选集》第2卷，人民出版社2012年版，第279页。
④ 《列宁全集》第27卷，人民出版社2017年版，第15页。

义出现以后，世界历史的这三大时期中的每一个时期，都使它获得了新的证明和新的胜利。”①

（4）提出正确对待马克思主义的问题。马克思主义发展的经验表明，正确认识马克思主义和正确对待马克思主义是实现马克思主义对于实践的正确指导和在实践中获得发展的两个密切联系的基本原则。就其对于实践的指导和马克思主义的自身发展来说，它们具有同等重要的意义。在马克思主义经典著作研读和马克思主义理论学习中，我们会发现马克思主义经典作家对于正确对待马克思主义问题的强调，较之如何认识马克思主义问题来得更多更为迫切。马克思主义发展史的这一现象其实是有来自现实生活的根据的。首先，它是问题本身与具体的无产阶级实践的关联。这个关联就是如何正确对待马克思主义的问题往往是在具体的实践中提出的，是实践中的问题。在这个意义上，我们说，怎样对待马克思主义的问题，直接地是一个理论与实践的关系问题。其次，它是马克思主义在发展中发生曲折的主要原因。这个原因往往不在于关于马克思主义的认识，而在于对待马克思主义的方式、态度。前面曾经提到的卢森堡关于马克思主义发展中“停滞”问题的分析，“停滞”的原因在卢森堡看来，就是德国共产党人对待马克思主义的方式与态度不正确。列宁关于正确对待马克思主义的思想则更为充分、鲜明。他认为马克思主义者从马克思的理论中“只是借用了宝贵的方法”②；强调“在分析任何一个社会问题时，马克思主义理论的绝对要求，就是要把问题提到一定的历史范围之内”③；主张要保卫马克思主义，使之“不被歪曲，并使之继续发展”④。

俄国十月社会主义革命胜利以后，世界范围的马克思主义发展史研究形势发生了根本性变化，特别表现在研究领域、主题的广泛拓展，研究的科学性和系统性的极大提升，研究中心有了强大的社会主义制度的支撑。这里首先应该提到的是俄国马克思主义科学研究中心的建立。这个中心的基础是于1918年成立的俄国社会主义学院，特别是它所属的成立于1919年的马克思主义理论、历史和实践研究室，在该室基础上1921年1月成立了马克思恩格斯研究院。该院在列宁的支持和协助下开始了马克思和恩格斯的遗著、遗稿和专用藏

① 《列宁选集》第2卷，人民出版社2012年版，第308页。
② 《列宁全集》第1卷，人民出版社2013年版，第166页。
③ 《列宁全集》第25卷，人民出版社2017年版，第232页。
④ 《列宁全集》第6卷，人民出版社2013年版，第251页。

书的搜集、出版，并开展了主题明确的马克思主义发展史研究。此后苏联红色教授学院、斯维尔德洛夫共产主义大学、莫斯科大学和苏维埃共和国其他城市的大学和研究机构也都开展了马克思主义发展史的研究和教学。至第二次世界大战前，苏联在马克思主义发展史研究方面值得提到的主要成就有：马克思和恩格斯的大量著作、文献的发现和系统发表，特别是《马克思恩格斯全集》、《列宁全集》、马克思诞辰和逝世周年纪念文集的出版，以及俄共（布）中央主办的理论刊物《在马克思主义旗帜下》的创刊、马克思恩格斯研究院机关刊物《马克思恩格斯文库》和《马克思主义年鉴》这两个“马克思学”文献的发表。马克思主义经典著作和纪念性书刊和文献的出版，标志着俄国马克思主义从普及到科学研究的过渡；马克思主义发展的列宁主义阶段的提出与共识；马克思主义与其之前优秀思想成果的关系问题的提出和科学阐释，包括马克思的哲学先驱者黑格尔、费尔巴哈和空想社会主义代表人物的著作的出版和研究；关于《西欧哲学史》的讨论使马克思主义哲学的起源和马克思哲学变革的实质问题成为苏联哲学界和理论界注意的中心；“三大重要手稿”(《黑格尔法哲学批判》、《1844 年经济学哲学手稿》、《德意志意识形态》）得到集中而深入的研究；马克思主义政治经济学思想的形成与发展、《资本论》创作史研究，以及恩格斯经济学思想研究得到重视；继卢那察尔斯基、梁赞诺夫、阿多拉茨基、波格罗夫斯基、德波林之后，亚历山大罗夫、伊利切夫、康斯坦丁诺夫、米丁、尤金等一批新的马克思主义理论家成长起来，马克思主义史的学者队伍不断形成；《马克思主义形成与发展史略》、《马克思主义哲学的形成（19 世纪 30 年代中期至 1848 年)》等著作出版。

法国著名马克思主义研究者奥古斯特·科尔纽从 20 世纪 50 年代初开始撰写的多卷本的《马克思恩格斯传》，其实是一部马克思和恩格斯思想史著作，特别是马克思主义形成史著作。50 年代以后，一批综合性的马克思主义发展史研究著作陆续出版，如 A.G. 迈耶的《共产党宣言以来的马克思主义》（1954）、R.N.C. 亨特的《马克思主义的过去和现在》（1963）、B.D. 沃尔夫的《马克思主义学说百年历程》（1971）、S. 阿维内里的《马克思主义的不同流派》（1978）。

这里，我们特别要提到国外马克思主义发展史研究的几部著作。第一部是南斯拉夫著名马克思主义哲学家普雷德腊格·弗兰尼茨基的《马克思主义史》，该书先后出了四版。第一版于 1961 年问世，第二版于 1970 年出版，1975 年发行的第三版是第二版的重印，1977 年出了第四版。1963 年我国三联书店曾分上下卷出版了该书中文版。1986 年和 1988 年根据该书 1977 年版人民出版社先后出版了中文版第一、二卷，1992 年出版了中文版第三卷。弗兰尼茨基的《马克思主义史》（三卷本）是国外较早出版的论述马克思主义发展史的多卷本著作，曾被译成多国文字，在我国和世界其他国家的理论界产生过较大影响。

第二部是英国肯特大学政治学教授、国际著名马克思主义研究者戴维·麦克莱伦的《马克思以后的马克思主义》。该书于 1979 年由伦敦和巴辛斯托克麦克米兰出版公司出版。1980 年和 1998 年先后出了第二、三版。1984 年该书根据 1979 年版译成中文，1986 年由中国社会科学出版社出版。著名马克思主义哲学家、马克思主义哲学史家黄枬森教授写了《〈马克思以后的马克思主义〉一书评介》，载于该书。黄枬森教授指出该书有三个特点：它所涉及的范围十分广泛，几乎包括了马克思主义哲学、政治经济学和科学社会主义在马克思逝世后近百年来在世界各国的传播和发展；它用比较客观的态度提供了丰富的思想材料，对作者显然不同意的观点也能如实地进行介绍；它不仅提供了马克思主义发展史的丰富材料，而且提供了进一步研究的线索。2008 年中国人民大学出版社出版了该书第三版。

第三部是英国著名马克思主义史学家埃里克·霍布斯鲍姆的《如何改变世界——马克思和马克思主义的传奇》。该书收录了霍布斯鲍姆 1956—2009 年间在马克思主义发展史领域所写的部分作品，它们“实质上是对马克思（和不可分开的恩格斯）思想发展及其后世影响的研究”①。全书分两个部分，共16章。第一部分是“马克思和恩格斯”，从“今日的马克思”谈起，涉及“马克思、恩格斯与马克思之前的社会主义”、“马克思、恩格斯与政治”等专题，然后是“论”马克思和恩格斯的几部代表性著作文章，但这个论述已经不限于对著作内容、结构和知识点的介绍，而涉及更广泛的内容，特别是它们在国际共产主义运动史和马克思主义发展史上的影响、它们的文献学意义等。第二部分是“马克思主义”。从每一章的标题可以看出，其主题是马克思主义发展史各个时期的重要问题。所以，严格来说，它不是一部我们印象中的系统的马克

① ［英］埃里克·霍布斯鲍姆：《如何改变世界——马克思和马克思主义的传奇》，中央编译出版社 2014 年版，“前言”第 1 页。

思主义发展史著作，而是关于马克思主义发展史重要问题的研究性著作。但是，这并不影响它的实际的系统性，因为作者讨论的问题所在时期是连贯的。霍布斯鲍姆还乐观地谈到21世纪马克思主义前景，指出："经济自由主义和政治自由主义，无论是单独还是结合起来，都不可能为21世纪的种种问题提供解决的方案。现在又是应该认真地对待马克思的时候了。"① 从占有材料的规范性、问题分析的透彻与精到、见解的鲜明与深刻来看，这是一部难得的马克思主义发展史著作。

第四部是莱泽克·科拉科夫斯基的三卷本的《马克思主义的主要流派》。这是一部大部头的马克思主义发展史著作，也是一部颇有争议的著作。该书第一卷写于1968年，第二卷和第三卷分别写于1976年和1978年。全书在英国出版于1978年。莱泽克·科拉科夫斯基1927年10月23日出生于波兰，曾担任华沙大学哲学系教授、系主任，系"东欧新马克思主义"代表人物。1968年被解除华沙大学教职后，先后去了德国、加拿大、美国，最后定居英国，在牛津大学任教。《马克思主义的主要流派》的结构特征是，除个别章节是理论专题外，其他均按人物排列。这些人物都是重要的马克思主义发展史人物，在科拉科夫斯基看来，他们还是某一马克思主义流派的代表。这些人在政治上和理论上当然有其个性，并具有较大影响力，但其中有的硬被说成某一马克思主义流派的代表，或者为其硬要搞出一个所谓马克思主义流派，实属牵强，表明他关于马克思主义流派的划分具有很大的随意性。作为"东欧新马克思主义"代表人物，他的观点与"西方马克思主义"的人本主义流派和西方"马克思学"的观点基本一致，但对于同样坚持人道主义立场的某些"西方马克思主义"人物，如马尔库塞、萨特等，他还是进行了严厉批评，原因很大程度不在于其理论观点，而在于他们与苏联的关系。科拉科夫斯基对社会主义国家的马克思主义和经济、政治体制的认识有很大片面性，许多观点是错误的。但该书在马克思主义发展史研究方面还是提供了丰富的资料，也使我们能够更广泛地了解国外马克思主义发展史研究的动态。

1978—1982年，意大利埃伊纳乌迪（Einaudi）出版社出版了一部多卷本的《马克思主义史》，霍布斯鲍姆称其是一项"最雄心勃勃的马克思主义史计

---

① ［英］埃里克·霍布斯鲍姆：《如何改变世界——马克思和马克思主义的传奇》，中央编译出版社2014年版，第385页。

划”。他是该书的联合策划者和联合主编，并参加了第一卷的写作。该书没有中文版。

总的来说，我国的马克思主义发展史研究起步较晚。1964 年 6 月，原高等教育部根据中共中央决定批准中国人民大学成立马列主义发展史研究所，标志着我国系统的马克思主义发展史研究的开始。建所之初，马列主义发展史研究所的干部和教师以饱满的热情积极投入到马克思主义发展史资料的搜集、翻译和整理工作中。由于“十年动乱”和中国人民大学解散，还没有进入实际过程的马克思主义发展史研究不得不停步。实际的系统的马克思主义发展史研究是在 1978 年中国人民大学复校后马列主义发展史研究所由外校迁回后开始的。70 年代末至整个 80 年代，马列主义发展史研究所在不太长的时间内发表了一批在学术界有较大影响的研究成果。先后有马列主义发展史研究所组编的《马克思恩格斯思想史》和《列宁思想史》出版；有在国内最早开启的马克思早期思想研究著作《马克思早期思想研究》和《〈资本论〉创作史》的出版，特别是在《马克思主义哲学史纲要》和《科学社会主义史纲》编写基础上，完成并出版了国内第一部综合性的马克思主义发展史著作《马克思主义发展史》，有《马克思主义与当代辞典》的编写和出版。20 世纪 90 年代是研究所的高产期，仅在前半期就有《被肢解的马克思》、《新视野：〈资本论〉哲学新探》、《毛泽东哲学思想史》（三卷本）、《马克思主义经济思想史》、《〈资本论〉方法论研究》、《马克思“不惑之年”的思考》、《恩格斯与现时代》、《第二国际若干人物的思想研究》、《20 世纪马克思主义史——从十月革命到中共十四大》、《马克思主义哲学史辞典》和几部马克思主义经典作家传记的出版。这些著作的出版为 90 年代初启动的四卷本《马克思主义史》的编写做了理论上的准备。四卷本的《马克思主义史》由中国人民大学马列主义发展史研究所组织编写，庄福龄教授主编，人民出版社 1995 年、1996 年出版。这是由国内学者编写的第一部较大部头的马克思主义发展史著作，出版后获中宣部“五个一工程”奖和国家图书奖提名奖。

《马克思主义史》（四卷本）的出版距今已近 30 年，其间经历了世纪交替，马克思主义逐渐从苏联东欧社会主义制度解体造成的冲击和困境中走出并重新活跃起来，马克思主义研究在更广范围内和更深层次上展开并取得重要成果。一方面对马克思主义理论和马克思主义发展史有了新的认识；另一方面积累了马克思主义创新发展的丰富经验，尤其是马克思主义中国化时代化的经验，从而凸显编写一部反映马克思主义发展最新理论成果、内容更加充实、更高质量的马克思主义发展史著作的必要性。参加十卷本《马克思主义发展史》编写者们对完成这一任务的意义有自觉的意识：

第一，它是适应21世纪变化了的世界历史形势和这一形势下无产阶级认识世界和改变世界的伟大实践，特别是当代中国特色社会主义实践需要的。马克思主义的创新发展是在对客观历史形势的正确反映和根据这种反映对世界的积极改造中实现的，是在马克思主义基本原理同各国实际的结合中实现的。马克思主义发展史著作对这个过程的研究、书写，特别是对它的经验和规律的揭示，将为我们正确认识和面对新世纪客观形势的变化，并根据这种变化确定我们的实践主题、发展道路、发展战略提供启示。

第二，它是发展当代中国马克思主义、二十一世纪马克思主义的需要。一般地说，马克思主义发展史的研究对象是历史上的和世界性的马克思主义发展过程，是马克思主义发展的基本经验和规律。但是，从马克思主义的实践的和理论的发展目的出发，这种研究方法又必须是面对现实和面向未来的，因此是"大历史"的，是历史主义与现实主义的统一。而从这一原则和视野出发，我们的马克思主义发展史的研究和书写，一是要特别关注"我们自己正在做的事情"，从理论方面讲，就是要特别关注中国马克思主义的发展，关注马克思主义中国化时代化的历史进程；二是要关注马克思主义的当下发展状况和未来发展趋势。就研究者身在21世纪的现实来说，就是要研究二十一世纪马克思主义。关于"二十一世纪马克思主义"这个命题，我们还是要从总体上认识，即要看到它所表征的总的精神是面向马克思主义的未来发展。它既表明二十一世纪马克思主义主体对未来马克思主义发展、马克思主义命运信心满满，又表征对未来马克思主义发展提出更高要求，即它是能够回答新的时代之问的马克思主义发展新境界。

第三，它是对中国人民大学优良传统的继承和发扬。中国人民大学是中国共产党创办的第一所新型正规大学，有着用马克思主义指导办学的传统和经验。这个传统和经验，首先是坚持政治性与学理性的统一。坚持这个统一，既表现在办学方针，教育和教学的指导思想和根本方法上，也表现在科学研究所应坚持的根本方向、目标和方法上。对于马克思主义研究来说，就是为无产阶级革命、社会主义建设和改革的实践服务。这是我们从事马克思主义教育与研究的宗旨。这个宗旨在马列主义发展史研究所成立时就明确了。

1964年前后，中央强调系统的马克思主义发展史研究，其直接原因在于当时国际政治形势的变化、国际的和社会主义阵营内部的意识形态斗争。中央批准成立中国人民大学马列主义发展史研究所的直接意图就是为了适应这一需要。对此，马列主义发展史研究所的干部和教师的认识是十分明确的。其次是始终坚持用马克思主义指导学校全面工作，把马克思主义贯彻教书育人的全过程，积极打造和夯实马克思主义教学与研究高地，为推进马克思主义中国化时代化进程贡献力量。这个传统是用中国人民大学师生的具体行动铸成的。中国人民大学为国家输送的马克思主义理论人才、为其他高校和教育单位输送的马克思主义理论教育人才、为高校马克思主义理论教学编写的教材、出版的各类马克思主义理论著作，特别是不同版本的马克思主义发展史著作，发挥了极其重要的作用。继四卷本的《马克思主义史》之后，我们今天编写十卷本的《马克思主义发展史》，既是对中国人民大学传统的继承和发扬，也是作为"人大人"的我们这一代马克思主义理论教育者和研究者的责任。

第四，它是适应马克思主义理论学科发展的需要。马克思主义理论学科有七个二级学科，马克思主义发展史是其中之一。相较于其他六个学科的发展现状，马克思主义发展史学科相对薄弱，这与马克思主义中国化研究和国外马克思主义研究从马克思主义发展史的结构中独立出来有关。原来的学科内容变窄了，但研究难度增加了（特别是马克思、恩格斯和列宁著作的研究难度）；马克思主义中国化研究和国外马克思主义研究这两门离我们时间和空间较近的学科从传统的马克思主义发展史体系中划分出来，使之具有的现实性受到一定程度的影响，降低了学科对学生的吸引力。但是，主要原因在于在马克思主义理论学科建立前国内学界缺乏对马克思主义发展史的研究，以致于在马克思主义理论学科建立后，出现许多学校开不出马克思主义发展史课程，甚至在其学校的马克思主义理论学科中排除马克思主义发展史学科的局面。马克思主义理论学科的专家们没有不说马克思主义发展史学科重要的，但真正从事这一学科研究的学者则相对较少。我们希望《马克思主义发展史》（十卷本）的编写能够对这一学科的发展起到推动作用。

根据20余年来我们的作者们关于马克思主义发展史研究成果与研究经验的积累，根据中国人民大学现有研究力量，我们认为完成这一编写任务的条件已经成熟。首先是四卷本《马克思主义史》的主编庄福龄教授提议，然后是学校和学院两级领导的支持和学院广大教师的积极响应，2014年元月正式启动了十卷本《马克思主义发展史》的编写。

经讨论，我们对《马克思主义发展史》（十卷本）的编写主旨取得共识：在客观准确地反映和阐述马克思主义形成与发展的全过程的基础上，特别着眼于对马克思主义发展的新主题的发掘、新材料的吸收、新观点新思想的阐发和新经验的总结，反映和吸收国内和国际马克思主义发展的最新成果，为时代、为人民、为我们的伟大事业贡献一部高质量的马克思主义发展史著作。

为此，我们对《马克思主义发展史》（十卷本）编写提出以下具体要求：

第一，强化马克思主义形成史研究。在对马克思主义形成过程的研究中，实现对尽可能丰富的马克思主义来源的深刻认识，在将马克思主义的产生放到整个欧洲文化乃至人类文化传统中认识时，注意区分马克思主义的来源与对马克思主义的产生发生影响的文化因素，强化对马克思主义形成中马克思和恩格斯与同时代思想家的关系的研究，着力揭示特定历史条件下新思潮产生和思想变革的规律。为实现这一要求，第一卷的编写在深化对马克思主义的“三个来源”的研究的同时，增加了马克思和恩格斯同时代人鲍威尔、赫斯、卢格、施蒂纳、契希考夫斯基和科本等对他们早期思想发生影响的内容。

第二，坚持以无产阶级革命和社会主义建设与改革的重大实践为主导线索。坚持以问题为中心，贯彻理论与实践、历史与现实相统一的原则。要注意认识和总结中国特色社会主义建设和改革开放过程中取得的马克思主义理论创新成果，特别是新时代中国特色社会主义建设实践中取得的马克思主义理论创新最新成果，还要善于从各个历史时期取得的马克思主义理论创新成果中认识和总结马克思主义发展的经验和规律。习近平总书记在党的二十大报告中指出：“坚持和发展马克思主义，必须同中国具体实际相结合。我们坚持以马克思主义为指导，是要运用其科学的世界观和方法论解决中国的问题，而不是要背诵和重复其具体结论和词句，更不能把马克思主义当成一成不变的教条。我们必须坚持解放思想、实事求是、与时俱进、求真务实，一切从实际出发，着眼解决新时代改革开放和社会主义现代化建设的实际问题，不断回答中国之问、世界之问、人民之问、时代之问，作出符合中国实际和时代要求的正确回答，得出符合客观规律的科学认识，形成与时俱进的理论成果，更好指导中国实践。”① 习近平总书记在这里提出的坚持和发展马克思主义的根本的方法论原则，也是指导我们从事马克思主义发展史研究的根本的方法论原则，只有坚持这个原则，我们才能写出一部反映马克思主义发展真实过程，适应无产阶级革命和社会主义建设与改革实践要求，适应不断开辟当代中国马克思主义、二十一世纪马克思主义新境界要求的马克思主义发展史。

第三，根据俄国十月社会主义革命胜利后马克思主义发展主题的转换，着重研究社会主义建设和改革的理论及其发展历程，高度重视和阐发中国特色社会主义理论体系的形成与发展对于马克思主义发展的意义，特别是习近平新时代中国特色社会主义思想对马克思主义发展的重大意义。习近平新时代中国特色社会主义思想是马克思主义中国化时代化的最新理论成果。为此，第十卷用主要篇幅充分阐释了习近平新时代中国特色社会主义思想形成、发展过程及其对马克思主义发展的重大贡献。

第四，着眼于国内外马克思主义研究最新成果的发现与研究，尤其是关于马克思主义基础理论、马克思主义文本文献、当代资本主义、当代社会主义、新科技革命、世界发展趋势、当代社会思潮等问题上的研究成果。本来的和完整意义的马克思主义发展史研究是关于马克思主义的过去、现在和未来发展的研究。21 世纪以来的马克思主义实践和理论发展自然应该进入我们的研究视野，并成为理解总体的马克思主义发展史的坐标。

第五，立足于马克思主义整体发展的研究，但不忽略对马克思主义的各个组成部分、各个学科发展的研究。马克思主义主要由它的哲学、政治经济学和科学社会主义三大部分构成，马克思主义发展史研究和书写给予其较多关注是应该的，但是不能由此而忽略马克思主义多学科发展事实。例如，第二卷注意揭示“马克思主义的全面拓展过程”，在关注马克思和恩格斯的自然观和科学观形成与发展的同时，也考察了他们在伦理观、宗教观、美学和文艺观、军事理论等方面的发展。第六卷在系统考察马克思主义在哲学、政治经济学方面的发展的同时，还考察了马克思主义在文艺学、史学方面的发展。

第六，在着重认识与阐释马克思主义在革命、建设和改革的实践中发展的

---

① 习近平：《高举中国特色社会主义伟大旗帜　为全面建设社会主义现代化国家而团结奋斗——在中国共产党第二十次全国代表大会上的报告》，人民出版社 2022 年版，第 17—18 页。

同时，也对专业性的马克思主义理论研究成果给予必要关注。注意总结不同类型的主体的马克思主义创新经验，注意从不同形式的马克思主义文本中认识马克思主义的新发展。例如，根据包括本卷作者在内的学界最新研究成果，第三卷增加了马克思和恩格斯关于科学技术的社会性质和社会功能、从自然运动向社会运动过渡的理论内容。

第七，关注当代世界马克思主义思潮，在总体的马克思主义发展历史进程中认识国外马克思主义。为此，第七、八、九卷对各国共产党和进步组织、国外各马克思主义研究流派、世界社会主义运动的马克思主义研究等进行了深入考察。要求对它们要有分析、有鉴别，既不能采取一概排斥的态度，也不能搞全盘照搬。

第八，不回避马克思主义研究中的理论难题，敢于以鲜明的态度在重大理论问题上发声。检视在重大问题上的传统认识，善于结合新的实际作出新的判断。既注意总结正确认识马克思主义的经验，也注意总结正确对待马克思主义的经验。着力分清哪些是必须长期坚持的马克思主义基本原理，哪些是需要结合新的实际加以丰富发展的理论判断，哪些是必须破除的对马克思主义的教条式的理解，哪些是必须澄清的附加在马克思主义名下的错误观点。为此，第五卷特别设置了“马克思主义基本原理、本质特征和历史命运的科学阐述”一章，系统阐释列宁的马克思主义观，展示列宁科学认识和对待马克思主义的经验。

本书的卷次划分遵循实践逻辑、历史逻辑和理论逻辑的统一。这个统一特别表现为马克思主义在无产阶级革命和社会主义运动实践中实现发展的若干重要阶段之间的关系。因此，每一卷次标示的时间阶段实质说来不是自然时间，而是历史时间，表征马克思主义发展的一定的阶段性。

阶段的划分是相对的，并且是分层次的。有大阶段，也有大阶段包含的小阶段、次级阶段。马克思主义发展史的大阶段是马克思和恩格斯对马克思主义的创立与发展、列宁主义的形成与发展、以中国马克思主义为标志的当代马克思主义发展。它们分别包含若干小阶段。比如，第一个大阶段包括马克思主义的创立、马克思主义的丰富与系统化、马克思和恩格斯晚年对马克思主义的深化三个小阶段。这三个阶段构成本书的第一至三卷。第二国际马克思主义（1889—1914年）是马克思和恩格斯创立的原初马克思主义与列宁主义之间的过渡。虽然这一时期马克思主义缺乏突出发展，但是由于这个时期的人物、思潮和流派之间的复杂关系以及马克思主义多向演变与发展的可能而凸显其对于马克思主义发展史的特殊意义。基于此，马克思主义在这一时期的发展与演变被设置为独立的一卷（第四卷）。马克思主义发展的列宁主义阶段以俄国十月社会主义革命胜利为界划分为两个阶段，时间段分别为：19世纪末—1917年、1917—1945年。前一阶段是列宁主义的形成及其在十月革命前的发展，后一阶段是列宁主义在十月革命胜利后的发展。这个阶段的内容包括列宁晚年关于社会主义发展道路的探索、苏联社会主义模式的形成。这两个阶段还分别包括马克思主义在中国的初期、早期传播和马克思主义中国化的第一个伟大理论成果——毛泽东思想的形成。这就是本书第五、六卷的内容。第七、九、十卷的内容是马克思主义在第二次世界大战后的发展。它们的时间段分别是：1945—1978年、1978—21世纪初、1989年以来。每一卷所包含的内容都是在相应时间段内马克思主义的发展状况，其中主要是苏联和东欧各国对社会主义的探索、中国共产党人和马克思主义者对中国社会主义发展道路的探索，特别是改革开放以来邓小平理论、“三个代表”重要思想、科学发展观和习近平新时代中国特色社会主义思想的形成与发展。为了体现马克思主义发展的连续性，第九卷在着重阐述邓小平理论形成发展过程外，用适当篇幅阐述了苏东剧变过程中及之后非资本主义国家马克思主义的曲折发展和理论反思，时间延续到21世纪初。为了完整地和集中地阐释马克思主义中国化时代化最新理论成果，第十卷聚焦中国特色社会主义理论体系的跨世纪发展，对当代中国马克思主义、二十一世纪马克思主义做了重点阐释。马克思主义在非社会主义国家的研究情况比较复杂，时间跨度比较长，为方便读者阅读和了解社会主义国家之外的非社会主义国家的马克思主义研究和发展状况，安排第八卷为1923年以来“马克思主义在非社会主义国家的传播与发展”专卷。

“实践没有止境，理论创新也没有止境。”① 理论创新没有止境，马克思主义发展史研究就不能停滞不前。十卷本《马克思主义发展史》的出版，不是我们的马克思主义发展史研究的结束，而是新的研究的起点。我们需要根据马克思主义在新的时期新的实践中的发展把马克思主义发展史研究继续下去。

---

① 习近平：《高举中国特色社会主义伟大旗帜 为全面建设社会主义现代化国家而团结奋斗——在中国共产党第二十次全国代表大会上的报告》，人民出版社2022年版，第18页。

《马克思主义发展史》（十卷本）的作者们对编写工作提出了很高要求，力求为推动二十一世纪马克思主义发展、开辟马克思主义中国化时代化新境界，奉献一部能够经得起时间考验的马克思主义发展史著作。但是，由于我们的水平有限，马克思主义发展史的有些方面和问题还未完全掌握和深入研究，呈现在广大读者面前的这份研究成果是否能够承担起它应承担的这样一个使命，是否能够为广大读者满意，我们心怀忐忑。我们愿意听到读者的批评意见。

本书总主编

2023 年 9 月 15 日

（梁树发执笔）

# 目　录

# Contents

# 卷首语

第二国际后半期在马克思主义发展史上是一个十分特殊且十分重要的一个阶段。本卷全面系统地叙述了这一时期马克思主义发展与演变的基本过程和基本特点，特别是以伯恩施坦修正主义的出现和马克思主义者对其的批判和斗争为基本线索，全面客观地分析和评价了这一时期重要思想家的思想及其形成和发展过程。

19 世纪末 20 世纪初是资本主义时代发生大转折大变革的重要时期，即自由竞争资本主义向垄断资本主义的过渡时期。时代的变化对马克思主义提出了新课题，如何看待资本主义的新发展？社会主义的前景究竟如何？国际工人运动向何处去？马克思主义是否已经过时？成为第二国际必须回答的重大而尖锐的问题。在第二国际内部围绕这些问题的看法出现了严重对立，特别是伯恩施坦修正主义的出现，造成了第二国际的重大分裂，马克思主义者对修正主义展开了全面的批判和斗争，捍卫了马克思主义。但在一些重大原则问题上，马克思主义者内部也产生了严重分歧，造成了进一步的分裂和斗争，原本是马克思主义者的一些理论家又逐步演变成为修正主义者。第二国际后半期思想理论呈现出纷繁复杂的状态，并对马克思主义之后的发展产生了十分复杂的影响。

本卷全方位展现了马克思主义者对修正主义的批判和斗争，重点介绍了伯恩施坦、倍倍尔、考茨基、卢森堡、拉法格、普列汉诺夫、梅林、蔡特金等第二国际主要代表人物的思想及其发展过程和特点，同时也介绍了意大利、保加利亚和奥地利等国马克思主义者的基本思想。

第二国际后半期的思想家们围绕时代变化与马克思主义的当代价值这个总问题，主要探讨了这样一些马克思主义的基本理论问题：

第一，如何看待资本主义的新发展和新变化。这个问题的实质是怎样看待资本主义从自由竞争向垄断的发展，帝国主义的本质是什么。伯恩施坦修正主义从否认资本主义积累一般规律入手，否认资本主义发展进入垄断阶段，特别是考茨基提出了所谓的“超帝国主义论”，认为帝国主义不过是资本主义国家所采用的一种政策，歪曲了帝国主义的本质。拉法格则明确指出由于资本和生产的大量集中，资本主义经济已经演进到一个“特殊阶段”。特别是列宁在批判修正主义关于帝国主义错误理论的过程中提出了科学帝国主义理论，揭示了帝国主义的本质及其特征。

第二，社会主义的前景和命运问题。伯恩施坦提出了著名的“最终目标是微不足道的，运动便是一切”口号，公然主张放弃无产阶级专政和无产阶级革命，放弃社会主义和共产主义的奋斗目标，只主张对资本主义进行改良。第二国际马克思主义理论家则坚持科学社会主义的基本原则，揭露了修正主义改良主义的本质，指出其放弃无产阶级革命和无产阶级专政就是背离和背叛马克思主义，坚信社会主义必然代替资本主义。

第三，无产阶级斗争的策略和道路问题。伯恩施坦修正主义公然否定通过无产阶级革命推翻资本主义制度，主张完全放弃暴力革命，通过合法途径“和平长入社会主义”。第二国际马克思主义者针锋相对地批驳了修正主义的论调，指出在资本主义制度下，虽然通过议会斗争可以争取到无产阶级的一定权益，但无产阶级与资产阶级的矛盾既不可调和也无法得到解决，只有通过无产阶级革命变革生产方式、变革社会，才能解决矛盾、解放无产阶级，“和平长入社会主义”只是修正主义者的幻想。

第四，无产阶级政党的性质及其作用问题。伯恩施坦修正主义主张放弃马克思主义对党的指导地位，放弃社会主义和共产主义的奋斗目标，放弃无产阶级革命和无产阶级专政，将无产阶级政党改变为改良主义政党，成为资产阶级议会政党。第二国际马克思主义者坚决批判和反对伯恩施坦修正主义观点，坚持马克思主义对无产阶级政党的指导地位，坚持无产阶级政党的根本性质和奋斗目标，坚持无产阶级革命和无产阶级专政，反对修正主义者将社会民主党变成一个资产阶级的改良党的企图。

第五，帝国主义战争和被压迫民族以及殖民地问题。第一次世界大战的爆发使如何对待帝国主义战争和被压迫民族以及殖民地问题成为第二国际思想交锋的中心内容。修正主义者纷纷以“保卫祖国”为借口，公开背叛工人阶级立场，堕落为社会沙文主义，站在资产阶级的一边支持帝国主义战争及其侵略政策，为资本主义国家发展殖民地、掠夺被压迫民族做辩护。第二国际马克思主义者坚决反对和批判修正主义者的沙文主义立场，坚决反对帝国主义战争及其侵略政策和殖民行径，坚持无产阶级国际主义，积极支持被压迫民族解放运动，认为民族解放运动是世界无产阶级革命运动的重要组成部分。

第六，如何对待俄国十月革命道路问题。列宁坚定地坚持马克思主义，旗帜鲜明地反对第二国际修正主义，并领导俄国无产阶级取得了1917年十月革命的伟大胜利，开辟了人类历史的新纪元。列宁从理论和实践上充分证明了马克思主义的时代价值，用铁的事实反驳并沉重打击了第二国际修正主义。因此俄国十月革命遭到了第二国际修正主义的猖狂攻击和反对。修正主义者认为，落后的俄国并不具备社会主义革命的主客观条件，因此十月革命只是"畸形儿"或"早产儿"。布尔什维克用专政取代了民主，是一党专政，是经济、政治和思想、文化上的全面"倒退"。第二国际马克思主义者则坚决支持和拥护俄国十月革命，驳斥修正主义者对十月革命和俄国无产阶级专政的曲解和攻击，指出十月革命的胜利是布尔什维克根据历史发展规律而领导俄国工农革命群众进行斗争的结果，具有重大的历史和世界意义。

第七，如何对待马克思主义基本原理及其科学体系的问题。伯恩施坦修正主义宣称，随着时代的变化，马克思主义已经过时了，因此提出对马克思主义基本原理进行全面的"修正"，否定其理论体系的科学性。第二国际马克思主义理论家对修正主义者进行的所谓"修正"和篡改展开了尖锐的批判，充分肯定了马克思主义的时代价值和对国际共产主义运动的重大指导意义，坚持和捍卫了马克思主义哲学、政治经济学和科学社会主义基本原理，坚持和捍卫了马克思主义的科学理论体系。

第二国际后半期马克思主义的发展具有非常鲜明的特点：第一，在反对修正主义的斗争中坚持和捍卫马克思主义。第二国际后半期，修正主义的出现对马克思主义构成了严峻的挑战，是对国际共产主义运动的最大威胁。在反对和批判修正主义的斗争中坚持和捍卫马克思主义，成为第二国际马克思主义者最主要的任务。第二，在探索资本主义新变化的过程中坚持发展马克思主义。资本主义从自由竞争阶段向垄断阶段的过渡使时代发生了重大变化，对马克思主义提出了新的理论课题。修正主义以时代变化为由，否定马克思主义的时代价值，提出马克思主义"过时论"，对马克思主义进行全面"修正"。第二国际马克思主义者在探索资本主义和时代新变化的过程中，初步探索了帝国主义的本质及其特征，揭示出了马克思主义基本原理的真理性和科学性，在探讨时代课题的过程中坚持和发展了马克思主义。第三，马克思主义在分化和曲折中发展。第二国际后半期，围绕马克思主义一系列重大原则问题，马克思主义者不仅与修正主义产生了根本性分歧和斗争，而且在其内部也产生了严重分歧，造成了进一步的分裂和斗争。第二国际的一些马克思主义者本来是伯恩施坦修正主义的坚定批判者和反对者，但后来又转变为新的修正主义者。这说明，第二国际的马克思主义者虽然在批判修正主义、捍卫和发展马克思主义方面有其重要贡献，但同时也存在着重大的历史局限性和严重的理论缺陷。他们在运用马克思主义解决资本主义新变化这一时代课题方面还存在严重不足，对马克思主义的理解存在严重的教条主义倾向，对修正主义的批判也存在不彻底的问题。

科学总结第二国际马克思主义的理论贡献、历史局限以及经验教训，仍然是当今马克思主义发展史研究过程中的一个重大课题，期待有更多成果出现，促进和进一步深化这一领域的研究。

# 第一章　第二国际后半期马克思主义的曲折发展及其特点

在马克思主义发展史上，第二国际后半期（1895—1917）是一个重要而且十分特殊的历史阶段。随着世界资本主义由自由竞争阶段开始向垄断阶段过渡，资本主义社会在政治、经济和科学技术等多个领域发生了深刻的变化，展现了新的时代发展特点，也对马克思主义提出了亟待解决和回答的新的时代课题。在这一时期，国际工人运动也相应出现了新的变化和特点，特别是各国社会民主党通过合法斗争，在议会选举中取得了较大进展。这样，早已存在的关于无产阶级革命的道路和斗争策略的争论就更加激烈，随着伯恩施坦修正主义思潮的出现，国际共产主义运动出现了严重的分化。这些都对马克思主义提出了严峻挑战，在回应时代课题和反对修正主义的斗争中，马克思主义进入一个曲折发展时期。

## 第一节　世纪之交的时代变化对马克思主义提出了新课题

19 世纪末是资本主义发展的转折时期，时代发生了深刻变化，资本主义发展的新特点和国际共产主义运动出现的新形势，对马克思主义提出了亟待解决的新课题。

## 一、资本主义发展的新变化

生产力和生产关系的矛盾运动是社会发展和变革的决定性因素，既决定着社会的发展，也决定着时代的变革。19 世纪末 20 世纪初是资本主义时代发生大转折大变革的重要时期，这种大转折首先是由资本主义社会生产方式发生重要变化引起的。突出表现为以下两个方面：

第一，伴随新技术革命的兴起，生产力一方面得到了迅猛发展，另一方面呈现出显著的不平衡发展态势。在 19 世纪 70 年代到 90 年代之间，欧美主要资本主义国家的科学技术出现了飞跃式发展，新技术革命引发了以电力的广泛应用为特征的第二次产业革命。电力在工业方面的广泛应用，催生了钢铁制造、冶炼、汽车、化学等新兴工业部门，推动交通通信行业迅猛发展，使欧美主要资本主义国家的重工业比重超过了轻纺工业，开始迈入以重工业为主的工业化时代。新技术革命引发的主要资本主义国家生产力水平的迅速提高，从总体上推动了资本主义社会经济的高速发展。

但是，在主要资本主义国家内部和各资本主义国家之间，科学技术的进步和生产力的发展是严重不平衡的。比如，在主要资本主义国家内部，农业的发展明显落后于工业的发展，轻工业的发展落后于重工业的发展，旧工业部门的发展落后于新工业部门的发展；在各资本主义国家之间，新兴的资本主义国家——美国和德国得以运用最新的技术装备来发展本国的工业，成效卓著，明显领先于其他国家，而英国作为老牌的资本主义国家则在科学技术的转化应用方面相对滞后，社会生产力发展放缓，昔日地位日渐衰落。

第二，生产关系出现了深刻调整，自由竞争资本主义向垄断资本主义过渡。伴随着生产力的迅猛发展，生产社会化程度不断提高，资本主义社会的生产关系也发生了深刻的调整和变化。主要表现为，在资本积累过程中，资本积聚和集中得以迅速发展，自由竞争资本主义向垄断资本主义的过渡。正如恩格斯晚年所分析的那样："竞争已经为垄断所代替，并且已经最令人鼓舞地为将来由整个社会即全民族来实行剥夺做好了准备。"[①] 技术的巨大进步、工业生产特别是重工业生产的急速发展和竞争的加剧，使得企业规模不断扩大，资本主

---

① 《马克思恩格斯选集》第 2 卷，人民出版社 2012 年版，第 568 页。

义的信用制度和股份公司由此而得到充足的发展空间，这也导致资本和生产的集中日益加剧。与此同时，这一时期资本主义的经济危机持续爆发，造成大批中小资本破产并被大资本吞并，也推动了资本和生产迅速集中到大资本手中。资本和生产的集中发展到一定程度，必然会产生垄断，垄断组织在这样的条件下应运而生，并广泛出现在各主要资本主义国家。同时，垄断组织的形式也在各主要资本主义国家得以进一步的丰富和发展。其中，美国和德国的工业生产集中程度高，垄断程度也很高，垄断组织的发展较快。美国采用在生产上进行联合的托拉斯垄断组织形式，德国则采取了在销售上进行联合的卡特尔、辛迪加形式。实际上，无论是托拉斯、卡特尔还是辛迪加等各种垄断组织形式，其本质都是大资本家之间的联合，他们通过控制某种或某几种商品的绝大部分生产和销售而奠定了垄断地位。这些垄断组织创立的目的在于通过限制生产规模、瓜分市场、控制原材料、制定垄断价格等不同手段，攫取高额利润，进而对整个社会经济生活都能施加广泛的影响力。到 19 世纪末 20 世纪初，垄断组织在主要资本主义国家已经成为全部经济生活的基础。

垄断资本主义即帝国主义在经济上的典型特征就是垄断代替了自由竞争，反映了资本主义生产关系在这一历史时期发生了深刻的变化。“帝国主义是作为一般资本主义基本特性的发展和直接继续而生长起来的。但是，只有在资本主义发展到一定的、很高的阶段，资本主义的某些基本特性开始转化成自己的对立面，从资本主义到更高级的社会经济结构的过渡时代的特点已经全面形成和暴露出来的时候，资本主义才变成了资本帝国主义。在这一过程中，经济上的基本事实，就是资本主义的自由竞争为资本主义的垄断所代替。”[①] 以垄断金融寡头为例，在生产集中和资本集中的基础上形成的垄断金融寡头，不仅控制国家的经济命脉，而且向殖民地、半殖民地国家大量输出资本，在国外疯狂争夺投资场所、销售市场和势力范围。

由于资本主义经济的暂时繁荣，特别是由于卡特尔、辛迪加、托拉斯等垄断组织的出现，使资本主义经济制度固有的生产的社会化和生产资料私人占有之间的矛盾得以暂时缓解，资本主义经济得以暂时迅速发展。当然，资本主义在社会经济关系上发生的这些新变化并没有从根本上消除资本主义的固有矛盾。但是，资本主义的和平发展和暂时的繁荣，给人造成了一种虚幻的假象，

① 《列宁选集》第 2 卷，人民出版社 2012 年版，第 650 页。

似乎资本主义社会一切矛盾，如基本矛盾和阶级矛盾，都已经被化解，已经“消失了”，马克思主义关于资本主义必然灭亡的预言已经失效，马克思主义的理论已经“过时”。

## 二、工人运动出现新特点

同资本主义社会经济关系发生的新变化相联系，这一时期的工人运动也出现了新的特点。

第一，国际工人运动更加广泛地发展，欧洲国家工人政党普遍建立。1871年巴黎公社失败后，资本主义进入了和平发展时期，列宁曾总结这一时期的特征是西方的资产阶级革命已经结束，而在东方，还没有发展出成熟的资产阶级革命。虽然这一时期的资本主义在继续发展，但资本主义固有的矛盾和内部的冲突依然此起彼伏，经济危机的危害程度也日益扩大。与此同时，伴随着资本主义的和平发展，工人阶级的队伍也日渐壮大。到1900年，有20多个国家建立了工人阶级自己的独立政党。在这些工人阶级政党的领导下，工人罢工运动得到广泛开展，无论是罢工参与的人数还是持续的时间都有了显著增加，带有更鲜明的政治性质。随着马克思主义学说的广泛传播，欧美各国的社会主义工人政党先后成立，国际工人运动正积蓄力量并酝酿着新的斗争。

第二，在和平年代条件下成立、成长起来的各国社会民主党，开始不能适应新时代工人阶级斗争的需要。从19世纪60年代末70年代初开始，资产阶级更加反动，在政治上攻击无产阶级运动，在思想上抵制马克思主义的传播，散播资产阶级改良主义思想，宗教神秘主义、庸俗唯物主义、唯心主义等反动思想纷至沓来。但是这些新成立的政党和工会组织是在资本主义和平时期而不是革命条件下产生的，资产阶级的思想对工人组织的影响尤其是政党领导人的影响巨大，无政府主义、机会主义、资产阶级庸俗知识分子倾向等在主要国家的工人政党领导群体中有着广泛的影响。在资本主义相对和平发展的背景下，无产阶级反对资产阶级的“合法”斗争，特别是议会斗争取得了很大胜利。但是，在错误思想的影响下，一些工人运动领袖在议会斗争的成果面前丧失了清醒认识，认为似乎无产阶级只要加强宣传鼓动就可以夺取政权。一些社会民主党领导成员借口资本主义的新变化和时代的改变，公然否定马克思主义的基本原理，将无产阶级革命和无产阶级政党的理论视为“过时”的产物；另有一些人则将马克思主义变成教条，拒绝结合时代条件的变化而作出调整，束缚了革命的手脚。无产阶级在和平时期学会了利用资产阶级议会、创办报纸传播自己的主张、建立自己的教育机关等合法斗争形式，但同时也淡化了革命意识。一时之间，主张阶级合作、通过和平方式长入社会主义的机会主义思想，在各国工人阶级政党内部泛滥开来。这些认识和行为表明，在和平条件下成长起来的工人政党领袖没有适应新时期工人运动的需要。

第三，资产阶级转变了对付工人运动的方式。在相对和平发展时期，各国资产阶级不同程度地调整了统治策略，从以往的暴力打击工人运动到转而收买一部分工人，以此达到从内部分裂工人运动的目的。“资产阶级策略的曲折变化，使修正主义在工人运动中猖獗起来，往往把工人运动内部的分歧引向公开的分裂”。① 在19世纪末20世纪初，资产阶级通常采用的收买方式有两种：一是以高工资收买本国工人阶级中的上层分子，使其蜕变为工人贵族、丧失革命斗志；二是使本国工人的生活状况得到某些改善。双管齐下的目的是分裂工人，使工人阶级中的机会主义得到加强。资产阶级一方面采取微小的让步和妥协以麻痹工人的斗志，另一方面，他们丝毫没有放松暴力镇压的力度，继续推行反革命措施，对罢工等工人运动实施残酷的镇压和破坏。

## 第二节　第二国际后半期各派观点的历史流变

资本主义社会经济关系和工人运动在世纪之交发生的新变化，是第二国际后半期思想发生转变的经济、社会和历史背景。第二国际各派为应对时代和社会发生的重大变化，纷纷提出各自的思想主张，表明各自的态度和立场。改良主义和机会主义借机得到了进一步的发展。

---

① 《列宁选集》第2卷，人民出版社2012年版，第277页。

## 一、第二国际前期的改良主义思潮

第二国际前期及当时的各国社会民主党基本都站在马克思主义立场上，其根本路线并未脱离马克思主义的指导，这也是第二国际发展的黄金时期。当时，第二国际内部斗争的主要内容是排除无政府主义的干扰，然而在批判无政府主义否定议会活动时，第二国际却忽视了内部日益增长的改良主义倾向，甚至有时把一些改良主义的主张当作马克思主义予以肯定。

第二国际的第二次代表大会于 1891 年 8 月在布鲁塞尔举行。在讨论到工人运动策略问题时，比利时工人运动领导人王德威尔得在劳工保护委员会上提出社会主义者通过议会多数来夺取政权的主张；在伦敦代表大会上，法国社会主义者饶勒斯在发言中明确主张工人阶级的政治斗争只能局限于议会行动，这实际上摒弃了工人阶级政治斗争的其他形式，如政治性罢工，特别是武装斗争等。但是，这些改良主义的言论并没有在该次代表大会上得以纠正，实际上，第二国际在当时对王德威尔得等人的改良主义主张采取的是容忍的态度。一是因为当时这种观点并没有广泛的市场，引起的关注也不明显；二是国际当时面临的主要任务是与无政府主义者的斗争，并与之划清原则界限，这是当时摆在国际面前最重要的任务。对无政府主义的关注遮蔽了对改良主义倾向危害的认识，因此各国马克思主义者对改良主义的主张并没有给予足够的重视，其结果助长了改良主义在第二国际内影响的扩大。

在德国，改良主义在社会民主党内也开始重新抬头。原因在于德国废除了“反社会党人非常法”，德国社会民主党组织充分利用此次机会，迅速发展壮大，在选举中也取得胜利，这使得一部分人认为，自由民主的时代来临了，德国社会民主党过去的策略已经过时，一切都应该通过合法的议会选举来实现。1890 年，德国社会民主党议会党团在选举前夕公开声称“现代资本主义正在长入社会主义”。最具代表性的是德国社会民主党活动家福尔马尔的“黄金国演说”（因他在慕尼黑集会的黄金国饭店发表演说而得名）。福尔马尔公开宣称党的制度必须随着俾斯麦制度的垮台和“新的民主时代的到来”而修改，要用阶级合作的形式取代阶级斗争。无独有偶，《前进报》也在此时发表文章，主张德国社会民主党应当同资产阶级政党联合起来以争取国会中的多数，如果社会民主党通过获得多数选票而掌握政权，就能把资本主义变成社会主义。在这些改良主义者的影响下，第二国际其他国家的社会民主党党内也有一些人公开宣扬走议会道路、和平长入社会主义的主张。

随着机会主义影响的进一步扩大，改良主义倾向在农民问题上也开始显现。在 1894 年法国工人党南特代表大会上，法国工人党在通过土地纲领的绪论和补充部分时，暴露出党内对争取农民问题的错误认识。例如，纲领提出不仅要保护农民的小块土地，还应该对佃农甚至剥削短工的生产者也应该给予同样的保护；同年召开的德国社会民主党法兰克福代表大会也把土地问题作为会议的重要议程，通过了福尔马尔制定的土地纲领，这个纲领同样强调保护小块土地私有制。福尔马尔提出，农业的发展前途不是大规模经营，而是小规模经营，私有小农经济会成为将来社会主义农业的基础，他还援引南特代表大会的纲领，指称该纲领得到恩格斯的直接赞同。事实上，恩格斯在南特代表大会召开之后，就在给左尔格的信里明确表达了对南特土地纲领的失望。随后，在 11 月 22 日给拉法格的信里直接批评他们被机会主义牵着走得太远了，是为了一时的成就而准备牺牲党的未来的错误做法。针对福尔马尔公开扭曲事实的行为，恩格斯无法保持沉默，他特地写了著名的《法德农民问题》，明确阐述了对农民和土地问题的马克思主义根本观点，对福尔马尔为代表的改良主义观点进行了批判。《法德农民问题》成为了马克思主义关于农民问题和工农联盟思想的纲领性文件。

19 世纪末，由于资本主义的相对和平发展和工人阶级斗争的蓬勃发展，德国、法国、比利时等国社会党人在议会选举中获得了很大的进展。这一方面标志着工人阶级政党力量的发展壮大，另一方面各国党内改良主义倾向也在这一过程中得以形成并蔓延。甚至一些曾经坚定的马克思主义者也开始对议会斗争寄予不切实际的愿望。但是从当时的总体情况看，改良主义倾向是以个别的、零散的论点或见解表现出来，尚未形成完整的思想体系，在党内也没有产生全面的影响，因而各国马克思主义者并没有对这一错误思潮的危害性引起足够的重视和警惕。

## 二、修正主义思潮的形成和发展

1895 年 8 月 5 日，恩格斯逝世。而这恰是德国党和第二国际范围内马克思主义者准备与改良主义者进行决定性争论的关键时期。欧洲各国机会主义分子鼓吹改良主义的声浪不断升高，伯恩施坦认为时机已经成熟，于是在恩格斯逝世后的第二年，他便开始对马克思主义进行系统、全面的篡改和修正。

1896 年，伯恩施坦在《1848 年法国革命史》的评述和《法兰西共和国是怎样灭亡的》一文中，把矛头对准了无产阶级专政。他污蔑当时的工人阶级领导人是力求建立专政的“恐怖主义者”，因而招致资产阶级的报复，促使资产阶级走向反动。从 1896 年到 1898 年期间，伯恩施坦在《新时代》杂志上以《社会主义问题》为总标题，接连发表文章攻击马克思主义。他的著作《社会主义的前提和社会民主党的任务》在次年出版，在书中，他从哲学、政治经济学和科学社会主义等几个方面对马克思的学说进行全面的“修正”。正如列宁所说，这本书“成了马克思主义内部的一个完全脱离马克思主义的流派的宣言”①。《社会主义的前提和社会民主党的任务》的问世标志着伯恩施坦修正主义思想体系的最终形成。

伯恩施坦修正主义一经问世，就迅速在德国社会民主党内流行开来，并立即得到了其他国家社会民主党中的修正主义者的支持，如英国的海德门、麦克唐纳，法国的米勒兰，奥地利的鲍威尔、阿德勒，俄国的经济派和美国、瑞士、保加利亚、比利时、瑞典等国的机会主义者纷纷效仿，一起攻击马克思主义。由此，修正主义从个别国家蔓延到国际范围。

修正主义不仅在理论上形成完整的思想体系，而且实践上也在第二国际产生恶劣的影响。在 1896 年 7 月召开的伦敦代表大会上，摩尔肯布尔提出建立一个国际机构以监督资产阶级，并且利用本国或国际的立法来使这种企业社会化。这种“社会化”其本质是为不需要推翻资本主义做辩护，为改良主义观点敞开了大门。标志着修正主义在实践上迈开一大步的标志性事件是米勒兰入阁。1899 年 6 月，法国资产阶级温和派共和党人组阁，“约请”社会主义者加入内阁，社会党人米勒兰在未征得党的同意的情况下欣然接受邀请，担任工商部长一职。这表明改良主义在理论和实践上都已发展起来，米勒兰主义就是行动中的伯恩施坦主义。

米勒兰入阁事件导致法国社会主义运动的分裂。社会党内部形成了对立的两派：一派是以“可能派”的布鲁斯为首，饶勒斯、白里安、维维安尼等人

① 《列宁专题文集 论辩证唯物主义和历史唯物主义》，人民出版社 2009 年版，第 224 页。

为核心的“入阁派”，一派是由盖得、瓦扬、拉法格、福尔坦、泽瓦埃斯等人组成的“反入阁派”。米勒兰入阁也引发了第二国际的广泛反响。倍倍尔、卡尔·李卜克内西、卢森堡、普列汉诺夫以及意大利、英国、西班牙等国的马克思主义者明确表示反对。正如李卜克内西指出的，社会主义者要加入资产阶级政府，不是倒向敌人方面，就是使自己屈从于敌人。而各国的修正主义者如德国的伯恩施坦、福尔马尔，英国的海德门、凯尔·哈迪，比利时的安塞尔和荷兰的万-科尔则表示大力支持。匈牙利社会民主党也给了米勒兰以高度评价，称其为争取无产阶级利益的、意志坚强的战士。匈牙利社会民主党甚至还从这一事件中得出一个原则性结论，即在资产阶级社会范围内，必须依靠资产阶级的帮助实现社会民主党向社会主义过渡的纲领。

## 三、马克思主义者对修正主义的批判和斗争

伯恩施坦修正主义言论一出台就引发了国际共产主义运动内部机会主义者的共鸣，自然也博得了资产阶级的欢迎和支持。一时间，宣布马克思主义已经“过时”的言论甚嚣尘上。德国社会民主党和第二国际的马克思主义理论家坚决反对伯恩施坦的修正主义言论，卢森堡、普列汉诺夫、帕尔乌斯、考茨基、蔡特金、梅林以及远在流放地的列宁，都纷纷撰文抨击伯恩施坦的修正主义。他们旗帜鲜明地捍卫马克思主义，严肃批判修正主义思潮，为坚持马克思主义作出了重要贡献。

### （一）德国党内马克思主义反对修正主义的斗争

罗莎·卢森堡是激烈反对伯恩施坦修正主义的马克思主义者的先锋。她的《社会改良还是社会革命?》一书，成为当时批判伯恩施坦修正主义最有力的著作。卢森堡揭示了伯恩施坦理论的实质及危害。她指出，与伯恩施坦理论的斗争不是斗争的方式和策略问题，而是关乎社会主义运动的存废问题。在卢森堡之前，帕尔乌斯已在 1898 年 1 月到 3 月的《萨克森劳动报》上发表过一系列文章，对伯恩施坦的主要理论观点作了批判。帕尔乌斯指出，伯恩施坦无疑已经陷入“唯心论的迷雾王国”，其思想的本质是要消灭社会主义；伯恩施坦否定资本主义生产集中的趋势和资本主义经济危机的可能性，暴露了他的愚蠢和

对马克思主义的无知。

从 1898 年到 1903 年，德国社会民主党连续召开代表大会，围绕伯恩施坦问题，马克思主义者与修正主义者展开了激烈的论战。

1898 年 10 月，德国社会民主党召开斯图加特代表大会。会上，修正主义者威·比乌斯公开反对“最终目的”这一概念，认为最终目的一般是不存在的；奥艾尔、海涅、福尔马尔、大卫等修正主义分子也发言批评党的纲领和策略原则。蔡特金、卢森堡、李卜克内西、倍倍尔、考茨基、舍恩兰克、施塔特哈根等马克思主义者则针锋相对地批判了修正主义者的发言。卢森堡在发言中严厉批判伯恩施坦及其支持者放弃社会主义革命、否认最终目的的观点，认为最终目的是最具有实际意义的问题，如果无产阶级政党只满足于日常改良工作，不坚持社会主义的最终目的，就和资产阶级政党没什么两样。卢森堡特别强调，批判伯恩施坦的混乱言论，统一全党的理论认识，制定无产阶级革命的新的策略，应该是这次党代表大会的最重要的任务。卢森堡的发言得到了很多马克思主义者的支持和呼应。蔡特金的发言集中批判了伯恩施坦的“议会过渡”主张。她指出，如果按照伯恩施坦的主张，只要通过个别的小改良就能东拼西凑出一个社会主义国家。李卜克内西也坚决反对修正主义者的言论，指出伯恩施坦的做法会把党的纲领、党的全部传统和整个社会民主党埋葬掉，社会民主党将不再是一个无产阶级政党。但是斯图加特大会并没有按照卢森堡的要求把批判伯恩施坦理论作为会议议题，也没有对修正主义作出任何决议或者采取措施。

1899 年 10 月，在德国党的汉诺威代表大会上，伯恩施坦问题这次被正式列入会议议题，马克思主义者与修正主义者围绕这个问题展开了激烈交锋。倍倍尔在报告中逐一批驳了修正主义的观点。倍倍尔指出，伯恩施坦的主张都是资产阶级甚至机会主义几十年来经常说的内容，是一种十分荒谬的策略，他把目标推向遥遥无期的未来，使党丧失革命的勇气、热情和献身精神，即斗争所迫切需要的一切品质，并且他还千方百计地人为制造困难，破坏人们对胜利可能性的理念。卢森堡在会上集中批判了修正主义者关于不必夺取政权、只需要在资本主义制度内部进行社会改良的观点。李卜克内西指责伯恩施坦观点实际上会把社会民主党变成一个资产阶级的改良党，这只会削弱工人阶级和党的战斗性。修正主义者如艾尔姆、大卫、奥艾尔、福尔马尔等竭力为伯恩施坦辩护，指责卢森堡、蔡特金、普列汉诺夫等人是在压制“意见自由”。最后，在这次代表会议上，马克思主义者取得胜利，大会通过了倍倍尔提出的决议，这个决议强调德国党忠于马克思主义，不改变自己的纲领、策略和名称。但是，伯恩施坦所代表的修正主义问题并没有因为此次代表大会的决议而得到解决，在汉诺威代表大会之后，伯恩施坦修正主义思潮在党内和第二国际继续发展。

1901 年，伯恩施坦做了题为“科学社会主义怎样才是可能的?”的演讲，公然否认科学社会主义，将其与空想社会主义相提并论，要求经常对它进行“批判性检验”。修正主义的机关刊物《社会主义月刊》也遥相呼应，号召党不要再提革命的任务，而应采取和平演变的发展方针，与资产阶级政党合作实行社会改革。对于修正主义日益猖獗的挑战，马克思主义者给予了及时的回击，在德国党的卢卑克代表大会上，以绝对优势通过了谴责伯恩施坦修正主义的决议。

1903 年的德累斯顿大会，是德国党批判伯恩施坦主义最成功的一次代表大会。这次大会批判了伯恩施坦修正主义抹杀无产阶级与资产阶级对立的思想，谴责了修正主义者放弃原则、改变党的性质的企图，谴责了修正主义分子参加资产阶级内阁的做法。大会以 288 票对 11 票的绝对多数通过了关于党的策略问题的决议，即德累斯顿决议。决议强调德国党不改变自己的策略，不谋求在资产阶级社会内部参与政权。尤为重要的一点是，决议首次指出修正主义已经成为一种国际思潮，这就为其他各国党反对修正主义提供了一定的依据，也成为以后国际代表大会反对修正主义的有力武器。

德国党在这段时间的斗争表明，党内已经形成了马克思主义者与修正主义者之间相互对立的阵营，但马克思主义者仍然占主导地位，修正主义尚未在党内形成大气候。这时的考茨基在党的代表大会上以及其他许多场合还基本站在马克思主义的立场上，对修正主义进行批判。从这一时期通过的决议来看，德国党尚未偏离马克思主义指导思想，但是，在反对伯恩施坦修正主义的斗争中，却同时也表现出了一定的妥协态度。除卢森堡以外，马克思主义者尽管对修正主义的本质和危害性有较深的认识，但未能在理论上对修正主义给予有说服力的回击，特别是未能在组织上与修正主义者决裂，因而斗争不够彻底、不够坚定。这就让修正主义者得以继续留在党内，不断扩大自身的影响。以后的发展表明，这是一个十分深刻的教训。

### （二）在国际范围内马克思主义与修正主义的较量

修正主义并不是德国的特殊现象，而是一种国际现象，是当时社会历史时代的产物。许多社会民主党人只满足于在议会选举中取得的成绩，甚至忘记了资本主义国家的阶级本质，忘记了无产阶级的历史使命。有的修正主义者不仅在理论上鼓吹放弃革命原则，还在行动上实践修正主义，米勒兰入阁就是典型代表。

1900 年 9 月，在第二国际巴黎代表大会上，在讨论“夺取社会权力和同资产阶级政府联盟”这一议程时，大会围绕米勒兰入阁问题进行了激烈的辩论。这是马克思主义者与修正主义者在国际范围内的第一次正面交锋，并由此产生了左、中、右三派。以法国“独立社会党人”的代表饶勒斯为首的右派宣称，随着形势变化，社会党人应当“有勇气”改变策略，虽然目前还仅在法国这样的民主发展较充分的国家才有可能参加内阁，但这种情况在所有其他立宪国家也能够逐步实现。比利时的修正主义者也表现了同样的态度，并攻击马克思主义暴力夺取革命政权是把社会主义简化为“招手即来”，他们甚至呼吁同过去实行“决裂”。

以卢森堡和法国工人领袖茹尔·盖得为代表的左派，坚决反对社会民主党人参加资产阶级政府，并要求制裁米勒兰。卢森堡指出，只有实行无产阶级专政，才能从根本上改变工人的地位；而米勒兰这种行为不仅丝毫不会改变无产阶级的地位，反而只会使党在工人群众面前威信扫地。社会民主党只有在资产阶级国家的废墟上才能成为执政党。米勒兰入阁，是修正主义的阶级合作、改良主义理论在实践上的必然表现，是“实践的伯恩施坦主义”。盖得指出米勒兰入阁的国际性后果，即一旦米勒兰事件由个别现象发展成普遍现象，各国工人政党将只能放弃任何国际主义而变成民族主义者。后来的历史发展证明了盖得的结论是十分正确的。

巴黎代表大会产生了两个决议：一个是恩利科·费利和盖得联合提出的决议案，这个决议案鲜明地提出必须禁止任何社会党人参加资产阶级政府，社会党人对资产阶级政府应当始终保持不屈不挠的反对立场；另一个是考茨基提出的决议案，在这个决议案中他采取了中派主义的调和立场，一方面声称个别社会党人参加资产阶级政府，不能认为是夺取政权的正常开始，而只能认为是与困难环境作斗争时迫不得已采取的暂时性的、特殊性的手段。另一方面又把入阁问题视作特殊情况下的一种策略选择，不是根本原则问题。实际上，社会党人是否可以参加资产阶级政府正是一个根本性的原则问题，而非策略问题。考茨基的决议表明他把原则问题变成了策略问题。他的企图大事化小的态度起到了放任修正主义发展的作用。考茨基的决议案以中立的方式对修正主义做了重大让步，因而赢得了修正主义者的赞同。大会最终以 29 票对 9 票通过了考茨基的决议案。由于这个决议案对社会党人是否可以参加资产阶级内阁这一原则问题态度暧昧，使这个决议极富弹性，不同的人可以从不同的角度去解释，因而也被称为“橡皮性决议”。这一决议为以后各国修正主义者入阁提供了借口。马克思主义者对考茨基中派决议案持坚决反对的态度。卢森堡指出，只要资产阶级的社会基础——私有制和阶级统治存在，作为现政府成员的社会党人就不得不执行资产阶级的政策。盖得指出，考茨基决议的矛盾对于无产阶级运动而言是一个严重的威胁，因此必须始终坚持这一认识——对无产阶级来说，除去阶级斗争以外，没有希望！

自巴黎代表大会以来，策略问题一直摆在社会主义运动的议事日程上。饶勒斯等人宣称米勒兰入阁是工人阶级进行斗争的“新方式”，是可以长期采用的正常手段。而马克思主义者则坚决反对这种所谓的“新方式”，俄国的列宁，法国的盖得、瓦扬，意大利的费利以及德国的卢森堡、蔡特金和李卜克内西等人，都对此展开了严厉的批判和斗争。其中，李卜克内西发表《论新方式》一文，指出“新方式”的炮制者放弃革命，希望用说服的办法把资产阶级或资产阶级的大部分争取过来，只会使工人阶级彻底瓦解。

关于策略问题的分歧和斗争一直延续到第二国际的阿姆斯特丹代表大会，在这次会议上，无产阶级革命的策略问题再次成为争论的焦点。会上，法国社会党提议，将德国社会民主党的德累斯顿代表大会决议作为国际代表大会决议案的基础。德累斯顿决议指出，大会无比坚决地反对那种旨在改变我们久经考验的以阶级斗争为基础的英明策略，反对那种以向现存制度让步的政策代替夺取政权、代替反对资产阶级的伟大斗争的修正主义企图。决议明确表示要坚持马克思主义的阶级斗争原则，社会民主党人不得参加资产阶级政府。王德威尔得和阿德勒提出了一项修正案，删掉了决议中谴责修正主义的部分。为此，马克思主义者与修正主义者进行了激烈的争辩。王德威尔得认为，批判修正主义是德国党所特有的概念，不应在国际范围内谴责修正主义；饶勒斯攻击德累斯顿决议会阻碍普遍政治自由和国际社会主义运动的发展。考茨基、倍倍尔等人强调了制定社会党策略的国际原则的重要性，指出资产阶级国家的性质到处都一样，因此各国社会党应该有共同的立场和国际性的策略原则。修正主义是普遍存在的国际性问题，因此必须在国际范围内采取措施。倍倍尔还谴责了米勒兰的背叛行为和饶勒斯纵容米勒兰所造成的危害。最后，大会通过了基本上体现德国社会民主党德累斯顿决议精神的大会决议，该决议首次提出了在国际范围内反对修正主义的问题，否定了改良主义、入阁主义等“新方式”。在这次大会之前，策略都是各国党自己来制定，根据德累斯顿决议，必须制定社会主义策略的国际原则。这就使各国党明确了最终目标以及目前的任务。

在1907年召开的第二国际斯图加特代表大会上，马克思主义者与修正主义者还就军国主义与殖民地政策问题展开了新的斗争。俄国1905年革命期间，国际局势日趋紧张，帝国主义国家之间瓜分世界、掠夺殖民地的斗争日益尖锐，军事冲突不断发生。1907年秋，法、俄、英为对抗德、意、奥三国军事同盟集团而结成协约国军事集团。在两大帝国主义军事集团的对峙下，世界面临着一场帝国主义世界大战的灾难。斯图加特代表大会正是在这样的背景下召开的。这是第一次有列宁参加的国际代表大会。会上，布尔什维克党代表团和各国党的左派明显处于少数地位。针对军国主义和对待战争的态度问题，大会一共收到四个提案。法国社会党人爱尔威的提案提出，要反对资产阶级爱国主义，坚持“工人无祖国”，社会主义者应起来推翻资本主义制度，同时又从无政府主义的立场出发，主张“以军事罢工和起义来回答不论来自何方的任何战争”；代表法国社会党多数派的饶勒斯—瓦扬提案则在一方面主张工人阶级应该通过各种手段包括群众大罢工和起义来阻止战争，一方面又不区分战争性质，鼓吹资产阶级的护国主义，认为对一个民族的进攻，就是对国际工人组织的进攻，因此被威胁的民族和工人阶级有不可推卸的义务去反对这种进攻而保卫自己的独立和自主；法国代表团少数派代表盖得的提案反对通过罢工来制止战争，而只限于号召用减少军备、反对军事拨款等合法手段进行反战斗争；倍倍尔代表德国社会民主党提出的草案成为讨论的焦点。这个草案一方面指出只有消灭资本主义才能消灭战争，另一方面却把反战活动仅限于议会内的斗争，也没有明确提出反对军国主义的具体措施。但是，倍倍尔在这里犯了一个重大的理论错误，他把未来的帝国主义世界大战划分为进攻性和防御性战争，模糊了战争的根本性质，并由此得出了错误的结论，即先遭受进攻而处于防御地位的国家的工人阶级应该起来保卫祖国。倍倍尔提案的错误被机会主义者利用，成为论证修正主义的论据。

列宁等人通过分析对比四个提案，认为爱尔威的提案虽有合理之处，但在反对军国主义时却忘记了社会主义，不顾战争的性质而一概采用总罢工的方式；饶勒斯—瓦扬提案带有资产阶级沙文主义的特点；盖得提案反映了中派主义的传统观点，单纯强调合法斗争；倍倍尔草案尽管存在原则性错误，但理论分析较好，而且当时大多数代表都倾向于这个草案。于是，列宁、卢森堡和马尔托夫以俄国代表团的名义，以倍倍尔的草案为基础提出了修正案，删掉了原草案中模糊战争阶级实质的内容，正确指出了军国主义是阶级压迫的主要工具，把帝国主义、军国主义和战争联系起来，突出了工人阶级反对军国主义、反对战争的重大任务，指出工人阶级有责任结束战争。特别是修正案把反对战争和争取社会主义的斗争联系起来，提出工人阶级应当利用战争造成的危机，唤起深受压迫的社会阶层来加速资本主义的崩溃，这就包含了用无产阶级革命推翻资本主义制度、消灭帝国主义战争的基本思想。

经修改后的决议草案被大会通过，在右派占据多数的不利情况下，这一决议能够被通过，首先得益于列宁、卢森堡等人所提修正案内容的科学性，它在帝国主义战争一触即发的情况下，指明了无产阶级的任务，摒弃了单独进行议会斗争的方式，标志着马克思主义对修正主义的重大胜利。

斯图加特大会的另一重要议程是讨论殖民地问题。当时大会存在着两种根本对立的观点：修正主义者认为殖民政策有进步作用，应保留殖民地但可以对殖民地做进一步改进，如荷兰社会党的万-科尔提出民主的殖民政策，把殖民思想解释为社会主义运动文化目的的重要组成部分；伯恩施坦声称要“监护”那些“未开化”的民族，世界本来就有统治民族和被统治民族，有些民族需要文明民族给予看护；持反对意见的德国的累得堡、乌尔姆、白拉克和英国的劳伦斯、奎尔奇等少数派，在提案中坚决反对在殖民政策上的修正主义观点。正如列宁所说：“‘社会主义殖民政策’这个概念本身就是极其混乱的。”① 经过辩论，特别是通过累得堡、马尔赫列夫斯基、乌尔姆以及列宁等人的努力，形成了少数派修正案，对“社会主义殖民政策”的有关问题做了原则性的修改，最后大会通过了这一修正案。这实际上是一个谴责修正主义的决议，但从投票结果来看，只有 127 票赞成，而反对票高达 108 票，足见第二国际内部修正主义

① 《列宁全集》第 16 卷，人民出版社 2017 年版，第 69 页。

的力量不可低估。

斯图加特代表大会是第二国际后半期活动中一次重要的大会，这次大会通过了基本符合马克思主义的决议，是马克思主义对修正主义的胜利，也说明此时的第二国际的指导思想尚未脱离马克思主义的轨道。斯图加特代表大会之后，各国马克思主义者努力贯彻大会决议，但是机会主义者却不顾大会决议，继续散布各种机会主义观点。由此可见，马克思主义虽然在理论上赢得了胜利，但是对修正主义者却没有多少实际的约束力。马克思主义政党如果不从思想上彻底清算修正主义、不从组织上与他们划清界限，无产阶级政党就不会统一步骤，国际无产阶级的联合行动就会成为一句空话。随着修正主义力量越发膨胀和战争威胁日益逼近，第二国际面临越来越严峻的危机。

## 四、第二国际修正主义的破产

### （一）大战前夕第二国际修正主义的发展

自 1905 年以来，第二国际内部的派别及其代表人物的立场、观点越来越明确。左派包括俄国的布尔什维克，德国的卢森堡、李卜克内西、梅林、蔡特金等以及保加利亚的“紧密派”和荷兰的“论坛派”。其中，以列宁为首的布尔什维克逐渐成为发挥重要作用的左派力量。这时期，各国党和第二国际内部的修正主义力量进一步发展壮大，他们借助各国党在议会选举中所取得的胜利，直接干预党的事务，进一步扩展了修正主义的影响。虽然马克思主义者与修正主义者不懈斗争，但由于中派在重大分歧和重大理论问题面前总是采取折中态度，因此大大削弱了对修正主义的批判。尤其不利的是，当面临世界大战的紧迫关头，中派却完全抛弃了总罢工这一反战手段。考茨基在《新时代》上发表文章，公开否定卢森堡的实行群众性政治罢工的主张，他反对政治罢工，主张实行“疲劳战略”，即通过和平、合法的议会道路，逐渐消耗资产阶级力量，然后慢慢地使资本主义一步步地长入社会主义社会。

大战前夕，第二国际和各国党的主要任务是反对军国主义，马克思主义者和修正主义者的斗争的焦点在于采取什么样的反战手段的问题。在 1910 年召开的哥本哈根代表大会上，以累得堡、卡尔·伦纳、格拉西尔为代表，一方面承认斯图加特大会关于采取一切手段（其中包括总罢工）来进行反战的决定，但另一方面又反对实行总罢工，主张不能把斯图加特决议中的一般决定强加于各国社会民主党人。累得堡还特别强调各民族都有自决权，把反军国主义的斗争方式归结为各国通过议会进行裁军并要依靠国际仲裁法庭。他的发言遭到了瓦扬、哈第等社会主义者的反对，他们提出，议会内的斗争应以议会外的群众压力为后盾，总罢工虽然不是防止战争的绝对手段，但各国社会民主党决不应放弃这一手段。在辩论中，王德威尔得又站到了中派的立场上，他建议把总罢工问题移交到下次国际代表大会上讨论。尽管最后大会通过了重申斯图加特大会关于“反对军国主义和国际冲突”的决议，但在决议中却写进了各民族都有自决权这一项内容。在战争一触即发的关键时期，这一内容就具有另外一层含义：为在未来帝国主义世界大战中“保卫祖国”的民族沙文主义留下了借口。总的来看，一方面，哥本哈根代表大会虽然通过了基本上正确的决议，但却没有明确提出工人阶级的行动路线，仅仅把反战的活动寄托于各国议会里的社会党。另一方面，实际上修正主义者已经把社会改良主义作为行动指南，在各个方面尤其是指导思想上与马克思主义分庭抗礼，企图削弱以马克思主义为指导的社会民主党的领导作用。可见，国际所做的决议只有书面上的意义，并没有实际的约束力。

哥本哈根大会之后，国际局势更加紧张。1911 年，德、法两国争夺殖民地的斗争已达白热化，意大利发动了对土耳其的战争。第二年，又爆发了第一次巴尔干战争。世界大战迫在眉睫。在这种形势下，第二国际的巴塞尔非常代表大会的唯一一项议程就是讨论国际局势和反对战争的统一行动问题。在没有争议的条件下，大会通过了反战决议《国际局势和反对战争的统一行动》，即著名的《巴塞尔宣言》。这一决议重申了斯图加特大会决议，为各国无产阶级政党确定了反战的指导原则，号召无产阶级实行国际团结。然而这种以“宣言”的方式表现出来的形式上的统一，并不能弥合双方在理论上、路线上的根本分歧。由于第一次世界大战爆发在即，马克思主义与修正主义的斗争被暂时隐藏起来，而战争一爆发，修正主义者就开始不再隐藏自己的真实意图了。

### （二）第一次世界大战与德国修正主义的堕落

如果说，在战争爆发之前，修正主义者至少还在表面上装饰一下以掩盖自己的真实意图，那么第一次世界大战一爆发，修正主义者就彻底放弃伪装，完全背叛了曾一致通过的巴塞尔反战宣言，加入了资产阶级阵营中。德国社会民主党就第一个站到了拥护资产阶级“保卫祖国”的行列中。德国社会民主党在战争爆发前，一方面公开反对政府的军备政策，另一方面党的执委会又发表声明宣称，只要三国同盟是“防御性的同盟”，德国社会民主党就是它的支柱；德国政府提出了扩军法案和抵偿法案（按财产多少征收国防税以抵偿巨额军费开支），这一法案遭到了德国工人阶级的抗议，但德国社会民主党国会党团中的多数派却以抵偿法案可以把军费负担转嫁到资产者头上为借口，正式投票赞成该法案；德国社会民主党的耶拿代表大会不仅以党代表大会多数的名义，确认议会党团对德国政府的军事筹款法案投赞成票的做法，而且还通过了关于群众政治罢工的决议，这个决议在总罢工问题上，充满了取消主义的精神。修正主义者在耶拿代表大会上公开打击、排斥马克思主义者，德国当局以各种理由逮捕了卢森堡、马尔赫列夫斯基和李卜克内西等马克思主义者，加上领袖倍倍尔和代表辛格尔的逝世，本来就在党内不占多数的左派受到严重打击。

1914年7月，德军进入紧急状态，世界大战一触即发。这时德国社会民主党本应积极从事反战运动，然而党团却号召德国工人阶级停止一切罢工，实现国内和平，宣扬“保卫祖国”的论调。8月，大战爆发，德国增加军事预算问题再度提上国会议程。尽管李卜克内西等少数派坚决反对军事拨款，但根本无法抵抗修正主义的声势，结果国会党团一致投票赞成政府的军事预算案。这表明，德国社会民主党已经由过去公开反对帝国主义战争的立场转变为与帝国主义为伍，这个第二国际最有影响力、拥有一百多万党员的社会民主党就这样堕落了。

为什么在战争爆发前，各国社会党一致表现出明显的反战倾向，而当战争爆发时却背弃了反战的《巴塞尔宣言》呢？从德国党的演变和堕落，我们可以发现修正主义走向社会沙文主义的必然因素。这是德国社会民主党在理论上发生错误的必然结果。修正主义在“修正”马克思主义的过程中，形成的许多思想都与资产阶级的阶级合作、社会改良、自由平等、人道主义等观点吻合。在大战前夕，他们虽然宣传反战，但他们的主张与马克思主义者所主张的把反战与实现社会主义联系起来的思想有本质区别。修正主义者自产生以来，就一贯鼓吹维护资产阶级祖国的主张。伯恩施坦认为《共产党宣言》里的“工人无祖国”在40年代是适合的，到了现代社会则已经失去了大部分真理性。考茨基认为战争一爆发，大家首先将成为爱国主义者，甚至在战争爆发后，他公开发表文章为德国社会民主党的背叛行径做辩护。列宁气愤地指出考茨基的这些言论等于说，“仿佛国际主义就是一国的工人为了保卫祖国而向另一国的工人开枪！”①

### （三）第二国际修正主义的最终破产

修正主义堕落并最终破产并不是德国社会民主党的个别现象，而是第二国际和各国社会民主党的共同结果。在法国参战前，法国社会党的领导人就号召群众放弃革命行动，去“保卫祖国”；法国党的书记迪布勒伊声称，社会党人的义务是保卫爱好和平的、共和制的法兰西的独立和完整。8 月 3 日，德国进攻法国，德法开战。德国是侵略者、法国是被侵略者的观念一下子占据了法国社会党人的头脑，法国社会党迅速转变立场，由过去的反战转为积极参战。法国社会党在众议院中一致投票赞成政府的军事拨款案，还决定与资产阶级政党联合建立“神圣同盟”以抵抗德国的入侵。接着，又派社会党人盖得、桑巴和托马参加政府。他们对此宣称：“如果只是通常那种参加资产阶级政府，那么，我们绝不会同意，但是，现在的问题关系到民族的未来和法国的生存。”②就这样，这个拥有 90 多万党员、139 万选民和 101 名议员的法国社会党主动站到了支持帝国主义战争的立场上。

比利时的社会民主党同样在战争爆发之时对政府的军事预算案投了赞成票。国际局执委会主席王德威尔得领头参加比利时国防政府。总委员会在告居民书中公开号召工人阶级积极参加保卫祖国的战斗，宣称社会民主党人属于工人国际与“合情合理地”保卫个人和国家并不矛盾。

在英国参战以后，以海德门为首的社会党就立即发表了保卫祖国的宣言。英国工党议会党团多数派也不顾麦克唐纳等少数人的反对，通过了赞成军事预算、支持资产阶级政府、反对德国入侵的决议。以新任党团主席韩德逊为书记的工党发表宣言，号召工人阶级支持战争，不久，韩德逊也加入了资产阶级政府。

其他国家的工人政党也纷纷表态，支持本国政府。如波兰的社会民主党和社会党、匈牙利和捷克的社会主义政党、荷兰的社会党等都向资产阶级政府靠拢，大多数都投票支持政府的军事拨款提案。俄国的孟什维克也不例外。孟什

① 《列宁全集》第 26 卷，人民出版社 2017 年版，第 43 页。

② 刘佩弦、马健行：《第二国际若干人物的思想研究》，中国人民大学出版社 1994 年版，第 63 页。

维克在杜马中的党团声明自己在俄国进行的活动将不会妨碍战争，他们积极站到“保卫祖国”的行列，并把俄国说成是防御性的一方。

与这些党的背叛相比，俄国社会民主工党（布）、塞尔维亚社会民主党、荷兰社会民主党的“论坛派”以及德国的马克思主义者，都坚决反对这种帝国主义大战。如敦克尔、梅林、马尔赫列夫斯基、迈耶尔、埃贝莱因、皮克等，没有被所谓的“保卫祖国”论调迷惑，鲜明地提出了必须拒绝用于军国主义和帝国主义目的的任何拨款；在德国党内，李卜克内西、卢森堡、蔡特金等人公开阐明革命的反战立场，与修正主义划清界限；法国的保尔·果雷强调用革命转型来制止战争；列宁旗帜鲜明地提出了变帝国主义战争为国内战争的口号；美国、奥地利、法国、英国、意大利以及北欧等国的马克思主义者也严肃批判修正主义的背叛行径。第二国际由于最终被修正主义所主导，走上了支持帝国主义战争的民族沙文主义道路，与资产阶级妥协合流，最终走向了破产，修正主义也最终走向了破产，他们所宣扬的社会改良主义、机会主义主张也被国际无产阶级所抛弃。而经过战争考验的以列宁为代表的马克思主义者则扛起了捍卫和发展马克思主义的大旗，无产阶级的国际主义精神得到了继续弘扬和光大。

## 第三节 第二国际后半期马克思主义研究的主要问题

时代的变化为马克思主义提出了许多新的重大课题。在第二国际后半期，不同派别的理论家们围绕时代的变化和马克思主义的历史命运这一重大问题纷纷发表见解，就资本主义的新变化、马克思主义基本原理、民族和殖民地问题、十月革命和无产阶级革命道路等问题展开了激烈的争论和斗争。

### 一、关于时代和马克思主义的命运问题

时代变化与马克思主义的历史命运成为第二国际后半期马克思主义面临的

新课题。修正主义者借口时代的新变化，宣布马克思主义一系列基本原理已经“过时”，并打着发展马克思主义的旗号否定马克思主义在新的时代背景下的科学性及其对国际社会主义运动的指导意义。伯恩施坦是修正主义思潮最有影响的代表人物。他发表一系列文章和著作，全面“修正”马克思主义基本原理，宣扬马克思主义已经“过时”的论调，在第二国际产生了极为恶劣的影响。

如何认识马克思主义在新的时代条件下的价值，马克思主义是否已经“过时”？这是摆在每一个马克思主义者面前亟须做出回答的重大问题。面对修正主义者宣称马克思主义已经“丧失真理性”、已经“过时”的荒谬指责，第二国际的一大批马克思主义理论家展开了针锋相对的斗争。但是，这些马克思主义理论家在批判伯恩施坦修正主义的过程中也存在着明显的不足。例如，有的固守时代没有变化的观念，因而不能从根本上回应马克思主义历史命运的重大问题；有的没有从资本主义发展的新特征的高度批判修正主义，因而不能从根本上澄清修正主义的本质及其危害；有的没有真正把坚持马克思主义与发展马克思主义结合起来，因而不能赋予马克思主义在新时代的活力及其价值。可以说，第二国际后半期的马克思主义理论家虽然在批判修正主义和捍卫马克思主义方面做出了极大的努力，但由于在时代问题上存在种种模糊的认识，如对帝国主义本质的认识，对帝国主义战争性质的认识，对新的历史条件下无产阶级革命策略的认识等重大问题上，都没有给出合乎时代要求的科学回答，因而也就没有能够真正驳倒修正主义，最终导致了修正主义的猖獗和第二国际的破产。列宁深刻地吸取了第二国际后半期马克思主义理论家的教训，对时代的变化特别是帝国主义和无产阶级革命等重大原则问题作出了科学的回答，将马克思主义发展到了新的阶段。列宁指出，马克思主义的科学性和真理性，始终在于将自己的理论与时代变化的新特征的结合中、在于与各国具体国情的结合中，在于对时代与社会发展提出的一系列重大问题作出的新的回答中。虽然它的敌人总是在不断制造“马克思主义过时论”、“马克思主义破灭论”，马克思主义仍然在战斗中前进，焕发出强大的生命活力。列宁面对修正主义的严峻挑战仍然保持马克思主义必胜的信念，认为“19 世纪末革命马克思主义对修正主义的思想斗争，只是不顾小市民的种种动摇和弱点而向着本阶级事业的完全胜利迈进的无产阶级所进行的伟大革命战斗的序幕”①。虽然机会主义、修正主

① 《列宁专题文集 论马克思主义》，人民出版社 2009 年版，第 156 页。

义给马克思主义带来重重干扰，但阻挡不了马克思主义在与工人运动结合的实践中不断与时俱进。

## 二、如何看待资本主义的新变化

自由资本主义向垄断资本主义过渡始于 19 世纪 70 年代，马克思和恩格斯在晚年已经察觉到这一变化，尤其是在《资本论》第三卷的正文及恩格斯编辑出版过程中所加的注释中都有反映，但他们毕竟没能看到垄断资本主义完全的形成。到了 20 世纪初，自由资本主义向垄断资本主义的过渡已经完成。第二国际后半期恰处于资本主义从自由竞争发展到垄断阶段即帝国主义阶段，而第二国际后半期的种种思想流变与时代背景的新变化密切相关。发展到帝国主义阶段的资本主义所产生的深刻变化，是第二国际的理论家们探索的重大理论问题。

第二国际中最早系统研究资本主义新变化的是拉法格。他对 19 世纪末 20 世纪初在世界范围内出现的垄断资本主义这一新现象给予了高度关注，他研究垄断的著作《美国托拉斯及其经济、社会和政治意义》为马克思主义关于垄断资本主义经济学的研究作出重要贡献。拉法格明确指出由于资本和生产的大量集中，资本主义经济已经演进到一个“特殊阶段”，使生产的社会化程度达到了前所未有的高度。卡特尔、托拉斯等垄断组织的形成对整个资本主义社会生活产生了巨大影响，垄断资本实现了对社会的全面统治，其中给资本主义经济带来的第一个重大变化就是“工业的整体化”。垄断组织形成后给社会经济生活带来的另一个重要影响则是，托拉斯体系的形成导致商业失去了原有的支配地位而受资本主义工业生产者的支配。拉法格进一步指出，托拉斯对资本主义社会经济的影响还在于，它可以最大限度地节约各种开支，使地主、商人和国家等所瓜分的剩余价值缩减到最大限度，以保证把尽可能多的剩余价值占为己有。

伯恩施坦从否认资本主义积累一般规律入手，否认资本主义发展进入垄断阶段的客观事实。他修正和攻击马克思主义的重要内容之一，就是肢解马克思关于资本主义积累一般规律的理论。他完全撇开资本主义生产方式中资本积累和资本有机构成提高的内在趋势，抽象地谈论剩余价值的“吸收”问题。他提出，随着社会生产力的巨大进步，剩余产品也在快速增加，这样，大量的无法消费的剩余产品，要么“产生了一个人数众多的中等阶级”，要么由工人来“吸收”。按照伯恩施坦的这一主观想法，资本主义经济中就根本不会存在资本主义积累的一般规律，也根本不存在由资本积累导致资本集中，以及由资本集中所引起的资本主义自由竞争向垄断过渡这一时代特征。

希法亭的《金融资本——资本主义最新发展研究》是第二国际研究垄断资本主义形成过程中出现的金融资本新现象的代表著作，列宁评价他为马克思主义帝国主义理论的形成和发展提供了“一个极有价值的理论分析”①。希法亭考察了垄断组织的发展，指出垄断的发展经历了一个从短期协议到长期的结合、从低级形式到高级形式的发展过程；他分析了银行作用的变化，认为资本主义工业的发展使银行的积聚发展起来，而银行积聚本身又是资本主义工业发展的重要推动力，银行资本和工业资本的关系表明资本主义的发展进入金融资本新阶段；希法亭还进一步分析了金融资本统治的历史趋势，即金融资本的专制统治必然激起被压迫民族和人民的反抗，在激烈的阶级搏斗中，用无产阶级专政代替资本巨头专政，用社会主义代替资本主义是历史的必然。虽然《金融资本》一书在一定程度上有调和马克思主义与机会主义的倾向，但总体上希法亭关于金融资本的理论为我们认识和解读金融资本新现象提供了重要的理论参考。

考茨基根据19世纪末资本主义经济发展的新现象，分析了资本集中导致“垄断化”的新特征。一方面是各种同类企业的卡特尔化和托拉斯化，另一方面是不同类的各式各样的企业集于一人，这是19世纪末经济生活中最具有特征的现象。在考茨基看来，马克思关于资本主义生产方式历史发展趋势的理论，是经得住19世纪末资本主义经济发展实际检验的。马克思的这一理论仍然是观察与分析资本主义生产方式内在矛盾与历史趋势的科学武器。同时，考茨基也没有停留在马克思已有的结论上，他运用马克思的方法，探索了资本主义经济发展的新现象、新特征。但是，第一次世界大战爆发之后，考茨基的理论立场便发生了重大转变。

1914年8月，第一次世界大战爆发。形势的骤变促使人们更加关注帝国主义问题，并在第二国际内部发生了新一轮关于帝国主义问题的争论。首先，考茨基在第一次世界大战前后发表《帝国主义》、《两本重新学习的书》、《再论

---

① 《列宁选集》第2卷，人民出版社2012年版，第583页。

我们的幻想》和《帝国主义战争》等著作，全面论述了他的“超帝国主义论”。他认为，帝国主义一方面统治落后的农业国，另一方面由于农业国和工业国的尖锐矛盾而导致战争爆发，使帝国主义的经济基础受到威胁，但通过各帝国主义强国联合起来共同剥削全世界的政策将可能取代各帝国主义国家相互争霸的政策，这种“超帝国主义”是资本主义可能经历的一个新的阶段。

如何看待资本主义的新变化，对这一重大课题的不同回答，决定了不同的纲领路线和战略策略。修正主义者、机会主义者认为，帝国主义不过是金融资本家“情愿采用的一种政策”，换句话说，这种政策是可以改变的。而列宁则在深入研究的基础上正确地指出了当时国际资本主义已由自由资本主义过渡到帝国主义新时代，帝国主义是资本主义的最高阶段，其根本的经济特征是垄断代替了自由竞争，而这种垄断必然导致各帝国主义国家为了瓜分世界市场进行更加激烈的竞争乃至爆发战争。

## 三、关于马克思主义的基本原理的理解和研究

修正主义的始作俑者伯恩施坦以最完整的形式全面“修正”马克思主义，引发了从德国党内部到整个第二国际的大争论，争辩的主要内容反映了第二国际对马克思主义基本原理的理解和研究状况。

### （一）对马克思主义哲学的理解和研究

在第二国际的修正主义者中普遍流行一个看法，即马克思主义主要是一种经济学说和历史观，缺乏哲学基础，因此他们的任务就是要“补充”马克思主义的哲学基础。比如，伯恩施坦从根本上否定了辩证唯物主义和历史唯物主义，鼓吹用新康德主义取代马克思主义，提出社会发展并不存在客观规律，因此不可能根据唯物史观来证明社会主义的必然性，主张折中主义的多因素决定论。“奥地利马克思主义”者在哲学上都主张用马赫主义和新康德主义来修正马克思主义。比如，麦克斯·阿德勒不仅试图调和康德的认识论与马克思的认识论，还要以康德的先验的唯心史观来“修改”马克思的唯物史观；弗里德里希·阿德勒则认为，马赫哲学是对马克思主义最好的补充，只有用马赫的物理学研究成果“补充”唯物史观才能构成一个关于自然和社会的完整的总世界观。

与这种“补充”马克思主义哲学理论的修正主义者不同的是，第二国际也有一批理论家在坚持马克思主义的基础上加强对马克思主义哲学的研究，尤其是对唯物史观的研究。比如，在对唯物史观的理解上，拉法格将马克思的历史观称作“经济唯物主义”。他通常从经济因素出发努力探寻思想的前提，但他又明确反对运用经济范畴直接阐释纷繁的社会现象。拉法格的“经济唯物主义”思想引发诸多争议，有马克思主义者认为，他的“经济唯物主义”简化了马克思恩格斯的唯物史观，带有“经济决定论”的倾向，而正是马克思恩格斯所反对的。考茨基对马克思恩格斯的唯物史观十分赞赏，认为这是他们最重要的理论贡献，是科学社会主义的理论和实践基础。考茨基花费大量精力研究唯物史观，针对人们对唯物主义历史观的误解，他重点阐述马克思恩格斯历史观本身的世界观意义和一般唯物主义前提，指出“经济唯物主义”并不是一个合适的提法，反而会降低唯物史观的世界观地位。但在对唯物史观的理解上，考茨基又陷入达尔文式的自然主义。

普列汉诺夫是第二国际马克思主义哲学研究的旗帜，他为捍卫和发展马克思主义哲学作出重要贡献。普列汉诺夫指出，马克思主义哲学的出现是人类思想史上绝无仅有的一场伟大革命，是唯物主义哲学发展的最高阶段。他系统深入地探讨了唯物史观的理论来源，指出唯物史观的创立既是对以往历史理论合理思想的批判继承，也是历史领域中的革命变革。普列汉诺夫还研究和论述了马克思主义地理环境理论、社会结构理论、历史的统一性和多样性理论、社会意识理论等，提出了诸多独到而又精辟的见解。

### （二）对马克思主义政治经济学的理解和研究

在政治经济学方面，伯恩施坦从根本上否定马克思的劳动价值论，他声称马克思在提出价值学说时作了一系列的抽象和还原，并且缺乏现实的可行性。以此为起点，他进一步否定剩余价值学说的科学性，提出剩余价值是以假设为根据的公式。伯恩施坦攻击马克思关于资本主义积累一般规律的理论，在《前提和任务》中他肢解这一理论的内在统一性，避开资本积累的实质及其必然性问题，仅仅从资本家数目的多少来提出问题；他闭口不谈资本主义股份企业运行的实际，而试图用股票持有者人数的迅速增加这一现象来证明资本积聚和资本集中的趋势与马克思的设想不同。伯恩施坦空泛地谈论剩余价值的“吸收”，即大量的剩余产品会促使产生人数众多的中等阶级或者由工人来吸收，这样就不会有什么资本主义积累的一般规律，自然也不存在资本主义生产方式的基本矛盾。

卢森堡在《资本积累论》一书中提出，马克思关于社会资本再生产的理论，特别是关于扩大再生产的理论是不正确的，因为它无法说明用于积累的那部分剩余价值是如何实现的。卢森堡认为，这个问题正是解决社会资本扩大再生产问题的关键，也是揭示帝国主义本质及其经济根源的关键。研究资本主义社会扩大再生产问题必须把资本主义生产方式与非资本主义生产方式之间的关系加以系统研究。她认为，资本积累是资本主义生产方式与非资本主义生产方式之间所进行的新陈代谢过程，这个过程最后造成资本主义生产方式成为一切国家和一切生产部门的唯一的经济形式，这样的话，资本积累就会停止，这也就意味着资本主义的崩溃。卢森堡提出，要从资本积累的规律中解释帝国主义的经济根源，她把帝国主义视作一种特定的积累方法。显然，卢森堡从批判马克思资本扩大再生产理论入手，提出了自己的资本积累理论和对帝国主义问题的认识，在试图回避帝国主义产生的经济基础、基本矛盾的情况下，直接揭示资本主义生产的客观历史界限和资本主义必然崩溃的历史趋势，结果表明，卢森堡的理论并没有说服力，因而也受到了广泛的批评。

### （三）对科学社会主义的理解和研究

第二国际围绕科学社会主义问题进行的讨论和争辩主要集中在无产阶级革命策略的选择和无产阶级专政两个问题上。

#### 1. 关于无产阶级革命策略的选择

虽然恩格斯在晚年多番强调无产阶级暴力革命的根本原则和采用合法斗争的革命策略的关系，以及采用合法斗争的形式变革社会、获取政权需要一系列的附带条件，但第二国际内部并没有充分理解恩格斯晚年的这一重要思想。伴随和平时代条件下无产阶级利用普选权获得重要胜利，第二国际内的不少领导人陷入对合法斗争、议会选举的盲目崇拜中，如李卜克内西一度热衷于宣传和平的和反暴力的策略而甚少提及革命原则。

修正主义者以合法斗争的胜利为依据，大肆宣扬“和平长入社会主义”。如伯恩施坦提出，随着社会民主(当然他指的是资本主义社会的民主）的发展，社会民主党代表可以进入议会工作，无产阶级专政也就失去了存在的意义。伯恩施坦认为并不需要“炸毁”现有的国家机器就可以过渡到社会主义，可以和平地“长入”社会主义，并且提出了著名的“最终目标是微不足道的”口号，彻底背离了马克思主义。对此，卢森堡针锋相对地指出，伯恩施坦抛弃了阶级的观点，就失去了政治的罗盘，抛弃了科学社会主义，就失去了把个别事实在一个彻底的世界观中结成有机整体的精神上的结晶轴。卢森堡指出，改良和革命具有本质的区别，伯恩施坦用改良取代革命，是选择了另一目的——他不再想建立一个新的社会制度，而只是想在旧制度中做些量的变动。修正主义否定革命、否定无产阶级专政，本质上不是为了建立社会主义制度，而是为了改良资本主义制度，这从根本上背叛了马克思主义。

2. 关于无产阶级专政

攻击阶级斗争和无产阶级专政学说，是修正主义理论体系的重要组成部分。比如，伯恩施坦以笼统的“财产”和“无财产”标准来解读马克思主义的阶级划分理论，并以现代企业中劳动过程分工体系的等级来理解阶级问题，把无产阶级变成了一个元素复杂的“混合物”，而排斥对作为阶级划分的基础的生产关系的分析。在此基础上，他进一步否定无产阶级专政理论，认为专政已经“过时”。

第二国际的马克思主义者在与修正主义的斗争中，进一步阐发了对社会主义取代资本主义的历史必然性、无产阶级专政等问题的认识。如倍倍尔结合工人运动的实践丰富和发展了科学社会主义理论，指出资产阶级社会既不是自古就有的，也不是永远存在的，它虽然同以前的社会相比是最好的社会，但是它仍然存在很多弊病，因此必须有一个更好的社会来代替它，就像资产阶级社会代替封建社会一样。随着资本主义的不断发展，资本对剩余价值的追逐不但不会减弱，反而会越来越贪婪，这是资本的本性。它必然带来两极分化的加剧和无产阶级的日益贫困。可见，在资本主义生产方式下，无产阶级与资产阶级的矛盾不可调和，这种矛盾在资本主义制度内也无法得到解决，只有变革生产方式、变革社会，才能解决矛盾、解放无产阶级。而无产阶级只有解放自身，才能解放全人类、解放全世界。第二国际的马克思主义者在无产阶级专政问题上立场坚定，与修正主义者展开激烈的交锋，卢森堡、倍倍尔等均指出，放弃无产阶级专政就是背离和背叛马克思主义。

## 四、关于民族与殖民地

俄国的1905年革命和第一次世界大战的爆发，促使民族和殖民地问题成为第二国际各种理论观点交锋的中心内容。修正主义者此时纷纷以“保卫祖国”为借口，公开背叛工人阶级，站在资产阶级的一边支持战争和殖民，支持帝国主义的侵略政策，为资本主义国家发展殖民地做辩护。如伯恩施坦甚至宣称强势发展的民族及经济力量向外扩张是推动社会进步的力量。马克思主义者坚决反对帝国主义的侵略政策和殖民行径，积极支持民族民主解放运动，认为民族民主解放运动是世界无产阶级革命运动的重要组成部分。

民族自治是第二国际围绕民族问题展开争论的最为核心的内容。列宁、卢森堡、鲍威尔等都提出不同的民族自治理论。“奥地利马克思主义的”代表人物鲍威尔以民族问题专家而闻名，他把民族定义为性格共同体，从意志趋向、表象群、身体特征等方面定义民族，并根据奥地利民族压迫的情况而提出“民族文化自治”纲领，民族先成为劳动共同体，才能成为真正的自主的文化共同体。工人阶级只有在反对一切民族的有产阶级的斗争中并且同各民族工人阶级结成紧密联盟的情况下，各民族的工人阶级才能得到经济和政治上的解放，才能加入本民族的文化共同体。鲍威尔的民族文化自治理论在第二国际内部影响很大，但是他的文化自治纲领实际上却是为了分裂无产阶级，试图以文化问题特别是教育问题把民族一劳永逸地分离开来，而忽视各民族之间的联系和交往，显然这与无产阶级运动的主旨相违背。

1903年，俄国社会民主工党第二次代表大会通过的党纲提出宪法要保证国内各民族的自决权。卢森堡对此持批判立场。她认为，民族自决权并没有提供解决民族问题的方案，而只是给予各民族无限的全权。而民族自决权只是一个抽象的口号，社会民主党是无产阶级的政党，实现的不是民族自决权，而是无产阶级的自决权。显然，卢森堡对俄国社会民主工党的民族自决权纲领的误解过大，忽视了不同国家的发展程度和现实条件不一样，国际范围内资产阶级与无产阶级的对抗，同时，这个时代依然存在着民族解放运动，被压迫民族反抗压迫民族的斗争与工人阶级反抗资产阶级的斗争并不是水火不容的。

## 五、关于十月革命和无产阶级革命道路

1917 年，俄国十月革命的胜利是对第二国际修正主义最沉重的打击。列宁领导的布尔什维克党通过暴力手段夺取政权，建立起世界上第一个无产阶级专政国家。也正因如此，修正主义者纷纷把矛头对准十月革命，这也引发了第二国际关于无产阶级革命道路问题的争论。

修正主义者强烈反对十月革命，他们纷纷从所谓坚持马克思主义的社会发展理论出发，从十月革命的性质、十月革命的社会条件和无产阶级专政三个方面修正马克思主义的革命理论。如伯恩施坦认为，俄国社会发展所达到的水平并不足以建立社会主义，俄国的社会主义是一个“畸形儿”。

与伯恩施坦相比，考茨基对十月革命的攻击力度有过之而无不及。他认为，俄国当时不具备社会主义革命的主客观条件，俄国不属于工业国家的行列，所以十月革命实际上是一场“资产阶级革命”；他也攻击无产阶级专政，认为布尔什维克的原罪就是用专政取代了民主，布尔什维克的专政是国家政权的专政，其严酷程度远超过沙皇制度；考茨基还攻击共产党的领导，认为共产党“仅是一个宗派”，他还把列宁主义和马克思主义对立起来，大肆攻击列宁的革命理论和实践。

普列汉诺夫对十月革命的攻击和反对基于上述同样的立场，未能摆脱第二国际庸俗化的、马克思主义“生产力论”。他认为，20 世纪 20 年代的俄国经济十分落后，不具备社会主义革命的条件，只有资本主义在俄国得到迅速发展，才能加速社会主义的到来。因此，他主张俄国无产阶级及其政党只有积极地支持政府在战争中取胜，才能保证资本主义发展起来，从而为实现社会主义创造条件。普列汉诺夫不仅把俄国实现社会主义的希望寄托在沙皇帝国侵略战争的胜利上，还在十月革命胜利后进一步反对社会主义革命。他认为，农民虽然与工人阶级共同夺取政权，但是农民所追求的是发展资本主义，因而他们不是工人阶级建立社会主义的同盟者，所以，他断言小农会使无产阶级夺取政权之后进行的社会主义革命走向失败。反对无产阶级专政也是普列汉诺夫的重要论点。他在反对伯恩施坦修正主义的时候捍卫了马克思主义的无产阶级革命和无产阶级专政理论，但是，在十月革命后，他却极力宣扬俄国建立的无产阶级专政“不合时宜”，转而主张各阶级建立“联合政府”，宣扬阶级调和。

虽然伯恩施坦、考茨基、普列汉诺夫等对俄国十月革命的社会主义性质和无产阶级专政的攻击被他们自己宣称为是“坚持”和“维护”了马克思主义，但是实际上他们共同持有的那套“理论”的前提却是“社会主义先决条件论”，即打着经济分析的旗帜，以经济发展程度作为唯一的标准，把马克思主义庸俗化为一种社会进化论，认为社会主义只有建立在发达的资本主义基础上，如果不符合这个条件，它就不是无产阶级革命，建立的政权也就不是无产阶级专政。

卢森堡从革命发展规律的角度充分肯定了十月革命的意义，反对第二国际关于十月革命社会条件不足的论调。她指出，十月革命的胜利是布尔什维克根据历史发展规律而领导俄国工农革命群众进行斗争的结果，由二月资产阶级革命过渡到十月社会主义革命是社会内部矛盾发展成熟的产物，革命的自然规律要求迅速作出决断，否则就会丧失革命成果。卢森堡赞扬布尔什维克解决了如何争取“人民的多数”这个像梦魇一样一直压在德国社会民主党胸口上的问题。她指出，布尔什维克在革命中提出了最完整最彻底的革命纲领，这个纲领坚持工农革命群众的行动目的不是为了巩固资产阶级民主制，而是建立无产阶级专政以达到实现社会主义。卢森堡称赞十月革命不仅挽救了俄国革命，而且也挽救了国际社会主义的声誉。卢森堡一方面充分肯定十月革命的社会主义性质和革命意义，驳斥第二国际在俄国革命发生的客观性问题上的“生产力论”，另一方面也对列宁领导的布尔什维克实行的一些政策提出了尖锐的批评。比如土地政策、民族自决权、无产阶级专政等，后文将对此展开论述。

在一片攻击俄国十月革命的嘈杂声中，蔡特金勇敢发声，热情颂扬俄国十月革命的重大意义，充分肯定十月革命的社会主义性质。蔡特金指出，俄国的无产阶级和农民已经成熟，俄国具备进行社会主义革命的条件，无产阶级和农民要从政治上改变俄国，消灭私有制、剥削和压迫，从这一点来看，十月革命的社会主义性质不可否认。针对考茨基对十月革命和俄国无产阶级专政的曲解和攻击，蔡特金积极回击，肯定苏维埃政权的民主性质，并指出在政权刚刚建立而国内还在进行革命和反革命对抗的时期，专政是必要的，以实现社会主义为目的的无产阶级革命，没有专政是完成不了的。无产阶级专政只有在完成了镇压敌人的历史使命之后才能取消，才能过渡到更为完善的民主。

## 第四节　第二国际后半期马克思主义发展的基本特点

第二国际后半期在马克思主义发展史上占据特殊的地位，第二国际的马克思主义者在与伯恩施坦修正主义的斗争中捍卫了马克思主义，在探索时代课题和马克思主义历史命运的过程中发展了马克思主义，处于世纪之交的马克思主义在分化和曲折中不断发展。这是第二国际后半期马克思主义发展的基本特点。

### 一、在对修正主义的批判中捍卫马克思主义

伯恩施坦修正主义的出现不是偶然现象，也不是某个民族或国家的特有现象。它的出现，同资本主义向帝国主义过渡、同垄断资本的形成及其对工人的剥削和对殖民地的掠夺日益加深密切相关。在19世纪末至20世纪初的历史转折关头，伯恩施坦作为马克思主义内部的反对派，以时代的变化和马克思主义面临的新问题为借口，宣扬马克思主义的基本理论如阶级斗争、无产阶级革命和无产阶级专政学说已成为“过时”的“教条”，而阶级合作、和平的议会道路则成了“正确的”理论。修正主义者用完整的形式“修正”马克思主义，他们不是随着时代的发展而发展马克思主义，而是以时代变化为借口从根本上否定马克思主义，这自然受到各国马克思主义者的坚决反对。首先是卢森堡、倍倍尔、考茨基、蔡特金和帕尔乌斯，随后是法国、意大利和俄国的马克思主义者拉法格、拉布里奥拉、普列汉诺夫和布拉戈耶夫等相继投入到反对修正主义思潮的斗争中。争论涉及是否坚持和捍卫马克思主义关于无产阶级革命的世界观——辩证唯物主义和历史唯物主义，是否坚持和捍卫马克思主义关于无产阶级革命理论和无产阶级革命纲领的重大原则。这场发生于世纪之交的、规模广阔的理论斗争为捍卫马克思主义作出了重要贡献。

这场反对修正主义的斗争也产生了一批优秀的马克思主义论著和文稿，如

卢森堡的《社会改良还是社会革命?》，拉法格的《社会党和资产阶级政府》，梅林的《康德与社会主义》，普列汉诺夫的《Cant 反对康德或伯恩施坦先生的精神遗嘱》，布拉戈耶夫的《马克思主义还是伯恩施坦主义?》以及马赫列夫斯基的《修正主义的十年》等。

此外，第二国际主要理论家们对各种错误思潮也进行了卓有成效的批判工作。比如，对于将马克思主义看作“经济唯物主义”、“经济历史观”或“宿命论”的错误观念，梅林就进行了坚决的批评，由此而被人们称为“不调和的马克思主义者”；普列汉诺夫从19世纪80年代起，系统地对国内的民粹主义、机会主义等进行了理论上的批判，特别是批判了被资产阶级用来反对唯物史观的折中主义“因素论”和把唯物史观庸俗化的“经济决定论”。

但是，我们也看到，当时许多马克思主义者的批判还局限在理论方面，未能同时代的发展变化、同新的历史条件和历史情况结合起来，没能依据马克思主义的立场、观点和方法，对新的历史时代的经济、政治状况作出新的理论概括，因而没能彻底战胜修正主义。对此，佩里·安德森正确指出，卢森堡、梅林、普列汉诺夫等人的“著作的主要方向事实上可以视为恩格斯本人最后时期的继续。换句话说，他们关心以不同的方式将历史唯物主义作为有关人和自然的全面理论而加以系统化，使之能替代对立的资产阶级学科，并为工人运动提供其战斗者易于掌握的广泛而一贯的世界观。这个任务使他们像恩格斯一样，承担双重使命：一方面，把马克思主义总的哲学内容作为一种历史观念提出来；同时把它扩展到马克思所未曾直接触及的领域”①。

## 二、在探索时代课题过程中发展马克思主义

马克思主义的生命力在于它同时代一贯保持密切的联系。马克思主义不仅是时代的产物，而且总是面对着时代的挑战和提出的问题，倾听时代的声音，满足时代的需要，推动时代的前进。探索时代课题是马克思主义者矢志不渝的追求，第二国际的马克思主义者在回应时代为马克思主义提出的新课题的过程

---

① [英] 佩里·安德森：《西方马克思主义探讨》，高铦、文贯中、魏章玲译，人民出版社1981年版，第13页。

中，通过自身的理论和实践推动了马克思主义的发展。比如，面对伯恩施坦利用时代的变化来否定马克思主义的做法，拉法格清楚地意识到研究时代特征对批判修正主义的重要意义。他在 1903 年完成的《美国托拉斯及其经济、社会和政治意义》一书，是马克思主义理论者中第一部系统研究垄断资本主义问题的著作。他在书中不仅总结了时代的变化及其特征，还进一步阐述了自由竞争资本主义向垄断资本主义过渡的本质，对马克思主义关于垄断资本主义经济学的形成作出了突出贡献。

可以说，世纪之交马克思主义在世界范围内得到广泛的传播，第二国际的马克思主义者们是功不可没的。他们不仅采用通俗易懂的方式宣传、传播和研究马克思主义，更重要的是，他们还创造性地运用新材料，对马克思主义基本原理和一系列基本观点作出科学的阐释，在捍卫马克思主义的同时丰富和发展了马克思主义。

时代的变化和马克思主义的历史命运，是第二国际首先面对且必须回应的重大课题。第二国际的理论家们对于时代发展的新情况新特点，积极作出反应，特别是在对资本主义新变化的研究上，拉布里奥拉、考茨基、卢森堡等人的政治经济学研究是卓有成效的；对于时代特点造成的革命形势以及对工人阶级的影响，他们也试图作出自己的理论分析和预测。但是，时代所带来的深刻变化表现为多个方面，要对如何认识资本主义的新变化、如何认识资本主义和平时期工人运动的变化等问题的认识作出科学的理解与阐释，是一个极大的考验与挑战。第二国际中的革命马克思主义者经受了这个考验，他们坚持马克思主义的立场、观点和方法，不仅捍卫了马克思主义，而且在理论和实践上发展了马克思主义；但也有一部分“原正统马克思主义”者背离马克思主义，堕落为修正主义者和机会主义者。

## 三、马克思主义在分化和曲折中发展

马克思主义是随着历史和时代的发展而不断发展的，但这一发展是曲折的。特别是在历史的转折时期，经济、政治、文化诸多条件发生了深刻的变化，马克思主义面对着内部和外部纷至沓来的各种思潮的挑战。在第二国际后半期，马克思主义经历了自它创立以来的第一个世纪之交，恰逢资本主义由自由竞争向垄断过渡，社会经济关系发生了深刻的变化，马克思主义也在这一时代背景下在分化和曲折中发展。

理论与实践的统一性是马克思主义的重要特征，第二国际思想的流变历程反映出第二国际理论家们没有深刻把握并践行理论与实践的统一，这是导致马克思主义在世纪之交遭受曲折的原因之一。在第二国际时期，理论与实践发生断裂的表现之一，是伯恩施坦修正主义的产生。伯恩施坦以资本主义发展出现的新情况为理由，借口“探求当前问题的细节”而主张用“全新的理论”来取代马克思主义，与其他马克思主义的反对者的思想相比，伯恩施坦修正主义的特殊性在于它是生长于马克思主义内部的错误思潮，一方面修正主义的实质是全盘否定马克思主义，另一方面却又打着“发展”和“维护”马克思主义的幌子，因而既能够迎合资产阶级的需要，也能在第二国际内部招揽一大批追随者。理论与实践发生断裂的表现之二，是教条式马克思主义在第二国际中的泛滥。大多数第二国际的理论家们把马克思主义奉为“圣经”，他们普遍熟悉马克思恩格斯的经典著作，具备很高的马克思主义理论水平，但是在涉及实践中的新情况、新变化时，却习惯性地以背得滚瓜烂熟的理论词句来比对现实情况，结果往往无法对现实问题给予有针对性的回应。正如列宁在评价考茨基时指出的：“我们不要忘记，考茨基是一个几乎能把马克思著作背得出来的人；从考茨基的一切著作来看，在他的书桌或脑袋里一定有许多小抽屉，把马克思所写的一切东西放得井井有条，引用起来极其方便。”①但是，在实际问题面前他则表现得十分无能。在第二国际的理论家中，表现为理论与实践的分裂的绝不仅仅在于考茨基一人。在面对时代课题的变化及其所带来的一系列重大问题时，相当一部分第二国际的理论家对此无法提供科学的回答，因而也无法彻底战胜修正主义。这一任务最终是由以列宁为代表的一批革命马克思主义者完成的。

① 《列宁选集》第3卷，人民出版社2012年版，第592页。

# 第二章　伯恩施坦修正主义的出现及其影响

在马克思恩格斯逝世之后特别是第二国际时期，马克思主义的发展面临着新的时代课题。19世纪的最后30年和20世纪初，资本主义进入到一个相对和平和经济较快发展时期，生产力水平得以明显提高，由自由竞争资本主义逐渐发展到垄断资本主义。在这一时期，马克思主义在欧洲许多社会主义政党中取得领导地位，工人运动也取得丰硕成果。这一时期的工人运动以议会斗争为主要特色。德国社会民主党领导的议会斗争的胜利助长了第二国际在资本主义面前的保守性，革命性逐渐消退。伯恩施坦是第二国际内部修正主义理论的最重要的代表，分析他的思想理论，是理解第二国际时期及以后马克思主义曲折发展过程的中枢。

## 第一节　伯恩施坦早期思想的演变

青年伯恩施坦是从拉萨尔主义和杜林主义走向马克思主义的。但是，在他表示接受马克思主义时，已显露出对马克思主义无产阶级革命和无产阶级政党学说的背离。伯恩施坦作为“苏黎世三人团”[①]成员之一，参与撰写《德国社

---

① 苏黎世三人团，即德国社会民主党内赫希伯尔格、施拉姆、伯恩施坦三人的右倾机会主义小宗派集团。1878年10月，俾斯麦的“镇压社会民主党企图危害治安的法令”（即“非常法”）颁布后，流亡在瑞士苏黎世负责编辑党刊《社会民主党人》的赫希伯尔格等三人，屈服于敌人的压力，宣扬投降主义路线，乞求统治阶级的饶恕，主张把党改变成为一个资产阶级的改良党。

会主义运动的回顾》，其右倾改良主义的错误观点受到马克思恩格斯的严厉批评。之后，伯恩施坦通过阅读《反杜林论》接受了马克思主义理论，逐渐成长为一个马克思主义者，由于长期担任《社会民主党人报》的主编和发表的一系列文章和著作，为他赢得了当时国际社会主义运动中的马克思主义理论家的美誉。

## 一、拉萨尔主义和杜林主义的信奉者

爱德华·伯恩施坦，1850 年 1 月 6 日出生在一个具有犹太族血统的德国人家庭，父母双亲都是犹太新教的虔诚信徒。父亲雅各布·伯恩施坦原先是行会中受过训练的白铁匠，后来做了一名火车司机。伯恩施坦最初在一所七年制的私立学校学习，毕业后转入一所九年制的完全中学继续学习。由于家境困难，伯恩施坦 16 岁就中途辍学，到古腾塔克兄弟银行当学徒。4 年以后，他转往魏玛一家银行的柏林分行当文书，1871 年又转往路特希尔德银行当文书，在这一职位上一直工作到 1878 年。他谈到，十几年的银行工作的经历使他形成了思考问题的基本方法，从他关于作为一个社会主义者的自我评价中可以看出他的这种思考问题的基本方法的特征。他说："我基本上是一个擅长分析的人，而且是相当片面地只会分析。综合性的思维与总结对我来说是困难的。"①考察伯恩施坦作为"一个社会主义者的成长过程"，可以发现这种方法对他一生的理论研究和思想发展产生了很大影响。离开事物发展的总体性特征，以片面的分析推断事物整体的性质，是这一思想方法的基本性质与特征。

受到德国资产阶级软弱的反普鲁士君主专制运动的影响，伯恩施坦踏入社会后，接受了一些自由主义和民主主义的思想。但是，他对德国及欧洲动荡的政局和日益高涨的工人运动并不十分关心。他自己承认，1866 年普鲁士对奥国和德意志同盟的战争，并没有引起他的注意；1870 年普法战争爆发时，他虽然有"满腔热情"，但对事态的进一步发展毫无兴趣，以致连当时震荡欧洲的巴黎公社起义的消息也很少知道。伯恩施坦对社会主义的最初了解，是从阅读

① ［德］伯恩施坦：《一个社会主义者的发展过程》，载《伯恩施坦文选》，人民出版社 2008 年版，第 488 页。

拉萨尔的《巴师夏——舒尔茨——德里奇先生》和杜林的《国民经济学和社会主义批判史》开始的。他对拉萨尔的咬文嚼字甚至歪曲论敌思想的文风虽然深感“厌恶”，但对拉萨尔“无论干什么事都力求洞察事物底细”的行事风格则大为欣赏。对于拉萨尔的经济学思想也给予较高评价，他说：“整个说来，在论证自己的观点的时候……拉萨尔是如此地熟悉经济问题，给经济概念下了如此透彻的定义，分析得如此深刻而叙述得又如此清楚——这一切在经济学文献中是不易多得的”①。

对杜林的著作，伯恩施坦更是推崇备至。他仔细阅读了杜林的《国民经济学和社会主义批判史》和《国民经济学和社会经济学教程》，对杜林“坦率地表示信奉社会主义”十分赞赏。他认为，在马克思和恩格斯的《共产党宣言》中，只包含“一些概括性的论断”，这些论断“已不能满足运动目前达到的水平的要求了”。在这种情况下，杜林“用来说教的那种实用主义与实证主义的形式很中我的意”。伯恩施坦承认，当时他“受到杜林著作的鼓舞”，当把杜林的著作介绍给其他的社会主义者时，他们的反应几乎都同他一样②。

1872 年，伯恩施坦结识了德国社会民主党人弗·威·弗里切，了解了爱森纳赫派纲领的基本思想。时年 3 月，他听了倍倍尔在由爱森纳赫派社会民主党人组织的民主协会上的一次演讲。这些促使伯恩施坦脱离一个称作“乌托邦”的交谊会，转而加入德国社会民主党（爱森纳赫派）。加入德国社会民主党后，伯恩施坦并没有放弃他先前信奉的杜林主义，仍然迷恋于杜林的理论。1873 年夏，他去探望被监禁的倍倍尔时，还不忘带上杜林的《国民经济学和社会经济学教程》。这时，伯恩施坦仍然认为，杜林作为一位“果断的科学家”，“力求用比马克思的著作易懂得多的语言与形式来叙述社会主义”；“他用其他任何人所不及的科学的激进主义补充了马克思，也可以说继续了马克思”。他说：“让人们说这是折衷主义也罢，是别的什么也罢，我认为社会主义运动的范围完全可以同时容纳一个马克思和一个杜林。”③由此可见，伯恩施坦是作为一个

① ［德］伯恩施坦：《斐迪南·拉萨尔及其对工人阶级的意义》，生活·读书·新知三联书店 1964 年版，第 72、74 页。

② ［德］伯恩施坦：《一个社会主义者的发展过程》，载《伯恩施坦文选》，人民出版社 2008 年版，第 491 页。

③ ［德］伯恩施坦：《一个社会主义者的发展过程》，载《伯恩施坦文选》，人民出版社 2008 年版，第 493 页。

杜林主义者加入社会民主党的，是戴着杜林主义的有色眼镜来看待马克思和马克思主义的。

## 二、苏黎世“三人团”的主要成员

1875年2月，德国社会民主党爱森纳赫派和拉萨尔派在哥达城就两派合并问题举行了预备会议。伯恩施坦作为爱森纳赫派九名代表之一出席了这次会议。这次会议结束后就公布了《哥达纲领》。马克思和恩格斯对《哥达纲领》所宣扬的机会主义理论观点极为不满。这一年的4—5月间，马克思写就了著名的《哥达纲领批判》，对这一纲领宣扬的机会主义理论作了深刻的批判。5月间，马克思和恩格斯曾把他们的批判性意见转告给爱森纳赫派的领袖们。但是，在这年5月下旬召开的两派合并大会上，还是通过了这一纲领。爱森纳赫派的主要领导人，无批判地接受了拉萨尔机会主义思潮对德国无产阶级政党思想上和政治路线上的侵蚀。

1878年，伯恩施坦辞去了银行中的职务，接受卡尔·赫希伯格的邀请，担任赫希伯格的文学秘书。赫希伯格是一位富有的银行家，伯恩施坦称其为“一位富有的青年社会主义私家学者”，“一位宽宏大量、品格高尚的人”。这可能是因为赫希伯格每年都出钱资助以研究社会主义理论为宗旨的半月刊《未来》。但实际上，“赫希伯格的确充其量不过是一个毫无政治立场的人物，他甚至不是社会民主主义者，而是社会博爱主义者”①。恩格斯认为，他追求的是资产阶级的东西，而不是无产阶级的东西。马克思在评价1877年10月《未来》杂志创刊号时，就曾尖锐地指出：“《未来》杂志完全不能令人满意。他的主要意图就是用关于‘正义’等等的虚妄词句来代替唯物主义的认识。杂志的纲领非常可悲。它还允诺要提出关于未来社会结构的荒诞设想。一个资产者捐资入党后的第一个结果就不妙，而这是事先就应该预料到的事情。”②赫希伯格及《未来》杂志的这一理论倾向，对伯恩施坦这一时期的思想发展产生了重要影响。

1878年10月，德国帝国议会通过了《镇压社会民主党企图危害治安的法

---

① 《马克思恩格斯全集》第34卷，人民出版社1982年版，第360页。

② 《马克思恩格斯全集》第34卷，人民出版社1982年版，第283页。

令》，即“反社会党人非常法”，对德国社会民主党人和工人运动进行残酷的迫害和镇压。德国无产阶级革命政党和无产阶级革命运动面临着严峻的考验。德国社会民主党内出现了以约翰·莫斯特为代表的左倾机会主义思潮，这种思潮玩弄“革命”词句，鼓吹革命高潮论，而实际上却没有任何一点革命内容。同时，德国社会民主党内也出现了以赫希伯格、伯恩施坦和卡尔·奥古斯特·施拉姆“三人团”为代表的右倾机会主义思潮，这股思潮的代表作就是由他们三人合写的《德国社会主义运动的回顾》一文，该文发表在 1879 年 8 月《社会科学和社会政治年鉴》第 1 期上。

《德国社会主义运动的回顾》一文阐述的中心问题，是试图根据“反社会党人非常法”时期的特殊情况，否定无产阶级政党的革命性质和根本任务。该文甚至强调，社会民主党应当不是“片面的工人党”，而应该是“一切富有真正仁爱精神的人”的“全面的党”。为此，党必须把“在有教育的和有财产的阶级中出现的许许多多的拥护者”争取到党内来。该文宣称，德国的社会主义“过去重视争取群众的工作，而忽略了在所谓社会上层中大力进行宣传”，“党还缺乏适于在帝国国会中代表它的人物。”该文还直言不讳地提出：“在反社会党人法的压迫下，党表明，它不打算走暴力的，流血的革命的道路，而决定……走合法的即改良的道路。”德国无产阶级政党早先已经“完全不必要地增加了资产阶级的怨恨”，“如果我们把自己的全部力量，全部精力用来达到某些最近的目标，达到在开始考虑实现较远的任务以前无论如何必须达到的目标，那么我们的工作就能够做许多年了。”其结论是：放弃无产阶级政党的根本目标，求得与德国反动政府和资产阶级的全面的“和解”。①

马克思和恩格斯对《德国社会主义运动的回顾》一文作了严肃的批判，他们在致德国社会民主党领导人倍倍尔、威廉·李卜克内西和白拉克等人的《通告信》中，尖锐地指出：“党怎么能够再容忍这篇文章的作者们留在自己的队伍中，我们是完全不能理解的。”“我们不能和那些公开说什么工人太缺少教育，不能自己解放自己，因而应当由博爱的大小资产者从上面来解放的人们一道走。”②

---

① 刘佩弦、马健行：《第二国际若干人物的思想研究》，中国人民大学出版社 1994 年版，第 63 页。

② 《马克思恩格斯全集》第 34 卷，人民出版社 1982 年版，第 383、384 页。

## 三、接受和宣传马克思主义

马克思和恩格斯对《德国社会主义运动的回顾》一文所作的严肃批判，对伯恩施坦的触动还是比较大的。后来伯恩施坦对他所参与宣扬的右倾机会主义思潮的错误，也有了一定程度的反省，特别是1880年8月，德国社会民主党在瑞士维登召开的代表大会，促使伯恩施坦接受党的正确路线。维登代表大会对《哥达纲领》作了一些重要修改，改变了原来“只用合法手段”来达到一切目的的提法，主张使用“一切手段”来达到党的目的，从而确立了党在新形势下的革命原则和策略路线。维登代表大会重建了党的机构，批准《社会民主党人报》为党的正式机关报。

1880年2月，倍倍尔为向马克思和恩格斯汇报维登代表大会的情况并商量《社会民主党人报》的主编问题，与伯恩施坦一起去伦敦首次拜访了马克思和恩格斯。这次伦敦之行，使伯恩施坦受到了较深刻的教育，他承认了自己在《德国社会主义运动的回顾》一文中所犯的右倾机会主义的错误，给马克思和恩格斯留下了良好的印象。1881年1月起，伯恩施坦由倍倍尔推荐，接替福尔马尔担任《社会民主党人报》的临时主编。这年秋天，经马克思和恩格斯的同意，德国社会民主党正式邀请伯恩施坦担任该报的主编。到1890年该报停刊，伯恩施坦一直是该报的主编。在担任《社会民主党人报》主编的十年中，伯恩施坦为办好这份党的机关报付出了辛勤的劳动，为贯彻党的正确的政策和策略，为支持以倍倍尔、威廉·李卜克内西为代表的革命派，同党内错误路线的斗争作出了重要贡献。同时，也为宣传和传播马克思主义理论作了大量有益的工作。

恩格斯对这一时期《社会民主党人报》的工作给予高度评价。他在该报终刊号上发表的《给社会民主党人报读者的告别信》中曾经指出，《社会民主党人报》是“起过如此明显的历史作用的报纸，它的篇幅，而且只有它的篇幅才反映了德国工人政党生命中最有决定意义的十二年的报纸”。“这无疑是党曾经有过的最好的报纸。这不仅是因为只有它享有充分的出版自由。在它的篇幅上极其明确地和坚决地阐述并捍卫了党的原则，编辑部的策略几乎毫无例外地都是正确的。而且还应当补充一点。当我们的资产阶级报刊笼罩着一片死寂的时候，在‘社会民主党人报’上却反映出我们的工人通常同警察的阴谋诡计作斗争时的那种生动幽默。”[①] 恩格斯对《社会民主党人报》的这一评价，包含了对伯恩施坦工作成绩的肯定。

伯恩施坦在担任《社会民主党人报》主编工作中取得的突出成绩，同他本人理论上思路开阔，而且敏锐机智是分不开的。恩格斯认为，伯恩施坦“和那种粘在党身上的糟糕透顶的青年文人相比……倒是真珠子”[②]。当然，伯恩施坦这一时期的工作成就，与恩格斯的指导、帮助，与党内倍倍尔和李卜克内西等人的正确领导是分不开的。恩格斯曾对这10年间《社会民主党人报》的办报方针、理论倾向和斗争策略，甚至编辑技术和文风都提出过周详的意见。发表在该报上的一些重要文章，有的就是根据恩格斯的具体指示撰写的。伯恩施坦在主编《社会民主党人报》过程中显露出的组织才能和理论才能，使他在德国社会民主党内，乃至在当时的国际社会主义运动中赢得了马克思主义理论家的美誉。

## 第二节　伯恩施坦修正主义思想的形成和发展

恩格斯去世后，由于受英国费边社以及英国自由主义政治文化的影响，伯恩施坦的思想发生了动摇，逐渐变为修正主义者。1896—1898年发表的《社会主义问题》一组文章成为伯恩施坦宣扬修正主义的起点。1899年公开出版的《社会主义的前提和社会民主党的任务》（英文版标题是《进化的社会主义》），成为伯恩施坦正式修正马克思主义的标志，也被称为“修正主义的圣经”，从而在德国社会民主党代表大会上受到缺席批判。

### 一、《社会主义问题》：修正主义理论的初步提出

1888年5月，《社会民主党人报》被迫由苏黎世迁往伦敦。从这以后，一

① 《马克思恩格斯全集》第22卷，人民出版社1965年版，第88、89—90页。
② 《马克思恩格斯全集》第36卷，人民出版社1975年版，第335页。

直到 1901 年初，伯恩施坦一直生活在伦敦。移居伦敦，一方面使伯恩施坦与晚年恩格斯保持更为频繁的交往，这种交往增强了伯恩施坦在马克思主义理论研究领域和国际社会主义运动中的影响。特别是在恩格斯指定伯恩施坦为他的遗嘱执行人之一后，更扩大了伯恩施坦的影响。另一方面，在伦敦的生活，也使他目睹了英国资本主义较长期经济繁荣、社会和平发展的现实，并在与英国盛极一时的“费边社”成员的交往中，潜移默化，或多或少地接受了费边社会主义思想的影响。伯恩施坦在谈到自己 19 世纪 90 年代的思想转变问题时曾认为，“我在英国居住，自然就使我有机会和英国社会主义者发生联系并且更深入地了解英国工人运动。这对我很有好处，使我能检查一下我的那些一直是间接获得的关于英国民族精神和英国工人运动精神的观点并且根据情况加以纠正。”同时，他又认为，“说我是学英国费边主义的榜样而转向修正主义的，这是完全错误的。”①但是，费边社会主义的理论主张毕竟已深深地影响了他的思想，特别是费边社会主义关于经济和社会政策的观点，在当时“使我的眼界得到许多有价值的扩展；而费边社会主义者对马克思价值理论的批判”，他后来看法有所改变，认为这一理论的意义并不像过去所认为的那样对他产生了影响。

从 1896 年到 1898 年，伯恩施坦在《新时代》上以“社会主义问题”为总标题发表的一组文章，成为他对马克思主义“传统解释进行批判”的代表作。《社会主义问题》由六篇文章组成，这就是：《空想主义和折衷主义》、《社会主义的现实因素和空论因素》、《英国农业状况的发展》、《空间和数字在社会政策上的意义》、《区域理论和集体主义的界线》和《德国工业发展的现状》。伯恩施坦在谈到写作这组文章的动机时，指出：“我感到有必要向我的德国党员同志们说明，他们最好在决定政策时完全抛开关于即将到来的大灾变的想法，并且在演说中避免使用以这一想法为来源的词句。”他还打算以他的这一见解来阐发由此得出关于社会主义“运动进程的推论”②。由此可见，这组文章的中心论点就是抛弃马克思主义关于资本主义必然灭亡，无产阶级通过社会革命夺取社会主义胜利的基本原理。正是为了突出这一中心论点，他在 1900 年编辑《社

① ［德］伯恩施坦：《一个社会主义者的发展过程》，载《伯恩施坦文选》，人民出版社 2008 年版，第 503 页。

② ［德］伯恩施坦：《一个社会主义者的发展过程》，载《伯恩施坦文选》，人民出版社 2008 年版，第 500 页。

会主义的历史和理论》一书时，删去了《区域理论和集体主义的界线》和《德国工业发展的现状》两文，增加了这一时期发表在《新时代》上的另外两篇文章：《崩溃论和殖民政策》（1898 年）和《英国的政党和经济利益》（1897 年）。这六篇文章组成《社会主义的历史和理论》中第二编“社会主义问题”，这也就是后来人们提到的《社会主义问题》的六篇文章。

伯恩施坦的修正主义观点大致说来可以概括为以下四个方面：第一，传统的马克思主义革命理论认为资本主义社会生产方式的固有矛盾必然会导致巨大的经济和社会危机，使作为自觉的革命阶级的无产阶级能够掌握政权，按社会主义原则对社会进行全面改造。伯恩施坦怀疑甚至否认这种革命的可能性，认为卡特尔和托拉斯未必像恩格斯所说的那样包含着“未来剧烈得多的危机的胚芽”，现代信用制度的灵活性、交通和通讯的完善化、商业统计和情报机构的改进、工业家组织的扩展都会对生产活动与市场状况的关系产生重大影响，因此很有可能将来不会发生过去那种成为社会革命前奏的经济危机。第二，在发达的资本主义国家，工人阶级及其政党已经能运用选举民主对国家和地方政府直接或间接施加影响，并且按民主精神修改企业领导的决策，使有特权的少数人的利益服从公共利益。另外，某些生产部门已成熟到这样的程度，不适于听任它们被私人用来进行剥削，因此工人政党不能把一切都推迟到资本主义飞跃到社会主义以后才做，不能划清“这边是资本主义，那边是社会主义”的界线，而是可以考虑“社会的长入社会主义”。伯恩施坦认为，虽然社会主义社会还相当遥远，但是他相信，“现在这一代人已经会看到许多的社会主义得到实现”，例如社会义务的范围不断扩大，社会通过国家对经济生活的监督权的扩展，地方自治团体的建立及其职能的扩大，这一切都是“社会主义的一部分一部分地实现。伴随着这一发展，经济企业自然会从私人管理转入公共管理。但是这种转移只能逐渐地进行”。[①] 第三，伯恩施坦认为新康德主义者所提出的“回到康德去”的主张在一定程度上对于社会主义理论也是适用的。换句话说，要承认一切唯物主义都是有条件限制的。历史唯物主义也承认一些观念的力量或“空论”是社会主义运动的正当原动力，特别是道德意识或法权观点，而阶级利益也具有社会的或伦理的因素，它在相当程度上不仅是理智上的利益，而且是道德上的利益，因

① ［德］伯恩施坦：《社会主义的历史和理论》，东方出版社 1989 年版，第 195 页。

而它也固有一种道德意义的观念性。总之，关于未来发展的全部理论，即使是十分唯物主义的，归根到底也一定带有空论的色彩。道德观念等尽管只存在于人的头脑中，但也是绝对实在的东西，是一个能起创造作用的力量。“因此，凡是不梦想突然一跃就到了美满的共产主义社会的人，就不会把道德观念和法律观念的继续发展看成和经济改革的实现一样仅仅是属于未来的事情”。第四，伯恩施坦在以上三点论述的基础上，做出了一个关于“运动就是一切”的著名声明：“我坦白说，我对于人们通常所理解的‘社会主义的最终目的’非常缺乏爱好和兴趣。这个目的无论是什么，对我来说都是毫不足道的。运动就是一切。”①

综上所述，伯恩施坦当时已形成这样的思想：在资本主义经济发达并且具备较完备的资产阶级民主制的国家，实际上也就是欧洲多数国家，“和平长入社会主义”是可能的。用他自己总结党内对他的批评意见的话来说：“从我的论文得出的实践上的结论是，放弃由在政治上和经济上组织起来的无产阶级夺取政权”。②

《社会主义问题》这组文章在德国社会民主党内引起强烈的反应，不少党员表示反对，并要求即将于1898年10月在斯图加特召开的党代表大会对此表态。社会民主党主席倍倍尔和主要理论家考茨基也对伯恩施坦的主张感到不安，但认为还不是十分严重，因此斯图加特代表大会并未把“伯恩施坦问题”单独列入议程，只是在讨论党的执行委员会的报告时围绕“运动和最终目的”问题进行了激烈的争论。由于德国政府在“反社会党人法”时期发出的通缉伯恩施坦的命令还未撤销，所以他不能回国参加大会，只是寄去了一份书面声明，由倍倍尔代为宣读。伯恩施坦在声明中表示不愿放弃那组文章所表达的他的信念的任何主要方面。他认为《共产党宣言》对于现代社会发展所作的预断只是就一般趋势来说是正确的，但是许多具体结论，首先是对于发展所需时间的估计是错误的，因此，“发展所采取的形式和它将达到的形态，也必然是《共产党宣言》所没有预见到而且也不可能预见到的”。③ 他声称反对这样的见解：“我们面临着指日可待的资产阶级社会的崩溃，社会民主党应当

① ［德］伯恩施坦：《社会主义的历史和理论》，东方出版社1989年版，第195页。

② ［德］伯恩施坦：《社会主义的前提和社会民主党的任务》，载《伯恩施坦文选》，人民出版社2008年版，第100页。

③ ［德］伯恩施坦：《社会主义的前提和社会民主党的任务》，载《伯恩施坦文选》，人民出版社2008年版，第101页。

根据对这种即将到来的巨大社会灾变的指望来确定自己的策略或使自己的策略以它为转移。”①

伯恩施坦特别对“运动和最终目的”问题作了这样的解释：“对我来说运动就是一切，人们通常所说的社会主义最终目的是微不足道的；在这一意义上我今天仍旧承认它。即使‘通常’一词还没有能指出这句话只能有条件地加以解释，但是明摆着的是，它不可能是表示对社会主义原则的最终实现漠不关心，而只是对事情将采取‘什么样’的最后形态漠不关心，或者也许不如说不加操心”。② 他认为，工人阶级夺取政权和剥夺资本家这些事本身并不是目的，而只是实现目的的手段，党对于这一手段并不存在争论，问题只是在于这些手段实现时的情况，这是丝毫不能预言的。在斯图加特大会上，沃尔夫冈·海涅支持伯恩施坦关于最终目的的说法，但是卢森堡和蔡特金强调应把最终目的理解为“在建立一个未来社会之前必须先解决的问题，即夺取政权”。伯恩施坦在后来的著作中还一再为自己辩解，但是他的全部论述证明，他和传统的社会主义理论的分歧正是在于是否必须通过革命夺取政权，而不是关于未来社会的设想。正是在这篇声明中，伯恩施坦第一次援引 1895 年恩格斯为《法兰西阶级斗争》一书新版所写导言中的一些论点来证明自己的观点，并且说恩格斯也已认为有必要对以革命灾变为顶点的策略“作出修正”。1899 年 4 月，卢森堡在《社会改良还是革命?》中开始把伯恩施坦的理论称为“修正主义”。此后，“修正主义”就成为伯恩施坦修改并背叛马克思主义精神实质的代名词。

## 二、《社会主义的前提和社会民主党的任务》：对马克思主义的全面修正

1899 年 1 月，伯恩施坦完成了被称为“修正主义圣经”的《社会主义的前提和社会民主党的任务》一书。同年夏季，该书以《社会主义的前提和社

① ［德］伯恩施坦：《社会主义的前提和社会民主党的任务》，载《伯恩施坦文选》，人民出版社 2008 年版，第 101 页。

② ［德］伯恩施坦：《社会主义的前提和社会民主党的任务》，载《伯恩施坦文选》，人民出版社 2008 年版，第 104 页。

会民主党的任务》为名，由斯图加特的狄茨出版社公开出版。此书1902年、1908年再版时，作者都写了序言。他还为1900年出版的法文译本（书名改为《社会主义的理论和社会民主党的实践》）和1909年出版的英文节译本（书名改为《进化的社会主义》）写了序言。这些序言对书中的观点作了阐述，而1908年版序言末尾的一句话对我们理解此书的内容很有启发，这就是："我们必须预计到现存社会制度有比过去所假定的更长的寿命和更强的伸缩性，并且按照这一预计来展开我们的斗争实践。这一思想正是本书的全部精髓所在"。①

《社会主义的前提和社会民主党的任务》共分五章。第一章"马克思主义社会主义的基本原理"和第二章"马克思主义和黑格尔的辩证法"批评唯物主义历史观和辩证法，主要针对社会主义的历史必然性和暴力革命策略；第三章"现代社会的经济发展"着眼于批判劳动价值论和剩余价值学说；第四章"社会民主党的任务和能力"除了阐述对一些具体政策的主张外，重点在于民主和社会主义的关系；最后一章（原文称为"末章"）"最终目的和运动"的内容超出标题所表明的范围，着重批评教条主义，鼓吹修正主义。

伯恩施坦对马克思主义的全面修正是从理论上对马克思主义做出一番批判，要指出"马克思和恩格斯的学说在哪些点上大体是错误的或者自相矛盾的"。所以，伯恩施坦开宗明义首先将一种科学或学说划分为"纯粹的理论"和"应用的理论"两个组成部分，前者构成理论体系的"不变成分"，后者构成理论体系的"可变成分"。对马克思主义来说，"凡是在马克思对资产阶级社会及其发展过程的描述中无条件适用、也就是不问民族和地方特点一律适用的一切东西，都属于纯粹理论的领域，与此相反，凡是涉及一时的和地方性的特殊现象和推测的一切东西、发展的一切特殊形式，都属于应用科学"。②伯恩施坦要批判和修正的不是马克思主义的"应用科学"部分，而是其"纯粹科学"部分，因为"如果把纯粹科学的任何一个原理去掉，也就随之去掉了基础的一个片段，于是整个建筑的一大部分就失去了支柱，成为摇摇欲坠的了"。可见，伯恩施坦对马克思主义的批判和修正不是细枝末节的，而是根本性的。那么，

---

① ［德］伯恩施坦：《社会主义的前提和社会民主党的任务》，载《伯恩施坦文选》，人民出版社2008年版，第120页。

② ［德］伯恩施坦：《社会主义的前提和社会民主党的任务》，载《伯恩施坦文选》，人民出版社2008年版，第139页。

什么是马克思主义的“纯粹理论部分”呢？伯恩施坦明确地指出：“我的目的只是，把上述历史唯物主义的纲要，把关于一般的阶级斗争以及资产阶级和无产阶级之间的特殊的阶级斗争的学说，还有剩余价值学说连同关于资产阶级社会的生产方式的学说，以及关于这一社会的以这一生产方式为基础的发展趋势的学说，当做我所认为构成马克思主义纯粹科学的建筑的那些东西的主要组成部分而加以描述”。① 而在马克思主义纯粹科学中，最为重要和关键的环节就是历史唯物主义或唯物主义历史观。“没有任何人会不同意，马克思主义的基础中的最重要环节，也可以说是贯穿整个体系的基本规律，是它的特殊的历史理论，这一理论被命名为唯物主义的历史观。整个体系在原则上是同它共存亡的。在这一理论受到限制时，其余的环节彼此相对的地位也相应地要随之受到影响。因此对于马克思主义的正确性的任何探讨，都必须以这一理论是否有效和怎样有效这一问题为出发点”。② 因此，历史唯物主义或唯物主义历史观就成为伯恩施坦批判马克思主义首当其冲的靶子。

伯恩施坦批判历史唯物主义集中在批判历史必然性问题。他说：“关于唯物主义历史观的正确性的问题，就是关于历史必然性及其根源的问题”；“把唯物主义转用于解释历史，就意味着从根本上主张一切历史的过程和发展的必然性”。③ 在这里，伯恩施坦将唯物主义历史观理解为一般唯物主义理论在历史领域中的运用，而一般唯物主义意味着“把一切现象归因于物质的必然的运动”，“物质的运动是作为机械过程而以必然性实现的”，因此，“决定思想和意志趋势的形态的是物质运动，思想和趋势以及从而人类世界的一切现象因而也是物质上必然的。所以唯物主义者是不信神的加尔文教徒”。④ 伯恩施坦用意很明确，他认为唯物主义历史观带有一种机械的宿命论色彩。其实，伯恩施坦所理解的唯物主义历史观本身就曲解了马克思的唯物史观的原意，是第二国际

---

① ［德］伯恩施坦：《社会主义的前提和社会民主党的任务》，载《伯恩施坦文选》，人民出版社2008年版，第140页。

② ［德］伯恩施坦：《社会主义的前提和社会民主党的任务》，载《伯恩施坦文选》，人民出版社2008年版，第140—141页。

③ ［德］伯恩施坦：《社会主义的前提和社会民主党的任务》，载《伯恩施坦文选》，人民出版社2008年版，第141页。

④ ［德］伯恩施坦：《社会主义的前提和社会民主党的任务》，载《伯恩施坦文选》，人民出版社2008年版，第141页。

部分“正统马克思主义”理论家的“唯物史观”，是一种庸俗化了的、教条主义的“唯物史观”。伯恩施坦批判这种“唯物史观”，意味着他点中了它的要害，但是伯恩施坦错就错在他将这笔账算在了马克思的头上，这表明他并没有理解马克思的唯物史观的真谛。众所周知，马克思对唯物史观的经典表述是在1859年《〈政治经济学批判〉序言》中得到明确呈现的。伯恩施坦也引用了这段经典表述，但问题是他将这段表述说成是“独断的措辞”，并进一步引用《资本论》第一卷序言中“以铁的必然性发生作用并且正在实现的趋势”指认这种判断同样是一种宿命论。

在这里，伯恩施坦对马克思的唯物史观的理解依然没有跳出第二国际部分“正统马克思主义”理论家将马克思主义机械化、庸俗化的藩篱。其实，马克思的唯物史观理论并不是无条件地适用于一切历史时期的教条主义。马克思和恩格斯说得很明确，这种规律是从对人类历史发展的研究中抽象出来的，这些抽象离开了现实的历史就没有太大价值。而且，它只能对整理历史资料提供方便，指出历史资料的各个层次的顺序，绝不提供可以适用于各个历史时代的公式。通过马克思回忆自己研究历史唯物主义的心路历程可以看出，马克思并没有先研究自然界得出辩证唯物主义的世界观，然后再把它用来研究社会历史。马克思的研究重点始终是近代资本主义社会。毫不夸张地说，马克思和恩格斯研究得出的历史唯物主义结论是以近代资本主义社会的内在发展规律为对象的，因为马克思和恩格斯所要变革的社会正是资本主义社会。于是，揭示资本主义社会生产方式的运动规律就成为历史唯物主义的根本任务。可见，历史唯物主义中关于生产方式内在矛盾的论述（生产力与生产关系的矛盾）是以资本主义为典型进行分析得出来的，因此，历史唯物主义所揭示的这种规律只有到了资本主义社会关系充分发展的历史时期，通过人们的“抽象力”才能真正得以把握，也只有在资本主义社会才具有“最充分的适用性”。

伯恩施坦不仅没有理解马克思唯物史观的本意，而且还试图引证恩格斯晚年关于历史唯物主义的相关论述来进一步曲解马克思的唯物史观是一种“经济史观”。伯恩施坦认为，按照恩格斯的解释，历史唯物主义已经“不是纯粹唯物主义的，更谈不到是纯粹经济的了”，但是既然这一理论的意义在于它对经济的重视，因此他认为莱比锡大学讲师保尔·巴尔特所用的“经济史观”是马克思主义历史理论的“最恰当的名称”。伯恩施坦接着指出，经济史观并不是仅仅承认经济力量和经济动机，而只是说经济成了不断起决定作用的力量，因此能避免“唯物主义历史观一词上一开始就附有一般同唯物主义这一概念连在一起的一切误解”。伯恩施坦批评经济史观，是为了对唯物史观进行修正和“扩大”。这种扩大是想减弱和限制历史必然性，“可以说，今天经济发展已经达到的水平容许意识形态因素特别是伦理因素有比从前更为广阔的独立活动的余地。因此，技术和经济的发展同其他社会制度的发展之间的因果联系变得愈来愈间接了，从而前者的自然必然性对于后者的形态的决定性影响就愈来愈小了”。① 由此，伯恩施坦强调，今天应用唯物史观的人们“有义务按照成熟的形态而不是最初的形态应用它”，这就是说，除了对生产力和生产关系的发展和影响，还要对每一时代的法权和道德观念、宗教传统、地理影响等加以充分的考虑。可是，他对历史唯物主义“扩大”的做法，陷入了折衷主义。伯恩施坦试图用一种折衷主义的唯物史观取代马克思主义唯物史观。一方面，他强调，除生产方式和交换方式以外的其他因素，如民族群体、生活习惯、地域的群集、人口的地区分布和交通等因素，一旦产生就会发生“特有的反作用”；另一方面，他又强调，要理解这诸多因素之间的相互联系，“决不总是容易的事”。据此，伯恩施坦公开提出，要用一种“折衷精神”来重新规范唯物主义历史观。他认为，“折衷主义——从对于现象的种种不同的解释和处理方式中进行选择——往往只是对于企图从一物引出万物并且以独一无二的方法处理万物的教条主义渴望的自然的反作用。每当这种渴望发展过度，折衷精神总是要一再以强大的自发力量为自己开辟道路。”② 这样，用这种“折衷精神”重新规范的“今天所见到的唯物主义历史观的形态”，就成了伯恩施坦心目中的“科学”；他认定，这是一种“和它的创始人起初赋予它的形态是不同的”历史观。可见，伯恩施坦对马克思历史唯物主义所作的并不是细枝末节的“修正”，而是一种从根本性质上的彻底否定。

伯恩施坦批判和否定历史唯物主义还与对辩证法的批判紧密联系在一起。伯恩施坦看到了辩证法在马克思历史唯物主义理论形成中所起的关键作用，认为马克思和恩格斯“没有停留在费尔巴哈的基本上始终是自然科学方面的唯物

① ［德］伯恩施坦：《社会主义的前提和社会民主党的任务》，载《伯恩施坦文选》，人民出版社 2008 年版，第 148 页。

② ［德］伯恩施坦：《社会主义的前提和社会民主党的任务》，载《伯恩施坦文选》，人民出版社 2008 年版，第 146 页。

主义上，而是通过运用已排除神秘性的辩证法，在法国和更为激烈地在英国发生的资产阶级同工人阶级斗争的影响下，发展了自己的历史唯物主义理论”。我们知道，马克思主义辩证法批判地继承了黑格尔的辩证法，完成了对黑格尔辩证法的颠倒，正如伯恩施坦所概括的那样：“黑格尔把辩证法看成概念的自我发展，而马克思和恩格斯却把概念的辩证法看成现实世界的辩证运动的自觉反映，从而把黑格尔的辩证法重新‘从用头站立变成用脚站立’。”[①] 应该说，伯恩施坦对马克思恩格斯辩证法与黑格尔的这种关系的把握是准确的。但是，伯恩施坦又话锋一转，认为辩证法的用脚站立并不是简单的事情：“一旦我们离开了可以凭经验确认的事实的土地并且超越这些事实而思考，我们就要陷入派生概念的世界，而如果我们然后遵循黑格尔所提出的那个样子的辩证法规律，那么我们就会不知不觉地进入了‘概念的自我发展’的圈套。黑格尔的矛盾逻辑的巨大科学危险就在于此。”如果用辩证法的否定之否定原理来演绎地预测发展，那么“任意构想的危险”就会出现。特别是，某一事物越复杂，要素的数目越多，其性质越是多样，这种原理就这一事物的发展所能告诉我们的就越少。[②] 在这里，伯恩施坦的经验主义立场又出现了，他看到了理论与实践之间的罅隙，但是没有清醒地认识到马克思的辩证法与黑格尔辩证法的真正区别。要知道，马克思研究社会历史时特别注意区分研究方法和叙述方法。“研究必须充分地占有材料，分析它的各种发展形式，探寻这些形式的内在联系。只有这项工作完成以后，现实的运动才能适当地叙述出来。这点一旦做到，材料的生命一旦在观念上反映出来，呈现在我们面前的就好像是一个先验的结构了。”马克思说得很明确，作为叙述方法的辩证法，就是以观念建构的形式来表现“现实的运动”。叙述方法强调人对研究对象的理论建构，人们只有在研究完成之后，才会有叙述可言。叙述的结果就是理论思维以它特有的方式建构世界，但这种理论的建构不能代替对象本身的产生。如果说，研究方法是从具体到抽象即“从表象中的具体达到越来越稀薄的抽象”以得出一些“简单的范畴”或“抽象的规定”，而叙述方法则是从抽象到具体即“抽象的规定在思维行程中导致具体的再现”，显然后一个

---

① ［德］伯恩施坦：《社会主义的前提和社会民主党的任务》，载《伯恩施坦文选》，人民出版社 2008 年版，第 158 页。

② ［德］伯恩施坦：《社会主义的前提和社会民主党的任务》，载《伯恩施坦文选》，人民出版社 2008 年版，第 159 页。

具体指的是“思维中的具体”。而黑格尔辩证法之所以陷入幻觉就在于，它把“思维中的具体”理解为现实的具体本身。因此，辩证法只不过是思维用来把握现实的具体的一种理论方式罢了，必须加以明确的是，决不能将思维建构出的具体与现实的具体本身混同在一起。不难看出，马克思对黑格尔辩证法的警觉是很高的：在人们头脑中作为思想总体而出现的“具体总体”以它所特有的方式来把握世界，与以实践地、艺术地、宗教地把握世界的方式区别开来。这时，作为“现实的具体”的对象依然在人们头脑之外保持着它的顽强的独立性，只要人们的头脑还是以理论的、思辨的方式建构着这个世界。很明显，作为一种理论建构的历史唯物主义，它所揭示的社会发展规律不能离开作为顽强事实的社会现实的运动本身，这种顽强的事实对于理论建构具有优先性和独立性。所以马克思才会说，随着时代不断变化，必须再从头开始，批判地仔细钻研新的材料。马克思科学严谨的态度可见一斑，这种态度就是一种历史的唯物主义的态度。

伯恩施坦没有真正理解马克思的历史唯物主义态度，反而指责马克思陷入黑格尔辩证法的泥淖不能自拔，实在是一种偏见。其实，伯恩施坦的这种偏见就是想瓦解马克思主义社会革命理论的根基，所以他才指认马克思一生没有摆脱辩证法的影响，始终用对立面（无产阶级和资产阶级）及其消除的发展图式来看待社会主义革命。他还认为，马克思恩格斯以激进的黑格尔辩证法为基础，达到了同布朗基主义十分相似的学说。布朗基主义与其说是关于一种方法的理论，不如说它的方法仅仅是它的扎根很深的理论的产物，这就是“关于革命的政治暴力及其表现即革命的剥夺的无限创造力的理论”。尽管马克思主义摈弃不问时间、地点、条件而盲目举行暴动的思想，仍旧未能从布朗基主义解放出来。共产主义同盟时期的马克思恩格斯的著作散发着布朗基主义精神，“《宣言》的革命的行动纲领是彻头彻尾布朗基主义的”。伯恩施坦认为，马克思和恩格斯学说的“最致命之处”，就在于坚持了“黑格尔的矛盾辩证法的残余”。他认为，马克思和恩格斯的《共产党宣言》已经犯了“随便哪一个第一流的政治梦想家也很少会超过的历史的自我欺骗”的错误。因为马克思和恩格斯在《共产党宣言》中指出，德国处于资产阶级革命的前夜，而德国的资产阶级革命又可能是无产阶级革命的直接序幕。伯恩施坦把这看作是马克思和恩格斯的一种“纯粹思辨的预测”，因而“如果不把这一自我欺骗看成是黑格尔的矛盾辩证法残余的产物，那么它就不可理解了”[①]。在伯恩施坦看来，“辩证法以‘是——否和否——是’代替‘是——是和否——否’，它的对立面的相互渗透和从量到质的转化，以及其他的辩证法的妙语，一再妨碍对已经认识的变化的影响作出充分的说明。”[②]伯恩施坦还认为，黑格尔辩证法是马克思学说中的“叛卖性因素”，是妨碍对事物作出正确推理的“陷阱”。在伯恩施坦看来，辩证法作出经济对暴力具有决定影响推理的同时，就不能再作出暴力在经济变革中具有创造力量的推理。一方面，伯恩施坦断言马克思主义“在过高估计革命暴力对于现代社会的社会主义创造力这一点上，它从来没有完全摆脱布朗基主义的见解”。另一方面，他又心有余悸地提道：“每当我们看到把作为社会发展基础的经济当作出发点的理论向把暴力崇拜发挥到顶点的理论屈服时，我们就会碰到一个黑格尔式的原理。”[③]可见，伯恩施坦根本不理解马克思和恩格斯关于经济对暴力的决定作用，以及暴力对经济的反作用之间的辩证关系。马克思说过，暴力是每一个孕育着新社会的旧社会的助产婆，是社会运动借以为自己开辟道路并摧毁僵化的垂死的政治形式的工具。不难看出，伯恩施坦选择辩证法为其批判对象并批判马克思的社会革命理论，是与他推行的改良机会主义理论是直接联系在一起的。

伯恩施坦在批判历史唯物主义理论之后，紧接着对马克思主义的“第二大发现”——剩余价值学说进行了否定和批判。按照马克思的观点，剩余价值是资本主义社会经济的支点，但要理解剩余价值，就必须理解什么是价值。因此，伯恩施坦对马克思主义政治经济学的批判首先从批判马克思的价值理论入手。在第三章“现代社会的经济发展”中，伯恩施坦以对马克思劳动价值论的彻底否定为起点，进而对马克思剩余价值理论大加贬斥，从根本上否定了马克思主义政治经济学的理论基石。在伯恩施坦看来，马克思的劳动价值论存在着重大的“失误”；伯恩施坦断言马克思在提出价值学说时，作了“一系列的抽象和还原”：第一，为展示出纯粹的交换价值，把“个别商品的特殊的使用

① ［德］伯恩施坦：《社会主义的前提和社会民主党的任务》，载《伯恩施坦文选》，人民出版社2008年版，第159页。

② ［德］伯恩施坦：《社会主义的前提和社会民主党的任务》，载《伯恩施坦文选》，人民出版社2008年版，第162页。

③ ［德］伯恩施坦：《社会主义的前提和社会民主党的任务》，载《伯恩施坦文选》，人民出版社2008年版，第174页。

价值”抽象掉了；第二，在形成一般的或抽象的人类劳动概念时，把“各个劳动种类的特性”抽象掉了；第三，为得到作为劳动价值尺度的社会必要劳动时间，把个别工人在勤勉、能力和装备方面的差别抽象掉了；第四，一当问题涉及价值转化为价格时，把各个商品单位所需要的社会必要劳动时间抽象掉了；第五，所得到的劳动价值还进行了一次新的抽象。伯恩施坦在列举了这一系列的抽象之后，得出结论说：“这样一来，只要所考察的是个别的商品或商品范畴，价值就失去了任何可衡量性，成了纯粹的思维的构想。”[①] 在批判马克思价值概念的同时，伯恩施坦还从思想史上对马克思的劳动价值论进行了批驳。他认为，在资产阶级古典经济学家亚当·斯密和大卫·李嘉图那里，劳动价值论就已得到了充分的论述；后来，一些社会主义者在利用这一理论来对付资产阶级经济学，批判资本主义制度时，又作了或多或少的展开论述。至于马克思所做的，只是在读了以上经济学文献之后，对劳动价值论作了更为系统的规范，对于被他更为严格地、但也更为抽象地理解的劳动价值论的概念比斯密更加坚持得多。除此之外，经济思想史上已存在的劳动价值论，在马克思的体系中原则上也没有什么不同。伯恩施坦接着指出，马克思的劳动价值论缺乏现实可行性，因为马克思对商品及其价值的考察，缺乏“现实中”能够“衡量每个时期的总需求的尺度”。就此而言，马克思在劳动价值论论证中所作的“抽象”“仅仅在一定限度内才能够生效”。伯恩施坦由此断言，马克思的劳动价值论和“边际效用价值论”并无二致。所不同的只是，马克思“抽象”了商品的其他一切特征，使商品仅仅成为一定量的简单人类劳动的化身；“边际效用价值论”同样也“抽象”了商品的其他一切特征，不过留下的是商品的“效用”这一特征。

伯恩施坦还着重分析了专门论述利润率的《资本论》第三卷，他指出，恩格斯在编辑《资本论》遗稿时，对马克思劳动价值论缺憾的弥补，并没能奏效。恩格斯在《资本论》第三卷增补《价值规律和利润率》中对劳动价值论所作的历史的和逻辑的说明，同样“缺乏令人信服的证明力”。在伯恩施坦看来，马克思和恩格斯的致命错误在于忽视了非生产领域的人对创造利润和剩余价值所作的贡献。“马克思认为剩余价值的形成完全属于生产领域，在这一领域中生产剩余价值的是工业的雇佣工人”，可实际上，“从事现代经济生活的一切其

① ［德］伯恩施坦：《社会主义的前提和社会民主党的任务》，载《伯恩施坦文选》，人民出版社 2008 年版，第 176 页。

他分子都是生产辅助人员，举例来说，他们作为商品商人、货币商人等等或者作为他们的人员承担起本来属于工业企业的劳动，从而减少了企业的费用，他们就相应地间接促成了剩余价值的提高”。问题在于，马克思和恩格斯对创造剩余价值的劳动人员的限制是不恰当的，所以，伯恩施坦说：“由这些阐述可以明白，在马克思的体系中，创造剩余价值的劳动的界限是多么狭小。得到阐述的以及其他在这里未作进一步讨论职能就其本性来说，对于近代的社会制度是不可缺少的。它们的形式能够改变并且无疑将要改变，但是只有人类不分解成小的自给自足的经济单位，这些职能本身就依旧存在下去。”[①] 总而言之，伯恩施坦以对马克思劳动价值论的否定为起点，进一步否定了马克思剩余价值理论的科学性。他认为“根据马克思的学说，剩余价值是商品的劳动价值同对于生产商品时工人消耗的劳动力的付款之间的差额。因此可以明白，当劳动价值还只能作为思维的公式或科学的假设而要求得到承认的时候，剩余价值更加不过成了单纯的公式，成了一个以假设为根据的公式”。伯恩施坦还进一步认为，劳动价值论只是马克思使用的、试图揭示和说明资本主义经济机制的“一把钥匙”，但是不幸的是，从一开始这一钥匙就“失灵”了。而由此引出的最大的致命的“错误”就是用劳动价值作为衡量资本家剥削工人的尺度，即以剩余价值率作为衡量资本家对工人的剥削率。他断言“即使从作为整体的社会出发并且把劳动工资的总和同其他收入的总和对比，那时剩余价值率作为这一尺度也是错误的”。伯恩施坦不可能忘却恩格斯在《反杜林论》中对马克思剩余价值理论科学价值的评价。恩格斯认为：剩余价值理论的提出，是马克思的“划时代的功绩”。因为“它使社会主义者早先像资产阶级经济学者一样在深沉的黑暗中摸索的经济领域，得到了明亮的阳光的照耀。科学的社会主义就是从此开始，以此为中心发展起来的”。一旦剩余价值理论只是“一个以假设为根据的公式”，那么，科学社会主义的命运也就可想而知了。

伯恩施坦以《社会民主党的任务和能力》为题对马克思主义科学社会主义理论作了全面批判。这一全面的批判是以对马克思关于阶级斗争和无产阶级专政学说的责难为起点的。马克思主义阶级观认为，阶级是指一定生产关系体系中处于不同地位的社会集团。其中，人们对生产资料占有关系上的不同，是形

① ［德］伯恩施坦：《社会主义的前提和社会民主党的任务》，载《伯恩施坦文选》，人民出版社 2008 年版，第 181—182 页。

成阶级区别的基础，也是划分不同阶级的最具有决定意义的标准。因此，所谓阶级，实际上是这样一些大的集团，这些集团在历史上一定社会生产关系中所处的地位不同，对于生产资料的关系(这种关系大部分是在法律上明文规定的)不同，在社会劳动组织中所起的作用不同，因而领得自己所支配的那份社会财富的方式和多寡也不同。伯恩施坦放弃马克思主义阶级观的精髓，对马克思主义阶级观提出两个方面的责难：第一，伯恩施坦完全避开划分阶级的基础——人们对生产资料占有关系问题，而是笼统地用“财产”和“无财产”的区分来理解马克思主义阶级观，从而把阶级的划分完全看作是对人们财产及其收入的划分。“这样一来，这个‘无产阶级’就是异常多种多样的分子的混合物，是一个阶层的混合物。”① 不难看出，伯恩施坦对马克思主义阶级观的理解，同马克思主义阶级观的本质规定是大相径庭的；他由此而得出的由“阶层”取代“阶级”的结论，同科学社会主义理论也是风马牛不相及的。第二，伯恩施坦也放弃从社会劳动组织中人们之间相互关系上理解阶级划分的正确思路，取而代之的是以现代企业中劳动过程分工体系的等级来理解阶级问题。他认为，“现代雇佣工人阶级并不像《共产党宣言》所预见的那样是同一类型的，在财产和家庭等方面同样地不受约束的群众，恰恰是在先进的工厂工业中存在着一套完整的由分化了的工人组成的等级制度，在它的各个集团中间只有不大的团结感。”② 显然，劳动过程中分工体系的等级，主要是由社会生产力发展中劳动的专业化性质引起的，由此而形成的等级，与社会阶级的划分并没有直接的关系。在这里，伯恩施坦故意混淆生产力和生产关系之间的区别，排斥对阶级划分中生产关系基础的分析。

伯恩施坦在否定马克思主义阶级观的同时，也否定了马克思主义的无产阶级专政理论。他一方面宣称，“马克思和恩格斯在创立他们的关于无产阶级专政的理论时，心目中是以法国革命的恐怖时期为典型例子的”③，从而否定了无产阶级专政理论的科学性。另一方面又宣称，随着社会“民主”（其实是资本

① ［德］伯恩施坦：《社会主义的前提和社会民主党的任务》，载《伯恩施坦文选》，人民出版社 2008 年版，第 230 页。

② ［德］伯恩施坦：《社会主义的前提和社会民主党的任务》，载《伯恩施坦文选》，人民出版社 2008 年版，第 230—231 页。

③ ［德］伯恩施坦：《社会主义的前提和社会民主党的任务》，载《伯恩施坦文选》，人民出版社 2008 年版，第 230 页。

主义社会中的“民主”）的发展，有可能使社会民主党的代表“在一切有可能的地方实践上都已站在议会工作，比例人民代表制和人民立法（这一切都是同专政相矛盾的）的立场上”①。这时，“坚持无产阶级专政这一词句究竟有什么意思呢？”因此，无产阶级专政这一词句今天已经如此过时，以致只有把专政一词的实际意义去掉并且赋予它随便什么削弱了的意义，才能使这一词句和现实相一致。②伯恩施坦对马克思主义无产阶级专政理论与实践的指责，只能表明他公然背弃马克思主义的立场，只能表明他对马克思主义基本原理的背叛。伯恩施坦对马克思主义关于阶级斗争和无产阶级专政学说的彻底背叛，必然导致他对无产阶级政党及其任务的错误理解。伯恩施坦认为，德国社会民主党（也包括第二国际的其他无产阶级政党）都主张“反对资产阶级和消灭资产阶级社会”；他认为，这里使用“资产阶级社会”一词，是一种“返祖现象”，是“一种言语上的含混”。③因为这很容易使人们想起“资产阶级社会”一词的另一个含义——“市民社会”。他认为，德国社会民主党这一用语上的“缺陷”，是“导致敌人和朋友的错误解释的绝好桥梁”。④因此，在德国社会民主党的理论中，应该取消用无产阶级社会来代替资产阶级社会的提法，而应该“用一种社会主义社会制度来代替资本主义社会制度”。而这里的“社会主义社会制度”，只不过是由伯恩施坦作了“修正”的，与科学社会主义理论大相径庭的一种“进化”的资本主义制度。同时，在伯恩施坦看来，德国社会民主党在与资产阶级“自由主义”党派的“宣战”中，“应该有些分寸”，因为“说到作为世界历史性运动的自由主义，那么社会主义不仅就时间顺序来说，而且就精神内容来说，都是它的正统的继承者，而且这一点也在实践上，在社会民主党必须对其表示态度的每一原则问题上表现出来”。⑤伯恩施坦不仅要求党放弃反

① ［德］伯恩施坦：《社会主义的前提和社会民主党的任务》，载《伯恩施坦文选》，人民出版社2008年版，第271页。

② ［德］伯恩施坦：《社会主义的前提和社会民主党的任务》，载《伯恩施坦文选》，人民出版社2008年版，第272页。

③ ［德］伯恩施坦：《社会主义的前提和社会民主党的任务》，载《伯恩施坦文选》，人民出版社2008年版，第272页。

④ ［德］伯恩施坦：《社会主义的前提和社会民主党的任务》，载《伯恩施坦文选》，人民出版社2008年版，第272页。

⑤ ［德］伯恩施坦：《社会主义的前提和社会民主党的任务》，载《伯恩施坦文选》，人民出版社2008年版，第274页。

对资产阶级和消灭资产阶级社会的理论纲领，而且还要求党用资产阶级“自由主义”党派的“精神内容”改造党。伯恩施坦特别强调，德国社会民主党应该用“自由主义”党派中“完完全全是曼彻斯特式的经济上的个人负责的原则”来重新规范党的理论与实践。伯恩施坦强调这一点，是要德国社会民主党相信，“承认经济上的个人责任，是个人为了社会给与他的或者向他提供的服务而对社会的报偿”①。那么，对于处在德国专制制度下的德国社会民主党来说，应该“承认”什么样的“经济上的个人责任”？又应该怎样对社会进行“报偿”呢？伯恩施坦并没有作出明确的说明。但是，有一点是清楚的，即如果德国社会民主党承诺这类“责任”，进行这类“报偿”，那么，这实际已经表明它已堕落为资产阶级政党了。最后，伯恩施坦希望德国社会民主党能够摆脱马克思留下的“脚手架”的束缚，放弃马克思理论中的所谓“二元论”倾向。他认为，在《共产党宣言》和《资本论》这样一些马克思主义文献中，马克思只要一论及“最终目的”的问题，“就变得不可靠和不能信赖了”，从而“表明这一伟大的科学天才原来到底是一种教义的俘虏”。伯恩施坦认为，马克思实际上是在“一个现成的脚手架的框框内”建造科学的建筑物；一旦脚手架“限制”了建筑物，从而使科学的建筑物“不能自由发展”时，马克思“不去拆毁脚手架，却不惜牺牲比例而在建筑物本身上作了改变，从而使建筑物更加从属于脚手架”。这无非是说，马克思为了“教义”而牺牲科学。据此，伯恩施坦所产生的“信念”是：“不管那种二元论表现在什么地方，为了使建筑物得到自己的权利，都必须摧毁脚手架”。② 伯恩施坦在反对马克思主义中的“二元论”的旗号下，试图彻底改变无产阶级政党的指导思想和社会主义运动的基本原则。

伯恩施坦对无产阶级政党的指导思想和社会主义运动原则的否定集中表现为对社会主义最终目标的否定，而早在《新时代》杂志上他发表的文章中，通过“人们通常称为社会主义的最终目的的东西，对我来说是微不足道的，运动就是一切”这一命题，就表达了他的这一意向与观点。在《社会主义的前提和社会民主党的任务》一书中，他又对这一观点做了如下详细阐发：“我在当时就已经声明，如果这句关于最终目的的话的形式会容许人把它解释成宣称任何

---

① ［德］伯恩施坦：《社会主义的前提和社会民主党的任务》，载《伯恩施坦文选》，人民出版社 2008 年版，第 275 页。

② ［德］伯恩施坦：《社会主义的前提和社会民主党的任务》，载《伯恩施坦文选》，人民出版社 2008 年版，第 325 页。

表述为原则的工人运动的一般目的毫无价值的话，那么我乐意放弃这种形式。但是在预先设想运动结局的各种理论中，凡是超出一般地表述的目的（即决定运动的原则性方向和性质的目的）的东西，必然要不断地陷入侈谈空想，并且在某一时期成为运动的真正的理论进步和实践进步的阻碍。”① 伯恩施坦对社会主义最终目标的否定，割裂了马克思主义理论与实践的统一，放弃了无产阶级的最终立场，滑向了改良主义。

在《社会主义的前提和社会民主党的任务》一书中，伯恩施坦对他逐渐膨胀起来的修正主义理论作了系统论述。他的理论得到了德国社会民主党内和第二国际内右倾机会主义者们赞赏，这本书也因此成为当时国际共产主义运动中一个背弃马克思主义流派的宣言书。同时，他的理论也受到了革命马克思主义者的严厉批判。对于这些批判，伯恩施坦表示恼怒，指责这些批判是类似于中世纪宗教裁判所作的“粗暴的”判决。

## 第三节 伯恩施坦修正主义思想在新世纪的蔓延

伯恩施坦从 1901 年回到德国一直到去世，他继续论证修正主义的必要性和正当性，依然否定马克思主义科学社会主义的科学性。第一次世界大战爆发后，支持德国政府参战转向大国沙文主义，同时对俄国十月革命和列宁主义持敌视态度。

### 一、伯恩施坦修正主义思想在 20 世纪初的蔓延

伯恩施坦《社会主义的前提和社会民主党的任务》的发表，引起德国社会

① ［德］伯恩施坦：《社会主义的前提和社会民主党的任务》，载《伯恩施坦文选》，人民出版社 2008 年版，第 319 页。

民主党的领导和广大党员的严重关注。从1899年10月到1903年9月，德国社会民主党的四次代表大会，都就伯恩施坦的修正主义理论和策略展开了激烈的争论。与此同时，伯恩施坦针对党内马克思主义理论家对他的批判，也对自己的修正主义理论作了进一步的论述，对他的一些理论观点和策略主张作了“补充”。

在1899年10月汉诺威大会召开之际，伯恩施坦借为《社会主义的前提和社会民主党的任务》法译本作序，以“对我的社会主义的批评家们的回答”为题，就党的代表大会对他的批判作了反击。伯恩施坦除了重复他早先的一些理论观点外，还对一些问题作了补充。比如，他抓住当时马克思主义理论发展中的某些不足，夸大其词，认为某些马克思主义的“权威解释者”养成了一种习惯，即“以同样的敌视态度看待对于导师的学说的任何批评，不管批评是针对这一学说的基本观念，还是仅仅针对它的派生性假说”。伯恩施坦自认为，他所怀疑的只是马克思主义中“派生性假说”的“效用”问题。①

其实，即使在今天看来，伯恩施坦的错误并不在于他对马克思主义某些“派生性假说”所持的怀疑，甚至不在于他对马克思主义个别原理的批评，而在于对资本主义时代发展特征及其趋势的曲解，在于以这一曲解为基础对马克思主义基本原理的否定，放弃马克思主义这一社会主义运动的指导思想的理论基础。

伯恩施坦在怀疑马克思主义中的“派生性假说”的同时，极力主张用当时流行的各种理论来“补充”马克思主义。考茨基曾指责伯恩施坦“打算通过输入同马克思主义理论格格不入，对它敌视并且是为了反驳马克思主义而制定的观念”来“补充”马克思主义。对此，伯恩施坦并不否定，甚至反诘说：就算是这样那又怎么呢？马克思主义不是一个确定不变的体系，它希望成为科学，而对于科学来说，问题不在于知道一种理论是在什么目的或者什么政治意图下制定的，而是在于它是否精确。他还辩解道：“在历史中经常发生这样的情况：一种假说原来是为了反驳某一假说而制定的，结果却被认为是它的补充。”②据

① ［德］伯恩施坦：《社会主义的前提和社会民主党的任务》，载《伯恩施坦文选》，人民出版社2008年版，第122页。

② ［德］伯恩施坦：《社会主义的前提和社会民主党的任务》，载《伯恩施坦文选》，人民出版社2008年版，第132页。

此，他主张用奥地利学派杰文斯、庞巴维克等人的边际价值论来“补充”，以至“取代”马克思的劳动价值论。他还极力主张“复活”蒲鲁东主义，使社会主义运动在蒲鲁东主义理论指导下得到“再生”。

不难看出，伯恩施坦实际上是主张用各种资产阶级、小资产阶级意识形态来“补充”马克思主义。其实，马克思主义不仅不反对，而且还一贯主张吸收人类科学发展的一切积极成果。这种吸收是作为马克思主义发展过程的对对象的分析、批判过程。如果像伯恩施坦那样，把“补充”马克思主义当作使马克思主义折中主义化的捷径，那么，这种“补充”所导致的结果当然只能是窒息、扼杀马克思主义。

1901 年 2 月，伯恩施坦离开长期生活的英国，回到了德国。5 月 17 日，他在柏林大学生联合会上发表题为“科学社会主义怎样才是可能的？”的演讲。演讲内容成了这年 9 月在卢卑克召开的党的代表大会上发生的争论的焦点。从“科学社会主义怎样才是可能的?”的演讲，到在卢卑克大会上的两次发言，再到 10 月发表的《争论的核心——关于“科学社会主义怎样才是可能的?”这一问题讨论的结束语》一文，是伯恩施坦继《社会主义的前提和社会民主党的任务》之后，对科学社会主义发起的再次攻击。

伯恩施坦割裂了科学社会主义理论与实践之间的内在联系。他认为，“作为科学的社会主义诉诸认识，作为运动的社会主义把利益作为自己的最主要的动机。”① 他又说：“没有一种主义是科学。我们用主义所表示的是观点、倾向以及思想或要求的体系，但不是科学。……而社会主义是关于一种未来的社会制度的学说，因此它的特征恰恰缺乏严格的科学证明。”他说，就此而言，“科学社会主义的称号会使人错误地得出一种观念，似乎社会主义作为一种理论希望或者应当成为纯粹的科学”。② 由此，伯恩施坦得出结论说，“在作为社会主义理论的马克思主义学说中，并不全部都是科学”；社会主义学说要获得“科学性”，就要“放弃”成为工人阶级一个阶级的“教义”，就要使它的原理“能够被每一个没有偏见和不受相反利益影响的非社会主义者赞成”。这就是说，“只有当社会主义学说不需要特殊的党的倾向作为基础的时候，它的科学性才

① ［德］伯恩施坦：《社会主义的前提和社会民主党的任务》，载《伯恩施坦文选》，人民出版社 2008 年版，第 386 页。

② ［德］伯恩施坦：《社会主义的前提和社会民主党的任务》，载《伯恩施坦文选》，人民出版社 2008 年版，第 396—397 页。

在相应的程度得到保证。”①

马克思主义从来没有把科学社会主义看作是一种脱离社会主义运动现实的“纯粹”科学。科学社会主义之所以是科学，正在于它是以现实的社会主义运动为事实根据的，又是在指导现实社会主义运动中求得发展的。同时，科学社会主义也公开承认它的无产阶级党性和阶级性，这一学说的科学性正是在于其作为无产阶级争取解放的理论武器，作为无产阶级政党的指导思想过程中得到证明的。伯恩施坦否定社会主义学说的党性和阶级性，只是他肆意歪曲科学社会主义理论，进而全盘否定科学社会主义的一种遁词罢了。

自 1899 年《社会主义的前提和社会民主党的任务》出版后，伯恩施坦的修正主义理论一直受到德国社会民主党内一批马克思主义理论家的抵制与批判。但是，由于这种批判的不彻底性造成伯恩施坦修正主义在 20 世纪最后 10 年在德国社会民主党内的迅速蔓延。

1905 年，伯恩施坦《今日社会民主党的理论与实践》小册子中，仍然以党的理论家的面目出现，公开兜售他的修正主义理论和策略。1908 年底，他在为《社会主义的前提和社会民主党的任务》再版时写的序言中，不无自负地提道：“自从本书写成以来，在政治、工会和合作社方面的工人斗争的实践领域内所发生的最有意义的进步，恰恰是同书中的论述十分一致的。”②1909 年 4 月，正值《社会主义的前提和社会民主党的任务》出版十年，伯恩施坦在阿姆斯特丹大学生社会研究同阿姆斯特丹大学生联合会法学分会共同举办的一次集会上，发表了题为“社会民主党内的修正主义”的演讲，对他的修正主义理论再次作了系统阐述。这次演讲的内容算是伯恩施坦修正主义理论十年来发展的一次“充分”的总结，他对他的理论后来再没有作过类似的总结，因此，这次演讲又成了伯恩施坦修正主义理论的最后说明。

在“社会民主党内的修正主义”演讲中，伯恩施坦首先对“修正主义”的内涵作了解释。他说：“修正主义，这个基本上只有对于理论问题才有意义的词，翻译成政治用语就成为改良主义”；这种改良主义“预见到同非社会主义

① 《伯恩施坦言论》，生活·读书·新知三联书店 1966 年版，第 282—283 页。

② ［德］伯恩施坦：《社会主义的前提和社会民主党的任务》，载《伯恩施坦文选》，人民出版社 2008 年版，第 120 页。

政党屡次合作的理由和必要性，并在同它们的斗争中依照这一点来调整自己的语言。仅就这一点来说，改良主义也就是节制的意思”①。伯恩施坦对“修正主义”内涵的这一解释，也许是他所有解释中最为坦率的。原先伯恩施坦反感于人们把他的理论称作“修正主义”；后来又承认自己是“修正主义分子”，但避而不谈修正主义的实质；现在，修正主义理论经历十年发展之后，他才坦然承认，修正主义实质上就是“改良主义”，或者说是“系统的改良工作的政策”。作为德国社会民主党内的一种改良主义思潮，不只是就其自身的理论和政策而言的，而且更是就其对马克思主义理论和无产阶级革命策略的“改良”而言的。十年前，伯恩施坦在对马克思主义理论和无产阶级革命策略的最初“改良”中，还是以对马克思主义理论的“补充”，“修正”为旗帜的。现在，他不再忌讳人们对他“修正”马克思主义的指责，而干脆按其“改良”的意图，任意地肢解和曲解马克思主义了。

伯恩施坦把马克思主义庸俗化为一个“规律”和两条“原理”。伯恩施坦根据其修正主义理论发展的需要杜撰的这条“规律”就是：“马克思所维护的观点是，现代社会是一个发展着的有机体，既不能任意地加以改变，也不能任意地使它僵化，这个社会宁可说有自己的完全独特的发展规律。——这些规律是一切想对这个有机体进行改良的人必须仔细研究的。”②与这一“规律”相联系，伯恩施坦又武断地把马克思的全部理论简化为以下两条“原理”：其一，“一个社会即使探索到了本身运动的自然规律，……它还是既不能跳过也不能用法令取消自然的发展阶段。但是它能缩短和减轻分娩的痛苦”。其二，“现在的社会不是坚实的结晶体，而是一个能够变化并且经常处于变化过程中的有机体”③。伯恩施坦认为，他所认定的这两条“原理”，是任何修正主义者都承认的，它们“包含了对社会主义革命思想的重要限制或者……削弱”。并且对“社会主义变革的概念……同样有着十分确定的界限”。④

① ［德］伯恩施坦：《社会民主党内的修正主义》，生活·读书·新知三联书店1963年版，第33页。

② ［德］伯恩施坦：《社会民主党内的修正主义》，生活·读书·新知三联书店1963年版，第6页。

③ 《马克思恩格斯选集》第2卷，人民出版社2012年版，第84页。

④ ［德］伯恩施坦：《社会民主党内的修正主义》，生活·读书·新知三联书店1963年版，第12—13页。

伯恩施坦在专门论述“马克思主义的基本思想”时，绝口不提马克思主义的唯物史观和剩余价值理论，闭口不谈马克思主义关于无产阶级革命和无产阶级专政的理论。马克思主义的基础与基石、马克思主义的中心内容完全被伯恩施坦抛弃了。伯恩施坦把马克思主义肢解成一种十足庸俗的社会进化论。不仅如此，伯恩施坦还以批判“狭隘的马克思主义正统派”为由，认为马克思主义的一系列重要理论结论，要么本来就是“错误”的，要么现在已经完全“过时”了。伯恩施坦涉及的是马克思主义的以下三方面的重要理论结论：第一，伯恩施坦认为，马克思主义选择的“剥夺者被剥夺”的方式和道路已行不通了。这是因为，现代工业在世界范围内的扩张，使得对私人生产资料实行“国有化”的可能性完全消失了，现在“必须采用根本不同的手段和方法，逐渐把它们纳入比较严格的社会监督之下，这种社会监督只有渐次地才能做到完全控制它们”。既然国有化的可能性已经消失，那么，工人用剥夺的方式消灭资本主义私有制的可能性也就完全不存在了。据此，“我们不得不作出这样的结论：工厂的工人既不愿意也不可能把工厂接收下来。如此廉价剥夺的工厂在一次革命中将是一场空欢喜。”① 第二，伯恩施坦认为，马克思主义关于资本主义社会结构的理论也已完全“过时”。这是因为，马克思预言的资本主义社会中阶级结构简单化的态势，资本积聚和集中导致小生产者破产的局面，以及由资本主义积累一般规律作用产生的社会两极分化的现象等都没有出现。第三，伯恩施坦还认为，马克思主义关于资本主义历史趋势的理论也已完全“过时”。这是因为，自 1891 年起，以德国为例的资本主义经济发展，不是表现为“下降曲线”，而是表现为一条“上升曲线”；市场的扩大和工业的卡特尔化“将使营业活动中的危机和萧条比以前更快得到克服”。这样，当“危机发展的旧公式已经站不住脚”时，那么，以这一旧公式“为根据而提出的对于未来的一切期望，首先是关于将使现代社会遭到直接毁灭和完全崩溃的经济大灾变的思想，也必定随着它一起垮台”。最后，“先前同这一危机公式相连的一切妄想，都已经摇摇欲坠，而且只能是有害的了”②。

伯恩施坦宣布马克思主义的这三个方面的重要理论“过时”了，一方面是

---

① ［德］伯恩施坦：《社会民主党内的修正主义》，生活·读书·新知三联书店 1963 年版，第 17—18 页。

② ［德］伯恩施坦：《社会民主党内的修正主义》，生活·读书·新知三联书店 1963 年版，第 26—29 页。

以对马克思理论本身的歪曲为基础的，另一方面也是以对资本主义经济现实的主观臆断为前提的。马克思从来不是从具体方式和道路是否可行上，探讨“剥夺者被剥夺”的内在必然性的；相反，他是通过对资本主义生产方式中生产的社会化和生产资料私人占有形式这一基本矛盾的性质及作用后果的周详论证，科学地揭示“剥夺者被剥夺”这一历史趋势的。伯恩施坦避开这一根本问题，只是在具体的方式和道路问题上兜圈子，用似是而非的语言来曲解马克思主义关于这一理论的实质。即使按伯恩施坦的设想，现代工业在世界范围内的扩张，也不可能改变资本主义私有制被“剥夺”的必然性；相反，由于现代工业的发展进一步加剧了生产的社会化和生产资料的私人占有形式之间的矛盾，“剥夺者被剥夺”的必然性更显著地表现出来。当然，实现“剥夺”的具体方式和道路是可能发生变化的。至于伯恩施坦设想的“社会监督”的方式，实际上只是保留资本主义私有制前提下的改良主义的方式而已。

马克思关于资本主义社会结构及其历史趋势的理论，反映的是资本主义社会发展的一般规律，揭示的是资本主义社会发展的内在必然性，是超越或抽象掉了一切非本质现象基础上的“一般研究”。在这些理论原理中，“总是假定，各种现实关系是同它们的概念相符的，或者说，所描述的各种现实关系只是表现它们的自身的一般类型的。”①因此，在对马克思主义原理的理解中，必然包含这样的规定性：“一旦在我们面前出现某种具体的经济现象，决不能简单地和直接地用一般经济规律来说明这种现象。选取我们没有事先对那些比我们这里现有的关系远为具体的关系进行研究，就连解释这些情况也是不可能的。”②伯恩施坦提到的资本主义发展中社会结构变化的一些新现象，马克思当然不可能一一提及。面对这些新现象，如果不作任何具体的研究和分析，就武断地宣布马克思理论的“过时”，实际上是对马克思的科学方法论极端无知的表现，也是一种关于理论的“教条化”或“僵化”的取向。伯恩施坦在大谈“发展”马克思主义时，并不是用发展的眼光与科学的方法来看待马克思主义；相反，他的所谓“发展”完全是以对马克思主义理论的“教条化”或“僵化”的理解为前提的。而建立在对马克思主义理论的“教条化”、“僵化”的理解基础上的“发展”，其结果必然是背弃马克思主义，是断送马克思主义的生命力。总之，

① 《马克思恩格斯文集》第7卷，人民出版社2009年版，第160页。
② 《马克思恩格斯全集》第47卷，人民出版社1979年版，第405页。

在《社会民主党内的修正主义》中，伯恩施坦对其修正主义理论所作的最后说明，成了他全面背弃马克思主义的最充分的显现。

## 二、转向社会沙文主义和十月革命的坚定反对者

1902 年到 1906 年间，伯恩施坦连续几年当选为德意志帝国国会议员。之后，1912 年到 1918 年又再度连任国会议员。他是作为德国社会民主党议会党团成员之一在议会中活动的。但是，总体来看，他在议会中的活动是围绕着实践其机会主义路线和策略展开的；他把议会的合法活动同他所主张的为“公共利益”服务，为德意志帝国利益服务联系在一起。1914 年 8 月初，第一次世界帝国主义大战的爆发，推动伯恩施坦在议会内和在德国社会民主党内，公开站到德国资产阶级政府的立场上，成为彻底的社会沙文主义者。

社会沙文主义实际上是修正主义的继续和完成。在伯恩施坦的修正主义理论中，早已隐匿着社会沙文主义的基本主张。在《社会主义的前提和社会民主党的任务》中，伯恩施坦已经提道：“如果，或者说因为，英、法、俄各国的沙文主义者对符合德国的眼前或将来利益的措施产生反感，社会民主党也没有任何必要鼓吹放弃保卫德国的利益。只要在德国方面涉及的不仅是个别集团的对国民福利无足轻重或者甚至有害的偏爱或特殊利益，只要实际上事关民族的重大利害，那么国际精神也不能成为对外国当事人的权利要求怯懦地让步的理由。”① 当时，伯恩施坦还谨慎地声言，他的这番话“并不是出于任何沙文主义的一时冲动”而说出来的。

1900 年，伯恩施坦在《社会主义和殖民地问题》一文中进一步提道：“每一个强大的种族和每一种强大的经济以及建立在它基础上的文化都力图传播和扩张，这种渴望在任何时候都是进步的发展的强大因素。因此，如果打着社会进步旗帜的运动的代表把系统的扩张意图当作一种本身就是很坏的东西加以唾弃，那就再没有什么比这更荒谬的了。”② 可以说，20 世纪初伯恩施坦的社会

---

① ［德］伯恩施坦：《社会主义的前提和社会民主党的任务》，载《伯恩施坦文选》，人民出版社 2008 年版，第 292 页。

② 《第二国际修正主义者关于帝国主义的谬论》，生活 · 读书 · 新知三联书店 1976 年版，第 15 页。

沙文主义的要义就是主张无产阶级政党无条件地站在本国资产阶级政府的立场上，以本国的所谓“进步”、“发展”为旗号，为经济、文化乃至领土扩张辩护。1914年8月4日，第一次世界大战打响后的几天，德国社会民主党议会党团就在帝国议会上发表声明，无保留地赞同批准政府的军事拨款，支持本国资产阶级政府所进行的帝国主义战争。1914年到1915年间，伯恩施坦在题为《工人阶级国际和欧洲战争》的小册子中，极力为其议会中的叛卖行为辩护，公开为帝国主义战争开脱罪责，大肆宣扬社会沙文主义理论。伯恩施坦一开始就提出：“组织在社会民主党内的工人阶级能够做些什么来防止战争呢？”按他在《社会主义的前提和社会民主党的任务》中设想，能够采取的无非是三方面的行动：一是“即使不进行有名的总罢工，也能够对和平发表重要的——即使不是决定的——意见”；二是社会民主党“将根据它的纲领主张通过仲裁的办法来解决争端”；三是公开提出“保卫德国的利益”①。现在，当战争真正来临的时候，伯恩施坦既不主张举行总罢工，也不打算对和平发表意见，而是毫不犹豫地选择了所谓“保卫德国的利益”的行动。

伯恩施坦在为他选择“保卫德国的利益”这一行动辩护时，指出战争爆发时不采取群众罢工的方式反对战争是有其必然性的。他列举的理由主要有：第一，战争爆发时，正值商业萧条和失业人口不断增长的时期，因此，工人不可能用停止工作来谋求政治效果。工人组织关注的自然是利用战争机会安插和救济已经失业的工人。从伯恩施坦社会沙文主义立场来看，帝国主义战争不仅能够给德国经济的复苏带来希望，而且也能给工人的就业带来福音。据此，伯恩施坦相信，如果举行罢工不仅会“损害”工人的利益，也会“损害”德国资产阶级政府的利益。第二，战争爆发后，广大民众的民族情绪比和平倾向“更加自然地流露出来”；这时，构成无产阶级“特殊力量因素”就变成了“软弱的因素”。如果无产阶级政党选择反战罢工的行动，响应的群众可能寥寥无几，更重要的是，还可能招致军事当局的残酷镇压。据此，伯恩施坦相信，德国社会民主党采取支持战争的行动是天经地义的。社会沙文主义是以无产阶级政党放弃任何形式的斗争，选择投降主义路线为其主要内容的。第三，战争的突然爆发使德国是处于战争防御的一方，还是处于进攻的一方，变得模糊不清了。

---

① ［德］伯恩施坦：《社会主义的前提和社会民主党的任务》，载《伯恩施坦文选》，人民出版社2008年版，第292页。

这时，采取反战罢工可能意味着反对正在“合法地”抵抗侵略的一方。因此，无产阶级政党唯一能够选择的就是放弃任何反战的行动。显然，只要有起码的军事常识的人都会清楚，战争的正义性与非正义性，绝不是由战术上的防御或进攻决定的。何况 1914 年 12 月，德国社会民主党内的卡尔·李卜克内西、卢森堡、蔡特金等人，就已经旗帜鲜明地指出了这场帝国主义战争的非正义性质。

按伯恩施坦社会沙文主义的立场，他实际上并不是以防御或进攻来区分战争的正义性或非正义性的。在他看来，为了“保卫德国的利益”，战争一开始就应该是进攻性的。对此，他在 1899 年就说得很清楚，即在德国受到邻国威胁时，德国就宜于把战争尽可能快地推到敌人的国土上并且在那里进行，因为在现代国家中，“在本国土地上作战就已经是一半失败了。”① 以无法分辨战争的进攻性或防御性作为无产阶级政党放弃反战行动的理由，只是伯恩施坦对待战争的社会沙文主义立场的一种遁词。

在《工人阶级国际和欧洲战争》这本小册子中，伯恩施坦还极力为德国社会民主党和第二国际其他政党支持帝国主义战争的叛卖行为辩护，认为德国社会民主党议会党团同意增加战争拨款，对其他国家的工人尽管产生了恶劣影响，在工人国际中引起了极大的混乱，但是这一行动却是有利于德国资产阶级政府的。因为“社会民主党同资产阶级政党一起批准了用于战争目的的 50 亿马克的拨款，德国人民的代表就这样向敌国显示了一条统一战线。”② 对第二国际中其他国家社会民主党支持本国政府进行帝国主义战争的行为，伯恩施坦通通视之为社会民主党在议会中威信增长的一种必然的、明智的选择。他认为，拒绝投票赞成军事拨款的社会民主党（伯恩施坦称之为“落后的东方”的“小党”），并不见得比赞成军事拨款的社会民主党（伯恩施坦称之为“西方各国”的“大党”）“更勇敢”、“更坚强”。产生这两种不同的选择，“根源在于这里和那里的社会民主党的大小和影响的不同。大党或者有着巨大的议会威信的党，在表决时受到同这种威信相联系的客观责任的压力。它们不可能像小党所能做到的那样，随便地以示威为目的而决定自己的投票，这些小党的表决对于事情

① ［德］伯恩施坦：《社会主义的前提和社会民主党的任务》，载《伯恩施坦文选》，人民出版社 2008 年版，第 289 页。

② 《伯恩施坦言论》，生活·读书·新知三联书店 1966 年版，第 366 页。

的进程是没有直接影响的。这就是党在议会中的力量增长的反面。如果不想根本放弃这种增长，就必须忍受这一反面。”① 伯恩施坦为叛卖行为所作的这一辩护，最充分地暴露了社会沙文主义屈从于资产阶级国家利益而不惜牺牲党的原则和党的立场的实质，最生动地勾画了“议会迷”的机会主义形象。

第一次世界大战期间，俄国十月社会主义革命的胜利，是对第二国际修正主义的最沉重的打击。列宁领导的布尔什维克党，用暴力革命的手段夺取政权，建立起世界上第一个无产阶级专政的国家，实际地证明了伯恩施坦修正主义理论的破产。正因为这样，十月革命胜利后，伯恩施坦就把注意力转向了俄国，对俄国苏维埃政权，对列宁和布尔什维克党进行了猛烈的攻击。1918 年 12 月，他在题为“什么是社会主义？”的演讲中认为，“使工人直截了当成为他们做工的工厂的主人，这种思想同样和社会主义毫不相干。在这方面我们在东方的邻国（俄国）所看到的不是社会主义。”② 他借用资产阶级经济学家洛贝尔图斯（伯恩施坦称其为“卓越的社会经济学家”）的话来说，用这种方法创造出来的工人对企业的所有制，是一种比资本主义所有制“更坏的”私有制。反对无产阶级革命所实行的“剥夺剥夺者”的伟大创举，贬斥新生的苏维埃政权的所有制基础，成为伯恩施坦反对十月社会主义革命的第一步。

1919 年 8 月，伯恩施坦在再版《斐迪南·拉萨尔及其对工人阶级的意义》一书时，特地增加了题为《拉萨尔和布尔什维克主义》的跋文。这一短文集中攻击了俄国苏维埃政权实行的无产阶级专政。一个早就主张放弃马克思主义基本原理的人，现在却侈谈俄国实行的无产阶级专政，是“对马克思和恩格斯建立的科学社会主义理论的最重要原理的背弃”。对此，他提出了以下所谓“论据”：他首先把马克思主义的社会发展理论曲解成一种庸俗的社会进化论，认为社会主义只能建立在资本主义生产方式高度发展的基础上，社会主义只有加强“普选权”，通过“民主选举”才能实现。从这种庸俗的社会进化论出发，把民主选举权“当作废物弃置一旁”，建立起无产阶级专政的俄国革命，自然就成了一种“背弃”行为。其次，他还进一步以他的修正主义理论为根据，对

① 《伯恩施坦言论》，生活·读书·新知三联书店 1966 年版，第 367 页。

② ［德］伯恩施坦：《什么是社会主义》，载《伯恩施坦文选》，人民出版社 2008 年版，第 462 页。

俄国革命的社会主义性质进行攻击。他认为，俄国的社会发展“还根本够不上”实现社会主义，布尔什维克的经济政策和社会政策是由“极端的社会唯心主义和赤裸裸的东方暴君专制并列”而成的；“只要不及时发生转变，就必然会成为一个十足的畸形儿”①。

1920年，伯恩施坦在再版《社会主义的前提和社会民主党的任务》时，再次利用增写跋文的机会，对列宁和布尔什维克党作了更为猛烈的攻击。一开始，伯恩施坦又重复他早先的说法，指责俄国社会发展还没有达到进行社会主义革命的程度，认为“布尔什维克主义的冒险事业在实际上是——或者迄今是——企图通过一系列专横行动而撇开必要的社会发展的一个重要阶段的尝试”②。伯恩施坦还对俄国依靠无产阶级专政维护和巩固社会主义政权大加贬斥。他认为，俄国的无产阶级专政只是“一个党的专政，这个党依靠无产阶级的一部分，在一个顺利的时刻掌握了统治手段，借助征募来的近卫军和运用恐怖主义的措施而暴力地镇压一切别的党派……在残酷程度上往往超过沙皇专制暴行的那些镇压措施……”③。伯恩施坦还断言，俄国的十月革命是一种历史性的“倒退”——不只是经济上的、政治上的，而且也是思想上的和文化上的“倒退”。他认为，布尔什维克的“冒险事业”在“必然引起生产倒退的后果”的同时，也在“无目的地消灭生命和此外还要一般地损害人民福利”，并使文化、教育“在布尔什维克破坏性暴力政策的影响下，也受到了严重的妨害”。总之，列宁及布尔什维克的全部理论和实践“是一种粗暴化了的马克思主义”④。

值得注意的是，伯恩施坦是在“发展”和“维护”马克思主义的幌子下，以“社会主义者”的名义对俄国十月革命进行攻击的。但是，历史已经证明，俄国十月社会主义革命无疑是20世纪最伟大的事件，由列宁和布尔什维克党

---

① ［德］伯恩施坦：《费迪南·拉萨尔及其对工人阶级的意义》，生活·读书·新知三联书店1964年版，第103页。

② ［德］伯恩施坦：《社会主义的前提和社会民主党的任务》，载《伯恩施坦文选》，人民出版社2008年版，第342页。

③ ［德］伯恩施坦：《社会主义的前提和社会民主党的任务》，载《伯恩施坦文选》，人民出版社2008年版，第342页。

④ ［德］伯恩施坦：《社会主义的前提和社会民主党的任务》，载《伯恩施坦文选》，人民出版社2008年版，第350页。

创立的第一个无产阶级专政的社会主义国家，开辟了人类历史的新纪元。伯恩施坦以及后来的所有的机会主义者反对和攻击的正是这场伟大革命的发生所表现的人类社会发展的根本规律与趋势，诋毁和贬斥的正是这场伟大革命留给人类及世界社会主义运动的最宝贵的财富。伯恩施坦还在一些重要的演讲和发表的文章中，一再地攻击列宁和布尔什维克党。例如，1921 年春，他在柏林大学开设“社会主义过去和现在的争论问题”的公开讲座，对十月社会主义革命的性质，布尔什维克党和无产阶级专政大肆攻击。随着年轻的苏维埃政权的成长，伯恩施坦攻击的调门也在不断地提高。他指责布尔什维克“把暴力看成万能的东西”，它在强行“按照自己的意志操纵”社会发展。他还认为，列宁的社会主义理论与实践是对马克思主义所作的一种“愚蠢的和最粗糙的解释”，是“不断进行着拙笨的试验”。他把列宁的无产阶级专政理论看作对马克思主义的“教条主义”解释，并认为俄国革命从马克思“剥夺者被剥夺”的名言中，演绎出了布尔什维克的格言“打劫者被打劫”，污蔑俄国工人阶级对此“按照字面接受下来并且时常粗野地使用起来了”。

俄国十月革命后，伯恩施坦不仅成了列宁主义和布尔什维克主义的狂热反对者，他同时还利用一切机会进一步传播他的修正主义理论。1924 年，他的自传《一个社会主义者的发展过程》正式出版。这本小册子成了他对自己的修正主义理论和策略路线的最后一次总结。在《一个社会主义者的发展过程》的最后部分，按照在 1921 年出版的《社会主义的过去和现在》一书中的基本观点，他试图对自己的理论作一个所谓结构“更为严密的”，“表达方式更为明确”的总结。他认为，他一生的理论活动，都涉及马克思主义理论性质问题。那么，什么是马克思主义理论性质的“正式”提法呢？他的回答是：马克思和恩格斯的理论与其他社会主义理论，“根本不同的地方就在于它是科学的发展学说。唯物史观、剩余价值学说、关于资本主义生产的运动规律的理论，多多少少都是这个学说的组成因素，但还不是它的实质。”① 这样，在他那里，马克思主义就成了一个可以与唯物史观和剩余价值两大理论、与揭示资本主义运动规律这一中心任务相分离的学说。抽去马克思主义理论基础和基石，抽去马克思主义理论中心内容后，马克思主义还剩下什么呢？在

① ［德］伯恩施坦：《一个社会主义者的发展过程》，载《伯恩施坦文选》，人民出版社 2008 年版，第 529 页。

这种意义上所谓对马克思主义的“发展”又意味着什么呢？不难看出，伯恩施坦所倡导的这种关于马克思主义的“发展”，实质上是一种对马克思主义的阉割和扼杀。

伯恩施坦还对他所理解的“现代社会主义”下了定义。他沿用《社会主义的过去和现在》一书中的说法，认为“现代社会主义”就是“对发展了资本主义的国家中已经意识到自己阶级地位的工人以及同他们处于同等地位的社会阶层在政治、经济和一般文化上的意向的精神内容的概括，以及为实现这些意向而进行的斗争”①。把“现代社会主义”只是理解为一些“意向”以及为实现这些“意向”而进行的“斗争”，那么，关于社会主义的实质内容和基本规定也就不见了，表明伯恩施坦所理解和认定的“现代社会主义”与科学社会主义是风马牛不相及的。在社会主义学说史上，它实际上是作为与科学社会主义正相反的一种思潮而出现的。

纵览伯恩施坦的一生，其所表达的理论内容可以归结为一个基本趋向，就是如何认识和对待马克思主义的问题。为了弄清伯恩施坦对马克思主义究竟抱着一种什么样的认识与态度，我们不妨看一看他在1898年给倍倍尔的一封信中的一段话：“这次脱毛是很长时期发展的结果，或者不如说，经过很长时间我才充分清楚地认识到，这次脱毛不仅涉及个别问题，而且涉及马克思主义的基础。……需要做的毋宁说是弄清楚，哪些方面马克思仍然是正确的和哪些方面他是不正确的。要为纪念马克思做点事，最好是丢掉他的不正确的东西，而不要把他的理论拉长到可以证明一切，因为这样一来它就什么也不能证明了。而我以前采取了后一种做法，还有许多我今天仍然在这样做。”②伯恩施坦虽然看到了马克思主义理论与实践之间存在的鸿沟并试图去弥合这种鸿沟，但由于他放弃了共产主义的最终目的，背离了马克思主义，最终走向了修正主义。

伯恩施坦的思想之所以被称为修正主义，主要是因为他否定了唯物史观、剩余价值学说和资本主义必然灭亡、社会主义必然胜利以及革命不可避免等马克思主义基本原理，特别是他对马克思和恩格斯的革命理论存在严重误

① ［德］伯恩施坦：《一个社会主义者的发展过程》，载《伯恩施坦文选》，人民出版社2008年版，第529页。

② ［德］伯恩施坦：《给奥古斯特倍倍尔的信》，载《伯恩施坦文选》，人民出版社2008年版，第94页。

读。马克思和恩格斯的革命理论其性质不是布朗基主义，而是建立在对资本主义社会基本矛盾运动的考察基础上的科学理论。伯恩施坦歪曲和放弃这一科学学说，在革命道路和根本策略上主张用社会改良主义替代社会主义革命，其理论的命运只能是堕落为修正主义，彻底背叛马克思主义。

# 第三章　奥古斯特·倍倍尔对马克思主义的贡献及对伯恩施坦修正主义的批判

奥古斯特·倍倍尔（1840—1913）是德国工人运动和国际工人运动的著名领袖，德国社会民主党和第二国际的创始人及主要领导人之一，终其一生都在为无产阶级的解放事业而奋斗！列宁曾给予倍倍尔以很高的评价，称他是“一位在工人中间最有威信、最受群众爱戴的领袖，因为倍倍尔在自己的发展过程和自己的政治活动过程中不仅体现了德国的而且也体现了国际的社会民主运动的整个历史时期”①。

1840年2月22日，倍倍尔出生于德国的科隆-杜伊茨，父亲是一名普鲁士军队的下士，母亲曾做过女佣。他自幼家境贫寒且命途多舛，4岁丧父，13岁丧母，不得不在1854年（14岁）去当旋工学徒，但1857年因师傅的去世和店铺倒闭，倍倍尔于1858年2月开始了漫长的流浪打工生涯，到1860年5月最终以一个独立的旋工身份在莱比锡定居。这段历时两年零三个月的流浪打工生涯，倍倍尔行程近千公里，途经德国中部和南部、瑞士北部、奥地利西部的几十座大小城市，使他亲身体验到了德国工人社会地位的低下和生活的困苦，对德国的政治、经济状况有了比较具体的了解，为他以后坚定地投身于工人运动奠定了基础。

1863年，倍倍尔参加创建德国工人协会联合会，5月23日德国工人阶级第一个全国性独立工人组织——全德工人协会联合会在莱比锡成立，1864年倍倍尔被选入常务委员会，1865年结识威廉·李卜克内西，通过李卜克内西，

① 《列宁全集》第23卷，人民出版社2017年版，第382页。

倍倍尔开始接触马克思和恩格斯的著作，并于1866年年底参加了第一国际即国际工人协会。1867年2月倍倍尔当选为北德意志联邦议会议员，成为第一个工人议员，同年10月倍倍尔当选为德国工人协会联合会主席，此后一直领导德国工人运动和社会主义运动，直至1913年8月13日因病逝世。尽管倍倍尔先后六次入狱，但他始终坚持自己的信仰，在国际社会主义和工人运动中具有极高的威信，深得马克思和恩格斯的信任和器重，1894年11月被恩格斯指定为自己著作的遗嘱执行人之一。可以说，倍倍尔是一个当之无愧的社会主义者和马克思主义者，他不仅用马克思主义理论指导工人运动和革命实践，而且在实践中丰富和发展了马克思主义。

倍倍尔虽然以无产阶级革命家和社会主义活动家著称，但是在积极投身于革命实践活动的同时，他还研读了马克思和恩格斯的大量著作，撰写了很多理论著作和文章，为宣传和发展马克思主义理论作出了重要贡献。倍倍尔的代表作主要包括《我们的目的》(1869)、《基督教和社会主义》(1874)、《妇女和社会主义》(1879)、《傅立叶传》(1888)、《关于未来国家》(1893) 等。其中,《妇女和社会主义》最为著名，也流传最广。该书自1869年出版以来多次再版，到1910年，共出了50版，堪称妇女解放史和社会主义运动史上的经典之作。在这些著作中，倍倍尔运用马克思主义的基本观点和方法分析历史和现实问题，不仅在历史唯物主义和科学社会主义理论方面，对马克思主义做出了理论贡献；而且对党和工人运动中的各种错误思潮特别是伯恩施坦修正主义进行了无情的批判，坚决捍卫了马克思主义。正如列宁所说："倍倍尔以全部精力来反对这种思潮，他表达了工人群众的情绪和他们一定要为实现不折不扣的口号而斗争的坚强信心。"①

## 第一节 倍倍尔对历史唯物主义的阐述

倍倍尔始终坚持用唯物史观的基本观点分析资本主义社会的发展状况及

① 《列宁全集》第23卷，人民出版社2017年版，第387页。

其发展趋势。倍倍尔认为，“我们的当今社会状况本身就是漫长的历史发展阶段的产物”①，它不是随心所欲制造出来的，而是“社会长期发展过程的必然结果”②。他反对各种唯心史观，认为历史不是由神或者某个大人物所决定和任意改变的，而是现实的社会基本矛盾运动的结果；就像自然界有其生物发展的规律一样，人类历史也有其自身发展的规律。尽管，倍倍尔没有专门的哲学著作，但在《我们的目的》、《关于未来国家》、《基督教与社会主义》等著作中，他不仅对社会历史发展趋势和规律、国家的本质等问题进行了历史唯物主义的分析，而且运用唯物史观的观点对宗教意识形态进行了分析和批判。

## 一、倍倍尔对社会历史发展过程及其规律的阐述

倍倍尔在《我们的目的》一书中指出，无论哪一个阶段的社会都不是一成不变的，都是历史发展的，揭示了社会历史的过程性、发展性及其规律性。倍倍尔指出，“我们的当今社会状况本身就是漫长的历史发展阶段的产物；过去的生存条件和生活条件与今天的截然不同；所以，断定并相信长期形成的当今社会状况不可改变是愚蠢的。”③批判了那种认为资本主义社会不可改变的形而上学观点。他通过对欧洲封建社会向资本主义社会发展的历史唯物主义考察，指出了当一个社会发展到它的顶点，就会被新的社会所取代，而且这个新的社会是在旧的社会的母体中孕育而生的。正如唯物辩证法所指出的那样，每一个事物（不仅包括有生命的生命体，也包括无生命的有机体系，如家庭、社会、思想体系等）都将通过其内在矛盾的运动充分展示其本质，以求得其自身的发展，而一旦它已经充分发展了其本质，这个内在矛盾的运动不会停止，而将继续向前发展，这个事物就会死亡、消失，在其自身中发展出新的事物并为新事物所取代。因此，新事物是在旧事物的母体中孕育成长的，旧事物为新事物的产生和发展提供条件。社会有机体也一样，后来的社会都是在其先前的社会中发展起来并要以其先前的社会为基础和条件的。

---

① 《倍倍尔文选》，人民出版社1993年版，第20页。

② 《倍倍尔文选》，人民出版社1993年版，第167页。

③ 《倍倍尔文选》，人民出版社1993年版，第20页。

倍倍尔指出，就像“封建国家和它存在期间萌发的小资产阶级生产（小手工业）一旦达到顶点，就向现代国家和资本主义生产方式过渡”①一样，资本主义的生产方式和资本主义社会一旦发展到它的顶点，也“肯定会向另一个更高级的社会状况过渡”②。“在中世纪小资产阶级社会的母体中逐渐发育成长的资产阶级在发展到一定高度以后，企图同占统治地位的大地主阶级一起垄断国家的领导权”③，而且“资产阶级逐步达到了这个目的”④。在封建社会向资本主义社会过渡后，大工业生产逐渐代替了小生产，不仅能够满足人们日益增长的生活需要，而且能够满足世界市场的需要。正因为如此，大工业生产方式的发展推动着资本主义社会中生产关系的变化，小生产者日益被消灭，而进入雇佣劳动者的行列，社会日益分裂成两个对立的阶级，即资产阶级和无产阶级。与此同时，资本主义的社会化大生产与私有制之间的矛盾，在市场经济的推动下日益激化，并导致两极分化，给更多的人特别是无产阶级带来了不堪忍受的苦难，而换来的只是一小部分人的享乐和发展。当停滞不前的资本主义私有制的生产关系不再能适应不断发展的社会化的生产力的时候，这种资本主义私有制的生产关系不仅不能促进生产力的发展，反而会阻碍生产力的发展，这个时候生产关系必然会发生变革，会被新的更高的生产关系所取代，社会也将向前发展。由此，倍倍尔运用马克思主义关于社会基本矛盾发展规律的理论，揭示了资本主义被社会主义代替的必然性。

## 二、倍倍尔对马克思主义阶级和国家理论的阐述

倍倍尔认为，“国家根据其本质和特性是阶级的国家”⑤。国家作为上层建筑由其经济基础决定，因此，国家的本质是经济上占统治地位的那个阶级的国家。倍倍尔在《关于未来国家》中对国家的概念、性质和本质问题进行了比较详细的分析和探讨。倍倍尔指出，自柏拉图和亚里士多德以来，哲学家们

---

① 《倍倍尔文选》，人民出版社 1993 年版，第 21 页。

② 《倍倍尔文选》，人民出版社 1993 年版，第 167 页。

③ 《倍倍尔文选》，人民出版社 1993 年版，第 26—27 页。

④ 《倍倍尔文选》，人民出版社 1993 年版，第 27 页。

⑤ ［德］倍倍尔：《妇女与社会主义》，中央编译出版社 1995 年版，第 308 页。

就在努力给国家概念下一个明确的定义，从而阐明国家的性质。但是，“所有研究国家概念的人在国家概念和性质的问题上，提出了相互对立的观点和范畴。只是到了人们从整个社会的经济的发展过程对社会进行历史的研究时，才开始认识到什么是国家，国家在各个历史时期的作用是什么，它又从何处获得了权力。”① 为此，倍倍尔通过对所有制与国家关系的历史考察，揭示了国家的本质。

首先，倍倍尔指出，“在各个历史时期，在世上所有地方都以不同的形式出现了私有制，就在同样的历史时期，产生了国家。”② 可见，国家是伴随着私有制的出现而出现的，是阶级发展的产物。因为按照氏族组织起来的最原始的共产主义社会，随着私有制的形成而得以发展，这个时候，有一个暴力机关是必要的，而这个暴力机关就是国家。因此，国家政权、国家组织存在于社会上出现利益冲突的时期，也就是原始共产主义的社会制度开始消亡或正在消亡的时期。这一时期，不仅是人们开始争夺经济利益的时期，也是有产者同无产者相互对立即阶级产生的时期，“社会的一部分人将氏族的、部族的财产全部或部分据为己有，并利用因此而得到的力量日益广泛地巩固其经济地位和社会地位”③。而随着私有制的形成和发展的多样化，国家组织和任务也变得复杂和多样化，但在各方面考虑的都是统治阶级的要求即为巩固统治阶级的地位、维护统治阶级的利益服务的。这就是国家的阶级本质。为此，倍倍尔认为，只有实现共产主义才能消灭这种阶级国家，因为“只要有了共产主义的所有制，国家和国家政权就失去了必要和可能”④。

其次，倍倍尔分析了现代资本主义国家，不论是君主国，或是资产阶级共和国，实质上都是阶级国家，目的都是维护资产阶级的统治、保护资本主义的社会制度。它除了保护私有财产之外，对有产者之间、有产者与无产者之间以及无产者之间的关系，都需要由国家的制度与法律加以调整。因为在历史发展的进程中，财产占有不论采取什么样的形式，财产的性质都决定了最大的有产者是国家中最强有力的人物，他们根据自己的利益塑造国家，而私有财产的本质就是个人对私有财产的贪得无厌，因而不择手段地增加私有财产，并努力将

① 《倍倍尔文选》，人民出版社 1993 年版，第 330 页。
② 《倍倍尔文选》，人民出版社 1993 年版，第 330 页。
③ 《倍倍尔文选》，人民出版社 1993 年版，第 330 页。
④ 《倍倍尔文选》，人民出版社 1993 年版，第 330 页。

国家塑造成有利于最充分达到其目的的样子。[①] 因此，国家的法律和制度，必然是维护统治阶级的法律和制度。所谓“国家的利益”、“社会公共利益”，实质上就是国家所保护的阶级的利益，也就是统治阶级的利益，在资产阶级国家中就是资产阶级的利益。资产阶级国家必然要求打破封建领主的统治，由大的民族国家代替小块封建割据。倍倍尔认为这是符合资产阶级利益的，因为“资产阶级必然需要大的民族国家，一方面是为了拥有尽可能大的可靠的销售市场来销售他们的商品，另一方面是为了拥有保护力量，使资产阶级能够在世界市场上露面，向各方面销售产品”[②]，即获取更多的经济利益。

正是在对资产阶级国家阶级性质深入分析的基础上，倍倍尔在革命道路问题上，坚决反对那种幻想依靠国家帮助建立的所谓国家社会主义和各种改良主义的观点，认为现代资本主义国家需要彻底改造，直至消亡。因为“建立在私有制基础上几千年的社会，已经从古代国家、封建国家和专制国家发展成资产阶级社会，因此，国家管理及其越来越剧烈、越来越绝望的社会关系自然也要实行彻底的改造”[③]。也就是说，资本主义的消亡是符合社会历史发展规律的。

倍倍尔指出，“国家应该由一个以阶级统治为基础的国家变成一个没有任何特权的人民国家。在这样的国家里，大众用其所拥有的资金和人力将合作社生产代替个体的私有制企业。在这样的国家里，自助就是人民帮助，人民帮助就是国家帮助。所以自助和国家帮助是统一的，没有矛盾的。要建立一个人民国家，首先要教育群众了解社会状况和政治状况，而这种教育可以通过组织，建立党组织和工会等，创办和发行报纸和著作等有效地进行。当然这种组织必须是国际性的，因为我们的状况不是哪个民族的，而是所有文明民族的特点。工业、商业和交通以及整个资本主义生产都是没有国界的，只有有了一个同样没有国界的组织才能废除这种状况。”[④] 因此，只有扬弃私有制，建立共产主义的所有制，私有制国家及其政权才会失去必要和可能，才能建立一个真正的人民国家。

---

① ［德］倍倍尔：《妇女与社会主义》，中央编译出版社 1995 年版，第 308 页。

② 《倍倍尔文选》，人民出版社 1993 年版，第 331 页。

③ 《倍倍尔文选》，人民出版社 1993 年版，第 331 页。

④ 《倍倍尔文选》，人民出版社 1993 年版，第 31 页。

## 二、倍倍尔对宗教意识形态的分析与批判

倍倍尔运用唯物史观，对宗教这种意识形态作出了分析与批判。倍倍尔在《基督教与社会主义》中指出，任何一种宗教，包括基督教，都是人创造的。在人类文化初期，人由于文化水平低，不能正确地认识和解释他周围的对他有利或有害的自然事件，也不理解人自身和人的地位，所以，他把自己周围发生的一切不可理解的东西都视为超感官的神，用神的力量来解释人们不理解的现象，并试图求助于祈求、祷告、敬神的仪式等，来求得神的庇护和恩赐。[①]人类对自然现象的无知使他们相信神的力量，因此，有人就利用这种无知来压迫其他人，加强其统治，反对人的启蒙和不断发展。因此，倍倍尔认为，“基督教绝不是以一种完美的宗教出现在宗教舞台上，而是在当时的统治阶级很快认识到它可以用来压迫人类以后，才逐步发展起来的”[②]。倍倍尔进而对基督教展开了激烈的批判，指出“基督教是自由和文明的敌人。它关于消极服从‘上帝’命令的教义，关于在苦难中忍耐和顺从的说教以及关于尘世间的苦难将在彼岸极乐世界得到报应的训示，使人偏离了自己的目标：在各方面完善自己，争取自身的最大发展，满足并享受所得的财富。它把人类置于奴役和压迫之下。它至今仍然作为政治剥削和社会剥削的工具被人利用，并为这种剥削服务”[③]。因此，倍倍尔得出结论，宗教无非是统治阶级统治群众并不断巩固其统治的一种工具而已。如果国家和宗教联合在一起，就是说，这个国家是直接在教皇政府和高级僧侣治理下的教会国家，那么，带给人们的是更多的苦难和愚昧。因此，“可以说迄今为止，任何一种宗教都是人类进步的障碍”[④]，绝对不能把基督教和社会主义混为一谈，基督教和社会主义水火不容。

倍倍尔依据马克思主义无神论思想和历史唯物主义理论，分析了人类摆脱宗教的途径。他指出，虽然宗教作为统治工具麻痹了人的精神，阻碍了人类文明的进步，但是，也不能主观地、任意地消灭宗教，强迫人们不信教。因为宗教有其存在的社会根源，“宗教是各个时期的社会状况的超验反映。人类的发

---

① 《倍倍尔文选》，人民出版社 1993 年版，第 81 页。

② 《倍倍尔文选》，人民出版社 1993 年版，第 82 页。

③ 《倍倍尔文选》，人民出版社 1993 年版，第 90 页。

④ 《倍倍尔文选》，人民出版社 1993 年版，第 94 页。

展进步到了何种程度，社会变化到何种程度，宗教也随之进行相应的变化”①。宗教的各种教义、习俗，以及宗教的情感与信仰，可以说都是社会历史的产物。“宗教是一个民族或几个处在相同文明阶段的民族的文化水准的产物。一种宗教，甚至同一种宗教，在不同的民族，由于文化程度和精神发展条件的差异而具有完全不同的意义。西班牙的天主教就完全不同于法国的天主教，英国的新教也不同于德国的新教。此外，文明的日益发展，也对宗教产生日益不同的影响。15 世纪的基督教徒笃信的那许多东西，到 19 世纪，就连最虔诚的基督徒也不相信了。”②因此，自然科学的发展和科学常识化的发展，使宗教的很多教义与信条不攻自破，也使宗教逐渐失去了其存在的基础，使它趋于毁灭。只有依靠科学的进步、经济的发展和文化的繁荣，宗教得以存在的社会根源和认识根源才能被逐步消除，人们头脑中的宗教意识，才能最终消亡。

倍倍尔指出，社会民主党决不会像资产阶级所诬蔑的那样，用思想压迫及强制的办法去消灭宗教的组织及教会，而是用科学社会主义的信念代替宗教意识，用消灭剥削压迫和阶级对立代替抽象的平等和博爱。“只要人们认识到真正的幸福，人民群众又有可能得到这种幸福时，宗教便消失了”③。社会主义是纯粹的民族性和人性的体现，因为它要真正实现被教会当作压迫和剥削人民招牌的道德准则，在现实世界中实现人民的幸福，而不是在彼岸世界中的虚幻幸福。社会主义使人民幸福生活的愿望变为现实，才真正是人民的福音，伪善的宗教道德同无产阶级世界观是根本对立的。所以，人们应该为在现实世界中创建一个幸福平等的社会而奋斗。

## 第二节 倍倍尔对科学社会主义理论的贡献

与历史唯物主义相比，倍倍尔对科学社会主义则作出了更多的理论贡献。倍倍尔在 1866 年基本上完成了从小资产阶级民主主义者向社会主义者的转变，

① ［德］倍倍尔：《妇女与社会主义》，中央编译出版社 1995 年版，第 435 页。

② 《倍倍尔文选》，人民出版社 1993 年版，第 88—89 页。

③ ［德］倍倍尔：《妇女与社会主义》，中央编译出版社 1995 年版，第 435—436 页。

并加入了第一国际。1877年，恩格斯的《反杜林论》发表以后，倍倍尔精心研读了这部号称“马克思主义百科全书”的著作，更牢固地树立了科学社会主义世界观。通过接触马克思恩格斯的相关著作，倍倍尔学习和研究了科学社会主义的基本理论，接受了社会主义代替资本主义的历史必然性、无产阶级的历史使命及无产阶级革命的必然性等基本观点。在接受了这些科学社会主义基本观点之后，倍倍尔又在工人运动的实践中创造性地丰富和发展了马克思主义，对科学社会主义作出了很多新的阐释。

## 一、倍倍尔对空想社会主义理论的分析和批判

倍倍尔在《傅立叶传》中对傅立叶所代表的空想社会主义思想作了深刻的分析和批判。空想社会主义，又称乌托邦社会主义，是在揭露资本主义社会的罪恶与荒谬的基础上构建其理想社会的一种社会主义学说，或者叫共产主义学说。这种学说产生于16世纪，见莫尔的《乌托邦》和康帕内拉的《太阳城》，于19世纪在欧洲进入鼎盛时期，主要代表人物有圣西门、傅立叶和欧文。空想社会主义是建立在启蒙思想的基础上的，追求的目标也是“自由、平等、博爱”。因此，倍倍尔首先肯定了傅立叶的伟大功绩，“傅立叶的伟大功绩在于，尽管他认识不到资产阶级社会为什么和由于什么而成为今天这个样子，但他对这个社会的特征是清醒的，他认清了这个社会的空虚和矛盾，无情地撕下了它的假面具。在他之前没有任何人像他那样认清了资本主义社会的虚伪和模棱两可的特性，正像他完全正确地指出过的一样，这种特性表现在这个社会的一切方面；在他之后也没有任何人比他更尖锐地批判过资本主义社会。他在这方面的贡献是异乎寻常的。”[①] 不仅如此，傅立叶还是一位观察大师，他认为人的一切情欲都是天然的，也是有益的和合理的，会使人得到幸福，但是如果社会状况使它们受到压抑和歪曲，这些欲望就会变得有害个人和社会了。这种情欲观肯定是资本主义不能接受的，“傅立叶以他这种关于人的情欲观成了独具一格的革命者”[②]，凡是赞成这种情欲观的人，都会反对资本主义社会歪曲和压抑人性的

① 《倍倍尔文选》，人民出版社1993年版，第180页。
② 《倍倍尔文选》，人民出版社1993年版，第180页。

社会制度。

但是，傅立叶所代表的空想社会主义把所谓普世价值的自由与正义原则当作理论依据，而没有从社会实际出发，没有反映时代的真正需要，更没有作为无产阶级的利益代表。这些特点都决定了空想社会主义的局限性，也就是其空想性。空想社会主义没有看到真正的现实。当时社会的现实就是资本主义的发展是靠剥削工人、压榨工人而为继的，而工人在资本的压迫与剥削下过的是一种非人的甚至不如动物的生活，失去了人的个性与尊严，因此，一无所有的工人必须起来反抗，也正在起来反抗。这就是资本主义社会的真正现实。但是，空想社会主义既没有分析资本主义社会的本质和规律，也没有认识到无产阶级的伟大力量和历史使命，而妄想清除资本主义社会，建立一个自由平等的理想社会，这是不符合现实的，也是不可能实现的。空想社会主义妄想在资本主义世界之中尝试建立以共产主义方式组织起来的小群体，过着与世隔绝的生活，这种小型的、孤立的、受力量和资金限制的群体，不管组织得多么富于艺术性，也会最终归于失败。因为它不可能做到完全与世隔绝，任何外来的影响都会干扰它，资金支持和内部的成员关系也会影响它的存在和发展。因此，倍倍尔认为，"在资本主义世界内部所作的一切社会主义的尝试，以及目的在于和解互不相容的对立所作的尝试，都必然归于失败"①。

空想社会主义作为个人来反抗集体，想要建立自己的独特天国，这是异想天开，不可能实现的。究其原因，一方面，是由于空想社会主义者的唯心史观，他们认为"人类会选择发展过程不是取决于他们若干世纪以来形成和发展开去的那种生存和生产条件的有规律的作用，而是取决于纯粹偶然的和任意的环境，取决于某个大人物的思想和思维，取决于某个大人物的行为。凡是不相信规律，而相信偶然性和任意性的人，肯定相信偶然和任意是可以改变环境的"②。他们认为人的意志不是由他所处的社会环境和他每天都置于其中的社会关系所决定的，而是独立的、任意的，因此，他们没有认识到社会的阶级性质，也没有认识到无产阶级的力量。另一方面，是由于空想社会主义的历史局限性、客观局限性。在空想社会主义者所处的时代，资本主义生产方式并未完全发展，因此，资本主义矛盾并未充分暴露，而且资本主义的自我调节和总体

---

① 《倍倍尔文选》，人民出版社 1993 年版，第 177 页。

② 《倍倍尔文选》，人民出版社 1993 年版，第 179 页。

发展又极大地掩盖了资本主义的根本矛盾和剥削本质。资本主义生产方式的未完全发展决定了资产阶级和无产阶级的对立和冲突也未完全发展，因此，无产阶级自身的发展和无产阶级革命运动的发展也尚不成熟。正如倍倍尔所指出的，“在当时刚刚作为新阶级的胚胎从这些无财产的群众中分离出来的无产阶级，还完全无力采取独立的政治行动，它表现为一个无力帮助自己，最多只能从外面、从上面取得帮助的受压迫的受苦的等级”①。因此，空想社会主义者无法将社会主义的胜利与工人运动联系在一起，也就无法认识到无产阶级的伟大力量和历史使命，而将自己视为能给全人类带来解放的人，把工人看作只是等待解放的人。

倍倍尔认为，人类要想自由、不受限制地发挥人的一切天赋和能力，充分享有一切文化成就，就只有通过文化资料的积累、在技术和科学高度发展的阶段才能实现。② 因此，未来社会的发展是要建立在生产力高度发展的基础之上的，否则，“就只会有贫穷、极端贫困的普遍化；而在极端贫困的情况下，必须重新开始争取必需品的斗争，全部陈腐污浊的东西又要死灰复燃”③。因此，空想社会主义的理想注定只是乌托邦，不能成为现实。当然，空想社会主义的空想性不能完全归咎于空想社会主义本身，资本主义矛盾的未充分暴露和工人阶级的未充分成长决定了空想社会主义既不能看到问题的本质，也不能找到真正解决问题的办法。马克思和恩格斯认为，“解决社会问题的办法还隐藏在不发达的经济关系中，所以只能从头脑中产生出来。”④ 空想社会主义把现实的任务变成了思维的任务，通过想象，空想社会主义者发明出一套完善的社会制度，但是，“这种新的社会制度是一开始就注定要成为空想的，它越是制定得详尽周密，就越是要陷入纯粹的幻想”⑤。倍倍尔指出，在资本主义社会没有出现之前，先驱们就曾描绘过新型的资产阶级国家，但是与后来实际出现的资本主义社会情况并未完全一致，有的甚至完全相反。资产阶级社会的存在“并不是因为一些人相信资产阶级社会的必要性和正义性，它才存在，而是因为社会的经济发展使我们目前拥有的劳动制度和社会制度成了必要，资产阶级社会才

---

① 《马克思恩格斯选集》第 3 卷，人民出版社 2012 年版，第 645 页。

② 参见《倍倍尔文选》，人民出版社 1993 年版，第 178 页。

③ 《马克思恩格斯选集》第 1 卷，人民出版社 2012 年版，第 166 页。

④ 《马克思恩格斯选集》第 3 卷，人民出版社 2012 年版，第 645 页。

⑤ 《马克思恩格斯选集》第 3 卷，人民出版社 2012 年版，第 645 页。

存在”[1]。同样，社会主义的社会的出现也不是空想社会主义者从外面强加于社会的，而是从社会现实中产生的。

空想社会主义者由于没有看到问题的实质，因此他们只能指出社会的弊病，他们对资本主义的批判只是道德上的鞭笞，而不是现实的、辩证的批判。空想社会主义者仅仅揭露了资本主义的罪恶与荒谬，但没有解释资本主义的自身将如何催生其替代者——社会主义。社会主义只能在社会现实中产生，而不是某个天才头脑的偶然发现，其社会现实基础就是资本主义社会及其矛盾的发展。由于空想社会主义者没有意识到这一点，所以他们想引发的是自外而内的变革，而非自内而外进行变革的辩证模式。他们对未来社会的构想是先清除这个给人带来苦难的资本主义社会，清理了地基后，再在一块空地上建造理想的社会主义，这类似于工程师的建造规划，先拆除旧的建筑，再在原地上建造其设计的新建筑。而资产阶级社会在目前的基础上还要继续发展，达到高度完善，从而为建立其他的新社会奠定基础；虽然资产阶级社会是迄今存在的社会中最好的，但是，它不是最后的社会。[2]在它之后还有更进步的、更符合人类发展的社会，这就是社会主义社会，因为“社会主义社会无论如何一定会到来。它自然会到来”[3]。当然，我们不会为未来的社会做详细的描述。

因此，空想社会主义从一开始就是错误的，因为它无法洞穿社会现实，对其自身也缺乏现实和清醒的认识，空想社会主义者将自己视为历史进程的主人而忽视了无产阶级和人民群众的主体力量，这是违背历史本身的。因此，空想社会主义是空想的、非辩证的。尽管空想社会主义有诸多局限性，但是在其所处的时代却具有重大而深远的进步意义，作为对社会主义的初步探索，空想社会主义为科学社会主义的形成奠定了理论基础。但是，如果科学社会主义产生以后，依然宣扬空想社会主义的思想就是无聊的，甚至反动的了，因为其存在再没有任何现实依据了，只有科学社会主义才能透彻地剖析社会现实并为人类未来指引方向。

---

① 《倍倍尔文选》，人民出版社 1993 年版，第 334 页。
② 《倍倍尔文选》，人民出版社 1993 年版，第 334 页。
③ 《倍倍尔文选》，人民出版社 1993 年版，第 337 页。

## 二、倍倍尔对社会主义必然代替资本主义规律的揭示

倍倍尔指出，资产阶级社会既不是自古就有的，也不是永远存在的，它虽然同以前的社会相比是最好的社会，但是它仍然存在很多弊病，因此，“必须有一个新的更好的社会来代替资产阶级社会”[①]，就像资产阶级社会代替封建社会一样。倍倍尔承认，资产阶级社会不同于以前任何一个社会，它对人的各个生活领域都进行了革命改造，并援引了马克思和恩格斯在《共产党宣言》中对资本主义社会的论述：“资产阶级在历史上曾经起过非常革命的作用……它第一个证明了，人的活动能够取得什么样的成就。它创造了完全不同于埃及金字塔、罗马水道和哥特式教堂的奇迹；它完成了完全不同于民族大迁徙和十字军征讨的远征。”[②]倍倍尔认为，这是对资产阶级社会最大的赞誉。资产阶级社会给人的活动和人的知识等方面都带来了巨大的革命的发展，在工业、商业、交通、农业各部门的劳动运转过程中都包含着持续的变革，每时每刻都有新的发明创造出现，今天看来是最新式的东西，一夜之间就成了陈旧的、被废弃的东西。[③]但是，资本主义社会高速发展的同时，也产生了很多弊端，它的发展是建立在人性的压抑和歪曲之上的，它带给多数人的是贫穷和苦难。

倍倍尔认为，社会民主党人要做的事情就是向群众阐明资产阶级社会的实质和本性，使他们意识到他们是被压迫和被剥削的人。他们在这个社会里受苦挨饿，每天从早到晚地干活，付出最多最辛勤的劳动，但得到的是最少最可怜的报酬。马克思对剩余价值本质的研究揭露了资本主义生产方式的秘密即资本家无偿占有工人的剩余劳动，这也是资本家对工人剥削的本质。一个人的劳动力是有限的，就如同一个人的生命也有一定的界限一样，过多地消耗，其存在的时间就会相应减少。因此，在资本主义发展最突飞猛进的时候，工人的寿命也是最短的。但这不是资本家所关心的问题，资本家所关心的是劳动力这种特殊的商品其使用价值能够创造价值，而且能够创造大于它本身价值的价值。也就是说，工人在必要劳动时间内就能创造补偿其生活费用即资本家支付给工人

---

① 《倍倍尔文选》，人民出版社 1993 年版，第 334 页。

② 《马克思恩格斯选集》第 1 卷，人民出版社 2012 年版，第 402—403 页。

③ 《倍倍尔文选》，人民出版社 1993 年版，第 194 页。

的工资的价值，而额外的剩余劳动所创造的价值则被资本家无偿占有。“他们是创造价值的人，但却不能享受价值，而有些人则借助社会组织把生产资料和劳动资料当作资本掌握在自己手中，摆出一付社会的主人和救世主的架势装腔作势，压迫工人阶级。”① 资本对利润的追逐越是贪婪，对工人的压榨与剥削就越是残酷，表现为劳动时间的不断延长、劳动强度的不断增大，并且开始使用大量童工，但是工人的工资水平却始终维持在仅能满足其可怜的肉体需要的限度内。工人阶级遭受的苦难比任何一个阶级都要深重，他的生命时刻都受到威胁。

随着资本主义的不断发展，资本对剩余价值的追逐不但不会减弱，反而会越来越贪婪，这是由资本的本性决定的。由此必然会带来两极分化的加剧，即“一方面大批的人无产阶级化，另一方面财富在不断增加，这几乎成为我们这个时期的标志”②，无产阶级会陷入日益贫困的境地，“资本主义生产方式日益把大多数居民变为无产者，从而就造成一种在死亡的威胁下不得不去完成这个变革的力量。”③ 也就是说，在资本主义生产方式下，无产阶级与资产阶级的矛盾不可调和，这种矛盾在资本主义制度内无法得到解决，只有变革生产方式、变革社会，才能解决矛盾、解放无产阶级，而无产阶级只有解放自身，才能解放全人类、解放全世界。因此，资本主义社会越是不断发展，“它就越是给自己准备了埋葬自己的人，越是在生产自己的掘墓人”④。

一方面，工人阶级不断觉醒，形成了一股与资本主义对抗的强大力量；另一方面，资本主义本身危机重重，由于社会化生产力的发展与资本主义私有制生产关系的矛盾，在资本主义内部开始爆发经济危机。资本的本性就是不断扩张，不断扩大生产规模与市场销量，但是市场的扩张赶不上生产的扩张，就造成生产过剩，流通不足，“交易停顿，市场盈溢，产品大量滞销积压，银根奇紧，信用停止，工厂停工，工人群众因为他们生产的生活资料过多而缺乏生活资料，破产相继发生，拍卖纷至沓来”⑤。这样的危机大概每十年就会发生一次，而且找不到合理的解决方式，直到现在也一直在持续。倍倍尔指出，黑格尔在哲学上论证了人类的发展过程，他对量变转变为质变的论述正好可以适用

① 《倍倍尔文选》，人民出版社 1993 年版，第 336 页。
② ［德］倍倍尔：《妇女与社会主义》，中央编译出版社 1995 年版，第 317 页。
③ 《马克思恩格斯选集》第 3 卷，人民出版社 2012 年版，第 812 页。
④ 《倍倍尔文选》，人民出版社 1993 年版，第 335 页。
⑤ 《马克思恩格斯选集》第 3 卷，人民出版社 2012 年版，第 663 页。

于资产阶级社会，“当资产阶级社会达到其发展的顶点，达到高度繁荣阶段时，它身上的痼疾也以越来越高的速度发展着，于是这个社会就必然发生质的变化，即开始向社会主义社会转变”①。也就是说，解决资本主义经济危机的方式只有彻底改变资本主义的生产方式，用新的更好的生产方式来取代它，这就是科学社会主义的任务所在。

但是，倍倍尔同样指出，任何人包括社会民主党人都不能人为地加速整个的发展过程。因为“资产阶级社会如何进一步发展，并不取决于我们；我们不能为你们规定，你们统治阶级该怎么干，从而使我们掌握权力和赢得胜利”②。正如马克思所指出的，每一种生产方式都有其存在的合理性与必然性，不会轻易产生也不会轻易灭亡。他在《〈政治经济学批判〉序言》中强调指出，“无论哪一个社会形态，在它所能容纳的全部生产力发挥出来以前，是决不会灭亡的；而新的更高的生产关系，在它的物质存在条件在旧社会的胎胞里成熟以前，是决不会出现的”③。因此，资本主义的生产方式在一定历史时期内有其存在的必然性，并为新的更高的生产关系的产生创造条件。但是，可以肯定的是，它不会一直存在下去，因为“新的生产力已经超过了这种生产力的资产阶级利用形式”④，早已同限制其发展的生产关系发生了冲突，这种冲突最直接的反映就是无产阶级与资产阶级的对立。为此，倍倍尔指出，“资本越集中，大生产越扩大，资本主义社会越成为当今整个社会的典范，中等阶层的贫困化越蔓延和群众的无产阶级化越普遍，阶级对立也就越尖锐，群众就越来越无产阶级化，头脑中也就越来越产生新思想和新观念。”⑤这就为社会主义社会的到来奠定了基础。

倍倍尔指出，虽然我们不想对未来的社会做空想社会主义的琐碎描绘，但是，未来社会主义也有其一般图景和基本特征。其一，社会占有生产资料，实行计划经济。倍倍尔认为，“资本主义私有制转变成为社会的所有制，并将商品生产转变成为社会和由社会经营的社会主义的生产”⑥是实现社会主义的根

---

① 《倍倍尔文选》，人民出版社 1993 年版，第 360 页。

② 《倍倍尔文选》，人民出版社 1993 年版，第 336 页。

③ 《马克思恩格斯选集》第 2 卷，人民出版社 2012 年版，第 2 页。

④ 《马克思恩格斯选集》第 3 卷，人民出版社 2012 年版，第 655 页。

⑤ 《倍倍尔文选》，人民出版社 1993 年版，第 336 页。

⑥ 《倍倍尔文选》，人民出版社 1993 年版，第 338 页。

本前提，因为只有这样才能消灭剥削，消灭人对人的压迫。而“在一个社会化社会，社会状况是井然有序的，整个社会协调一致。一切都按计划和规章进行，因此，容易确定不同需求的大小”①。由此，倍倍尔认为生产资料公有制基础上的计划经济是社会主义社会的基本特征。其二，人人都有劳动的权利和义务。倍倍尔认为，当社会占有全部劳动资料时，不分性别，所有有劳动能力的人都具有劳动的义务，这也是社会主义社会的基本特征。因为正如《圣经》上所说，不劳动者不得食，在这一点上社会主义与《圣经》所言一致，也就是说，要享受必要劳动，就必须劳动，不劳动不得享受。②其三，人人都有充分的自由民主权利。倍倍尔认为，在社会主义社会，社会的一切成年男女，都有参加选举的民主权利，选举行政管理人员，不分性别，都有普遍、平等、直接的选举权和被选举权，因此，这种建立在广泛民主基础之上的行政机构与今天的行政机构有着根本的不同。③而废除一切限制和压迫自由发表意见和集会结社权利的法律，废除公法和私法关系上一切对男女实行差别待遇的法律④，正是保障人们民主权利和建立社会主义法律的重要前提。

倍倍尔指出，“按照充分自由和民主平等原则组织起来的劳动将是一种我为人人、人人为我的劳动，并充满了团结协作精神，这种劳动将激发人们在现在的经济体系中所从未有过的创造欲望和竞争热情”⑤，这将极大地提高劳动生产率，并将逐渐消除人们的利害冲突。阶级与国家也将逐渐被消灭或消亡。由于国家消亡，一切政治机关也将被取消。不仅生产资料归全体人民所有，而且要赋予人民一系列的政治权利和自由，使他们能够相应地行使他们应有的权利。只有在这样的社会里，人们才能更加自由、充分地发挥他们的天赋和才能。

## 三、倍倍尔对无产阶级政党建设理论的发展

倍倍尔十分重视工人阶级的成长壮大和无产阶级政党的建设问题。他指

---

① ［德］倍倍尔：《妇女与社会主义》，中央编译出版社 1995 年版，第 376 页。

② ［德］倍倍尔：《妇女与社会主义》，中央编译出版社 1995 年版，第 372—373 页。

③ ［德］倍倍尔：《妇女与社会主义》，中央编译出版社 1995 年版，第 373—374 页。

④ 《倍倍尔文选》，人民出版社 1993 年版，第 340 页。

⑤ ［德］倍倍尔：《妇女与社会主义》，中央编译出版社 1995 年版，第 376 页。

出，单个的工人是没有力量的，他不过是大风暴中的一颗沙粒。假如他要自救，就要加入他的难友和阶级兄弟的行列，例如加入工会，参加工人运动，通过政治活动，通过有目的地充分使用自己的权利，通过为共同事业作出物质牺牲才能达到目的。[①] 因此，必须首先唤醒工人的阶级觉悟，使他们清楚地认识到自己的阶级地位和阶级任务，并"十分自觉地提出自己的阶级利益。既然作为被压迫和被剥削阶级的工人要为清除一切剥削和压迫而奋斗，他们也就是在为全人类的解放和平等而奋斗，他们就是在完成一件文化史上拯救人类的伟业"[②]。虽然目前工人阶级的力量还不够强大，还不能对社会进行必要的改造。但是，更多的工人阶级正在越来越多地加入社会主义事业中，他们的力量在日渐强大，直到能与资产阶级的力量相抗衡甚至超越他们。

倍倍尔在纽伦堡第五次德国工人联合大会上，把国际工人协会的纲领视为自己的纲领，并声明同意以下几个重要观点：第一，劳动阶级的解放必须由劳动阶级自己去争取。劳动阶级的解放斗争不是争取阶级特权和阶级垄断的斗争，而是争取平等的权利与平等的义务，以及废除一切阶级统治。第二，劳动者在经济上依附于劳动工具的垄断者，即劳动工具的唯一占有者是一切形式的奴役、社会贫困、精神堕落和政治不独立的根源。第三，政治运动是劳动阶级取得经济解放必不可少的手段。社会问题同政治问题是不可分割的，社会问题的解决以政治问题的解决为前提，只有在民主的国家才有这种可能。此外，由于迄今为争取经济解放所作的一切努力缺乏各国不同部门工人之间的团结合作，也缺乏各国劳动阶级之间兄弟般的联合一致，因此屡遭失败；劳动解放既不是一个地区的也不是一个民族的问题，而是包括一切具有现代社会的国家在内的社会问题（社会任务），解决这一问题要依靠最先进国家之间在实践和理论方面的通力合作。[③]

倍倍尔认为，争取更多的工人阶级加入社会主义运动并不是急切的事情，"不可能一下子就把群众争取过来，使之为实现社会主义的完整的和最终的目标而奋斗"[④]。因此，应采取一些实际措施，唤醒工人的阶级意识，应从他们的实际生活和日常问题着手，考虑他们的基本需要。德国工人运动在这方面就取得了辉煌的成果，虽然德国工人运动与英法两国工人运动相比，还尚显年

① 《倍倍尔文选》，人民出版社 1993 年版，第 196 页。
② 《倍倍尔文选》，人民出版社 1993 年版，第 196 页。
③ 《倍倍尔文选》，人民出版社 1993 年版，第 5—6 页。
④ 《倍倍尔文选》，人民出版社 1993 年版，第 183 页。

轻，“但是它清楚地意识到自己要达到的目的，它拥有强大的、已经在斗争中经受了考验的力量。它的这个力量今天或许已经使统治阶级感到过分害怕和惊恐”①。这一方面要归功于社会民主党的理论活动，他们针对实际问题开展宣传鼓动，通过报纸和杂志同舆论偏见进行斗争，教育工人阶级认清自己的状况，去争取自己的正当权益；另一方面，应归功于经济条件，即最近二十年来德国大工业的迅猛发展。随着工人运动的活跃，更多的人加入了进来，工人运动的强大力量使敌人感到惊恐并不得不渐渐地至少原则上承认工人的实际要求，包括国际工人保护法的要求。而这在二十年前是绝对不可想象的，这些要求被视为卑鄙的问题，是不可能被容许的，这足见工人运动的力量与影响。

倍倍尔还十分重视政党建设，他作为德国社会民主党的创始人之一和主要领袖，为党的创建和发展作出了巨大的贡献。倍倍尔在其著作、文章以及各种会议发言上，多次强调社会民主党生存的条件、发展的状况及其力量和影响。

倍倍尔指出，19 世纪下半叶才产生了社会民主党，因为只有在那个时候党才有它的生存条件。资产阶级社会建立的制度为社会民主党提供了土壤，现代的生产方式造成了空前的阶级对立、贫富差距，越来越多的人处境恶化，这必然滋生不满情绪。资产阶级社会越发展，资本越集中，阶级矛盾越尖锐，人民处境越艰难，“那么，这片土壤对我们来说就越加肥沃，社会民主党的思想也就越加深入各个阶级，从而使社会民主党的队伍也就越发壮大，社会民主党的实力和影响也会不断壮大，直到它最终成为国家和社会的栋梁”②。因此，社会民主党只能在资本主义社会中诞生，可以说，“社会民主党就是这个资产阶级社会的天然产物”③。虽然社会民主党在国会中占据着少数的席位，但是他们在道义上的力量是强大的，对有产阶级来说总是一个制约，制约着他们不得违心地制定社会政策。

在无产阶级政党建设方面，倍倍尔始终以马克思恩格斯在《共产党宣言》中所提出的无产阶级政党建设思想和原则为指导，在党的组织建设、纲领建设、思想和制度建设等方面不断探索和实践，丰富和发展了马克思主义的无产阶级政党建设理论。

---

① 《倍倍尔文选》，人民出版社 1993 年版，第 183—184 页。

② 《倍倍尔文选》，人民出版社 1993 年版，第 315 页。

③ 《倍倍尔文选》，人民出版社 1993 年版，第 336 页。

倍倍尔为增强德国工人运动的力量、团结一切可以团结的力量，积极倡导德国两大工人组织——社会民主工党（爱森纳赫派）和全德工人联合会（拉萨尔派）的统一，并坚持以马克思主义为指导进行党的组织建设，同党内各种机会主义和修正主义思想作斗争。正如列宁所说，早在两个派别统一之前倍倍尔就把“工人联合会中的社会主义部分从资产阶级民主主义中分离出来，并同李卜克内西一起站在爱森纳赫派，即马克思主义者派别的最前列”，而“倍倍尔和李卜克内西已把两个工人派别统一起来，并且保证了马克思主义在统一的党内的领导地位”。①

在纲领建设方面，倍倍尔主张根据新的斗争形势，实事求是，在坚持马克思主义基本原则的基础上修改并制定新的组织章程和纲领。尤其是在反社会党人法时期，为了适应这一特殊时期斗争形势的需要，倍倍尔充分利用一切合法的和非法的手段进行斗争，适应不断变化的客观形势和不同时期的具体情况。但同时，倍倍尔也强调党的社会主义宗旨和目的的不变性即“争取工人阶级解放的斗争决不是谋求特权的斗争，而是争取平等权利和平等义务以及为消灭所有特权而进行的斗争”②。正如列宁所称赞的，“党在倍倍尔和李卜克内西领导下，学会了把秘密工作和合法工作结合起来。”③在党内民主和制度建设方面，倍倍尔充分发扬党内民主，坚决反对个人独裁、个人崇拜、盲目服从和宗派主义现象，主张集体领导、民主领导。倍倍尔指出，“只要一个政党承认某些个人权威，那么，这个党就会失去民主的基础；因为信仰权威、盲目服从、个人崇拜本身就是不民主的。”④为此，在倍倍尔的倡议下，德国社会民主党从建立之初就成立了多个委员会，以加强党内监督和权力制衡，特别是对党的领导机关的监督和制约。

## 四、倍倍尔对妇女解放与社会主义关系的阐述

《妇女与社会主义》是倍倍尔的代表作，被公认为第一部用马克思主义观

① 《列宁全集》第23卷，人民出版社2017年版，第385页。

② ［德］倍倍尔：《妇女与社会主义》，中央编译出版社1995年版，第365页。

③ 《列宁全集》第23卷，人民出版社2017年版，第386页。

④ 《倍倍尔文选》，人民出版社1993年版，第10页。

点研究妇女问题的著作。在这本书中，倍倍尔利用当时历史学、经济学和自然科学等方面的丰富材料，以马克思主义的唯物史观为指导，分析了妇女从上古时代到资本主义社会的地位和境遇，并运用科学社会主义理论探索妇女解放的真正道路，提出了系统完整的马克思主义妇女解放理论，填补了科学社会主义在妇女问题研究上的空白。从倍倍尔写作此书的目的即“同反对妇女享有完全平等权的一切偏见作斗争，宣传社会主义思想，因为唯有社会主义思想成为现实才能保证妇女的社会解放”①来看，此书的意义已远远超出了妇女运动与妇女解放的范围，而是成为了批判资本主义社会、宣传社会主义思想和无产阶级斗争任务的纲领性文件。

概括起来，倍倍尔主要从以下几方面分析了妇女解放与社会主义的关系：

第一，倍倍尔从历史和现实上分析了妇女的社会地位。马克思认为，妇女在社会中所处的地位标志着人类的文明程度。在《1844年经济学哲学手稿》中，马克思曾指出，“男人对妇女的关系是人对人最自然的关系。因此，这种关系表明人的自然的行为在何种程度上是合乎人性的，或者，人的本质在何种程度上对人来说成为自然的本质，他的人的本性在何种程度上对他来说成为自然”②。可见，马克思认为从男人对妇女的关系中“就可以判断出人的整个文化教养程度”③，恩格斯也指出，“在任何社会中，妇女解放的程度是衡量普遍解放的天然尺度。”④

倍倍尔通过对人类社会发展的历史考察认为，妇女在人类文明史中一直处于被奴役和被压迫的地位，这表现在千百年来的男权社会和妇女在家庭关系中对男人的从属地位。倍倍尔指出，妇女同工人一样，都是被压迫者。压迫的形式在各个时代和每个国家都是不相同的，但压迫却始终存在。妇女是人类中最先成为奴隶的人，因为妇女早在奴隶问世以前，就已经成了奴隶即男人的奴隶。⑤而到了资本主义社会，妇女遭受的是家庭和社会的双重压迫，比工人遭受的压迫还要沉重，比工人的处境还要悲惨。但是，妇女对自身被奴役的地位却浑然不觉，毫无反抗意识。其原因就在于妇女不论是由于习俗和受教育的程

① 《倍倍尔文选》，人民出版社1993年版，第10—11页。

② 《马克思恩格斯文集》第1卷，人民出版社2009年版，第185页。

③ 《马克思恩格斯文集》第1卷，人民出版社2009年版，第184页。

④ 《马克思恩格斯选集》第3卷，人民出版社2012年版，第647页。

⑤ ［德］倍倍尔：《妇女与社会主义》，中央编译出版社1995年版，第3—4页。

度，还是由于她们所享有的自由的程度，都不及工人，而且世世代代延续下来的各种情况最终形成了习惯，遗传和教育使这两部分人把这种习惯看成“自然而然的”。特别是到了今天，妇女仍然把她们的从属地位视作理所当然。[①] 倍倍尔希望通过写作此书能够唤醒广大妇女必须努力争取使自己成为同男人平等的、在任何情况下都是社会上势均力敌的人，使她们意识到她们与工人阶级一样，都是被压迫的阶级，因此，她们应该同工人阶级一样，团结起来，共同反抗压迫阶级。

第二，倍倍尔分析了妇女解放与社会主义革命的关系。倍倍尔指出，“社会上的一切依附与压迫都来源于被压迫者对压迫者在经济上的依赖”[②]，而妇女之所以备受压迫，就是因为她们在经济关系中没有处于独立的地位。因此，妇女要想获得解放，就要彻底改变经济上的依附关系，就必须变革私有制的社会制度，建立社会主义的新制度。因为在未来的社会主义新社会“妇女在社会上、经济上是完全独立的，她们不再遭受任何统治和剥削，同男人一样，她们享有自由和平等，并且是掌握自己命运的主人”[③]。而要实现这一目标，就必须把妇女解放与无产阶级的历史使命和社会主义革命密切联系起来。倍倍尔指出，“无产阶级的历史使命就是不仅争取自身的解放，而且还要争取其他所有被压迫者和妇女的解放。”[④] 这是因为：一方面，妇女解放与整个人类的解放是同一个过程，它从属于整个人类的解放，妇女占人类的半数，只有妇女获得解放，整个人类才能彻底解放；另一方面，妇女获得解放的途径要同社会主义革命联系起来，只有在以公有制为基础的社会主义社会中，妇女的平等和解放才能完全实现。倍倍尔不仅为广大妇女，而且为整个人类都指明了前进的道路和光明的未来，“未来属于社会主义，而首先属于工人和妇女”[⑤]。

第三，妇女解放与无产阶级政党的关系。倍倍尔指出，在现有的一切政党当中，社会民主党是唯一把妇女平等和解放写进自己纲领里的政党，其原因并非出于鼓动，而是出于必要和原则。因为没有妇女的独立和两性的平等，就不可能有人类的自由。而要实现妇女解放和建立社会主义社会，就需要无产阶

---

① ［德］倍倍尔：《妇女与社会主义》，中央编译出版社 1995 年版，第 3—4 页。
② ［德］倍倍尔：《妇女与社会主义》，中央编译出版社 1995 年版，第 4 页。
③ ［德］倍倍尔：《妇女与社会主义》，中央编译出版社 1995 年版，第 465 页。
④ ［德］倍倍尔：《妇女与社会主义》，中央编译出版社 1995 年版，第 310 页。
⑤ 《倍倍尔文选》，人民出版社 1993 年版，第 160 页。

级政党的领导，因为只有在无产阶级政党领导下建立起来的社会才能解救苦难中的妇女，“只有通过社会民主党，她们才能在社会上得到完全的平等和自由。因此我们看到，妇女越来越向社会民主党靠拢，在当前的伟大的运动中，妇女向哪里靠拢，哪里就会得到胜利！”①社会主义社会从工农业劳动和劳动的组织、私有制的废除、体力劳动和脑力劳动区别的消灭、电气化的实现、人民生活的改善一直到普遍实行教育和文学艺术的普及，都能使妇女同男人一样平等地得到她们应享受的权利，从而，使她们真正从政治上、经济上以及社会生活各方面获得自由与平等。这也就是倍倍尔把妇女的命运同无产阶级解放事业紧密联系在一起的原因。由此可见，倍倍尔的这一著作已经远超他所论述的范围，在一定程度上为科学社会主义理论的发展开辟了一个新领域，大大发展了马克思主义。

总之，倍倍尔《妇女与社会主义》一书的出版，不仅得到了广大人民的热烈欢迎，而且对在德国工人运动和国际工人运动中贯彻马克思主义思想和动员工人阶级，特别是动员妇女为社会主义而奋斗方面起了十分重要的作用。在今天看来，他关于妇女解放的观点仍然具有重要的理论意义和现实意义。

## 第三节 倍倍尔对伯恩施坦修正主义的批判

19世纪末至20世纪初，随着资本主义从自由竞争时期过渡到垄断时期，发达资本主义国家的经济和社会状况都出现了一些新的变化。正是在这样的背景下，爱德华·伯恩施坦提出了他的修正主义观点，特别是恩格斯去世后，他发表了一系列文章，企图否定马克思主义的基本原理。伯恩施坦的修正主义思想在当时受到了资产阶级的欢迎，对马克思主义理论构成了威胁和挑战，但同时，也激起了许多马克思主义者的反对和批判。他们纷纷撰文批判伯恩施坦的修正主义思想，而倍倍尔就是其中最著名的代表之一。当伯恩施坦修正主义观

① 倍倍尔1893年在帝国国会的一篇发言，转引自弗兰茨·克吕斯《倍倍尔传》。

点产生后，倍倍尔就公开表明自己对伯恩施坦修正主义观点的态度，特别是1899年在德国社会民主党汉诺威代表大会上和1903年在德国社会民主党德累斯顿代表大会上，倍倍尔以大量的事实和详尽的分析，系统驳斥了伯恩施坦修正主义的理论观点，列宁赞誉他是“捍卫马克思主义观点和为工人政党的真正社会主义性质而斗争的典范”①。

## 一、倍倍尔对伯恩施坦理论根源的深刻揭露

在反对伯恩施坦修正主义的斗争中，倍倍尔是较早察觉和抵制伯恩施坦修正主义思想错误的德国社会民主党的主要领导人之一。1895年8月恩格斯逝世后，伯恩施坦从1896—1898年期间在《新时代》杂志上，以《社会主义问题》为题发表了一系列文章，否定马克思主义关于资本主义必然灭亡、无产阶级只有通过社会革命才能实现社会主义的基本原理。对此，1898年9月24日，倍倍尔在读了伯恩施坦这组文章后，在给作为《新时代》杂志主编的考茨基的一封信中，就明确表示，“你认识到爱德（指伯恩施坦——引者注）是不会改邪归正的，这使我感到高兴。我在第一次和他谈话后就明白了这一点，同时也知道和他的冲突是不可避免的了。”②

1898年10月，德国社会民主党在斯图加特的代表大会上，虽然卢森堡提议将批判伯恩施坦修正主义理论作为党的策略原则议题进行讨论，但倍倍尔认为，伯恩施坦所论及的不是党的“策略”问题，而是党的“基本观点”问题，这些问题不适合在党的代表大会上作出决定，对这些问题必须在报刊上进行深入讨论才能理清其实质，特别是由于伯恩施坦的观点已在党内产生影响并引起某些人的共鸣的情况下，从“我们所处的局势”考虑，就应该在党的代表大会之外“客观地进行争论”。③正如在这之后给伯恩施坦的信中所指出的那样，倍倍尔认为，在斯图加特代表大会上讨论伯恩施坦的问题“不是一个合适的地

---

① 《列宁全集》第23卷，人民出版社2017年版，第388页。

② 《德国社会民主党关于伯恩施坦问题的争论》，生活・读书・新知三联书店1981年版，第8—9页。

③ 《德国社会民主党关于伯恩施坦问题的争论》，生活・读书・新知三联书店1981年版，第44页。

方——首先是因为时间不够，同时我的想法是，在讨论策略之前一定要就我们和你的在我们的基本观点上的原则分歧进行辩论，而在这一次党代表会上几乎是做不到”①。

尽管没把清算伯恩施坦理论列为大会议题之一，但是，倍倍尔还是在大会发言中公开表明了自己对伯恩施坦理论观点的态度，他说：“我不赞成伯恩施坦的观点，在一些重要的问题上我同他有分歧”②。并且针对这次大会上，德国社会民主党党报编辑威廉·亨利·希彼乌斯在引申伯恩施坦一些理论的基础上反对党的“最终目的”，认为根本不存在所谓“最终目的”的错误观点，倍倍尔指出，尽管从哲学意义上认为不存在所谓“最终目的”还说得通，但是，一个正在进行斗争的党，一个想达到确定目标的党，也必须有一个最终目的，因为如果取消社会民主党党纲的第一部分所规定的党的最终目的，那我们也就不成其为社会民主党人了。③

特别是在斯图加特大会之后，倍倍尔即以书信方式对伯恩施坦进行了尖锐批评，对伯恩施坦思想的根源及实质作了深刻剖析。在 1898 年 10 月 16 日倍倍尔给伯恩施坦的信中，一方面，倍倍尔认为，伯恩施坦的思想蜕变与其看待资本主义社会变化的片面的、主观主义的思想方法密切相关。他指出，促成伯恩施坦“这种变化的是，你把你暂时在其中生活的环境当成了普遍适用的标准，并且力图用你全部洞察力来证明这一点……你只看到你所愿意看到的东西，而当你看不到你愿意看到的东西时，你就进行编造。”④因为在思想方法上，伯恩施坦自己也承认他对问题的观察是很片面的即只会分析而缺乏综合与概括，虽然这还不是伯恩施坦思想蜕变的决定性因素，但是从这种片面的、主观的思想方法出发去观察资本主义社会由自由资本主义向垄断资本主义发展中所出现的一些新变化、新现象，而不是全面而准确地把握马克思主义的基本前提，运用

① 《德国社会民主党关于伯恩施坦问题的争论》，生活·读书·新知三联书店 1981 年版，第 61 页。

② 《德国社会民主党关于伯恩施坦问题的争论》，生活·读书·新知三联书店 1981 年版，第 21 页。

③ 《德国社会民主党关于伯恩施坦问题的争论》，生活·读书·新知三联书店 1981 年版，第 21 页。

④ 《德国社会民主党关于伯恩施坦问题的争论》，生活·读书·新知三联书店 1981 年版，第 59—61 页。

马克思主义的辩证思维方法去揭示时代转折关头资本主义社会的基本矛盾、阶级矛盾，就很难避免得出错误的结论。

另一方面，倍倍尔认为，伯恩施坦思想的蜕变也与其加入社会民主党前后接受各种错误思想和理论密切相关。倍倍尔尖锐地指出，伯恩施坦曾经是一个“狂热的杜林分子”，大力宣扬杜林的思想；后来作为德国社会民主党内改良主义者赫希柏格的私人秘书，又变成“赫希柏格分子”，支持和宣扬改良主义，并且，在参与赫希柏格、施拉姆等合写的《德国社会主义运动的回顾》（1879年）这一“可恶的文章”中，[①]不仅批评党的纲领和全部鼓动工作、宣扬改良主义的思想，甚至把“反社会党人法”归罪于党。这不仅在党内引起广泛不满，而且也引起马克思和恩格斯的震怒。为此，1880年12月倍倍尔带着伯恩施坦专程去伦敦向马克思和恩格斯解释，并且得到了他们的谅解。尽管在这之后，伯恩施坦担任了党的机关报《社会民主党人报》的主编，并在恩格斯的直接指导和帮助下，为工人运动和坚决捍卫党的原则做了许多有益工作，受到了恩格斯的称赞并被恩格斯指定为其遗嘱的执行人之一；但是，在恩格斯逝世之后，他很快又回到了机会主义和修正主义的立场，而且走得更远了。倍倍尔指出，伯恩施坦的根本错误就在于以所谓随着情况的改变而要不断改变策略为名抛弃了“党的基本原则和目的”。为此，倍倍尔在信中指出，“制定策略必须始终考虑到党的基本原则。而在这一点上，你和党内百分之九十九以上的人的观点是根本不同的。”[②]

然而，对于伯恩施坦来说，他并没有接受倍倍尔的正确批评，反而认为倍倍尔和党内其他同志的批评“实在是很错误的”[③]，依然坚持马克思主义过时论并进行所谓全面“修正”的错误道路，而且要求社会民主党用他倡导的“新的理想”来取代那些他所指责的“过时的理论”；同时，他还积极准备对党内马克思主义理论家们对他的批评作出更系统的“反击”，这就是他的《社会主义的前提和社会民主党的任务》（1899年）一书的出版。对此，倍倍尔在1899

---

① 《德国社会民主党关于伯恩施坦问题的争论》，生活·读书·新知三联书店1981年版，第60页。

② 《德国社会民主党关于伯恩施坦问题的争论》，生活·读书·新知三联书店1981年版，第62页。

③ 《德国社会民主党关于伯恩施坦问题的争论》，生活·读书·新知三联书店1981年版，第64页。

年9月29日给伯恩施坦的一封信中旗帜鲜明地指出，“当我再一次地读了你的书和你的其他演说以后，对我说来，毫无疑问，你不再是马克思主义者了。你几乎完全同马克思主义一切基本原理决裂了，而且现在是它的敌人……如果恩格斯现在看见你的观点有了怎样的改变，他就会是你的死敌，而且他，如我已说过的那样，就永不会想到委派你为他的（文献）遗著管理人了。”①

## 二、倍倍尔在德国社会民主党汉诺威代表大会对伯恩施坦的批判

1899年1月，伯恩施坦《社会主义的前提和社会民主党的任务》一书出版后，在德国民主党内和第二国际范围内都引起了极大震动和强烈反响。这迫使德国社会民主党必须要公开表明自己的立场和观点。1899年10月，德国社会民主党在汉诺威再次举行党的代表大会，并将批判伯恩施坦的修正主义理论作为这次大会的中心议题。在这次大会上，倍倍尔针对伯恩施坦修正主义的错误作了长达6小时的长篇报告，为揭露伯恩施坦修正主义的错误、统一全党认识奠定了重要基础。

倍倍尔在这一长篇报告中指出，伯恩施坦问题的出现并不是偶然的，它不只是伯恩施坦个人思想演变的结果，同时也是党在面临新的形势、新的任务时必然出现的机会主义思想的反映。在这一意义上可以认为，对伯恩施坦来说，“他的思想，他的批判，他建议采取的途径，所有这一切都是资产阶级甚至社会主义者几十年来经常说的东西，他的著作只不过是所有这些思想的杂烩。”②他指出，伯恩施坦在《社会主义的前提和社会民主党的任务》一书中，“对马克思主义的一切基础，即唯物史观，辩证法，价值理论以及所谓贫困化理论和崩溃论等等一一加以攻击”③。

倍倍尔指出，伯恩施坦“指责马克思和恩格斯是布朗基主义”即“一切都取决于选择适当的时刻来发动一次革命，在某种程度上说也就是对社会实行突

① 转引自毛承颖：《未发表的奥古斯特·倍倍尔的信件》，《世界政治资料》1980年第1期。

② 《德国社会民主党关于伯恩施坦问题的争论》，生活·读书·新知三联书店1981年版，第184页。

③ 《德国社会民主党关于伯恩施坦问题的争论》，生活·读书·新知三联书店1981年版，第184页。

然袭击，夺取政权，如果成功的话，就实行新的理论”①，但从马克思对社会发展规律的发现来看，“他的出发点决不可能是这个观点：可以通过任意的革命超越一个社会发展阶段”②。对于伯恩施坦对唯物史观的攻击，倍倍尔指出要用事实说话，但在他的书中却“看不到他有提出事实的尝试，哪怕是最轻微的影子也没有”③。倍倍尔指出，伯恩施坦认为“在马克思那里有黑格尔辩证法的泥潭”，只能表明“伯恩施坦对辩证法的理解与马克思恩格斯的理解根本不同”，因为马克思恩格斯“在四十年代对黑格尔辩证法的激烈批判就表明他们已充分认识到了它的缺陷，并且创立了他们自己的辩证法”。④至于伯恩施坦对马克思价值理论的攻击，倍倍尔认为关键不在于批评而在于“用什么来代替，而这是人们必须向批评者要求的首要事情”，因为“破坏以往的全部基本理论观点并且制造混乱，毕竟是不行的”。⑤

在对以上伯恩施坦错误观点进行简要批驳的基础上，倍倍尔主要集中批判了伯恩施坦“对党的基本原则和策略立场的攻击”相关的理论观点。

第一，倍倍尔运用德国工业发展中的具体统计资料，对伯恩施坦否定马克思关于资本积累理论的观点进行了驳斥。倍倍尔首先指出伯恩施坦在其书中所引用的马克思的话并不是马克思的，并通过引用马克思在《资本论》第一卷中有关资本积累的论述，说明它对把握资本主义社会资本积累和集中趋势的重大意义。其次，倍倍尔针对伯恩施坦企图根据统计证明，社会民主党按照马克思的意见在它的纲领中阐述关于资本主义社会发展过程的观点是过分乐观的，这一过程的进展要缓慢得多，因此，实现社会主义的前景如果仅仅以这种被错误理解的发展为依据，就会遥遥无期，甚至根本不能实现。倍倍尔通过引用大量的德国统计数据证明，在德国工业的发展中，资本积累和集中的趋势并非像伯

① 《德国社会民主党关于伯恩施坦问题的争论》，生活·读书·新知三联书店1981年版，第185页。

② 《德国社会民主党关于伯恩施坦问题的争论》，生活·读书·新知三联书店1981年版，第185页。

③ 《德国社会民主党关于伯恩施坦问题的争论》，生活·读书·新知三联书店1981年版，第185页。

④ 《德国社会民主党关于伯恩施坦问题的争论》，生活·读书·新知三联书店1981年版，第186页。

⑤ 《德国社会民主党关于伯恩施坦问题的争论》，生活·读书·新知三联书店1981年版，第186页。

恩施坦企图证明的那样“发展得很缓慢”，而是呈现出明显加快的趋势。①

以德国工业发展为例，1882—1895 年期间，有 2—5 个工人的小企业，只增加了 0.2%，显示出一种完全静止的状态；有 6—10 个工人的企业增长显著，企业数增长了 58%，企业人员增长了 60%；有 11—15 个工人的企业增长更为显著，企业数增长了 72%，企业人员增长了 77%；有 100—200 工人的大企业增长得最为显著，企业数增长了 93%，企业人员增长了 93.5%；而最大的企业增加了 75%，人员增加了 82%。由此可见，企业越大，它的增长的百分比就越高。这是工业中存在着强大的集中趋势的一个小小的证据。②倍倍尔又以大量数据说明了德国工业的集中、工人的增加和企业的减少是同时并进的，因为工业和手工业发生了一场彻底的革命，而对于这一明显的发展趋势和革命，伯恩施坦却企图证明这一趋势和革命进行得很缓慢。究其原因，倍倍尔指出，“这并不是伯恩施坦没有看到这一发展事实，而是他的阶级立场和观点发生了变化。因为在 1896 年 11 月的文章中他还主张和我今天所主张的同样的观点，但在一年之后的《社会主义问题》系列论文中却改变了他的看法，这种在科学上有重要地位的人在比较短的时间内，竟会根据相同的事实得出截然相反的看法，那我简直是无法理解了。”③由此，揭露了伯恩施坦的错误本质就在于抛弃了马克思主义的基本立场和观点。

第二，倍倍尔运用德国农业发展中的统计资料，驳斥了伯恩施坦关于资本主义农业积聚过程更为缓慢的观点。倍倍尔指出，“马克思关于地产集中的观点直到七十年代中叶是有效的。毫无疑问，这个观点符合当时农业中存在的趋势。”④他依据德国从 1882 年到 1895 年相关农业发展的统计资料，首先说明了由于一个农场无论经营得多么合理，它的利润额也不能与一个经营良好的工业企业相比，导致资本离开农业而转向工业，也使农村劳力缺乏，并迫使农业转

① 《德国社会民主党关于伯恩施坦问题的争论》，生活·读书·新知三联书店 1981 年版，第 187 页。

② 《德国社会民主党关于伯恩施坦问题的争论》，生活·读书·新知三联书店 1981 年版，第 189 页。

③ 《德国社会民主党关于伯恩施坦问题的争论》，生活·读书·新知三联书店 1981 年版，第 191—192 页。

④ 《德国社会民主党关于伯恩施坦问题的争论》，生活·读书·新知三联书店 1981 年版，第 195 页。

为尽可能集约的经营方式。由此也导致到1895年为止，共有二百一十三万公顷的土地被联结起来，并且只要大农场跟得上现代的水平，它就会提供大量利润。无论如何这一土地集中化的过程仍旧在飞速发展中，而非伯恩施坦所认为的那样。其次，倍倍尔指出，尽管农业人口减少了，即1882年全国人口中农业人口占42.54%，1895年占35.7%，但独立企业主的数量从1882年到1895年却增长了12.2%，其中，占地100公顷以上的大农场，虽然在数量上只增加了0.2%，但在全部农地面积中却总共占有7000831公顷；而占地5公顷以下的农场虽然占全部农业企业的77%，但却只占有5094000公顷的农地面积。① 可见，土地资本越来越集中在少数大土地所有者手中，这也证明了马克思有关地产集中的观点是正确的。

第三，倍倍尔运用德国各阶层收入变化的统计资料，驳斥了伯恩施坦关于资本主义经济发展中财产和收入日趋分散、平均的观点。倍倍尔通过引用大量的1882—1896年期间家庭收入统计资料证明，“中等阶层发展得最少，低收入者的数目大大增加，最低收入者的数目则减少了，而对于这些等级的大部分人来说，收入是显著提高了，但是高收入和极高收入的增加还要大得多。”② 这说明，尽管低收入者的收入显著增加，但与高收入者和极高收入者收入的增加相比，其差距并没有缩小而是进一步扩大了。由此，驳斥了伯恩施坦关于资本主义经济发展中财产和收入并没有集中而是日趋分散的观点也是错误的。同时，倍倍尔强调指出，不能只看到工人“货币工资”的增加，而要看一方面工人是否能用增加的工资更好地满足他增加了的需要，另一方面工人用增加的收入提高需要的可能性同富裕阶级的收入相比较的情况如何，二者之间的差别是扩大还是缩小了。为此，倍倍尔用大量事实说明了对于大多数人民来说，尽管平均收入提高了，但总的生活状况与富裕阶级相比丝毫没有改善，驳斥了伯恩施坦关于收入日趋分散和平均的错误观点。③

第四，倍倍尔对伯恩施坦曲解马克思的阶级斗争学说、无视资本主义社会

① 《德国社会民主党关于伯恩施坦问题的争论》，生活·读书·新知三联书店1981年版，第196—199页。

② 《德国社会民主党关于伯恩施坦问题的争论》，生活·读书·新知三联书店1981年版，第203页。

③ 《德国社会民主党关于伯恩施坦问题的争论》，生活·读书·新知三联书店1981年版，第203—204页。

阶级斗争现实和斗争形式等错误观点进行了深入批判。首先，对伯恩施坦否认工人阶级共同利益和阶级意识以及因阶级斗争采取了较温和的形式而认为阶级矛盾缓和了的观点，倍倍尔指出，事实表明阶级矛盾正在尖锐化，特别是托拉斯、卡特尔等垄断组织的出现，不仅是为获取更高的垄断利润，而且也是同工人进行斗争的组织，因而它们对于工人及其组织来说将变得非常危险，双方之间将爆发严重的斗争。为此，倍倍尔认为，工人组织工会是绝对必要的，因为工会以及整个阶级运动发展到一定阶段就必须与资本主义社会制度展开你死我活的斗争。① 其次，对伯恩施坦认为“社会主义集体所有制不是用暴力废除资本主义所有制的结果，也不是由于废除了资本主义所有制才建立起来的，而是资本主义所有制将在社会主义集体所有制已经高度发展的时候消失。因此，他认为发达的合作社已经是社会主义所有制”②，并以此为由取消阶级斗争特别是通过“剥夺”方式建立社会主义的观点，倍倍尔以资产阶级反对封建阶级、资本主义制度建立的历史事实，说明了无论是德国的宗教改革还是法国的资产阶级革命以及美国的奴隶解放、意大利的资产阶级革命等，其实质都是通过“大规模剥夺”而实现其目的的即“通过没收贵族和僧侣的财产……才根除了封建生产方式”③。最后，对伯恩施坦否认“工人阶级的解放只能是工人阶级自己的事业”并企图改变党的性质的观点，倍倍尔明确指出，德国社会民主党作为一个与资产阶级政党相对立的革命政党，其目标是力图用崭新的、与资产阶级制度不相容的社会主义制度来代替现存的国家和社会制度，因而必须坚持推翻资产阶级社会只能是工人阶级的事业；尽管德国社会民主党欢迎和喜欢其他阶级的人向其靠拢，但是我们的运动还是无产阶级的运动，并且正如马克思和恩格斯所非常明确地要求的那样，如果要使我们的运动不致毁灭，必须保持无产阶级的性质。④ 为此，倍倍尔强调“党一如既往坚持阶级斗争的立场，根据这一

① 《德国社会民主党关于伯恩施坦问题的争论》，生活·读书·新知三联书店 1981 年版，第 214—216 页。

② 《德国社会民主党关于伯恩施坦问题的争论》，生活·读书·新知三联书店 1981 年版，第 217 页。

③ 《德国社会民主党关于伯恩施坦问题的争论》，生活·读书·新知三联书店 1981 年版，第 219 页。

④ 《德国社会民主党关于伯恩施坦问题的争论》，生活·读书·新知三联书店 1981 年版，第 222—224 页。

立场，工人阶级的解放只能是工人阶级自己的事业”①。当然，他也指出，我们不排斥在一些具体问题上与资产阶级政党合作，但前提是我们的目标和我们的原则立场决不会因此受到损害，因为我们的全部努力本来都是为了尽可能地改善工人阶级的状况和扩大他们的政治权利，使他们具有更高的战斗力来实现我们的伟大目的。②

通过以上对伯恩施坦错误观点的批驳，倍倍尔在报告的最后指出，“我要特别谴责的是，伯恩施坦确实使我们害怕胜利，他似乎企图使我们厌恶胜利；谁也不会相信我们会在某一天早晨醒来时发现自己置身于一个社会共和国之中。但是，把目标推向遥遥无期的未来，使党丧失牺牲的勇气、热情、献身精神即斗争所迫切需要的一切品质，并且千方百计制造人为的困难，破坏了人们对胜利可能性的信念，这是一种十分荒谬的策略。……我们决没有理由改变我们的基本观点、我们的策略和我们的名称。我把我的发言概括为一句话：我们一如既往。”③

总之，倍倍尔的这一长篇报告捍卫了马克思主义的基本观点，捍卫了德国社会民主党的基本纲领，得到了绝大多数与会者们的支持，成为反对伯恩施坦斗争中的一面旗帜。当然，“伯恩施坦问题”并没有因一次党代会的决议就彻底解决。

## 三、倍倍尔在德累斯顿代表大会上对伯恩施坦的批判

1903 年 9 月，德国社会民主党在德累斯顿召开代表大会，倍倍尔作了长篇讲话。在这个讲话中，他进一步对伯恩施坦修正主义进行了严厉批判。

首先，对伯恩施坦真面目的揭露。倍倍尔指出，整个新的修正主义运动实际依据的就是伯恩施坦的《社会主义的前提和社会民主党的任务》一书。但是，自伯恩施坦返回德国做实际工作以来，他并没有赢得声望，而是丧失了声望，不仅是在激进主义者中间，而且尤其是在他的朋友们、在修正主义者中丧失了声望。因为当初他的朋友们是把他当作救世主一样热烈欢迎，他们期望从他那

---

① 《倍倍尔文选》，人民出版社 1993 年版，第 385 页。

② 《德国社会民主党关于伯恩施坦问题的争论》，生活·读书·新知三联书店 1981 年版，第 228 页。

③ 《德国社会民主党关于伯恩施坦问题的争论》，生活·读书·新知三联书店 1981 年版，第 228—229 页。

里得到新的福音，新的信念和新的策略，但是现在其实际表现却使他的朋友们大失所望！在倍倍尔看来，这是由于伯恩施坦在某种程度上露出了他的真面目，使人们看到了他的修正主义真面目，也使他在许多人面前威望扫地。①

其次，对伯恩施坦修正主义的实质进行了剖析。倍倍尔引用马克思在《资本论》第一版序言中所指出的“一个社会即使探索到了本身运动的自然规律——本书的最终目的就是揭示现代社会的经济运行规律——，它还是既不能跳过也不能用法令取消自然的发展阶段，但是它能缩短和减轻分娩的痛苦”②这段论述，提出我们的全部活动的目的都是为了带来社会主义社会而缩短发展阶段，但那些轻视群众智慧、取消工人运动、玩弄所谓政治家手腕和技巧的修正主义者，则倡导人们要满足于微不足道的小事，千万不要向前冲，千万不要激动，千万不要争取群众的同情。对此，倍倍尔一针见血地指出，这些动摇不定的人，他们从来不知道他们打算做什么，或者更确切地说，他们从来不说他们打算做什么，其实质就是以这种方式来掩盖他们力求和资产阶级社会亲近，掩盖、调和无产阶级和资产阶级社会之间的对立。③

最后，对修正主义的危害进行了分析。倍倍尔指出，虽然修正主义在党内没有取得成果，但它给党造成了损害。它迫使我们发生意见分歧，它迫使我们相互反对，使一大批同志误入迷途。为此，倍倍尔认为，只需运用唯物史观，你们就可以解开这个谜。同时，针对修正主义在国会党团中的影响，倍倍尔提出，党的代表大会及其代表机构应当决定从它的立场来说今后应当怎样确定国会党团的策略，他坚信如果为了今后传播关于党的一切重要问题的明确和真实的知识已经采取了其他必要的措施，党就会自豪地继续走自己的胜利道路，并非常出色地实现它的历史使命。④

总之，倍倍尔数十年如一日地为无产阶级解放事业而勤奋地斗争和工作，赢得了世界各国人民的爱戴和敬重。他坚定的社会主义信念和崇高的献身精神，正如其人生格言中所说“倘若我一息尚存，还能写作和演说的话，就一定会一如既往。我愿作这个资产阶级社会和国家制度的死敌，以便破坏它们的生

① 《倍倍尔文选》，人民出版社 1993 年版，第 539 页。

② 《马克思恩格斯选集》第 2 卷，人民出版社 2012 年版，第 83 页。

③ 《倍倍尔文选》，人民出版社 1993 年版，第 546—548 页。

④ 《倍倍尔文选》，人民出版社 1993 年版，第 549—550 页。

存条件，如果我有可能的话就消灭它们"[①]。这使他不仅在马克思主义的理论探索中，在马克思主义的社会发展规律理论、阶级和国家学说、科学社会主义理论以及无产阶级政党理论和妇女解放理论等方面都作出了重要的理论贡献；而且在领导德国工人运动和反对各种错误思潮特别是伯恩施坦修正主义的过程中，始终坚持马克思主义的立场、观点和方法，特别是在德国社会民主党的两次代表大会上旗帜鲜明地对马克思主义基本理论和德国社会民主党基本纲领的捍卫，以及对伯恩施坦修正主义理论的严厉批判，都使他在马克思主义发展史上留下了宝贵篇章，也使他无愧于一位马克思主义理论家、伟大的无产阶级革命家和忠诚的马克思主义战士。

① ［德］霍尔斯特·巴尔特尔等：《倍倍尔传》，人民出版社1987年版，第171页。

# 第四章　卡尔·考茨基的思想演变

考茨基（1854—1938）是19世纪末20世纪初第二国际著名理论家，在德国社会民主党内以及第二国际享有极高的声誉，他的思想在德国乃至欧洲其他国家的工人运动中都产生过重大的影响。考茨基早期在继承和宣传马克思主义方面作出了突出的理论贡献。他在理论方面的卓著成就，曾经受到恩格斯以及列宁的极高评价。当恩格斯逝世之后，考茨基曾被看作是“正统”马克思主义者的代表，被欧洲各个国家的社会主义者视为马克思主义的理论权威。它在马克思主义发展史上扮演过十分重要的角色。当19世纪末20世纪初国际共产主义运动中开始出现修正主义思潮时，考茨基也曾站在马克思主义的立场上对其进行斗争和批判，捍卫科学社会主义理论。但这样一位“正统”马克思主义者，后来却逐步转向机会主义，直到背叛马克思主义。列宁在1918年写了《无产阶级革命和叛徒考茨基》这一著名的战斗论著，专门揭露和批判考茨基对马克思主义的歪曲。所以，考茨基在马克思主义发展史中产生过重大的影响，是研究马克思主义发展史不能回避的人物。

## 第一节　对马克思主义的宣传和普及

考茨基的思想转变经历了一个过程。他是在恩格斯、李卜克内西以及倍倍尔的帮助下，逐渐发展成为一名马克思主义者，并在传播马克思主义方面作出了重要的贡献。

## 一、接受和转向马克思主义

卡尔·考茨基1854年10月16日出生于布拉格的一个艺术家家庭。父亲约翰·考茨基（捷克人）是一个画家，深受捷克民族主义思想的影响。母亲敏娜·考茨基（德国人）早期是一个演员，后来成为一位蜚声文坛的作家，写过很多社会题材的小说，她的小说《旧人与新人》受到了恩格斯的关注。1863年考茨基全家迁居维也纳。1864年考茨基进入多瑙河畔梅耳克的本笃会修道院学习，在那里他度过了两年的学习时光。1866年考茨基在维也纳上中学，在这期间他已开始表现出强烈的捷克民族主义和资产阶级民主主义的思想倾向。

1871年，在巴黎公社的影响下，考茨基对社会主义产生兴趣，他开始阅读有关社会主义的书籍，受到路易·勃朗及拉萨尔的著作的较大影响。1874年他进入维也纳大学哲学系学习，这时他的主要兴趣是研究历史，同时还对自然科学有所涉猎。据他自己回忆，在这一时期对他思想影响最大的是达尔文学说。就如他曾经所说："在七十年代里，整个文明世界都崇尚达尔文主义。我也热烈赞成达尔文主义；我的历史理论无非是要把达尔文主义应用于社会发展。"①通过阅读政治经济学方面的书籍，他也接触到马克思的《资本论》但并没有受到太大的影响。考茨基承认，当时"我对马克思还抱淡漠态度"②，他更加赞成达尔文学说，他尤其赞成达尔文主义关于有机体的发展以及物种、人种的生存斗争理论。他出版的第一部著作《人口增殖对社会进步的影响》就集中体现了达尔文主义对他的强烈影响。在他看来，"社会主义者们赖以驳斥马尔萨斯的那些理由，如认为人口的增加会神奇地适应当时食物来源的增加，在我看来是微不足道的，我认为，只有在新马尔萨斯主义中才能找出解决办法"。③

---

① ［德］卡尔·考茨基：《一个马克思主义者的成长》，叶至译，生活·读书·新知三联书店1973年版，第5页。

② ［德］卡尔·考茨基：《一个马克思主义者的成长》，叶至译，生活·读书·新知三联书店1973年版，第6页。

③ ［德］卡尔·考茨基：《一个马克思主义者的成长》，叶至译，生活·读书·新知三联书店1973年版，第6页。

从1874年起，考茨基开始给维也纳的社会民主党党报《平等报》和莱比锡的《人民国家报》撰稿，1875年起又给德国社会民主党机关报《前进报》撰稿。1875年1月，考茨基加入了奥地利社会民主党，与威廉·李卜克内西、奥古斯特·倍倍尔等德国社会民主党的领导人建立了联系。1875年9月，考茨基以“辛马霍斯”的笔名在维也纳的党报和莱比锡的《人民国家报》上发表了长篇论文《从脑力工人观点看社会问题》。恩格斯看到此文后十分生气，在1875年10月写给倍倍尔的信中说：“辛马霍斯以及其他诸如此类的人所写的以社会主义理论为内容的长得像绦虫一样的文章就是证明，这些人的经济学上的错误、各种荒谬观点以及对社会主义文献的一无所知，都是彻底摧毁到现在为止德国运动在理论方面的优越地位的有效手段。”[①] 这表明，此时的考茨基对社会主义的认识是十分混乱的，对马克思和恩格斯的社会主义还缺乏科学理解。

1880年1月，考茨基迁居苏黎世，在这里，他认识了比他大5岁的伯恩施坦，并开始更多地接触到欧洲工人运动。1881年3月，考茨基被派往伦敦，经常同恩格斯一起相处，建立了比较亲密的友谊。在马克思和恩格斯的影响下，考茨基逐渐转变为一个马克思主义者。他重新系统学习研究了《资本论》和恩格斯的《反杜林论》等马克思主义的主要著作。在恩格斯、李卜克内西以及倍倍尔的指导和帮助下，考茨基于1883年1月创办了德国社会民主党的理论刊物《新时代》并出任主编。随着考茨基思想的不断成熟和恩格斯的殷切指导，《新时代》逐步成长为马克思主义的理论喉舌和德国社会民主党的正式机关刊物，为科学社会主义同工人运动相结合作出了重大贡献。

在恩格斯的指导下，《新时代》发表了许多研究与介绍马克思主义的理论文章和国际工人运动以及工人社会状况等方面的文章与评论。这期间考茨基和伯恩施坦任主编的《社会民主党人报》成为宣传马克思主义的主要理论阵地。考茨基自己也为《新时代》写了很多有影响的文章，尽管其中存在一些缺点，但是为宣传马克思主义发挥了重要作用。他的工作得到了恩格斯的充分肯定，将考茨基与当时的伯恩施坦称为两颗“真珠子”。

1885年考茨基出版了他参与翻译的马克思的著作《哲学的贫困》，1887年，考茨基出版了《卡尔·马克思的经济学说》，这本著作是他研究和宣传马克思《资本论》的重要成果。考茨基不但比较忠实地介绍了马克思原著中的基本原

① 《马克思恩格斯文集》第10卷，人民出版社2009年版，第408页。

理，而且能够使用生动形象的话语将其通俗化。考茨基回应了当时一些资产阶级学者对马克思的指责，对马克思的思想观点进行了辩护。他指出，“往往有人说马克思具有一种勇于否定的精神，说他只会批判和破坏，并不能提供任何建设性的东西。但是，我们在本书中只简单地介绍了马克思关于资本主义生产过程的学说，就足以表明马克思事实上创立了一个新的经济学和历史学体系。”①

1888 年，考茨基出版了关于社会主义思想史的一部重要著作《莫尔及其乌托邦》，产生了比较广泛的影响。在书中，他比较系统地研究和阐述了托马斯·莫尔的乌托邦社会主义思想，充分肯定了莫尔思想中的革命性因素，同时指出其主要缺陷是达到理想社会这一目的所采用的手段不充分。这本书后来在 1907 年、1913 年以及 1947 年被连续再版。考茨基于 1889 年出版的《法兰西革命时期的阶级斗争》一书更是成为他运用马克思的唯物史观研究历史问题的早期代表作，产生了很大的影响，为考茨基之后成为马克思主义国际理论权威奠定了初步的但是十分重要的基础。

1890 年 10 月《反社会党人法》废止，德国的社会民主党内机会主义思想趁机抬头。鉴于斗争的需要，恩格斯写信给考茨基，希望能够在《新时代》杂志发表马克思的手稿《哥达纲领批判》。尽管当时的德国党的领导人竭力阻挠手稿的发表，但是考茨基依然在《新时代》上发表了已被搁置 16 年的《哥达纲领批判》。总之，19 世纪 80 年代，是考茨基整个思想发展的重要时期，在李卜克内西和倍倍尔等人的影响下，特别是在恩格斯的指导和帮助下，他成为一个坚定的、有影响的马克思主义者。

## 二、宣传普及马克思的经济学说

从 19 世纪 80 年代到 1910 年，考茨基发表了一系列研究马克思主义经济学的著作，其中最为突出的是《马克思的经济学说》（1887 年）和《土地问题》（1899 年），他还接受恩格斯的委托，整理出版了马克思《剩余价值学说史》为宣传和普及马克思的经济学说作出了重要贡献。

---

① ［德］卡尔·考茨基：《马克思的经济学说》，区维译，生活·读书·新知三联书店 1958 年版，第 209 页。

早在马克思在世的时候，法国、意大利以及荷兰等国就曾出版过一些介绍《资本论》的简明读本。尽管这些读本通俗易懂，为宣传介绍《资本论》发挥了一定的作用，但是当时由于《资本论》第一卷出版不久，这些简明读本的作者们对其基本内容理解得不够透彻，致使这些读本存在不同程度的缺点和错误。随着工人运动的发展，迫切需要出版一本能够确切阐述《资本论》思想观点的通俗读本。在马克思逝世以后，这一工作就显得更加迫切。恩格斯建议由考茨基来承担这一任务，他欣然接受并出色完成了此项工作。1887 年考茨基的《马克思的经济学说》在斯图加特出版。依他自己的说法，手稿在出版前曾经给恩格斯看过并得到肯定。1888 年 1 月 5 日，恩格斯在致尼古拉·弗兰策维奇·丹尼尔逊的信中，也表示对此书很满意，他认为考茨基的这本书是马克思《资本论》德文版的理论提要，“或者确切些说，是对这些理论的独立叙述，尽管不总是十分准确，但是还不坏”。① 考茨基将这本书分“商品、货币和资本”、“剩余价值”、“工资和利润”三篇，阐述了《资本论》第 1 卷的主要内容。为了把马克思的一些观点解释清楚，考茨基还引用了马克思的其他著作，如《哲学的贫困》、《雇佣劳动与资本》中的材料和见解。他在叙述《资本论》的思想观点时，并不是简单地引证或转述原著中的语句，而是通过自己提供的大量事实和论据，通过生动形象的话语，通俗地将马克思的思想介绍给广大无产阶级群众，成为他们学习马克思政治经济学的入门书。

在书中，考茨基高度肯定了马克思《资本论》中所阐发的政治经济学思想，认为马克思创造了新的经济的和历史的体系，使人们得以对社会经济生活现象有了深刻而透彻的了解。他还驳斥了当时资产阶级思想家对马克思政治经济学思想的种种歪曲和攻击，坚定地捍卫了马克思的学说。考茨基指出，马克思运用历史唯物主义分析了资本主义社会的基本矛盾，揭示了资本主义经济发展的基本规律。马克思“第一次研究了资本的运动和发展规律。他第一次证明当前社会运动的目的是过去历史发展的必然结果，并不是人们的良心发现某种‘永恒正义’后随便提出来的”②。当然，考茨基的这本书也存在着一些缺点，他没有对《资本论》中的一些重要章节和观点给予应有的重视，介绍得十分简略，

① 《马克思恩格斯全集》第 37 卷，人民出版社 1971 年版，第 9 页。

② ［德］卡尔·考茨基：《马克思的经济学说》，区维译，生活·读书·新知三联书店 1958 年版，第 209 页。

比如关于原始积累、工人阶级贫困化、资本主义积累的历史趋势，等等。同时，考茨基仅仅关注了马克思对资本主义社会的分析，而对马克思关于前资本主义社会经济形态的分析没有给予足够的重视。

19世纪末，随着资本主义和工人运动的变化发展，议会斗争成为西欧各国工人政党的主要斗争手段，各国社会民主党人都开始关注土地以及农民问题，以争得广大农民的支持，但同时在对待农民和土地问题上在各国工人政党中也出现了一些错误的看法和观点。为此，恩格斯专门写了《法德农民问题》这一重要著作，科学阐述了马克思主义关于农民和土地问题上的基本观点，为各国工人政党建立工农联盟提供了理论指导。恩格斯逝世后，德国社会民主党内部围绕农民和土地问题再起争论，特别是伯恩施坦提出，德国的小农并没有像马克思所预言的那样，随着市场竞争而迅速两极分化，一小部分上升为剥削者，大多数沦为无产者。这说明，马克思关于资本积累一般规律的论述是不正确的。为反驳伯恩施坦，论证马克思思想的正确性，1899年考茨基出版了《土地问题》一书。考茨基认为，尽管每年都有大批量的关于农业的著作，但都是就个别问题进行的孤立研究。他还指出，至今还没有一本从现代社会主义的立场出发研究土地问题的著作，尽管在马克思恩格斯的著作中有许多关于农业和土地问题的有价值的见解，但缺乏系统性，而且鉴于在社会主义者中间存在马克思恩格斯观点过时论以及教条论，有必要自觉以《资本论》的方法论为基础来探索土地问题。

在《土地问题》中，考茨基系统梳理了马克思恩格斯关于土地问题的观点，并揭示了资本主义社会中农村经济发展的历史过程。考茨基强调，要以马克思理论的精神来研究农业问题，只是回答小生产在农业中是否有前途的问题是不够的；最重要的是要研究农村经济在资本主义生产方式下所发生的一切变化。经过深入考察分析，考茨基认为，现代农村经济具有资本主义生产方式的一切特征，它是资本主义经济，但又具有其特殊的表现形式。资本主义在农业中的发展采取了一种与工业发展不同的形式，同时农业中占据统治地位的资本主义生产形式能与前资本主义生产形式共存。资本主义以前的和非资本主义农业形式在现代社会中起着巨大的作用，因此必须阐明这些非资本主义的农业形式同纯粹资本主义形式的农业的相互关系。考茨基在坚持马克思《资本论》阐述的资本主义农业发展普遍规律的基础上，通过对德国农业的考察，揭示了不同于英国资本主义农业发展模式的“普鲁士道路”，发展了马克思的相关理论。同时，考茨基依据恩格斯在《法德农民问题》中关于将农民区分为不同的阶级和阶层的思想，对农民中的社会阶层进行了分析，指出了工人阶级政党在农村中的依靠力量。在此基础上，考茨基提出和论证了德国社会民主党解决农业和土地基本主张，强调社会民主党要有坚决的土地政策，关心农民、教育和引导农民积极投入到阶级斗争中。与此同时，考茨基还展望了未来社会主义社会的农业政策以及农村政策。列宁评价考茨基的这本著作是："《资本论》第3卷出版以后当前最出色的一本经济学著作。"①

考茨基在传播马克思主义经济理论方面的另一个贡献是整理和出版了马克思为《资本论》第四卷所写下的篇幅十分巨大的手稿。标题为《剩余价值理论》的手稿是马克思在1862年对剩余价值理论所作出的理论史方面的考察。马克思原计划把这部手稿经过修改作为《资本论》第四卷出版，但是这一愿望在马克思生前并没有实现。马克思逝世之后，恩格斯曾多次表示，要完成马克思生前未实现的愿望。1884年3月，恩格斯在给考茨基的信中谈道："我和迈斯纳现在已一致同意，先单独出版《资本论》第二册，接着是第三册和作为第二卷后半部的《剩余价值理论》。这样，事情会进展得更快。"② 1885年2月，当恩格斯在寄出《资本论》第二卷付印稿并为第三卷的付印做准备时，恩格斯眼疾加重，《资本论》第三卷的出版工作也拖延下来，于是恩格斯选择考茨基以及伯恩施坦协助自己的工作，教他们识别马克思的笔迹，以便将来自己去世后能独立完成手稿的整理和出版工作。恩格斯在1889年给考茨基写信让其着手进行第四卷的整理工作。考茨基从恩格斯那里拿到了《剩余价值学说史》的两本手稿，并将其中的一部分誊写清楚。但后来考茨基却将恩格斯极为重视的这一重要工作拖延了下来。1892年12月，恩格斯写信给考茨基，让他把马克思的手稿连同已经誊清的部分退还给了自己。在完成编辑和出版《资本论》第三卷的工作后，恩格斯就准备立即开始着手《资本论》第四卷的整理和编辑工作。他在《资本论》第三卷序言中表达了这样的想法："第四卷——剩余价值理论史，只要有可能，我就着手去编。"

1895年8月，恩格斯逝世，他留下遗嘱，由马克思的小女儿艾琳娜保管马克思的遗稿。艾琳娜征得姐姐的同意后，把遗稿的理论史部分交给考茨基，

① 《列宁全集》第4卷，人民出版社2013年版，第79页。

② 《马克思恩格斯全集》第36卷，人民出版社1975年版，第132页。

由他编辑出版。经过10年的努力，考茨基在1905年以《剩余价值学说史》为题出版了手稿第一、二卷。又经过5年的努力，1910年出版了第三卷，至此马克思的这部手稿全部与世人见面。考茨基编辑出版的《剩余价值学说史》在世界范围内广泛传播，它还被欧亚很多国家翻译出版，为各国无产阶级的革命斗争提供了重要的理论武装。列宁和众多马克思主义者都曾在自己的著作和文章中，多次引用过这部《剩余价值学说史》的理论观点，对于宣传马克思主义的政治经济学，批判资产阶级经济学说发挥了十分重要的作用。

《剩余价值学说史》的出版，是考茨基对马克思主义的传播发展所作出的一项重要功绩。但是，他并没有遵照马克思本人的意愿和恩格斯的明确意见，把《剩余价值理论》手稿编辑成《资本论》第四卷出版，而是以《剩余价值学说史》为书名作为独立著作加以出版。考茨基在《剩余价值学说史》的"编者序"中也明确说过：马克思的《剩余价值理论》手稿，"不能算是《资本论》的第四卷，不能算是前三卷的续篇"，而是"与前三卷并行的著作，像第一辑《经济学批判》与《资本论》第一卷第一篇相并行一样"①。这在后来引起过巨大的争议，称赞者有之，但更多的是非议。反对者观点认为，考茨基对《剩余价值理论》手稿做这种处理是有意违背马克思的意愿，是对马克思遗作的曲解，割裂了《剩余价值理论》与《资本论》前三卷的关系，破坏了马克思政治经济学理论的整体性。这些批评意见无疑有其合理性，但对考茨基是否是有意曲解马克思的遗著，也有不同的看法。根据1975年民主德国学者对在阿姆斯特丹查寻的有关考茨基的档案材料的考证，证明考茨基之所以做这种处理的目的并不是有意曲解马克思的遗著，而是为了该书能不受迈斯纳出版社所拥有的《资本论》的版权限制，在德国社会民主党的出版机关——狄茨出版社出版。但不管考茨基的主观意愿如何，客观上他这样做的结果违背了马克思和恩格斯的本意，有损于马克思政治经济学理论的整体性，这也是不争的事实。

## 三、宣传推广科学社会主义理论

1890年反社会党人法被废除后，德国社会民主党进入到一个新的发展时

① 《剩余价值学说史》第1卷，生活・读书・新知三联书店1957年版，第4页。

期。在这种新的形势下，党需要制定一个新的纲领来代替1875年的哥达纲领。考茨基通过参与制定《爱尔福特纲领》以及写作《爱尔福特纲领解说》对科学社会主义理论进行了有力的宣传推广。

为配合新纲领的制定，考茨基认为有必要对党原有的哥达纲领进行必要的批判，1890年9月在哈雷党代表大会召开之前，考茨基就写信告知恩格斯，他打算在党代表大会之后立即在一系列文章中对哥达纲领展开批评。恩格斯充分肯定了考茨基的意见，在12月写信告知考茨基："不久，你会收到马克思遗著中的一篇东西，完全是新的，而且非常切合时宜和有现实意义。"①1891年年初，考茨基收到了恩格斯寄给他的由马克思所写、而从未发表的《对德国工人党纲领的几点意见》，即《哥达纲领批判》。他看后深受鼓舞，激动地写信给恩格斯表示，马克思的文章写得好极了，而且来得正是时候，关于党的新纲领的全部讨论因此获得了一个新的基础，现在发表不仅必要而且及时。考茨基根据恩格斯的指示，在《新时代》发表了马克思的《哥达纲领批判》，同时还发表了恩格斯为重新出版的马克思的《法兰西内战》写的导言。马克思和恩格斯这些著作的发表，为新纲领的制定奠定了思想理论基础。1891年6月由李卜克内西起草、经过党的执行委员会讨论确定的纲领草案以党的执行委员会的名义寄给恩格斯。对此草案恩格斯给予严厉的批判，提出了很多的修改意见，写出了《1891年社会民主党纲领草案批判》。恩格斯一方面肯定了执行委员会草案的优点，认为这个草案中拉萨尔主义以及庸俗社会主义都基本上已经被清除，整体上立足于科学社会主义的基础上。同时恩格斯也指出草案中错误地否定暴力革命而提出采用和平方式走向社会主义的问题，尤其是草案中没有提及无产阶级专政的问题。党的执行委员会在收到恩格斯的修改意见后，对草案做了一些修改，并且将修改稿公布在《前进报》上。但是这个修正案只是吸收了恩格斯对绪论部分与经济部分的意见，政治部分没有做什么大的修改。在这种背景下，1891年8月6日，伯恩施坦受恩格斯的委托从伦敦将《1891年社会民主党纲领草案批判》一文的摘要寄给了考茨基。从1891年8月下旬起，考茨基和伯恩施坦一起在《新时代》杂志上发表了以编辑部的名义起草的另一个纲领草案，共分为四个部分，其中关于理论的部分由考茨基起草，关于实践部分则由伯恩施坦起草。恩格斯读到《新时代》编辑部的纲领草案后非常高兴。

---

① 《马克思恩格斯全集》第37卷，人民出版社1971年版，第515页。

1891 年 9 月 28 日他在写给考茨基的信中说:"你的纲领草案要比正式草案好得多"。① 在恩格斯和倍倍尔的支持下，考茨基将拟定的新纲领草案的修订稿提交 1891 年 10 月举行的爱尔福特代表大会讨论，大会一致通过了这一新纲领。恩格斯后来在谈到这个新纲领时指出:"我们感到满意的是，马克思的批判发挥了充分的作用。拉萨尔主义最后的残余也已肃清。"②《爱尔福特纲领》尽管还存在一些缺点和不足，但总体上还是站在马克思主义立场上的，它对第二国际的其他党制定党纲具有重要参考价值，成为社会民主党纲领的范本。1892 年，考茨基又出版了《爱尔福特纲领解说》一书，从以下几个方面对纲领作了深入浅出的说明。

首先，考茨基运用马克思主义的基本观点对资本主义社会的本质进行了深入分析。他指出，资本主义经济发展状况必然导致劳动者同生产资料相分离，生产资料被极少数的资本家以及大地主垄断。资本主义经济发展所带来的利益成果被资本家以及大地主所独享。考茨基指出，随着无产阶级人数的日益增多，剥削者与被剥削者之间矛盾日益尖锐，资产阶级与无产阶级的阶级斗争日益激烈，以至于社会分成两个敌对的阵营。他认为，就像马克思和恩格斯所分析的那样，经济危机的根源在于资本主义生产方式的本质，"并证明生产力的发展已经超出现今的社会所能容纳的范围，生产资料私有制开始与生产力的合理使用和充分发展不能相容了。"③

其次，考茨基论证了社会主义制度取代资本主义制度的历史必然性。他深入分析了资本主义社会生产力与生产关系的内在矛盾，指出，资本主义社会生产力的任何进一步发展都会加深生产力和现存所有制形式之间的矛盾，只要不触动私有制，想消除或者是缓和这种矛盾都是徒劳的。所以，"以生产资料公有制代替生产资料私有制，这就是随着经济的发展而日益成为必然的事情。"④

再次，考茨基指出实现社会的变革是工人阶级的事业。"工人阶级反对资

① 《马克思恩格斯全集》第 38 卷，人民出版社 1972 年版，第 151 页。

② 《马克思恩格斯全集》第 38 卷，人民出版社 1972 年版，第 180 页。

③ [德] 卡尔・考茨基:《爱尔福特纲领解说》，陈冬野译，生活・读书・新知三联书店 1963 年版，第 4 页。

④ [德] 卡尔・考茨基:《爱尔福特纲领解说》，陈冬野译，生活・读书・新知三联书店 1963 年版，第 89 页。

本主义剥削的斗争，必然是一种政治斗争。工人阶级没有政治权利，就不可能进行它的经济斗争和发展它的经济组织。它不掌握政权，就不可能把生产资料转化为公有”，[①] 而社会民主党的任务是要使工人阶级的这种斗争变为自觉的斗争，使其统一起来，并为其指明自然而必然的目标。

最后，考茨基运用马克思预测未来社会的原则和科学的方法，对无产阶级夺取政权以后的社会，对未来社会主义以及共产主义进行了预测，对生产资料的公有制以及未来社会产品的分配原则，未来社会的生产等原理进行了简明扼要的阐述，同时也揭露了当时各种诽谤社会主义的言论。

考茨基关于社会主义思想史的研究在他的早期理论活动中也占据了很大的比重。作为一名社会思想史研究者，考茨基重点研究了社会主义思想的发展历史，考察了近代社会主义先驱的思想。1895 年，考茨基的《近代社会主义的先驱》一书，在社会主义思想史研究方面具有十分重要的地位和参考价值。为了探究近代社会主义思想的理论来源，考茨基将目光追溯至遥远的古代，他对古希腊时期柏拉图的“共产主义”以及原始基督教的“共产主义”进行了考察，对中世纪出现的空想社会主义思潮进行重点研究。他努力采用马克思主义观点对一些史料进行分析与综合，试图勾勒出近代以前社会主义思想的发展轮廓。对于考茨基的这项研究成果，恩格斯十分感兴趣。1895 年 3 月 25 日，在写给考茨基的信中，恩格斯将《近代社会主义的先驱》称为“社会主义的前史”，并表示急切等待考茨基的这本著作，因为“以前的运动中还有很多问题需要加以说明”。[②] 同年 5 月 21 日，恩格斯在给考茨基的信中对这部著作再次给予了充分肯定：“我从这本书中知道了很多东西；这是我修改《农民战争》不可缺少的准备工作。”[③] 之后，考茨基将《近代社会主义的先驱》中涉及原始基督教的共产主义内容进一步加以扩充，写成了一部关于基督教起源的著作，1908 年，他出版了《基督教的起源》一书，他认为这两部著作是互相依存的，前一本著作中揭示的一些规律性的逻辑联系，是他在撰写后一本著作时遵循的指针。在《基督教的起源》中，考茨基用历史唯物主义观点分析了基督教的起源，认为基督教早期实际上是反对罗马帝国主义以及犹太僧侣政治的运动，但是后

---

① [德] 卡尔・考茨基：《爱尔福特纲领解说》，陈冬野译，生活・读书・新知三联书店 1963 年版，第 138 页。

② 《马克思恩格斯全集》第 39 卷，人民出版社 1974 年版，第 426 页。

③ 《马克思恩格斯全集》第 39 卷，人民出版社 1974 年版，第 461 页。

来在历史的演进过程中基督教丧失了它原始的意义，由当初的革命的组织变为帝国主义与僧侣政治手中利用的工具。

## 第二节　对伯恩施坦修正主义的批判

### 一、全力投身批判伯恩施坦修正主义的斗争

19 世纪末 20 世纪初，随着社会历史条件和时代的变化，在国际工人运动中出现了改良主义思想思潮。德国社会民主党内的右倾机会主义代表人物福尔马尔在 1891 年爱尔福特党代表大会上，大肆鼓吹应将社会民主党的工作重心放在争取眼前的改良措施上。后来他又公开宣扬放弃革命斗争与无产阶级专政，要求将党的任务限于不触动资本主义制度的前提下进行细微改革，并企图通过和资产阶级政党结盟，争取国会多数，让政权逐步转到社会民主党手里，以此来实现社会主义。在法国社会主义工人运动中，以米勒兰和饶勒斯为代表的法国独立社会党人从理论与实践方面大力鼓吹和践行改良主义。饶勒斯提出，以普选制为基础的法国共和制具有永恒价值与普遍意义，应该永远放弃革命暴力；米勒兰通过加入资产阶级内阁的实际行动公然践行他的改良主义主张。而伯恩施坦更是将改良主义以完整系统的思想体系呈现出来，对马克思主义进行了全面的歪曲和否定，成为修正主义思潮的集大成者。

时代的需要以及革命的客观形势，对修正主义思想的批判构成了考茨基早期理论活动的重要部分。1895 年恩格斯逝世之后，伯恩施坦以《社会主义问题》为总标题，从 1896 年 10 月到 1898 年 6 月在考茨基主编的《新时代》杂志上发表了六篇文章，公开对马克思主义进行修正，宣称马克思主义在很多方面已经陈旧或者过时了。这六篇文章分别是：《空想社会主义和折中主义》、《英国农业状况的发展》、《空间和数字在社会政策上的意义》、《区域理论和集体主义

的界限》、《德国工业发展的现状》以及《社会主义中的现实因素和空想因素》。当伯恩施坦谈及关于这一组文章的写作动机时指出："我感到有必要向我的德国党员同志们说明，他们最好在决定政策时完全抛开关于即将到来的大灾变的想法，并且在演说中避免使用以这一想法为来源的词句。"① 这些文章的中心思想就是借资本主义出现的新变化，提出对马克思的学说要进行全面的修正，主张放弃马克思关于无产阶级革命的理论、提出"和平长入社会主义"的观点。

考茨基最开始并没有认识到伯恩施坦观点的修正主义的本质，甚至还有同感。他在回忆录中说："从 1896 年秋季起伯恩施坦开始以《社会主义问题》为总标题发表一系列文章，对我们迄今的各种观点加以批判，我起先对此表示深有同感，把他的这种做法看成是恩格斯和我已经开始的做法的继续。"②

但是经过一段时间的犹豫不决，考茨基在倍倍尔、普列汉诺夫、李卜克内西、卢森堡、蔡特金等马克思主义者对伯恩施坦修正主义批判的影响下，并且通过伯恩施坦所采取的行动和宣扬的理论观点意识到问题的严重性，开始对伯恩施坦修正主义加以批判。1898 年 9 月 29 日，在德国社会民主党斯图加特代表大会召开之前，伯恩施坦从伦敦寄出了一份书面声明，对他的修正主义观点和立场作了简单扼要的阐述并进行了自我辩护，同时坚称决不放弃自己的观点。这个声明实际上是伯恩施坦对马克思和恩格斯在《共产党宣言》中所阐述的马克思主义基本原理所进行的全面否定和修正。伯恩施坦的立场使考茨基意识到与伯恩施坦的决裂已不可避免。

1898 年 10 月 3 日至 8 日，德国社会民主党在斯图加特召开代表大会，在这次大会中，考茨基与倍倍尔、卢森堡以及蔡特金等一些马克思主义者对伯恩施坦的错误观点进行了坚决的批判。考茨基在 1898 年 10 月 4 日的发言中反驳了伯恩施坦的若干错误思想。首先，考茨基驳斥了伯恩施坦关于有产者人数在增加的观点，肯定了马克思关于资本的增加意味着无产阶级贫困化的观点。其次，考茨基驳斥了伯恩施坦关于灾变过时以及否定马克思的无产阶级革命的观点。考茨基引用马克思的论述指出，从资本主义和平过渡到社会主义只有在英国这样典型的资本主义国家才会有可能发生，但尽管如此，也不能排除灾变。

---

① ［德］伯恩施坦：《一个社会主义者的发展过程》，史集译，生活·读书·新知三联书店 1962 年版，第 28 页。

② ［德］卡尔·考茨基：《一个马克思主义者的成长》，叶至译，生活·读书·新知三联书店 1973 年版，第 21 页。

德国以及其他与英国有某些相似的国家出现的暴力灾变倾向都会推翻伯恩施坦的理论，而民主的胜利取决于无产阶级的胜利。考茨基在发言结尾时说："伯恩施坦没有使我们丧失勇气，而只是促使我们深思熟虑……但是我们不想按照他向我们建议的道路斗争。"① 考茨基的发言得到了与会大多数代表的支持和欢迎，也得到党的领导人的高度肯定。德国党的领导人威廉·李卜克内西在同一天的大会发言中说："当考茨基在原则的基础上并且从理论和科学的高度对问题作了说明以后，整个代表大会对他表示了热烈的赞同。只有考茨基才把关于策略的争论引导到恰如其分的原则高度。"② 考茨基对伯恩施坦的批判产生了积极的影响。

斯图加特大会结束以后，伯恩施坦认为考茨基是出于个人成见才对其进行批判的。1898 年 10 月 23 日，考茨基在致伯恩施坦的信中对此进行了回应。首先，考茨基认为，伯恩施坦对他的行动所作出的判断是完全错误的。他们之间是立场的不同，而不是个人成见问题。其次，考茨基指出了伯恩施坦否定马克思主义的事实："你宣称价值理论、辩证法、唯物主义、阶级斗争、我们运动的无产阶级性质、资本论关于原始积累的结论都是错误的，那么，马克思主义还剩下什么呢?"③ 考茨基认为，伯恩施坦是在马克思主义与自由主义之间企图搞调和，并且表明要坚决同这种思想作斗争的立场。考茨基和奥地利社会民主党的领袖维克多·阿德勒都建议伯恩施坦写一本书系统阐述自己的观点，当时倍倍尔也赞成这一建议，伯恩施坦接受了这个建议。1898 年 11 月，伯恩施坦在《新时代》上发表了他的《私人声明》，声称要写一部阐述关于社会民主党目的与任务的书，用来反驳德国社会民主党内一些马克思主义理论家对他所谓的"攻击"。1899 年夏季，狄茨出版社出版了伯恩施坦的《社会主义的前提和社会民主党的任务》一书，在序言中，伯恩施坦指出此书在许多重要论点上同马克思和恩格斯学说中所主张的见解是相违背的。"我现在不得不同和我一样汲取马克思恩格斯学派的思潮的社会主义者们展开这个论争。而我为了要

---

① 中共中央马克思恩格斯列宁斯大林著作编译局国际共运史研究室编：《德国社会民主党关于伯恩施坦问题的争论》，生活·读书·新知三联书店 1981 年版，第 50 页。

② 中共中央马克思恩格斯列宁斯大林著作编译局国际共运史研究室编：《德国社会民主党关于伯恩施坦问题的争论》，生活·读书·新知三联书店 1981 年版，第 50—51 页。

③ 中共中央马克思恩格斯列宁斯大林著作编译局国际共运史研究室编：《德国社会民主党关于伯恩施坦问题的争论》，生活·读书·新知三联书店 1981 年版，第 77 页。

为自己的见解进行辩护，必不可免要向他们指出马克思恩格斯的学说在哪些点是错误的和自相矛盾的”。[①] 所以，《社会主义的前提和社会民主党的任务》一书，是19世纪90年代以后伯恩施坦同德国社会民主党以及第二国际马克思主义者公开决裂的宣言书，也是他系统阐述修正主义理论的总纲领。这本书总共有五章，伯恩施坦在书中对马克思主义哲学、政治经济学以及科学社会主义理论进行诋毁以及全面的修正。

当考茨基看到这本全面修正马克思主义的代表作时，他开始投入对伯恩施坦的激烈批判斗争之中。考茨基在他的回忆录里说：“我当时还希望，当伯恩施坦把他的看法在一本书里有系统地加以概括和阐明时，我的怀疑会消失。事实恰恰相反，我的怀疑这时就变成了激烈的反对。”[②] 考茨基强调，马克思的整个思想体系的正确性和科学性是不可动摇的。他在《新时代》上发表了一系列驳斥伯恩施坦的文章：《伯恩施坦和唯物史观》、《伯恩施坦和辩证法》以及《伯恩施坦关于价值和阶级的理论》等。1899年9月，考茨基在斯图加特出版了他的《伯恩施坦和社会民主党的纲领》一书。这本书共分为3个部分：方法、纲领和策略。考茨基在《伯恩施坦和社会民主党的纲领》中用有力的论证和充分的事实驳斥了伯恩施坦对马克思主义的歪曲和攻击，捍卫了马克思主义的科学性和真理性。考茨基有力地论证了马克思关于资本主义生产方式历史发展趋势的理论，是经得住资本主义生产方式新变化和经济发展客观实际检验的。马克思和恩格斯关于资本主义本质及其发展趋势的科学理论仍然是观察与分析当代资本主义社会及其命运的锐利工具。同时考茨基运用马克思的科学立场、观点和方法，进一步推进了恩格斯对19世纪末资本主义生产方式发展中出现的新现象、新特征的科学分析，捍卫和发展了马克思主义的科学理论。正因为如此，考茨基的这本著作获得了众多马克思主义者的高度评价，对推动批判伯恩施坦修正主义斗争起到了十分积极的作用。

倍倍尔在读了这本书以后，写信给考茨基：“祝贺你反驳伯恩施坦的小册

---

① ［德］伯恩施坦：《社会主义的前提和社会民主党的任务》，宋家修等译，生活·读书·新知三联书店1958年版，第8页。

② ［德］卡尔·考茨基：《一个马克思主义者的成长》，叶至译，生活·读书·新知三联书店1973年版，第21页。

子，很出色，它严厉地谴责了爱德。”① 当然，也提出了一些修改的建议。列宁曾称这本书是“考茨基反对机会主义的第一部大作”。② 1899 年 11 月，列宁为考茨基的《伯恩施坦与社会民主党的纲领》写了书评，并且在 1900 年又将这本书翻译成了俄文。连伯恩施坦也承认，考茨基已经“站在我所主张的见解的反对者的最前列”。③ 此后很长一段时期，考茨基的确如伯恩施坦所说站在了批判修正主义斗争的最前列，发表了很多批判伯恩施坦观点的著作，例如《阶级斗争和伦理学》、《社会革命》以及《伦理和唯物史观》等。考茨基这些文章以及著作对推进批判伯恩施坦修正主义的斗争发挥了积极的作用。

1901 年 5 月 17 日，在柏林的社会科学大学生联合会上伯恩施坦发表了题为“科学社会主义怎样才是可能的”演说。伯恩施坦认为，社会主义总是和理想主义因素联结在一起，因此缺乏科学性。他公然主张用“批判的社会主义”这一名称来代替“科学的社会主义”。这是伯恩施坦对马克思主义发动的又一次进攻。针对伯恩施坦的演讲内容，1901 年 6 月，考茨基写了《疑问的社会主义对抗科学的社会主义》一文对其进行了有力驳斥，捍卫了马克思恩格斯的科学社会主义理论。

首先，针对伯恩施坦所提出的不存在纯粹科学的观点，考茨基明确指出社会主义是科学的。他指出：“恩格斯在他的《反杜林论》中宣称，由于唯物主义历史观和剩余价值理论，社会主义已经成为科学了。伯恩施坦却把推翻这一论断当做自己的任务。”④ 其次，批驳了伯恩施坦提出的社会主义是关于未来社会制度的学说以至于缺乏严格的科学证明的观点。考茨基指出，有条理地从事研究是科学的一项职能，但是由已知的事物推论出未知的事物是研究的前提，即以假说作为前提。和经过确定的理论一样，假说也是科学的重要组成部分，甚至是科学最有价值的产物。因此，尽管马克思对未来社会

① 中共中央马克思恩格斯列宁斯大林著作编译局国际共运史研究室编：《德国社会民主党关于伯恩施坦问题的争论》，生活·读书·新知三联书店 1981 年版，第 165 页。

② 《列宁选集》第 3 卷，人民出版社 2012 年版，第 206 页。

③ ［德］伯恩施坦：《社会主义的历史和理论》，马元德等译，东方出版社 1989 年版，第 249 页。

④ 中共中央马克思恩格斯列宁斯大林著作编译局国际共运史研究室编：《德国社会民主党关于伯恩施坦问题的争论》，生活·读书·新知三联书店 1981 年版，第 370 页。

主义的预测只有在它已经成为事实的时候才能最终被认定是事实，但是这些丝毫不能作为否认这些预测具有科学性的证据。另外，考茨基指出，伯恩施坦将空想社会主义对未来应该实行的社会制度的设想看作社会主义唯一的标准加以强调，这种主张实质上就是要完全退回到空想社会主义阶段。但是马克思的科学社会主义的伟大功绩恰恰就在于它完全克服了早期社会主义中空想的方面。因为只有到马克思恩格斯的时代，社会主义运动才变成一种群众的现象而且能够接受科学的研究。考茨基对马克思主义的整个思路进行了概括，指出它自始至终都是科学的。他说："科学社会主义是必需的，它也是可能的。它事实上已经存在"①。

1903 年 9 月，在德累斯顿德国社会民主党代表大会上，考茨基与倍倍尔、辛格尔共同向大会提出第 130 号决议案，对修正主义者改变社会民主党以阶级斗争为基础的策略以及目标、将革命的政党转变为改良的政党的企图进行了强烈的谴责。此项决议在大会中以压倒性的票数获得通过。考茨基在大会的发言中着重批判了伯恩施坦修正主义否定国家的阶级性，主张和平的、合法的道路的改良主义策略。他指出，国家政权是统治阶级用来镇压被统治阶级的组织。所以，"掌握国家政权是决定性的。只有掌握了国家政权我们才有实现社会主义的可靠基础。"②而修正主义者的策略是不推翻资产阶级统治，只是用合法和和平方式从内部把它的政权挖空，这实质就是放弃无产阶级夺取政权的阶级斗争。考茨基强调，必须谴责这种想用迎合现存制度的政策来代替通过战胜我们的敌人夺取政权的策略。

1908 年，考茨基在俄国革命的影响之下写了旨在反对改良主义与修正主义的《取得政权的道路》一书，其价值就在于指出了世界大战的迫近，批评了德国以及欧洲其他国家的军国主义与殖民政策。在《取得政权的道路》一书中考茨基还论述了在无产阶级革命日益临近的时候德国社会民主党的任务。考茨基对德国国内外革命的发展过程给了一个别开生面的描绘。列宁高度评价了《取得政权的道路》一书，指出这本小册子是考茨基"最后的也是最好的一部反对机会主义的著作"。③这本小册子是一个很大的进步，"它不像 1899 年所

---

① 《考茨基文选》，王学东编，人民出版社 2008 年版，第 86 页。

② 中共中央马克思恩格斯列宁斯大林著作编译局国际共运史研究室编：《德国社会民主党关于伯恩施坦问题的争论》，生活·读书·新知三联书店 1981 年版，第 593 页。

③ ［俄］列宁：《国家与革命》，人民出版社 2015 年版，第 113 页。

写的反对伯恩施坦的小册子那样泛谈革命纲领，也不像1902年写的小册子《社会革命》那样不涉及社会革命到来的问题而泛谈革命任务，它谈的是那些使我们不得不承认‘革命纪元’已经到来的具体情况。”①

## 二、考茨基批判伯恩施坦修正主义的主要方面

概括起来看，考茨基对伯恩施坦修正主义的分析和批判主要体现在以下几个方面：

第一，揭露批判伯恩施坦修正主义思想的实质。考茨基通过对伯恩施坦思想理论的分析，深刻地揭示出伯恩施坦修正主义的实质就是借口时代和资本主义发展的新变化，攻击马克思主义已经过时，经过对马克思主义的所谓“修正”，进而用其改良主义代替马克思主义。考茨基在其一系列著作中集中分析和揭露伯恩施坦通过对马克思唯物史观及辩证法的歪曲，根本否定马克思关于资本主义本质及其发展趋势的理论，进而以改良主义思想代替马克思关于社会革命的理论。考茨基在批判伯恩施坦对马克思学说歪曲的基础上，进一步论证了社会主义代替资本主义的历史必然性，捍卫了马克思主义理论的科学性，充分肯定了科学社会主义的时代价值。

为揭露和批判伯恩施坦用改良主义代替马克思主义社会革命理论的企图，考茨基在1902年写的《社会革命》这本小册子中对社会革命和社会改良的概念进行了重点分析，揭示出二者的本质区别，进而揭示出马克思主义与改良主义的根本分歧。首先，对社会革命做了广义和狭义两方面的理解，并着重分析了狭义的社会革命与改良的区别。考茨基认为，广义的社会革命就是马克思在《〈政治经济学批判〉序言》中所阐述的社会革命，即由经济基础的变化引起社会的整个的庞大的法律和政治上层建筑的或慢或快的变革。简言之，这种广义的社会革命就是由经济基础的变化引起的政治上层建筑的变革。考茨基认为，对社会革命还可以从狭义方面理解，即把它理解为同社会改良相对立的法律和政治上层建筑变革的特殊形式和特殊方法。“即社会的法律和政治上层建筑的任何变革并不都是一场广义上的革命，而只是一种狭义上的特殊形式或特殊方

① ［俄］列宁：《国家与革命》，人民出版社2015年版，第113页。

法的变革”。[①] 考茨基着重对作为“特殊方法的变革”的社会革命进行了深入的阐述，并力图揭示狭义的社会革命与改良的本质区别。他指出，改良和革命二者的区别不在于后者采用了暴力，前者没有采用暴力。特殊的暴力形式也并不是区别于改良的社会革命的主要内容，他认为在改良的运动中也可以使用到暴力。革命的实质是新兴的阶级夺取了政权，而改良则不是。政治革命要想变成社会革命，必须是在经济与政治方面一直在社会受到压迫的阶级夺取政权，并且利用夺取的权力或快或慢地去变革政治与法律上层建筑；而社会改良则是在政治与经济方面一直处于统治地位的阶级在被统治阶级的威逼下，迫于形势所需不得已采取措施进行的某些变革。其次，揭示出社会革命与社会改良的主体差异。考茨基认为，政治革命如果能称为社会革命，它的主体必须是社会受压迫的阶级，这个阶级的社会地位与其在政治上需要的统治地位相互矛盾并相差甚远，所以只能用社会解放完成政治解放。而统治阶级内部之间的利益之争，就算是他们以内战这种残酷的暴力形式出现，也不能称得上是社会革命。所以，考茨基认为社会革命是和被统治阶级利益一致的，而社会改良是在维护统治阶级利益的。最后，社会革命是在人类社会发展中逐步实现的，不可能一下子就能彻底完成。考茨基认为，革命与分娩存在很多的相似之处，分娩的过程是漫长的，而且分娩对于人体的各个器官来说并不意味发育的结束，而是一个全新的开端，“孩子这时就进入了形成新器官的过程”。[②] 同样，一次社会革命的实现并不意味社会发展的结束，而是新的发展的开始。考茨基强调，社会革命是要实现所有制的根本变革，但是这个根本变革是通过逐步的缓慢的不断发展的过程实现的。考茨基为此打了一个比方，他指出，社会革命能够将一个工厂由私有制转化为公有制，但是要使它从一个令人生厌的强制劳动场所，变成一个人们乐于积极工作的有吸引力的场所，需要经历一个逐步缓慢的发展过程。

总之，考茨基认为，不论是广义还是狭义的社会革命与改良存在着本质的区别，伯恩施坦用改良否定社会革命，就是否定了马克思主义的根本主张，就是违背了无产阶级的根本利益。

第二，批判伯恩施坦对马克思主义方法论的歪曲，捍卫唯物史观和辩证

---

① ［德］卡尔·考茨基：《社会革命》，何江、孙小青译，人民出版社 1980 年版，第 8 页。
② ［德］卡尔·考茨基：《社会革命》，何江、孙小青译，人民出版社 1980 年版，第 16 页。

法。伯恩施坦很清楚唯物史观与辩证法是马克思主义理论体系的方法论基础，为歪曲否定马克思关于资本主义及其发展趋势的理论，实现对马克思主义理论的全面修正，他着重对其方法论进行了攻击。伯恩施坦一方面攻击唯物史观关于生产力在人类历史发展过程中的决定作用的观点，极力突出非经济因素的作用，否定历史发展的客观规律，企图用“多因素论”的折中主义代替马克思创立的唯物史观；另一方面竭力反对辩证法，攻击黑格尔哲学中的合理内核，进而用折中主义代替马克思的唯物辩证法。

考茨基对伯恩施坦修正主义理论进行批判也是从方法论入手的，他充分肯定了唯物史观作为方法论对于科学社会主义的极端重要性，指出，在马克思主义的社会主义中，决定性的是方法，而不是结论。结论是能够改变的，有些结论就已经改变，还有些结论在发展过程中还会继续改变。发展过程不仅提供研究的新的事实，而且还提供了研究的新手段。我们在某些方面作出不同于马克思和恩格斯在制定《共产党宣言》时的判断，这是理所当然的；但是《共产党宣言》用以得出结论的方法，却愈益光辉地被证明是正确的。马克思和恩格斯研究社会问题的方法就是唯物主义历史观。而伯恩施坦认为，社会发展并没有唯物史观所揭示的所谓客观规律，马克思和恩格斯用唯物史观论证社会主义的胜利是历史的必然，完全是不能成立的。考茨基指出，在伯恩施坦的眼里，唯物史观对人类社会发展规律性的论述完全成了一种阻碍社会发展的“教条”。

针对伯恩施坦对唯物史观的攻击，考茨基认为伯恩施坦是通过断章取义摘引马克思关于唯物史观的著述，将其歪曲为一种历史宿命论，一种机械的必然性的理论。据此，伯恩施坦还将唯物史观关于人类社会发展的一般规律，解释为人类在整个社会中处于被强制的状态，人的意志处于被决定的状态，而人的行动却是不自由的。所以，唯物史观关于人类社会发展的规律性论述，在伯恩施坦看来完全是一种阻碍人类社会发展的“教条”。针对伯恩施坦的谬论，考茨基直截了当地指出，伯恩施坦根本否认社会发展的必然性和规律性，或者至少否认能用现有的手段认识它们的可能性。伯恩施坦为反对历史必然性所进行的激烈斗争充分说明，他竭尽全力所要证明的观点就是，科学地论证社会主义是根本不可能的。考茨基指出，伯恩施坦是将“决定论”和“机械论”的概念混淆了，将意志自由和行动自由进行混淆，而且毫无理论根据地将历史必然性与人们被迫所处的环境混淆在一起。

针对伯恩施坦所说的决不能将一切都归于生产力的发展，而应该估计到其他的因素，特别是人的意志的作用。考茨基指出，对于人的意志在社会发展中的作用，这是任何的研究者，无论他持什么样历史观，都不能否认的，马克思的唯物史观也是如此。伯恩施坦认为马克思由于强调生产力的决定作用就排斥了人的意志，是对唯物史观的曲解。考茨基强调，事实上，马克思从来都没有否定人的意志的重要性，在马克思看来，“经济必然性并不等于听天由命。经济必然性来自于人的生活意志的必然性和人利用他们所处的生活条件的不可避免性。这也就是一定的意志倾向的必然性。”① 考茨基强调，马克思的方法是已经被证明了的而且还会继续被证明的正确方法，如果要放弃马克思的方法，那么就必须在以下的两条道路中做出选择：要么根本否定历史过程的规律性与必然性的思想，这样的话就会抛弃科学地论证社会学的一切尝试；要么应当说明怎样才能由其他因素推论出历史过程的必然性。考茨基认为伯恩施坦不仅丝毫不想这样做，反而空谈他所估计到的其他因素，实际上是对任何的问题都没有提出完整且明确的新观点。考茨基还认为，伯恩施坦的折中主义将会给社会主义造成巨大的危害，它“对那些把无产阶级政治运动的独立性看做眼中钉的文人们说是合适的，尤其是对于那些乐于和社会民主党保持良好关系而又不愿意向资产阶级宣战的人来说是合适的。”② 这对无产阶级要完成的历史任务是一个巨大的危害。

伯恩施坦还攻击辩证法是马克思学说中的“叛卖性因素”，是阻碍人们正确思维的“陷阱”和“泥潭”。伯恩施坦重点对马克思《资本论》所运用的唯物辩证法方法论进行了诘难和歪曲。伯恩施坦攻击《资本论》中关于资本主义积累一般规律的理论承袭了黑格尔辩证法中“先验性”的错误，污蔑马克思是用已有的“结论”来构思资本主义历史趋势理论，从而牺牲了政治经济学的科学性。考茨基通过对伯恩施坦相关言论的分析后认为，伯恩施坦对辩证法的责难，实际上就是对马克思的唯物辩证法的责难，就是对马克思运用这种唯物辩证法所取得的最成熟、最光辉的成果——《资本论》及其科学结论的责难。考茨基指出，伯恩施坦在不断重复着“辩证法会造成随意的编造”这种滥调，而他用来证实自己意见唯一的证据就是：《资本论》中《关于资本主义积累的历

---

① ［德］卡尔·考茨基：《取得政权的道路》，刘磊译，生活·读书·新知三联书店 1962 年版，第 50 页。

② 中共中央马克思恩格斯列宁斯大林著作编译局国际共运史研究室编：《德国社会民主党关于伯恩施坦问题的争论》，生活·读书·新知三联书店 1981 年版，第 331 页。

史趋势》的结论其实是在19世纪40年代已经得出的结论。针对这种说法，考茨基用马克思政治经济学研究的实际过程进行了具体的驳斥。他指出，19世纪40年代马克思开始研究政治经济学是在退出《莱茵报》编辑部以后。当时为了解决令他苦恼的物质利益的问题，马克思开始着手研究法国的社会理论与英国政治经济学，并且他与当时正在对英国国民经济进行详细研究的恩格斯进行了密切交流。19世纪40年代末，马克思恩格斯得出了资本主义必然灭亡的著名结论，这是两位著作家共同研究的成果。1850年，当马克思在迁居伦敦后，具备了从事科学研究的较好条件，他便开始批判地研究新的材料，《政治经济学批判》与《资本论》便是经过多年研究取得的成果。这次研究结论与40年代的结论是完全一致的，是第二次研究成果证实了第一次研究的结论。考茨基质问伯恩施坦："难道这像是早在研究前就得出的结论吗?"①

第三，批判伯恩施坦对马克思关于资本主义发展趋势理论的歪曲和攻击。在《资本论》中，马克思对资本主义进行了精辟的分析，科学论证了资本积累的一般规律以及历史发展趋势。马克思深刻地揭示出资本积累是剩余价值转化为资本这一实质，并且指出了资本积累的历史必然性以及决定和影响资本积累的主要因素。在此基础上，马克思运用唯物史观，进一步考察资本原始积累如何走向资本集中，导致小资本被大资本剥夺，揭示了在资本主义社会，生产力与生产关系的矛盾运动必然导致资本主义生产方式最终瓦解的命运，这就是马克思做出的关于资本积累历史发展趋势的科学论断。马克思对资本积累理论的论证在整个马克思主义理论体系中发挥着极其重要的作用，它与资本主义灭亡的必然性以及社会主义必将胜利的判断紧密联系。

伯恩施坦在《社会主义的前提和社会民主党的任务》中断言，近代社会中根本不存在马克思关于资本积累的一般规律以及生产资料私人占有与生产社会化这一基本矛盾，所以资本主义的发展趋势并不是按照马克思恩格斯的判断进行的。他还通过否认资本积累的一般规律以及发展趋势，进一步否认了资本主义经济出现的新变化，即资本主义由自由竞争阶段向垄断阶段发展的这一时代特点。

针对伯恩施坦否定马克思关于资本积累的实质性及其客观必然性。考茨基在《伯恩施坦和德国社会民主党的纲领》一书中，对伯恩施坦进行了驳斥，对马克思的资本积累理论进行了阐释。考茨基认为，马克思关于资本积累的基本

---

①《列宁全集》第4卷，人民出版社2013年版，第178页。

趋势理论说明以剥夺他人劳动为基础的私有制即资本主义私有制逐渐取代以自身劳动为基础的所有制即以各个独立劳动者与其劳动条件相结合为基础的私有制。一旦这个转化过程使旧社会在广度和深度上充分瓦解，劳动者就转化成无产者，而且他们的劳动条件就转化为了资本。资本主义生产方式站稳脚跟后，随着劳动进一步社会化，土地以及其他生产资料转化为社会使用的生产资料，那么对私有者进一步剥夺便会采取新的形式。这时要剥夺的已经不再是独立经营的劳动者，而是资本家，这种剥夺是伴随资本集中而进行的。当多个资本家手中的资本被夺走，集中到一个资本家手里，劳动的规模不断地扩大，科学技术不断被应用，土地被进一步开发，劳动资料逐渐转化成只能作为共同使用的资料。在这个转化过程中，一方面资本巨头在不断减少，另一方面剥削程度在不断加深。由资本主义生产过程本身训练、联合及组织起来不断壮大的无产阶级必然地组成政党，并且他们的反抗在不断增长。于是资本主义的生产关系变成阻碍生产力进一步发展的桎梏，资本主义灭亡以及社会主义胜利是必然的。考茨基认为，这些就是马克思关于资本积累发展趋势所作的科学揭示。

考茨基认为，应当把马克思所揭示的资本主义发展趋势看作一个历史过程。尽管这种过程是历史发展的必然，但是这种前景到来时要采取的形式以及速度却是无法预料的。所以，判断马克思的理论是否正确，不取决于历史将以何种形式以及何种速度发展，而取决于历史是否按照马克思所揭示的趋势发展。但是伯恩施坦公然否认马克思所科学揭示资本主义发展的历史趋势，认为资本主义的现实发展与马克思所说的趋势完全不同。随着资本主义社会的发展，有产者的人数不是减少而是在增加，并且小企业并未衰落，每一次的危机都没有持续多久，每一次危机之后也都没有像马克思所预见的那样出现营业疲软期。伯恩施坦由此得出结论：资本主义爆发全面性毁灭性危机的可能性越来越小。针对伯恩施坦的观点，考茨基认为："如果马克思关于资本集中的理论是错误的，那么我们只能直截了当地承认有产者的人数在增加；如果这个理论是正确的，那么就必须向我们说明，为什么尽管资本在集中，而有产者人数仍在增加。生产方式的发展是基本的事实。财产关系的形成则是表面上的，是从前一事实派生出来的。"① 考茨基认为，伯恩施坦不是先研究基本的事实，而

① 转引自马健行、刘佩弦编：《第二国际若干人物的思想研究》，中国人民大学出版社 1994 年版，第 154 页。

是先对一些表面现象做判断。

伯恩施坦认为，马克思资本集中的理论，“是正确的，又不是正确的”，①其不正确是因为马克思在叙述时忽略了对资本集中起限制作用的各种因素。针对伯恩施坦的这种说法，考茨基批判伯恩施坦是犯了方法论上的错误，理论需要研究的是现象背后的规律，而规律是必须要从一切干扰现象中抽象而来。如果要使理论无论在何种情况下都与表面现象相吻合，那么就会永远无法达到对事物做出明确的认识。而伯恩施坦不但认为马克思忽视了一些对资本集中限制的因素，而且认为正是由于这些因素的存在，马克思不可能在排除所有的反作用之后顺利为自己开辟道路。考茨基借助伯恩施坦在 1896 年 11 月的《当前德国工业发展的程度》一文中的观点证明了马克思观点的正确性，伯恩施坦在该文中描述的关于德国工业发展的特点就是资本集中，德国的工业发展最为突出的一个特点就是小企业发展成为大企业，工厂式的企业代替了手工业式的企业，而大的工厂企业发展成为具备庞大规模的工业性的企业，考茨基指出，伯恩施坦所说的正是资本集中。考茨基还利用伯恩施坦引用的关于德国的工业调查资料来证明资本与生产集中的一般规律。他对 1895 年统计资料中以职业分类依据对就业人数进行划分带来的职业变动进行分析。在这个调查资料中 1882 年雇主和雇员的比例显示为 1∶2，到 1895 年的时候比例变为 1∶3。仅仅 13 年的时间，德国的人口结构发生了如此巨大的变化，工人在人口结构中所占的比例增加了很多。考茨基为了进一步深入地分析德国的资本集中情况，他还引用辛茨海梅尔的书《关于德国大工厂企业继续形成的界限》中所提供的资料进行分析，1882 年德国大工厂工业所拥有的产值占全德工业总产值的 50%，到 1895 年已经达到 60% 以上，这些都说明资本在迅速地集中。②工业资本集中得最厉害，在商业中资本集中的现象尽管发展得相对较慢，但是也发生了集中，即便是在这些行业中，大的企业相对中小企业发展快很多。

针对伯恩施坦所提出的随着股份公司的不断发展已经妨碍到了资本与生产过程的集中，导致“有产者”的人数在增加。考茨基认为，这是没有根据的，股份公司的发展没有促使现存的资本分配产生任何的改变，股份公司的形

① ［德］伯恩施坦：《社会主义的前提和社会民主党的任务》，宋家修等译，生活·读书·新知三联书店 1958 年版，第 48 页。

② 参见马健行、刘佩弦编：《第二国际若干人物的思想研究》，中国人民大学出版社 1994 年版，第 155—156 页。

式只是将无法经营资本主义企业的一些小额的资金变为资本。所以，股份公司仅仅是增加进行资本主义生产所需的资本数额，可能将一些本来没有变为资本只是作为不生利或者暂时不用的财富变为资本，这些丝毫都没有改变资本主义现存财产的既有的分配状况。股票同样无法改变现存的财产的分配状况，它不是让无产者变为有产者的一种手段，它不会阻碍资本的集中，反而会使资本的集中加速。因为股票可以将上层的无产阶级与小资产阶级的财富集聚到资本家的手中。考茨基从当时的报纸上看到美国的美孚石油托拉斯股金额面价值达到9725万美元，洛克菲勒拥有4900万美元。可见他所支配的资本达到自有资本的两倍，这样也使他拥有了两倍于自身经济实力巨大的权力。因此股份制不但无法阻止资本的集中，相反却是加速资本集中的一种手段。建立股份制，使单个资本能够建立起规模庞大的大企业成为可能。

考茨基根据19世纪末资本主义经济发展的特点，即当时资本主义正在向帝国主义过渡，深入分析资本的集中导致垄断的出现的特点。他深刻地指出，马克思的一些个别的论断尽管没有实现，但是马克思关于整个的现代生产发展的趋势做出的预测得到了最光辉的证实，尤其是在卡特尔与托拉斯出现以后，马克思的资本集中理论已成为现实。考茨基认为尽管在商业发展的最初阶段，在商业领域就存在通过驱逐竞争者或者依靠囤积商品去排斥对手的垄断企图，但是在工业的生产领域里将一切企业组合为唯一的一个组织从而达到对整个的工业部门实行垄断的方式是在马克思逝世后普遍发展起来的。资本主义的垄断组织已经越来越支配着国家全部的政治生活与经济生活。“自从金融寡头产生以后，他们曾一直使政府依赖于他们——借助于国债，但是现代的金融大王则通过卡特尔和托拉斯来直接支配了全民族，使全部生产服从他们。特别是一切大工业的基本条件——煤和铁——的生产者，他们的联合组织越来越决定着对内和对外政策以及全部经济生活。”① 在和一些卡特尔作斗争的过程中，不同类的企业都会各自联合成为单一的巨型企业，从而形成新的卡特尔。国家出现同一种类企业的托拉斯化或卡特尔化，也会出现不同种类的企业集中在某一个资本家或者某一资本集团手中。考茨基认为，卡特尔与托拉斯的出现证明马克思的集中理论不是部分正确，而是完全正确的。

---

① 转引自马健行、刘佩弦编：《第二国际若干人物的思想研究》，中国人民大学出版社1994年版，第158页。

考茨基还深刻地批判了伯恩施坦为否定马克思关于资本主义发展趋势理论所编造出的“资本主义自行崩溃论”。他指出，按照伯恩施坦的看法，马克思恩格斯似乎把社会主义生产方式看作资本主义生产方式“自行”崩溃的结果。但事实上所谓“自行崩溃论”是伯恩施坦杜撰出来并强加给马克思恩格斯的。在马克思和恩格斯那里根本就不存在所谓资本主义生产方式会“自行崩溃”的看法。马克思和恩格斯是通过对资本主义社会的内在矛盾科学分析后认为，资本主义生产方式被社会主义生产方式所替代是历史发展的必然，是合乎社会发展规律的自然历史过程。因此，考茨基正确地指出，在马克思和恩格斯那里，他们不仅科学揭示了资本主义生产方式内在的矛盾的作用，同时还看到了无产阶级反对资本家阶级斗争的因素；如果没有无产阶级革命，资本主义是绝不会自行崩溃的。因此，马克思和恩格斯特别强调了无产阶级阶级斗争和革命在社会主义生产方式取代资本主义生产方式过程中不可或缺的作用。考茨基指出，无产阶级进行反对资产阶级的革命斗争使得无产阶级在人数、团结、才智、觉悟、政治成熟程度等方面日益增长；这种斗争也使得无产阶级的经济地位越来越提高，并使无产阶级不可避免地要组成政党和使这个党不可避免地获得胜利，同样也会使社会主义生产方式的建立成为不可避免的。可见，马克思和恩格斯绝没有伯恩施坦所说的资本主义生产方式会“自行崩溃”的看法和观点。考茨基还有力地驳斥了伯恩施坦关于马克思“剥夺剥夺者”是科学社会主义中的“空想”因素的攻击，指出这是资本主义生产方式内在矛盾运动必然会产生的结果，也就是社会主义生产方式取代资本主义生产方式合乎规律的必然结果。

考茨基对伯恩施坦所进行的批判，尽管在理论上也存在一些缺陷。但总体来说，考茨基在反对修正主义的斗争中立场是积极的，捍卫了马克思主义基本原则。1898 年考茨基在给维·阿德勒的信中说：“我将对爱德发动进攻，态度上纵然可以温和，实质上要严厉，无论如何不能放过他”。[①] 事实上，考茨基之后的 1899 年汉诺威党代表大会上的发言，以及 1901 年 6 月的《疑问的社会主义对抗科学的社会主义》一文中批判伯恩施坦的态度是坚决的。考茨基坚决批判了伯恩施坦对恩格斯在《反杜林论》中的有关社会主义已经成为科学的论

① 中共中央马克思恩格斯列宁斯大林著作编译局国际共运史研究室编：《德国社会民主党关于伯恩施坦问题的争论》，生活·读书·新知三联书店 1981 年版，第 109 页。

证的歪曲。

考茨基对修正主义的批判也存在一定的局限性。最主要的表现就是他对修正主义产生的根源及其危害估计不足。关于修正主义产生的原因，考茨基认为主要还是党内同志因各种原因产生的意见分歧。1903 年考茨基在德累斯顿党代表大会上认为，党内在原则上是一致的，但是每一个同志在性格与性情上，以及见解上是有差别的，这种差别使他们对各个问题产生了各种不同的看法。比起这种个人的差别更重要的是地区差别。在德国如此大的国家内，各个地区在经济和政治方面的发展水平并不都是一样的，它们的历史和传统，甚至政治制度都各不相同，这样就形成多种多样的社会环境，并且由此产生了多种多样的“社会情绪和政治情绪”。① 这也是他后来与修正主义妥协以至于发生立场转变的思想根源之一。

考茨基对修正主义的社会经济根源以及阶级实质还缺乏深刻的认识，没有真正认识到修正主义思潮的严重性以及与其斗争的长期性和复杂性，因此考茨基不仅主张对其采取宽容态度，而且低估了在组织上同修正主义进行斗争的极端重要性，认为无产阶级革命抑或是工人运动的高涨必然使无产阶级政党中的所有派别互相接近起来。结果致使修正主义者在党内影响不断扩大，以至于他自己最后也倒向修正主义，与其同流合污了。

## 第三节　对马克思主义的研究及其局限

考茨基在 19 世纪 80 年代到 20 世纪头 10 年，为宣传和捍卫科学社会主义理论、阐释马克思的政治经济学以及唯物史观，为马克思主义在世界范围内的广泛传播作出了突出贡献。但这样一位第二国际的理论权威、德国社会民主党的思想领袖却在第一次世界大战爆发以后在政治上滑向了机会主义、社会沙文

---

① 中共中央马克思恩格斯列宁斯大林著作编译局国际共运史研究室编：《德国社会民主党关于伯恩施坦问题的争论》，生活 · 读书 · 新知三联书店 1981 年版，第 611 页。

主义，背叛了无产阶级的革命事业。这其中除了社会原因和政治原因外，在理论上主要是对马克思主义的理解和对马克思主义的态度，即从根本来说，是在马克思主义观上发生了严重错误。

## 一、对马克思主义哲学的阐述及其局限

考茨基用毕生的精力研究和阐述马克思的唯物主义历史观，自以为已经对这种历史观做出了非常系统全面的认识，在方法与观点上与马克思和恩格斯达成了一致。但实际上他对马克思主义哲学及唯物史观的理解方面存在严重缺陷甚至错误。

考茨基将马克思主义仅仅看作一门经验科学，否定历史唯物主义的哲学性质。1908 年，在苏黎世的一位名叫本迪阿尼泽的俄国工人给考茨基写信，请他就列宁与波格丹诺夫等人的争论发表看法，考茨基写了《一封关于马克思和马赫的信》，信中就本迪阿尼泽所提出的"马赫是马克思主义者吗?"这个问题，说:"这要看人们对马克思主义怎样理解。我认为马克思主义不是哲学，而是一种经验科学，一种特殊的社会观。"在信中，他还认为马克思有的只是经济学和历史观，而不是哲学。考茨基说:"马克思没有宣布一种哲学，而是宣告了一切哲学的终结。"① 在《唯物主义历史观》中，考茨基在谈到唯物主义历史观与马赫主义的关系时说:"在这里，我们只是就哲学与唯物主义历史观有关这一点来谈哲学"。② 显然，考茨基没有将唯物主义历史观当作哲学来看待，他错误地理解了马克思主义创始人所讲过的"消灭哲学"的话的真正含义。"消灭哲学"不是消灭哲学这一特殊意识形态，而是消灭资产阶级哲学。"消灭哲学"不是不要哲学，而是本身就渗透着哲学。所以，考茨基关于"马克思主义不是哲学"，进而否定唯物主义历史观是哲学的看法是简单而武断的，缺乏对马克思恩格斯的理论活动和思想体系的科学理解。从世界观、方法论的角度看，唯物史观是一种从内容到形式都全新的哲学，是马克思和恩格斯完成的哲学史上的伟大革命。

① ［德］卡尔·考茨基:《一封关于马克思和马赫的信》,《国际共运史研究资料》1981 年第 3 期。
② ［德］卡尔·考茨基:《唯物主义历史观》第 1 分册，上海人民出版社 1965 年版，第 30 页。

考茨基哲学思想最重大的缺陷是将世界观与方法论割裂起来，将马克思主义哲学，特别是历史唯物主义仅仅理解为一种方法。考茨基在《唯物主义历史观》中认为："在马克思和恩格斯那里，唯物主义是嵌在他们的方法之中的"，[①]他只是把唯物主义历史观当作方法来谈，而很少作为世界观来谈。在《基督教之基础》中，他认为唯物主义是"以经验为根据、以研究我们的经验中的各种必然的因果关系为根据的方法"。[②]考茨基的这种认识是片面和错误的。马克思主义既是科学的世界观，同时也是科学的方法论，是科学世界观和方法论的统一。考茨基离开世界观孤立地谈论方法，导致他否定马克思主义哲学的世界观性质，也使他将马克思主义哲学的方法或方法论降低为实证科学的方法。这样也导致他将马克思主义仅仅看作一种经验科学。

从上述缺陷可以看出，考茨基并不完全了解哲学在马克思主义理论体系中所占的重要地位，也不了解世界观对无产阶级的革命事业的重大意义。他对辩证法的理解缺乏系统性，也缺乏一贯性。考茨基把各种不同的理解混在一起，在根本问题上都暴露出缺乏唯物辩证法原则的准确理解。达尔文主义、自然主义、康德主义的哲学观念都被他用来和马克思主义混在一起，所以他无法从历史的发展过程中揭示社会现象与历史发展的矛盾的关系。

没有准确掌握辩证法，使考茨基不可能懂得马克思主义同其他理论源泉的关系，其中首先就是同黑格尔辩证法的关系。考茨基对马克思和恩格斯关于阶级斗争、个人与人民群众在历史中的作用的学说进行了通俗的解释。但是，他片面阐述了马克思主义对社会发展中的主观和客观因素的辩证关系，轻视了主观因素的作用，将人仅仅描述为自然历史的必然性的工具。

## 二、对马克思主义政治经济学的研究及其局限

在恩格斯的指导下，从1885年至1890年期间考茨基写了大量关于经济学的文章与著作，为研究和宣传马克思主义的经济学起到了很大的作用。考茨基

---

① [德] 卡尔·考茨基:《唯物主义历史观》第1分册，上海人民出版社1965年版，第23页。

② [德] 卡尔·考茨基:《基督教之基础》，叶启芳等译，生活·读书·新知三联书店1955年版，第168页。

认为，马克思主义政治经济学是一个严整的理论体系，研究与理解这个理论体系的主要方法就是历史唯物主义。必须用历史唯物主义的观点研读马克思《资本论》这部著作，分析资本主义社会的经济关系。在《卡尔·马克思的经济学说》一书中，考茨基在阐释商品问题时指出，“资产阶级经济学家把商品看成是一种具有超感觉特性的但又可以被感觉的物品，马克思‘把这叫做拜物教’”，① 商品的拜物教性质以及资本的拜物教性质，是马克思首先发现的。只要拜物教的观念没有被克服，人们就很难认识甚至无法认识商品的特性，只有揭示商品的拜物教性质，才可能完全了解商品的价值。所以，他指出不应当被商品的拜物教性质迷惑，更不应该将商品所表现的社会现象，当成商品的自然属性。他强调了解商品的价值不能只看到物与物的关系，而要看到掩盖在物质下面的人与人之间的关系。考茨基所强调的这一点正是很多马克思学说的反对者甚至马克思学说的拥护者没有注意到的，对于了解经济关系中的各种复杂的现象至关重要。

考茨基高度评价了马克思《资本论》中的经济学思想，认为：马克思通过提出新的更完善的观点，去克服旧的观点，建立起更加完备、杰出的新体系，进而粉碎旧的科学体系。考茨基认为，马克思第一次研究了资本的运动与发展规律，第一次证明当前社会运动的目的是过去历史发展的必然结果，并不是人们良心发现某种“永恒正义”后随便提出来的。在此基础上，考茨基驳斥了庸俗经济学家对马克思的种种歪曲，捍卫了马克思学说的科学性。

考茨基在1899年出版的《土地问题》一书中，揭示了马克思恩格斯关于土地问题的许多观点，指出了资本主义社会中农业生产集中的过程，阐述了现代农业发展的历史趋势，对社会民主党制定农民政策产生了积极作用。

19世纪晚期，随着资本主义生产方式的日益发展，在一些国家中农业生产的机械化排挤了大量的雇佣劳动力，使得一些家庭农场占优势的国家，农业获得了迅速的发展。在法国、德国等国农村资本主义经济的发展并没有使得小农经济彻底消退，较大的农业企业只是缓慢地占有那些小生产不得不出让的土地。一些理论家开始质疑马克思关于土地问题的理论，认为农村资本主义经济

---

① ［德］卡尔·考茨基：《马克思的经济学说》，区维译，生活·读书·新知三联书店1958年版，第10页。

的发展并不符合马克思《资本论》第三卷的理论，马克思的经济理论不适用于农业。在《土地问题》一书中，考茨基强调马克思关于小私有制必然被资本主义生产方式排斥的观点在农业中也是正确的，农业的发展与工业的发展不是相对立的，而是向着同一个目标发展，两者不是彼此孤立，而是同一个过程中不可分离的要素。考茨基认为，尽管在现实农村中，“还可遇到保存到现代的资本主义前期的生产方式的残余，另一方面，在国家或公社经济的某些形态与协同组合内，已经发现新的较高的生产方式的萌芽。”①但是资本主义生产方式已经占据主导地位是基本事实。基于此，考茨基从中世纪自给自足的经济公社出发，认为农业手工业被城市工商业所排挤是这种经济变革的第一步，城市工业的发展同样也为原始农民家族的解体打下基础，即使资本还未入侵农村经济，大生产与小生产之间的对立还未表现出来，城市资本主义生产方式的发展就已经能够使从前农民生存的基础发生完全的变革。资本主义的生产方式加速了这个过程，而且不断在征服新的领域。所以，考茨基指出，“资本并不是把它的势力限于城市工业，资本一旦充分地加强起来，它便使农业屈服于自己。”②

考茨基指出，由于大生产在诸多方面的优越性，例如：更加有效地利用耕种面积、顺利地使用机器、在同样的耕种方法之下需要较少的耕畜和农具以及较少的劳动力等。而小生产由于过度的劳动和消费不足，被大生产所排挤是必然的，小农经营者也就更加具有无产者的性质了，这就意味着马克思的经济理论是正确的。

考茨基不但捍卫了马克思的经济理论，还对马克思关于土地问题的理论进行完善，他认为：“马克思的资本主义生产理论，不只是将这一生产方式的发展过程归纳为下述的公式：大生产排挤小生产”，③用马克思理论的精神来研究土地问题，只回答小生产在农业中是否有前途的问题是不够的，最重要的是研究农业在资本主义生产方式下所起的一切变化。现代农业经济是资本主义经济，但在农业经济中的资本主义生产方式具有特殊的表现形式。考茨基通过对

① ［德］卡尔·考茨基：《土地问题》，梁琳译，生活·读书·新知三联书店 1955 年版，第 13 页。

② ［德］卡尔·考茨基：《土地问题》，梁琳译，生活·读书·新知三联书店 1955 年版，第 24 页。

③ ［德］卡尔·考茨基：《土地问题》，梁琳译，生活·读书·新知三联书店 1955 年版，第 16 页。

马克思关于利润和地租的学说作出简明、通俗、确切的叙述，揭示出了资本集中规律在农业中作用的特殊形式。他指出，为了揭示现代资本主义农业发展的规律及基本趋势，就必须掌握经过长期积累起来的大量的统计资料及描述性的资料，将农业资本主义经济当作一个整体研究，而将其中呈现的各种经济现象作为构成整体的一个局部来考察。在此基础上，考茨基指出了农业中资本主义发展的起点是宗法式的和封建的农业经济，并对农业的这些形式作了详细的说明。他指出，中世纪的农村经济几乎完全是自给自足的经济公社，农民手工业被城市工商业所排挤成为这种自给自足经济变革的第一步，但是这种变革遇到农民经济的顽强抵抗，"只有资本主义的工业才强大到这个地步，它迅速地排挤供自己消费的农民家庭生产，而且只有资本主义的交通制度用它的铁路、邮政、报纸才将城市的观念及生产品带到国内极偏僻的地方，于是不仅将城市近郊的人，而且将全体农村人口都带进资本主义发展的过程以内"。①资本主义的生产方式加速了这一过程，用各种不同的方法把自给自足的农民生产的不同部门转化为商品生产部门。所以，考茨基指出，城市中资本主义生产方式的发展能够使从前农民生产的基础发生完全的变革，资本并不是把它的势力限于城市工业，"资本一旦充分地加强起来，它便使农业屈服于自己。"②

基于以上研究，考茨基得出结论，现代农业与工业一样，都是资本主义经济，资本集中的规律也在发挥着作用，只是表现形式不同而已。

其次，考茨基还论证了由于资本主义工业的发展引起农民分化的特殊过程，指出必须对农民中的不同群体进行具体分析。他指出，随着农村和农业中资本主义经济处罚的发展，农民的分化已经是不争的事实。自给自足的自然经济瓦解，手工业与农业的分离促使农民对货币的需求增加，尤其是实物地租向货币地租的转化更加激发了农民对货币的兴趣。农民将那些城市工业所不能生产的农产品拿到商场上出卖，这是农民获得货币的唯一方法，同时农民对市场的依赖性也在加强，而市场往往是难以预测的，市场的危机不但会使农民暂时贫穷，而且也会从农民手中夺走他们的生活源泉——土地，最终导致农民与土地分离，变为无产者。于是剥削者与被剥削者之间、有产者与无产者之间的阶

① ［德］卡尔·考茨基:《土地问题》，梁琳译，生活·读书·新知三联书店 1955 年版，第 20 页。

② ［德］卡尔·考茨基:《土地问题》，梁琳译，生活·读书·新知三联书店 1955 年版，第 24 页。

级对立浸入农村，甚至浸入农民的家庭并且破坏了利益之间的和谐及共同性。

考茨基进一步指出："在资本主义大经营和小经营一同发展起来的地方，小经营已不能起着农业生产品出卖者的作用，这些小经营从生产品的卖者变为大经营'生产得过多'的生产品的买者；小经营自己生产得过多的商品，正是大经营所特别需要的那种生产资料——劳动力"。① 从这个程度上看，大的农业经营与小的农业经营并不是互相排斥，而是互相制约，"像资本家和无产者一样"②，而且小农业经营更加具有无产者的性质。正是因为小农具有无产者的性质，考茨基认为，在无产阶级夺取政权以后，社会主义的大生产带给小农的不应该是剥夺，而是通过示范以及提供帮助使农民逐渐自愿走上大农业经济的道路。这与恩格斯在《法德农民问题》中关于对农业和农民进行社会主义改造的论述是一致的。考茨基对土地问题的研究，对于确定社会民主党的农民政策具有重要意义，尤其是对无产阶级夺取政权以后的土地政策具有重要参考意义。

尽管考茨基解释并且宣传了马克思的经济学说，但是他在许多地方也进行了"修正"和不正确的发挥，存在着严重的缺陷和局限。在关于经济危机发生原因的问题上，考茨基认为资本主义经济危机的发生是偶然的，是可以消除的。按照考茨基的说法，危机主要是由于人民群众购买力不足，也即消费不足引起的。由此可见，考茨基没有完全理解马克思关于资本主义经济危机产生根源的理论。根据马克思主义理论，由于资本主义基本矛盾即生产的社会化与资本主义私人占有制之间的矛盾的发展，必然会引起个别企业的有组织性与全社会中生产的无政府状态的矛盾，以及生产的无限扩大与人民群众购买力的相对缩小之间的矛盾，这些矛盾的进一步发展，必然会使生产与消费的矛盾尖锐化，于是经济危机就不可避免地发生。考茨基背离了马克思主义基本原理，他所说的消费不足不是因为工人和农民贫困化而引起，而是指农民和工人的购买力不足。按照考茨基的说法，随着劳动群众消费能力的增长，特别是资本家消费能力的增长，经济危机就可以缓和或者消除。考茨基的这种观点，不仅不符合马克思主义，而且也在一定程度上起到了为资产阶级寄生性消费作辩护的作用。

---

① ［德］卡尔·考茨基：《土地问题》，梁琳译，生活·读书·新知三联书店 1955 年版，第 199 页。

② ［德］卡尔·考茨基：《土地问题》，梁琳译，生活·读书·新知三联书店 1955 年版，第 199 页。

## 三、对社会主义的研究及其局限

考茨基在还是一个马克思主义者的时候，对社会主义的有关内容作出了很多精辟的论述。考茨基对社会主义思想的前史进行了细致的探讨，深化了人们对社会主义先驱的理解，这在马克思主义发展史上是值得肯定的。考茨基对恩格斯晚年的革命策略作了进一步的阐发，体现了他在继承马克思主义的基础上灵活运用马克思主义的能力。考茨基通过对未来社会的预测，更加客观地阐述了无产阶级夺取胜利以后未来社会的经济制度、精神生产以及培养未来社会新人的思想，这对于社会主义建设实践具有重要参考意义。

首先，对社会主义思想的前史进行了有益的探讨。社会主义思想史是一门研究社会主义思想演进过程的历史科学，它为人们认识空想社会主义，以及其他非科学社会主义和科学社会主义提供了历史依据。考茨基是率先借助马克思主义理论与方法研究社会主义学说史的学者。他运用唯物史观的武器，廓清了在这个领域中长期存在的错误观念，以生动形象的笔触阐述了社会主义理论与实践发展的历程。考茨基着重考察了科学社会主义以前的“共产主义”思想，在研究过程中，他始终着力于考察特定时代的生产力与生产关系状况，以经济的变化考察政治运动与意识形态。他力图用马克思主义观点对史料做出综合与分析，以便大体勾勒出在近代以前社会主义思想发展的轮廓，他的研究丰富和深化了对科学社会主义前史的认识。

考茨基为了从根源上对社会主义思想进行探究，将研究的起点放在遥远的古代，考察了古希腊柏拉图的共产主义思想以及原始基督教共产主义思想的根源及本质，进而研究了中世纪共产主义的共同特点以及实践活动。考茨基认为，古希腊柏拉图的共产主义思想以及古罗马原始基督教的共产主义思想通过有关的文献著作对之后的中世纪的空想共产主义者产生了极大的影响。

考茨基指出，柏拉图的共产主义与现代的共产主义存在根本的区别。作为一个贵族出身的人，柏拉图绝不会希望消灭阶级差别，在他那里，共产主义实际上是一种稳定国家秩序的因素，并且这种共产主义只能用于统治阶级的内部，一旦在统治阶级内部私有制被取消，就不会有东西促使这个阶级去压迫与剥削劳动人民，这样统治阶级将会全心全意地为人民谋取福利；而农民与手工业者以及小商贩与富商巨贾仍旧应该保持私有财产。考茨基认为，农业与手工业的小规模经营是当时生产的基础，这种经营必然会以生产资料的私有制为先决条件。工农业的技术还没有发展到实行社会化生产的程度，所以“在柏拉图时代，如果要求在自由劳动者中间取消生产资料私有制，那只能是一种荒唐无稽的想法”①。因此，柏拉图的社会主义与现代的社会主义是有着根本的区别，并且在柏拉图的理想国中，统治阶级不参与社会生产，他们凭借劳动阶级所缴纳的赋税来生存。这种共产主义不是生产资料的共产主义，而是消费资料的共产主义。

考茨基考察了原始基督教的共产主义思想特征。他认为，原始基督教的共产主义思想最显著的特征就是锡利亚式②的狂想。千年王国是原始基督教所设想出的未来国家，据此，人们将基督教各宗派中对于未来社会的狂想都称作锡利亚式的狂想。考茨基认为这种狂想对贫苦的人并没有起到帮助的作用；而另一方面的特征就是它重视实际作用，即实行消费资料的共产主义。而为了考察这个实际作用，考茨基将目光移向首创锡利亚式教义的人，他认为基督徒最初为争取实行全面的共产主义，试图将一切的生产资料转化成消费资料，然后将消费资料分配给穷人，早期的基督徒是不关心生产的。而当时的社会生产水平决定了需要实行生产资料的私有制，这也是基督徒无法逾越的。所以，后来基督徒打破初期所追求的共产主义的完整性，部分地承认私有制，使每个人都保留属于自己的财产，尤其是属于生产资料的财产，而仅仅要求在对生活资料的使用和享用方面实行共产主义。

考茨基认为中世纪的共产主义思想有以下几个特点：第一，存在与时代相适应的寺院共产主义；第二，中世纪的共产主义还表现为异端教派的共产主义。之所以称为异端教派的共产主义，是因为它带有反对教皇统治的倾向；第三，中世纪的共产主义思想中带有追求平等的思想，中世纪社会存在的鲜明的贫富对立现象促使各个阶级为实现平等而进行斗争；第四，中世纪的共产主义思想还具有国际性和革命性。此外，中世纪的共产主义也是一种崇尚苦行以及带有神秘色彩的共产主义，之所以带有苦行主义，它和中世纪生产不发达有很大的关系，生产力的不发达不可能让所有人都能过上优越的生活，凡是在这样的情况下寻求人人平等，那么必然会将奢侈的享受看作罪恶，就连艺术与科学

---

① [德]卡尔·考茨基：《近代社会主义的先驱》，韦建桦译，商务印书馆 1989 年版，第 23 页。

② 锡利亚式在希腊文中的意思是“一千”。

也被看作祸端。共产主义者常常会将任何的欢乐与享受都看作犯罪的行为，所以势必导致中世纪的共产主义带上苦行主义的色彩。

1888年考茨基出版了他的《莫尔及其乌托邦》一书，运用唯物史观的方法详尽评析了莫尔及其《乌托邦》中的共产主义思想，深入揭示了莫尔关于乌托邦的学说在整个社会主义思想史上产生的重大影响。

考茨基高度评价了莫尔社会主义思想的价值，指出，当资本主义的生产方式处于初露端倪的阶段，莫尔就能够超越整整一个时代，天才地预见到由新的生产方式发展而来并成为它的对立面的那种生产方式，即社会主义的生产方式，这只有立足于物质关系的思想家才能够做到。在对《乌托邦》结构和内容研究的基础上，考茨基指出，莫尔的空想共产主义与科学社会主义在很多方面是不同的。在政治方面，由于当时的无产阶级还处于十分落后的状态，因此莫尔反对任何的人民运动，拥护君主立宪制。在经济方面，考茨基认为，莫尔思想中最不符合科学社会主义的方面，就是将乌托邦中每个人都束缚在特定的手工业的生产方式上，显示出其历史的局限性。因为在考茨基看来，当工人阶级对生产方式产生决定性影响的时候，科学技术在生产中将得到广泛的运用，是社会化的大工业生产方式，这将决定着劳动者的工作方式。其次，莫尔为了使乌托邦中的人能够减少体力劳动，以便在精神与社会活动方面拥有可以自由支配的时间，进而采取限制人的需要的方法和科学社会主义也是不同的。最后，莫尔主张的妇女应当隶属于男子以及维持家长制的家庭两性关系，也与科学社会主义存在分歧。除此以外，考茨基指出，莫尔在人口问题的立场上与近代社会主义悬殊也很大。在莫尔的理想社会中，人口应当保持固定的状态，为保持人口数字的均衡，莫尔主张实行社会主义的殖民与移民政策。在考茨基看来，当大规模工业以及农业企业出现之后，人口问题已经发生变化。大工业的生产不但有科学为其服务，而且依靠科学的发现不断在发生革命性的变化，劳动生产率也会不断提高，人口必定会稳定地增长，这种增长有时候还会成为生产方式进一步发展的先决条件。同时随着社会分工不断发展，个别生产部门能够不断生产大量产品，而大量的生产以及销售的增长要通过提高个人消费以及增加消费者人数才有可能，即通过增加人口来实现。

考茨基深入分析了莫尔的空想共产主义与科学社会主义存在分歧的原因。他认为，在莫尔的思想当中之所以存在很多非近代的方面，是因为莫尔所处时代固有的落后状态的局限性所导致。考茨基指出，科学社会主义是以无产阶级的发展和机器大工业的发展这两个事实为依据的，但是在莫尔的时代，资本主义刚刚开始侵袭英国的工业与农业，在短时间内无法产生革命性的技术变革，当时资本主义的商品生产与简单商品生产只存在程度之差，不存在种类之别。16世纪初的英国，资本主义的生产方式与行会的生产方式没有技术上的差别，都是以手工业为主；资本主义的佃农和封建佃户之间只是从事的生产范围大小不同，在资本主义的佃农中，无法看到改进耕作的方法或者是使用改良工具的任何迹象。所以，考茨基认为，在莫尔的时代，尽管资本主义的弊端在英国已经凸显出来，但是作为莫尔据以研究反对资本主义社会的出发点的基础却是手工业与小农业。所以莫尔社会主义中的那些非近代的方面，就是他据此为出发点并不得不据此为出发点的生产方式所导致的必然结果。考茨基指出，与莫尔的社会主义不同，在科学社会主义看来，资本主义的生产方式首先是发展出缺点，然后再发展出必然要克服它的因素。所以，一方面，无产阶级首先必须在人民中间成为一个重要的部分，然后才能表现出这个阶级可以成为担负社会改造责任的力量；另一方面，在资本主义的生产方式下，资本集中在少数人的手中，造成无产者与资本家的对立。这样，资本家和无产阶级，大量财富和群众的贫苦，必须已经长期存在，然后才能发展出新的社会萌芽，在新的社会萌芽还没有生长出来以前，一切试图利用和资本主义的生产方式相对立的新的生产方式去革除资本主义的弊端的尝试，必然会是空想社会主义，而不是科学社会主义。所以莫尔的思想只能是空想社会主义。尽管莫尔的思想有其特定的局限性，但是考茨基认为，这些都不足以影响到莫尔跨入近代社会主义者行列，莫尔社会主义思想在当时那么落后的条件下，仍旧呈现了近代社会主义的很多重要特征。

此外，考茨基反驳了一些人将莫尔的《乌托邦》看作对柏拉图《国家篇》的模仿之作的观点。他提出，尽管柏拉图的共产主义对莫尔的学说产生了很大的影响，甚至柏拉图学说的权威性促使莫尔去追求理想社会的勇气，但是决不能据此将莫尔共产主义与柏拉图共产主义说成没什么差别。考茨基认为，莫尔社会主义思想与柏拉图共产主义思想从本质上是完全不同的，莫尔关于共产主义的学说是完全现代的，他的共产主义不是研究古代的思想成果，而是研究资本主义初期社会弊端和经济发展的思想成果，并且是以活生生的事实为基础的，是对现存的政治与经济制度提出的一种批判，而柏拉图共产主义的学说只是发展正义的绝对观念。考茨基还从一些细节方面阐述二者的区别，他认为柏拉图研究理想国是从苏格拉底与诡辩学派的哲学家特拉西马克之间的一次口头辩论出发的，而莫尔是从推翻封建社会的重要事件之一即海外探险出发的。考茨基指出，在论及理想社会的某些特征的时候，柏拉图与莫尔确实都坚持要限制整个社会的人口数量，但是为了实现这个目标他们所采取的办法也存在原则方面的差别。柏拉图主张共妻制以及要根据官长的需要进行性的选择来实现，莫尔则建议通过殖民与移民的政策来完成。考茨基指出，柏拉图与莫尔的共产主义学说表面上似乎存在很多相似的地方，"但是只有肤浅的观察者才会因此混淆真相，把莫尔的共产主义同柏拉图的等量齐观，等于是：因为一块红砖和一朵玫瑰颜色都是红的，就说它们本质上是同种同类。"[①] 所以，考茨基十分反对资产阶级学者的著作将柏拉图称为空想社会主义始祖，因为柏拉图在实质上并不是社会主义者。

考茨基认为，莫尔的学说不但与柏拉图的共产主义在本质上是完全不同的，而且与基督教的共产主义也是不同的。基督教的博爱在莫尔的学说中无从发现。基督教的博爱只不过是一种对贫民的救济，而对贫民救济是以穷困需要帮助的贫民与拥有财产的富人为先决条件的。基督教表现出来的共产主义是一种乞食型的共产主义，而不是劳动型的共产主义，所以莫尔的学说也不是基督教式的，它是近代的，是从资本主义滋生出来的一种共产主义学说。

考茨基深化了人们对社会主义先驱的理解，这一点从当时恩格斯对他的评价上也可以看到。考茨基对社会主义思想史的考察集中在《近代社会主义的先驱》以及《莫尔及乌托邦》这两部著作中，恩格斯在此之前经常批评考茨基是"学理主义者"，认为考茨基经常"不是把复杂的问题简单化，而是把简单的问题复杂化"[②]，但是当恩格斯看到考茨基这两部考察社会主义思想先驱的著作时，则给予了较高的评价。尤其是对《近代社会主义的先驱》一书，恩格斯十分推崇。这不仅因为它资料翔实，为恩格斯修改《德国农民战争》提供了新的资料，而且因为考茨基的著作拓展了新的研究领域。这不论对于丰富科学社会主义理论，或是对于推动现实社会主义运动都具有不可忽视的作用。另外，考茨基对

---

① ［德］卡尔・考茨基：《莫尔及乌托邦》，关其侗译，生活・读书・新知三联书店 1963 年版，第 211 页。

② 中共中央马克思恩格斯列宁斯大林著作编译局编译：《恩格斯和倍倍尔通信集》，人民出版社 1985 年版，第 126 页。

于社会主义前史的研究，对于认识社会主义学说在人类发展历史进程中的地位及前途具有重要的意义，同时这种研究也有利于进一步认识科学社会主义与空想社会主义的区别。

其次，对无产阶级革命策略进行了探讨。考茨基基于欧洲比较发达的资本主义国家的环境和工人运动的现实，对西方发达国家工人运动的策略问题进行了探讨。这一策略比较具体地回答了西方发达国家无产阶级取得政权的道路及其条件等问题。

19世纪80年代以后，欧洲的政治经济以及阶级斗争状况出现了新的变化，欧洲的资本主义进入一个相对稳定的发展时期，随着经济的发展，工人阶级的生存状况较之以前有所改善，阶级矛盾与社会冲突也相对趋于缓和，在一些国家中，无产阶级政党的力量得到进一步加强，他们在国会的一些选举中得票数迅速增加。加上军事技术的发展，无产阶级发动旧式的突然袭击的革命时代遇到了前所未有的困难，社会主义工人政党面临着在新的形势下探索新的革命策略。恩格斯晚年根据斗争环境的变化，提出了将无产阶级日常斗争与最终目的、将利用当前的合法手段与将来夺取政权的暴力革命辩证地结合起来的新策略。

随着议会斗争取得成就的出现，各国社会党与工会的领导机构里涌现出各种迷恋合法斗争的倾向，一些人幻想依靠议会通过和平手段实现到社会主义的过渡，抑或在资本主义的制度下借助改良来实现社会主义，于是便形成了和马克思主义的革命策略对立的策略思想，进而发展成修正主义理论。考茨基根据19世纪末的特定情况也曾否定过无产阶级进行街垒战，即通过暴力革命夺取政权的斗争策略，但是后来基于俄国革命的经验，又承认这种斗争方式的适当性。

在对待合法斗争的态度问题上，当考茨基还是马克思主义的时期，他既肯定合法斗争的必要性，但也不否定暴力革命的可能性。他曾经多次提出罢工可以为工人阶级争得普选权，但同时也认为当形势进入需要直接革命的时期，就需要采取起义的形式。就如他认为总罢工绝不是像无政府主义者所说的“万应良药式”的方法，也不是在任何的情况下都是值得信赖的手段。考茨基认为，夺取政权是无产阶级面临的最艰巨以及最重大的任务，需要经历长期艰苦的斗争，并且在这场斗争中要尽可能地动员无产阶级全部的力量。他认识到当时资本主义社会的进步促使暴力起义的机会大大减少，在资本主义社会中存在利用其他牺牲相对较小并且稳妥的道路去进行活动的可能性，他认为尽管这种想法是可喜的，但是无产阶级绝对不可以放弃为将来夺取政权进行革命作准备，如果和资产阶级妥协，那么无产阶级就会陷入巨大的危险中。所以他认为对于无产阶级来说最有害的莫过于使无产阶级解除武装争取资产阶级的和解和让步。一旦无产阶级解除武装，无异于将无产阶级交于资产阶级任意摆布，使无产阶级从思想与政治上完全依赖资产阶级，这样无产阶级的意志就会蜕化变质，失去担当伟大历史任务的能力。所以，考茨基的策略就是要等待革命条件成熟，当革命未成熟之时，可以利用议会活动。这一点正是对恩格斯晚年关于斗争策略的丰富与发展。因为马克思主义反对一切的抽象公式与教条方法，在考察斗争形式和革命策略的问题上，马克思主义者从来不会将运动仅限于某种固定的斗争形式或斗争策略，而是承认可以根据条件灵活采用各种各样的斗争形式和策略。无产阶级的斗争形式和策略都不能是主观臆造的，而是根据客观的条件制定出来并服从于一定时期革命斗争目的的。另一方面，马克思主义者从来都是历史地考察斗争形式和策略问题的，因为在不同的时期与不同的条件下可能存在很多种斗争形式或策略，这便需要详细地考察某一个发展阶段的具体情况，找出和采取主要的符合客观条件的斗争形式或策略，而不能随意肯定或者是否定某一种斗争手段。

因此，考茨基早期能够在坚持革命原则的基础上很好地根据客观形势的变化调整斗争策略，体现了他灵活运用马克思主义的能力，在斗争手段方面丰富与发展了恩格斯的革命策略思想。

最后，对未来社会进行了深入的研究和预测。对于未来社会主义的探讨也是考茨基的论著中十分重要的一个方面。考茨基在《爱尔福特纲领解说》、《社会革命》等一些著作中，对未来共产主义社会的经济制度以及文化事业等都提出了很多符合马克思主义的见解。考茨基不但坚持了马克思恩格斯关于科学预测未来社会的原则，而且对无产阶级夺取政权以后，关于未来社会生产资料如何由私有制逐渐转变为公有制，如何极大地提高生产力、如何进行分配方面，都提出了比较客观具体的见解，丰富了马克思主义理论。

秉承历史唯物主义的基本原则，考茨基着重对未来社会主义社会的所有制问题进行了探讨。考茨基认为公有制取代生产资料的私有制是必然的，私有制的灭亡只是时间问题。生产资料的公有制代替生产资料的私有制，这将伴随经济发展日益成为必然的结果。但考茨基认为，未来社会生产资料公有制的形式将会是多种多样的，有国家与地方的所有制，也存在合作社会的所有制，另外在一定的时期还可以存在某些私人所有制，那么与此相适应的企业的形式也会多样化。一些企业可以通过设立民主的机构来管理：由工人们选出的代表组成类似于议会的机构制定劳动规章制度并监督专职机构进行管理，另一些企业直接由工会进行管理，还有某些企业可以借助合作社的方式进行经营。所以，管理企业的民主机构是多种形式的，不可以让所有企业的组织和管理千篇一律地照着一个模式去进行。考茨基认为，社会主义可以存在最大的多样化与变动的可能性。最荒谬的就是将社会主义社会预想为是一部简单并且呆板的机器，一旦要开动，它的轮盘联动装置只能按照同一个方式不断运转。

考茨基对未来社会主义社会的分配问题进行了深入的研究。他依据马克思关于生产方式决定分配方式的基本原理，对小资产阶级关于为社会主义社会将实行平均分配的平均主义观点进行了批判，揭示了未来社会主义社会分配的基本特点。考茨基认为，在社会主义社会里，产品分配时要遵循的原则是由参与分配的人自己去制定。但是，究竟如何制定，不是由他们任意地依据这样或者那样的原则设想出来的，而是依据在社会中具体实际情况，特别是要依据生产的具体情况去制定。例如，劳动的生产率发展水平，就会对劳动产品分配的形式产生很大影响。当科学应用于工业就会使劳动生产率得以提高，人们的各种生活必需品将会过剩，这种情况下，按需分配就会自然而然地得以实现。

考茨基还指出，社会主义社会的分配不是像有人所说的那样，应将所有的产品全部用来分配，而是只能将部分产品用来分配。凡是用来维持与扩大生产的那些产品是不能分配的。同样凡是用来进行社会消费的产品，供社会机关例如教育、医疗、休养等机关的建立与维持以及扩充所使用的产品是不能对其进行分配的。所以，社会主义社会产品的分配方式要随着生产的变化而不断变化。那些认为用一种特殊的分配办法，然后永远地将它作为标准的想法都是乌托邦式的空想。社会主义社会只能从它所面临的实际出发，社会主义的分配，在可预见的时期内，也许只能采取类似工资的分配形式。同时，在社会主义社会中，也会因为历史传统、习惯的差异，以及生产需要的发展，同时出现多种产品的分配形式。

考茨基指出，社会主义社会要摒弃那种分摊的平均主义的分配方法，实行体现按劳分配的多样性的劳动报酬的形式。未来社会经济生活必须坚持贯彻平等原则，但它将会成为自然发展目标，作为一种必然的趋势所出现，而不能作为使用暴力强加去执行的平均主义出现。在未来的社会主义社会，一切的由生产资料的私有制所引起的不平等加剧的趋势，将不复存在。相反，收入的差别缩小的趋势将会更有力地表现出来。伴随生产力的迅速发展，这样的趋势会促使较低收入提高至较高收入，并且同较高收入趋于平等。即会使一些高收入的人先富起来，而总的趋势是低收入的人们也会逐步赶上去，实现共同富裕。

考茨基继承和发展了马克思关于未来社会培养全面发展的社会主义新人的观点，指出社会主义新人是社会主义社会发展的必然要求和结果。他认为，经过社会化大生产训练，并具有高度觉悟的现代无产阶级不需要大的改变就能使自身成熟至足以去适应社会主义社会，社会主义社会自然也能改变人的性格，造就出发展程度更高的新人，这将是社会主义社会的必然要求和结果。因为社会主义社会会给人们带来安定与闲暇，能提高人们的思想，人们也不会为基本生活而发愁，社会主义社会还会使个人的个性不取决于他人，所以将不会有奴性以及对人的鄙视。同时城乡之间的差别也将会消灭，所有人都可以享受与利用社会的丰富文化资源，去恢复人的天性。每个人的能力都能够在生活中得以全面发展。社会主义社会会铲除悲观主义的社会根源以及心理根源，将一些人贫穷潦倒而一些人养尊处优的社会不合理现象统统消灭掉。它还将消除贫富分配不均的现象，使所有人都能够享受幸福，保证每个人都能够充分地获得科学以及艺术创造的自由。在这样的条件下将会造就一代全面发展的新人，这些新人是高尚的人，不会以出众而自满，会以共同幸福以及共同提高为己愿。考茨基说："力和美的王国将会出现；我们将不辜负我们最优秀、最崇高的思想家们的这一伟大理想。"①

对于社会主义的研究和理解，考茨基也存在着严重的局限性，主要表现在以下几个方面：

其一，对资本主义新变化认识上存在严重局限性。考茨基所处的时代是资本主义由自由竞争阶段向垄断阶段过渡的转变时期，资本主义经济随着卡特尔垄断组织的出现呈现短暂的繁荣；资产阶级适时调整统治策略，工人阶级在议会斗争中取得了一定的成就，如何看待资本主义出现的新变化，如何判断时代出现的新特点，就成为当时所有马克思主义者都必须回答的时代性课题。考茨基在其早期的确看到了一些资本主义新出现的现象和特点，也根据新形势

---

① ［德］卡尔・考茨基：《社会革命》，人民出版社 1980 年版，第 123 页。

做出了一些符合马克思立场的正确判断。但是随着资本主义进入帝国主义阶段，他对许多问题估计不足甚至做出了错误判断。

考茨基没有认识到资本主义发展到垄断阶段的实质。他一方面正确地强调资本主义危机是不可避免的，要消灭私有制。但是另一方面却错误地认为："只有所有的卡特尔联合成一个单一的卡特尔……才能消除危机"①，在考茨基看来，成立这种超级卡特尔就可以消除生产资料的私有制。同时这种观点也被考茨基后期发展成"超帝国主义理论"，这种观点与马克思主义关于垄断资本主义的论断完全是背道而驰的。他没有认识到资本主义进入垄断阶段的实质只是资本家为了利润的最大化，为适应生产社会化在生产关系方面进行的调整，更没有认识到资本主义的垄断不但无法消灭危机，更不会消灭私有制。相反，只能加剧危机，进一步加快资本主义私有制走向灭亡的速度。所以，当考茨基后来提出"超帝国主义理论"时，列宁曾说："用卡特尔消除危机是拼命为资本主义涂脂抹粉的资产阶级经济学家的无稽之谈"。②考茨基虽然在一定程度上看到了无产阶级革命形势的到来，预感到世界大战的到来，但是却没有认识到如何革命地利用这种新形势，依然主张用合法的与和平的方式加以应对。后来考茨基中派主义就是他对资本主义新形势认识不清楚所造成的结果。

其二，考茨基严重低估了修正主义产生的消极影响。在同修正主义者进行论战的过程中，考茨基不仅严重低估了修正主义对工人运动产生的消极影响，而且过早放弃了对其的批判和斗争，1909 年 9 月他曾说："理论上的修正主义已经死亡……修正主义不能完成它所大喊大叫宣称的要在我们的理论上实行的改革。现在谁也不关心它了。"③1899 年法国的米勒兰入阁事件，是第二国际修正主义者对伯恩施坦"和平长入"政治策略在实践中的最大尝试，成了议会主义的一次演习。因此列宁将其称作"实践的伯恩施坦主义"。由于对修正主义的影响的错误判断，考茨基对这种实践中的修正主义开始表现出调和的立场和矛盾动摇的态度。在 1900 年第二国际巴黎代表大会上，由于考茨基的坚持和影响，大会通过了一个不是谴责而是折中主义的决议案。该决议案没有谴责米

① ［德］卡尔·考茨基：《爱尔福特纲领解说》，陈冬野译，生活·读书·新知三联书店 1963 年版，第 78 页。

② 《列宁选集》第 2 卷，人民出版社 2012 年版，第 595 页。

③ 转引自［苏］切尔涅佐夫斯基：《革命马克思主义者反对中派主义的斗争》，李兴耕、李宗禹译，中国人民大学出版社 1988 年版，第 29 页。

勒兰的具体行为，反而对社会民主党人能否参加资产阶级内阁的问题不明确表态。对此，列宁曾指出：考茨基的这个决议草案“对机会主义者的态度是暧昧的，躲躲闪闪的，调和的”。① 尽管如此，考茨基此后又发文指出，米勒兰入阁事件已经威胁到了党的统一问题。在1903年德累斯顿大会上，考茨基在发言中明确反对修正主义所主张的不通过革命就可以一步一步夺取政权的思想。考茨基的上述言行表明，他反对修正主义立场是不彻底的，表现出折中主义的倾向，这是他后来与修正主义妥协并最终转向修正主义的影响因素之一。

其三，始终回避无产阶级专政的根本问题。在反对伯恩施坦的斗争中，考茨基在无产阶级专政这个最重要的政治问题上向修正主义做出了让步。考茨基在《伯恩施坦与社会民主党的纲领》一书中，对伯恩施坦将推翻旧的国家建立无产阶级专政歪曲成过激的手段，考茨基丝毫没有进行驳斥。对于马克思关于无产阶级革命必然要打碎旧的国家机器问题，考茨基也只字未提。考茨基不去论述要不要打碎国家机器的问题，而是将无产阶级专政问题说成是“留待将来去解决”的问题。所以，考茨基早期尽管与修正主义进行了斗争，但是在最重要的无产阶级专政问题上却是对伯恩施坦做出了让步。

考茨基在关于无产阶级革命以及未来社会主义社会的相关著述中，他尽管承认无产阶级革命以及夺取政权的必然性，甚至预测未来社会的经济制度，人的精神生产以及人的发展问题，但总是避而不谈国家问题尤其是无产阶级专政问题。在《爱尔福特纲领解说》中，也丝毫没有涉及无产阶级专政的问题。在《社会革命》这本小册子中，考茨基集中论述无产阶级革命的策略以及如何夺取政权的道路的问题，并且对此发表了很多的宝贵意见。但是也仅限于此，因为在考茨基看来，不需要破坏资产阶级的国家也能够夺取政权，对于1871年巴黎公社的经验，他只字未提。考茨基大谈民主与革命的问题，但是却没有看到资产阶级民主和无产阶级民主的本质区别。

在《取得政权的道路》中，考茨基提出无产阶级夺取政权的方式，甚至提出革命的时代已到来，但是同样也没有提到通过革命用无产阶级的国家代替资产阶级的军事官僚机器以及资产阶级议会制的问题。列宁指出，考茨基在他的这本自称为专门分析“政治革命”问题的小册子里，却又完全回避了国家问题。并且考茨基提出要革命也要注重民主，但是没有提出民主的阶级性，民主与专

---

① 《列宁选集》第3卷，人民出版社2012年版，第206页。

政的相互制约性等带有原则性的问题，这必然会造成考茨基早期社会主义理论的局限性。同时也体现了当时考茨基一定程度上依然没有摆脱小资产阶级民主派的一些观念，这也是造成他后期与布尔什维克产生分歧的根源之一。在共产国际第二次代表大会发言中，列宁在批评德国独立社会民主党领导人克里斯平时就明确指出，承认夺取政权，但是不承认专政，这是在回避问题的实质，这一点是“所有考茨基的信徒所犯的基本错误”。①

考茨基对马克思主义理论研究理解中的局限性和片面性，必然导致他在实践中逐渐偏离马克思主义阵营。20世纪初，德国阶级矛盾日益尖锐化，世界大战一触即发，在德国的社会主义运动中已经出现了左右分化，一边是德国社会民主党内以罗莎·卢森堡、卡尔·李卜克内西为代表的革命左派，在俄国革命的影响下，他们在反对修正主义的同时，主张必须激起群众的革命斗志，积极动员工人阶级发动革命行动；另一边是改良主义不断蔓延，很多工会及社会民主党内的领导满足于议会斗争带来的成就，主张使工人阶级政党赢得议会多数，从而发挥更大影响。

1910年初，普鲁士劳动群众开展了反对反动的三级选举制的运动，这个运动获得了德国其他地区居民的支持，在这种情况下党内在争取民主斗争的策略问题上出现了尖锐的分歧。这些分歧加速了马克思主义派别划分的进程。以罗莎·卢森堡和卡尔·李卜克内西等为代表的左派指出德国政治发展的基本趋向，制定了一旦付诸实现就能够获得重大民主成果的策略路线。在工人运动高涨的情况下，卢森堡提议在普鲁士争取改革选举制的斗争中讨论利用群众政治罢工的可能性。她还建议在争取民主的斗争中不能只限于提出改革普鲁士选举制度的要求，而应该继续前进，提出变德国为共和国的口号。1910年3月卢森堡在《前进报》写了一篇文章《下一步怎么办?》，文章中叙述了左派的要求，当《前进报》拒绝刊登这篇文章后，卢森堡要求考茨基在《新时代》上发表，而考茨基不仅拒绝在《新时代》上发表该文章，还写了《今后怎么办?》来反对卢森堡关于举行政治性群众罢工及建立民主共和国的主张。考茨基认为巴黎公社以前，无产阶级对抗资产阶级遵循的是“击破战略”，而根据无产阶级取得政权的斗争条件的变化，应当采取合法形式。当通过这种政策已经取得了巨大的胜利，任务是以后也将通过这条道路来破坏统治阶级的阵地，使敌人“疲

① 《列宁全集》第39卷，人民出版社2017年版，第236页。

劳”。考茨基企图引证恩格斯的话来加强自己的“疲劳战略”。围绕着群众罢工问题，考茨基同德国左派进行了激烈的论战，这也对他之后的观点的演变产生了重大影响。德国社会民主党在最初参加帝国议会活动的时候，曾经表示不给这个制度一分钱，不给这个制度一个人，即虽然参加议会活动，但是要做坚定的政府反对派。1910 年，巴登地区社会民主党邦议会党团多数在邦议会上对地方政府预算投了赞成票，这激起了社会民主党内很多人的强烈反对。党的绝大多数报刊和《新时代》都谴责了修正主义分子的行动。

1910 年 8 月 5 日，考茨基在《新时代》上发表了《在巴登与卢森堡之间》一文，这是他结束和卢森堡辩论的文章，也是他既反对左派又反对右派的代表作之一。在文章中，考茨基用“巴登”暗指机会主义者，用“卢森堡”来代表以罗莎・卢森堡为首的德国左派社会民主党人。他写道：“如果我们看一看地图上的巴登和卢森堡大公国，那么我们就会发现，它们之间是特利尔——卡尔・马克思的故乡。从那里向左越过国境线，可以到达卢森堡。向右越过莱茵河，可以到达巴登。地图上的位置今天是德国社会民主党内状况的象征。”① 考茨基通过使用双关语来代表他的政治倾向，这使在德国社会民主党内第一次划分出左、中、右形式的三个派别，也可以看作考茨基中派主义出现的标志事件。

考茨基之后在和德国社会民主党内左派与右派进行的论战中，机会主义思想在进一步发展，1912 年荷兰社会党左派领袖潘涅库克写了一篇名为《群众行动与革命》的文章，发表于《新时代》第 32 卷第 2 册上，批评了考茨基中派主义，主张必须打碎资产阶级的国家机器，实现无产阶级专政。考茨基随后便写了《新策略》一文反驳潘涅库克，回避争论的实质即无产阶级是否要推翻资产阶级的国家机器问题。潘涅库克针对考茨基的《新策略》又写了很多文章进行批判，考茨基为同潘涅库克继续论战，写了《最近的激进主义》，开始歪曲马克思主义国家学说，将打碎资产阶级国家的机器歪曲成无政府主义。列宁曾在《无产阶级在俄国革命中的任务》中指出：“‘中派’的主要领袖和代表卡尔・考茨基……是彻底毁坏马克思主义、毫无气节、从 1914 年起就非常可鄙地动摇和叛变的典型”。②

---

① ［德］卡尔・考茨基：《在巴登和卢森堡之间》，《新时代》第 28 卷（1909—1910）第 2 册，第 667 页。参见 GaryP. Steenson, Karl Kautsky1854—1938:Marxism in the classical years, University of Pittsburgh Press，1991, p.172。

② 《列宁选集》第 3 卷，人民出版社 2012 年版，第 56 页。

## 第四节 在第一次世界大战时期思想的转变

第一次世界大战爆发后，考茨基彻底脱掉了“中派”的外衣，完全背叛了马克思主义，转向社会沙文主义立场，为帝国主义的侵略战争做辩护。

### 一、“超帝国主义论”的提出

19 世纪末 20 世纪初是资本主义世界发生大转折的时期，欧美主要资本主义国家发生了以电力的广泛应用为特征的第二次产业革命。技术的巨大进步，特别是重工业生产的迅速发展使竞争加剧，企业的规模不断地扩大，资本主义的信用制度与股份公司得到广泛发展，加剧了资本与生产的日益集中；政治上，随着资本主义相对和平的发展，资产阶级对无产阶级的统治方式由以前的公开镇压变为公开镇压与表面让步交替使用。主张阶级合作，使资本主义长入社会主义的机会主义思想在各国工人政党内部开始泛滥。资本主义在经济和政治上的这些变化，没有消除社会固有的矛盾，反而加剧了矛盾，在资本主义社会内部随着无产阶级生活状况的恶化，无产阶级组织性与觉悟性的提高，无产阶级与资产阶级之间矛盾的对抗性充分地暴露出来，在各资本主义国家之间矛盾进一步激化，必然导致战争的爆发。欧洲资本主义国家对其殖民地、半殖民地、附属国进行极其野蛮而残酷的剥削和掠夺。资本主义社会的这些新变化，意味着资本主义已经发展到了新的阶段，帝国主义已经由萌芽的状态发展成为占统治地位的体系。这使人们开始重视研究帝国主义问题。

1914 年第一次世界大战爆发后，考茨基于同年 9 月份在《新时代》杂志上发表了他的研究成果《帝国主义》。在这篇文章中，考茨基提出了自己给帝国主义所下的定义：“帝国主义是高度发展的工业资本主义的产物。帝国主义就是每个工业资本主义民族力图征服和吞并愈来愈多的农业区域，而不管那里居住的是什么民族。”[①] 在文章中他分析了帝国主义产生的根源，鼓吹帝国主义发展为“超帝国主义”的可能性，文中涉及考茨基此后进一步发挥的“超帝国主义”论的主要观点，这也是考茨基公开背叛马克思主义的一个重要标志。

考茨基在提出帝国主义的定义时，不赞成将卡特尔、金融垄断以及殖民政策归为帝国主义的形式，反对将帝国主义与现代资本主义等同起来。考茨基认为，资本主义工业国家在进行扩张的时候，可以采取很多的形式。就像英国在保持作为世界工厂的独占地位的时候，所采用的是自由贸易的形式。然而随着其他西欧国家与美国资本主义工业的不断发展，这些国家开始使用保护关税的方式来抵制英国的自由贸易，要求共同瓜分世界的农业地区，引起了英国的反击，于是英国被迫放弃自由贸易，这时自由贸易就被帝国主义政策所代替。在考茨基看来，帝国主义只是资本主义国家所采取的一种特殊的政策，而不是资本主义发展的一个必然和特殊的阶段，即垄断阶段。他说：“帝国主义只是一个力量问题，而不是经济必然性问题。”[②]

考茨基从生产的比例性出发来揭示帝国主义产生的根源。考茨基认为马克思在考察资本的周转过程时，做了一个关于生产资料与消费资料的区分。认为为了能够使整个生产过程顺利进行，生产资料的生产与消费资料的生产之间要保持一定的比例，而且在既定的条件下这个比例是确定的，当技术条件与社会条件发生变化，这个比例也会发生变化。但是考茨基认为要对资本主义有新的认识，还要根据生产出来的物质特征将其做出工业产品与农业产品的区别。考茨基认为在工业和农业分离以前，“工业活动是农业活动的一部分。”[③] 单个的经济机体既是工业性又是农业性的。此时在经济机体的各成员之间可能已经进行分工。一些人照顾牲畜，一些人耕作，另一些人纺织，还有一些人把木材与金属加工成工具。这种分工仅仅局限于一定的范围之内。但是如果经营扩大，那么分工就会更好地发挥其在经济上的优越性，于是就形成了工业与农业的分离。但是要保证再生产过程不断进行下去就要依靠农业的对工业的不断供应。这里考茨基认为农业是整个生产过程的出发点。在工业活动进行之前，农业必须给工业活动提供原料和食品。农业对工业的供应有两种途径：一种是商品交

---

① ［德］卡尔·考茨基：《帝国主义》，史集译，生活·读书·新知三联书店1964年版，第2页。

② ［德］卡尔·考茨基：《民族国家、帝国主义国家和国家联盟》，何疆、王禺译，生活·读书·新知三联书店1963年版，第18页。

③ ［德］卡尔·考茨基：《帝国主义》，史集译，生活·读书·新知三联书店1964年版，第4页。

换，但前提是工业和农业之间保持一定的比例；另一种是不付报酬从农民手里拿走所需商品。两个部类之间的比例也存在被突破的危险，但是在简单商品生产中出现危险的形式很少。当资本主义的商品生产代替简单商品生产，才推动工业生产的迅速扩大。工业要得到大的发展，农业也必须用同样的规模来增加自己的人口和产品，还要和工业需求的增长相同的规模增加原料与食品的数量，而且相应地消费更多的工业产品，各个生产部按照恰当的比例生产，方能使生产过程得以顺利进行。但是资本主义的生产方式内部随着资本积累存在着突破这种比例的趋势。资本主义的生产方式使一定地区内的工业生产的发展产生了比起农业生产发展迅速得多的趋势。考茨基认为，这一方面成为促使周期性危机的重要原因。另一方面，资本主义工业的发展越强，为工业提供食品与原料的欲望也越强。工业和农业之间的比例失调可以通过两种方式表现出来，要么是生产过剩，要么是物价高涨。因此一个国家的资本主义工业倘若仅仅局限于它当初萌芽时的那个地区活动时，那么资本积累是不可能的。只有为工业服务的那个农业区域不断扩大的时候，工业中的资本积累才能够顺利地进行下去，资本主义才能够得以自由发展。帝国主义就是由于工业的高度发展而产生的一种不断地扩大为自己服务的农业区域的特殊的意图。为了证明帝国主义的这种意图，考茨基以自由贸易如何在英国资本主义工业中取得统治来说明帝国主义也是一种经济手段。他指出半个世纪以前，英国是世界的工厂，而世界是购买英国的工业产品并且向英国输送食品与原料的农业地区。所有参加者均有利可图的自由贸易是使农业地区按照英国工业所需要的规模发展的至高无上的手段。一个保持为农业国的国家，会在政治上而且多半在经济上逐渐衰退，在两方面都会丧失独立。所以，为了保持或者取得民族的独立，在国际资本主义领域内到处存在建立自己的资本主义大工业的目标。西欧国家以及美国东部各州以保护关税对抗英国的自由贸易。这些国家用大工业国对世界还没有被占领而又无力抵抗的农业地区的瓜分代替英国追求的在英国工业工场和所有其他地区农业生产之间的世界分工。为此英国要进行反击，于是自由贸易就被帝国主义所代替了。同时，资本主义工业国为扩大市场与原料的来源，在农业地区进行资本的输出，结果刺激了农业国本身的工业发展，引起竞争。为了确保资本输出的有利可图，资本主义工业国尽力使农业国仅仅从事农业生产，形成资本主义的工业国将农业地区当作殖民地加以征服。考茨基认为这就是帝国主义产生的最重要的根源。

考茨基的超帝国主义理论是建立在他对帝国主义的理解上的。在对帝国主义特征以及帝国主义产生根源的分析时，考茨基回避将帝国主义和金融垄断联系在一起。他认为资本主义工业民族进行扩张可以采取各种不同的形式，而帝国主义仅仅是这些形式中的一种特殊形式，或者说是一种政策。考茨基说："自由贸易在半个世纪以前，正像帝国主义在今天一样，被看成资本主义的顶峰"。① 所以，既然自由贸易作为一种政策能被帝国主义所代替，那么帝国主义也能够被另一种政策所代替。考茨基认为，帝国主义的殖民政策并不是解决发达资本主义国家工业和农业比例失调的最后的办法。"超帝国主义"代替帝国主义是"完全可以设想的"。这一点实际上是更隐蔽地也更危险地同帝国主义妥协。考茨基承认，帝国主义发展的结果：占领与奴役农业国家的要求会引起资本主义工业国家间的互相对立，这些对立促使资本主义工业国在陆军还有海军方面展开军备竞赛，最终引起世界大战的爆发，殖民地民族解放运动的加强，他说东亚以及印度的觉醒还有西亚以及北非的泛伊斯兰教运动都是这样的，甚至引起工业国无产阶级的反抗。但是考茨基认为，资本主义并不会因此就到了穷途末路。从纯粹的经济观点看，只要老的资本主义国家日益发达的工业还有促成农业生产相应的扩展的可能性，尽管这种扩展随着世界工业的日益提高以及未开发的农业地区的缩小变得越发困难，但是无论如何资本主义还是能够继续发展的，帝国主义并不是资本主义的垂死阶段。考茨基认为，如果帝国主义，即任何资本主义大国在同其他类似国家的对抗中扩大自己的殖民国家的意图，仅仅是促进资本主义扩张的许多手段之一的话，那么改变这种意图是完全有可能的。从纯粹的经济学观点出发，资本主义不是没有可能再经历一个新的阶段，那就是把卡特尔政策运用到对外政策的超帝国主义阶段。考茨基进一步认为，第一次世界大战可能导致的后果就是用帝国主义者的神圣同盟代替帝国主义，也就是可能会导致"超帝国主义"的产生。战争持续得越久，所有参战国越是精疲力竭而且对武装交锋的迅速重演而感到畏惧，世界也就越接近超帝国主义。

针对考茨基的"超帝国主义"理论，列宁在许多的著作中都进行了批判。列宁指出考茨基的"超帝国主义"理论是"一种最精致的、用科学观点和国际

① ［德］卡尔·考茨基：《帝国主义》，史集译，生活·读书·新知三联书店1964年版，第12页。

观点精心伪装起来的社会沙文主义理论”[①]。列宁认为“超帝国主义”在理论上是站不住脚的，指出了它的改良主义的实质，批判了考茨基关于建立国际垄断联盟削弱帝国主义国家之间的对抗，消除社会生活中危机与战争的论点。超帝国主义理论从实质上掩盖了垄断资本主义必然导致阶级矛盾的尖锐化，从而爆发社会主义革命，否定无产阶级反对资本斗争的必然性。列宁指出：“用卡特尔消除危机是拼命为资本主义涂脂抹粉的资产阶级经济学家的无稽之谈。”[②]他认为，这个观点在理论上是荒谬的，在实践上则是一种诡辩，是一种使用欺骗的方法替最恶劣的机会主义辩护的手段。资本主义社会中的“国际帝国主义”或者“超帝国主义”的联盟，无论形势如何，无论是一个帝国主义联盟去反对另一个帝国主义联盟，或是一切帝国主义强国结成一个总的同盟，都不可避免只会是前后两次战争中间的“暂时休战”。

## 二、反对和攻击十月革命

1917 年俄国爆发了十月革命，十月革命向世界宣告一个新的时代的开始，在世界范围建立了第一个无产阶级领导的社会主义国家，它开辟了人类历史的新纪元。社会主义从此实现了由理论到实践的巨大的飞跃。面对十月革命，考茨基担心自已丧失了在党内的威望，所以一直采取观望的态度，他以掌握的信息还存在缺点为由暂时不发表意见。1917 年 11 月 11 日考茨基发表了《布尔什维克的起义》一文，他对俄国无产阶级革命能够取得胜利表示怀疑。之后没多久考茨基对俄国事变的态度急剧转变，他将布尔什维克在消除反革命危害时所采取的坚决行动视为破坏民主的行为，明确站在了孟什维克的一边。1918 年 1 月初，考茨基发表了他的第一篇公开反对苏维埃俄国的文章《民主和专政》，他在这篇文章中建议布尔什维克将政权让出来，让给“其他拥有人民群众的民主分子”，即孟什维克等。他认为，倘若民主革命发生在一个还尚未有条件实行大多数人民专政的经济落后的国家，那么无产阶级专政的思想就要让位于民主的思想。《民主和专政》这篇文章立即受到了俄国孟什维克的称赞。

---

① 《列宁选集》第 2 卷，人民出版社 2012 年版，第 470 页。

② 《列宁选集》第 2 卷，人民出版社 2012 年版，第 595 页。

1918年5月，考茨基还要求德国独立社会民主党加强反对布尔什维克的宣传工作。但是他的号召未得到独立社会民主党的大多数党员的支持。而且独立社会民主党的一些领导人基于党内左翼的立场，试图阻止这场反布尔什维克的运动。当时担任党主席的哈阿兹在1918年8月6日写给考茨基的信中说："目前布尔什维克正在受到所有资本主义国家的压力，我认为进行反对布尔什维克的论战是严重的错误。"① 但是考茨基仍然不断地发表文章，对俄国十月革命和俄国的无产阶级专政进行着猛烈的攻击。1918年8月底，考茨基在维也纳出版了《无产阶级专政》一书，它是考茨基在无产阶级革命与国家问题上的修正主义理论的最完整的表述，对俄国十月革命和列宁主义进行了全面的诋毁与攻击。考茨基将十月革命定义为最后一次资产阶级革命，而不是第一次社会主义革命。他将十月革命比喻成一个怀孕的妇女在疯狂万分地猛跳，为的是将她无法忍受的怀孕期缩短并引起早产，而"这样生下来的孩子，通常是活不成的"②。

1919年6月考茨基写的《恐怖主义和共产主义》是继《无产阶级专政》之后的另一部攻击布尔什维主义的著作。他在书中攻击"布尔什维克为了取得政权，抛弃了自己的民主原则；为了保持自己的政权，接着又抛弃了自己的社会主义原则"③。他将布尔什维克说成是真正的机会主义者。列宁在1918年的《无产阶级革命和叛徒考茨基》一书中对考茨基攻击无产阶级专政进行了有力的批判。列宁揭露了考茨基关于资产阶级民主与无产阶级专政问题上的理论混乱与诡辩，有力维护了苏维埃无产阶级专政。同时列宁深入地分析了关于俄国革命中的一般的和特殊的、民族的与国际的等方面深刻的科学原理，论证了布尔什维克的经验、理论与实践中的一些基本的原则对于西方来说也具有适用性。

1930年考茨基发表了《陷入绝境的布尔什维主义》，进一步攻击无产阶级专政，充分表达了他对苏维埃国家的极端憎恨。考茨基提出，俄国进行社会主

---

① 转引自［苏］切尔涅佐夫斯基：《革命马克思主义者反对中派主义的斗争》，李宗禹、李兴耕译，中国人民大学出版社1988年版，第129页。

② ［德］卡尔·考茨基：《无产阶级专政》，何疆、王禺译，生活·读书·新知三联书店1973年版，第54页。

③ 中共中央马克思恩格斯列宁斯大林著作编译局资料室编译：《考茨基言论》，生活·读书·新知三联书店1966年版，第335页。

义革命是违反了马克思主义的“铁的规律”，只有资本主义高度发展，才有可能建立社会主义，而俄国不具备这样的条件。① 考茨基在这本书中公然主张推翻苏维埃政权，复辟资产阶级民主制度。

考茨基晚期攻击俄国的十月革命，主要的依据是俄国的经济还没有达到成熟的程度，不具备马克思所说的必要的物质条件。从这一点看，考茨基晚期无疑是犯了第二国际修正主义者普遍存在的庸俗“机械决定论”的错误。事实上，根据马克思的唯物辩证法，社会存在决定社会意识，但是社会意识也会反作用于社会存在，马克思强调人的主观能动性，历史的必然性是必须经过人的作用才成为事实的。所以社会主义代替资本主义是历史的必然，但是无产阶级要通过阶级斗争夺取政权，进而才能实现共产主义的目标。而且恩格斯晚年也明确经济因素并不是社会发展的唯一因素，强调社会意识对社会存在、上层建筑对经济基础的反作用。所以，考茨基关于社会主义“早产论”的症结就在于他完全放弃了马克思主义的唯物辩证法，只看到经济因素的决定作用，没有看到社会意识对社会存在、上层建筑对经济基础的反作用。

考茨基由早期的马克思主义者最终堕落成机会主义者，这种结果绝不是偶然的。考茨基后期思想也折射出第二国际的修正主义者一些共同的致命弱点，那就是将理论与实际割裂开来，主张以折中主义代替马克思主义的辩证法，否定马克思关于革命理论，在口头上宣称反对修正主义而实际上与其保持着暧昧的关系。他们运用诡辩术阉割马克思主义活的灵魂，他们宣称承认马克思主义的一切，但是却拒绝承认无产阶级革命和无产阶级专政。就如列宁曾经揭露的那样：“考茨基主义不是偶然现象，而是第二国际矛盾的社会产物，是口头上忠实于马克思主义而实际上屈服于机会主义的社会产物”。②

---

① ［德］卡尔·考茨基：《陷于绝境的布尔什维主义》，卜君、杨德译，生活·读书·新知三联书店 1965 年版，第 7 页。

② 《列宁选集》第 2 卷，人民出版社 2012 年版，第 523 页。

# 第五章 罗莎·卢森堡对伯恩施坦修正主义的批判及对马克思主义的理论贡献

罗莎·卢森堡（Rosa Luxemburg，1871—1919，以下简称卢森堡）[①]，波兰、德国和国际共产主义运动的杰出革命家，波兰和立陶宛社会民主党的主要领导人，德国共产党的创始人。1897 年移居德国，积极参加德国社会民主党的工作。19 世纪 90 年代末，对德国社会民主党内出现的伯恩施坦修正主义主张进行了全面而深刻的批判[②]，在德国社会民主党内和第二国际赢得广泛声誉。其批判伯恩施坦修正主义主张的著作《社会改良还是革命》，影响了同时代及后来的很多人，是引导他们走向马克思主义道路的主要指南。[③]卢森堡是一位具有独创性思想的马克思主义理论家，她既坚持马克思主义的基本立场和方法，尤其是历史唯物主义和马克思主义辩证法，强调运用马克思主义的基本立场和方法去分析现实问题，又不墨守成规、机械地照搬马克思主义创始人的各种理论观点，强调要对马克思主义创始人提出各种主张的具体的历史条件进行分析，要灵活掌握马克思主义创始人各种主张的精神实质。列宁称誉她是“无产阶级的、真正的马克思主义的杰出代表”[④]，卢卡奇则把她的《资本积累》和列宁的《国

---

① 关于卢森堡的出生年代，学术界存在一定的分歧，另一说法认为卢森堡出生于 1870 年 3 月 5 日。关于卢森堡这个姓氏，波兰文写法为 Luksemburg，德文写法则为 Luxemburg。关于卢森堡的名字，官方文书为 Rozalia，在私人交往中则为德文 Rosa 或波兰文 Rōża。参见程人乾：《罗莎·卢森堡》，人民出版社 1994 年版，第 1 页注释 ①。

② 伯恩施坦曾坦言，卢森堡的文章在方法上可以说是批判他的众多文章中的最好的著作。在 1899 年回应卢森堡的批判时，他再次强调，不是考茨基——他没有卢森堡那样的辩证能力，而是卢森堡反击了他，只有后者才具有这种能力。参见 Lelio Basso, Rosa Luxemburg, A Reappraisal,Translated by Douglas Parmëe, New York, Praeger, 1975, p.139。

③ J.P.Nettl, Rosa Luxemburg, Volume 1, New York, Oxford university Press, 1966, p.7.

④ 《列宁全集》第 39 卷，人民出版社 2017 年版，第 411 页。

家与革命》并称为“马克思主义的再生在理论上由以开始的两部基本著作”①。

## 第一节 对伯恩施坦修正主义的批判

从1896年10月到1897年6月，德国社会民主党内重要理论家爱德华·伯恩施坦在德国社会民主党的主要理论刊物《新时代》上陆续发表以《社会主义问题》为总标题的系列文章，公开主张对马克思主义理论进行修正。之后，伯恩施坦又不断地对其修正主义观点进行补充说明，并于1899年3月出版了系统宣扬其主张的《社会主义前提和社会民主党的任务》一书，从而在德国社会民主党和第二国际引起有关修正主义问题的激烈争论。

### 一、对《社会主义问题》的批判

当卢森堡于1898年5月迁居柏林时，这一年正好是德国选举年，德国社会民主党的整个工作重心都放在了这一大选上。为了尽快在德属波兰地区开展工人运动②，卢森堡积极地与德国社会民主党执委会取得联系，要求前往上西

① ［匈］卢卡奇：《历史与阶级意识》，杜章智等译，商务印书馆1999年版，第87页。

② 波兰在18世纪末被俄国、普鲁士、奥地利瓜分，其中俄瓜分的领土面积最大，达到原波兰领土的60%。三个国家所占波兰地区分别称为俄属波兰、德属波兰和奥属波兰。三个地区发展差异比较大，工人运动发展状况各不相同。卢森堡出生于俄属波兰小镇扎莫什奇(Zamość)，3岁时随父母迁居华沙。俄属波兰区的社会主义运动兴起得比较早，卢森堡在中学时期就参加了革命活动。在迁居柏林之前，卢森堡已经与战友们创建波兰社会民主党，从事领导波兰无产阶级运动的事业。由于沙皇政府的通缉，卢森堡在瑞士苏黎世大学完成博士论文后选择前往德国。德国社会民主党不仅是马克思主义创始人亲手指导创建的社会主义政党，具有丰富的斗争经验和较高的理论水平，而且它也是当时世界上最大的社会民主党，是一个拥有“百万人的大党”，特别是随着反社会党人法的取消，德国社会民主党在德国取得了迅速发展，影响力急剧增加。同时，对于卢森堡来说，德国也是吞并波兰领土的国家，德属波兰地区也存在工人运动发展的问题。卢森堡前往德国的一个重要原因，就是希望在德属波兰地区开展工人运动，继续为波兰无产阶级事业服务。

里西亚这一德属波兰地区进行宣传鼓动。也是在此时，她开始着手撰写批判伯恩施坦修正主义主张的文章。在1898年6月24日致约吉希斯（Leo Jogiches）的信中，卢森堡明确地把撰写反击伯恩施坦的文章列为两件重要事情之一。① 9月，文章基本完成。她将文章送交德国社会民主党的重要理论刊物《莱比锡人民报》。从1898年9月21日至28日，报纸分7次连载了卢森堡的这组文章，总标题就是《社会改良还是革命？谈谈伯恩施坦的一组文章：社会主义问题》。

卢森堡之所以迫切地要对伯恩施坦展开批判，这一方面是因为自伯恩施坦发表一系列修正主义主张以后，德国社会民主党内对修正主义主张的实质和危害缺乏充分的认识。比如号称马克思主义理论权威的考茨基对伯恩施坦的言论就没有作出应有的回击，导致修正主义主张在党内进一步泛滥。另一方面也是因为她从伯恩施坦的主张中看到了决定社会民主党性质和前途的根本问题，即社会民主党是选择社会改良还是选择社会革命。

社会改良和社会革命在社会民主党这里原本有着不可分割的联系，为社会改良而斗争是手段，社会主义革命则是目的。可是，在伯恩施坦那里，这两个要素却被割裂开来、并形成对立。伯恩施坦这种做法的实质“无非是劝大家放弃社会民主党的最终目的即社会主义革命，而反过来把社会改良从阶级斗争的一个手段变成阶级斗争的目的”②。其中，最能体现伯恩施坦这一实质的就是他在《崩溃论和殖民政策》一文中坦白的那段话，即“我对于人们通常所理解的‘社会主义的最终目的’非常缺乏爱好和兴趣。这个目的无论是什么，对我来说都是毫不足道的，运动就是一切”③。但是，在卢森堡看来，一个失去最终目的的工人运动将会失去无产阶级性质，而表现为小资产阶级性质。因为正是社会主义最终目的作为“唯一的决定性因素”，把社会民主主义运动同资产阶级民主主义和资产阶级激进主义区别开来，把整个工人运动从用以挽救资本主义制度的修补工作变为废除这个制度而进行的阶级斗争。所以，同伯恩施坦及其追随者辩论的问题，不是这种或那种斗争方式的问题，也不是这种或那种策略的问题，而是社会主义运动的存废问题。④

---

① Edited by Georg Adler, Peter Hudis and Annelies Laschitza, The Letters Of Rosa Luxemburg, Translated by George Shriver, New York, Verso, 2011, p.68.

② 《卢森堡文选》上卷，人民出版社1984年版，第71页。

③ 殷叙彝编：《伯恩施坦文选》，人民出版社2008年版，第68页。

④ 《卢森堡文选》上卷，人民出版社1984年版，第71页。

伯恩施坦反对最终目的，是因为他把最终目的看成是社会主义中的“空想因素”。他认为，那些坚持社会主义最终目的的人，为了偏袒理论而闭眼不看资本主义社会正在发生变化的现实情况。在《崩溃论和殖民政策》这一集中反映伯恩施坦修正主义主张的文章中，他用了大量的事例去论证资本主义社会并没有出现马克思曾分析的“大鱼吃小鱼”、中小企业在与大企业的竞争中纷纷破产的情况。同时，随着资本主义信用制度的灵活性、交通机构的完善、商业统计和情报机构的改进等，资本主义社会完全可以避免危机，资本主义崩溃变得不再是必然的。再加之资本主义正在表现为向社会主义的发展，社会主义革命也变得不再是必要的。总之，在伯恩施坦看来，从资本主义社会中存在着可以和平长入社会主义的现实的社会条件和基础，社会改良比社会革命更有可能实现社会主义。既如此，卢森堡要批判伯恩施坦的改良主张，就必须深入改良主张得以形成的现实的社会条件，从根源上去论证，资本主义社会中现实的社会条件和基础不仅无法保证通过社会改良去实现社会主义，而且还在现实中阻碍着社会主义的实现。

事实上，卢森堡的批判也的确遵循着这样的论证逻辑，她对伯恩施坦提出来的“资本主义适应论”、“通过社会改良实行社会主义”以及“资本主义国家发展成为社会”三种观点进行了全面而有力的分析和批判。

### （一）批判资本主义适应论

伯恩施坦认为，使资本主义经济能够适应的最重要的手段是信用制度、企业主的联合组织和改善了的交通工具。卢森堡对这一说法不以为然。她首先考察了信用在资本主义发展中的作用，认为信用在资本主义经济中有多方面的职能，其中最重要的就是增加生产力的扩张能力，充当交换的媒介和促进交换的进行。同时，信用作为商业信用加速了资本回到生产的时间，即加速了生产过程的整个循环。但是，信用本身并不能克服资本主义危机。这不仅因为危机是从生产的无限扩大同有限的消费能力之间的矛盾中产生的，而且因为信用的特殊职能一般说来不外是消除一切资本主义关系中的稳定性，把一切资本主义的能力变成高度能够扩展的、相互关联的、敏感的能力。因此，信用不仅无法克服这种矛盾，而且还会使得这种矛盾尽可能地经常发作。不仅如此，由于信用在一定条件下能够平衡资本主义经济的某种对立关系，消除或缓和它的某种矛盾，把原本受束缚的力量解放出来，从而还会加剧生产方式和交换方式、生产方式和占有方式以及财产关系和生产关系、生产的社会性和生产的私有性之间的矛盾，会使得这些矛盾发展到极端。“总而言之，信用把资本主义世界的一切主要矛盾复制出来，把它们引向荒谬绝伦的地步，它也暴露出资本主义世界本身的不足，加快了它走向自己灭亡（崩溃）的速度。”① 信用不仅不是一个适应手段，而且还是具有高度革命作用的革命手段。

伯恩施坦把企业主联合组织当成是对生产进行调整，从而可以结束无政府状态、防止危机的一种适应手段。可是在卢森堡看来，只有当卡特尔、托拉斯等企业主联合组织已经成为包罗万象、垄断一切生产的时候才具有这种可能。而问题就在于卡特尔等企业主联合组织自身的性质就排斥了这种情况的发生。因为卡特尔组织并不能消除竞争，它无法形成对所有生产领域的垄断，它还必须与其他卡特尔等组织进行竞争。这种竞争无论是在国内还是在国际都是客观存在的，并且更加激烈，也会形成更大的无政府状态。“整个说来，卡特尔同信用一样，也是一定的发展阶段，它们归根结底只能使资本主义世界的无政府状态更为加剧，使它的一切内在矛盾暴露出来并趋于成熟。它们使生产方式和交换方式之间矛盾尖锐化，因为它们把生产者和消费者之间的斗争推到了极端。其次它们使生产方式和占有方式之间的矛盾尖锐化，因为它们使组织起来的资本的优势力量同工人阶级对立起来，因而使资本和劳动之间的对立以最尖锐的方式加剧起来。”② 更何况，卡特尔等组织的国际性竞争会使资本主义世界经济的国际性和资本主义国家的民族性之间的矛盾尖锐化，使普遍的关税战争成为必然伴随的现象，从而使各个资本主义之间的对抗达到极端。

如果信用和企业主联合组织都不能作为适应手段去消除资本主义经济的无政府状态，那么，资本主义世界怎么会在 20 年的时间里没有再发生普遍的商业危机呢？③ 伯恩施坦主张资本主义适应论，一个重要理由就是马克思曾经揭示的资本主义每隔 10 年就会周期性出现的经济危机在过去 20 年里没有再发生。因此，卢森堡必须对资本主义经济危机进行深入的分析，以便说明事实并不像伯恩施坦所理解的那样。

卢森堡首先纠正传统上关于资本主义经济危机的一个误解，即把资本主义

---

① 《卢森堡文选》上卷，人民出版社 1984 年版，第 81 页。

② 《卢森堡文选》上卷，人民出版社 1984 年版，第 84 页。

③ 卢森堡这里是指从 1873 年到 1900 年这 20 年间资本主义世界处于一个普遍繁荣发展时期。

经济危机视为资本主义经济“年老体弱的表现”。她通过对1825年以来历次比较大的经济危机进行考察后发现，到现在为止，引起商业危机的原因，每一次都是因为资本主义经济范围的突然扩大，而不是因为它的活动范围的缩小，也不是因为它的力量已经用尽，到目前为止发生的国际性危机10年一个周期，这纯粹是表面的、偶然的现象。把10年周期作为马克思关于资本主义经济危机的固定图式，这既是对资本主义经济危机发生规律的误解，也是对马克思关于资本主义经济危机理论的误解。马克思关于资本主义经济危机的贡献不在于告诉人们资本主义经济危机什么时候、以什么形式出现，而在于揭示“一切危机的内在结构和它们的深刻的一般原因”①。在卢森堡看来，信用制度和企业主联合组织事实上正在加速资本主义经济危机的到来，并且这种危机一旦爆发，其表现形式也会不同于之前年青时期的资本主义的危机形式。

### （二）批判通过社会改良实行社会主义的主张

伯恩施坦主张通过工会、社会改良和国家的政治民主化来逐步实现社会主义。② 那么，这是否行得通呢？卢森堡的回答显然是否定的。她首先分析了工会的性质、作用和功能。卢森堡认为，工会给无产阶级提供的服务就在于使无产阶级能够随时为了自己的利益利用市场的行情。工会在最好的情况下也只能让资本主义剥削在当时“正常”的界限内进行，但决不能取消这种剥削，哪怕是逐步地取消也做不到。更何况，工会不可能影响和决定商品的生产。如果要影响商品生产，势必要求工会和企业主联合起来共同反对消费者，这本身就是反动的。同时，从技术和劳动的对立来说，工会影响商品生产只会使它反对技术革新，从而成为提高生产力的反对者。所以，“工会的活动主要限于进行工资斗争和缩短劳动时间，也就是说，仅仅限于根据市场状况来调节资本主义剥削。至于影响生产过程，按照事物的本质来看，这仍然是工会不可能做到的。”③ 这样，企图通过工会去改变资本主义生产关系、实现社会主义也就不得不成为泡影。

---

① 《卢森堡文选》上卷，人民出版社1984年版，第86页。

② 卢森堡在这里不仅批判了伯恩施坦，而且也批判了康拉德·施米特（Konrad Schmidt）及其主张。因为卢森堡认为，伯恩施坦对施米特“连一句不同意的话都没有说”，完全可以把二者联系起来考察。参见《卢森堡文选》上卷，人民出版社1984年版，第90页注释①。

③ 《卢森堡文选》上卷，人民出版社1984年版，第92页。

伯恩施坦曾宣称“一部好的工厂法可以比一整批工厂的国有化包含更多的社会主义”[①]。其意是说，工厂通过引进社会监督可以对资本进行限制以便实现社会主义。卢森堡质疑这里的“社会监督”中的“社会”到底指什么？在资本主义社会中，谁能代表社会？显然，只能是资本主义国家。因此，她批评伯恩施坦和施米特是“悄悄地”把国家偷换成社会，以为这样就可以消除资本主义国家是资产阶级统治工具这一实质。反之，卢森堡认为，资本主义社会所安排的“社会监督”，不可能是自由劳动者的社会对自己的劳动过程的监督，而只会是资本的阶级组织对资本的生产过程的监督。如此一来，资本的利益，也就是社会改良的自然界限，即资本不可能通过消灭自身来实行社会改良。更何况，通过社会改良逐步实行社会主义，是以一定的客观发展为先决条件的，这些条件既包括资本主义所有制的发展，也包括国家的发展。而卢森堡在对资本主义所有权关系的历史发展进行详细考察后得出的结论却是“生产过程越是社会化，分配过程就越是建立在纯粹交换基础上，私有制就越是神圣不可侵犯和具有排他性”[②]。在股份资本和工业信用资本的形式中，资本主义所有权达到充分成熟。这也意味着，伯恩施坦和施米特幻想的通过社会监督来逐渐剥夺资本家的私人财产权的主张根本就是空中楼阁，不具有现实性。

### （三）批判资本主义国家发展成为社会的幻想

在 19 世纪后半叶，西欧发达资本主义国家纷纷出现政治民主化的趋势，国家也从亚当・斯密时期的所谓“守夜人”角色向承担起更多公共服务职能这一角色转变。这些使得伯恩施坦和施米特等人以为资产阶级的国家利益正在与整个社会的利益相一致，资产阶级国家在向社会发展。卢森堡并不否认 19 世纪后半叶资本主义国家在职能方面发生了重要变化，使得国家为了社会发展的利益担负了各种具有共同利益的职能。但是，这仅仅是因为这些利益和社会发展同整个统治阶级的一般利益相符合。也就是说，资本主义国家愿意承担起社会利益，仅仅是因为维护和发展这些社会利益也符合其自身的利益和需要。资产阶级国家的实质即维护居于统治地位的资本家阶级整体利益这一点没有发生任何变化。

---

① 殷叙彝编：《伯恩施坦文选》，人民出版社 2008 年版，第 68 页。

② 《卢森堡文选》上卷，人民出版社 1984 年版，第 95 页。

在这里，卢森堡继承了马克思主义创始人的有关思想，即资产阶级国家需要承担起双重功能，既要维护资产阶级统治的整体利益，又要为了能够更好地维护资产阶级统治而不得不履行一些必要的社会的公共的职能。不过，卢森堡结合 19 世纪后半叶资本主义国家发展情况，更加清楚地认识到资本主义国家这两种功能存在彼此分离、矛盾日益尖锐化的趋势。“国家同资产阶级一样，在政策上同社会发展处于对立的地位，因而它日益丧失整个社会代表的性质，在同一程度上，它日益变成纯粹的阶级国家，或者说得确切些，国家的两种特性彼此分离了，矛盾尖锐化了，日益发展成为国家本质内部的矛盾。而且这种矛盾将越来越尖锐化。因为，一方面，国家的一般职能、国家对社会生活的干预、国家对社会生活的‘监督’增长了。但是，另一方面，它的阶级性质总是迫使它把它的活动重点和力量手段放在只对资产阶级的阶级利益有用而对社会只有消极意义的领域，即放在军国主义、关税政策和殖民政策上。”①

资本主义国家这两种功能的矛盾同样也体现在伯恩施坦寄予厚望的政治民主化方面。固然，从形式上看，民主制是用来在国家组织中表现整个社会利益的。但是，它所表现的仍只是资本主义利益起决定作用的社会。因此，就形式说是民主组织，就内容来说变成了实现和维护统治阶级利益的工具。这一点极其明显地表现在下述事实上：只要民主制一有否定阶级性质、变成事实上的人民利益工具的倾向，民主形式本身就会被资产阶级和它的国家代表所牺牲。所以，就民主制整体来说不像伯恩施坦所设想的那样，是逐渐渗透到资本主义社会中的直接的社会主义因素，相反，它是使资本主义的对立趋于成熟和发展起来的特殊手段。如果结合前面关于资本主义私有制的发展趋势，那么就可以得出这样的结论：作为资本主义政治组织的国家和作为资本主义权利组织的所有权关系，随着发展越来越成为资本主义的，而不是越来越成为社会主义的。它们向逐步实行社会主义提出了两个不可克服的困难。

当然，卢森堡批判伯恩施坦把工会、争取社会改良和政治设施民主化作为实现社会主义的手段，决不是说卢森堡反对当时的德国社会民主党采取这些斗争手段。这里的关键就在于：在卢森堡看来，工会斗争和政治斗争的社会主义意义就是为了实现社会主义，把无产阶级即社会主义革命的主观因素准备好，而按照伯恩施坦的观点，它们的社会主义意义却在于，工会斗争和政治斗争可

① 《卢森堡文选》上卷，人民出版社 1984 年版，第 99—100 页。

以逐步限制资本主义剥削本身，去掉资本主义社会的资本主义性质，赋予它社会主义性质，即在客观的意义上实现社会主义变革。卢森堡在这里实质上已经揭示出一个在当时德国社会民主党内甚至第二国际内存在严重分歧的问题，即如何看待工会斗争和议会斗争等日常斗争在无产阶级运动中的地位，以及它们与最终目的之间的关系。以伯恩施坦为代表的一派显然把日常斗争视为实现社会主义的直接手段，从而大大提高了日常斗争的地位，把日常斗争与最终目的混淆起来，而卢森堡显然把工会斗争和议会斗争看成是教育工人阶级和提高工人阶级阶级意识的手段，它们本身不能作为实现社会主义的直接手段，从而强调日常斗争的局限，把日常斗争与最终目的区分开来。“社会主义决不是在任何环境下自发地从工人阶级的日常斗争中产生出来的，它的产生是资本主义矛盾日益尖锐化的结果，也是工人阶级认识到绝对必须用革命手段来消灭这些矛盾的结果。”①也就是说，卢森堡认为，社会主义恰恰是建立在阶级矛盾激化和由此导致的无产阶级革命的基础上。

如此一来，伯恩施坦与卢森堡的分歧就不是采取什么手段的问题，而是把社会主义的实现建立在阶级矛盾的调和基础上还是建立在阶级矛盾的冲突基础上这样一个问题。对此，卢森堡有着清晰的认识。她承认伯恩施坦在理论上也和马克思的观点一样，是以阶级矛盾的存在为前提并以此为出发点的。可是问题就在于，伯恩施坦不愿意让矛盾发展到完全成熟，通过革命的突变在矛盾的尖端消灭矛盾，而是宁愿折断矛盾的尖端，缓和矛盾。所以，卢森堡批判道：“伯恩施坦的策略根本不是建立在资本主义矛盾的进一步发展和尖锐化上面，而是建立在矛盾的缓和上面。”②这可以说是卢森堡与伯恩施坦看待问题方式上的根本区别，或者说是阶级立场的区别，即卢森堡立足于无产阶级的立场，主张无产阶级在阶级斗争中实现彻底的解放，而伯恩施坦则站在小资产阶级立场，幻想通过缓和阶级矛盾去获取一时的眼前利益。

除此之外，伯恩施坦是打着尊重事实的旗号提出修正主义主张的。对于信用制度、企业主联合会等事实，如何看待它们及其发展趋势和意义，这不仅取决于一定的立场，也取决于一定的方法。在卢森堡看来，伯恩施坦之所以对这些现象做出错误的分析和判断，这是与“他的机械的、非辩证”的理解方法紧

① 《卢森堡文选》上卷，人民出版社 1984 年版，第 105 页。
② 《卢森堡文选》上卷，人民出版社 1984 年版，第 106 页。

密相关的。卢森堡着重批判了伯恩施坦这样一种非辩证的方法，即“把它所研究的一切经济生活现象，不是放在它们对整个资本主义发展的有机部分去理解，不是放在它们同整个资本主义的经济机构的关联上去理解，而是把它们从这些联系中割裂开来，当作独立的存在，当作一部死机器的拆散的零件”[①]。也就是说，伯恩施坦看问题的方式完全是静止的、孤立的和片面的，把各种社会现象与整个社会关系割裂开来，只见树木、不见森林。这种方式与伯恩施坦看待资本主义危机的另一种方式其实是一致的，即站在单个资本家的角度去看待资本主义危机，从而把资本主义危机从资本主义关系中剥离出来，既看不到资本主义危机的积极意义，也看不到资本主义危机的消极意义。这是卢森堡首次对伯恩施坦的非辩证的方法进行批判。

## 二、斯图加特党代表大会上与修正主义的斗争

卢森堡的文章发表后，立即引起了强烈的反响。接着，在《萨克森工人报》[②]上，她继续就德国社会民主党的战略和策略等问题与各种修正主义主张进行论战。因为10月3日德国社会民主党将在斯图加特召开党代表大会。作为党的最高权力机关，代表大会可以对党的战略和策略等一系列重大问题做出有约束力的决议。卢森堡作为第一次参加党代表大会的“新兵”，她必须积极主动地出击，继续揭示修正主义的实质和危害，希望借助于代表大会使得全党在关于党的一些基本问题上“表示态度”。在代表大会召开前夕，卢森堡不仅明确反对那种为了眼前的现实利益而牺牲党的基本原则的做法，强调“我们不能从我们的立场上后退一步”[③]，而且她还明确要求代表大会把“关于我们的一般策略”问题作为重点来讨论。这与社会民主党总执行委员会试图避免公开讨论修正主义主张形成鲜明对比。

1898年10月3日至8日，斯图加特代表大会如期召开。尽管社会民主党

---

① 《卢森堡文选》上卷，人民出版社1984年版，第107页。

② 卢森堡于1898年9月底担任《萨克森工人报》的主编，后因与编辑部其他成员在报纸方向上产生严重分歧，被迫于1898年11月初辞去主编职务。

③ 出自《机会主义和可能的艺术》，参见https://www.marxists.org/archive/luxemburg/1898/09/30.htm。

的领导层没有接受卢森堡要求将伯恩施坦问题列入大会的讨论议程这一主张，但是在讨论执委会工作报告时，倍倍尔（August Bebel）宣读了伯恩施坦从英国发来的致代表大会的书面报告。在这份类似“声明”的报告中，伯恩施坦坚持自己先前发表的主要观点，强调自己并没有放弃无产阶级夺取政权这一最终目的，只是反对资本主义灾变论以及基于这一结论制定出的各种不切实际的斗争策略。① 同时，党内修正主义分子也借这个机会为自己的主张进行辩护，并对批判修正主义的观点进行反驳。党内资深领导人格·福尔马尔（Heinrich Georg Vollmar）更是点名批评卢森堡，指责其结论“大部分不过是骗人的结论”。② 卢森堡在这次代表大会上作了两次集中发言，进一步强调最终目的的重大意义。

当时德国社会民主党内普遍存在一种认识，即把伯恩施坦对最终目的的观点看成纯理论问题，从而主张不要进行过多的讨论。卢森堡在发言中首先就指出：最终目的问题不仅不是一个抽象的、与实际斗争脱节的理论问题，而且是最实际的问题。“对于我们这样一个革命的政党、无产阶级的政党来说，没有比关于最终目的的问题更加实际的问题了。”③ 这是因为工人阶级所从事的诸如工会斗争、争取社会改良的斗争和争取资本主义国家民主化的斗争等这些日常活动，本身还不具有社会主义性质。除了社会主义政党和派别积极从事这些活动之外，其他非社会主义的政党和派别也在从事这些活动。这些斗争既可以为社会主义服务，也可以为其他主张服务。真正使得这些日常斗争和活动具有社会主义性质的就是最终目的，或者说，正是最终目的赋予了工会斗争、社会改良等日常斗争以社会主义性质。所以，卢森堡自问自答道：“那么在日常斗争中使我们成为社会主义政党的东西是什么呢？这只能是这三种形式的日常斗争同最终目的的关系。只有最终目的才构成我们社会主义斗争的精神和内容，并使这一斗争成为阶级斗争。”④ 当然，卢森堡也在发言中针对海涅（Wolfgang Heine）等人曲解最终目的的含义，对最终目的做了进一步明确，这里的最终

---

① 《德国社会民主党关于伯恩施坦问题的争论》，生活·读书·新知三联书店 1981 年版，第 38—42 页。

② 《德国社会民主党关于伯恩施坦问题的争论》，生活·读书·新知三联书店 1981 年版，第 28—30 页。

③ 《卢森堡文选》上卷，人民出版社 1984 年版，第 41 页。

④ 《卢森堡文选》上卷，人民出版社 1984 年版，第 42 页。

目的不是指关于未来国家的这种或那种设想，而是指在建立一个未来社会之前必须先解决的问题——夺取政权。修正主义者相信，资本主义的无政府状态可以通过工会斗争之类的手段来消除。可是，在卢森堡看来，资本主义社会内部不存在医治资本主义无政府状态的灵丹妙药，资本主义社会陷入了无法解决的矛盾，这种矛盾最后必然要引起爆炸和崩溃。无产阶级夺取政权，这不仅是实现社会主义的需要，也是资本主义社会矛盾发展的必然结果。

斯图加特大会虽然强调不接受伯恩施坦修正主义主张，可是大会也没有作出任何批判伯恩施坦及其追随者的决议。会后，卢森堡在自己担任主编的《萨克森工人报》上发表文章，回顾了这次代表大会。文章梳理了自 1868 年爱森纳赫时期以来有关策略问题的历次争论。这些争论概述起来分为两个阶段：一个是从 1868 年到 1891 年，这一时期社会民主党内的策略争论主要是围绕议会政治问题展开的。由于当时广大无产阶级群众还没有选举权，德国社会民主党也因为反社会党人法而处于非法状态，因此党内关于议会政治问题的争论不能通过辩论解决，只能通过事实获得解决。1890 年反社会党人法的取消以及随后社会民主党在大选中取得的辉煌胜利，使得质疑革命的议会政治策略的主张趋于消失。但是，自 1891 年以来相反方向上的斗争又立即开始了，党在合法的议会政治斗争中走向另一个极端，即过高估计建设性的改良工作，从而产生机会主义的倾向。卢森堡认为，这种机会主义倾向在爱尔福特党代表大会上就已经出现，并且一出现，就比先前反对革命的议会政治策略的无政府主义主张危害更大。如果说无政府主义理论每天都受到党的实际成果即事实本身的迎头痛击，因而只有毫无头脑的人才会死抱住无政府主义的幻想不放，那么机会主义观点的情况却恰恰相反，“表面上看来它们好像每天都被那些事实所证实”。① 因此，要驳倒这些观点，只能依靠党的明确的认识。另外，与修正主义的斗争对党的理论修养和策略修养所提出的要求，也是同无政府主义进行斗争时所无法比拟的。也正因如此，卢森堡对修正主义在党内的泛滥是比较忧虑的，尽管她也清醒地认识到：从党诞生时起，日常的实际斗争同最终目的的关系就是一个有关党的生死存亡的问题，直到最后也将始终如此，并且只要党还存在和发展着，这个问题就不会一劳永逸地得到解决，一定会一再以新的形式出现。

① 《卢森堡文选》上卷，人民出版社 1984 年版，第 49 页。

## 三、对《社会主义的前提和社会民主党的任务》的批判

应该说，卢森堡并不满意于倍倍尔和考茨基在斯图加特党代表大会上对伯恩施坦问题的态度。因为倍倍尔和考茨基没有很好地利用党代会的有利氛围对伯恩施坦修正主义主张进行反击，他们要求全党推迟讨论伯恩施坦问题，以便后者发表一个小册子对其观点进行更加清晰和系统的阐明。① 不过，既然伯恩施坦在考茨基等人的建议下计划出小册子系统阐述其观点，那么，卢森堡也就准备以系列文章相应地做出回应，并且希望她对伯恩施坦的批判文章能够尽快地随后者的小册子的出现而获得发表。②

1899年4月初，即在伯恩施坦出版《社会主义的前提和社会民主党的任务》一个多月后，卢森堡连续在《莱比锡人民报》第76—78期上发表文章，对前者的观点进行分析和批判。这部分文章后来也收入到《社会改良还是革命》中，成为其第二部分的内容。在这些文章里，卢森堡还像以前那样，不仅深入分析和批驳伯恩施坦的观点和结论，更对其分析问题的方法和立场进行了揭示和批判。伯恩施坦的修正既是对马克思主义理论观点的修正，更是对马克思主义方法立场的修正。在卢森堡看来，理论观点和方法立场始终是一个整体，不可分割。当然，伯恩施坦在《社会主义的前提和社会民主党的任务》一书中涉及的内容比较多，卢森堡并没有一一进行批驳，而是选取了其中一些比较重要的主张进行分析和批判。

### （一）批判伯恩施坦对股份公司的认识，捍卫马克思的劳动价值学说

伯恩施坦引用了英、德两国有关股份公司发展的统计材料，一方面试图表明资本主义中小企业并没有在竞争中破产、反而通过股份制获得与大企业的同样发展，另一方面则试图说明随着股东人数的增加，资本家不是减少了，而是越来越增加了。对此，卢森堡认为，股份公司的增加只是意味着在资本主义形式上生产社会化向前发展了，不仅大生产社会化，中等的甚至小生产也社会化

---

① Edited by Georg Adler,Peter Hudis and Annelies Laschitza,*The Letters of Rosa Luxemburg*,Translated by George Shriver, New York, Verso, 2011, p.89.

② Edited by Georg Adler,Peter Hudis and Annelies Laschitza,*The Letters of Rosa Luxemburg*,Translated by George Shriver, New York, Verso, 2011, p.97.

了，这与马克思关于资本主义生产集中的理论是一致的。其次，股份制把许多小的货币资本联合成一个生产资本，联合成一个经济单位，同时使生产和资本所有权脱离，这两个方面都使得股份制在一定意义上克服了资本主义生产方式，但是这种克服并不是资本主义生产方式的扬弃，股份公司仍然站在资本主义的地基上，为资本主义生产方式所支配。至于股东的增加带来资本家的增加，这又能说明什么呢？这只不过说明，现在一个资本主义企业不像过去那样相当于一个资本所有者，而是相当于大批的、人数不断增加的资本所有者，因而“资本家”这个经济概念不再是指“人”。今天的资本家是一个集体，是由几百甚至几千人组成的，“资本家”这个范畴本身在资本主义经济的框框里变成社会范畴即资本家也社会化了。在这里，卢森堡重点批判了伯恩施坦对资本家的理解。因为后者理解的资本家不是一个生产的范畴，而是一个所有权的范畴；不是一个经济单位，而是一个纳税单位，其理解的资本，也不是一个生产整体，而是一个简单的货币财产。如此一来，伯恩施坦就把资本家这个概念从生产关系搬进财产关系中，从而“把社会主义从生产范围搬进财产关系范围，从资本和劳动的关系搬进贫与富的关系中去了”[①]。这就说明，伯恩施坦的经济学观点深受庸俗经济学的影响，对马克思主义政治经济学的理解暴露出“惊人的混乱”。

也因此，伯恩施坦就不能理解马克思主义政治经济学，尤其是不能理解马克思主义政治经济学的基石即劳动价值理论。在《社会主义的前提和社会民主党的任务》一书中，伯恩施坦直言不讳地指出，马克思的劳动价值与庸俗经济学的边际效用价值一样，都以现实的关系为基础，但却建筑在抽象上面。换言之，伯恩施坦把马克思的劳动价值看成是一种纯粹的思维抽象，否定劳动价值的客观存在。卢森堡承认，马克思提出的社会劳动以及在此基础上形成的商品价值是一种抽象，但问题是，马克思的抽象不是一种发明，而是一种发现，它不存在于马克思的头脑中，而存在于商品经济中，它不是想象的东西，而是一种现实的社会存在，现实到可以拿来剪裁、捶打、称量和模压。马克思发现的抽象人类劳动，其发达形式不是别的，正是货币。[②]在卢森堡看来，伯恩施坦之所以对资本主义经济现象缺乏理解，根源还是他没有用历史的观点去观察资

---

① 《卢森堡文选》上卷，人民出版社 1984 年版，第 113 页。

② 《卢森堡文选》上卷，人民出版社 1984 年版，第 116 页。

本主义经济，没有把整个资本主义经济当作一个历史现象来理解，或者从立场上说，没有把社会主义的立场作为对资本主义社会进行科学分析的出发点。因此，伯恩施坦就不可能真正理解资本主义经济的“象形文字”，不可能理解对这种“象形文字”进行科学揭示的马克思主义政治经济学。

### （二）批判伯恩施坦的社会改良主张，论证无产阶级革命的必要性

卢森堡认为，伯恩施坦的社会改良主张归结起来就两点：工会和合作社。这种主张认为，通过工会或者说通过经济民主就能抓工业利润，而通过合作社就能抓商业利润，如此就能实现对资本主义经济的彻底改造。可问题是，无论是工会，还是合作社，它们都无法实现社会主义。因为工会仅仅是工人阶级对资本主义经济的下降趋势实行的防卫手段，它根本不能保证工人对生产过程施加影响，更别说去控制资本主义生产过程并对其进行社会主义改造。而对于合作社，无论是消费合作社，还是生产合作社，它们在本质上都是资本主义生产和交换条件下的一种小规模的社会化生产，不可能脱离资本主义生产和交换条件而单独存在和发展。这里的关键就在于，卢森堡是从社会总体角度看待和分析合作社，从而把合作社视为资本主义生产关系这个社会总体条件下的一个生产组织，其生存和发展必然受资本主义生产关系的支配，否则，势必趋于瓦解。为了说明这一点，卢森堡以生产合作社为例，指出在资本主义生产体系下，即便是工人生产合作社，为了生存，也必须用完全必要的专制制度来管理自己，对自己行使资本主义企业家的作用。如此一来，生产合作社“要末变成资本主义企业，要末在工人利益居于统治地位时就得瓦解”①。

可见，伯恩施坦提出的改良手段即合作社和工会，对于改造资本主义生产方式来说，是完全无能为力的。其实伯恩施坦也模糊地认识到这一点，可是他总是幻想通过合作社和工会来分享一些资本主义利润，从而通过使工人致富的手段实现社会主义。而当他这样主张时，其实也就放弃了同资本主义生产的斗争，转而把矛头对准了资本主义分配。也因此，伯恩施坦强调公平分配的重要性，强调把贫富关系作为社会主义的社会基础，把合作“原则”作为社会主义的内容，把“公平分配”作为社会主义的目的，把公平观念作为唯一的历史身份证，提出一种伦理社会主义观。“社会民主党想通过消灭资本主义生产方式

---

① 《卢森堡文选》上卷，人民出版社1984年版，第119页。

带来社会主义分配，而伯恩施坦的方法则相反，他想同资本主义的分配作斗争，并且希望通过这条道路逐步带来社会主义的生产方式。”[①]这样，伯恩施坦也就不可避免地从马克思倒退到了魏特林（Wilhelm Weitling），陷入空想社会主义泥塘中而无法自拔。

可问题还不止于此，伯恩施坦之所以把工会和合作社看成是社会改良的经济支柱，其中有一个重要的政治前提即民主不断向前发展。他认为，民主是现代社会发展的一个不可避免的阶段，无产阶级作为人数上占大多数的群体，必然会运用民主制来实现社会主义。对此，卢森堡着重阐述了两个观点：1. 资本主义与民主没有必然的联系。民主制的出现要远远早于资本主义社会，而资本主义社会也只是在需要的时候才发展民主制。德、法、俄三国的政治发展历程无不说明这一点。“在资本主义发展和民主之间不可能建立内在的绝对的联系。无论什么时候，政治形式都是国内外政治因素的总和的结果，在政治范围内，可以有一切层次，从专制君主到最民主的共和国。”[②]资本主义民主的发展，与其说是资本主义社会发展的必然产物，不如说是内部各种政治力量尤其是无产阶级和资产阶级之间斗争的结果。2. 社会主义运动才是民主制的唯一支柱。资产阶级只是把民主作为阶级统治的工具，有用时就利用它，没用或者自身受到民主制威胁时就抛弃它。前者充分体现在资产阶级运用民主制从封建贵族手中夺取政权，建立起资本主义社会秩序，而后者则充分体现在资产阶级想方设法阻止无产阶级运用民主制维护自己的利益和不断发展壮大。所以，伯恩施坦把社会主义的命运寄托于资本主义民主的发展，这刚好本末倒置。事实是社会主义工人运动今天是而且能够是民主制的唯一支柱，“不是社会主义运动的命运取决于资产阶级民主制，倒是民主制发展的命运取决于社会主义运动；民主的生命力不是随着工人阶级放弃解放斗争的程度而增强，而是随着社会主义运动为反抗世界政策和资产阶级背叛自己旗帜的行为的反动后果所进行的斗争的充分强大程度而增强；谁希望民主制强大，谁就得希望社会主义运动强大，而不是希望它削弱，放弃了社会主义的斗争，也就放弃了工人运动，放弃了民主制。”[③]总之，社会主义运动与民主的发展才是高度一致的。

---

① 《卢森堡文选》上卷，人民出版社 1984 年版，第 123 页。

② 《卢森堡文选》上卷，人民出版社 1984 年版，第 125—126 页。

③ 《卢森堡文选》上卷，人民出版社 1984 年版，第 128 页。

那么，这是否意味着民主制的发展可以取代无产阶级革命或者说使无产阶级夺取政权变得多余和不必要呢？伯恩施坦一再强调无产阶级要争取民主，并通过民主来实现社会主义，从而有意或无意地把争取民主这种改良手段与夺取政权这种革命手段对立起来，认为改良就是好的，革命就是坏的。卢森堡认为，社会改良还是革命本身无所谓好和坏，只有小资产阶级才会在世界的一切事物中总是看到“好的”和“坏的”方面。改良和革命是阶级社会发展中的不同要素，既是相互制约和相互补充，同时又相互排斥。就前者说，合法的改良总是为上升阶级的逐步巩固服务的，直到它感到已经成熟到足以夺取政权，推翻整个现存的权利体系，建立新的体系为止。而就后者来说，改良与革命具有本质的不同。“社会革命和合法改良是不同的要素，不是时间长短不同，而是本质不同”。① 因为改良终究是在现存社会秩序下的合法行动，它不是要建立一个新的社会制度，而只是要在旧制度中作些量的变动。革命则不同，它是阶级在政治方面的创造行为，其全部秘密正在于由单纯的量变为新质，具体地说，在于从一个历史时期、一个社会制度过渡到另一个历史时期、另一个社会制度。

当然，卢森堡强调社会改良和革命之间的本质区别，并不是要否定社会改良在社会主义运动中的作用。在她看来，社会改良能够为无产阶级夺取政权积累力量和准备条件，或者说，改良是为革命做准备。这一点集中体现在她对资本主义民主制的地位和作用的论述上。她认为，资本主义民主制是必要的和不可缺少的，不仅因为它创立了诸如自治、选举权等各种政治形式，在无产阶级改造资本主义社会时可以给它充当跳板和支撑点，而且因为无产阶级只有在民主制中，在为民主制而斗争中，在运用民主权利中，才能意识到自己的阶级利益和自己的历史使命。所以，在那些还没有实现资本主义民主的国家争取资本主义民主制，在那些已经实现资本主义民主制的国家继续扩大这种民主制，以及积极运用这种民主制来为无产阶级运动服务，这对于无产阶级运动及其革命是至关重要的。

同时，资本主义社会的特殊性也决定了伯恩施坦的改良主张不可能实现社会主义。在卢森堡看来，资产阶级的统治不是以“既得权利”为依据，而是以实际经济关系为依据，雇佣劳动制度不是一个权利关系，而是一个纯粹的经济

---

① 《卢森堡文选》上卷，人民出版社 1984 年版，第 130 页。

关系。在资本主义法律制度中，根本找不到阶级统治的法律规定，反之，它表现出来的还是法律平等和自由。资本主义制度的秘密就在于：强迫无产者接受资本奴役的，不是法律，而是贫困，是缺乏生产资料。雇佣关系内部的剥削，同样也不是以法律为依据的，而是依据纯粹的经济事实，即劳动力作为商品，它除了具有其他特性外，还有一个令人满意的特性，就是它能生产价值，并且生产的价值比它自己消耗的价值还多。正因如此，资本主义阶级统治的一切基本关系是不能在资产阶级基础上用合法改良的手段来改造的。这些关系既不是由资本主义的法律带来的，也不是从这些法律中获得形式的，结束资本主义阶级统治，只能求助于无产阶级革命及其专政。

### （三）揭示伯恩施坦修正主义的内在逻辑，坚持马克思主义理论与实践的统一

卢森堡认为，伯恩施坦修正社会民主党的纲领是从抛弃资本主义崩溃论开始的。没有资本主义的崩溃，剥夺资本家阶级就不可能实现，于是伯恩施坦就放弃剥夺，把逐步实行“合作原则”作为工人运动的目的。可是，合作原则在资本主义生产内部是行不通的，于是伯恩施坦又放弃生产社会化，着手改良商业，发展消费合作社。问题是通过消费合作社来改造社会，哪怕同工会一起干，也无法改变资本主义生产关系，于是伯恩施坦又放弃价值规律和剩余价值学说。放弃了剩余价值学说，无产阶级的阶级斗争就没有了科学依据，于是伯恩施坦就干脆连阶级斗争学说也一起放弃。而当伯恩施坦抛弃了阶级观点，他就失去了政治罗盘，抛弃了科学社会主义。他想代表的是一般人类的、抽象的科学，抽象的自由主义，抽象的道德。但是，因为现实社会是由阶级组成的，这些阶级有截然相反的利益和观点，那种一般人类科学、抽象的自由主义、抽象的道德就只能是一种幻想和自我欺骗。这样一来，伯恩施坦一开始还为了运动放弃最终目的，但是没有社会主义最终目的的社会主义运动实际上是不会有的，结果必然是连运动本身也一起抛弃掉。所以，卢森堡评论伯恩施坦是“用同样的语言已经不再表示同样的概念，用同样的概念已经不再表示同样的社会事实了。同伯恩施坦的讨论已经变成两种世界观、两个阶级、两种社会形态的争论了”①。

① 《卢森堡文选》上卷，人民出版社 1984 年版，第 143 页。

德国社会民主党内的机会主义思潮在反社会党人法取缔后获得迅速发展，并在福尔马尔的国家社会主义①、巴伐利亚的预算投票②、海涅的补偿提案③等活动中得到集中体现。这些机会主义者慑于马克思主义理论的广泛影响，不敢公开挑战其理论权威。而伯恩施坦提出的修正主义主张恰恰帮助实现了机会主义者想实现而又不敢实现的理论目的。这样，伯恩施坦的修正主义主张就与机会主义的实践紧密结合，重新实现了理论与实践的统一，只不过这种统一是以伯恩施坦修正主义理论为基础。与此同时，为了把社会主义运动从马克思主义理论的"约束"下"解放"出来，为了把社会民主党引向修正主义路线，修正主义者有意割裂马克思主义理论与实践的统一，割裂社会民主党党纲中理论部分和实践部分的统一，以实践要求来否定理论原则。所以，卢森堡自问自答道："机会主义实践的外部标志首先是什么呢？是对理论的敌视。"④修正主义者以追求实际成果为名义，力图使自己的手脚不受马克思主义理论的束缚。也正因如此，卢森堡坚决捍卫马克思主义理论与实践的统一，不仅强调马克思主义理论没有过时，资本主义的最新发展没有否定马克思主义理论，马克思主义仍然是指导德国无产阶级运动的唯一的科学理论，而且辩证地指出，无产阶级运动不是一下子就变成社会主义性质的，它是在不断克服各种机会主义主张的过程中一天天地变成社会主义性质的，而给克服这些机会主义提供锐利武器的就是马克思主义理论。马克思主义理论需要与德国无产阶级运动实现统一，唯有如此，德国无产阶级运动才不会偏离社会主义方向，德国社会主义运动才会取得真正的成就。

## 第二节　对马克思主义民族理论的贡献

马克思主义创始人赋予了科学社会主义运动鲜明的国际性。在马克思主义

① 指福尔马尔鼓吹的通过国家干预实行社会主义的改良主义观点。

② 在1894年6月1日，以福尔马尔为首的巴伐利亚邦议会社会民主党党团投票赞成邦预算，从而第一次破坏了倍倍尔提出的"不给这个制度一个人和一文钱"这一原则。

③ 海涅于1898年2月10日在柏林第三选区发表演说，主张社会民主党可以为了"人民的自由"投票赞成普鲁士政府的军事要求。这即是所谓"用大炮换取自由"的补偿政策。

④ 《卢森堡文选》上卷，人民出版社1984年版，第143页。

发展过程中，强调各国间无产阶级的团结与合作且将其视为无产阶级解放的重要条件，一直都是科学社会主义运动的突出特征。同时，马克思主义创始人在世的时候就曾关注过民族主义，尤其是对爱尔兰、波兰等民族解放运动，更是发表过不少的文章和讲话，提出了一些重要意见和看法。当马克思主义创始人在世的时候，科学社会主义运动和民族主义运动作为人类解放运动的重要组成部分，它们之间往往是相互支持和彼此促进的。可是，到了19世纪后半叶，科学社会主义运动和民族主义运动在东欧一些国家和地区却出现了相互竞争乃至冲突。卢森堡在民族问题上的立场，既是基于她对科学社会主义运动的国际性和马克思主义阶级理论的理解做出的，更是基于她与波兰社会党的斗争经验得来的。可以说，她与后者的斗争经验始终影响甚至支配着她对民族问题的认识。

## 一、与波兰"民族社会主义者"的论战

波兰的社会主义运动兴起于19世纪70年代。当时俄属波兰地区迎来了资本主义生产关系的快速发展，资产阶级为了追逐高额利润，毫无节制地剥削和压榨工人，使得他们每天工作时间长达14到15个小时，没有任何权益和保障。在这种情况下，一些年轻学生举起社会主义旗帜，反抗资产阶级的残酷剥削和压榨。① 到了80年代，波兰社会主义运动已经形成两个重要政治派别。一个是以路德维希·瓦棱斯基（Ludwik Waryński）为核心的"第一无产阶级"，另一个是以波莱斯瓦夫·利曼诺夫斯基（Boleslaw Limanowski ）为核心的"波兰人民"。这两个派别虽然都宣称坚持社会主义，但却存在根本的区别。前者坚决反对把波兰民族独立作为社会主义运动的目标，强调波兰无产阶级要和俄国无产阶级一起，共同反抗阶级压迫和民族压迫。因为瓦棱斯基认为，俄属波兰地区的富裕阶层只关注自身的利益，而对波兰民族独立缺乏兴趣；反之，只有无产阶级工人，由于一方面受到波兰资产阶级的剥削和压榨，另一方面又受到俄国专制统治的迫害，从而更加关注民族命运。② 而后者则把波兰民族独立

① Paul Frölich, *Rosa Luxemburg: Her Life and Work*, New York, Monthly Review Press,1972, pp.15-16.

② J.P.Nettl, *Rosa Luxemburg, Volume I*, New York,Oxford University Press, 1966, p.46.

作为社会主义运动的目标，无产阶级运动只是服务于民族解放事业。利曼诺夫斯基甚至认为，只要存在俄国对波兰的民族压迫，社会主义运动就不可能取得发展，波兰的社会主义运动既要依靠工人阶级和农民，也要依靠知识分子，根本就不能过多地依赖于俄国革命。① 如此一来，在波兰社会主义运动内部，实际上就存在波兰民族独立运动和波兰无产阶级运动孰先孰后、谁服从于谁这样一个根本分歧。这一分歧就像一根红线，贯穿于波兰社会主义运动发展中，并深深地影响到卢森堡领导创建的波兰社会民主党②和利曼诺夫斯基领导的波兰社会党③之间的争论。

1893 年，时年 22 岁的卢森堡以刚创办的《工人事业》编辑部的名义参加第二国际苏黎世代表大会，并向大会提交报告。在报告里，她旗帜鲜明地反对把波兰独立作为社会主义运动的目标，批评波兰一些爱国的“知识分子”不自觉地充当了小资产阶级理想的角色，试图把工人运动导向爱国的航道，形成一个“社会爱国主义”。卢森堡清楚地认识到，波兰自从被俄国、德国、奥地利瓜分之后，三个部分已形成各自的社会经济历史，同所属国家有机地结合在一起。特别是瓜分波兰领土最大的俄国，与波兰经济具有紧密的联系。波兰的资产阶级为了俄国的销售市场和原料，更倾向于与俄国保持统一，而不是强行分离。所以，她认为，波兰社会党提出的波兰独立以形成统一国家的纲领根本就不切实际，“鉴于这一经济联系符合资本主义的不可抗拒的逻辑，因此要建立一个资本主义的波兰国家的意图是缺乏任何现实基础的。”④ 为了证明这一点，卢森堡还广泛收集资料和数据，形成自己的博士论文《波兰工业的发展》。她在 1897 年 3 月通过博士论文答辩，获得苏黎世大学法学博士学位。

在论文中，卢森堡对波兰和俄国资本主义是如何在发展中形成分工互补，双方资产阶级的利益又是如何交织在一起等问题进行了全面的考察，不仅以事

---

① J.P.Nettl, *Rosa Luxemburg*, Volume I, New York,Oxford University Press, 1966, p.47.

② 全称叫“波兰王国社会民主党”，卢森堡和约吉希斯等人创建于 1894 年。1900 年波兰社会民主党与立陶宛社会民主党合并，组建为“波兰王国和立陶宛社会民主党”，简称 SD-KPiL。

③ 1892 年在巴黎的一次波兰社会主义代表大会上，利曼诺夫斯基领导成立了波兰社会党，简称 PPS。

④ 《卢森堡文选》上卷，人民出版社 1984 年版，第 8 页。

实驳斥了那种认为俄国政府反对波兰发展资本主义、对波兰民族工业进行压榨的说法，而且也以数据证明了波兰资本主义和资产阶级已经深深卷入俄国资本主义的发展中，形成对俄国的依赖，反之，俄国政府作为俄国资产阶级实现利益的工具，与波兰资产阶级的利益是高度一致的。所以，在论文的最后，卢森堡得出结论说："如果一个人深入了解情况，就必然得出这样的结论，即在经济上波兰不仅将不会脱离俄国，而且相反，从大规模的资本主义发展中产生的趋势是日渐地把波兰越来越强地与俄国绑在了一起。资本主义生产方式的内在规律就是它千方百计地在物质上一点一点地把最遥远的地区也紧密地联系起来，以便使得它们在经济上相互依赖，最后把整个世界转变为高度合作的生产机器。当然，这种趋势在同一个国家、同一个政治和关税区域是最强烈的。波兰和俄国的资本主义发展已经产生了这样的结果。"①

当时，波兰社会党人经常引用马克思主义创始人的一个观点，即"重建波兰是欧洲民主派反对俄国反动势力即将发动的侵略的一道防线"②来为自己的民族主义主张进行辩护，包括德国社会民主党的倍倍尔、威廉·李卜克内西（Wilhelm Liebknecht）在内的第二国际的很多领导人都被这个观点所迷惑，支持波兰社会党的主张。卢森堡认为，马克思主义创始人的这一主张之后发生了变化，即恩格斯后来已经指出俄国由于自身的落后不要说对欧洲进行侵略，甚至连进行一场防御战争也不可能，俄国正处于政治破产的前夜。不仅如此，卢森堡还进一步认为，即便马克思主义创始人有重建波兰的期望，但这毕竟不是社会民主党的基本原则，不能把这种说法变成某种社会主义教条。更何况，不是所有值得向往的东西都因此也是能够实现的，不是所有就其本身来说能够实现的东西，对无产阶级来说也是能够实现的。"要把社会发展的实际的物质情况看作检验它的一切企图的试金石，唯有实际的物质情况才能够决定值得想望

---

① 出自《波兰工业的发展》，参见 https://www.marxists.org/archive/luxemburg/1898/industrial-poland/ch11.htm。按照 Paul Frölich 的说法，为了捍卫她在波兰问题上的主张，卢森堡做了广泛的研究。几十年来卢森堡都在研究波兰的历史，并且很可能在一战她坐牢期间完成了这些研究。可惜的是，这些手稿和其他重要著作在 1919 年德国士兵搜查其家时被毁了。Paul Frölich, *Rosa Luxemburg: Her Life and Work*, New York, Monthly Review Press, 1972, p.22.

② 参见恩格斯的《工人阶级同波兰有什么关系》、《在 1863 年波兰起义纪念会上的演说》、《流亡者文献》、《支持波兰》、《德国和泛斯拉夫主义》、《法兰克福关于波兰问题的辩论》等；参见马克思的《1848 年 2 月 22 日在布鲁塞尔举行的 1846 年克拉科夫起义两周年纪念大会上的演说》、《福格特先生》、《1867 年 1 月 22 日在伦敦纪念波兰起义大会上的演说》等。

的东西是否也有可能实现，并且使有可能实现的东西也成为历史上必然的。”[①]换言之，即便是马克思主义创始人的主张，如果与后来出现的实际情况不相符合，也不应该当成教条予以机械地坚持。

卢森堡反对把波兰独立作为社会主义运动的目标提出来，不仅出于现实可能性的考虑，更是出于无产阶级自身利益的考虑。她在很多场合和著作中都揭露了这样一个事实，即波兰民族独立运动是如何借助于国际无产阶级运动的力量，从无到有、从小到大，然后独立出来并试图支配国际无产阶级运动，使无产阶级的阶级斗争服从于波兰民族解放斗争的。站在国际无产阶级运动的立场上，卢森堡始终认为：在存在阶级斗争的民族里，阶级斗争优先于民族运动，阶级解放优先于民族解放，并且只有无产阶级获得真正的解放，民族解放才能真正实现。反之，国际无产阶级运动一旦接受民族主义纲领，民族主义者就很容易将社会主义运动引向民族主义，势必造成社会主义政党的分离（比如俄、德、奥三国社会主义政党就会因为重建波兰而分离）和以民族因素取代阶级因素的实践后果。无产阶级不需要为创建一个独立的资产阶级国家而努力，而是直接为创建一个社会主义国家而斗争。所以，卢森堡主张被俄、德、奥占领的三个区域的波兰社会主义者应该与各占领国的社会主义者合作，共同进行阶级斗争，通过无产阶级的解放来实现波兰民族的彻底解放。“对于波兰的社会主义者来说，卓有成效地为波兰工人的一切利益而斗争的唯一道路在于：他们完全站在同德国或奥地利社会民主党共同的政治纲领的基础上，把现在的国家界限看作是历史上的一个既成事实，彻底抛弃通过无产阶级的力量来建立一个波兰阶级国家的空想。从波兰的社会主义者方面说，他们只有那样做才能加速这样的时刻的到来，那时无产阶级的最后胜利也将使波兰民族得到彻底解放。”[②]

1896年7月，第二国际在伦敦召开第四次代表大会。卢森堡作为波兹南地区的波兰社会主义者代表参会。在大会上，卢森堡发表演说，着重分析了当年马克思领导的第一国际为什么支持波兰独立，以及这些理由随着历史的发展又是如何变得不再合理和现实。[③]虽然大会没有就波兰问题作出具体决议，只是作了一般的表态，即承认各个民族有决定自己命运的自决权，但是，卢森堡

---

① 《卢森堡文选》上卷，人民出版社1984年版，第30页。

② 《卢森堡文选》上卷，人民出版社1984年版，第34页。

③ Edited by Horace B.Davis,*The National Question-Selected Writings by Rosa Luxemburg*,New York, Monthly Review Press, 1976, pp.50-53.

的演说使得第二国际领导人更加清楚地认识到这一问题，即波兰内部原来存在着两个主张不同的社会主义派别。波兰社会党想以唯一的身份代表波兰社会主义事业已经变得不再可能。

1905年，卢森堡将自己以及考茨基、梅林等人论述波兰问题的文章结集成册，以《波兰问题与社会主义运动文选》的书名在波兰克拉科夫出版。在为这部著作写的“前言”中，她再一次强调：波兰已经不同于马克思和恩格斯所处时代的波兰，它已经获得资本主义的发展，并形成尖锐的阶级矛盾。“波兰已经不再是‘波兰人’的土地，它已经完全成为现代资产阶级社会，充斥着阶级矛盾和阶级斗争：仅仅是在恩格斯写完这一句话两到三年里，社会主义运动就登上波兰历史的舞台。”①如果国际工人代表大会支持波兰独立，那么其他地区和国家的独立运动也将被证明是合法的，而多民族国家的工人运动也将以民族为单位形成分裂。所以，卢森堡坚决反对波兰社会爱国派对马克思主义创始人的理论进行教条式的理解，强调马克思主义的本质不是基于当前种种问题的这个或那个看法中，而是基于两个根本原则，即辩证唯物主义的历史分析法以及由此形成的阶级斗争理论和马克思对资本主义发展规律的基本分析。“这最重要的，整个马克思主义理论的精华就是社会研究的辩证唯物主义方法。对这个方法来说，没有现象或原理是固定的和一成不变的，也没有教条，…… 每一个历史‘真理’都要经受住实际的历史发展所提出的不断的和持久不懈的批判。”②可以说，卢森堡是马克思主义发展史上比较早地从方法论角度去理解马克思主义精神实质的人。

当然，严格说起来，卢森堡不是反对波兰独立，而是反对把波兰独立作为波兰社会主义运动追求的目标。③卢森堡承认民族作为一种文化遗产，有其存在和发展的权利，问题只在于对无产阶级来说，民族认同根本就不能通过民族分离主义得到巩固，它只能通过无产阶级斗争才能实现。“即便从纯粹的民族

① Edited by Horace B.Davis, *The National Question-Selected Writings by Rosa Luxemburg*,New York, Monthly Review Press, 1976, p.63.

② Edited by Horace B.Davis, *The National Question-Selected Writings by Rosa Luxemburg*, New York, Monthly Review Press, 1976, p.77.

③ 参见赵凯荣的论文《马克思主义：如何面对民族主义？——卢森堡给我们留下了什么遗产?》和日本学者伊藤成彦的论文《罗莎·卢森堡思想中的民族与国家》，两篇论文出自何萍主编：《罗莎·卢森堡思想及其当代意义》，人民出版社2013年版。

角度看，一切有利于推动、扩大和促进工人阶级运动的事情必然也被视为是对民族的爱国主义（就这个词最好的和最真实的意义来说）的贡献。反之，任何抑制或阻碍工人阶级运动发展，任何可能会耽搁或引起这个运动偏离其原则的事情，必须被视为是对民族目标的伤害和敌视。”①也就是说，卢森堡认为，真正的波兰爱国主义运动与波兰无产阶级运动总是一致的，坚持波兰无产阶级运动就是坚持真正的波兰爱国主义运动，坚持无产阶级解放就是坚持真正的民族解放。

一年后，卢森堡在对其领导的波兰王国和立陶宛社会民主党纲领进行解说时，不仅重申了上述观点，而且还进一步从波兰和俄国的无产阶级遭受同样的阶级压迫这一角度阐明了这样一个道理，即统治阶级在进行阶级剥削和压迫时是不分民族的。“资产阶级统治者和贵族在进行剥削时，是不区分本族工人和外族工人的。资本家并不尊重工人的民族特性，他们把每一个无产者都仅仅看作能够为他们创造利润的劳动力。……只要资本主义制度依然存在，民族国家就不可能是无产阶级的救星。”②波兰的无产阶级和俄国的无产阶级一样，共同处于无权地位，同受阶级压迫，这就使俄国各民族的工人阶级形成一个利益的共同体。因此，卢森堡主张，推翻沙皇制度、争取政治自由，这对于波兰无产阶级和俄国无产阶级都同样是当务之急。在政治斗争中波兰工人和俄国工人是一个共同的整体，是具有一个政治纲领的一个政治阶级。波兰的社会主义政党必须与俄国的社会主义政党团结和统一起来，共同开展阶级斗争。

## 二、《民族问题与自治》对民族自决权的批判

1906 年 6 月，波兰王国与立陶宛社会民主党第五次代表大会委托卢森堡对民族自治问题作出分析。随后，她撰写总标题为《民族问题与自治》的系列文章，发表在《社会民主党评论》1908 年第 6—10 期和 1909 年第 12、14、15 期上。这些文章集中反映了卢森堡及其领导的社会民主党关于民族问

---

① Edited by Horace B. Davis, *The National Question-Selected Writings by Rosa Luxemburg*, New York, Monthly Review Press, 1976, p.97.

② 《卢森堡文选》下卷，人民出版社 1990 年版，第 30—31 页。

题的基本观点，也是她对列宁有关民族问题观点的第一次公开批评。① 在第一篇文章里，卢森堡首先就提出根本立场问题，即无产阶级在民族问题上的立场必须与其他阶级及其政党的立场区别开来。社会民主党“把自己的全部政策奠基于历史唯物主义和阶级斗争的科学方法之上的，它对待民族问题也不能例外”②。基于这一立场，卢森堡着重批评了俄国社会民主工党党纲的第九条。③ 这一条的内容是“国内各民族都有自决权”。所以，卢森堡整个系列文章的核心主题就是对“民族自决权”这一提法及其背后蕴含的问题进行分析和批判。

卢森堡认为，民族自决权只是资产阶级民族主义的旧口号，与人权、公民权一样，是形而上学的空话，没有多少实际意义。对无产阶级政党来说，它不能成为抗议和反对民族压迫的依据，就像无产阶级要求男女在社会上和政治上享有平等权利根本不是来源于专门的妇女权一样。无产阶级政党抗议和反对民族压迫的义务只是来源于对制度、对一切形式的社会不平等和对社会统治的总的反对态度，一言以蔽之，来源于社会主义根本立场本身。从历史唯物主义的一般前提出发，社会主义者对待民族问题的立场首先取决于每个已知场合下的具体情况，而这在不同的国家是迥然相异的。况且，在每个国家里，民族问题也是随着时间的推移不断改变自己的性质，从而对它的评价也不能一成不变。这些都说明：用民族自决权是无法说明不同的民族运动的。

为此，卢森堡还特意分析了当年马克思和恩格斯是如何看待土耳其、波兰、捷克等民族问题的。尽管她认为马克思主义创始人有关波兰问题和东方问题的观点随着社会历史条件的变化已经过时，可是她仍肯定了马克思主义创始人分析民族问题的方法的正确性。“正是马克思和恩格斯往昔的立场令人信服地表明，科学社会主义的创始人与用一个模式、根据某一钦定的公式来解决所

---

① 列宁对卢森堡批评的回应参见《关于民族问题的批评意见》、《论民族自决权》、《社会主义革命和民族自决权》，以上文章收录在《列宁选集》第2卷，人民出版社2012年版。

② 《卢森堡文选》下卷，人民出版社1990年版，第151页。

③ 俄国社会民主工党纲领是1903年7—8月俄国社会民主工党第二次代表大会通过的，它是由普列汉诺夫和列宁拟定而由《火星报》编辑部提交给代表大会的。在纲领通过前，列宁对纲领中的民族问题做了阐发，其针对的主要对象就是波兰社会党。参见列宁的《我们纲领中的民族问题》，《列宁全集》第7卷，人民出版社2013年版，第218—226页。俄国社会民主工党纲领全文参见同上，第424—430页。

有的民族问题离得多么地远，其次，当论及亲眼目睹的、现实的欧洲发展事件时，他们受形而上学的民族‘权’的限制是多么地少。”① 在卢森堡看来，在无产阶级尚未独立之前，马克思主义创始人总是基于历史进步和民族发展分析民族问题，而当无产阶级作为一个独立的阶级出现后，他们又总是从维护无产阶级利益的角度分析民族问题。无论是前一立场还是后一立场，都与抽象的民族自决权格格不入。

此外，受考茨基影响，卢森堡还认为，民族自决并不符合社会历史发展趋势和人类进步发展要求。考茨基在《民族性和国际性》一文中曾认为，集中世界通用性的语言，使社会主义者参加到整个国际性的文明中去，而不只局限于参加到某个语言共同体的一个单独的文化中去，这为较小民族的语言的消亡，最终使整个文明人类联合为一种语言和一个民族提供了可能和条件。因此，承认民族自决权就是把无政府主义看待个人的立场照搬到民族上，是与出现于当代文明民族之间紧密的文化共同体不相适应的。卢森堡同意考茨基关于文明民族之间趋向统一而不是趋向分离的看法，不过不同意后者把这种统一建立在文化共同体上，也不同意后者把这种统一的过程视为径直发展的过程。卢森堡更加强调经济因素，尤其是资本的全球扩展这一因素带来的民族间的统一趋势。“历史的进展，特别是近代资本主义的发展，不是趋向于恢复每个民族的独立生存，恰恰是向相反方向发展，这在今天也是为大家有力地公认的。”② 应该说，卢森堡的这个观点不是孤立的，也不是盲目的。当时欧洲资本主义向全世界不发达地区和国家进行殖民，殖民和殖民地问题是第二国际乃至德国社会民主党内重要的问题，是每一次代表大会几乎都要被提及的问题。所以，卢森堡说：“殖民政策发展的本身，如同它的产生一样，深深植根于资本主义生产的基础之中；它将不可避免地伴随着资本主义的继续进展而进展，只有那些无害的资产阶级‘和平’使者才会相信现今的国家有从这条道路上折回来的可能性。”③ 资本主义对外殖民，一方面有助于加强各民族文明之间的沟通和联系，有助于朝着人类文明共同体方向行进；可是另一方面，这个历史发展不是径直的，更不是没有矛盾和对立的。“朝着人类文明共同体方向行进的历史发

① 《卢森堡文选》下卷，人民出版社 1990 年版，第 166 页。
② 《卢森堡文选》下卷，人民出版社 1990 年版，第 172 页。
③ 《卢森堡文选》下卷，人民出版社 1990 年版，第 176 页。

展，就像整个社会发展一样，从本质上说是在矛盾中进行的”①。在这个过程中，少数最强大的民族，作为资本主义发展的捍卫者，拥有必要的物质和精神手段保持自己的经济和政治的独立，进行“自决”，而靠近它们的处于少数地位和较小的民族的独立生存却愈来愈成为幻想。换言之，在资本帝国主义时代，最符合资本主义发展需要的不是像考茨基所估计的那样的民族国家，而仅仅是侵略国家，试图以民族自决权来维护弱小民族和国家的独立无异于一种乌托邦幻想。

最后也是最根本的，卢森堡始终基于马克思主义阶级理论，从维护无产阶级的利益角度来分析和看待民族自决权及其实质。“‘民族权’定则作为社会主义者在民族问题上的立场依据是不充分的，这不仅因为它没有考虑到在每一已知场合下历史条件（地点和时间）的整个差异性，也没有顾及世界性关系的一般发展方向，而且也因为它完全忽视了近代社会主义的根本理论——阶级社会的理论。”②卢森堡认为，在阶级社会里，作为社会—政治上和谐一致整体的民族并不存在，在每个民族中都存在着利益和权利冲突的阶级。可以说，没有任何一个社会领域，从最厚实的物质关系到最微妙的道德关系，有产阶级和觉醒了的无产阶级会对它采取一个立场，作为一个没有分化的民族整体出现。在经济关系范畴内，资产阶级在每一步上都代表着剥削的利益，而无产阶级则代表了劳动的利益。在法制关系内，资产阶级社会的基石是私有制，而无产阶级的利益则要求从私有制统治下解放无私产者。在司法领域内，资产阶级社会代表着阶级的正义和统治者的正义，而无产阶级则捍卫归个人名下的社会收入要照顾的原则和人道主义原则。在国际关系中，资产阶级代表了战争和侵略政策，而在目前阶段则是关税体系和贸易，无产阶级则代表了普遍和平和自由贸易的政策。在社会科学和哲学范畴内，资产阶级诸学派与代表无产阶级立场的学派处于明显的对立冲突之中；有产阶级和他们的世界观代表了唯心主义、形而上学、神秘主义、折中主义，而近代无产阶级则有自己的学派即辩证唯物主义。

卢森堡承认，资产阶级在历史上曾经打着民族旗号推动历史发展，并在一定程度上代表了整个社会进步发展的方向，从而代表了社会的整体利益，这包括代表了当时尚未独立登上历史舞台的无产阶级的利益。“资产阶级的阶级革命事业在当时社会发展阶段上，同时也曾是整个人民阶层的事业，面对着居统

① 《卢森堡文选》下卷，人民出版社 1990 年版，第 175 页。

② 《卢森堡文选》下卷，人民出版社 1990 年版，第 180 页。

治地位的封建主义，这个阶层仍然和资产阶级一道成为政治上一致的群体。”① 不过，这只是说明，当时的无产阶级尚未成熟，尚藏匿在资产阶级的衣襟后面。现在无产阶级已经成熟，并且形成自己的政党，这本身就表明无产阶级已经具有自己独立的诉求和主张，已经与资产阶级相对立，这个时候还举着民族的旗号就显得有些过时，而且还容易与资产阶级立场混淆起来。所以，卢森堡强调说：“由阶级上已觉醒的和独立地组织起来的无产阶级来使用这个概念，将是令人惊讶的矛盾——不是关系到学究式逻辑的矛盾，而是历史的矛盾。”② 对于社会主义政党来说，民族问题如同其他一切社会问题一样，首先是阶级利益问题，社会主义政党首先必须估量到阶级对立。

同时，卢森堡还进一步追问，如果民族自决权成立，那么在阶级分化的民族内谁又能代表这个民族呢？一切资产阶级政党都认为自己体现了民族的意志，攫取民族代表权据为己有。还有些人主张，按照多数人的民主主义原则来判断谁是民族意志的代表，民族想要的东西，就是民族多数人想要的东西。对这个原则，卢森堡提出了尖锐的批评。她说，如果社会主义政党接受这个原则作为自我约束的律条，那就意味着社会主义政党对自己判决死刑。因为在资本主义社会里，社会主义政党由于各种不利条件暂时还只是少数人的党，况且这个党不追求成为资本主义社会中多数人意志的体现者，而只是追求成为无产者自觉意志的体现。“它所表达的仅是大城市工业无产阶级中先进的、非常革命阶层的意志和觉悟性，再扩展这种意志，开拓把它扩大到劳动人民的大多数那里去的道路，然后才以他们本身的利益来启迪他们的觉悟性。”③ 这或许能说明，卢森堡并不是群众意志的盲目崇拜者，更不以简单的少数服从多数作为最高准则，她始终坚持的是社会主义政党的先进性和群众意志的统一，不能顾此失彼，也不能厚此薄彼。

当然，卢森堡并不是简单地反对民族自决和民族自决权，准确些说，她反对的只是资本主义社会内的民族自决和民族自决权。这是因为真正的民族自决和民族自决权只有在社会主义制度下才不是空泛的口号。社会主义制度要彻底铲除的不仅是一个社会阶级对另一个社会阶级的统治，而且要铲除社会阶级存

① 《卢森堡文选》下卷，人民出版社 1990 年版，第 182 页。
② 《卢森堡文选》下卷，人民出版社 1990 年版，第 182 页。
③ 《卢森堡文选》下卷，人民出版社 1990 年版，第 187 页。

在和它们之间的对抗本身，唯有这样，这个制度才能把社会引导到个人之间利害关系协调地联系在一起的综合体，然后再引导到具有共同的统一意志并能满足其意志的和谐整体。与此同时，社会主义制度才能使具有统一意志的民族成为现实。换言之，只有社会能自觉地决定其经济生活、决定其生产条件时，那时社会才能获得自由地决定其民族生存的实际可能性。所以，卢森堡给社会主义政党提出的要求是“所要实现的不是民族自决权，而仅是被剥削被压迫的劳动阶级的自决权，即无产阶级的自决权。社会民主党从这个立场出发来无例外地考察一切社会问题和政治问题，并从这个立场出发来制订自己的纲领性要求”①。

## 三、帝国主义环境下无民族战争

1914 年 7 月 28 日，第一次世界大战爆发。8 月 3 日，德国社会民主党议会党团召开会议决定是否支持军事预算，111 名代表中只有包括卡尔·李卜克内西在内的 14 名代表表示反对。囿于党内纪律约束，李卜克内西等人于 8 月 4 日被迫投票支持军事预算。② 德国社会民主党投票支持德国政府参与帝国主义战争，这在国际社会主义运动中形成重大影响，列宁等社会主义运动领导人一开始甚至都不相信这一事件的真实性。因为德国社会民主党的这一做法不仅公然违背马克思主义精神，违背战前历次国际代表大会的决议，而且由于其巨大影响力，它也为其他国家的社会主义政党走向社会沙文主义树立了“榜样”。

各国社会主义政党支持本国政府参与帝国主义战争，打出的旗号就是维护所谓的“民族利益”和“祖国安全”。德国社会民主党的一些人公然宣称“我们不会在危险的时刻置自己的祖国于不顾”，把民族自卫称之为“国际的主张”，把德军参与战争视为是被动的防御战争，还有些人引用马克思 1848 年反对专制俄国的口号来美化德国对俄国的战争，把这场战争宣传成是德国对波

① 《卢森堡文选》下卷，人民出版社 1990 年版，第 184—185 页。

② 当然，当时的德国社会民主党由于受到不公平的选举制度的制约，在议会中的席位只占少数。换言之，不管德国社会民主党是否投票支持军事预算，军事预算本身都能获得通过。但是，在马克思主义者看来，这显然涉及一个马克思主义基本原则问题。这个原则曾长期体现在倍倍尔提出的“不给这个制度一文钱、一个人”的主张中。

兰等被奴役民族的解放战争。德国社会民主党最重要的理论家考茨基说，第二国际只是研究了预防战争的问题，现在仗既然打起来了，对于每个国家的无产阶级来说，就只剩下胜利还是失败的问题。奥地利社会主义领导人阿德勒（Friedrich Adler）甚至从自然科学和哲学的观点进行解释，说什么“民族和任何生物一样，首先必须维持自己的生存”①。这种民族主义和爱国主义情绪弥漫在各国社会主义政党内，瓦解了第二国际，消解着社会主义运动的国际性。

作为坚定的国际主义者，卢森堡对德国社会民主党的堕落感到非常痛心。她曾经感慨：德国社会民主党曾是各国每一个社会党人的骄傲，并足以使那里的统治阶级胆战心惊。但是，当重大的历史考验到来时，德国的情况又是怎样的呢？“完全堕落了，彻底破产了”，卢森堡自问自答道。② 所以，卢森堡不仅把第一次世界大战称之为欧洲文明向“野蛮状态的倒退”，而且也是党内最早起来反对德国社会民主党走向社会沙文主义立场的少部分人中的一员。③ 对民族主义，她更是不遗余力地进行批判。

在这期间，卢森堡曾以笔名“尤尼乌斯”，在1916年1月联合李卜克内西草拟了一份《国际社会民主党任务的指导原则》——这份文件后来也被称为《尤尼乌斯提纲草案》，以传单形式发表在1916年2月3日的《政治通讯》第14号上。同年4月，卢森堡又将一年前写好的《社会民主党的危机》这部著作以同样笔名秘密出版。这两篇文献集中反映了卢森堡是如何立足于社会主义运动的国际性来思考民族问题的。④

在草案中，卢森堡从帝国主义的政策出发，认为帝国主义战争不可能产生任何被压迫民族的自由和独立。因为小民族只是大国的帝国主义赌博中的走卒，它们同一切参战国的劳动人民群众一样，在战时被当作工具使用，在

---

① 《卢森堡文选》下卷，人民出版社1990年版，第372页。

② 《卢森堡文选》下卷，人民出版社1990年版，第391页。

③ 由于德国社会民主党中央对党的刊物进行严格控制，反战的意见很难公开出现。德国社会民主党内第一份公开的反战公告出现于1914年9月，当时签名的有卢森堡、李卜克内西、梅林、蔡特金。参见J.P.Nettl, *Rosa Luxemburg*, Volume II, New York, Oxford University Press,1966, p.610。

④ 列宁一开始并不知道尤尼乌斯是谁，他对这两篇著作中的部分观点进行了批评，其中也包括民族问题上的观点。参见《论尤尼乌斯的小册子》，收录在《列宁选集》第2卷，人民出版社2012年版，第689—703页。

战后又将成为资本主义利益的祭坛上的牺牲品。所以，卢森堡提出一个重要论断即“在帝国主义时代不再有民族战争”。“在肆无忌惮的帝国主义时代不可能再有民族战争。民族利益只能被当作欺骗的工具，用来使劳动人民群众为他们的死敌即帝国主义服务。”① 在《社会民主党的危机》中，卢森堡作了进一步阐述。她认为，以前各国的无产阶级政党都认为，各民族的利益同无产阶级的利益是和谐一致的，互相不可能发生对立。但是，战争使得各民族的独立和自由迫切要求操各种不同语言的无产者互相厮杀和相互灭绝，从而改变了这个观念。当民族为资产阶级或其他有产者阶级支配、并运用来谋取阶级利益的工具时，民族利益和无产阶级的利益就必然发生冲突。所以，卢森堡要求把民族战争与阶级战争结合起来，以无产阶级的阶级斗争去争取民族自决。“国际主义的社会主义承认各个自由的、独立的、平等的民族的权利，但只有它才能使这样的民族产生出来，只有它才能实现各民族的自决权。……只要资本主义国家还存在，特别是只要帝国主义的世界政策还在决定和安排国家的内部生活和外部生活，那么，民族自决权就同这一政策在战争和和平时期的实践毫无关系。”②

同时，卢森堡之所以提出这一论断，还与她对帝国主义的认识直接相关。她对帝国主义有一个界定，即“帝国主义政策不是这个或那个国家的产物，它是资本的世界性发展成熟到一定程度的产物，它从来就是一种国际现象。它是一个不可分割的整体，只有通过它的各种相互关系才能认识这一整体，而且任何一个国家都不能摆脱这一整体”③。换言之，卢森堡把帝国主义看成资本主义国家对外进行扩张的一种政策。这种扩张具有不以人的意志为转移的必然性，是资本的内在属性和要求，它把每一个国家都纳入这种扩张中，成为整体的一部分。这场战争就是资本主义国家推行帝国主义政策的必然产物和结果。而民族主义则是资本主义国家推行帝国主义政策的借口和作为帝国主义竞争的战斗口号。为此，卢森堡还对战争中谁是防御方、谁是进攻方做了辩证分析，目的不仅在于揭示党内一些人的谬论，即以德国处于防御方来为其参战辩护，更在于揭示这样一个道理，即在帝国主义战争中，防御方和进攻方根本就不是截然

① 《卢森堡文选》下卷，人民出版社 1990 年版，第 382 页。
② 《卢森堡文选》下卷，人民出版社 1990 年版，第 439 页。
③ 《卢森堡文选》下卷，人民出版社 1990 年版，第 441 页。

可分的，民族自卫和民族侵略并不能得到准确区分。卢森堡以塞尔维亚参与战争为例。从形式上看，塞尔维亚进行的当然是民族防御战争。但是，塞尔维亚的君主制度及其统治阶级却意图不顾民族的边界去进行扩张，因而具有侵略性质。这样，塞尔维亚的意图也指向亚得里亚海沿岸地区，它必须在那里以阿尔巴尼亚人为牺牲而同意大利进行一场真正的帝国主义竞争，其结局将在塞尔维亚以外由列强来决定。更何况，塞尔维亚民族主义的后盾是俄帝国主义，塞尔维亚本身只不过是巨大的世界政策棋盘上的一个棋子。如果撇开这一广泛的联系，撇开整个世界政策的背景，要对塞尔维亚的战争作出评价，那是肯定做不到的。在这里，卢森堡也像她分析其他问题一样，方法上表现出鲜明的总体特征。从这一总体方法出发，卢森堡得出结论道："个别国家的战争的性质一再是由现今帝国主义的历史环境决定的，而这一环境造成了下述情况：今天根本不可能再有民族防御战争。"①

既然帝国主义战争已经爆发，那么，社会主义政党应该怎么办？卢森堡在《草案》中就曾主张，世界和平的唯一保证和支柱就是国际无产阶级的革命意志和政治行动能力，反对帝国主义的斗争对于国际无产阶级来说同时也是争取国内政权的斗争，是社会主义和资本主义之间决定性的斗争，从而明确提出"以国内阶级战争反对国外帝国主义战争"。在这里，她进一步指出，社会主义政党既不是在统治阶级的指挥下去维护现存的阶级国家，又不是一言不发，袖手旁观，等待风暴过去，而是提出独立自主的阶级政策，鞭策统治阶级在资产阶级社会遇到任何巨大的危机时继续前进，促使危机发展到超出原来的范围，这是作为战斗的无产阶级先锋队的社会民主党的任务。这就是说，不应当虚伪地给帝国主义战争披上民族防御的外衣，而恰恰是要认真实现民族自决权和进行民族防御，并以此作为革命的杠杆去反对帝国主义战争。卢森堡甚至要求武装人民和建立民军，把民族防御掌握在人民手中，让人民来决定战争与和平，让人民来保卫国家和民族。因为只有这样，民族利益、国家利益和无产阶级利益才是一致的。

---

① 《卢森堡文选》下卷，人民出版社1990年版，第445页。

## 第三节 对革命策略和无产阶级政党的阐释

社会主义的实现不会一蹴而就，也不会一帆风顺。社会主义运动在发展中，必须掌握分寸、把握时机、懂得进退，一句话，必须有一个好的革命策略。对卢森堡来说，革命策略决不是可有可无的细枝末节，策略问题事关社会主义运动的成败。尤其是当修正主义者总是把革命原则和革命策略混为一谈，企图用革命策略取代革命原则时，这一问题就显得更为凸显。而另一方面，德国社会民主党虽然在政策和口号上仍反对现存的国家和社会体制，但为了赢得选举，它正全面融入既存的社会秩序中，成为一个为选举而生的竞选型政党。① 这些都对卢森堡的无产阶级政党思想形成不同程度的影响。

### 一、关于社会主义革命策略的分析

策略总是和原则紧密联系在一起。没有脱离原则的策略，也没有不讲策略的原则。对此，卢森堡在 1901 年 4 月分析巴登预算表决时有一精辟论述。她说："社会民主党的策略所表现的决不是在破坏社会民主党的原则方面的多样性，而是在运用这些原则方面的多样性。我们党的策略是事先就被我们的原则

① 1905 年，德国社会民主党进行组织机构改革，基层组织由地方委员会改为选区委员会。党内出现大片领薪的职业官员。1910 年期间，估计有 10 万名社会民主党人在工人保险系统的机构、贸易和工业法庭以及在城市的劳工介绍所里工作。参见［英］威廉·E. 佩特森等编：《西欧社会民主党》，林幼琪等译，上海译文出版社 1982 年版，第 156—157 页。德国社会民主党俨然成为一个独立于国家和社会之外的"国中之国"，其间有着严格的等级制，各级官员成为这个"王国"的主导力量。参见 J.P.Nettl, Rosa Luxemburg, Volume 1, New York, Oxford university Press, 1966, p.120。曾加入过德国社会民主党的米歇尔斯在其名著《寡头统治铁律》一书中对此有深刻的分析。参见［德］罗伯特·米歇尔斯：《寡头统治铁律》，任军锋等译，天津人民出版社 2002 年版。

限制在一定范围之内的，它能在这些范围内，而不是在这些范围之外发展。"① 任何策略归根结底总是服从和服务于一定原则的，策略可以是多样的，但原则必须始终如一，原则规定了策略的范围。在卢森堡的著作中，涉及革命策略的地方比比皆是，以至于有学者认为，卢森堡的所有著作都与策略有关，试图将其策略思想整理成几个部分，总是人为选取的产物。② 这里按照时间顺序选取三个比较鲜明而重要的事例进行分析。

（一）对米勒兰事件的策略分析

1899年6月，法国社会党人亚・米勒兰（Alexandre-Ftienne Millerand）以社会党领导人的身份参加资产阶级内阁，出任工商部长。这次事件在国际社会主义运动中引起激烈讨论。在米勒兰事件发生半个月后，卢森堡就在《莱比锡人民报》上发表《一个策略问题》的文章，对此次事件及其背后体现出的策略问题进行分析。

修正主义者认为，一个社会主义者在政府里致力于实行有利于无产阶级的社会改良，就如同在议会里一样，可以有效地为无产阶级事业服务。卢森堡认为，这实质上混淆了一个社会主义者在资产阶级国家立法机构的活动和参加资产阶级政府的活动二者之间的本质区别。因为在议会中，社会主义政党可以提出自己的要求，即便自己的要求不能通过，他们至少可以采取反对派的立场继续斗争，甚至以此揭示统治阶级的反动，教育广大无产阶级。而一个社会主义成员参加资产阶级政府，则要么他继续站在社会主义立场提出自己的要求："不当一个政府的积极成员"，这种状况显然难以持久，势必导致社会主义成员被逐出政府；要么他放弃社会主义立场，与资产阶级政府合作，履行资产阶级政府部门的必要职能，"实际上不再当一个社会主义者"。③ 更何况，社会主义政党在议会中就算采取社会改良的斗争，这种斗争在原则上都是社会主义性质的，而一个社会主义成员在政府中就算力求同样的社会改良，它在原则上也是资产阶级性质的，属于资产阶级的工人政策。

卢森堡反对社会主义者参加资产阶级政府，其原则就是看能否有利于无

---

① 《卢森堡文选》上卷，人民出版社1984年版，第353页。

② Edited by Dick Howard, *Selected Political Writings of Rosa Luxemburg,* New York, Monthly Review Press, *f*1971, p.161.

③ 《卢森堡文选》上卷，人民出版社1984年版，第184—185页。

产阶级开展阶级斗争。无产阶级政党参加议会活动是有助于开展阶级斗争的，这已经被德国社会民主党几十年的革命实践所证明，而社会主义成员参加政府活动却无助于开展阶级斗争，反而会腐化社会主义政党。这一点在同一年卢森堡答复法国社会党领导人饶勒斯（Jean Jaurès）的征询时体现得更明显，当时后者向国际征询德雷福斯案件和米勒兰事件的看法。卢森堡认为，资产阶级政府的性质本身就排除了进行社会主义的阶级斗争的可能。因为“内阁不是一个从事无产阶级的阶级斗争的政党的活动阵地。一个资产阶级政府的性质不取决于它的成员的个人特点，而是由它在资产阶级社会中的基本职能决定的”①。一个社会党人参加政府，阶级统治依然存在，资产阶级政府不会变成社会主义政府，而是一个社会党人变成了资产阶级部长。来自一个部长的社会改良也不可能具有无产阶级性质，而只能具有资产阶级性质。

基于这一原则，卢森堡强调，只有在一种情况下，无产阶级代表可以参加政府，即“为了同时夺取政府并把它变成占统治地位的工人阶级的政府”②。卢森堡质问：当时的法国是否具备这种条件？显然，卢森堡说的这个条件已经不是普通的“例外”，而是特殊的历史条件。这与1900年第二国际巴黎代表大会上考茨基提出的决议具有显著的不同。后者虽然也一般地反对社会主义成员参加资产阶级政府，但是允许有例外，至于哪些情况属于例外，却没有做进一步的说明。这样就为机会主义者打开了一扇方便之门，当需要的时候，总可以以“例外”为借口与资产阶级政府合作。

正因此，巴黎代表大会之后，法国的饶勒斯和德国的伯恩施坦把巴黎代表大会的结果说成是对米勒兰入阁的支持。德国的福尔马尔不仅反对考茨基后来对他提出的决议做进一步的补充说明，而且还感慨法国的做法很稳健，值得德国羡慕，甚至直言不讳地宣称“米勒兰固然是第一个社会党人部长，却不是最后一个！”③在这种情况下，卢森堡于1901年初撰写《法国的社会主义危机》一文，对米勒兰事件做了更加全面的分析，发表在考茨基担任主编的《新时代》上。为此，考茨基还特意在文章开头加了注，说他本想答复福尔

---

① 《卢森堡文选》上卷，人民出版社1984年版，第228页。

② 《卢森堡文选》上卷，人民出版社1984年版，第185页。

③ 福尔马尔的《关于米勒兰事件》，参见国际共运史研究室编：《福尔马尔文选》，人民出版社1984年版，第279—299页。

马尔的批评，但卢森堡的文章已经很好地反映了他的观点，因此他不想再说多余的话。①

法国的机会主义者为米勒兰参加资产阶级政府提出了三点理由：1. 保卫共和国的必要性；2. 实行有利于工人阶级的社会改良的可能性；3. 认为资本主义社会向社会主义的发展必然产生一个过渡阶段，在这一阶段中将由资产阶级和无产阶级共同实行政治统治，其外部表现就是社会主义者参加政府。卢森堡分析了法国社会阶级结构及其发展，证明共和制有效地维护了法国大资产阶级、小资产阶级和农民等有产阶级的利益，从而得到他们的坚定支持，共和国的基础事实上是非常稳固的。反之，真正威胁共和国存在的却是那些反动军官，军队正从维护国家利益的工具变为谋取集团利益的工具，而要克服这种威胁，就必须用民军来代替常备军。然而问题就在于，米勒兰入阁的资产阶级政府并没有采取有效的措施保卫共和国，反而在追求实现这一目标方面赶不上以前的政府。比较突出的事例就是这一届政府对教会的投降。在法国，教会历来都是反动势力的堡垒，仅第三共和国就提出了近三十三个反教会法案。这样，卢森堡就从事实上揭露和批判了机会主义者以维护共和制为借口支持政府的立场。不仅如此，卢森堡认为，机会主义者提出的第一条理由实质上把发生的事情看作部长们和其他历史“领袖”的产物，而不是按照其真正的内在联系来理解，这纯粹是“庸俗历史主义的表现”。“共和国的命运不是取决于个别的‘救世主’，更不是取决于当部长的人，而是取决于国家的经济政治状况的整个内在联系。”② 换言之，法国共和国的存废从根本上说，与法国的社会生产关系及其阶级结构紧密相关，而不是个人喜恶和主观意愿的问题。

卢森堡认为，社会主义者作为整个现存制度的敌人，必须在资产阶级议会中采取原则上的反对派立场，社会主义者的议会活动的主要任务就在于对工人阶级进行教育。而要完成这一任务，首先必须对政府的政策进行系统的批判。由于社会主义者在议会中处于少数，因此必须通过不断地斗争从资产阶级多数派那里争得让步，这是社会主义政党取得实际成果的唯一有效的手段。为此，卢森堡还提出了具体的建议：首先，无产阶级提出最进步的要求，从而成为资产阶级政党的竞争者，并通过选民的压力推动这些政党前进；其次，向全国揭

---

① 《卢森堡文选》上卷，人民出版社 1984 年版，第 279 页。

② 《卢森堡文选》上卷，人民出版社 1984 年版，第 296 页。

露政府并通过舆论来影响政府；最后，通过在议会内外进行的批评把愈来愈多的群众团结在自己周围，从而成为一支重要力量。但是，米勒兰入阁使得所有这些策略变得无效。因为它不仅使社会主义政党在议会通过批判政府对群众进行政治教育和训练变得不可能——即便对政府进行批判，也会变成空洞的吹嘘，而对政府的实际政策没有任何影响，而且还会使社会主义政党为了维护这个内阁，不断放弃自己的立场，寻求与资产阶级民主派合作，从而使自己沦落为资产阶级激进派。

除此之外，卢森堡还运用事例说明：企图通过参加资产阶级政府来实行社会改良，这只是在形式上取得进步，而在实际上却是严重倒退，是对无产阶级利益的严重侵犯。她认为，就算米勒兰的意图是好的，但是一旦他作为个人参加资产阶级政府，他的所作所为就不是他能单独决定的。资产阶级也不可能因为他参加内阁而做出让步。卢森堡相信，社会改良总是阶级斗争的产物。"只要在国家中占统治地位的不是工人阶级的利益，而是资本的利益，那么，一个社会党人部长也是受到政府和议会中的资产阶级多数的表决的约束的。"①因为现代国家的中央政府，就像一部齿轮机，它的各个部分在所有方面都互相联结在一起，彼此决定和调整它们的运动。使整个齿轮机转动起来的直接传动装置就是资产阶级议会，但是原动力首先是国内的阶级关系和党派关系，归根结底是社会经济的生产关系和交换关系。资产阶级统治政策的一致性符合资本主义经济的一致性。所以，米勒兰入阁决不是如饶勒斯和福尔马尔等人宣称的那样，是一种新的斗争方法，它只不过是一次社会主义的机会主义策略的出色实验。

### （二）对比利时工人运动的策略分析

1902 年 4 月，比利时发生了席卷全国的争取普选权的斗争。比利时工人党号召群众举行总罢工以支持这一斗争。罢工开始后，与工人党结成同盟的自由党却要求无条件地遵守法律制度和维护社会秩序。于是，比利时工人党领导人便决定停止总罢工。这一事件在国际社会主义运动中引起广泛反响。德国社会民主党对比利时工人党的妥协进行了批评，列宁也在《火星报》上抨击了这种机会主义策略。卢森堡在当月就写了《比利时的实验》一文，对该事件进行

---

① 《卢森堡文选》上卷，人民出版社 1984 年版，第 331—332 页。

评论。比利时工人党的领导人王德威尔得（Emile Vandervelde）以《再论比利时的实验》一文进行辩护，同年5月卢森堡再次撰文进行回击。

在回击中，卢森堡首先批评比利时工人党处处受制于自由党，不仅在斗争中不敢提出符合无产阶级利益的要求，而且在自由党背叛工人党、议会内的行动已经毫无希望时，仍不敢诉诸议会外的上街行动。也就是说，比利时工人党的领导人只把议会斗争视为取得普选权斗争胜利的唯一道路，为了赢得议会斗争，甚至不惜牺牲原则与资产阶级自由派合作，幻想后者会为了共同利益而自我约束。所以，卢森堡说，如果国际无产阶级从比利时的实验中能够吸取某种教训的话，这就是“片面地对议会活动和资产阶级民主寄予希望只能使我们在政治上遭到一系列失败，引起人心涣散”①。然而，问题还不止于此。比利时和德国的一些党刊居然把比利时的这一做法看成对德国社会民主党策略的模仿，认为德国社会民主党也总是坚持议会斗争，反对总罢工，甚至宣称总罢工、上街的行动已经在比利时被证明是完全过时和无济于事的了。这样，他们实质上就把总罢工和议会活动、暴力和合法斗争完全对立起来，只主张议会活动和合法斗争，反对总罢工和暴力革命。显然，卢森堡不认同这些观点。她认为，对这些问题不能进行片面的和抽象的分析，必须结合具体问题进行具体的分析。

对于总罢工，卢森堡认为，首先要进行一种实事求是的判断，把民族的总罢工同国际的总罢工，把政治的总罢工同工会的总罢工，把一个行业的罢工同各行各业的罢工，把由于一时一事所引起的总罢工同出于无产阶级总的意图而实行的总罢工等区别开来。只要回顾一下总罢工的各种各样具体的表现形式和运用这一斗争手段的各种经验，就会使人认识到，任何千篇一律的做法和一概否定或一概推崇这一武器的做法，都是轻率的。按照斗争方法的本质不同，政治总罢工又可分为无政府主义的总罢工和一时的政治性群众罢工。卢森堡认为，前者的特点就在于相信总罢工是一件反对整个资本主义社会，反对它的个别生命攸关的职能的万应法宝，相信总罢工这个抽象的、绝对的范畴是在任何时候和任何国家都同样适用并会带来胜利的那样一种阶级斗争手段，它不考虑把社会主义的决战同无产阶级的日常斗争、同循序渐进的教育和组织工作有机地结合起来。卢森堡反对这种无政府主义的总罢工，而对一时的政治性群众罢工持肯定态度，并把后者看成是日常斗争和教育无产阶级的重要组成部分。

---

①《卢森堡文选》上卷，人民出版社1984年版，第381页。

卢森堡对总罢工的策略进行如此详细地分析，主要是想说明：总罢工，尤其是政治性总罢工是无产阶级进行阶级斗争的重要手段，德国由于自身的落后，尚谈不上举行一次政治性总罢工，但这并不是德国社会主义运动优越性的体现，恰恰相反，而是它落后性的表现。对于比利时来说，由于它具备举行政治性总罢工的条件，因此，它要善于运用政治性总罢工来开展阶级斗争，来争取普选权。也是在这个意义上，卢森堡说："比利时的实验的最重要的教训不是要反对总罢工本身，而是相反，要反对同自由党人结成注定使任何的总罢工都不会取得成果的议会同盟。"

那些反对甚至惧怕总罢工的人，往往认为总罢工是一种旧式的革命手段，是一种暴力革命，而他们主张合法的议会斗争，对工人群众进行日常的组织和教育工作。对此，卢森堡不以为然。她认为组织和教育工作本身还不是斗争，而仅仅是进行斗争的准备手段，宣扬组织和教育工作比革命手段"优越"，实际上是把暴力革命和合法的改良即议会政治互相对立起来。还有人或许不反对暴力革命，但却认为，是否进行革命不仅要看革命是有益的还是多余的和有害的，而且还要看哪一种信念在社会民主党中占据上风，即社会民主党中支持革命的人数多少。卢森堡把这种主张称之为"随心所欲的制造革命的观点"。①她认为，人民的暴力行动绝不是领导人或党的一种随心所欲的、自觉的产物，不如说，它们完全是自发的、以自然的强制力量贯彻的社会现象，其来源在于现代社会的阶级性质。

也因此，卢森堡一方面认为，社会主义政党的作用不在于为阶级斗争的历史发展规定法则，相反倒在于使自己服从它的法则并从而使这些法则为自己服务，如果社会主义政党要反对这种革命，那么唯一的结果就是"社会民主党会由阶级斗争的领导者变为它的追随者或者它的一个软弱无力的障碍，而这个斗争最终无论如何一定会在某一时刻在没有它或反对它的情况下进行下去"②。另一方面，既然暴力革命是阶级斗争的必然产物，那么，它就不是社会主义政党的策略问题，而主要是历史发展问题，即社会阶级矛盾和阶级斗争发展到什么程度的问题。暴力不仅不会随着资产阶级合法性的增加、议会政治的发展而丧失历史作用，而且它在当代资本主义社会中正像在从前的任何时代一样，也是

---

① 《卢森堡文选》上卷，人民出版社 1984 年版，第 390 页。

② 《卢森堡文选》上卷，人民出版社 1984 年版，第 391 页。

现行政治制度的基础。“整个资本主义国家建立在暴力之上，它的军事组织本身就充分地、有力地证明了这一点”。① 在这里，卢森堡运用经济基础和上层建筑之间的关系原理对资本主义社会中所谓的合法性和暴力之间的关系进行了辩证的分析，指出，向我们提供的资产阶级合法性无非是统治阶级的暴力，而这一暴力从一开始就被提高为必须遵守的准则。在资产阶级法学家和机会主义者看来，“‘法律制度’是‘正义’的独立自主的创造物，而国家的强制性暴力仅仅是法律的一个后果，是法律的‘制裁行为’。实际上却相反，资产阶级的合法性（以及议会政治作为发展之中的合法性）本身只是来源于经济基础的资产阶级政权的一定的表现形式。”②

如此一来，无产阶级就不能迷恋于合法的议会活动，更不能因为合法的议会活动，而否定和取消暴力。无论是对作为统治阶级的资产阶级来说，还是对作为被统治阶级的无产阶级来说，暴力不仅没有由于合法性而被取消，而且它还是合法性的真正的庇护人，确切些说是它的基础。而合法性本身，也只不过是各个时期相互进行斗争的阶级之间力量对比的产物，是不断发生变化的。所以，卢森堡最后得出结论说：“暴力现在是而且永远是工人阶级的最后手段，是至高无上的阶级斗争规律，这一规律时而潜在地发挥作用，时而积极地发挥作用。”③ 当然，当卢森堡强调暴力的积极作用时也始终没有忘记，无产阶级只有在认为暴力革命是它向前突进的唯一可行的道路时，而且不言而喻只有在整个政治形势和力量对比多少有可能保证它取得成果的条件下才会采取这一手段。

### （三）对考茨基疲劳策略的批判

1907 年 1 月 25 日和 2 月 5 日举行的德国国会选举，社会民主党比 1903 年的选举多得了 24 万多张选票。可是，由于保守势力坚持旧的选区划分办法并在复选时联合起来反对社会民主党，社会民主党在议席上并没有相应地获得增加。同时，德国政府大肆宣扬民族主义和爱国主义，推行军国主义和对外殖民，并打着“财政改革”的旗号盘剥无产阶级、农民和小资产阶级。国内阶级

① 《卢森堡文选》上卷，人民出版社 1984 年版，第 391—392 页。
② 《卢森堡文选》上卷，人民出版社 1984 年版，第 393 页。
③ 《卢森堡文选》上卷，人民出版社 1984 年版，第 397 页。

矛盾不断激化。卢森堡认为，这种形势非常有利于传播社会主义学说。于是，她在 1910 年 3 月发表了《下一步怎么办?》和《播种季节》两文，并且从 4 月 3 日至 18 日，还到德国各地进行演说，宣传自己的主张。

卢森堡相信，德国社会民主党要取得包括选举法案改革在内的更大成就，就不能寄希望于议会斗争，而必须借助日益高涨的群众运动，推动群众示威转化为政治性群众大罢工。然而，当时的德国社会民主党深受修正主义和机会主义影响，沉迷于议会斗争，不敢放手发动群众，甚至在群众革命热情已经高涨时，也不敢利用群众的热情将运动推向高潮。也因此，卢森堡主张全党可以在党的刊物和公共集会上讨论这个问题。“党在各个方面都发现自身面临一个问题：‘下一步怎么办?’既然最近一次的党代会回避这个问题（不幸的是，这种回避更多的是以冠冕堂皇的姿态，而不是以政治的姿态出现），那么，这个问题现在就必须通过在党刊和公共集会上的讨论来解决。”① 在《播种季节》一文中，卢森堡更是进一步主张：有力的进攻就是最好的防御，德国社会民主党在宣传中要掉转枪头，全线转入猛烈进攻，公开主张建立共和国，以回击反动统治越来越肆无忌惮的挑衅。因为卢森堡发现，君主政体是反动统治的中心或者至少是表面的、可以看得见的头目，明确提出共和国口号，不仅是反对德国的军国主义、殖民政策、世界政策和容克地主统治的实际战斗口号，而且由于这一口号表明了社会主义的奋斗目标，还有利于唤醒、激励和教育群众，大大扩充拥护者大军和提高、巩固他们的社会主义觉悟。

应该说，卢森堡的这些主张并不是偶然的，其中既有对当时德国群众革命热情高涨这一实际的考虑，也有对 1905 年俄国革命经验的启发和借鉴，更有对德国社会民主党内修正主义和机会主义泛滥的忧虑。尤其是修正主义者和机会主义者，不时利用德国社会民主党的组织体系和严格纪律，来约束党内主张革命的同志，抑制群众的革命热情。党的机关报《前进报》和考茨基负责的《新时代》不仅拒绝讨论群众罢工问题，而且也拒绝发表那些讨论群众罢工的文章。卢森堡的文章《下一步怎么办?》本来准备在《前进报》和《新时代》上发表，甚至都已经排好版，却遭到党内压力被撤下来。代表德国社会民主党官方学说的考茨基，甚至在他主编的《新时代》上发表《今后怎么办?》一文，公开批评卢森堡要求进行政治性群众大罢工和建立民主共和国的主张。卢森堡在 4 月

① 引自《下一步怎么办?》，参见 https://www.marxists.org/archive/luxemburg/1910/03/15.htm。

13日给她的好友同时也是考茨基的夫人露丝·考茨基(Luise Kautsky）的信中，就直斥考茨基的这种行为是一种“背后偷袭”。①5月，卢森堡撰写《疲劳还是斗争?》进行回击。这篇文章于5月27日和6月3日分两期刊登在《新时代》上。

考茨基认为，在刊物上公开讨论罢工这样的革命策略，既容易暴露无产阶级斗争的秘密，又对无产阶级运动形成不利影响。同时，他还从理论上对罢工进行细致区分，把罢工分为示威性罢工、威逼性罢工、经济罢工和政治罢工，然后认为如果宣传不够明确，群众就可能领会错我们的意图，把我们想举行的示威性罢工出乎意料地搞成不合时宜的威逼性罢工，将经济罢工和政治罢工混淆起来。对此，卢森堡在文章中做了回应。首先，她为自己在党刊和公共集会上表达不同于党的官方意见的做法进行辩护，认为社会民主党不是由一小撮百依百顺的门徒组成的教派，而是一种群众运动，在这个运动中，凡是会使它的内部引起激动的问题，不管人们愿意与否，必定会以这样或那样的方式公开出来。况且，进行最深入的讨论，只会有助于党本身澄清观点，使党注意运动的弱点，重视宣传或组织方面最紧迫的实际任务。其次，卢森堡根据俄国1905年的革命经验，对考茨基从理论上对罢工做出的细分不以为然。她认为，按照主次对群众罢工这样严格的分门别类和程式化，在纸上可能有效，对于一般的议会活动也可能够用，可是，一旦出现大规模的群众行动和政治风暴，这些门类就会被生活本身打乱。②

需要明确是，卢森堡忧心的并不是党内禁止讨论群众罢工的企图本身，她最忧心的还是这种企图所依据的对于群众罢工的一般认识，即党内一些人总是视群众罢工为洪水猛兽，对俄国1905年的革命经验视而不见，或者把群众罢工看成巧妙设想出来的手段，是由社会民主党的执委会和工会总委员会在密室里策划出来的，能够对资产阶级社会进行突然袭击的一种手段。所以，卢森堡反复强调，群众罢工不是在任何情况下都能保证成功的灵丹妙药，不能把群众罢工看作一种人为的、只要按照规定和命令就可以任凭使用的、一次性的、机械的施加政治压力的手段。“群众罢工只是行动的表现形式，这种行动有它的内在发展，有它的逻辑，有它的升级，有它的终结，它和政局及其趋势息息相

---

① Edited by Georg Adler,Peter Hudis and Annelies Laschitza,*The Letters Of Rosa Luxemburg*,Translated by George Shriver, New York, Verso,2011, p.291.

② 《卢森堡文选》下卷，人民出版社1990年版，第220页。

关。"[①]卢森堡要求，把群众罢工是否可能、合适与否、必要与否等问题交由群众自己来研究和决定。也就是说，在卢森堡强调群众罢工这个策略背后，其实蕴含着她重视群众的诉求、尊重群众的意志、把历史看成群众创造的这样一种历史观。她认为，这个历史观来自马克思本人。因为"马克思的观点是尊重群众，把群众的觉悟看成社会民主党一切政治行动的决定因素"[②]。根据这个观点的精神，政治性群众罢工也同选举法的整个斗争一样，终究不过是用来启发无产阶级的最广泛阶层的阶级觉悟并把他们组织起来的一种手段。

为了给德国社会民主党反对群众罢工提供理由，考茨基还总结出"击破战略"和"疲劳战略"两种理论，宣称"击破战略"一直到巴黎公社起义都是起决定作用的，从那以后，它就被"疲劳战略"所取代，德国社会民主党迄今为止所取得的成就都是因为奉行这种战略才取得的。考茨基甚至宣称，他的"疲劳战略"来源于恩格斯关于马克思《1848年至1850年的法兰西阶级斗争》一书的导言。卢森堡对考茨基的这些观点都一一进行了驳斥。她认为，"疲劳战略"并不新鲜，也不是什么"新战略"，在德国，早在巴黎公社之前十年就已经通过拉萨尔（Ferdinand Lassalle）的宣传打下基础。这种"疲劳战略"无非就是利用资产阶级国家的议会手段去进行无产阶级日常的阶级斗争，去教育、集合和组织无产阶级罢了。当年恩格斯在导言中根据无产阶级革命的特征、军事技术的发展等因素，反对用突然袭击的方式进行少数人的革命，这与考茨基对导言的分析根本就不是一回事。所以，卢森堡问道："恩格斯这个'政治遗嘱'究竟和今天的形势以及我们的群众罢工问题有什么关系呢？难道已经有人打算通过群众罢工来突然实行社会主义吗？还是已经有人想起了要致力于街垒战，致力于'跟军队发生大规模冲突'吗？还是也许已经有人打算竭力反对利用普选权，竭力反对利用议会斗争呢？"[③]

换言之，在卢森堡看来，这里争论的焦点根本就不是要不要议会斗争，而是无产阶级运动能否只局限于议会斗争，尤其是当无产阶级群众革命热情日益高涨、革命形势日益凸显的时候能否还把斗争局限于议会？卢森堡强调必须把议会斗争和群众罢工结合起来，并且借助群众罢工去争取议会斗争所无法争取

① 《卢森堡文选》下卷，人民出版社1990年版，第218页。

② 《卢森堡文选》下卷，人民出版社1990年版，第219—220页。

③ 《卢森堡文选》下卷，人民出版社1990年版，第228页。

到的东西。事实上，无论是群众罢工，还是议会斗争，都不是夺取政权的手段，夺取政权需要暴力革命。但是，群众罢工和议会斗争可以教育群众、组织群众、提高群众思想觉悟，从而为夺取政权准备条件。也因此，卢森堡给德国社会民主党提出的当前任务是："充分利用群众的昂扬斗志和激动的情绪，向群众行动提出政治口号，把这些口号变为对群众的政治教育和社会主义教育，向他们指明道路，走在他们前面，引导他们前进。"①

## 二、关于无产阶级政党的理论

在19世纪末对修正主义的批判中，卢森堡一再强调，马克思主义学说没有过时，以马克思主义学说为理论基础的德国社会民主党的纲领也没有过时，正是马克思主义学说的科学性保证了德国社会民主党纲领的正确性。当修正主义者打着"批评自由"的旗号，要求对马克思主义学说进行修正和对德国社会民主党的纲领进行调整时，卢森堡明确指出，党的发展需要自由的空气和不断的自我批评，但这绝不是说可以任意地和随意地批评，因为批评也须以一定的前提和原则为基础，不能违背党自身的性质。"尽管我们十分需要自我批评的自由，并且尽管给它以广阔的活动余地，但是毕竟必须有某种最低限度的基本原则，这些基本原则构成我们的本质和我们的存在本身，并形成我们作为同一政党的成员共同活动的基础。我们不可能对于这些为数不多的普遍的基本原则在我们队伍内部使用'批评自由'的原则，因为这些基本原则既是一切活动的前提，因此也是在我们队伍内批评这些活动的前提。"②也就是说，德国社会民主党之所以是一个无产阶级政党，恰恰是因为它以马克思主义学说提供的基本原则为纲领和活动指南，批评这些基本原则，实质上就是要求放弃社会民主党的社会主义性质，使社会民主党成为类似资产阶级和小资产阶级一样的政党。

这样，卢森堡实质上就表达了这样一个信念，即社会主义政党必须坚持马克思主义学说和以马克思主义确立的基本原则为指导，社会主义政党的性质本质上就取决于此。十几年后的1917年，当德国社会民主党领导层公然背叛马

① 《卢森堡文选》下卷，人民出版社1990年版，第241页。

② 《卢森堡文选》上卷，人民出版社1984年版，第203—204页。

克思主义学说，走上社会沙文主义道路，卢森堡又表达了同样的观点。当时，德国社会民主党的主要领导人谢德曼（Philipp Scheidemann）等人把党领导的协会、领导机构、党的会议、党的全体大会、现金账簿、党员证等视为党本身，与党等同起来。对此，卢森堡指出："当党不再执行由其本质决定的政策时，协会、机构、党员证和现金账簿会在转瞬之间变成一文不值的废物。"① 在卢森堡看来，社会民主党之所以是社会主义政党，就是因为它坚持了马克思主义确立的基本原则和精神。如果这个原则和精神遭到背叛，那么，即便这个党的组织和机构等仍然存在，这个党作为社会主义政党也早已死亡。不仅如此，当修正主义者有意或无意地把工会和党混淆起来，要么企图通过工会活动来追求无产阶级的解放，要么企图让工会完全独立于党的领导，甚至把工会和党对立起来时，卢森堡基于无产阶级的当前利益和长远利益、个别利益和整体利益、无产阶级斗争的自发性和自觉性之不同，明确指出，工会一开始只是代表工人直接的当前利益，而无产阶级政党对于无产阶级的单个成员来说代表整个阶级的利益，对于个别的眼前利益来说代表整个运动的利益，工会反对资产阶级的斗争只具有自发性，无产阶级政党领导的斗争才具有自觉性。

卢森堡要求无产阶级政党必须以马克思主义为指导，强调无产阶级政党作为无产阶级的先锋队，必须承担起解放无产阶级的历史使命，但是，在如何建立一个以马克思主义为指导的无产阶级政党的具体问题上，比如这个党的组织原则是什么，需要什么样的纪律，党和阶级、群众的关系如何等，卢森堡又有着不同于他人的看法。这些观点在她与列宁就党的组织问题进行的争论中以及她对群众和领袖关系问题、党的纪律问题的论述中得到集中体现。

### （一）与列宁就党的组织问题进行的争论

1903 年，俄国社会民主工党召开第二次代表大会。在会上，列宁同马尔托夫（Julius Martov）等人就党章问题发生激烈争论。马尔托夫主张党不要有严格的界限，应该尊重每个党组织的高度自主权，使党成为能把每个支持社会主义运动的人都包容进来的鼓动组织。② 列宁不同意这个主张。会后，他写

① 《卢森堡文选》下卷，人民出版社 1990 年版，第 470 页。

② Paul Frölich, *Rosa Luxemburg: Her Life and Work*, New York, Monthly Review Press, 1972, p.82.

了《进一步，退两步》，提出党是无产阶级的先锋队，是无产阶级的最高组织形式，必须按照集中制原则组织起来等观点。[①]马尔托夫试图寻求国际的支持，于是邀请卢森堡就此问题给《火星报》撰稿。卢森堡出于多方面的原因，答应了马尔托夫的请求，撰写《俄国社会民主党的组织问题》。这篇文章于1904年7月发表于《火星报》，7月13日被《新时代》转载。

在《俄国社会民主党的组织问题》中，卢森堡承认俄国的社会环境比较特殊，在资产阶级没有直接进行政治统治的条件下建立社会民主党。一般来说，资本主义的发展会把无产阶级团结起来，无产阶级政党只是把阶级意识灌输到无产阶级群众中。但是，在俄国，社会民主党需要用自觉的干预来代替历史过程的一个时期，把无产阶级作为有自觉目的的斗争阶级直接从政治的极端分散状态（这是专制制度的基础）引导到最高的组织形式中去。因此，卢森堡也强调，在俄国必须"建立一个统一的紧密团结的工人政党"[②]，俄国社会民主党有必要实行集中主义。不过，这种集中应该到什么程度呢？在这里，卢森堡和列宁显示出明显的分歧。她认为，集中主义并不是一个能很好地概括社会民主党的组织形式的内容和特点的口号，况且，列宁在《进一步，退两步》一书中提出来的集中制还是一种"极端集中主义"和"无情的集中主义"。

为此，卢森堡抓住列宁的一句话，即革命的社会民主党人无非是"同有阶级觉悟的无产阶级的组织有密切联系的雅各宾派分子"[③]，强调列宁的集中制是把"布朗基密谋集团的运动的组织原则机械地搬到社会民主党的工人群众运动中来"。[④]因为卢森堡认为，布朗基主义的特点就是迷信少数人的密谋，把群众视为观众，不关心群众的日常斗争，随意制定革命计划，事先规定好一切细节，而列宁提出的集中制，其基本原则也可以概述为：1. 把态度明确的和活跃的革命家的有组织的部队同它周围的虽然还没有组织起来但是积极革命的环境完全区别开来；2. 实行严格的纪律和中央机关对党的地方组织生活的各个方面实行直接的、决定性的和固定的干预；3. 运用这种方式间接影响党的最高机关

① 参见《列宁全集》第8卷，人民出版社2017年版，第197—425页。

② 《卢森堡文选》上卷，人民出版社1984年版，第502页。

③ 列宁的原话是："同已经意识到本阶级利益的无产阶级的组织密切联系在一起的雅各宾派分子，就是革命的社会民主党人。"参见《列宁全集》第8卷，人民出版社2017年版，第383页。

④ 《卢森堡文选》上卷，人民出版社1984年版，第504页。

即党代表大会的组成，其结果就是“中央委员会成了党的真正积极的核心，而其他一切组织只不过是它的执行工具而已”①。

当然，卢森堡对列宁提出的集中制进行批评，主要还不是因为她认为列宁提出的集中制是一种布朗基主义的集中制，主要还是因为她认为，列宁提出的集中制从根本上说，既不符合社会主义运动发展的实践经验，也会阻碍党和群众之间的健康关系，不利于发挥群众的积极性和创造性。

就第一点来说，卢森堡举俄国革命为例，认为俄国运动近几十年来最重要和最有成就的策略上的变化不是由运动的某些领导人“发明”的，更不是由领导机构“发明”的，每次都是已经爆发起来的运动本身的自发产物。“在所有这些事件中，‘行动’总是先行。社会民主党组织的首创性和自觉领导的作用是微乎其微的。”② 换句话说，卢森堡并不把革命运动看成由无产阶级政党事先计划好的，可以人为制造的。恰恰相反，她认为革命运动完全是群众自发斗争的产物，无产阶级政党只是参与其中，尽管党可以凭自己的经验把每次斗争新赢得的成果发挥到最大，但是它也容易变成一个堡垒反对更大规模的革新，从而带有保守的性质。显然，卢森堡的这些经验判断与其说是针对俄国社会民主工党的，不如说是针对德国社会民主党的。因为德国社会民主党在反社会党人法取消后的十几年里，尽管通过议会选举等活动取得了重大成就，但是也因此逐渐丧失了革命性，成为迷信议会道路的保守政党。更何况，革命运动总是辩证地发展。组织、觉悟和斗争在这里不像布朗基主义主张的那样，是可以机械地和暂时地分割开来的不同的因素，而仅仅是同一过程的不同方面。无产阶级的军队只有在斗争中才能补充自己的队伍，也只有在斗争中才能逐渐明确自己的斗争任务。所以，除了一般的斗争原则以外，根本不存在可以由中央委员会像训练新兵那样，教会社会民主党的党员去付诸实现的那种现成的、预先制定好了的详细斗争策略。正因此，对于社会民主党来说，“重要的不是每次替未来的策略预先设想或预先制定出一个现成的方案，而是从无产阶级阶级斗争的最终目的的立场出发在党内对当时的主要斗争形式鲜明地保持正确的历史的估价，对于一定的斗争阶段的相对性和对革命因素增长的必然性具有

① 《卢森堡文选》上卷，人民出版社 1984 年版，第 501 页。

② 《卢森堡文选》上卷，人民出版社 1984 年版，第 506 页。

敏锐的感觉。”① 此时的卢森堡，还不可能知道一年后即1905年俄国将要发生的革命，然而，1905年的俄国革命却在一定程度上验证了她的分析，只不过她忽略了：一个没有坚强有力的无产阶级政党领导的革命运动即便突然爆发了，也是注定不可能成功的。

而就后一点来说，卢森堡承认一个严密的组织可以给社会民主党的斗争带来力量，但是，这种力量只是形式上的。无产阶级的斗争不同于历史上任何一种斗争，它在斗争中必须时时刻刻依靠群众和群众的直接行动。“社会民主党的运动是阶级社会历史上在其各个时期和全部过程中都要依靠群众的组织和群众的直接的独立行动的第一个运动。”② 也就是说，无产阶级的斗争需要发挥群众的主动性和创造性，不能让群众被动地等待党的命令，仿佛没有党的命令，群众就无所事事一样。如前所述，这既不符合无产阶级斗争的实际经验，也无助于提高群众的阶级觉悟和斗争水平。卢森堡把这一点称之为“无产阶级进行斗争的特殊历史条件”。显而易见，当卢森堡把列宁提出的集中制理解为是党的战士对中央机关的盲目听话和机械服从，以及把党的有组织的核心同它周围的革命群众严格地隔离开来时，她与列宁的分歧就是不可避免的。这也就难怪她会认为，列宁所主张的极端集中主义的全部实质就是：“它没有积极的创造精神，而是一种毫无生气的看守精神。他的思想过程主要是集中于监督党的活动而不是使它开花结果，是缩小而不是发展，是束缚而不是联合整个运动。”③

卢森堡既然反对列宁提出的集中制，那么，她自己又主张什么样的集中制呢？卢森堡把自己提出的集中制称为“自我集中制”。“社会民主党的集中制无非是工人阶级中有觉悟的和正在进行斗争的先锋队（与它的各个集团和各个成员相对而言）的意志的强制性综合，这也可以说是无产阶级领导阶层的‘自我集中制’，是无产阶级在自己的党组织内部的大多数人的统治。”④ 这种集中制需要具备两个条件：1. 拥有一个人数众多的在政治斗争中受过训练的无产者阶层；2. 无产阶级群众可以通过党代表大会或报刊等渠道表达自己的意见和直接施加影响。由于俄国是一个落后的农业国家，且仍奉行沙皇专制，所以，这两个条件在俄国都不具备。卢森堡也承认这一点。她之所以提出这个问题，主要就是

① 《卢森堡文选》上卷，人民出版社1984年版，第507页。
② 《卢森堡文选》上卷，人民出版社1984年版，第502页。
③ 《卢森堡文选》上卷，人民出版社1984年版，第508页。
④ 《卢森堡文选》上卷，人民出版社1984年版，第504页。

想强调，在俄国这种既缺乏一个成熟的无产阶级队伍，又缺乏政治民主的国家，列宁主张的集中制可能会带来更大的危害，更容易走向布朗基主义。

也正因此，当列宁把资本主义大工厂、军营甚至现代官僚制度视为是培育无产阶级纪律的东西时，卢森堡表现出极大的不满。她认为，资本主义大工厂、军营等培育出来的纪律，只不过是一个有无数手和腿的肉体在没有意志和思想的情况下随着指挥棒机械地做动作，只不过是被统治阶级的盲目服从，这绝不是无产阶级所需要的纪律。无产阶级的纪律是一个社会阶层自觉的政治活动、自愿地互相配合，是一个为自己解放而斗争的阶级的有组织的起义。这种纪律不能通过资本主义体系培育出来，也不能通过党的中央委员会的指令培育出来。“无产阶级要培养新的纪律，即社会民主党的自愿的自觉纪律，不能受资本主义国家为无产阶级培植起来的纪律的束缚，不能简单地使指挥棒从资产阶级手中转到社会民主党中央委员会手中，而只能打破和铲除这种奴役性的纪律精神。”[①]也就是说，无产阶级的纪律是无产阶级出于阶级觉悟和自我解放需要的自愿服从，它需要打破旧的奴役性纪律，需要无产阶级群众在积极地参与革命活动中逐渐培育。

列宁在《进一步，退两步》中，把赋予中央委员会以绝对权力和依靠党的章程为党设置严格的樊篱，作为阻挡机会主义潮流的坚固大堤。因为列宁认为，机会主义潮流的特殊标志就是知识分子生来喜欢自治制和组织涣散状态，害怕党的生活中的严格纪律和任何官僚主义。对于这些观点，卢森堡并不认同，并相应地做了批驳。

一方面，卢森堡承认，知识分子由于其出身于资产阶级，从而不是出于自己的阶级感情，而是通过克服自己的阶级感情走向社会主义。但是，这是不是说知识分子天生就具有机会主义倾向、天生就倾向于某种组织形式呢？卢森堡认为，那种认为无产阶级具有接受民主党组织的天赋能力、而知识分子却天性怀疑民主党运动的说法，“本身就毫无马克思主义革命家的气息”，因为把在一种具体的历史基础上产生的这种现象同这种联系割裂开来，把它变成具有普遍的绝对的意义的抽象公式，这违背了马克思主义的“神圣灵魂”即历史的辩证的思想方法。[②]在卢森堡看来，知识分子是否具有机会主义倾向，以及倾向通

---

① 《卢森堡文选》上卷，人民出版社 1984 年版，第 505 页。

② 《卢森堡文选》上卷，人民出版社 1984 年版，第 510 页。

过什么样的具体形式表现出来，特别是在组织形式上趋向于什么形式，这完全是由社会的具体条件决定的，绝不是什么天性如此。所以，当列宁以法国、德国、意大利的知识分子为例，来说明他们的机会主义倾向时，卢森堡针锋相对地进行了反驳。她认为，西欧出现的机会主义“不像列宁所设想的那样，是因为‘知识分子’的先天的散漫性和懦弱，而是因为资产阶级议会活动家的需要，不是因为知识分子的心理状态，而是因为机会主义的政策”①。具体到俄国的机会主义，那情况又与西欧不太一样。因为俄国出现机会主义，恰恰是由于俄国政治上过于落后，其表现就是俄国知识分子的阶级性不够固定，缺乏过多的阶级感情，在理论上容易出现不坚定和机会主义动摇。

另一方面，机会主义是否如列宁所说的那样，醉心于自治制和组织涣散呢？卢森堡也不同意这种说法。她认为，机会主义并不醉心于任何固定的组织形式。因为机会主义在组织问题上的唯一原则就是缺乏原则，即总是根据情况来选择自己的手段，只要这些手段能适合于自己的目的。一般说来，在革命的工人群众还没有组织起来，运动还处于摸索过程的条件下，也就是说，在类似俄国目前所处的条件下，机会主义知识分子喜爱的组织倾向恰恰是严格的专制的集中制。因为这种集中制可以给还不够觉醒的无产阶级运动提供一小批有头脑的知识分子领导人。只是在有了议会制度和拥有强大的团结一致的党的情况下，地方分权制才会成为机会主义知识分子喜爱的组织形式。

这样，卢森堡实质上就全盘否定了列宁试图通过采取集中制的组织形式和制定严格的党的章程来防止机会主义的主张。当然，如果进一步来看，卢森堡不同意列宁的主张，更多的还是源于她对机会主义的固有认识。早在1899年对伯恩施坦的修正主义进行批判时，卢森堡就对资本主义社会里无产阶级运动的特征进行了概述，认为这个运动的全部特点就在于：这是世界历史上由人民群众自己并且违反统治阶级的意志而实现自己的意志，而这个意志必须超越现今社会的界限，在现今社会的来世去实现。可是，培养这种意志又只能在同现存制度不断斗争中，在现存制度的框框里进行。广大人民群众同一个超越全部现存制度的目的结合，日常斗争同伟大的世界改造结合，这就是社会主义运动的大问题，这个运动因此在整个发展过程中也必然在两块礁石之间前进，一边是否认群众性，一边是否认最终目的；一边是重新回到宗派主义，一边是滚入

① 《卢森堡文选》上卷，人民出版社1984年版，第512页。

资产阶级改良运动；一边是无政府主义，一边是机会主义。[①] 如今在这里，卢森堡又表达了同样的观点，认为机会主义的出现并不是偶然的，除了列宁提到的资产阶级等其他阶级因为破产而渗透到无产阶级队伍中来以外，另一个源泉就是社会主义运动本身的性质和它的内部矛盾，即“广大人民群众同摆脱整个现存制度的目的相结合，日常的斗争同革命变革相结合，这是社会民主党运动的辩证的矛盾。而这个运动在它的整个发展过程中必须在两个暗礁之间，即在放弃群众性和放弃最终目的之间，在倒退到宗派状态和变成资产阶级改良运动之间合理地向前迈进”[②]。确切地说，卢森堡是把机会主义视为社会主义运动本身的要素之一，机会主义也是工人运动本身的产物，在工人运动的发展中不可避免。既如此，那种认为社会民主党的革命策略可以一劳永逸地预先加以规定，工人运动可以一劳永逸地不受机会主义动摇的侵蚀的想法，就注定是一种非历史主义的幻想。只有当这些错误在实践中获得了具体形式之后，才能在运动中借助马克思主义提供的武器来克服它们。

正是基于这一认识，卢森堡才认为，列宁试图通过组织章程把机会主义和工人运动隔离开来的思想是根本错误的，也是不可能取得成效的。更何况，当时俄国的工人运动还很年轻，工人运动的政治条件还很不正常。既然机会主义是工人运动中必然会出现的，那么，就不要因为机会主义就通过党的章程把党的大门关上，从而阻碍工人运动在团结一切反对派的基础上不断发展壮大，而一旦出现机会主义，也不要寄希望通过集中制来解决，而只能通过工人阶级在运动中自我解决，哪怕这种解决会在不断犯错中进行。或许这才是卢森堡在全文最后一句话的真正含义，即“真正革命的工人运动所犯的错误，同一个最好的‘中央委员会’不犯错误相比，在历史上要有成果得多和有价值得多”[③]。

---

① 《卢森堡文选》上卷，人民出版社 1984 年版，第 146 页。

② 《卢森堡文选》上卷，人民出版社 1984 年版，第 516 页。

③ 《卢森堡文选》上卷，人民出版社 1984 年版，第 518 页。没过多久，列宁就读到了卢森堡的文章。他在 9 月做了答复。本来列宁把答复寄给考茨基，希望后者在其主编的《新时代》上发表，但后者拒绝发表且把文章退回给了列宁。在答复中，列宁认为卢森堡文章中所谈内容根本不是他在《进一步，退两步》一书中的内容，而是别的什么东西，并举了很多例子来说明这一点。参见《进一步，退两步——尼·列宁给罗莎·卢森堡的答复》，收录于《列宁全集》第 9 卷，人民出版社 2017 年版，第 35—46 页。

### （二）群众和领袖

德国社会民主党日益表现出来的官僚主义和等级制，在很大程度上抑制了广大无产阶级群众的革命热情和主动性，从而使得德国社会民主党与广大无产阶级群众产生了不协调。早在 1903 年，卢森堡就敏锐地认识到这一点。同年 10 月，她发表《破灭的希望》一文，重点探讨群众和党的领袖应该是一种什么关系。卢森堡认为，群众自身对于自己的任务和道路的认识，这是社会民主党活动的一个必不可少的历史先决条件。因此，无产阶级政党的领袖，其唯一作用就在于启发群众认识他们的历史任务，并且这种启发工作取得多大成效是衡量领袖威信和影响的尺度。也就是说，卢森堡实质上要求党的领袖放弃自身的领袖作用，使群众成为领袖，使自己成为群众自觉行动的执行人。显然，这种领袖和群众关系，不同于资产阶级意义上的领袖和被领导的群众关系。后者是一切阶级统治的基础。然而，党内修正主义者鼓吹的恰恰是后一种领袖和群众关系。他们主张：对群众，必须像教育儿童那样去教育他们，对他们不是什么都说，甚至可以为了他们的利益而说些谎话去哄骗他们。而领袖，作为深谋远虑的国务活动家，可以用这种哄骗语气，按照自己庞大的计划去刻画未来蓝图。修正主义的这些主张，卢森堡是坚决反对的。

1911 年，当德国社会民主党跟随资产阶级政党，极力粉饰世界和平而置德国军国主义扩张于不顾时，卢森堡再次旗帜鲜明地提出这一问题，发表《再论群众和领袖》一文。文章质疑党的地方组织能否有自己的首创精神，是不是任何事情，哪怕是性质已经非常明显的反军国主义，如果没有收到党的执委会的指示就不能有任何自主行动。就在前一年卢森堡发表的《下一步怎么办?》中，她也曾一针见血地指出：德国社会民主党是如此史无前例地重视组织原则和党的纪律，以至于实质上排除了没有组织起来的人民群众的主动性，排除了他们自发的、可以说是即时表现出来的行动能力，这是迄今为止任何一个重大政治斗争都有的极其重要、通常也是决定性的因素。① 也就是说，卢森堡早已看到，党内的过于组织化和官僚化对无产阶级运动带来的不利影响。而这次事件毫无疑问进一步证实，当时的德国社会民主党已经组织化和官僚化到何等程度，德国社会民主党的组织机器和党纪对大规模群众行动的刹车能力要远远强于带动

---

① 引自《下一步怎么办?》，参见 https://www.marxists.org/archive/luxemburg/1910/03/15.htm。

能力。因此，反对党内日渐成型的官僚主义，几乎成为卢森堡此后半生的使命。

也许有人会问：卢森堡要分析的是党的领袖和群众之间的关系，为什么这里却大谈特谈党的过于组织化和官僚化呢？这是因为，在卢森堡看来，强化党的组织和官僚主义，实质就是强化党的领导及其作用，以及相应地贬低群众及其作用。二者在实践中是一致的。事实上，卢森堡也的确是这样认识这个问题的。她可以说是马克思主义发展史上最早对党的高度组织化带来的官僚主义进行系统批判的人，也是比较早地对党的领袖与群众之间应该是一种什么关系进行系统分析的人。她一再强调，所谓工人阶级绝不是一个七人或哪怕是十二人的党执行委员会，而是有觉悟的无产阶级群众本身。工人阶级在解放斗争中每前进一步，必须同时意味着它的群众在精神上的独立自主、独立活动、自决和首创精神的增长。但是，如果广大人民群众的先锋队，如果联合成社会民主党组织的最优秀、最有觉悟的一批人，自己作为群众没有发挥首创精神和独立性，而宁可总是在上面发布命令以前按兵不动，这些群众的行动能力和政治战斗力又怎么会发展呢？纪律和统一行动是社会主义群众运动中生死攸关的问题。然而，社会主义意义上的纪律与资产阶级军队的纪律不是一回事。后者是以士兵群众漫不经心、毫无主见地屈从上级的命令——它所表达的是异己的意志——为基础的，社会主义的纪律则意味着每个个人服从大多数人的意志和思想，意味着党的所有中央机关都要执行 80 万有组织的党员同志的意志，而不是相反，80 万有组织的党员必须服从一个中央机构、一个党执行委员会的意志和决定。因此，党内政治生活正常发展的关键，即社会民主党生死攸关的问题在于，党员群众的政治思想和意愿要始终保持生动活泼的状态，能够日益使党员群众发挥主动性。

卢森堡自始至终都把发挥广大党员群众自身的首创精神、自身的思想工作和自身的朝气勃勃的政治生活，作为根治党的过于组织化和官僚化弊病的唯一手段。或许有人会说，党不是有代表大会吗？党代表大会可以定期地把全党的意志表达出来呀。但问题是，党代表大会只能给社会民主党的斗争策略规定一般的大政方针。这些方针在实践中的运用需要坚持不懈的思想工作、战斗力和首创精神。党代表大会的决议不会把政治斗争中当前的任务全部包括进去，因为从一次党代表大会到另一次代表大会，其间会发生许多事情，党对这些事情必须做出反应。打算把日常的政治警惕性和首创精神这一巨大的任务全部推给党执行委员会，而让近百万人的党组织消极地等待它的命令，这无论如何都是世界上最荒谬的事。也因此，当有人主张通过加强党的执委会来满足党各方面活动需要时，卢森堡马上指出问题的实质，即这是打算用纯粹官僚主义的方法来抵制官僚主义的灾害。世界上没有一个党执行委员会能代替蕴藏在党的群众之中的、党的固有的行动能力。如果一个百万人的组织在一个伟大的时代，面对着伟大的任务，却打算抱怨自己没有名副其实的领袖，那么它就是自己表明自己是无能的，因为它将证明，它没有理解无产阶级阶级斗争的历史本质本身，而这一本质就在于：无产阶级大众不需要资产阶级意义上的领袖，它本身就是自己的领袖。①

### （三）党的纪律

卢森堡不是不要党的纪律和统一，问题是无产阶级需要什么样的纪律和统一。当德国社会民主党，尤其是修正主义者不时地借助于党的纪律去约束党内坚持马克思主义革命原则的同志，去抑制无产阶级群众革命热情时，高度统一和严格纪律就会适得其反。可以说，卢森堡对此认识得非常清楚。在1914年12月，卢森堡发表了一篇文章，题目就是《党的纪律》。在文章中，她除了重申之前强调过的社会民主党的纪律与工厂或军队的纪律从根本上说不是一回事这一观点，指出军队和资本主义工业的纪律建立在外部强制的基础上，而社会民主党的纪律建立在自愿服从的基础上，前者为少数人对人民群众的专制服务，后者则为民主服务，也就是为同个人相对的有觉悟的人民群众的意志服务，而且还进一步强调：社会民主党的纪律是把表现在党的纲领、党代表大会的决议和国际代表大会的决议中的意志不断转化为政治行动的历史工具和辅助手段。尤其是党纲，它不仅是确保党的性质和统一的基础，是一切党员和党的团体行动的依据和界限，而且党的纪律就是为维护党纲而设立的，党纲派生了党纪。“全党的纪律，也就是对党纲的纪律，是在一切团体纪律之上的，只有它才可以使后者获得合法根据，而且也是后者的天然的界限。”②任何一个党的团体和包括党的领袖在内的任何一个党员，如果其决定超出了党纲，或者违背了党纲精神，党员同志都可以拒不服从。卢森堡还特意举了事例，说如果德国社会民主党的党团做出决议，要求全体党员参加资产阶级自由党，德国社会民主党的党员同志完全可以拒绝服从，这就像军队将领要求部队实施违法活动，部队

---

① 《卢森堡文选》下卷，人民出版社1990年版，第313页。

② 《卢森堡文选》下卷，人民出版社1990年版，第365页。

可以不执行一样。当然，卢森堡举的事例也许没有针对性，但其论述却非常具有针对性。因为就在这一年，帝国主义之间爆发了第一次世界大战，德国社会民主党党团利用党的纪律，强制李卜克内西等坚持马克思主义原则的党员投票支持军事预算，以便德国政府参战。党团的这一做法明显违背了党的纲领。卢森堡作为坚定的马克思主义革命派，对此是相当愤慨的。这也预示着，在卢森堡等革命派和德国社会民主党之间已经存在一条裂缝，这条裂缝终将因为德国社会民主党及其领导人越来越背离马克思主义原则而发展成为一道不可逾越的鸿沟。

## 第四节　对资本积累问题和帝国主义问题的分析

19 世纪末 20 世纪初，西方各主要资本主义国家纷纷进入到一个新的阶段。这一点也影响到马克思主义运动的发展。从某种意义上说，修正主义思潮的出现就是这一新阶段的直接产物。因为修正主义者正是以西方国家和社会发生的种种变化为借口来否定马克思主义基本原则。尽管包括卢森堡在内的马克思主义者对修正主义进行了严厉批判，但是，如何面对资本主义的新变化，以及这种变化给社会主义运动带来何种影响，却是任何一个严肃的马克思主义者都必须面对的。卢森堡探讨资本积累问题，从本质上说，就是试图解释和回答这一根本问题。而透过资本积累问题，卢森堡又对帝国主义做出了不同于同时代其他人的理解。

### 一、关于资本积累问题的阐释

1906 年 11 月，德国社会民主党在柏林开办党校，旨在培养党和工会的干部。1907 年 10 月，刚从柏林女子监狱释放出来的卢森堡，在考茨基的推荐下，接任党校教师，主讲经济学和经济史，尤其是马克思的经济学说。正是在党校授课期间，卢森堡系统研究了马克思前后各种重要的经济学理论，马克思的《资本论》更是成为其教学和研究的基础文献。《国民经济学入门》和《资本积累论》也是在这一时期完成的。不过遗憾的是，由于《国民经济学入门》在德国政府搜查卢森堡家时遭到破坏和遗失，现在看到的只是其中一部分。从卢森堡的信来看，她对整部著作是有一个总计划的，其内容包括“1. 什么是经济学”、“2. 社会劳动”、“3. 经济史视域下的原始共产主义社会”、“4. 经济视域下的封建经济制度”、“5. 经济史视域下的中世纪城市和行会”、“6. 商品生产”、“7. 工资劳动”、“8. 资本利润”、“9. 危机”和“10. 资本主义的发展趋势”十章。[①]现在遗留下来的只有第 1、3、6、7 和 10 章。这部分稿件在卢森堡遇害 6 年后即 1925 年才第一次出版。显然，从上述所列提纲中能够看出，卢森堡试图把《资本论》的内容以自己的方式通俗易懂地阐述出来。在阐述的过程中，卢森堡越来越发现，在说明资本主义生产总过程及其历史界限时，存在着理论上牵涉马克思《资本论》第二卷的内容以及有关现今帝国主义政策的实际和它的经济根源的问题[②]，即资本积累问题。

在《国民经济学入门》中，卢森堡已经涉及资本积累所带来的后果。当时她认为，欧洲对其他地区进行资本输出和扩张，既通过商业资本的侵入，把当地居民现有的生产形态转化为商品生产，又运用各种手段，掠夺当地居民的土地，攫取生产资料。这样，欧洲就把原来非资本主义的区域强行纳入资本主义生产体系。但是，欧洲资本主义也因此陷入根本矛盾的困境，即资本主义愈加排挤落后的生产形态，那么，为追求利润所创立的、供满足现有资本主义企业扩大生产的要求的市场界限也就愈加狭小。“如果资本主义发展得这样迅速，以致地球上人类所生产的一切东西都只是以资本主义方式生产出来的，换言之，只是在大企业中由私人资本主义企业家用雇佣工人的劳动生产出来的，那么，到了这个时候，资本主义存在的不可能性就鲜明地暴露出来了。”[③]也就是说，卢森堡认为，资本主义在全世界范围的扩张具有一定的空间界限，这个界限就是存在着非资本主义生产方式的区域。一旦资本主义扩张达到这个界限，即征服地球上仍保存着非资本主义生产方式的所有区域，使得这些区域也纳入资本主义生产体系中来，资本主义自身也就崩溃了。

---

① Paul Frölich, *Rosa Luxemburg: Her Life and Work*, New York, Monthly Review Press, 1972, p.148.

② 参见［德］卢森堡:《资本积累论》，彭尘舜、吴纪先译，生活·读书·新知三联书店 1959 年版，“原序”。

③ ［德］卢森堡:《国民经济学入门》，彭尘舜译，生活·读书·新知三联书店 1962 年版，第 260 页。

但是，为什么会这样呢？《资本积累论》对此作了全面和系统的论证。该书完成于1912年8月，出版于1913年1月，是卢森堡花了很多心思和精力撰写的著作。① 该书由三部分构成，第一部分是再生产问题，可以看成是提出问题，第二部分是分析历史上一些重要经济学家如何看待和处理再生产问题，可以看成是对问题的思想史梳理和总结，第三部分是探讨再生产所需要的诸条件，可以看成是卢森堡自己对这一问题的理解和回答。这部著作很好地将思想史和理论分析结合在一起，说明卢森堡对经济思想史具有较全面和深刻的研究。

《资本积累论》出版后，《前进报》进行了报道。很快，诸如梅林等赞誉者有之，而更多的则是诸如考茨基、奥托·鲍威尔（Otto Bauer，奥地利社会民主党领导人）等人的批评。这一点是出乎卢森堡意料之外的。因为她曾寄予这本著作很大希望，期望“这本著述将不仅具有纯理论上的兴趣，而且在我们对帝国主义进行实际斗争中，也将具有一些意义吧！”② 在2月10日致梅林的信中，卢森堡除了对后者给予这本著作的赞誉表示感谢之外，也承诺要尽快回应各种批评。③ 但是，由于忙于各种其他事务，这种回应一直都没有实现。直到一战爆发后，卢森堡因为反战宣传再次被判入狱，在狱中，她写下了《资本积累——一个反批判》。卢森堡自己对这部著作还是比较满意的，认为“它比《资本积累论》要成熟得多，而且结构简洁明快，毫无拖泥带水之处，毫无打情骂俏或者虚应故事”④。这本书于卢森堡遇害两年后即1921年才正式出版。在《资本积累——一个反批判》中，卢森堡除了继续坚持她在《资本积累论》中的基本观点——不过没有再使用大量的代数公式外——就是对鲍威尔的人口理论进行了严厉批评。这种理论认为资本主义新增的人口增加了对商品的需求并为总积累提供了基础。⑤

---

① Edited by Georg Adler,Peter Hudis and Annelies Laschitza, *The Letters Of Rosa Luxemburg*, Translated by George Shriver, New York, Verso, 2011, p.323.

② ［德］卢森堡：《资本积累论》，彭尘舜、吴纪先译，生活·读书·新知三联书店1959年版，“原序”。

③ Edited by Georg Adler,Peter Hudis and Annelies Laschitza,*The Letters Of Rosa Luxemburg*, Translated by George Shriver, New York, Verso, 2011, p.324.

④ ［德］卢森堡：《论俄国革命·书信集》，殷叙彝等译，贵州人民出版社2001年版，第257—258页。

⑤ ［德］卢森堡：《资本积累——一个反批判》，参见肯尼思·丁·塔巴克编：《帝国主义与资本积累》，柴金如等译，黑龙江人民出版社1982年版，第118页。

正如很多人已经分析和批评的那样[①]，卢森堡的资本积累理论的确存在很多错误，不仅在论证中误解了马克思主义创始人的一些观点，而且也违背了马克思主义政治经济学的一些基本原理。当然，这不是说，她的整个理论就一无是处，需要完全否定。卢森堡的理论探索是值得肯定的，而其对需求的强调、对货币问题的分析、对资本主义生产方式和非资本主义生产方式之间关系的探讨、对外部市场的分析等等，都对后人更好地理解资本主义生产方式及其发展提供了启发。[②] 不仅如此，《资本积累论》还有一个副标题“从经济上阐释帝国主义”。由此可知，卢森堡撰写《资本积累论》，绝不是单纯地研究一个经济学问题，而是试图通过分析这个经济学问题找到帝国主义的经济根源。早在1911年，她在给友人的信中就说道：“我想寻找帝国主义的根源，我一直都在查找这方面的经济学材料……这将是对帝国主义及其矛盾做出的严格的科学解释。”[③] 如前所述，以伯恩施坦为代表的修正主义者一直都质疑马克思关于资本主义必然灭亡的论断，虽然包括卢森堡在内的很多革命的马克思主义者仍坚持这一原理，反对修正主义主张，可是，如何结合资本主义的新发展，进一步论证资本主义灭亡的不可避免性却成为所有革命的马克思主义者都必须面对的艰巨任务。毫无疑问，卢森堡是主动承担这一艰巨任务并提出富有创造性观点的马克思主义者，尽管其结果还存在种种不足。

## 二、关于帝国主义问题的阐释

卢森堡早就认识到：帝国主义同资本主义的发展有不可分割的联系。早在19世纪90年代末，她在批判伯恩施坦修正主义主张时，就从多个方面分析了

---

① 国内对该问题的研究参见陈其人：《卢森堡资本积累理论研究》，东方出版中心2009年版；苏联对该问题的研究参见布哈林：《帝国主义与资本积累》，肯尼思·丁·塔巴克编：《帝国主义与资本积累》，柴金如等译，黑龙江人民出版社1982年版，第167—287页；西方对该问题的研究参见保罗·斯威齐：《资本主义发展论》，陈观烈等译，商务印书馆1997年版，第225—231页。

② Edited by Riccardo Bellofiore,*Rosa Luxemburg and the Critique of Political Economy*, New York, Routlede,2009.

③ J.P.Nettl, *Rosa Luxemburg*, Volume II,New York,Oxford University Press,1966, p.530.

帝国主义的突出表现即军国主义，强调军国主义是资本主义扩张的产物，各国在殖民地的冲突实质是各国之间的冲突被移植到殖民地，军国主义对资本家阶级来说正成为不可缺少的东西，军国主义使得资本主义国家之间爆发冲突变得不可避免等等。[①] 此时的卢森堡更侧重于分析军国主义对资本主义国内外政策，尤其是对无产阶级阶级斗争的影响，尚未深入分析军国主义的经济根源。但是，在 1911 年 8 月批驳伯恩施坦的文章中，卢森堡不仅已经很清楚地认识到帝国主义是资本主义发展的合法产儿，而且还明确指出，资本主义国家的帝国主义政策的最深刻的本质，它的核心，它的整个含义和内容，"就是继续不断地将一切非资本主义国家和人民撕成碎块，让资本主义逐渐吞食和消化。"[②] 这一认识在随后的《资本积累论》中得到了更加深入和全面的阐述。

如前所述，《资本积累论》的副标题就是"从经济上阐释帝国主义"。在这本著作中，卢森堡始终把帝国主义看成是资本积累的一个阶段，或者具体些说，是资本借助于对外殖民和扩张以实现积累的必然要求。资本积累是帝国主义的经济根源。"帝国主义是一个政治名词，用来表达在争夺尚未被侵占的非资本主义环境的竞争中所进行的资本积累的。"[③] 因此，可以设想，随着资本主义国家的高度发展，以及它们在争夺非资本主义地区中日益剧烈的竞争，帝国主义在其对非资本主义世界的侵略中，以及在相互竞争的资本主义国家间所发生的日益严重的冲突中，会变得愈来愈无法无天，愈来愈蛮横粗暴。但是，卢森堡也认为，帝国主义愈是横暴地和彻底地摧毁非资本主义文化，它也就愈加迅速地挖掉资本积累自己的立足之地。帝国主义既是延长资本主义寿命的历史方法，也是带领资本主义走向迅速结束的一个可靠手段。帝国主义表面上看起来是资本主义的发展，实质上却预示着资本主义走向自我灭亡。

这一点在完成于 1915 年的《资本积累——一个反批判》一书中得到了进一步阐发。鲍威尔主张资本主义甚至不用扩张也能实现资本积累，从而把帝国主义解释为寻找新劳动的资本主义。卢森堡批判了这个观点并强调指出：帝国主义是资本主义扩张的现代阶段，尽管扩张始终伴随着资本主义的全部历史。"现代帝国主义并不像鲍威尔的模式里所说的，是资本扩张的序幕；恰恰相反，

---

① 《卢森堡文选》上卷，人民出版社 1984 年版，第 96—99 页。

② 《卢森堡文选》下卷，人民出版社 1990 年版，第 305 页。

③ ［德］卢森堡：《资本积累论》，彭尘舜、吴纪先译，生活·读书·新知三联书店 1959 年版，第 359 页。

它只是资本扩展的历史进程的最后篇章：它是资本主义国家之间为攫取地球上最后剩下来的非资本主义地区进行的世界性竞争普遍激化的时期。”① 也就是说，卢森堡并不仅仅把帝国主义看成是资本主义的一种政策，而且还把帝国主义理解为资本主义发展的一个阶段。也因此，帝国主义与军国主义还不完全一样。在《资本积累论》中，卢森堡着重分析了作为资本积累领域的军国主义，认为军国主义在资本的历史上，与积累的每一个历史阶段都相伴随。比如，在资本的原始积累时期，军国主义作为征服新世界及印度出产香料诸国的手段，曾起过决定性的作用；其后，军国主义被用来奴役近代的殖民地，破坏原始社会的社会组织借以占有他们的生产资料，在社会结构不利于商品贸易的国家里强制进行商品贸易，以及在殖民地用强迫土著居民为工资而劳动的方法把他们变成无产者；最后，军国主义是资本主义各国在争夺非资本主义文化领域的工具。② 可以说，资本主义的发展一直都在借助于军国主义，但是，只有当资本主义在全球进行殖民掠夺，把现代世界经济联系在一起时，军国主义才成为帝国主义的一部分，因为此时的资本主义扩张已经成为帝国主义扩张。

这里的关键就在于：帝国主义不是指资本主义发展的任何一个阶段，而是特指资本主义在世界范围内进行殖民争夺的阶段。所以，在写于 1916 年的《社会民主党的危机》中，卢森堡从这个角度对帝国主义作了一个界定，即“帝国主义政策不是这个或那个国家的产物，它是资本的世界性发展成熟到一定程度的产物，它从来就是一种国际现象。它是一个不可分割的整体，只有通过它的各种相互关系才能认识这一整体，而且任何一个国家都不能摆脱这一整体”③。如果把资本积累理解为帝国主义的经济根源，那么，帝国主义也是资本主义国家，为在全世界范围内争夺最后的非资本主义区域、以实现资本积累的最后阶段，谁丧失了对非资本主义区域的控制，谁就失去了资本积累的外部条件，谁就必然走向灭亡。这也意味着帝国主义时期，各资本主义国家之间的矛盾根本就不可调和，其斗争注定是极其惨烈的。而从另一方面来看，前面在阐述卢森堡的民族理论时也曾指出，这一点也是她提出“帝国主义时代无民族解放战争”

---

① ［德］卢森堡：《资本积累——一个反批判》，参见肯尼思·丁·塔巴克编：《帝国主义与资本积累》，柴金如等译，黑龙江人民出版社 1982 年版，第 160 页。

② ［德］卢森堡：《资本积累论》，彭尘舜、吴纪先译，生活·读书·新知三联书店 1959 年版，第 365 页。

③ 《卢森堡文选》下卷，人民出版社 1990 年版，第 441 页。

的重要依据。如果联系到资本积累问题，卢森堡反对民族解放战争似乎还有另一层的考量，即那些当时尚需争取独立的民族国家，一旦获得独立，走上资本主义道路，其结果必然也是或早或晚地走上对外侵略或殖民的帝国主义道路。因为任何一个资本主义国家，只要想生存和发展，就必然走向帝国主义，这是由资本积累决定的。

总之，卢森堡的帝国主义理论是与她对资本积累问题的认识紧密联系在一起的。从资本积累问题出发，卢森堡很清醒地认识到：资本主义在征服内部非资本主义的行业和领域后，必然会对外掠夺和殖民，以征服世界上其他的非资本主义区域。如此一来，资本主义就进入帝国主义阶段，而各资本主义国家之间的矛盾也变得不可调和，促使帝国主义走向社会主义也就成为必然。所以，早在“一战”爆发前夕，卢森堡就呼吁德国社会民主党放弃那种坚持了二十多年的议会斗争方式，转而采取议会外的群众斗争。“帝国主义这个新时代向我们提出了越来越多的新任务，这些新任务，光靠议会政治、靠旧机构和老规矩是对付不了的。我们党必须学会在相应的形势下发动群众行动并领导这些行动。”①“一战”爆发后，卢森堡更是认为，在这场战争中，无论谁胜谁败，都会把人类从文明带向野蛮。她在各种场合、各种文件和文章中，一再强调：各国无产阶级必须团结起来，在重建国际的基础上共同反对帝国主义战争，要把反对帝国主义战争转变成争取国内政权的斗争，把反对帝国主义的斗争看成是社会主义和资本主义之间决定性的斗争。

## 第五节　关于俄国革命的思考

当西欧各主要资本主义国家在19世纪末20世纪初迎来快速发展，纷纷进入帝国主义阶段时，处于沙皇专制制度下的俄国却危机四伏，革命运动此起彼伏。1905年，俄国爆发了全国性的群众罢工和起义，包括俄占波兰地区的工

① 《卢森堡文选》下卷，人民出版社1990年版，第341页。

人阶级也走上街头，反抗沙皇统治，支持俄国境内的群众运动。虽然这次运动在沙皇政府的残酷镇压下失败，但革命的火种并没有熄灭。12年后的1917年，俄国再次爆发革命，不仅推翻了沙皇专制统治，而且还在十月革命中建立起世界上第一个社会主义国家。卢森堡自参加革命以来，一直都关注着俄国的社会主义运动及其发展，对这两次革命也都做了重要的思考，其中1905年革命，她更是冒险深入一线，亲身感受了革命群众的力量和伟大。

## 一、对1905年革命经验的总结

1904年日俄战争爆发，俄国军事上的一系列失败激化了社会矛盾。年底，圣彼得堡的工人举行罢工，要求缩短工时、提高待遇等。工人的罢工及其诉求获得社会广泛支持，1905年1月22日，广大民众在冬宫外广场举行和平示威，陈述请求，遭到政府血腥镇压。随后，俄国境内爆发全国范围内的大罢工，一些城市和农村发生群众起义。波兰地区的工人在1月27日举行总罢工，声援俄国工人。持续近两年的俄国革命爆发。卢森堡从一开始就关注着这场革命、并把大量的精力投入其中。1月25日即圣彼得堡流血事件发生的第三天，她就写了一篇评论俄国革命的文章，紧接着又陆续发表了其他的文章。这些文章汇集成册，很快以《沙皇俄国的革命风暴》为名用波兰文在克拉科夫出版。①

在这些文章里，卢森堡着重分析了俄国革命的性质和意义、俄国无产阶级的地位和历史使命、群众的自发性等。在发表于1905年1月的《俄国革命》一文中，卢森堡明确指出，从资产阶级革命发展来看，俄国革命带有资产阶级革命的性质，但是俄国革命又不同于历史上诸如法国那样的资产阶级革命，而是“具备了迄今为止所有革命中最鲜明的无产阶级的阶级性质”②。这样，卢森堡就指明了这场革命实质上是无产阶级领导的资产阶级革命，即一方面俄国起义的直接目标没有超出资产阶级民主的国家宪法的范围，而另一方面它又是一次空前纯正的无产阶级革命。在卢森堡看来，俄国缺乏在过去革命中扮演激

---

① ［苏］罗·叶夫泽罗夫等：《罗莎·卢森堡传》，汪秋珊译，人民出版社1983年版，第116页。

② 《卢森堡文选》下卷，人民出版社1990年版，第3页。

进和民主色彩的领导阶级即小资产阶级，反之，俄国只有反动的“小市民阶级”。而俄国的资产阶级，由于是采用资本主义生产方式的俄国农业贵族发展而来的，从而也不具有西欧资产阶级那样的革命性。在俄国，扮演小资产阶级角色的是广大知识分子阶层。他们中的一部分人即社会主义知识分子，承担着对俄国无产阶级群众进行启蒙、训练和组织的工作。所以，卢森堡尽管一方面强调了这场革命是群众自发的产物，认为“这次运动在规模上和速度上的自发发展都超出了宣传家们的估计，也超过了对它进行控制和领导的现有力量和手段”①，从而对群众运动的自发性及其表现出来的强大力量进行了高度肯定，但是，另一方面，她也认为，这场革命是俄国社会主义者长期宣称和教育的产物，是俄国社会主义运动发展的必然结果。这一点在发表于2月的另一篇论俄国革命的文章中得到了很好的分析。②也因此，卢森堡在这场革命中看到了俄国无产阶级作为政治阶级，正在进行独立的政治革命，是未来首先使俄国从专制制度中得到政治解放，然后又从资本统治下获得自身解放的唯一支柱。可以说，卢森堡是第一个揭示出这场革命是无产阶级领导的资产阶级革命这一性质的第二国际西方理论家。

俄国革命爆发后，卢森堡还积极地向德国社会民主党和无产阶级群众宣传俄国革命，介绍群众大罢工的经验，呼吁德国无产阶级群众像俄国一样行动起来。事实上，当俄国革命爆发时，德国的鲁尔区也在举行大规模的工人罢工。卢森堡把俄国和德国出现的大规模罢工称为“无产阶级的群众起义”，并据此批驳那种宣称“社会革命已经过时”的改良主义主张。德国媒体对俄国革命进行了广泛讨论，德国社会民主党也表达了对俄国无产阶级的支持，德国工人阶级在1905年举行罢工的次数和激烈程度也是前所未有的。整个社会呈现出一种强烈的革命氛围。在这样的背景下，德国社会民主党召开了耶拿代表大会。在大会上，卢森堡作了几次发言，主要强调了德国要学习俄国革命的经验，进行政治性大罢工，尤其是批判了那种借口组织不够强大反对举行大罢工的观点，旗帜鲜明地指出“在俄国，几乎还看不见工会组织痕迹的时候，群众就已经被推上了革命，现在他们才通过斗争逐步巩固他们的组织。认为在斗争之前非得先有强大的组织不可，这完全是一种机械的非辩证的观点。相反，组织自

① 《卢森堡文选》下卷，人民出版社1990年版，第6页。

② 参见《俄国革命》，https://www.marxists.org/archive/luxemburg/1905/02/08.htm。

身也会和阶级觉悟一起，在斗争中诞生”①。在卢森堡等左派的强烈要求下，耶拿代表大会通过一项决议，承认群众罢工是一种最有效的斗争方式，并发出号召：“向俄国革命学习。”

但是，工会中一些机会主义领导人却对此极其不满。早在5月召开的科隆工会代表大会上，机会主义者就不顾广大工人群众的要求，通过一项坚决反对宣传群众性政治罢工的决议。在9月耶拿党代表大会前后，机会主义者不仅要求德国社会民主党承诺没有工会的同意就不能举行大罢工，更是指责卢森堡把俄国革命的经验推介到德国。一位矿工协会领导人甚至在工会报纸上叫嚷道：“我们一直都奇怪，为什么那些坚持总罢工的专家们自己不快点跑到俄国去，去获得实际经验，去参与战斗。在俄国，工人们正在付出生命，为什么这些来自波兰和俄国现在却坐在德国、法国和瑞士撰写‘革命’文章的理论家们自己不去战场？”②资产阶级自由派的报纸也随声附和这种论调。一份名叫《嘘声》的讽刺杂志，还三次刊登丑化卢森堡的漫画。

当时的卢森堡体弱多病，却非常忙碌，除了领导波兰王国与立陶宛社会民主党的大部分出版工作，负责国外出版经费的拨付，安排革命书籍偷运波兰，研究民族问题、宗教等重要问题外，她还花了大量的时间和精力撰写有关这次革命的鼓动性的和纲领性的小册子、论文、短评和宣言。仅在1905年里，这些文章就多达六十余篇。诚如卢森堡自己所言，当时她是那样的激动，以至于“笔尖就像‘闪电’似地挥动”③。直到1905年12月底，卢森堡才以《前进报》记者的身份进入波兰。一到华沙，她就和约吉希斯着手为《红旗报》准备材料，计划将其改为日报。同时，她还撰写了一本名为《关于总的形势与任务》的小册子，属于《下一步怎么办》的第三辑。卢森堡也尝试出版公开报纸《人民论坛报》，并为它写了几篇文章。不过，只过了五天，报社就被查封。到了1906年3月，卢森堡被捕。德国国内一些资产阶级报纸对卢森堡的被捕幸灾乐祸。柏林的《邮报》公开污蔑卢森堡是“嗜血成性的女干将”，宣称德国为已摆脱了她而感到心满意足。④由于波兰警察

---

① 《卢森堡文选》下卷，人民出版社1990年版，第19页。

② J.P.Nettl, *Rosa Luxemburg*, Volume I,New York, Oxford University Press, 1966, p. 301.

③ [苏] 罗·叶夫泽罗夫等：《罗莎·卢森堡传》，汪秋珊译，人民出版社1983年版，第116—117页。

④ [苏] 罗·叶夫泽罗夫等：《罗莎·卢森堡传》，汪秋珊译，人民出版社1983年版，第139页。

没有充分的证据证实卢森堡的身份，且她又是德国社会民主党人，在羁押四个月后，在多方面的营救下卢森堡得以身体健康原因保释出狱。在这次被捕中，卢森堡的很多手稿由于警察搜查其家而遗失，其中包括一份标题为《波俄两国社会主义的相互关系》的重要的俄文手稿。① 也是在狱中，卢森堡开始撰写《群众罢工、党和工会》一书，9 月左右，书稿完成，并于同年在汉堡出版。

在《群众罢工、党和工会》一书中，卢森堡首先对俄国革命中涌现出来的群众大罢工进行了经验总结。德国的修正主义者和机会主义者长期以来都认为，议会斗争是社会主义运动的唯一有效的手段，群众大罢工是一种无政府主义主张。为此，他们引用恩格斯批驳无政府主义者企图通过大罢工制造社会革命的观点，认为无产阶级要么因为缺乏强大的组织和充裕的储备金而无法发动这样的大罢工，要么就是它的组织如此强大，以至于无须发动这样的大罢工。卢森堡根据俄国革命中展示出来的群众自发性及其强大力量，认为俄国革命对上述论据做了彻底的修正，开辟了无产阶级斗争的新形式。这种形式是作为无产阶级创造日常政治斗争，尤其是议会斗争的条件的手段来实现的，是为了争取这些政治权利和条件而进行的，与无政府主义意义上的群众罢工不可同日而语。② 俄国革命中的群众罢工不是人为“制造”的，也不是凭空“决定”的，更不是“宣传”出来的，它是在一定的时刻以历史的必然性从社会状况中产生出来的历史现象。

所以，要对现阶段阶级斗争中造成群众罢工的那些因素和社会状况进行研究，即不是从意愿的立场出发对群众罢工作主观判断，而是从历史必然的立场出发对群众罢工的根源进行客观考察。也因此，卢森堡不是孤立地看待 1905 年革命，而是把它与之前俄国其他几次大罢工联系起来分析。她追溯了 1904 年、1903 年、1902 年、1897 年和 1896 年的历次大罢工，认为这些罢工之间不是没有联系，而是彼此影响，甚至 1896 年彼得堡的总罢工“已经孕育着后来的群众罢工的全部主要因素”。③ 因为 1896 年彼得堡总罢工，其起因完全是偶然的，甚至是次要的，其爆发也是自发的；起初是纯粹经济性的工资斗争，但政府的态度和社会民主党的鼓动使其具有重要政治意义；罢工被镇压，但次

---

① ［苏］罗·叶夫泽罗夫等：《罗莎·卢森堡传》，汪秋珊译，人民出版社 1983 年版，第 140—142 页。

② 《卢森堡文选》下卷，人民出版社 1990 年版，第 36 页。

③ 《卢森堡文选》下卷，人民出版社 1990 年版，第 43 页。

年又爆发了，并取得胜利；这一次大罢工打开了革命新局面，包括工会斗争和社会民主党的鼓动，但运动的实现却表明了社会民主党多年鼓动的结果，社会民主党的鼓动分子站在运动的最前列，领导这次运动。彼得堡总罢工的这些特征或者说要素，在以后的大罢工中也都不断出现。当然，卢森堡也知道，1905年大罢工与之前大罢工还是有些不同。如果说，之前的大罢工总是表现为“局部经济斗争和小规模‘偶然’事件的多股细流，很快就汇成了汪洋大海”，那么，1905年的这次革命则“到处都是社会民主党组织在事先发出号召；到处都明确表示对彼得堡无产阶级给予革命的声援是总罢工的原因和目的；到处都同时发生游行、演讲以及同军方的搏斗”①。

从这里不难看出，卢森堡绝不是要把群众的自发性和党的领导割裂乃至对立起来。事实上，她在强调自发性因素在俄国的群众罢工中起着主要作用的同时，也明确指出社会民主党的使命不是要为群众罢工的技术方面和内在机制煞费脑筋，越俎代庖，而是要在革命时期承担政治领导，为斗争制定口号，给斗争指出方向等。②她在这里反复肯定群众的自发性，主要针对的也不是俄国社会民主党及其领导的革命，而是德国社会民主党和工会领导层。后者把大罢工视为可以随意制造和随意规划的群众性运动。在卢森堡看来，这种观点不仅错误地理解了群众大罢工爆发的原因，而且也不可能真正理解群众大罢工和党、工会以及无产阶级觉悟之间的关系。无产阶级需要高度的政治训练、高度的阶级觉悟和高水平的组织，所有这些条件都不能从小册子和传单中得到，只有从活生生的政治学校里，通过斗争并且在斗争中，在不断前进的革命过程中才能获得。“也只有在斗争中，在革命自身的进程中，通过事件的活生生的教育，通过与无产阶级的冲突以及彼此之间的冲突，通过相互之间不断的摩擦，这些阶层和政党才能形成和逐渐成熟起来。”③换言之，卢森堡是把群众大罢工视为训练无产阶级、提高其阶级觉悟和组织能力的政治学校。不是无产阶级的觉悟决定了群众大罢工，而是无产阶级的觉悟在群众大罢工中不断提高，不是党和工会创造了群众大罢工，而是党和工会在群众大罢工中不断成熟。

所以，卢森堡说，通过梳理俄国群众罢工的历史就能发现：它所展示的画

---

① 《卢森堡文选》下卷，人民出版社1990年版，第50页。

② 《卢森堡文选》下卷，人民出版社1990年版，第73页。

③ 《卢森堡文选》下卷，人民出版社1990年版，第52—53页。

面同在德国进行的讨论中人们对群众罢工所惯于描绘的那幅画面毫无相似之处。我们所看到的，并不是根据最高领导机构的决议，按照计划慎重地进行的政治行动的那种僵死而空洞的模式，而是一段有血有肉的、生气勃勃的生活。

在《群众罢工、党和工会》一书中，卢森堡探讨的另一主题是如何将俄国革命的经验引进到德国。“现在的问题是，从俄国群众罢工中所能汲取的全部教训，究竟在多大程度上适用于德国。”[①] 在整个第二国际，卢森堡是第一个认识到俄国革命的国际意义、并积极将其经验引进德国的理论家。当时德国社会民主党和工会中有些人认为，俄国由于沙皇专制，政治发展落后，工人阶级生活水平低下，这才导致 1905 年那样的群众性大罢工，反之，德国由于社会民主党历史悠久，势力庞大，政治进步和工人阶级受到保障等，从而不需要发动俄国 1905 年那样的大罢工。事实果真如此吗？卢森堡列举了德国的矿工、纺织工、家庭手工业者、服装工人、电业工人、铁路等诸多行业工人的疾苦，用事实证明德俄两国的工人阶级，其间的差别是“微乎其微”。更何况，俄国工人阶级在 1905 年群众罢工中争取的诸如八小时工作、成立工人委员会、承认结社权等，在德国也没有实现，同样需要德国无产阶级去争取。

还有些人，也许不反对群众罢工，但却认为要发动像俄国那样的群众罢工，德国还不够强大。对此，卢森堡不仅明确指出，斗争不能局限于工会，而必须扩充到那些非工会成员的无产阶级一般群众，无产阶级的阶级斗争不能只是工会和无产阶级政党的斗争，而必须是整个阶级群众的斗争，而且还进一步提出一个重要观点，即无产阶级只有在斗争中才能得到更好的组织。“在事物的‘正常’发展进程中，在没有急风暴雨式的阶级斗争的时候，资本主义发展和资产阶级国家的状况和条件却会使得某些阶层——而且正是无产阶级的主体，无产阶级的那些最重要的、处在底层的、受资本和国家的压迫最甚的阶层——根本就不可能被组织起来。”[②] 也就是说，工会组织和无产阶级所有其他的斗争组织，恰恰只有在斗争中才能使自己长期存在下去，并且这里所说的斗争并非指在资产阶级议会时期的一潭死水里所搞的蛙鼠之战，而是指革命时期激烈的群众斗争。

应该说，卢森堡的这个主张并不是偶然的，更不是孤立的，而是与她在有

---

① 《卢森堡文选》下卷，人民出版社 1990 年版，第 74 页。

② 《卢森堡文选》下卷，人民出版社 1990 年版，第 81—82 页。

关组织性、群众自发性等问题上的立场一脉相承的，其背后都蕴含着一个根本观点即群众史观。卢森堡不仅相信历史是群众创造的，无产阶级事业就是广大群众自己的事业，相比于历史上其他的阶级斗争，无产阶级斗争是历史上第一次占人口绝大多数的无产阶级群众参与并主导的斗争，而且她还坚信广大无产阶级群众拥有“健全的本能”，这种本能只有在活生生的阶级斗争中才能从一种“潜在的阶级觉悟”上升为一种“积极的阶级觉悟”①。正因此，她在这里又一次重申：社会民主党作为工人阶级的有组织的核心确实是领导全体劳动人民的先锋队，工人运动的政治明确性、力量和统一也确实是来源于这个组织，但是永远也不能把无产阶级的阶级运动理解为组织起来的少数人的运动。② 在卢森堡看来，对组织在无产阶级阶级斗争中的作用的过高估计与错误估计，总是伴以对未组织起来的无产者大众及其政治成熟性的过低估计，二者是此消彼长的。

不止如此，德国工会领导人甚至试图把自己争取的经济斗争和德国社会民主党领导的政治斗争割裂开来，不仅强调经济斗争和政治斗争的不同，而且认为工会应该独立于党，独自领导经济斗争。卢森堡根据俄国革命经验认为，群众罢工不仅是朝着从经济斗争到政治斗争的方向发展，它也朝相反的方向发展。经济斗争把一个政治枢纽同另一个政治枢纽联系起来，而政治斗争则为产生经济斗争的土壤定期施肥。这里，原因和结果随时都在交换它们的位置。群众罢工时期的经济因素和政治因素远远不像学究们的模式所主张的那样彼此截然分开，更不是彼此排除的。所以，“工人阶级并不是有两种不同的阶级斗争——一种经济的和一种政治的，而是只有一种阶级斗争，既是为了限制资产阶级社会内部的资本主义剥削，同时又是为了彻底铲除剥削和整个资产阶级社会。”③ 至于工会斗争和党领导的斗争，二者根本就不处于同一层次和水平。卢森堡根据《共产党宣言》中的有关思想，明确指出：工会的斗争包含着工人阶级的当前利益，社会民主党的斗争则代表着工人阶级的未来利益。工会只代表工人运动的各个集团的利益和这个运动的一个发展阶段。社会民主党代表着整个工人阶级及其获得解放的整体利益。二者是整体与局部之间的关系，而不是平行的对等关系。

所以，卢森堡的结论就是：德国并没有例外，群众罢工不是俄国特有的专

---

① 《卢森堡文选》下卷，人民出版社 1990 年版，第 85 页。

② 《卢森堡文选》下卷，人民出版社 1990 年版，第 83—84 页。

③ 《卢森堡文选》下卷，人民出版社 1990 年版，第 96 页。

制主义的产物，而是无产阶级斗争的一个普遍形式。德国工人应该学会把俄国革命当作他们自己的事情来考察，不仅是为了同俄国无产阶级的国际阶级团结，而主要是把这种革命当作自己的社会政治史的一个篇章。为此，她甚至认为德国无产阶级能否从俄国革命中吸取经验并将其运用到自身革命中，将是衡量德国工人阶级成熟程度的尺度。“俄国革命是国际的，因而也首先是德国的工人运动的力量与成熟的反映。”①

在离开华沙后的7、8月间，卢森堡先后在彼得堡和芬兰与列宁进行多次会面，彼此交换意见。9月11日，她从芬兰返回德国。因为9月23日德国社会民主党将召开曼海姆代表大会。卢森堡参加了这次会议，并做了两次发言。在发言中，她坚决反对德国社会民主党和工会签订秘密协议，其中规定党领导罢工需要得到工会的同意。她要求每个社会民主党人，即使是在工会内部也应该作为社会民主党行事，并遵守历次党代表大会的决议，尤其是上一次耶拿代表大会通过的群众大罢工的决议。②此时的卢森堡已经看得很清楚，群众大罢工是比议会斗争更有力地瓦解资产阶级统治，从而更有效地实现无产阶级夺取政权这一目的的手段。③在俄国革命爆发前，卢森堡尽管对德国社会民主党长期以来痴迷于议会斗争表现出很大的不满，也对修正主义的改良主张进行了猛烈批判，但是，用什么措施来取代议会斗争以便推进无产阶级斗争，她却没有成熟的看法。在俄国革命中，卢森堡不仅看到群众自发性的强大力量，更看到议会外斗争的一种新形式即群众大罢工。从此之后，卢森堡坚决要求将群众大罢工作为无产阶级斗争的有力手段，不断地运用于德国的社会主义运动实践中。

## 二、对1917年革命的分析

当1917年俄国爆发二月革命时，卢森堡正在监狱服刑。因为德国政府和敌对势力把她称为“最危险的敌人”和“最有能量的煽动家”，早在1916年7月就对其进行了所谓的“预防性监禁”，既不起诉、审判，更不判决，意图阻

① 《卢森堡文选》下卷，人民出版社1990年版，第91页。
② 《卢森堡文选》下卷，人民出版社1990年版，第115页。
③ Norman Geras, *The Legacy of Rosa Luxemburg*, London,NLB,1976, p.122.

止卢森堡跟广大革命群众直接接触。所以，卢森堡了解俄国革命信息的渠道非常有限，主要靠狱中允许观看的几份官方报纸，以及朋友和同志秘密传递进来的情报。当她得知俄国革命的消息时，心情非常激动。在3月致朋友的信中，她写道："你完全可以想象，来自俄国的消息已经使我多么激动。被长期囚禁在莫斯科、彼得堡、奥缪尔或里加的许多朋友，现在都获得了自由。这使我的生活也变得轻松多了。"① 此时的卢森堡，身陷监狱却心系革命。仅在3、4月间，她就克服所获信息不足且不完整等困难，撰写并发表了三篇题为《论俄国革命》的文章。

在3月24日发表的第一篇文章里，她着重对俄国革命后的形势发展和任务做了分析，认为二月革命只是反沙皇专制取得胜利的第一个阶段，并不是斗争的结束。一方面，资产阶级或早或晚会从它目前的革命状态退缩，从而不可避免地走向反动和反对无产阶级；另一方面，无产阶级的革命力量一旦被激发，必然会要求实现彻底的民主和社会变革，恢复1905年的革命纲领：建立民主共和国、确立八小时工作制、没收大地产等。而要实现这些任务，当务之急就是结束帝国主义战争。② 显然，卢森堡的这个观点与她在1905年关于俄国革命是无产阶级领导的资产阶级革命这一认识有着紧密联系。二月革命从性质上看只是一次资产阶级革命，但在这次革命中起主导作用的却是无产阶级，所以，二月革命必然要导致无产阶级专政。当然，卢森堡也强调，除非俄国的无产阶级专政能得到国际无产阶级革命的及时支持，否则，它将注定遭受难以忍受的失败，巴黎公社与它相比，可能看起来就像是儿戏。③

在这里，卢森堡仍表现出她一贯坚持运用的总体分析方法，即不是把俄国革命看成是孤立的一国范围内的事件，而是将其与国际无产阶级革命，尤其是德国无产阶级革命联系起来加以总体分析。这一点将成为卢森堡分析俄国二月乃至十月革命的显著特征。在5月发表的《老鼹鼠》一文中，卢森堡就是从这一点出发，既看到俄国革命打破了一战以来国际社会主义运动的僵局，一扫无产阶级斗争的颓势，又着重分析了俄国资产阶级政府在战与和的问题上与英法意等协约国以及德国的无产阶级斗争之间的关系。她认为，英法意等协约国的

---

① Edited by Georg Adler,Peter Hudis and Annelies Laschitza,*The Letters of Rosa Luxemburg*, Translated by George Shriver, New York, Verso,2011, p.381.

② Paul Frölich,*Rosa Luxemburg: Her Life and Work*, New York, Monthly Review Press,1972, p.234.

③ Paul Frölich,*Rosa Luxemburg: Her Life and Work*, New York, Monthly Review Press,1972, p.235.

资产阶级政府其实一直都在支持俄国资产阶级政府反对俄国无产阶级追求和平的斗争。因此，英法意的无产阶级有责任高举反战的旗帜，反抗各自的统治阶级。只有如此，他们才能避免公开地背叛革命的俄国无产阶级，才能阻止国内外敌人联合绞杀俄国无产阶级革命。而德国军国主义对俄国共和政府的威胁，尤其是对俄国无产阶级追求进一步解放的威胁，又是最直接的。唯一能够确保俄国革命未来的就是唤醒德国无产阶级，使之掌握政权，实现和平。“所以，和平问题实际上必然与俄国革命不可阻挡的激进发展紧密相关。然而，后者反过来又必然与法英意、尤其是德国的无产阶级为了和平而举行相应的革命斗争紧密相关。”① 也就是说，卢森堡并不相信帝国主义之间能够实现真正的和平。反之，她认为，无产阶级是唯一真正捍卫自由、进步和民主这些目标的阶级。只有当俄国的无产阶级革命得到西欧各国无产阶级革命的响应，并分别实现无产阶级专政，这时无产阶级主导的国与国之间才会有真正的和平。

这个观点，在卢森堡稍后发表的《当今迫切问题》中得到了进一步的发挥。这篇文章发表于1917年8月，有一个很长的副标题《战争与和平，无产阶级专政，斯德哥尔摩或其他》。文章主要强调了两个观点：一是俄国政府必须结束战争，而不是继续参与战争，即便这种参与是以纯粹防御的方式进行的，它也只是回避战争而不是结束战争，只会有利于协约国的资产阶级及其进行的帝国主义战争。二是只有欧洲各国无产阶级发动革命，结束帝国主义战争，俄国无产阶级和欧洲各国无产阶级之间的矛盾及其表现才能得到解决。② 所以，卢森堡鄙视资产阶级政府或者社会沙文主义者鼓吹的一切和平诉求，把他们有关和平的演讲和决议看成是试图引诱各国无产阶级继续相互屠杀的手段。甚至当彼得格勒工人和士兵苏维埃驻斯德哥尔摩的代表呼吁各国无产阶级在1917年夏于斯德哥尔摩召开国际和平会议时，卢森堡仍持有深深的怀疑。她认为，在所有这些吵吵闹闹中实际准备的不是和平，而是“中立”的社会主义者和“好战”的社会主义者之间的相互调和、相互妥协和对过去罪恶的总的宽恕，以及恢复旧国际以便为他们的社会主义背叛提供一块遮羞布。③

应该说，卢森堡对二月革命起初是报以很大希望的，认为激烈的革命将很

---

① 引自《老鼹鼠》，进一步参见 https://www.marxists.org/archive/luxemburg/1917/04/oldmole.htm。

② Paul Frölich,*Rosa Luxemburg: Her Life and Work*, New York, Monthly Review Press,1972, p.236.

③ Paul Frölich,*Rosa Luxemburg: Her Life and Work*, New York, Monthly Review Press,1972, p.237.

快促使孟什维克与资产阶级决裂并接管全部权力。然而，新政府继续参与帝国主义战争和迫害布尔什维克等行为又使她不得不认识到，俄国政府中的孟什维克正在逐渐成为其阶级敌人的帮凶，共同阻扰革命。在这种情况下，1917年10月25日（公历11月7日），俄国终于爆发了十月革命。目前没有文献资料显示，当卢森堡获知十月革命后她有什么具体反应，因为当时她正沉浸在一位战友牺牲的悲痛中。不过，在11月12日致友人的信中，她仍然谈到，一周以来她一直关注着彼得堡事件，且不分昼夜地寻找每份最近的报纸，希望得到最新的消息。不幸的是这些报纸上的信息少之又少而且又很混乱。即便在这种情况下，卢森堡还是在信中表示，“能否取得持续胜利，肯定还无法断定，但是，不管怎么说，在俄国社会民主党和整个国际都堕落了的情况下敢于夺取政权，这本身就是一记重拳。”① 同时，她还在信中对考茨基以俄国社会关系不够成熟来反对无产阶级专政进行了嘲讽。待到卢森堡对十月革命有更多了解后，她便越来越多地评论它。在11月24日给蔡特金的信中，她不仅预见到列宁及其领导的人民面对的局面是极其复杂和困难的，以至于他们可能无法成功应对，而且还明确肯定布尔什维克的尝试本身就具有世界历史意义，是一件真正的划时代事件。②

到了1918年夏，在对十月革命有了更全面的了解后，卢森堡开始对布尔什维克的政策进行系统的分析和反思，形成《论俄国革命》这一手稿。手稿在她生前没有发表。因为德国爆发十一月革命，卢森堡获释出狱，然后立即投入到紧张而繁重的革命领导工作中，手稿甚至都没有完成。直到1921年年底，接任遇害的约吉希斯的是曾担任德国共产党领导人的保尔·列维（Paul Levi），由于他反对在德国采取激进的暴力革命才把这部手稿发表出来，并加了标题《俄国革命：批判的评价》。不过，这一版本依据的不是原件，所以既不准确，也不完整。原件直到1928年才被发现并予以公开。这部著作在马克思主义发展史上曾引起很大争议。因为它对俄国革命进行了批判的评价，涉及苏俄一些重要的政策和做法，从而在社会主义国家曾长期被禁止发表，并且卢森堡的一些亲密战友在她遇害后曾强调说公开发表这部著作不符合其意愿，她在出狱后

① Edited by Georg Adler,Peter Hudis and Annelies Laschitza,*The Letters Of Rosa Luxemburg*,Translated by George Shriver, New York, Verso,2011, pp.440—441.

② Edited by Georg Adler,Peter Hudis and Annelies Laschitza,*The Letters Of Rosa Luxemburg*,Translated by George Shriver, New York, Verso,2011, p.447.

对书中的观点作了很大修正。①

其实在撰写这部手稿的同时，卢森堡还公开发表了其他几篇有关十月革命的文章，其中的思想在手稿中也有所体现。一篇是发表于1918年8月的社论《历史的责任》。在这篇写于年初的文章中，卢森堡对布尔什维克与德国军国主义进行单独和谈是有疑虑的。她主要担心，德国军国主义会利用和谈来使战争有利于它。而德国军国主义的胜利，无论是对德国无产阶级革命，还是对俄国革命，都将是最大威胁。② 另一篇是发表于同年9月的《俄国的悲剧》。文章认为，列宁为了获得短暂喘息，不惜一切代价与德国签订和平条约，将大大有利于德国帝国主义，而不利于德国无产阶级革命。同时，与德国签订不平等的合约，还会使俄国革命先前积累的道义化为乌有，丧失欧洲无产阶级革命的支持，甚至促使俄国国内反动派走向团结、革命派走向分裂。而没有欧洲无产阶级革命的支持，俄国革命势必失败。所以，卢森堡实质上认为，苏俄单方面与德国和谈是一种得不偿失的错误。当然，她并没有把布尔什维克险恶处境连同他们的错误看成是列宁等人的主观意愿造成的，而是更多地强调欧洲各国，尤其是德国无产阶级的无所作为带来的恶劣环境迫使列宁等布尔什维克领导人不得不采取这些“错误”措施。“布尔什维克的错误归根到底要由国际无产阶级来承担责任，尤其要归咎于德国社会民主党的空前顽固的卑劣行径。”③ 在卢森堡看来，解救的办法只有一个，那便是在德帝国主义的后方举行群众起义，作为以国际革命结束民族残杀的信号。

必须承认，卢森堡对十月革命能否取得最后胜利总体上是持悲观态度的。但是，这与考茨基等人以俄国社会条件落后，从而反对无产阶级革命和无产阶级专政还是有着本质区别。在《论俄国革命》这部手稿中，卢森堡在很多地方都批判了考茨基及其机会主义观点。她把考茨基和当时德国社会民主党的领导人谢德曼相提并论，认为一个是为破坏社会主义提供理论依据的理论家，一个是在实践方面破坏社会主义的人，考茨基仅仅是在理论方面完成了谢德曼们在实践方面所做的事情。同时，她对考茨基等人以俄国革命是资产阶级革命、从而要求放弃社会主义革命的主张进行了驳斥，认为和平问题和土地问题是领导

---

① 参见［德］蔡特金：《罗莎·卢森堡对俄国革命的态度》，见 http://marxists.anu.edu.au/chinese/clara-zetkin/mia-chinese-clara-zetkin-1922.htm。

② 程人乾：《罗莎·卢森堡》，人民出版社1994年版，第171页。

③ 《卢森堡文选》下卷，人民出版社1990年版，第514页。

这场革命的所有人都绕不开的，而这两个问题本身在资产阶级革命的范围内又无法解决，布尔什维克领导的无产阶级革命完全是“革命发展自然的内在过程”。① 为此，她还像1905年总结俄国革命经验时那样，进一步揭示了这次革命的规律，认为革命一旦爆发，就必须非常迅速和坚决地向前猛进，用铁腕克服一切障碍，日益扩大自己的目标，否则它就会很快地倒退到它的软弱无力的出发点后面，并且被反革命扼杀。在革命中是没有静止状态和中庸之道的，不能满足于最初一度达到的目标而自我克制。“革命的自然规律要求迅速作出决断：要末就是火车头沿着历史的上行线全速前进，直到顶点，要末就是它由于本身的重力重新退回到出发时的洼地上去，并且把那些在半路上想凭自己微弱的力量使它停下的人无可挽救地一同带下深渊。”② 所以，在任何一次革命中，只有那个有勇气提出向前推进的口号并把它贯彻到底的党才能掌握领导并夺得政权。这里，卢森堡还特意批判了德国社会民主党中一些人总是以社会民主党吸引的革命群众人数不够为借口而拒绝革命的行为。反之，她对布尔什维克通过革命策略把革命群众吸引和团结到自身周围进行了充分肯定，提出“不是通过多数实行革命策略，而是通过革命策略达到多数”③ 这一重要论断。也因此，卢森堡高度肯定了十月革命，认为它挽救了俄国革命和国际社会主义的声誉，称赞领导这次革命的布尔什维克“是俄国唯一在那最初时期就理解革命的真正利益的党，它是革命的向前推进的因素，因此在这一意义上说它是唯一真正实行社会主义政策的党”④。相应地，她则把孟什维克斥为“俄国的考茨基派”，并严厉批判其在和平与土地问题上的倒退立场。

不过，卢森堡也清醒地认识到，十月革命只是在“可以想象出来的最困难的条件下进行的”工人阶级专政的第一次世界历史性试验，布尔什维克所做的一切并不是“完善的顶峰”。“在如此不幸的条件下，甚至依靠最伟大的理想主义和最经得起风浪的革命毅力也不能实现民主制和社会主义，而只能实现二者的软弱无力的、歪曲的开始阶段。”⑤ 所以，她认为，为了训练国际无产阶级，尤其是德国的无产阶级去完成当时形势向他们提出的任务，让他们了解任务的

---

① 《卢森堡文选》下卷，人民出版社1990年版，第480页。
② 《卢森堡文选》下卷，人民出版社1990年版，第482页。
③ 《卢森堡文选》下卷，人民出版社1990年版，第483页。
④ 《卢森堡文选》下卷，人民出版社1990年版，第480页。
⑤ 《卢森堡文选》下卷，人民出版社1990年版，第476页。

惊人的严肃性和全部的复杂性，有必要把“俄国革命放在它的全部历史关系中进行批判的探讨”[①]。她甚至还特意反驳了这样一种观点，即认为对俄国革命进行批判性检验就会严重地损害俄国无产阶级的威望和富有吸引力的榜样作用。她认为这种担忧完全是错误的。

那么，在手稿中，卢森堡对俄国革命又进行了哪些“批判的探讨”呢？

第一，对布尔什维克的土地政策进行了反思。为了解放农民，布尔什维克提出由农民立刻占有和分配土地。卢森堡承认，采取这样的策略有其合理性，可以使农民依附革命政府，巩固无产阶级政权。但是，这样做也存在它的不利方面，即由农民直接夺取土地与发展社会主义背道而驰。也就是说，在卢森堡看来，即便布尔什维克因为当时所处的困境无法立即实行社会主义经济政策，然而一个掌握了政权的社会主义政府无论如何必须做一件事，即采取措施来促使后来对土地关系进行社会主义改革的那些基本前提——大地产和中等地产的国有化，工业和农业的结合——得到实现，而不是走向相反方向即把土地直接分给农民。这样一来，不仅农村内部的社会和经济不平等没有得到消除，反而会更加深化，而且以后要对农业实行任何社会主义的社会化，遇到的敌人将是人数大大增加、力量大大加强的有产农民群众，他们将拼命保卫自己新获得的财产，反对一切社会主义的侵犯。所以，卢森堡说：“列宁的土地改革给农村的社会主义制造了一个新的强大的敌对的人民阶层，他们的抵抗比贵族大地主的抵抗危险得多，顽强得多。”[②]

第二，对列宁提出的“民族自决权”及其革命中的运用进行了反思。如前所述，卢森堡一直都反对民族自决权这一提法。当列宁在革命中基于民族自决权而主张被压迫民族具有自由分离权时，卢森堡再次表达了她的不满和反对意见。她认为，布尔什维克一方面对外主张民族自决权，可是，另一方面对内却又漠视任何民主主义形式，特别是取消基于民主选举产生的立宪会议，这形成鲜明对比和矛盾。相比于民族自决权这种空洞的小资产阶级废话来说，政治生活的民主形式实际上关系到社会主义政策的最有价值的、甚至是不可缺少的基础，其重要性和意义要大得多。当然，卢森堡也清楚，布尔什维克此时提出民族自决权，是企图以民族自决权换取那些受压迫民族对俄国无产阶级革命的支

① 《卢森堡文选》下卷，人民出版社 1990 年版，第 477 页。

② 《卢森堡文选》下卷，人民出版社 1990 年版，第 487 页。

持，这与农村的土地政策是一样的。但实际情况却事与愿违，甚至走向了反面。赢得独立的波兰、乌克兰等国家反而同德国军国主义实行联合，共同反对俄国革命政权。

不仅如此，对于布列斯特和约中允许“人民投票”来决定民族前途乃至决定是否加入俄国革命这一条，卢森堡更是义愤填膺，认为它是一种“不可理解的乐观主义”，是“危险的玩火”。这里的问题的关键就在于，卢森堡根本不相信在资产阶级主导下有任何真正意义上的民族自决权。她说：“恰恰在资本主义的统治下没有任何‘民族’自决权，在阶级社会中民族的每一个阶级都力求按不同的方式‘实行自决’，对于各资产阶级来说，民族自由的观点已完全退居阶级统治的观点之后。”由于小资产阶级的反动倾向以及资产阶级的上千种对投票施加影响的手段，完全有可能使“人民的投票”变成反俄国革命政府的表决。所以，卢森堡批判布尔什维克不是按照他们一向捍卫的国际的阶级政策的精神，力图把俄国所有地区的革命力量紧密地团结起来，竭尽全力维护俄罗斯帝国作为革命地区的完整性，把俄国革命范围内一切民族的无产者的一体性和不可分离性当作至高无上的政策原则，来反对一切民族主义的分离意图，恰恰相反，他们则是通过“民族自决权直至实行国家分离”这一大叫大嚷的民族主义话语，给一切边疆国家的资产阶级提供了求之不得的、最漂亮的借口，简直就是为他们的反革命意图提供了旗帜。在这里，卢森堡还特意举了乌克兰的例子。本来乌克兰的民族主义在其国内的经济、政治或精神条件中没有一点基础，乌克兰人从来没有形成一个民族或是建立一个国家，也没有任何历史的传统，可是，民族自决权却赋予了乌克兰资产阶级以口实，最终在德国的支持下不仅赢得民族独立，而且还反过来成为俄国革命的凶恶敌人。

第三，对布尔什维克取消民主制进行了反思。二月革命后，布尔什维克曾支持召开立宪会议，并且谴责了二月革命产生的资产阶级临时政府拖延召开立宪会议的做法。但十月革命后，布尔什维克却以武力强制解散立宪会议。对于这一事件，卢森堡表达了极大的不满。尽管她引用了托洛茨基（Лев Давидович Троцкий）的辩护，但是从后者的辩护中，她看到的却是布尔什维克对“一般的民主机构的机制”的态度，即任何由普遍的人民选举产生的人民代议机构在一切革命期间都是无效的。所以，卢森堡不反对解散已经过时的立宪会议，而是质疑为什么布尔什维克在革命已经取得成功的情况下不举行新一届的立宪会议选举和召开立宪会议。换句话说，卢森堡在这里更加关注的是一般的民主机制，而不是立宪会议存废这一具体事件。因为在她看来，人民群众需要通过代议机构来表达自己的诉求。在民主的条件下，人民群众能够不断地对代议机构施加压力，并且“机构愈民主，群众政治生活的脉搏愈活跃愈有力，影响就愈是直接和密切”①。尽管这决不是说，民主的代议机构就没有任何缺陷，然而，像布尔什维克那样，通过取消民主制来纠正代议机构的缺陷是比这一办法应当制止的坏事更坏。因为它压制了最广大人民群众的积极的、不受限制的和朝气蓬勃的政治生活，从而堵塞了唯一能够纠正社会机构的一切天生缺陷的那一生机勃勃的源泉本身。

显而易见，卢森堡这里再次表达了她长期以来对人民群众及其活动的积极肯定立场，不仅把群众的活动视为一切政治生活的源泉，而且把群众的政治生活视为纠正一切政治弊端的源泉。也因此，虽然她能理解甚至同情列宁等领导人为了巩固无产阶级专政而不得不采取一些诸如剥夺政治权利、不发经济生活资料等必要措施，但是却坚决反对取消出版自由、结社和集会的权利，哪怕是剥夺一切反对者的上述自由和权利也不行。因为在卢森堡看来，这些都是健康的公共生活和工人群众政治积极性的最重要的民主保证。没有自由的、不受限制的报刊，没有不受阻碍的结社和集会活动，广大人民群众的统治恰恰是完全不能设想的。为此，她还专门驳斥了列宁对社会主义国家的理解。列宁认为，资产阶级国家是镇压工人阶级的工具，社会主义国家就是镇压资产阶级的工具，在某种程度上，后者只不过是颠倒过来的资产阶级国家。卢森堡认为，这一简单化的观点忽略了最本质的东西，即资产阶级的阶级统治不需要对全体人民群众进行政治训练和教育，就算有这种需要，也不会超过某种有限的程度，而对于无产阶级专政来说，这种训练和教育却是生存的要素，是空气，没有它无产阶级专政就不能存在。②

在卢森堡看来，社会主义作为一项前无古人的崭新的实践和运动，它的实现决不是一些只需要加以运用的现成处方的总和，而是十分模糊的未来的事情。她认为这不是缺点，而恰恰是科学社会主义比空想社会主义优越的地方。这意味着，社会主义社会只应当而且只能是一个历史产物，它是在它自己的经验的学校中，在它得到实现的那一时刻，从活的历史发展中产生的。“社会主

① 《卢森堡文选》下卷，人民出版社1990年版，第497页。
② 《卢森堡文选》下卷，人民出版社1990年版，第500页。

义显然就其本性来说就是不能钦定的，不能通过敕令来引进的了。”①社会主义运动是一种经验性活动，既不是人天生就擅长的活动，也不是人可以事先就计划好的活动，它是一种创造性的实践活动，一种时刻面临新问题、从而需要新经验去解决的活动。这是处女地，问题万千。只有经验才能纠正错误并且开辟新的道路，只有不受拘束的汹涌澎湃的生活才使人想出成千的新的形式，即兴而来的主意，保持创造力，自己纠正一切失误。所以，允许广大人民群众参与公共政治生活是必不可少的，否则，交换经验就只限于新政府的官员的排他的圈子之内，腐化不可避免。然而，如果没有普选，没有不受限制的出版和集会自由，没有自由的意见交锋，任何公共机构的生命都要逐渐灭绝，成为没有灵魂的生活，只有官僚仍是其中唯一的活动因素。其结果就是：公共生活逐渐沉寂，几十个具有无穷无尽的精力和无边无际的理想主义的党的领导人指挥着和统治着，在他们中间实际上是十几个杰出人物在领导，还有一批工人中的精华不时地被召集来开会，聆听领袖的演说并为之鼓掌，一致同意提出来的决议。

所以，卢森堡认为，布尔什维克实行的专政并不是无产阶级专政，而是一小部分政治家的专政，或者说，雅各宾派统治意义上的专政。这种专政不可避免地会导致公共生活的野蛮化：暗杀，枪决人质，败坏道德，等等。她甚至把列宁和考茨基相提并论，认为二人都是把专政和民主对立起来，只不过考茨基维护的是资产阶级的民主，而列宁却维护一小部分人的专政，其实质仍是资产阶级的专政。与之相反，卢森堡主张无产阶级作为一个阶级来专政，即最大限度公开的、由人民群众最积极地、不受阻碍地参加的和实行的不受限制的民主的专政。从这个角度说，无产阶级专政无非就是社会主义民主制。②

当然，在手稿的最后，卢森堡再次为布尔什维克的种种不足进行了辩护，认为这是世界大战、德国占领以及一切与此相关的困难环境迫使的，不应该求全责备，也不应该寄希望于奇迹发生。也因此，她不同意将俄国革命的经验上升为一种普遍的模式，放之四海而皆准，认为这样做帮了倒忙，是危险的开始。对她来说，重要的是把布尔什维克的政策中本质的东西同非本质的东西、核心同偶然事件区别开来，以便总结经验、吸取教训，为其他国家的社会主义革命提供启发。如果说，列宁领导的这次革命体现了无产阶级的行动能力、群

---

① 《卢森堡文选》下卷，人民出版社 1990 年版，第 501 页。

② 《卢森堡文选》下卷，人民出版社 1990 年版，第 505 页。

众的革命毅力、无产阶级取得政权的意志，从而使得他们有着不朽的历史功绩，那么，社会主义本身却只能在俄国提出问题，而不能在俄国解决问题。换句话说，在卢森堡看来，社会主义的胜利最终还是要取决于国际社会主义运动，而不是苏俄一国的社会主义革命。

1918 年 11 月初，德国终于爆发革命。9 日，卢森堡从监狱中被释放。从此以后，社会主义对她来说，就已经不是一个简单的理论问题，而是一场实实在在的革命运动。她与卡尔·李卜克内西等同志立即投入紧张的革命领导工作，旗帜鲜明地提出“全部政权归苏维埃”的口号，成立德国共产党，制定革命纲领，发表一系列宣言和评论，向广大革命群众指明方向，鼓舞士气。此时的卢森堡成为公认的德国共产党乃至德国所有激进革命派的灵魂人物。对于这样的人物，无论是德国社会民主党的右派，还是反动的容克地主及其残留势力，都欲除之而后快。果不其然，1919 年的 1 月，德国社会民主党右派主动挑起事件，激起革命群众愤怒，一月革命爆发。虽然卢森堡本人对这次革命并不完全认可，但是，当广大革命群众奋不顾身、前赴后继地与反革命势力进行斗争时，她仍毅然决然地站在群众这一边，积极地承担起革命的领导工作。反革命势力则千方百计地想抓捕她。最终，仅仅从监狱释放两个多月的卢森堡被再次逮捕，并在不经任何审讯的情况下被反动军人秘密杀害。毫无疑问，卢森堡的遇害，给德国共产主义乃至国际共产主义运动都造成了不可估量的损失。

# 第六章 保尔·拉法格反对机会主义的斗争和对马克思主义的理论贡献

保尔·拉法格是19世纪末20世纪初欧洲杰出的马克思主义思想家和社会活动家，法国工人党的创始人之一。拉法格从青年时期就开始积极参与社会实践，参加了学生运动和工人运动。特别是在建立和巩固工人党和组织的过程中，拉法格展开了艰难复杂的长期斗争，为工人党的建立和巩固作出了不可磨灭的贡献。在长期参加革命实践和从事各种社会活动以及政治斗争中，拉法格有幸结识了革命导师马克思和恩格斯，认真刻苦学习了马克思所创建的科学社会主义理论。通过科学革命指导理论的学习，拉法格的思想实现了根本性的转变，从激进的民主主义者向马克思主义者转变。他是马克思的女婿，两位革命导师的学生和亲密战友。作为法国共产党创始人之一，拉法格是一位富有才华的马克思主义理论家和革命家，被誉为“马克思主义思想的最有才能的、最渊博的传播者之一”[①]。他的著作“全部都属于那些有永久意义的马克思主义的文献之列”[②]。他1866年接受马克思主义,19世纪70年代末以后在参与法国社会主义政党的领导工作和第二国际活动的同时，积极宣传唯物史观，批判资产阶级和修正主义，被称为科学“社会主义的推销员”。拉法格的主要哲学著作有：《马克思的经济唯物主义》（1883)、《唯心史观与唯物史观》（1895)、《马克思的唯物主义和康德的唯心主义》(1900)、《卡尔·马克思的经济决定论》(1909,中译本题为《思想起源论》)、《认识问题》（1910）等。以上著作从哲学、政治经济学、科学社会主义、历史、宗教、文艺、美学等领域在很多问题上对马克思主义作出了富有建设性的贡献。

---

① 《列宁全集》第20卷，人民出版社2017年版，第386页。

② ［德］梅林:《保卫马克思主义》，吉洪译，人民出版社1982年版，第79页。

## 第一节 反对米勒兰机会主义，捍卫马克思主义的基本原则

时代的新变化会给无产阶级及其政党提出一系列新情况、新矛盾、新问题。如果马克思主义能针对新情况、新矛盾、新问题提出新对策和新措施的话，那就体现了它的革命性力量，从而推进了自身的新发展。第二国际时期，资产阶级民主得到迅速发展。无产阶级及其政党如何既要充分利用议会民主为工人阶级谋利益，而又不因痴迷议会民主而抛弃无产阶级专政学说，这是第二国际理论家需要回答的一个重大实践课题。国际工人组织内部在第一次世界大战爆发后，展开了如何认识资本主义最新发展的争论。第二国际中的机会主义分子，大部分已沦为公开的沙文主义者，他们打着“保卫祖国”的旗帜支持本国垄断资产阶级进行帝国主义战争。伯恩施坦修正主义的出现决不是偶然的，也决不是某个民族的特有现象。它的出现是同资本主义向帝国主义过渡，同垄断资本的形成及其对工人剥削和对殖民地的掠夺日益加深紧紧相联的。凡是有垄断资本存在的地方，就会有这种思潮的出现。德国有，法国、英国有，甚至在经济十分落后的沙皇俄国也有。其中以考茨基、米勒兰等一批机会主义者为代表，他们到处散布“超帝国主义”幻想，掩盖现代战争的真正根源，以此来麻痹、消解工人阶级和革命的人民群众的斗争意识。一些工人阶级和人民群众在考茨基的不断鼓动下，脱离了革命的正确轨道，第二国际最终走向破产，世界工人运动也日益面临着严重的危机。正当德国的马克思主义者同伯恩施坦主义斗争之时，法国发生的“米勒兰事件”就是最好的证明。

在1899年6月，法国社会党人米勒兰当上了政府的工商部部长，成为瓦尔德克·卢梭资产阶级政权的内阁成员。米勒兰开启了法兰西第三共和国历史上社会党人在资产阶级政府中担任部长职务的先河。这一事件直接导致了社会党分裂为两个对立的社会党派即盖得派和饶勒斯派，在法国社会主义运动内部也引发了激烈的争论。事件的影响进一步发酵，由法国向其他国家扩散。它已

经成为第二国际中的革命派和机会主义派斗争的重要领域。如果说 1899 年初伯恩施坦在《社会主义的前提和社会民主党的任务》中首次完整地提出了一套修正主义理论，那么，米勒兰入阁事件则是修正主义者“在真正全国的广大范围内运用修正主义政治策略的最大尝试”①。因此米勒兰的行为被列宁称作“实践的伯恩施坦主义”②。

## 一、米勒兰机会主义的产生及其消极影响

1894 年，法国发生了一起总参谋部的青年军官德雷福斯无辜地被以伪造的文件为根据判处终身监禁的案件。虽然后来证明了对德雷福斯的指控是无根据的，但是总参谋部、民主主义者和排犹主义各集团仍然坚决反对重新审理这一案件。这就不能不引起全国人民的反对。以让·饶勒斯为首的一批社会主义者积极参加了这场斗争并坚定地提出要由社会主义者来领导重新审查这一案件。在这一斗争中，他们赢得了很高的威信。由于人民斗争的高涨，法国政府自 1898 年起经历了一次严重的政治危机，有些资产阶级政治家开始寻求同社会党人合作来克服危机的途径。他们指望用吸收社会主义人士参加政府以缓和人民的反抗，帮助其渡过难关。

1899 年 6 月，德雷福斯案件影响不断扩大，引发了法国国内严重的政治危机，支持者和反对者持续的斗争甚至有可能直接导致国内战争的爆发。面对这种情况，法国工人阶级和一切民主力量开始团结起来，积极反击反动的军国主义者、民主主义者、保皇派和教权派的疯狂挑衅。法国国内阶级斗争日益尖锐、白热化，为了摆脱这场危机，法国资产阶级统治政府集团决定改变策略，甚至采用欺骗的手段。随着危机的加深，杜毕伊内阁于 6 月 12 日宣布辞职，雷蒙·彭加勒被共和国总统路贝责成组建新的内阁。6 月 16 日傍晚，独立社会党人米勒兰拜访了他的同在巴黎大学法律系求学的老同学、老朋友彭加勒律师。米勒兰对彭加勒表示：“考虑到危机的严重性，我和我的朋友们愿意分担一部分行动的责任和风险。”并且，他还建议在组建新内阁时，彭加勒“面向

① 《列宁专题文集　论马克思主义》，人民出版社 2009 年版，第 154 页。

② 《列宁专题文集　论无产阶级政党》，人民出版社 2009 年版，第 54 页。

所有的共和派力量，包括社会主义者在内"①，还向彭加勒推荐勒奈·维维安尼进入内阁当部长。但彭加勒没有接受米勒兰的建议，这次组阁失败。接着，资产阶级共和党人瓦尔德克·卢梭奉命组阁。这位资产阶级政治家卢梭以善于随机应变而著称，针对现实情况，他决定通过吸收社会党人参加来组织联合内阁，意图借助社会主义力量来化解目前的危机。卢梭拜访了米勒兰，但他第一次组阁的努力并没有成功。在莱昂·布尔茹瓦表示拒绝总统的要求去组阁后，瓦尔德克·卢梭奉命进行第二次组阁。议会中的社会主义党团于 1899 年 6 月 21 日，在波旁宫就当前政治局势问题进行了讨论。在这次会议上，米勒兰向大会通报了有人邀请他加入内阁的事情，并表示有关入阁问题的谈判没有达成一致。他还表示，自己纯粹是以个人名义参与相关谈判的，跟党组织无关。对于米勒兰的这个发言，社会党人瓦扬立即声明，认为如果米勒兰以后再次就入阁问题进行谈判并成功入阁的话，社会主义党团应该表态说明这样的个人行动与组织无关。米勒兰非常赞成瓦扬的建议。然而，会议结束之后，米勒兰立即在巴黎市郊加利费将军的别墅内与瓦尔德克·卢梭进行了会面，并最终敲定了组阁的有关事宜。第二天，名为"保卫共和国"的瓦尔德克·卢梭内阁正式组建。6月 23 日，在《政府公报》上公布的新内阁名单中，米勒兰出任工商部部长，加利费将军这个镇压巴黎公社的刽子手则担任了内阁陆军部部长。其他内阁成员分别是激进党人博丹和拉涅桑，温和的共产党人德尔卡塞、莱格、德克莱、让·杜毕伊和约瑟夫·凯约等。

亚历山大·米勒兰 1859 年出身于巴黎的一个小商人家庭，曾在巴黎大学法律系学习，1882 年在巴黎登记做律师。1883 年曾担任德卡兹维耳罢工工人的辩护人。他还做过克列孟梭的《正义报》的撰稿人。1885 年，他以激进社会党人的身份参加议会选举并当选为塞纳省议员。1891 年为因富尔米市五一节工人示威游行而被捕的拉法格进行庭审辩护。

在 1892 年列席了在马赛举行的法国工人党代表大会，之后，米勒兰开始与议会中的工人党团接触，进而参与法国社会主义运动。1893 年，米勒兰与奥维拉克、维维安尼等独立社会党人一起创建塞纳省社会主义共和联合会②。1896 年第二国际伦敦代表大会召开，米勒兰与盖得、饶勒斯、瓦扬等人一起

---

① M.Aucliar: *Laviede Jean Jaurs*，Paris，1954.

② Jean Maitro: *Dietionnairebiogra Phiquedumouve mentouvrier francais*，T.14.

出席会议。1896年5月30日，米勒兰在圣芒德举办了一次盛大宴会，庆祝法国社会主义者在全国市镇选举中取得胜利。在宴会上，米勒兰发表演说并提出了通称为“圣芒德纲领”的改良主义纲领。在纲领中，他宣称社会主义（当时在法国叫作集体主义）是“资本主义的分泌物”，并提出了社会主义纲领不可或缺的三个要点：国家进行干预，使各种形式的生产和交换手段成熟到可为社会所占有的程度，逐步从资本主义所有制转变为国家所有；通过普选获得国家权力；劳动者的国际协调。① 这个纲领的核心内容是通过议会选举，掌握国家权力，以逐步使资本主义变为社会主义。在盖得、饶勒斯等人的支持下，“圣芒德纲领”几乎为各派社会主义者所接受，成为他们参加议会选举活动的指针，并为后来米勒兰等人入阁提供了理论依据。米勒兰还担任过《小共和国报》和《明灯报》的编辑。在德雷福斯案件中，米勒兰实际上是为了保留自己的议员席位而加入内阁，他坚决反对社会主义政党对这个案件进行介入干预，到后来不得不加入德雷福斯派。在1898年5月的议会选举中，饶勒斯和盖得都没能当选，米勒兰就成了社会主义议会党团的主要领导人。1898年6月，米勒兰在议会中宣称：“祖国的荣誉、伟大和安全”对于每一个政府来说应当高于一切理论问题，社会主义者准备给予打算实行共和主义改革的政府“无条件的支持”。他卖力地试图让资产阶级对他的“改良主义”投赞成票，使他们相信该方案不会伤害资产阶级的利益。正因为如此，米勒兰被瓦尔德克·卢梭看中得以进入内阁。因为在瓦尔德克·卢梭的眼里，米勒兰与盖得、拉法格他们的社会主义思想不一样，他的思想温和不用担心会触犯到资产阶级的利益。瓦尔德克·卢梭后来评价邀请米勒兰入阁这一行为时，指出这是他在政治形势紧张的状态下必须采取而且是“成功的和必要的一步”②。事后来看，瓦尔德克·卢梭的确达到了预期目标：通过邀请一个社会党人入阁来分裂法国社会主义运动，化解了政治危机，夯实和巩固资产阶级的统治地位。

米勒兰入阁后，采取了诸多行动。第一，改组成立劳动管理处，取代之前1891商业部下属的劳动事务处。职能由调查、统计机构向管理部门转变，负责联系工人团体，下设社会保险和救济管理处。第二，改组1891年成立的最

---

① A.Mille-radn: *Le Socialisme réformiste francais*, Paris, 1903.

② Ch.Seignobos: *L'evolution dela Républi—que* (*1875—1914*) *,Histoirede Frace contemporaine*, T.8, Paris, 1921.

高劳动委员会。人数相等的资方代表、工人代表和部长指定的官方代表组成改组后的委员会，它主要负责调查研究劳动现状，提出社会政策方案。第三，成立由人数相等的资方代表和工人代表组成的劳动评议会，主要负责调解劳资纠纷，监督劳动保护立法实施。第四，鼓励成立工会、合作社和劳动介绍所。第五，根据米勒兰——科里亚尔法案（1903 年 3 月 30 日），在两年内成年工人最高工作时间由每日 11 小时缩减到 10 个半小时，四年内减到 10 小时。第六，实行邮政、电报、电话工作人员 8 小时工作制。第七，制定养老法案，规定 65 岁以上老人可以领取养老金。但该法案最终没有实施。1903 年，米勒兰收录自己演说的《法国的改良主义》小册子出版，它实际上成为米勒兰改良主义的宣言书。在册子的序言中，米勒兰不加掩饰地宣称："如果我们认为暴力既是无益的，也是应受谴责的，如果我们认为合法的改良既是直接的目的，又是使我们接近遥远目标的唯一实际的办法，那么就让我们拿出勇气（而且这并不难）来用我们的名字称呼自己，也就是把我们叫作改良主义者，何况我们毕竟是改良主义者。"① 与英国、德国现有的劳动立法相比，米勒兰的改良方案带有很大的欺骗性，虽然它带给法国工人一些短暂的好处。

"米勒兰事件"发生后，在法国社会党和国际上引发了一场大争论。支持的与反对的形成两大阵营对峙。一些机会主义者拍手叫好；而一些工人运动的革命领袖和马克思主义理论家，如倍倍尔、威·李卜克内西、卢森堡、普列汉诺夫、拉布里奥拉、拉法格等，则对此严加谴责。法国工人和法国革命的社会主义党人对此强烈不满，采取了一系列反制措施。1900 年 8 月 5 日，在科德里，法国工人党诺尔省联合会代表大会上和 1900 年 9 月 2 日法国工人党巴黎地区联合会代表大会相继通过谴责米勒兰的决议。就"米勒兰事件"，饶勒斯和盖得在 1900 年 11 月 16 日利尔市举行的社会主义者集会上展开了激烈的辩论。在 1900 年 9 月 28 日巴黎召开的法国社会主义组织第二次全体代表大会和 1901 年 5 月 26—28 日里昂举行的第三次全体代表大会上，"米勒兰事件"自然也成为两次会议争论的中心议题。1904 年 8 月 14 日—20 日，第二国际第六次代表大会于荷兰阿姆斯特丹举行。大会再次围绕"米勒兰事件"进行了激烈的争论。盖得在大会讨论"社会党政策的国际准则"议程时，要求对修正主义进行最坚决的谴责，因此提请大会通过一个以德国社会民主党德雷斯安顿代表

① 参见《国际共运史研究资料》第 2 辑，人民出版社 1981 年版，第 123—126 页。

大会决议为基础的决议案。这次代表大会否决了阿德勒·王德威尔得的修正案，最终通过了盖得提出的德累斯安顿决议案。这一决议比1900年巴黎代表大会的考茨基提出的决议前进了一步，给修正主义和米勒兰改良主义以沉重打击。围绕“米勒兰事件”的斗争至此告一段落。1900年9月23—27日在巴黎举行的第二国际第五次代表大会上，大会通过了恩利科·费利与茹尔·盖得联合提出以及考茨基提出的两个决议案。在考茨基的决议案中，用一些正统的马克思主义话语阐发有关无产阶级夺取政权问题的立场组成了决议案的第一部分内容。该决议案还特别指出：“个别社会党人参加资产阶级政府，不能认为是夺取政权的正常开端，而只能认为是迫不得已采取的暂时性的特殊手段。如果在某种情况下，政治形势要求作这种冒险的尝试，那么，这是一个策略问题，而不是原则问题；国际大会不应对此发表意见。”① 从理论逻辑上而言，这种观点是经不起推敲的。因为在面对资本和劳动的斗争现实问题时，没有哪个资产阶级内阁政府可以做到公平公正持中立态度。但考茨基在这里的用意是为了指出，米勒兰应该在德克·卢梭内阁残酷镇压了工人罢工之后立即退出内阁。这次代表大会最后以29票对9票通过了考茨基提出的决议。当然，考茨基提出并获通过的这个决议实际上是一种折衷、调和的方案，它对机会主义的态度暧昧、躲躲藏藏，留有空间。这个被费利称为“橡皮性”的决议对米勒兰改良主义者起不到丝毫的约束作用。

面对这种局面，盖得派和布朗基派宣布从议会中的统一的社会主义党团中退出来，创建了自己的单独的组织，并于1899年7月14日发表联合宣言，坚决谴责米勒兰参加内阁，认为这是以前改良主义泛滥的必然结果。宣言指出，米勒兰的策略不是马克思主义的策略，而是由于对资产阶级一味妥协退让和背离社会主义原则所造成的一种假社会主义策略。按照这种策略，可以通过社会民主党人参加内阁而一步步地逐渐地从资产阶级手中将政权夺取过来。其实完全不是这样，社会主义者之所以能参加政权是因为这些社会党人向资产阶级及其政府妥协，它是以损害社会主义的根本利益为先决条件的。因此革命的马克思主义者必须同这种妥协和背叛的假社会主义策略决裂，特别是在当米勒兰同绞杀巴黎公社革命战士的刽子手——加利费手挽手地走进瓦尔德克·卢梭内阁的时候，革命的社会主义就更没有同这些机会主义者调和的余地了。宣言指

① 《国际共运史研究资料》第2辑，人民出版社1981年版，第131页。

出："社会党，作为一个阶级的政党，不可能是一个内阁党，也不可能变成一个内阁党，否则就是自取灭亡，它不应该和资产阶级分享政权，国家在资产阶级手中不过是维护他们的统治和社会压迫的工具。社会党的使命就在于从资产阶级手中夺取政权并把它变成谋求解放和进行社会变革的工具。"① 宣言坚决反对米勒兰的投降主义当然是对的，不过它不顾时间、地点和条件，完全否定无产阶级同资产阶级组成联合战线的可能，强调社会党在取得政权之前只能是一个反对党。今天是反对党，将来仍旧是反对党，只能以敌人身份把自己的人派进议会和其他经选举产生的代议机构。其目的是去反对形形色色的资产阶级的代表，决不能去参加政权，同控制政权的资产阶级政治家合作，却是错的。这表明法国社会党人在正确地反对米勒兰的投降主义错误时，却做出了反对同资产阶级一切联合的带有左倾色彩的错误结论。

## 二、拉法格对米勒兰机会主义的批判

拉法格从一开始就明确谴责米勒兰入阁的背叛行为。他改变了自德雷福斯案件以来由于同盖得发生意见分歧而保持的沉默状态，积极投入了战斗。他受工人党全国委员会的委托，同盖得、福尔坦、泽瓦埃斯一起，共同起草并向革命社会主义党和共产主义同盟讨论的致法国工人的宣言。以草案为基础，这三个党在 1899 年 7 月 14 日发表联合宣言，阐述了反对米勒兰入阁的理由。宣言指出，必须同饶勒斯、米勒兰等人实行的机会主义妥协政策分道扬镳，捍卫"战斗的无产阶级和社会主义政党的阶级政策，即革命的政策"。"社会党，作为一个阶级的政党，不可能是一个内阁党，也不可能变成一个内阁党，否则就是自取灭亡。它不应该和资产阶级分享政权，国家在资产阶级手中不过是维护他们的统治和社会压迫的工具。社会党的使命就在于从资产阶级手中夺取政权并把它变成谋求解放和进行社会革命的工具。"宣言号召革命社会主义者联合起来，"把这场光荣的战斗进行到最后胜利"②。这一宣言在法国工人中引起巨

---

① 《法国工人党和革命社会主义当宣言》，载《米勒兰事件》，生活·读书·新知三联书店 1980 年版，第 1—2 页。

② 《米勒兰事件》，生活·读书·新知三联书店 1980 年版，第 1—2 页。

大的反响。拉法格还同盖得一起到各地向工人进行解释和说明工作，揭露米勒兰入阁的危害。他特别从理论上阐述了这一问题。1899 年 8 月 13 日，在《社会主义者报》上，拉法格发表《社会党和资产阶级政府》一文，在文章中，他明确指出，就像 1848 年路易·勃朗获得部长席位一样，米勒兰被资产阶级同样给予了部长一职，使之为资产阶级效劳。两者的目的无非都是出于"麻痹"、"驯服"社会主义，维护资产阶级统治的需要。

1899 年 7 月 30 日，《社会主义者报》发表了由盖得和拉法格签署的法国工人党全国委员会关于召开全国代表大会的呼吁书，其中进一步批判了米勒兰的背叛行为。呼吁书针对饶勒斯为米勒兰辩护的言论指出，如果把米勒兰加入资产阶级内阁政府看成是"一种新的行动方法的起点"，那就意味着放弃阶级斗争，意味着把社会主义者变成"资产阶级和他们利益的同谋者"。即使米勒兰入阁可以给工人带来某些有限的好处，但是对社会主义却隐藏着极大的危险："参加了几个月或几年政府之后，无论工业无产阶级还是农业无产阶级都看不到自己地位有什么变化……那时他们将转过来找我们算账，社会主义将面临绝境，你们可曾想到过由此而不可避免产生的失望吗？"①

1899 年 8 月 13—14 日，在埃佩尔内举行的法国工人党第十七次全国代表大会上，"米勒兰事件"再次发酵成为大会的中心议题。大多数代表严厉谴责米勒兰主义，但是有少数代表对米勒兰采取调和态度。大会最后通过了一项带有折衷性质的决议。一方面它指出："法国工人党一直认为，夺取国家政权，就是要从政治上剥夺资产阶级，不管这种剥夺是以和平的方式还是以暴力的方式进行的。因此，这种剥夺只允许占据由选举产生的职位，工人党能够运用自己的力量，即组织成阶级政党的工人来取得这种职位。"另一方面，根据德莱萨尔提出的修正案，决议的最后一段宣布："代表大会委托全国委员会将来在适当时机根据具体情况，研究一下在不脱离阶级斗争阵地的前提下，是否可以占据其他职位。"②拉法格没有参加埃佩尔内代表大会。会后，他在给李卜克内西的信中指出，在埃佩尔内代表大会的代表中，有一部分是隐藏的内阁主义者，他们到埃佩尔内去是为了反对盖得派。但是他对大会最后达成协议感到高兴。

---

① 转引自李兴耕：《拉法格传》，人民出版社 1987 年版，第 192 页。

② 《米勒兰事件》，生活·读书·新知三联书店 1980 年版，第 4—5 页。

与此同时，法国可能派给法国各社会主义组织发出一封公开信，呼吁通过召开法国各社会主义组织全体代表大会来商讨解决一切存在争议的问题，并以此来谋求实现社会主义组织的统一。法国工人党和其他组织相继接受了可能派的倡议。拉法格清醒地看到，如果在没有统一的纲领、理论和纪律的情况下无条件地同米勒兰主义者实行统一，社会主义者就会面临严重的危险："这将破坏法国社会主义理论的统一，在人们的思想上和社会党的队伍里制造混乱"①。他认为统一必须有两个先决条件：首先，要制定一个准确的、科学的社会主义纲领；其次，要确定党员的义务并对他们的社会活动实行监督。1899 年 9 月 30 日，拉法格在给李卜克内西的信中谈到即将召开的代表大会时写道："我想，代表大会将会通过妥协性质的决议"②，米勒兰由于未经党的批准就参加政府将受到谴责，但是将容许在"特殊情况"下采取这种策略，从而为改良主义大开方便之门。拉法格决心在代表大会上捍卫革命社会主义的原则并满怀胜利的信心。在大会开幕前两天，他又一次写信给李卜克内西说："我们处于战斗的前夕：您可以相信，我们将采取坚决的行动，因为我们知道……如果独立社会主义者取得胜利，在很长时期内法国工人运动的声誉将蒙受玷污，然而，如果我们击败了他们，工人运动就会重新高涨。"③

为了统一法国社会主义者的组织和解决由于米勒兰事件在法国社会主义者内部引起的争论，法国各社会主义政党 1899 年 12 月在巴黎召开了统一代表大会。会上以盖得和拉法格为首的法国革命的马克思主义者同支持米勒兰的饶勒斯等人再次进行了激烈争论，并取得了巨大的胜利。在大会上，代表法国工人党全国委员会发言的是盖得和拉法格。他们的发言从理论和实践两个方面解释了米勒兰的新策略或新的斗争方法的错误，为捍卫革命的马克思主义策略路线作出了很大贡献。盖得在发言中强调，科学的社会主义告诉无产阶级，应当组织起来，把无产阶级斗争从单纯的经济斗争转移到政治斗争上来，要"掌握国家政权，成为生活的主人！"④因为只有无产阶级夺得了政权，才能废除资产阶级法律，颁布无产阶级法律；才能废除受到资产阶级国家权力保护的资本主义

① 转引自李兴耕：《拉法格传》，人民出版社 1987 年版，第 193 页。

② 转引自李兴耕：《拉法格传》，人民出版社 1987 年版，第 193 页。

③ 转引自李兴耕：《拉法格传》，人民出版社 1987 年版，第 193 页。

④ [法] 盖得：《在法国各社会主义组织巴黎代表大会上的发言》，载《米勒兰事件》，生活·读书·新知三联书店 1980 年版，第 9 页。

私有制。盖得对法国工人说："到政权属于你们的那一天，你们就成为自由的人了；到这个政权掌握在你们手里的那一天，你们就得到解放了；到政权归你们所有的那一天，你们的贫困处境、你们的奴隶地位就将永远结束。"① 盖得指出，米勒兰想强迫无产阶级相信由于有一个部长职位让给了社会党人，社会主义党人就真正取得了国家政权。但是实践证明，当一个社会党人在内阁中陷入资产阶级内阁多数成员重围，他是绝对无能为力的。由于他的资产阶级阁员同行占绝大多数，而这些人是必然要维持现有社会制度的，因此在这个主张内阁主义的社会党人阁员身上，在他的行动中，党所力争实现的目标和党代表的阶级目标全部无影无踪了。这还仅仅是从上层看。如看看下层那就更加糟糕了。"当大家一开始知道有一个社会党人好不容易挤进了政权机关……的时候，欢乐的欢呼声传遍了无产阶级世界。这不就是好日子的开端吗？"② 但事实很快就会使他们感到失望，继而会起来要求这位部长兑现自己的诺言，从而使社会党人的威信扫地。所以，"一个无能为力的社会党人参加资产阶级政府，会使人产生无法实现的希望，因此不可避免地将导致社会主义的毁灭。其次，我要向你们指出，资产阶级政府之所以作出甘心跟社会党人合作的姿态，只是为了想利用这个社会党人作为抵挡社会党攻击的一种盾牌。"③ 同时，拉法格指出，米勒兰加入资产阶级内阁，"不仅要被迫为资产阶级政府所犯的一切错误和罪行承担责任，而且通过他的入阁表明他赞许这些错误和罪行"。资产阶级召唤米勒兰入阁，就是为了利用日益壮大的社会主义力量维护现存的政治制度。④

拉法格从理论上分析了米勒兰改良主义的实质。他在《社会党和资产阶级政府》一文中写道：资产阶级给予米勒兰部长席位，就像1848年给予路易·勃朗部长席位一样，是为了"麻痹"和"驯服"社会主义者。如果把米勒兰入阁看作是"一种新的行动方法的起点"，那就意味着放弃阶级斗争，意味把社会主义者变成"资产阶级和他们利益的同谋者"。拉法格通过具体事实说明，即

① [法]盖得：《在法国各社会主义组织巴黎代表大会上的发言》，载《米勒兰事件》，生活·读书·新知三联书店1980年版，第10页。

② [法]盖得：《在法国各社会主义组织巴黎代表大会上的发言》，载《米勒兰事件》，生活·读书·新知三联书店1980年版，第9页。

③ [法]盖得：《在法国各社会主义组织巴黎代表大会上的发言》，载《米勒兰事件》，生活·读书·新知三联书店1980年版，第11—12页。

④ 《拉法格文选》下卷，人民出版社1985年版，第203页。

使米勒兰入阁可以给工人带来某些有限的好处，但是从长远看，这对社会主义充满了危险："参加了几个月或是几年政府之后，无论是工业无产阶级还是农业无产阶级都不能看到自己地位的改变（因为在资本主义制度下是无法改变的），那时他们将转过来找我们算账，社会主义将面临绝境，你们可曾想到过由此而不可避免产生的失望吗?"① 拉法格认为，无产阶级与资产阶级不可能实现阶级合作。无论谁加入资产阶级内阁，就是抛弃了社会主义的荣誉和利益，就是背叛社会主义的基本原则，与革命社会主义南辕北辙。1899 年 12 月，拉法格在巴黎举行的法国各派社会主义者联合代表大会上，旗帜鲜明地指出，米勒兰入阁是典型的"政治机会主义"，是党员无组织、无纪律谋求个人政治利益的表现，无产阶级和每个党员都应该与这种机会主义方式的政治行为彻底决裂。拉法格的发言主要是驳斥了有人把米勒兰参加资产阶级内阁看作是社会主义的胜利，是实行新行动方法的起点的荒谬观点。他指出，资产阶级要某一两个社会党人参加政府，要他们参与"保卫共和国"并不是一件新鲜事，这只是"1848年发生的事情的重现"②。当时法国的统治者的代表赖德律——洛兰和古德肖之流就曾号召阿尔伯和社会主义者路易·勃朗参加临时政府，而且历史已明确表明他们这样做正是为了麻痹社会主义，为在六月屠杀起义工人做准备。正当路易·勃朗在卢森堡发表关于劳动组织的演说时，政府却在为镇压工人，把卡芬雅克之流和拉摩里西尔之流和镇压六月起义的刽子手从非洲召回来。拉法格认为，当然法国现在的形势同 1848 年时已不一样了，因此未必发生血腥镇压这种事情，但他们要麻痹工人，削弱他们的斗志却是一致的。两者都是在强大的人民革命运动面前，在资产阶级国家政权已摇摇欲坠的时候，资产阶级政治家妄图借助社会主义者的力量、威信来巩固他们的阶级政权。因此，米勒兰加入资产阶级内阁决不表示什么社会主义的胜利，相反，它却表明一些社会党人走入了迷途，成了资产阶级巩固其统治的工具。这是一条十分危险的道路，"危险是巨大的。像米勒兰这样的社会党人部长不仅要被迫为资产阶级政府所犯的一切错误和罪行承担责任，而且他通过加入内阁表明他赞许这些错误和罪行。"③ 紧随其后，拉法格在 1900 年 9 月巴黎国际代表大会上，表示坚决

---

① 《国际共运史研究资料》第 2 辑，人民出版社 1981 年版，第 118 页。

② 《拉法格文选》下卷，人民出版社 1985 年版，第 201 页。

③ 《拉法格文选》下卷，人民出版社 1985 年版，第 203 页。

支持盖得在大会上的严正发言，认为米勒兰之流的背叛行为，只能使党在工人中威信扫地。他强调无产阶级要取得解放，就必须夺取政权，实行无产阶级专政。

1900年9月23—27日，第二国际在巴黎召开第五次代表大会。拉法格作为法国工人党的代表参加了大会并担任起草关于“劳动解放的必要条件”的决议案的小组委员会的成员。他在发言中坚决反对机会主义者鼓吹的和平长入社会主义以及夸大合作社在资本主义社会中的意义的谬论。他讽刺地说：这些人为了对抗亿万富翁施奈德——克列索的大军火工厂，竟然主张建立制造大炮的生产合作社，并把这看作是实现社会主义的一种手段！他指出，在资产阶级社会中，生产合作社同私人企业一样，服从于同样的资本主义生产方式的法则①。

大会在讨论“夺取社会权力和同资产阶级政府联盟”议程时，围绕米勒兰入阁问题展开了激烈争论。拉法格虽然没有就这一问题在大会上发言（因为发言人的名额有限制），但是他明确支持盖得的立场，反对饶勒斯等为米勒兰辩护的论调。紧接着，大会就米勒兰入阁问题通过了考茨基提出的决议案，决议宣称：“个别社会党人参加资产阶级政府，不能认为是夺取政权的正常开端，而只能认为是迫不得已采取的暂时性的特殊手段。如果在某种情况下，政治形势要求作这种冒险的尝试，那么，这是一个策略问题，而不是原则问题；国际代表大会不应对此发表意见。”②这个决议没有明确谴责米勒兰的背叛行为，它措辞含糊，模棱两可，可以作各种各样的解释，因而被称作“橡皮性决议”。

机会主义者认为，人们无法随心所欲地制造革命，无产阶级革命失去了客观必然性，从而把革命排除在无产阶级的阶级斗争之外，他们断言：暴力已不再是现代历史的一个因素。饶勒斯认为，合法行动是无产阶级能够使用的唯一方法，将工人群众的日常的组织和教育工作的意义全盘否定，甚至将之与无产阶级革命对立起来。拉法格、卢森堡等人批判了机会主义者企图将暴力手段与合法斗争对立起来的观点。他们认为，工人群众的日常的组织和教育工作是完全必要的，它们是无产阶级革命前的准备。但暴力并没有因为议会政治的出现和存在就退出了历史舞台，反而处处显现。在当下，它与从前任何时代一样都

① 转引自李兴耕：《拉法格传》，人民出版社1987年版，第195页。

② 《米勒兰事件》，生活·读书·新知三联书店1980年版，第44页。

是现行政治制度得以正常运转的基石。整个资本主义国家都是建立在暴力基础之上的。大量事实无不证明资本主义正是以“合法性”的名义采取着暴力行动。对于无产阶级来说，议会政治作用的大小最终还是取决于无产阶级的暴力手段强度如何，因此，议会政治发展的客观历史必然性告诉我们：无论资产阶级的合法性还是无产阶级的合法性均是以暴力作为后盾的。“把议会政治看作使工人阶级得救的唯一的政治斗争手段，是空想，而且归根到底是反动的，正如同把总罢工或街垒看作唯一使它得救的手段一样。”①“一旦社会民主党真的像机会主义者向它建议的那样始终拒绝使用暴力，并且使工人群众一味相信资产阶级的合法性，那么，社会民主党的全部议会斗争和其他形式的政治斗争本身迟早就会遭到可耻的失败，并且给反动派不受限制的暴力统治让出阵地。”②在拉法格、卢森堡等人看来，暴力是阶级社会特有的历史现象，它是统治阶级为了维护自己统治地位合法性的需要。

不可否认，欧洲国家确立的议会制度在一定程度上为工人阶级获取政治权利提供了条件。差不多所有的西欧国家在 19 世纪末都出现了合法的社会主义政党。在这种合法制度的推动下，工人阶级纷纷参与到由选举产生的国家机关，通过参加选举加入议会，宣传社会主义。工人阶级在议会斗争中取得的成绩，充分反映了各国工人阶级在政治生活中的作用在不断增长，影响在逐步扩大。而统治阶级用“糖饼政策”代替了“鞭子政策”，目的也在于分化无产阶级的队伍，通过缓和阶级矛盾以加强自己的统治地位。当然，这并不是说统治阶级已经放弃了暴力手段，他们随时都会寻找借口对无产阶级使用暴力。拉法格早在 1899 年 12 月法国各社会主义政党在巴黎召开的统一代表大会上就驳斥这种现象，批判有人把米勒兰参加资产阶级内阁看作是社会主义的胜利，是实行新行动方法的起点的荒谬观点。

在马克思恩格斯时代议会民主课题的任务不够明朗时，议会民主是第二国际时期向第二国际理论家提出的崭新实践课题，通过对卢森堡、拉法格、考茨基、布拉戈耶夫（Blagoev）等第二国际理论家观点的分析，我们可以发现议会民主问题确实是极其复杂的现实课题。正是它在实践上的复杂性才导致第二国际理论家在这个问题上的观点的较大分歧与强烈争论。总的说来，第二国际

① 《卢森堡文选》上卷，人民出版社 1984 年版，第 397—398 页。

② 《卢森堡文选》上卷，人民出版社 1984 年版，第 398 页。

理论家没有根据无产阶级斗争新形势和资本主义时代的新变化，作出符合客观实际的无产阶级斗争策略，没有有效地将民主与革命两者很好地结合起来。他们往往走向极端，要么一味坚持马克思主义关于无产阶级专政学说而排斥议会民主的作用，要么一味诉诸议会民主而丢弃无产阶级专政这一法宝。这一实践态度反映到理论上就是要么坚守马克思主义原有结论而跌入教条主义泥潭，要么就走向改良主义而与马克思主义背道而驰。

## 第二节　批判唯心主义，坚持和捍卫马克思主义哲学唯物主义

在拉法格看来，马克思和恩格斯把唯物辩证法运用于历史过程的探索，发现了社会发展的一般规律、历史动力和历史的基本发展阶段，揭示了不同经济社会形态更替的规律以及共产主义社会代替资本主义社会的历史必然性。随着历史唯物主义的创建，有关社会发展的真正科学的历史哲学理论得以阐发，它彻底与唯心主义、形而上学、先验论决裂，摆脱了随意捏造历史的企图以及僵死的发展共识和对历史随意进行分类强加于历史的企图。拉法格写道：随着历史唯物主义的发现，宗教和唯心主义从它的最后的避难所——历史中被驱逐出去了。拉法格不止一次强调，历史唯物主义不是对历史的纯粹解释，更不是对某些社会发展规律的经院式观念学理论。历史唯物主义是工人阶级及其革命政党追求人类解放的有效理论武器。拉法格写道："马克思的经济唯物主义[①]使人脱离唯灵论的宿命论的麻木状态。它向工人高喊：起来吧，研究毁灭你的经济力量——它们是人双手创造的，正如上帝是人脑创造的一样——你们可以控制它们，假如你们愿意，——工作机器，这可怕的刑具就会成为上帝救世主，把人从苦难劳动中解放出来，给人以闲暇时间，好

① 拉法格在这里以及其他许多情况下使用了一个错误的用语，即把马克思主义的历史唯物主义称作"经济唯物主义"或"经济决定论"。这说明拉法格在解释历史唯物主义若干问题时也有不准确的地方。这里应当指出的是，那种企图把拉法格看成是一位似乎对社会发展的一切非经济因素毫不考虑的，是经济唯物主义者的观点，是没有根据的。

去享受肉体和精神的快乐。”①

对历史唯物主义的革命性做如此高的评价，既表明了拉法格对革命真理的孜孜不倦的追求，也说明他与种种唯心主义历史观之间不可调和、势不相容的态度。不仅如此，除了积极捍卫和普及历史唯物主义，他还在自己力所能及的范围内发展并且具体说明了历史唯物主义的某些问题，进入到社会生活中那些马克思恩格斯不曾涉及的诸多领域中推广应用理论。唯物史观的基本问题即有关社会存在和社会意识的相互关系问题，在拉法格的历史唯物主义著作中占有重要地位。其代表作是《卡尔·马克思的经济决定论》(1909，中译本题为《思想起源论》)，该书详细论述了历史唯物主义思想。

## 一、批判饶勒斯的唯心史观，捍卫唯物史观

针对当时的资产阶级学者否定历史规律性和历史进步性的观点，拉法格说明了唯物史观是解释历史的唯一的科学的方法。拉法格指出，并不能从历史问题的困难和解决它的失败中得出结论说，解决这个问题是人类的智力所办不到的，事实上，从古代开始，人们一直在探寻历史的规律和原因。最初人们将其归结为上帝的意志和安排，即神学史观。后来“由于失掉了对上帝的万能的观念，他们就在它的周围安设了一个完整的半神的参谋部：进步、正义、自由、文明、人道、祖国等等，——指望它来担负领导摆脱了贵族羁绊的民族的命运。这些新的上帝是思想，‘思想即力量’，‘没有重量的力量’。”②黑格尔和孔德的哲学是进步和进化的思想代表。唯物史观与这些历史观不同，它承认历史的规律性，把历史的进步彻底化，特别是将历史规律性的根据和历史进步的动力归结为生产方式。拉法格认为，马克思从上帝的最后避难所——历史中——把上帝驱逐出去了，而我们能够运用马克思的唯物主义方法，创造出科学的历史。

让·饶勒斯 1859 年出生于法国南部塔尔纳省卡斯特尔市的一个资产阶级

---

① ［法］拉法格：《唯心史观和唯物史观》，王子野译，生活·读书·新知三联书店 1965 年版，第 50 页。

② ［法］拉法格：《思想起源论》，王子野译，生活·读书·新知三联书店 1963 年版，第 11 页。

家庭。1881 年毕业于巴黎高等师范学校希腊文学和哲学系。1885 年首次当选为议员，属于资产阶级共和派。1889 年在议会选举中落选后，到图卢兹大学任教，90 年代初开始转向社会主义。1892 年他在巴黎大学宣读了两篇哲学论文：《论德国社会主义的起源》和《论感觉世界的现实性》，获得哲学博士学位。1893 年，他应卡尔莫矿工的请求，同意在法国工人党纲领的基础上参加议员竞选活动，最终高票当选，并作为独立社会主义者加入了议会中的社会主义联合党团。他博学多才，能言善辩，在议会中有很大影响。他精通德语，能够直接阅读马克思恩格斯的著作。他接受了马克思主义的一些观点，但是力图把马克思主义同其他学说调和起来，宣扬折衷主义。

在 19 世纪末，让·饶勒斯以伯恩施坦为人生导师，开始追随伯恩施坦，进而全面、公开宣称资产阶级的自由主义与无产阶级的社会主义两者并没有本质的差别，提出无产阶级要遵循资本主义和平过渡到社会主义的路线方针。这种错误观点的阐发，绝非偶然，实际上是跟他的错误史观——唯心史观密不可分。拉法格十分重视宣传唯物主义历史观，对唯心史观进行深刻的批判。1894 年 12 月—1895 年 1 月，他同饶勒斯就唯心史观和唯物史观问题展开了一场激烈的论战。当饶勒斯在法国社会主义政党内部挑起唯物史观同唯心史观问题的论战时，拉法格立即站出来，积极反驳其错误言论，捍卫了唯物史观的基本观点。饶勒斯认为，人类社会进步的动力在于道德理想即“博爱和正义的概念”。拉法格驳斥道：“假如事情真的是这样的话，那末就不会有历史的进化，因为人永远不会走出原始共产主义的阶段，在这阶段不存在而且也不能存在正义的概念和在这阶段上博爱的感情比任何其他的社会环境更能自由地表现出来。”① 人类社会是一个复杂的有机体，各种意识形态包括“博爱和正义的概念”对社会发展也起着重要的作用，但是社会存在和发展的决定力量是物质资料的生产方式，“博爱和正义的概念”本身是经济关系的反映。

法拉格积极批判饶勒斯融合唯物史观和唯心史观的错误言论。让·饶勒斯力主把结合唯物史观和唯心史观，强调唯物史观并不会影响人们对历史作唯心主义的阐释。1894 年 12 月，饶勒斯在巴黎的集体主义学生小组组织的集会上

---

① [法] 拉法格：《唯心史观和唯物史观》，王子野译，生活·读书·新知三联书店 1965 年版，第 11 页。

发表演讲，提出了这个自相矛盾的论断。在让·饶勒斯看来，人类存在两种历史观：一是“经济的唯物主义”，这种历史观强调“现成的正义的观念并不是从人的脑子里抽出来的，人只不过在脑子里、在脑物质中反映生产中的经济关系”；其二是历史唯心主义，按照这种历史观，“人类的进步不是由于生产方式的机械的和自动的改变，而是由于人类模糊地或清楚地感觉到的这种理想的影响”①。因此，饶勒斯认为唯心史观和唯物史观“这两种看来似乎是相互对立的、彼此不相容的观点事实上在现代社会的意识中已经几乎调和一致和融合为一了”②，因为从文艺复兴时代以来，整个哲学运动和理性运动的标志和特点就是努力调和综合对立的甚至是矛盾的东西。饶勒斯认为唯物主义和唯心主义两者之间可以相互渗透、相互接纳。所以，在他看来，人们可以通过纯粹的经济发展来揭示人类一切历史现象的本质，也可以依托人类对生活的普遍的、持续不止的最高追求来解释历史现象。他认为马克思的历史唯物主义就是属于前者，因为马克思在他印象里面，是一个总是嘲笑那些试图依靠纯粹正义观念来促进经济进化和社会主义运动力量的人的形象，而“经济生活的组织方式”则被马克思看成是“历史的最紧密、最基本的弹簧”③。接下来，饶勒斯就开始从事一项在他自己看来非常重要的工作。这个工作就是：饶勒斯试图在不违背马克思历史观的基本原则精神条件下，通过“综合对立面”的方法，探寻出经济唯物主义和历史唯心主义两者解释问题的基本协调、相同之处。一方面，饶勒斯并不否认，人类的精神、道德和宗教生活的发展只是经济现象在人的头脑中的反映；另一方面他又认为，一些先天的思想如“无私的感觉”、“统一的感觉”天然地存在于人的大脑中。因此，他认为：“历史是一种按照机械的规律发展的现象，但同时又是一种按照理想的规律实现的愿望。”④饶勒斯通过这样的论证来证明他没有违背马克思学说的精神，调和唯物史观和唯心史观，实际上，他从一开始就已经挑战和违背了马克思历史观的基本精神理念。马克思曾经做出科学的论断，权利的观念的东西无法由人的头脑本身创造出来，因为它会成为虚幻、空洞的东西；包括道德的和精神的人类全

① 李兴耕编：《饶勒斯文选》，人民出版社 2009 年版，第 48 页。

② 李兴耕编：《饶勒斯文选》，人民出版社 2009 年版，第 48 页。

③ 李兴耕编：《饶勒斯文选》，人民出版社 2009 年版，第 47 页。

④ [法] 拉法格：《唯心史观和唯物史观》，王子野译，生活·读书·新知三联书店 1965 年版，第 37 页。

部生活都只是经济现象在人的头脑里的反映。饶勒斯在打着同意马克思这个观点的旗帜下，实际上又提出了与马克思观点对立的观点表述。他甚至认为马克思的说法存在很大的缺陷。饶勒斯为此指出，马克思在阐述历史发展动力时，其片面性在于经济力量与精神力量两者被马克思对立看待。饶勒斯的任务就是要把经济力量与精神力量融会贯通。接着他做出解释："我不是要把它们对立起来，但是我确信如果不是我刚才分析的意识的原始因素发挥作用，一定的经济现象便不能钻进人的头脑里去。这就是为什么我不能同意马克思的这个看法：一切宗教、政治、道德的观点只是经济现象的反映。在人的意识中所具有的东西和经济环境所具有的东西相互渗透到这样的程度，以致不能把经济生活和道德生活分开；为了使一个从属于另一个，必须一开始就把它们分开；但是这个分开是不可能的：正如不能把人分为两部分和使他的机体生活和意识生活分开一样"①。他把道德观念说成是社会进步的动力，而社会主义不过是正义观念的实现。后来，让·饶勒斯告诉人们，之所以挑战马克思和他的唯物史观，根本原因就是他不能认同马克思将"正义"观念排斥于历史发展的动力之外。他认为，人类社会存在一种比现存社会制度更正义的新的社会制度，现存的制度和经济形式的进化为新制度做了充分的准备。这种体现了人类对正义的不懈追求，无论何时何地、经济诉求如何，这种制度的正义气息在每个人那里是没有差别、完全一样的。"人类的这口不灭的气息正是所谓权利的真髓"，不能否认它是推动历史进步的动力。因此，他认为："不能把唯物史观同唯心史观对立起来。它们在统一的不可分解的发展过程中混合在一起，因为我们不能把人同经济关系分离开来，同样也不能把经济关系同人分离开来；历史是一种按照机械的规律发展的现象，但同时又是一种按照理想的规律实现的愿望。"②实际上，饶勒斯试图通过所谓的"正义"气息的无差别，让人们相信现存制度的合理性。这种合理性只是一种观念上的平等。

1894年12月，在巴黎的集体主义者学生小组集会上，让·饶勒斯系统地提出要把唯物史观与唯心史观融合在一起的主张。在这次演讲之后不久，第二年1月12日，保尔·拉法格发表演讲进行驳斥。拉法格批评饶勒斯所推崇的

① 李兴耕编：《饶勒斯文选》，人民出版社2009年版，第74页。

② 李兴耕编：《饶勒斯文选》，人民出版社2009年版，第76页。

人对正义的追求，这一存在于人的头脑中几千年的所谓的历史发展动力，绝非人脑的产物。拉法格进一步指出，饶勒斯千方百计要融合唯物史观和唯心史观，其真实目的是为了否认共产主义的必然性，让·饶勒斯之所以要把唯物史观与唯心史观融合在一起，根本目的是歪曲共产主义是一种基于正义理念的乌托邦，最终否认共产主义的必然性。拉法格义正词严地指出："我们是共产主义者，因为我们相信资本主义生产的经济力量必不可免地要把社会引到共产主义。"① 拉法格指出，饶勒斯同马克思主义者的争论实际上是关于观念的起源和形成的争论。接着，他用大量实际事例论证了马克思主义关于社会存在决定社会意识这一原理。各种不同的观念（例如关于正义的观念）都有其物质的、社会经济的基础，而不是先天就有的。拉法格不同意饶勒斯所说的在野蛮人头脑里就存在正义和博爱的观念的说法。他写道："照饶勒斯所说的无意识地沉睡在野蛮人头脑中那个正义的概念，只是在私有财产产生之后才钻进人脑中去。"② 野蛮人没有任何正义的概念，正义观念随着公有财产替代私有财产也随之消灭。饶勒斯所言正义或博爱等观念无法取代经济必然性从根本上推动社会进步。拉法格以奴隶制从产生到消灭的历史为例说明经济发展是社会进步的根本原因。奴隶制是随着人们存在剩余可供他人夺取的劳动产品时出现，一旦生产力发展到奴隶制已成为一种靠不住的赔本的剥削形式时，这种制度就走向消亡。拉法格还进一步解释，表征人类对未来社会美好追求的共产主义理想，既不是先天就存在的，更不是从天上掉下来的，而是"从现实的腹内产生出来的，它是经济世界的反映"③。他向世人宣言："我们是共产主义者，因为我们相信资本主义生产的经济力量是必不可免地要把社会引到共产主义。"④ 只有从资本家那里夺取生产资料，使之成为全体人民的公共财产时，"和平与幸福就会重临大地，因为社会使经济力量服从于自己，正如它使自然力服从自己一样。那时候——也只有那时候——人才是自由的，因为他将成为

---

① 李兴耕编：《饶勒斯文选》，人民出版社 2009 年版，第 79 页。

② [法] 拉法格：《唯心史观和唯物史观》，王子野译，生活·读书·新知三联书店 1965 年版，第 8 页。

③ [法] 拉法格：《唯心史观和唯物史观》，王子野译，生活·读书·新知三联书店 1965 年版，第 22 页。

④ [法] 拉法格：《唯心史观和唯物史观》，王子野译，生活·读书·新知三联书店 1965 年版，第 22 页。

自己的社会命运的主人”。①

拉法格批判饶勒斯的社会主义思想来源多元化观点，积极捍卫马克思主义对科学社会主义的巨大贡献。让 · 饶勒斯突出强调社会主义思想来源的多元化，马克思主义和费希特、康德和黑格尔的唯心主义一起构成了社会主义思想来源。让 · 饶勒斯指出，一谈到社会主义，尤其在德国谈论它时，人们马上就会联想到那些唯物主义学说，特别是“从黑格尔哲学的一个方面产生的唯物主义学说”。饶勒斯认为他要做的工作就是把“从黑格尔哲学的一个方面产生的唯物主义学说”“撇在一旁”，将社会主义与唯心主义联系起来。社会主义与唯物主义的联系在饶勒斯眼里，只是一种形式上“外观”联系，无非是为了迎合“摆脱一切迷信的幻影”的需要，将唯物主义作为“盾牌”加以掩护。在社会主义的深处，尤其是涉及社会主义的未来，饶勒斯认为唯心主义才能承担主要作用。

当然，饶勒斯也承认马克思的理论为社会主义理论的形成供给了直接的养料。他认为，马克思主要通过论证历史运动和经济运动的必然性来为社会主义作辩护。马克思不像黑格尔先验地描绘理念和绝对的进程那样来设想历史的进程，他没有先验地界定社会主义。在调查和详尽研究事物本身之后，马克思才开始阐述总结经济和历史的真正运动。因此，马克思的经济辩证法从表面上看是形而上学的、先验的。实际上，这种阐述是根据与事物本身一致的经验构成，所以，它对社会主义而言，价值就更为明显。饶勒斯认为，马克思之于社会主义的意义在于，他使社会主义摆脱了过去那种纯粹的思考模式。马克思曾明确指出，愤怒在历史中没有一席之地，社会主义的实现是不可能单纯依赖于愤怒。在对马克思对社会主义的贡献做了梳理和肯定之后，饶勒斯又指出，间接来讲，马克思对社会主义的贡献也就是黑格尔的贡献，因为马克思的贡献是建立在运用黑格尔辩证法的基础上的。让 · 饶勒斯强调，马克思对社会主义的主要贡献在于使社会主义摆脱了沉迷在一种没有结果的思考之中。马克思声称，历史中没有愤怒的地位，对社会主义是不可能单靠愤怒而实现的。在充分肯定马克思对社会主义的贡献之后，让 · 饶勒斯又指出，马克思对社会主义的贡献间接地说也是黑格尔对社会主义的贡献，因为马克思对社会主义必然性的

① [法] 拉法格：《唯心史观和唯物史观》，王子野译，生活 · 读书 · 新知三联书店 1965 年版，第 21 页。

论证离不开对黑格尔辩证法的运用。“如果马克思在思想上没有受到黑格尔辩证法的深刻影响，他是不会把英国的全部经济运动与这一社会主义的辩证法联系起来的。”①饶勒斯认为，马克思在用经济唯物主义反对黑格尔神秘主义的同时，又将黑格尔的辩证法渗透于政治经济学中，从而建构起自己的社会主义学说。

拉法格在同饶勒斯的这场论战中进一步发挥了1884年他在《卡尔·马克思的经济唯物主义》中所阐述的观点，捍卫了马克思主义的唯物史观。但是在这一演讲中有些提法带有机械唯物论的色彩。例如，拉法格认为：“思想归根到底只不过是一种物理—化学的现象。”②此外，他还认为，由于欧洲大陆将引起社会革命，因此，“只有蠢人或罪犯才会希望欧洲战争。破坏工具的发展和改善以及全民军事化使战争成为不可能的了”③。自拉法格发表这篇演讲以来的历史证明，他关于现代不可能发生欧洲战争的论断是缺乏充分的根据的。拉法格在同饶勒斯的争论中所持的作为出发点的原理是正确的，但他没有贯彻到底，而给了饶勒斯以反击的口实。例如，在正确地批驳饶勒斯关于正义概念的超历史主义言论的同时，拉法格也谈到某种超历史的“博爱感情”，并且企图证明这种感情在社会发展的不同阶段上有着不同程度的显现。

## 二、揭露宣扬新康德主义的企图，批判不可知论

米勒兰主义是伯恩施坦主义在法国的一次现实路演。列宁冠以米勒兰主义“实践地伯恩施坦主义”的标签。在批判米勒兰主义的同时，拉法格深刻地批评了伯恩施坦主义及其哲学基础——新康德主义。起初，拉法格对伯恩施坦主义的危害性估计不足。例如，他在1898年11月27日致普列汉诺夫的信中认为，“伯恩施坦的堕落是他多年来精神过度疲劳的结果。他是从参加赫西柏格集团开始的，完整的社会主义的发明者、我们最有名气的马隆也属于这个集

---

① 李兴耕编：《饶勒斯文选》，人民出版社2009年版，第3页。

② [法] 拉法格：《唯心史观和唯物史观》，王子野译，生活·读书·新知三联书店1965年版，第5页。

③ [法] 拉法格：《唯心史观和唯物史观》，王子野译，生活·读书·新知三联书店1965年版，第20—21页。

团。他把理想和感情塞进了社会主义。俾斯麦迫害时期的紧张斗争和恩格斯的个人影响使伯恩施坦超越了这种枯燥乏味和令人作呕的慈善社会主义，而自从他生活在自己僻静的书斋里以后，他又退回到这种社会主义上面去了。”①拉法格对伯恩施坦的“精神衰退”感到痛心，但是不赞成普列汉诺夫在批判伯恩施坦时采取的那种尖锐的方式。然而，随着斗争的深入发展，拉法格很快就纠正了对伯恩施坦的看法。他非常赞赏普列汉诺夫所写的《唯物主义还是康德主义?》等批判伯恩施坦的文章。他在1899年2月14日致普列汉诺夫的信中写道：“您最近在《新时代》上发表的文章很精彩，构思巧妙和文笔流畅。”他指出，伯恩施坦的背叛行为将迫使革命的马克思主义者“去研究由于埋头于日常斗争而有些过于忽视的理论”。他深信马克思主义的敌人的叫嚣“摧毁不了社会主义城堡”，而修正主义注定要失败。他表示要利用这一机会“批驳三十年来对科学社会主义提出的所有反对意见”，因为伯恩施坦的小册子里没有什么新鲜东西，只有一些早已遭到驳斥的陈词滥调。

在19世纪中期以后出现的修正马克思主义的思潮中，用新康德主义来“代替”、“补充”辩证唯物主义是其中一个重要流派。伯恩施坦主义者企图在“回到康德去!”的口号下，借助新康德主义来篡改和替换马克思主义的哲学基础。1900年2月，《社会主义评论》发表了新康德主义者拉波波特②《马克思的唯物主义和康德的唯心主义》一文，该文叫嚣要把唯物主义和辩证法从马克思主义中“清洗出去”，用康德的“批判方法”来填补。作为伟大的马克思主义宣传家的拉法格，非常敏锐地觉察到这一危险的逆流。同年2月25日，他立即写了一篇标题同为《马克思的唯物主义和康德的唯心主义》文章发表在《社会主义者报》上，一针见血地把机会主义者企图复活康德主义的本来面暴露在世人面前。在文章中，拉法格分析指出，随着19世纪初期法国资产阶级由革命转向反动，充满浪漫主义色彩的天主教取代大革命前夕起过进步作用的伏尔泰主义和自由哲学，开始在法国盛行。资产阶级为了彻底消除18世纪法国百科全书派的唯物主义的影响，开始引入和推崇德国的康德唯心主义。

① 转引自《国际共运史研究资料》第9辑，人民出版社1983年版，第187页。

② 沙尔·拉波波特(1865—1941)，出生于俄国，1883年参加俄国革命运动，1887年到瑞士求学，1875年移居到巴黎，曾为《社会主义评论》撰稿，后来加入法国共产党。

他作了进一步分析，指出："在历史上将被称为资产阶级世纪的十九世纪末期，知识分子企图借助康德哲学来粉饰马克思和恩格斯的唯物主义。这个反动的运动开始于德国——这样说并不是想冒犯我们那些想把一切荣誉都归于自己学派的创立者马隆的整体社会其他门徒那一学派，那个学派是在苏黎世开始修正马克思主义的。应当预料到，在饶勒斯、符尼埃尔以及我们的知识分子用熟了康德的术语以后，也会把康德呈献给我们的。"① 拉法格告诉人们，以伯恩施坦、赫西柏格以及杜林的其他门徒为代表的那个学派，是在 19 世纪 70 年代末"苏黎世三人团"时期开始修正马克思主义的，而法国的马隆当时也属于那个学派。所以，拉法格预料，在饶勒斯等用熟了康德的术语之后，也会步其后尘。

拉法格指出，马克思主义与康德和黑格尔的唯心主义哲学有本质区别。尽管马克思和恩格斯青年时代有段时期以黑格尔左派自居，但随着思想和认识不断成熟，他们后来批判地吸收了黑格尔哲学的积极元素，将辩证法置于唯物主义的基础之上。他写道：马克思和恩格斯"把倒立着的黑格尔辩证法倒过来，然后加以借鉴。辩证法一旦掌握在他们手里，便促使他们对社会发展和思想发展得出了和黑格尔完全不同的认识"②。而新康德主义者完全抛弃了康德哲学思想中唯物主义因素，极力宣扬"自在之物"的不可知性。拉法格把这些否认客观事物的可知性的人叫作愚蠢的人，并讽刺地说，一个吃着香肠、收入微薄的工人清楚地知道，老板在剥削他，因为老板吃的是腊肉。而那些资产阶级的诡辩家、不可知论者则说，事实并非如此，工人的判断只是他个人的判断，也就是一种主观认知；工人也可以认为，老板是恩人，香肠是由剁碎的肉皮做的，因为工人不可能知道"自在之物"。不可知论虽是愚蠢的理论，但却是 19 世纪初期，当资产阶级在完成了它推翻封建统治的革命事业之后，哲学思想转向反动的一种表现。是他们利用康德哲学中反动派感兴趣的部分来麻痹革命群众，因此应认真对待，予以深刻的批判。不可知论是如何产生的呢？拉法格认为，一些哲学家怀疑人们对外部世界认识的客观性和可靠性。他们认为人们的各种感官所提供的材料是不可信的，而且思想是非物质的存在，因此他不可能感知物质的客体。因为人们认识是主观的，人们只能认识自己对一些事物的概念，如事物的质和量、对它起决定作用的各种原因，它的形态、它与其他事物之间

① 《拉法格文选》下卷，人民出版社 1985 年版，第 208 页。
② 《拉法格文选》下卷，人民出版社 1985 年版，第 208 页。

的关系，以及它在空间的位移和在时间上的延续，构成人们理性的概念，即人们知性的表现形式。因此，人们可以感觉到的外部世界中的一切物体是人们精神的创造物，人们无法认知物质实体——“自在之物”，因为物体对人们来说是未知的和不可知的。

拉法格指出，人们的知识是否可靠的问题一直困扰着人们的思想，这首先是同科学技术的不发展有关。早在古希腊，一些哲学家就提出过对人们认识的可靠性的怀疑。因为他们无法解释什么感官并不能给我们提供准确的情况，如：浸在水里的桨好像折断了；月亮离地平线越高似乎变得越小；从远处看，圆形的塔成为平面；离得越远人们看到的林荫道旁的树木之间的距离越近；闻起来很舒服的香味会损害味觉；看上去富有立体感的画面用手却摸不出来；从航行的船上看两岸的山丘都在移动；等等。不仅如此，有时同一事物可以给不同的人提供不同的感觉，如：有的味道一人认为是香的，另一些人会认为是难闻的；有的人认为蜂蜜是甜的，有些人则认为是苦的，而德谟克利特则认为不苦也不甜。由于人们是通过各种感觉认识各种物体的，因而人们能说出它是什么样子；又由于科学技术的不发达，人们不能说出它们为什么会是那个样子。因而就产生了对人们认识能力的普遍怀疑。拉法格指出，康德就曾说过，酒的味道并不是由酒的客观属性即客体的属性决定的，而是由饮酒者即主体的感官的特殊属性所决定的。而颜色也并不像人们所认为的，是由物体的特性决定的，它只是由于光线通过某种方式的影响而使人的视觉发生一些变化所造成的后果。至于在这些味道、颜色背后到底存在着什么东西人们并不知道。恩格斯针对康德的这种怀疑明确地指出，造成康德持不可知论的这方面的原因在于：“在康德的那个时代，我们对自然界事物的知识确实残缺不全，所以他可以去猜想在我们对于各个事物的少许知识背后还有一个神秘的‘自在之物’”[①]。拉法格认为，在科学技术已十分发达的近代社会，不可知论之所以还会广泛存在是同资产阶级所处的社会条件有关的。他说：“怀疑是同资产阶级一起产生的，并且在资产阶级哲学中固定下来。……因为怀疑是资产阶级分子的精神特点之一，后者生活在商业和工业的成就很难预料、繁荣的继续得不到保证的状况下。”[②] 他们无法掌握自己的命运，因而也就怀疑一切。

---

① 《马克思恩格斯文集》第 3 卷，人民出版社 2009 年版，第 507 页。

② 《拉法格文选》下卷，人民出版社 1985 年版，第 373 页。

拉法格指出，对不可知论的批判来自两个方面。一方面是沿着唯心主义的路线对其提出的反驳。这些人的反驳不在于说明人类认识实在的可能性，而是否定“自在之物”的存在，肯定人类的各种概念、观念本身才是真正实在。古希腊的天才的诡辩论哲学家普罗泰戈拉就提出过，如果说当不存在使眼前产生有颜色的物体的时候，眼睛是瞎的，那么就可以说当没有眼睛的时候，物体是没有颜色的。因此，任何物体就其自身而言，既不是它现在的样子，也不是它将来要变成的样子，它只是某一个人所看到的那个样子。但是，由于个人所处的地位不同，因而他们看到的也就不同。对每个人来说物体都是他所看到的那个样子，只是从他自己的地位看到的那个样子。这样他就得出了一句名言：“人是万物的尺度，是存在的事物的尺度，也是不存在的事物的不存在的尺度。”①普罗泰戈拉的这句名言代表了资产阶级的主观唯心主义哲学的全部内容，因为资产阶级是个人主义的阶级，它的成员都是按照自己的利益和情感来衡量一切。苏格拉底把这一认识路线发展到了极端。他认为研究各种自然现象是白白浪费时间。他建议放弃对事物的研究而研究观念，放弃对实在的研究而研究真理：对于事物的观念的认识不需要对自然界进行研究。他认为，概念支配实在，任何事物之所以成为实在，并不是由于物质，而是由于它赖以取得其形式的观念。因此观念代表了事物的真正实在。

对不可知论者的批判还来自唯物主义者。与唯心主义者的批判不同，唯物主义者批判是从承认“自在之物”开始，并进一步论证了“自在之物”不仅存在，而且是可以认识的。拉法格认为，费·勒当泰克就是站在这一立场对不可知论进行批判的，他说：“如同勒当泰克所说的，因为我们是有生命力的，而且我们人类没有绝迹；因此，必须对或多或少辽阔实在的外部世界有一个最低限度的认识，以适应它所处的自然环境和社会环境。同样地，必须使这种最低限度的认识对每个人都是有效的。因为各不同种族和国家的人都建立了相类似的家庭和社会组织、所有制形式和生产方式，并朝着共同的方向发展。他们有着类似的常识，民间谚语就说明了这一点。……要世界各国具有类似的经济和社会发展以及常识，必须使这种最低限度的认识对每个人都是有效的。”②拉法

① 北京大学哲学系外国哲学史教研室编译：《古希腊罗马哲学》，生活·读书·新知三联书店1957年版，第138页。

② 《拉法格文选》下卷，人民出版社1985年版，第375—376页。

格认为，这种状况有力地说明，外部世界和理性之间具有特殊的一致性，说明了万事万物都是由物质构成，能够思想的物质和天然物质都是由同样的成分构成的。正是由于这个原因，所以人类的理性能够理解自然界。

拉法格认为，人类之所以能认识客观事物是因为人类运用手的结果。他说："人们不能否认人类的这些最低限度的认识。它不是科学，而是科学的前奏。如果人类只有依赖感官认识外部世界，那么人类的认识机会不会超过动物的认识，因为动物的感官比人的更完善，只是人的触觉由于手的运用而得到了特别的发展。"① 他以几何学的发展为例来说明这个问题。他指出，如果人类不曾发明用木棍来丈量土地的长度和宽度，而靠眼睛来判断的话，那么，几何学就不会产生。原始时期，人们每年为了给氏族或者说村庄的各个家庭分配可耕地而用于丈量的木棍，给他们带来非常大的利益，以致被赋予神的性质。俄国米尔的农民把它称为神棍，并把它供奉在教堂里。埃及人把分配土地的计量单位 coudee 看成是真理和正义的神圣象征，它所测量的任何结果都被认为是正确的、公平的。最早的几何学便是在这样的基础上发展起来的。

拉法格认为，康德和新康德派所犯的一个大错误就是，认为人只有通过感官才能认识事物。事实上随着科学和科学实验的发展，人认识客观事物的能力和手段极大地拓宽了。事实证明，非生物的感受性甚至比生物更灵敏，例如，人感觉不到的电报的电磁波，金属铿屑管却对它有反应；如果我们只凭借感官而不使用布氏硬度测试机和基普钻，就不能测定各种钢铁的硬度。这就是说我们可以利用天然物的感受性来认识物体的特性。如用水银柱测量温度，用石蕊试纸检验液体酸度。人们这样来科学认识布氏那种不确定的因人而异的感觉，而是天然物的始终如一的感觉。因而使这种认识对每一个人来说都是准确的和有效的，因为它总是同样通过天然物来代替人的感官形成的。科学在它可能的一切地方都以天然物来代替人的感官形成的。科学在它可能的一切地方都以天然物，以各种试剂及仪表代替了科学家的感官，这就使科学认识再也不会受谬误和差异的感性认识的影响。

感官即使不发生错误，它们所能认识的事物也是极端有限的，它们只能感受事物的有限性质。科学的发展突破了这种限制，由于利用天然物的感受性的手段的普及和研究的加深以及控制手段数量的增加和敏感性的增强，使人们对客观

① 《拉法格文选》下卷，人民出版社 1985 年版，第 377 页。

事物认识得以提高，科学得以发展。但是由于人类的感官以及代替它的工具和仪表是不完全的，人们为了研究事物而制备的手段也不是尽善尽美的，这就造成了人对事物的认识总是不全面的，加之客观事物的出现都是由先前出现的和与其同时出现的无数事物的会合决定的，它永远与自身不同，由于受到周围无数物体的影响而不断变化，所有这一切就决定了人们认识的发展也是无穷尽的。科学使人们认识了客观事物，然后又可以根据人们的认识将它复制出来。如化学家通过分析，把物体分解为元素，然后又通过相反的工作把各种元素化合为一种物体。这就充分说明人们认识了"自在之物"。拉法格说："一些哲学家证实了我们认识的实在性。唯心主义者黑格尔认为，如果人们认识了某一事物的全部特性，就是认识了自在之物；此外，这一事物是在他的自身之外存在的，如果人的感官感受到这一事实，也就抓住了自在之物即康德的不可知的 Ding an sich。"①

列宁在《唯物主义和经验批判主义》一书中对拉法格《马克思的唯物主义和康德的唯心主义》一文给予很高评价。列宁指出：拉法格是"从左边批判康德。他不是批判康德主义和休谟主义不同的那些方面，而是批判康德和休谟共同的那些方面；不是批判康德承认自在之物，而是批判康德对于自在之物的看法不够唯物"②。拉法格对康德不可知论的批判应该说是有说服力的，特别是他指出了科学技术的发展，证明了人们认识客观物体的能力，是很正确的。作为一个革命家的拉法格，当然不是为研究康德而研究康德的。他研究康德同反对当时正被伯恩施坦用来"补充"、"修正"马克思主义的新康德主义相联系的。可是拉法格在文章中没有指出新康德主义较康德主义后退的地方，这就是新康德主义发展了的不是康德不可知论中包含的唯物主义因素，即承认这一认识的主体之外存在着客观的"自在之物"；相反他们发展了康德的唯心主义的糟粕，走向了否认"自在之物"的错误道路。这样他就没能说明伯恩施坦修正主义者信奉的哲学是比康德更为错误的一种哲学。另外，拉法格虽然强调了客观事物的可知，但是他并没有充分说明人是如何认识他们的，也就是说，他没能充分说明实践在认识客观物体中的关键性作用。这也是拉法格对新康德主义批判中的不彻底之处。

---

① 《拉法格文选》下卷，人民出版社 1985 年版，第 363 页。

② 《列宁选集》第 2 卷，人民出版社 2012 年版，第 167 页。

## 三、阐述社会发展的客观规律性，揭示思想观念的起源

1909年，拉法格出版了他的主要哲学著作——《卡尔·马克思的经济决定论》①，宣传辩证唯物主义的反映论，批判唯心主义先验论和形而上学。在拉法格的著作中，经济决定论同唯物史观、历史唯物主义或经济唯物主义在意义上是等同的。拉法格突出强调历史唯物主义在整个马克思主义理论体系中的地位。他指出，随着历史唯物主义的创立，人类终于有了科学认知社会历史发展的完整观念和历史哲学。这种历史哲学彻底抛弃了以往的唯心主义、形而上学和先验论等错误观点，也与企图捏造、臆造历史、随意切割历史和把僵死的发展共识强加给历史的行为分道扬镳。由于历史唯物主义的发现，宗教和唯心主义从它的最后的避难所——历史中被驱逐出去了。历史唯物主义揭示了一种社会经济形态向另一种社会经济形态过渡以及共产主义社会代替资本主义社会的历史必然性。拉法格认为，唯物史观就是一种解释历史过程、社会发展一般规律的科学理论。

拉法格指出，唯物史观的出现具有历史必然性和科学性。拉法格把唯物史观看成"是马克思交给社会主义者的新工具，为的是要先靠它的帮助把秩序带进事件的混沌状态中去"②。它为科学地认识人类历史过程和为无产阶级解放事业提供了思想指导。拉法格依照唯物史观关于社会存在决定社会意识原理，坚持了社会发展有它固有的客观规律的观点，用很多篇幅来驳斥否认社会发展具有规律性的唯心史观。历史唯心主义认为，历史是一堆混乱不堪的事实，要证明历史规律是人类智力所办不到的，于是有的人就把社会现象发生的原因归结为一种超自然的力量——上帝。拉法格揭露了这种观点的错误，他说："这个永久的上帝并不是创造者，而是人的创造物；人随着自己的发展而修改自己的上帝；这个上帝不仅不是指挥者，并且还是历史现象的玩偶。"③他强调归根到底必须到社会的经济结构、生产关系的类型中去寻找认识所有社会现象的钥匙，因为"如马克思所说，物质生活的生产方式一般地规定社会生活、政治

---

① 中译本的书名改为《思想起源论》（王子野译）1963年生活·读书·新知三联书店出版。

② [法]拉法格：《思想起源论》，王子野译，生活·读书·新知三联书店1963年版，第7页。

③ [法]拉法格：《思想起源论》，王子野译，生活·读书·新知三联书店1963年版，第11页。

生活和精神生活的过程”①。拉法格把历史看作是社会经济形态的合乎规律的更替，并且详尽而透彻地论述了生产方式的变更如何使一种社会形态转变为另一种社会形态。

那么，唯物史观诞生之前的历史哲学为什么不能为人类提供揭示历史之谜的路径呢？

在拉法格看来，根本原因就在于以往的历史学家和哲学家们始终“徘徊在唯心主义的幻想的烟雾弥漫的黑暗中”②。同时，这些人又不能看清所在阶级意识形态的“花言巧语的性质”。

唯一的选择就只能是“滑到唯灵论者的愚弄人的宿命论里去”③。作为科学揭示历史秘密的唯物史观则彻底“粉碎了历史唯心主义及其愚弄人们的宿命论，创造了历史哲学并训练无产阶级的思想家作出打开通往新世界——自由的劳动世界的大门的经济革命”④。在古代社会，生产力水平低下，很多自然现象以及与人相关的现象无法在现实中得到科学合理的解答，人们只能把它们归因于神的意志和神的主宰，所以，唯心主义哲学“满足于从思想进化的认识上去获得历史的规律，把思想当作是世界和历史的创作者”⑤。神日益随着资本主义生产方式的出现以及资产阶级革命的爆发而逐渐从自然界中退出来，只能在人的精神世界中留存。

但是，伴随资产阶级与无产阶级两大对立阶级矛盾的日益尖锐，宗教神学被资产阶级统治者用来维护自己的利益，支配和麻痹人民群众的意志和精神世界。在社会历史领域，他们炮制了“进步、自由、正义、祖国、博爱”等一批资产阶级的神来取代宗教之神，甚至发明了将经济的宿命论与宗教的宿命论融合的永恒的经济规律。拉法格进一步分析指出，资产阶级就是试图用所有权、自由和平等这种“三位一体”的“神”来奴役工人阶级，并运用一切可能的方式证明资本主义生产方式的永恒性和不可动摇性。

唯心主义哲学被拉法格看成是一种荒谬的社会意识形态，它变成了人们获取正确认知世界的巨大阻力。资产阶级及其思想家却用它来论证资产阶级的合

---

① [法]拉法格：《思想起源论》，王子野译，生活·读书·新知三联书店1963年版，第36页。
② 《拉法格文选》上卷，人民出版社1985年版，第150页。
③ 《拉法格文选》上卷，人民出版社1985年版，第151页。
④ 《拉法格文选》上卷，人民出版社1985年版，第153页。
⑤ [法]拉法格：《思想起源论》，王子野译，生活·读书·新知三联书店1963年版，第12页。

理性，把它作为维护统治的有力武器。饶勒斯是当时法国最有名、最典型的唯心主义代表，他着重从唯心主义先验论的视角论述思想起源问题。为了实现对唯心主义先验论的彻底批判，拉法格对思想起源问题专门深入地探讨。《思想起源论》一书是其批判思想的集大成之作。在书中，拉法格从物质第一性、意识第二性出发，对"抽象思想"、"正义思想"、"善的思想"和"灵魂观念"等的思想起源和发展进行深入探讨。思想起源问题已经涉及了哲学的基本问题，拉法格彻底地批判了唯心主义先验论，用唯物主义的方式对思想起源问题作了解答。

拉法格认为，思想、观念是一定社会环境的社会实践中产生并与之有着密切关联的，绝非先天就存在。以思想作为前提，唯心主义以这个前提为出发点，把思想变成了能够取代上帝并决定社会发展的主要因素的先天就有的东西。面对这种唯心主义先验论的错误论断，拉法格在考察了哲学史上有关思想起源问题之后，总结发现了阻碍产生正确观念的根源——先验论。在此基础上，拉法格对先验论做出了有力的批判。拉法格揭露了历史上的自然神论哲学和唯心主义哲学的谬误，指出它们都不能解释历史发展的真正动力。自然神论者断言，历史的唯一创造者是上帝，而唯心主义哲学家则用思想代替上帝，认为进步、正义、自由、文明、祖国之类"永恒的原理"决定了历史的发展。黑格尔宣称，思想自己产生出来，创造出世界和历史，然后又复归于自身。拉法格有力地驳斥了这些观点。拉法格认为，如何看待抽象思想的起源，是关乎历史观出发点的根本问题。在批判饶勒斯时，拉法格指出，"进步、自由、正义、祖国等思想也和数学上的公理一样不是存在于经验的领域之外；它们不是在经验之前就存在了，而是跟随经验才有的；它们不产生历史事件，它们本身是社会现象的结果。社会现象在发展中创造、改变和消灭它们。正因为数学是在社会环境中产生出来的，所以才成为积极的力量。历史的任务之一就是要揭发是什么社会原因产生思想并给予思想以影响某一时代的人类智慧的力量。"①另外，拉法格通过对哲学的基本问题即思维和存在的关系的探析，对抽象思想的起源和发展问题进行了阐发。他认为抽象思想起源的唯物主义理论"开始是由希腊的思想家提出来并加以讨论，后来又被英国十七世纪的哲学家和法国十八世纪的哲学家所采纳，而自资产阶级获得胜利之时起又从哲学问题的范围

---

① [法]拉法格：《思想起源论》，王子野译，生活・读书・新知三联书店1963年版，第13页。

内被勾销了”。[①] 拉法格认为，在古希腊哲学中，柏拉图认为真、善、美的思想是先天的、不变的、普遍的；与此相反，斯多葛派的创始人芝诺则认为感觉是知识的来源；只是感觉必须经过一系列的智力加工后才变成概念。到了17、18世纪，当英国、法国资产阶级追求政治权利并意图夺取政权时，关于思想起源的争论就成为资产阶级开始斗争的集结号。以狄德罗为代表的百科全书派宣扬世界就像一块白板，没有所谓与生俱来的概念，万事万物因为时间的进展而各自在世界中留下自己的印痕。唯心主义的内省法和苏格拉底式的“认识你自己”则被笛卡尔复活，他认为实体和原因等概念是先天的，而非由经验所获得的。而康德则是笛卡尔的唯心主义观点的继承者和完成者。霍布斯、洛克、孔狄亚克都认为，思想是从感觉中产生的，而莱布尼茨反对这种观点。在他看来，思想和概念是与生俱来的，只是以隐蔽的形式存在于理性中，但在外界的对象的影响下显露出来。理性在个人的经验开始之前已经形成。最庸俗的唯灵论和“永恒的真理”随着英法资产阶级获得统治地位而被资产阶级大肆宣扬。资本主义社会被看成是一种建立在善和正义的永恒不变原则之上的完善的社会秩序，变成神圣不可侵犯的另一个“上帝”。拉法格通过对唯物主义和唯心主义围绕思想起源问题的斗争的回顾，对唯物主义作了高度评价，对形形色色的唯心主义观点作了有力的批判。

为了彻底揭露唯心主义先验论的荒谬，拉法格对抽象思想的形成史作了一个梳理。他指出，唯心主义者完全颠倒了思维和存在的关系。事实上，思维是外界环境作用于人脑的产物。人类思想发展的可继承性显示“文明人的脑子是经过许多世纪耕作过和几千代播下概念和思想种子的一块田地”[②]。抽象想象不是在人脑中自发产生的，而是我们的祖先在几千年间的社会实践中逐渐积累起来的经验的结果。人的概念的形成有一个从具体到抽象的曲折过程。拉法格举例说，欧洲语言中表示物质财富或直线的词同样也表示道德意义的善，或者法和正义。如英语中 right 既表示直线上的东西，又表示法，正义。在野蛮人的语言中，没有表示硬、圆、热等抽象概念的词，他们不说硬的，而说“像石头”；不说圆的，而说“像月亮”；不说热的，而说“像太阳”，因为硬的、圆的、热的

① ［法］拉法格：《思想起源论》，王子野译，生活·读书·新知三联书店 1963 年版，第 39—40 页。

② ［法］拉法格：《思想起源论》，王子野译，生活·读书·新知三联书店 1963 年版，第 54 页。

这些属性在野蛮人的脑子里还没有与石头、月亮、太阳分开。只是在长期的脑力劳动之后这些品质才从这些具体物分离出来，抽象出来，形成抽象概念。数字也是通过人们的实践活动形成并发展起来的。拉法格认为，在野蛮人的概念中，就像在儿童的概念中一样，数和物是联系在一起的：大拇指代表一，食指代表二，一只手代表五等。后来经过无数代人的脑力劳动，才形成了抽象的数学符号。拉法格还对人脑的作用作了辩证唯物主义的解释："脑具有思维的机能，正如胃具有消化的机能一样；脑子只有靠观念才能思想，而观念则是它从自然环境和人赖以发展的社会环境或人为环境所提供的材料中制造出来的。"①

总而言之，在思维和存在的关系这个哲学的基本问题上，拉法格捍卫了辩证唯物主义的反映论，对唯心主义先验论和形而上学作了有力的批判，尽管他的有些论述和表达不够确切。

意大利哲学家乔瓦尼・巴蒂斯塔・维科论证了人类社会的发展是按照共同的规律进行的。一切民族不论他们的种族起源和地理环境都经过同一的历史道路，就是说某一民族的历史是另一个达到高度发展阶段的民族的历史的重复。维科还认为，历史的动力是人的三种"恶德"——残酷、贪婪和野心，而这些恶德是由"神意"所决定的。拉法格指出，维科的这个观点是站不住脚的，人无论在肉体、智力或道德方面，都受到他所生活的环境的深刻影响。如果人们想要找出历史发展的基本动因，就离不开在物质生活的生产方式中找寻。社会生活、政治生活和精神生活受到一定的物质生活的生产方式制约。而唯心主义者漠视人们长期的实践成果，导致他们非历史地、形而上学地对待人类社会历史发展的问题，最终走向历史规律的反面。拉法格认为，唯物史观的社会存在决定社会意识的基本原理，直接来源于思想起源问题上的唯物主义观点。他批判了从苏格拉底、柏拉图直到笛卡尔和莱布尼茨的先验论，高度评价 17 世纪英国唯物主义洛克、法国启蒙学者孔狄亚克和 18 世纪百科全书派代表狄德罗，认为他们坚决反对先天观念论，为探讨思想、观念的起源作出了巨大贡献。拉法格指出，在反封建斗争中，唯物主义经验论是资产阶级的思想武器，但胜利了的资产阶级却抛弃了原来的信仰，抛弃了对思想、观念起源问题的研究。他认为，无产阶级必须继续这一工作，也只有无产阶级的唯物史观才能真正继承哲学史上的唯物主义。为此，他花费了大量精力，详细考察了正义、善、灵

---

① [法]拉法格：《思想起源论》，王子野译，生活・读书・新知三联书店 1963 年版，第 66 页。

魂、上帝等观念的原始起源，考察了数学、数学公式、几何学公理等抽象思维形式的原始起源，考察了语言中抽象词汇的起源以及法国革命前后文学语言的变化，为论证和阐释唯物主义认识论和唯物史观作出了不懈的努力。拉法格还分析和证明了正义、道德、法律、艺术、宗教等的产生和发展，并说明了它们是怎样被经济基础所决定而又反作用于经济基础的。他指出，思想、观念等社会意识形态不是先天就有的，它们是对社会存在的反映，是在一定社会历史条件下，从社会需要中产生出来的。梅林对拉法格的这一论述作了很高评价，梅林认为，拉法格在《思想起源论》中很好地理解并运用了马克思主义关于解释历史的方法。① 当然，拉法格把正义思想的起源归结为经济和人类的本性两个来源在一定程度上受到了天赋论思想的影响，具有明显的唯心主义倾向。

拉法格曾引用《共产党宣言》中的一句话："思想的历史，岂不是证明精神生产是随着物质生产的改造而改造的吗？任何一个时代的统治思想都不过是统治阶级的思想。" ② 总的来说，拉法格认为不能说思想决定人类的进步，而应该说思想的变化必须由经济说明。他肯定正义和道德总是要适应统治阶级的利益需求，并且进一步指出，要随着条件的不同、时代的变化而变化。

## 第三节 揭示资本主义新变化，论证和丰富马克思主义政治经济学

19 世纪末 20 世纪初，在一些资本主义国家中，托拉斯组织尤其在美国获得了迅猛发展，标志着资本主义的自由竞争阶段向垄断阶段开始转变。拉法格密切注视资本主义发展中的这些新现象。他在《交易所的经济职能》（1897）

---

① ［法］拉法格：《思想起源论》，王子野译，生活·读书·新知三联书店 1963 年版，第 1—4 页。

② 《马克思恩格斯全集》第 4 卷，人民出版社 1965 年版，第 488 页。

和《美国托拉斯及其经济、社会和政治意义》（1903）中，研究了资本主义发展中的新现象，分析了工业资本同银行资本相结合的过程。他指出，托拉斯体系的出现标志着资本主义语境进入一个“特殊阶段”。后面这部书可说是在列宁《帝国主义是资本主义的最高阶段》一书发表前对资本主义垄断阶段作了独创性研究的著作。1903 年，拉法格出版了《美国托拉斯及其经济、社会和政治意义》一书，该书是最早研究垄断资本主义问题的马克思主义文献之一。在书中，拉法格明确指出，托拉斯的出现宣告资本主义已经迈入到一个新的特殊阶段。另外，在 19 世纪 80 年代和 90 年代，一些人不断攻击和大肆歪曲马克思的《资本论》，拉法格为此发表了一系列文章进行回应和批驳。在这个过程中，拉法格在经济学领域留下了大量富有创见的著作，主要包括《卡尔·马克思的剩余价值和保·勒卢阿—博利约的批判》（1884）、《卡尔·马克思的〈资本论〉和布洛克先生的批判》（1884）、《马克思的价值和剩余价值理论同资产阶级经济学家》（1892）、《财产的起源和进化》（1895）、《驳对卡尔·马克思的批评》（1896）、《交易所的经济职能》（1897）、《美国托拉斯及其经济、社会和政治意义》（1903）等。

在深入研究英、法、美等资本主义国家的生产方式演进基础上，拉法格关注分析新出现的经济现象，深刻批驳了资产阶级经济学家对《资本论》的大肆攻击和歪曲否定，捍卫了马克思主义经济学的价值和剩余价值学说。拉法格还对人类社会所有制的演变和发展进行了深入的梳理、分析，论证了共产主义社会的必然性。除此之外，拉法格开创性关注和研究了资本主义发展新阶段出现的垄断组织和金融垄断现象，初步概括了资本主义处于垄断阶段的若干特征。他指出，托拉斯体系的出现标志着资本主义已经进入了一个“特殊阶段”，正在为新社会的到来做准备。通过对垄断资本主义的分析和批判资产阶级经济学家，拉法格在一定程度上论证和丰富了马克思主义政治经济学理论。

## 一、揭示私有财产的起源，批判资本永恒论

1895 年，拉法格写了《财产的起源和进化》一书，用历史唯物主义方法和观点探讨了财产的起源及其在人类社会历史发展中的不同表现。巴黎出版商

德拉格拉夫起初以不同意拉法格的政治观点为由，拒绝出版此书。后来在拉法格的坚持下，德拉格拉夫才同意出版，但是提出一个条件：拉法格的著作必须同资产阶级经济学家伊夫·居奥的反驳文章印在一起。最后双方达成协议，此书以《财产的起源和进化。保尔·拉法格的共产主义论文。伊夫·居奥的反驳》的书名在巴黎出版。恩格斯认真阅读了书稿并给予了很高评价，认为"全书文笔漂亮，历史事例非常鲜明，见解正确并有独到之处，而最大的优点是，它不像德国教授写的书那样：正确的见解不是独到的，独到的见解却不正确"①。同时，恩格斯对书中个别观点提出了不同意见和批评。当拉法格表示要在书上注明"献给弗里德里希·恩格斯"时，恩格斯立即写信劝告他"最好还是不要这样做"。

拉法格在这部著作中驳斥了资产阶级经济学家关于私有财产是自古就有的、永存的论调。他指出，资本是有一种历史范畴，而不像资本主义制度的辩护士所竭力散布的那样从"创世"之时起就已存在。资本这个词具有现在这种特殊意义只是从 18 世纪才开始。因为正是在这个时期，与封建主义的财产形式相比，资本主义的财产形式无论在数量上还是影响力方面都拥有较大优势。资本主义的财产形式是在商品生产的基础上发展起来的，而又由于美洲和回绕好望角而达印度的航路之发现，贵金属向新大陆的输入，火药、印刷术和指南针的发现，君士坦丁堡的占领等而加速起来的。这表明，与物质现象和精神现象不断经历着不同形式的发展和演变一样，所有制制度也不是一成不变的，而是不断地由一种形式向另一种形式发展变化。

在《财产及其起源》一书中，拉法格以大量的详尽有力的事实证明了私有财产，其中包括资本，它们并非自古有之；作为私有财产的一种特殊形式，资本是经过了一段漫长的历史演变和发展过程才得以形成的。拉法格特别指出，资本在其自身发展过程中，不断孕育出与自己相对立、相矛盾直至彻底否定自己的因素，它必然最终被一种更高形式的共产主义所取代。这是一个否定之否定的螺旋式的上升过程。在拉法格看来，私有财产并非自古就有。资本是现代社会典型的财产形式。将资本宣扬成是唯一的永恒不变的财产形式，是资产阶级思想家常用来维护资本主义私有制神圣性的传播最为广泛的理论。这种理论竭力论证在世界诞生伊始，资本就已经出现了。在它看来，

① 《马克思恩格斯全集》第 39 卷，人民出版社 1974 年版，第 434 页。

资本不会终结，是人世间唯一的永恒的财产形式。为了证明这个论断，有的经济学家甚至到动物中去寻找依据。他们居然从蚂蚁知道储存食物这一自然现象中发现了资本。

拉法格指出，在人类诞生之前，他们所面临的危险是那样多，以致单独一个人存活是根本不可能的，他们甚至连想都未曾想过这个问题。脱离了氏族就无法生存。也就是说，这时他们还没有意识到与他生活在其中的氏族相独立的个人的存在，还没意识到自己的个性，因此原始人也就不可能有个人财产观念。这时，氏族内部的一切都是公共财产。住宅是公共的，土地归公社所有，共同耕种，吃饭大家一起分配。他引证了许多历史资料和在现代某些落后民族中残存的原始社会的风俗习惯来证明这一点。他列举了生活在南非的布希曼人的部落群众的每一个成员在得到礼物时，都会把礼物分给本氏族的每个人。在火地岛，达尔文也曾发现岛上的土著人会把别人送给他的被子切割成若干片，分送给每个伙伴。法国航海家拉佩鲁菲在波利尼西亚就见到过当地土著居民的长 310 英尺，宽 20—30 英尺，高 10 英尺的大公共住宅。几百人同住在一起。他们的食物是公共的，烹调和用膳也是共同的。这些人春天共同耕种，秋天共同收获果实，然后把它们堆放在公共仓库的房子里。在那些以狩猎为主的部落里，除猎犬之外，尚无任何驯养的动物，他们多半是沿着河流或海岸迁移。在哪里发现有丰富的食物就在哪停下来。食物枯竭之后再转往他地。直到这时，他们连想还没想过建立公共猎场——公有的土地所有制的最初形态。

拉法格就是这样用大量的无可反驳的历史事实证实了在人类历史上的很长一段时期占统治地位的所有制形式是公有制。那时人类还根本不知生产工具的私有为何物，那时也没有所谓阶级对抗。人类社会这个阶段的情况恰恰证明了资本永恒论的荒谬和虚伪。不过，拉法格在说明这种制度时，把它过分理想化了。他说："虽然，估计到野蛮人所生活的环境，也可以把他们称作完美无缺的人类，甚至比文明人还要完美无缺的人类，因为他们能够满足自己的一切需要，他们同自己的部落，同自己的氏族联结得如此紧密，以至在个人财产方面也好，在家庭方面也好，都没有表现过河没有体现出自己的个性，像我们对它所理解的那样。"①这表明拉法格不了解，这种原始的公有制的存在乃是生产力极其低下的结果，是个人在自然力面前无能为力的表现。在强大的残酷无情的

---

① 《拉法格文选》下卷，人民出版社 1985 年版，第 83 页。

自然力面前人类祖先的生活并不很美妙。

在考察了原始社会的公有制之后，拉法格接着研究了私有财产的起源问题；研究了私有财产为什么和怎样采取资本这一形式的，他根据大量的事实指出，“个人财产是在原始公有制之下产生出来的，它不仅不与原始公有制相矛盾，像经济学家所说的那样，而且是它的必要的补充。”①他根据英国的澳大利亚族志学家法森和豪伊特对澳大利亚部落的考察资料指出，个人财产或私人财产的最初表现形式是用思想来呈现的。在占有任何物质的东西前，原始人首先占有的是自己的名字。名字是他们成年时以宗教形式授予的，天主教的洗礼便是这种习俗保留下来的遗风。原始人把个人的名字看得非常珍贵，从不公开自己的名字，生怕别人窃去。然而就是这种财产也不绝对属于他，名字属于氏族，因此，死后要归还氏族。

拉法格研究发现，原始人的贴身之物成为最早出现的物质形式的个人财产。更为准确地说，这种个人财产包括创造鼻子上、耳朵上、嘴唇上的装饰品以及围在脖子上的兽皮等，这些东西往往与原始人结合在一起。原始人只有当他本人通过使用使东西神圣化后，他才能占有他所生产的东西。使用是原始人中间产生对财物的占有观念和实际占有的理由。如果原始人在使用东西后还不能占有，那这个东西就不能成为他的私人财产。武器、马匹、渔猎工具都应当属于男人所有。食物、家具以及与妇女们的职务有关的其他东西则归妇女所有。如同男人随身携带自己的武器和猎品一样，妇女也把属于自己一切东西通通背在自己身上。

在原始共产主义社会里，土地属于部落，农业的耕种是共同进行的。只是随着工具的改善，劳动分工的发展，经营单位才逐渐划小，这是土地分散的主要原因，也加强了两性间劳动分工。男人专门从事打猎，田间的一切农业耕作均委托给妇女，只是在收获季节男子才偶尔给妇女以帮助。土地财产本应使它的占有者解散，但在它产生之初，却使其占有者处于奴隶般的地位。它们的占有者妇女注定要从事繁重的田间劳动；就像后来的奴隶似的。

在原始人贴身物品逐渐变为私人所有之后，某些随着劳动生产力的提高而日益增多的动产也不断转化为私人财产。最早，战俘是被全部杀掉的，因为部落没有多余的食物供养他们。随着耕种土地的农业和驯养动物的畜牧业的发

---

①《拉法格文选》下卷，人民出版社1985年版，第87页。

展，劳动者的收获物除可供个人消费之外，出现了剩余，这时保存和获得战俘可以获得经济上的利益了，战俘也就逐渐被保留下来，并强迫他们从事各种劳动，而劳动的果实则归作为战俘主人的部落。这时战争的目的也发生了变化。如果说过去战争只是为了夺取或保护猎场，现在则不同了，现在战争成了获得谷物、畜群、奴隶和贵金属的手段。这些战利品和奴隶劳动的生产品就成了最早被个人占有的财产。

正像在评价原始共产主义社会时存在着理想化的偏向一样，拉法格在评价财产的私人占有产生时，也存在着伤感的非历史观点。他更多地看到的是私人占有的消极方面，只看到私人占有及与其同生的剥削为劳动者带来的痛苦。而没注意到它们在促进人类进步中的积极作用。他说："正是这种动产助长私人财富的积累和商业，在几千年间仍然是人类的灾难，引起未来的巨大变革；这个变革把妇女从先前的崇高的社会地位降下来并驱使软弱无能的和毫不自觉的人类在原始共产主义和血族集产制的废墟上建立起不幸的个人所有制。"①不过，拉法格对人类前途还是充满信心与希望的，他说："共产主义是人类摇篮。文明所到之处，这种原始的共产主义就被破坏，尽管贵族和资产阶级的贪得无餍，而这种制度的尚存的残迹仍然表现着自己的公有财产的特点。可是，文明的影响是双重的：一方面它在破坏；另一方面它又在建设。所以，当它击毁蒙昧时期和野蛮时期共产主义制度之时，它又在创造新的共产主义的因素。"②

私有财产的萌芽形式产生于原始共产主义社会内部，它的进一步成熟和发展则是与氏族分裂成母系氏族家庭和父系氏族家庭息息相关。伴随母系形式的个人家庭从大的氏族中分化出来之后，当成年妇女带着自己的孩子和未婚的弟妹从氏族中分离出来单独居住的时候，原先氏族的大的公共住宅也就分成若干个家庭的房子。到这时才真正出现了家庭土地所有制的萌芽。这种财产开始时很小，只限于所建住宅的那一小块土地。19世纪末这种形式的家庭在爪哇还存在着。随着父系家庭的建立，妇女被剥夺了自己的财产和权利。可见，正是家庭的建立，先是母系家庭，后是父系家庭，打破了氏族的共产主义，在氏族的内部出现了有自己的个人的特殊利益的独立的家庭。氏族的公有财产不得不分散成许多单独的家庭的私有财产。

---

① 《拉法格文选》下卷，人民出版社1985年版，第103页。

② 《拉法格文选》下卷，人民出版社1985年版，第105页。

最初由氏族分裂成的母系家庭或父系家庭并不就是由一对夫妻及其子女形成的，而是由血统关系密切的许多夫妻所构成。因此，最早的家庭所有制也并不是后来的那种私有，而是血缘集产制。每一个靠血缘关系组成的家庭耕种自己的一块土地，占有靠自己劳动获得的产品。这时土地还是氏族公有，并定期重新分配。在母系或父系的大血缘家庭裂变成一夫一妻为单位的小家庭之后，真正意义上的个人财产出现了。动产被拉法格认为是人类最早出现的私有化的财产。当以某一个母系为中心的母系家庭从氏族大家庭中分裂出来的时候，随身带走了归自己使用的零星杂物并自立门户，在这一过程中动产的私有实际上便自然而然地被确认了。接着被确认为个人财产的东西便是修建住宅的土地和住宅。紧接着，住宅周围即用石墙或篱笆围起来的庭院进一步变成个人财产。这就是说不动产的私有也出现了。私有动产、不动产的出现使各家庭之间的财产的平均化消灭了。贫富差别开始出现，从而使私有财产得以进一步发展。

这里应当指出的是，拉法格论证了在原始公有制内部如何孕育着新的生产关系以及与其相适应的财产关系、这些关系的发展如何造成了生产资料私有制，与此同时，拉法格还研究了家庭的形成和演变及其对私有制产生的影响，毫无疑问这一切都是正确的，对传播马克思主义的唯物史观是有益的。但是，拉法格没有充分研究生产工具的改善在私有财产产生过程中的决定性作用。这种状况减弱了他论述的说服力。

在研究了血缘集产制之后，拉法格没有考察奴隶制社会，而是直接转入对封建财产的研究。他指出，建立在集产制之上的农村公社孕育着封建财产的形成和产生，封建财产通过蚕食集产制而不断增大发展，作为私有财产的最早存在的一种普遍形式出现了。随着资产阶级的出现，封建制度被逐渐消解，封建财产的形式最终被资本主义财产形式——个人所有的财产的真正形式取代。拉法格认为，作为最早存在的私有财产的普遍形式的封建财产，是一种向真正的个人财产即资本主义财产过渡的形式。拉法格分析指出，封建制度的实质是各级封建主与他的臣民们相互服务的契约关系。男爵只有在对其上级和下属尽了义务的条件之下才能领有土地，享有驱使农奴家臣从事劳动和占有劳动产品的权利。从国王、皇帝到农奴，全体封建社会成员都被相互之间的义务链接起来。这种义务就好比现在的利润一样是社会的灵魂。在各种封建义务中，最重要的是劳役租制。封建地主从分封中领到自己的一块土地，但自己不耕种，全村人担负替他耕种的义务。当封建主的土地增多导致农奴已不够使用时，他便把土地交农民公社耕种，耕种这些土地的农民必须为封建主做若干日的工作。当商品生产还不发达时，一个封建城堡或庄园还必须备有各种作坊，用以生产武器、农具、纺织布匹、缝制衣服等。农民的妻子儿女每年则必须去那里工作若干日。此外还有交纳什一税等义务。

拉法格认为封建制度的产生是同半开化的部落对一些定居的从事农业生产的部落征服的结果。在西欧大陆，半开化的迁徙无常的部落对邻国的征服造成了大陆的封建制度。有时这些征服者会杀死所有原来的居民。但通常这种征服只限于抢劫城市和占领他们所需要的土地。然后他们便在被征服的土地上定居下来，按自己的方法耕种，并让被征服者按自己的法律和习惯生活在自己旁边的土地上。土地有的归村落共有，有的分封给征服者的各等级，大片的土地则直接属于整个民族。拉法格收集了大量的有趣的材料来论证自己的观点，指出了封建关系形成的道路和封建主对土地的所有权和对农奴的不完全的占有是如何产生的。但是拉法格只考察了封建制是如何在原始社会解体的基础上成长起来的。奴隶起义导致奴隶主和奴隶两败俱伤，并进而瓦解了奴隶社会。对于封建制度如何在奴隶社会崩溃后的废墟上发育起来的普遍路径，拉法格并没有论及，甚至没有提到佃农制。这不能不说是一个重大失误，并使其全部论述显现出一种暴力论的基调。

另外，拉法格分析得出，资产阶级财产的产生与商业的产生及发展密不可分。因此，他对资产阶级财产的研究便从对商业起源的研究开始。他指出，以战争和掠夺财物为生的野蛮民族，最早也是很自然地把从战争掠夺来的财物当作了个人的财产，正像生产者把自己劳动的产品当作私人财产一样。他们开始用掠夺来的东西换自己所需的其他物品。战争制造了所有者，同时也就为商业奠定了基础。村落之间的相互交换伴随着劳动分工的发展和动产的增加开始出现、发展。起初这种交换还是以村长为中介，随后便发展起专门从事这一职业的商人，“商人阶级被创造出来了；他们遭受到极端的轻蔑和被比作骗子，然而他们终究成功地使生产者屈从于自己和一点也不参加生产却取得了生产的总指挥权。这个阶段是两个生产者之间的中间人并剥削他们双方。”① 随着商业的发展，在商队来往的交叉路口和河岸渡口及海口附近首先形成一些临时性的市场，随后发展为多少带有固定性质的交换场所。于是在这里便陆续定居下来一

① 《拉法格文选》下卷，人民出版社 1985 年版，第 107 页。

些为出卖而生产的手工业者。他们买进原料，进行加工，然后再卖出。随着生产的发展和交易的扩大，处境好一点的商人和手工业者便开始招收学徒和帮工。这样便开始出现了萌芽形态的资本财产。

15 世纪绕好望角到印度航线及美洲的发现促进了商业的发展，特别是墨西哥及秘鲁金矿的发现，极大地推动了地中海沿岸各城市及在荷兰和汉萨同盟各城市中出现的资本生产的发展。以严格的分工为基础的工场手工业出现了。分工提高了劳动生产率，也使工人的技能减低到极限。工人只能完成整个工序中的很小一部分。工人完全丧失了自己的独立存在，他们除了在工场内同其他工人协同劳动外，没有任何别的出路。随后手工劳动被机器大生产所取代，标志着资本主义财产制度的真正形成。1789 年的革命把资本主义生产从束缚它们的羁绊下解放出来，于是资产阶级财产的发展才获得了完全的自由。

随着资本主义生产统治地位的确立，与资本主义生产同时发展起来的银行等各种形式的金融资本也不断发展，日渐形成主宰资本主义经济的趋势。“在许多场合，由个人积累起来的资本是不够的，因此不得不求助于股份公司之力而把它们联合起来。另一方面，为了购买原料和劳动力，对于一切企业都是必要的流动资本的重要性，生产的速度和巨大规模，产品的缓慢的销售，市场的宽广和遥远，成本收回的困难，凡此都迫使工业家为维持和发展事业不得不经常求助于信贷，就是求助于社会资本的预支。”① 因此金融资本的存在乃是资本主义生产存在的必要条件。并且它利用自己的特殊地位而迅速取得了对其他形态的资本的统治权。

通过对私有财产、资本财产的形成发展过程作了详尽的梳理和研究，拉法格实现了对资本永恒论的深刻批判。更为可贵的是，他在书中通过对资本主义生产方式内在矛盾的分析，证明了财产的最后、最完备的形式绝非资本，资本只是通向共产主义康庄大道的一个中间环节。除此之外，拉法格对资本主义生产方式内部已孕育着实现共产主义的一些基本条件以及孕育了实现它的阶级力量的论述，无疑都是符合马克思主义经典作家的基本理论原则的。只是由于历史条件的限制，他对共产主义实现所需的发展水平估计得低了些。

---

① 《拉法格文选》下卷，人民出版社 1985 年版，第 137 页。

## 二、对帝国主义理论的贡献和局限

从19世纪末到20世纪初，科学技术发展变化日新月异，资本主义垄断阶段取代自由竞争阶段，由此，资本主义进入帝国主义新阶段。无产阶级面对这一巨大变化该如何对待呢？作为一位思维敏锐理论水平极高的马克思主义理论家，拉法格首开先河，总结和揭露了帝国主义的本质特征。1903年，在《美国托拉斯及其经济社会和政治意义》的前言中，拉法格明确提出："资本以前所未见的惊人规模大量集中，单是这一现象本身就足以说明资本主义已演进到特殊阶段了"①，资本主义正在"演变到它的最后阶段"②。这个论断比希法亭提出的帝国主义是"资本主义发展的最新阶段"观点早了2到7年，比列宁提出"帝国主义是资本主义发展的最高阶段"观点早了近13年。该书以美国典型的托拉斯为批判对象，进行了全面的剖析和深刻的揭露，说明资本主义经济已演进到一个"特殊阶段"，"演变到它的最后阶段"，进而"走向帝国主义"。通过搜集大量事实，拉法格论证了垄断组织"是一种新的历史现象，它对资本主义世界的影响是如此巨大，以致最近四十年来发生的一切经济的、政治的和科学的现象都退居第二位了"③。事实显示，垄断组织支配和统治着工农业和商业的发展，垄断成为帝国主义经济的基本特征，说明帝国主义就是垄断资本主义。拉法格同时认为，托拉斯用有计划的生产组织代替原有的生产无政府状态，提高了雇佣劳动的生产率，加速财富的集中，却又激化了社会矛盾，孕育着经济危机和革命风暴。

在研究时代特征的基础上，拉法格进一步阐明了自由资本主义过渡到垄断资本主义的本质。他指出，自由竞争的发展必然会将大部分商人和工业资本家"从有限的生产和交换领域内赶出来，只留下一些巨头，而这些巨头最终又会联合起来，以便消除任何竞争"④，其结果必然形成垄断。因此，垄断资本全面接管统治整个社会就是自由资本主义向垄断资本主义过渡的本质。托拉斯这一垄断组织对资本主义社会的全面统治不仅造成了"工业的整体化"，而且使

---

① 《拉法格文选》下卷，人民出版社1985年版，第212页。

② 《拉法格文选》下卷，人民出版社1985年版，第226页。

③ 《拉法格文选》下卷，人民出版社1985年版，第213页。

④ 《拉法格文选》下卷，人民出版社1985年版，第173页。

原先处于支配地位的商业开始被置于工业资本的支配之下，最大限度地压榨地主、商人和国家之前所瓜分的剩余价值，最大程度地攫取和占有剩余价值。拉法格以美国为背景分析了托拉斯这一垄断组织与金融资本的关系，以及与对外侵略、扩张的联系。他认为，托拉斯的发展所要求动用的资本是一般银行难以承担的，它必然要求工业和银行走向联合。在美国，“一方面，由于个人积累的资金已不能满足建立工矿企业的需要，因而工矿企业要依靠银行提供必要的资金；另一方面，银行集中了国家公债所吸收不了的、在小型工业中找不到的市场的资金，为了养利生息，他们也得把资金贷给大型的工业公司。银行和工业的利益，从来没有像现在美国这样密切地结合在一起。”①资本的本性在于攫取剩余价值，在银行资本日益融合的托拉斯，一旦生产发生过剩，就会到国外去寻找市场，寻找新的投资场所，而这一“寻找”的方式就是武装侵略。拉法格的这些论断后来为列宁所证实。从这个意义上，拉法格的上述分析，为马克思主义垄断资本主义经济学的形成作出了重要贡献。作为一位颇有建树的马克思主义者，拉法格一直都在关注这个出现在 19 世纪末 20 世纪初资本主义世界的经济新现象，在许多论著中都涉及了对这个现象的论述。如 1896 年 12 月，为了驳斥维尔弗雷多·帕累托，拉法格在《驳对卡尔·马克思的批评》中就论证了资本主义的自由竞争必然会导致垄断，并详细阐述了垄断组织操作国家、利用国家机关谋一己之利甚至掠夺国库的真实面相。

当然，拉法格没有停留在简单地给出结论上，他以美国为典型进一步分析和总结了构成资本主义发展特殊阶段的五个重要特征：

第一，托拉斯导致了资本和生产规模的空前集中，一个垄断组织就拥有几百万乃至几十亿的资本，从而使生产的社会化程度达到了前所未有的高度。资本的高度集中是垄断阶段的最主要特征。美国 1903 年以前共拥有 793 家托拉斯（其中包括 453 家“工业托拉斯”和 340 家地方和自然力的垄断组织），共有资本 697.81 亿法郎。如果再加上铁路公司的资本，总额将在 1000 亿法郎以上，当时美国全国总财富也不过 4300 亿法郎。这就是说不到 800 个垄断组织集中了全国 1/5 强的财富。集中起来的财富的巨大数额同支配这些财富的人数之少，同样都令人十分吃惊。这些巨大的垄断组织依托科学方法加以组织和管理，因而极大地提高了劳动生产率，使生产的社会化提高到前所未有的程度，

① 《拉法格文选》下卷，人民出版社 1985 年版，第 272 页。

从而也导致资本主义经济基本矛盾不断加深和尖锐。托拉斯的出现和发展对资本主义世界造成了严重影响，使19世纪后半期发生的一切经济的和政治的、科学的变革都退居到第二位。

第二，一小撮金融资本家在国内剥削普通民众，逐渐扩张到全世界掠夺他国，引发金融资本集团之间在世界范围的激烈争夺战。拉法格举例说明，北美的石油托拉斯和俄国石油辛迪加订立共同协议，规定石油价格，商定分别在东西两半球进行剥削。洛克菲勒集团组织起来的海洋运输托拉斯，给法国海运业造成了极大困难和混乱。美国的烟草托拉斯在确立了国内的统治地位之后，就开始了争夺英国的市场。美国的玻璃资本靠投机倒把和玩弄交易所把戏而剥削着整个欧洲。

第三，托拉斯除了统治经济领域，而且也支配美国人民的宗教生活、政治生活和精神生活等领域。摩尔根家族和洛克菲勒家族都兴办教堂和创建大学，并向这些教堂、大学捐赠款项。在捐赠款项的支配影响下，这些牧师和教授不得不唯这些家族的百万富翁是瞻。作为引领社会舆论导向的报纸杂志也被这些富翁掌握，成为为资本家利益制造舆论的工具。电报、电话都是资本家的私人财产，某家报纸如果想要摆脱它们的羁绊，就会失去电讯稿，失去传递最新消息的工具，而没有这些工具，任何报刊也无法存在下去。掌控托拉斯的金融资本家还通过政治献金支持、操纵共和党和民主党的竞选，以保证不论谁当选总统和议员都会尽一切努力来实行有利于他们的政策。在美国的政治界和司法界，行贿是非常常见的事情。依托这种办法就可以使掌握着各大财团的金融资本家不用亲自去参加竞选，担任各种政治职务。他们更愿意躲在幕后，操纵着政治舞台上的各个政治角色，像牵引木偶线一样随心决定木偶的一言一行。用无形的却至高无上的影子政府控制有形的却是纸上的政府。

第四，大金融资本家形成的组织管理和控制全美的所有财富，还操纵美国的对外政策。为了这些金融资本家的利益，托拉斯们积极准备搞什么泛美联邦，同时提出包含侵略野心的门罗主义，打着保护南美诸国人民的旗号排挤欧洲各国资本，独占美洲市场，最终走上掠夺殖民地和市场的道路。拉法格还分析得出19世纪末20世纪初的殖民掠夺与以往的殖民掠夺已大不一样。但是他没有看到重新瓜分世界这个问题，只是指出了18世纪以前的殖民掠夺主要是为了争夺土著人的珍贵木材、五金、香料、皮毛等原材料，而当前对殖民地的争夺主要是为了倾销商品。

第五，分析指出资本集中和垄断组织的出现激化了阶级矛盾。在深入研究美国阶级斗争的进展后，拉法格指出，阶级斗争这个政治术语有段时间在美国并不存在。随着改进机器和科学组织生产，快速提升的生产力并没有带给人民和平和幸福，反而是接连不断的对内对外的战争。阶级斗争伴随资本和生产资料的集中而出现了。劳动和资本的斗争空前激烈，导致在美国出现了内战的征兆，或许还有种族斗争。针对这种情况，拉法格指出，1870年当时为对付印度安人而颁发的国民警卫队法重新被国会予以实施，毫无疑问说明美国国内阶级矛盾十分尖锐。尽管如此，拉法格对未来还是充满无限期望。他指出："国内战争将人类从国际战争中拯救出来，后者是由于资本和劳动工具集中在资本家手中而引起的。"①不难看出，拉法格这个天才般和英明的论断表明，早在第一次世界大战爆发十多年以前，他就预见性地提出了无产阶级对帝国主义战争要采取正确的立场。列宁在第一次世界大战时提出"变帝国主义战争为国内战争"的口号，实际上与拉法格的论断是一脉相承的。

拉法格对帝国主义基本特征的概括总结，几乎有列宁的《帝国主义是资本主义的最高阶段》一书所提的帝国主义的全部特点。虽然拉法格的分析存在纰漏，尚不完整，但也足以证明他对创立马克思主义的有关帝国主义论述作出了不可替代的贡献。

拉法格不仅明确指出了资本主义处在一个新的特殊阶段，还具体考察了垄断的形成发展史以及论证了这个转变得以实现的内在必然性。拉法格分析发现，商品生产的不断发展催生了资本主义垄断组织的出现，是商品生产进化发展的合法产儿。商品生产经历了以行会形式组织起来的中世纪、以自由竞争为特点的资本主义初期和托拉斯体系时期这三个阶段，这是一个完全符合辩证发展规律的否定之否定的过程。

作为一种手工业组织的中世纪行会，它出现和存在主要是为了严格限制生产以便消灭竞争。实际上，这也是一种垄断，不过是封建性质的垄断。参加行业的手工匠人受到这种垄断性的行会组织的保护。因为，行会规定了从事这门手工业的人数、开设作坊及店铺的数目、每个作坊帮工和学徒的数目和最高工资、加工的原料的数量和质量甚至禁止改进工具。这些措施使每个工匠都无法压倒自己的同行，从根本上保护了行会中的每个工匠的利益。在

① 《拉法格文选》下卷，人民出版社1985年版，第222页。

中世纪的一段时期内，行会制度凛然不可侵犯。然而，伴随劳动生产率的提高和商品经济的发展，行会日益变成阻碍进步的守旧势力。17世纪末，人们不断呼吁要废除行业组织的规定。直到法国大革命前夕，欧洲才逐渐废除行会制度。从此之后，竞争、相互敌视甚至彼此拆台取代以前本行业人员所体现的团结互助、同舟共济原则和精神，企业主开始按照个人利益发展企业。竞争成为资本主义制度的“规律和先知”，成为资本主义社会一切活动开展的动力要素，由此也导致工业生产的无政府状态的出现。在资本主义社会，竞争充满矛盾性。一方面它发挥着巨大的作用，另一方面“它又必将在发展中毁灭自己。它在促进资本集中的过程中必然导致工业组织的托拉斯化，而托拉斯消灭竞争，有如以前行会组织消灭竞争一样，是同样有效的。”① 竞争本身就意味着竞争者必然随着这一过程的展开而不断减少，也就意味着奉之为圭臬的资产阶级企业主不断减少。拥有大量资本的企业主由于掌握先进的机器，灵活多变，更容易获得剥削成果，他们在竞争中就成为优胜者；反之，则只有破产成为无产者。集中大量资本的大工厂在竞争、生产无政府状态中开始出现。这时候，竞争又会发挥一种调节生产和规定销售价格来节制竞争的作用，从而保持竞争企业能够维持一定利润和发展。拉法格进一步分析指出，资本主义生产最初为了发展而摧毁中世纪的行会组织，最近50年，它又竭力通过另一种方式和要求来恢复这种组织。过去，资产阶级粉碎了套在农奴头上的枷锁只是为了农奴屈服于新的压迫即资本主义剥削；资产阶级摧毁了束缚生产和交换的行会制度也只是为了少数大资本家可以任意支配生产和交换。现在，资本主义曾经引以为自豪的永恒法则即工业自由和个人自由，在资本主义迈入它的最后阶段即垄断资本主义阶段时，就会被毫不犹豫地抛弃。对此，拉法格打了个比方：“自由和竞争所引起的机器工业会吞食掉自己的生育者，就像某些昆虫一样，它们从卵中孵化出来后就会吞食掉自己的母亲，竞争越是自由地展开，它就越会缩小自己的活动地盘，限制相互竞争的工业家和商人的人数。竞争使商人和工业家破产，把他们从有限的生产和交换领域内赶出来，只留下一些巨头，而这些巨头最终又会联合起来，以便消除任何竞争。竞争摆脱了行会的羁绊，以便摧毁小规模的手工业垄断，而在它一个一个地摧毁了这些手工业垄断之后，创造出了无比巨大的垄断，

① 《拉法格文选》下卷，人民出版社1985年版，第225页。

使任何竞争都成为不可能。”① 当然，不能说垄断消灭了竞争，竞争依然存在于各个垄断组织之间。即便如此，拉法格通过这段话还是较为生动地描绘了自由竞争和垄断发展之间的辩证关系。在《帝国主义是资本主义的最高阶段》一书中，为了驳斥考茨基对帝国主义所下的定义，列宁着重指出，帝国主义是作为一般资本主义基本特性的发展而直接成长起来的，不过只是当资本主义进展到一定的、很高的阶段时，帝国主义才会产生。而此时，资本主义的某些基本特性已然成为自身的对立面。拉法格在此处所表达的就是这个意思。

在阐明了垄断组织产生的辩证过程后，拉法格便对当时两种最普遍的垄断组织辛迪加和托拉斯进行了深入考察和研究。拉法格援引资产阶级经济学家巴布莱的话指出，最早走向联营道路的国家是法国。圣亚田的几个煤矿主在 1840 年为了缓和竞争和提高煤价，就联合起来组建采煤工业公司。这是在法国最早出现的一家辛迪加。到了 1854 年，法国东部的盐场主也组建了辛迪加，为了减缓当时生产过剩和提升过低的价格。对于辛迪加这种垄断组织的出现，拉法格认为它并没有带给工业生产组织任何改变。因为每个加入联合的成员依然独立经营，自负盈亏，只是形式上的联合。为了利益，他们甚至可以随时违反、废除协议。因此，这种组织一般存在时间极为短暂。竞争会随时出现在他们之间。与辛迪加正好相反，托拉斯是作为一种全国性的甚至国际性的经常性的稳定的工业组织形式出现。相当多的彼此不断竞争的企业合并组成了托拉斯。任何一个企业主在参加托拉斯的同时，就意味着工厂和顾客、客户也交给了这个组织。原有工厂名称可以保存，但企业的管理权已经转交到了托拉斯的董事们手中。托拉斯用统一的行政管理机构取代了原先各自为政的工厂行政管理机构，可以根据发展需要扩大或缩小甚至关闭某个工厂。企业加入托拉斯后，成为一个利益共同体，彼此之间不再相互损害，恶性竞争。拉法格还研究了“参与制”问题。虽然他当时没有明确这样提出这个问题，但拉法格已经通过分析得出，已组建成功的托拉斯日益倾向建立一个囊括全国一切生产部门的组织，成为一个超大托拉斯。他还指出，一些拥有更多资本的托拉斯往往拿出一部分资金用来发展其他托拉斯。如洛克菲勒集团的石油托拉斯就促成了钢铁托拉斯和海洋托拉斯的建立。随后每年都向它们投入大量资本。拉法格进一步

---

① 《拉法格文选》下卷，人民出版社 1985 年版，第 173 页。

指出，大托拉斯将资本投向较小的托拉斯，因而大托拉斯能够“对较小的托拉斯的行政管理施加影响。由于在托拉斯理事会里几乎总是遇到同一伙人，这就证明已经产生了一个资本主义总指挥部了；这个指挥部力图使美国全部有组织的生产都置于自己的控制之下。”①

接下来，拉法格考察和探讨了托拉斯产生与发展对银行业务的影响。对这个问题展开的研究，表明拉法格已经触及到帝国主义的核心问题，即金融资本和金融寡头的问题。通过分析，拉法格发现，随着企业规模不断扩大，个别资本家所能积累的资本已远远无法满足创业所需的资本量。股份公司便随着这个情况的出现而产生了。工业的这种需求变化也促使金融业进行变革，在信贷机关的帮助下，托拉斯完成了资本的集中。同时，托拉斯的壮大对资本的需求进一步扩大，无论在速度上还是数量上，一般银行都无法满足这种需求的变动。在这种情况下，增加集中在每一个银行之中的资本额就成为银行适应变化的举措，为此一些银行也开始走向联合。这样，银行资本在竞争的同时也开始发生集中，银行托拉斯开始出现。有数据显示，1893 年，纽约票据交换所的 64 家银行资本 30200 万法郎。10 年后，银行减少了 6 家，但资本却迅速增加到 54800 万法郎。同时，由纽约最主要的银行联盟组成七家“银行联号”即七家银行托拉斯。在联号的银行间、各个联号银行间奉行共同政策，有着共同的利益。托拉斯的组织者这个过程中发挥了巨大的能量，比如，皮·摩尔根的公司就加入了三个银行集团，石油托拉斯则参加了两个银行集团。托拉斯的利益与银行的利益完全捆绑在一起了。资本的高度集中是托拉斯存在的前提和必备条件。因此，托拉斯借助银行的统一组织将工业联成整体，这样少数资本巨头就能够被联合银行的总董事会集中起来，统一的高度集中的中央生产管理机构就这样诞生了。随着经济的发展，工业和银行便自然而然地紧密联合在一起了。拉法格说：“一方面，由于个人积累的资金已不能满足建立工矿企业的需要，因而工矿企业要依靠银行提供必要的资金。另一方面，银行集中了国家公债所吸收不了的、在小型工业中找不到市场的资金，为了养利生息，他们也得把资金贷给大型的工业公司。银行和工业的利益，从来也没有像现在美国这样密切地结合在一起。”②于此，拉法格对金融资本的生成及其最重要的特征进行

① 《拉法格文选》下卷，人民出版社 1985 年版，第 80 页。

② 《拉法格文选》下卷，人民出版社 1985 年版，第 272 页。

了较为正确的阐述。对于拉法格的这个研究，有一点特别要关注，由于拉法格考察的对象是美国背景下的金融资本的产生及其作用。所以，他在论述中重点强调了工业垄断资本在金融资本形成中的主导作用。这正好与希法亭不同，希法亭是在德国语境中来研究金融资本问题，在德国的垄断形成进程中，大银行所起的作用更为明显和重要。因此，希法亭在阐述中更多地凸显了银行的中心地位。质言之，在这点上两者著作可以互为补充。

在研究中，拉法格还把金融资本的产生同帝国主义的对外扩张和侵略直接联系起来。他分析认为，虽然同银行资本融合在一起的托拉斯竭力调节生产，使生产需求相一致，即便如此，他们仍无法彻底消除生产过剩的危机。只要资本存在，资本追求剩余价值的本性就不会消亡，只要生产是为了利润和剩余价值，造成生产过剩的原因就会一直存在。托拉斯的最终命运同独立企业一样。因为他们将大量资本投向了设备，无论产品是否积压，他们都得进行生产。一旦停止生产，损失反而更为巨大。另外，发展好的托拉斯为了获得更多利润，每年都得把几千万元的剩余利润投入生产。近十年来，美国在托拉斯空前发展的推动下走向了帝国主义。为了销售托拉斯化的美国工业商品，美国开始采用武力的方式将商品输入国际市场。拉法格就这样从资本主义生产的发展变化和垄断组织及金融资本的形成等视域揭示了帝国主义产生的最终根源。

拉法格研究得出帝国主义是无产阶级社会主义革命的前夜的结论，这个判断是他对马克思主义的帝国主义理论的又一贡献。规模庞大的托拉斯在导致垄断的同时，它们又试图组织全国性的生产体系在一定程度上缓解资本主义生产无政府状态，使旗下的企业能够团结一致共进退。这种情况恰恰与国际社会主义者要求生产工具和交换工具的国有化目标一致，为国际社会主义者目标的实现提供了可能。而那些主张消灭托拉斯以此来恢复小生产的人倒是变成了反动的空想主义者。尽管托拉斯的活动家们在排斥对手的时候没有一点内疚感，没有同情心，也没有社会理想。但现实中，他们却无意识地违背他们原来的意愿，干着革命的事业。这种革命的事业就是他们正在创造一种开启人类未来前景的经济形式。同时，中产阶级随着托拉斯的发展不断破产，这样无产阶级的队伍就日益扩大。这些变化意味着美国的政治生活第一次出现了阶级斗争，进入了一个新的阶段。之前，当代社会主义思想被流亡的巴黎公社战士和被俾斯麦赶出来的德国侨民带到了美国。作为舶来品，由于各种原因他很长时间都没有获得美国人民的信任。但托拉斯却使社会主义变成了美国的本土货。因此，

“通过对托拉斯的研究，社会主义者对自己的理想得到了新的信心。他们可以更加坚决地确信，这种理想在不久的将来一定会实现。不论是牧师的祷告，还是经济学家的虚构，或者政府当局的欺骗和镇压，一分钟也延迟不了社会危机的到来。这种社会危机将使被剥削者通过猛烈的进攻一举推翻资本主义的寡头统治。托拉斯体系正在从人员和事件上为这一巨变准备条件”。①

能够比列宁早 13 年就认识到帝国主义就是垄断资本主义，资本主义的最后阶段，必然导致无产阶级革命的出现，拉法格无疑对马克思主义作出了巨大的贡献。拉法格有关帝国主义本质特征的精辟阐述，这在当时代表了进步方向，具有重要意义。隐藏在第二国际里面的机会主义者在恩格斯逝世后走向前台，气焰嚣张，开始全面“修正”和疯狂进攻马克思主义。以伯恩施坦、考茨基为代表的修正主义者在社会经济发展出现新情况、新变化、新材料旗号的掩饰下，得出马克思主义已经“过时”的荒谬结论。他们竭力掩盖帝国主义的深刻危机和矛盾，否认其反动本质，鼓吹危机已不存在，矛盾已趋缓和，卖力为帝国主义辩护。此时，唯有拉法格用大量不可辩驳的事实，旗帜鲜明地揭露了帝国主义的本质特征，向世人昭示帝国主义必然灭亡的命运。拉法格先于列宁在这场帝国主义争论的前哨战中，对伯恩施坦等修正主义者以猛烈驳斥，坚持和捍卫了马克思主义，为列宁后来全面论述帝国主义和全面批判修正主义奠定了坚实的基础。拉法格这种对马克思主义的坚守和对帝国主义本质特征的精辟阐发，在马克思主义发展史上具有不可替代的巨大贡献，其影响至今仍令人深思。

## 第四节 驳斥对共产主义的攻击，传播和发展科学社会主义

拉法格是法国和国际著名的工人运动活动家，而且几乎他的所有论著都是围绕和服务于科学社会主义理论的阐释和传播这一主要工作。以法国和国际工人运动实践为现实基础，在马克思主义唯物史观的指导下，拉法格创造性地对

① 《拉法格文选》下卷，人民出版社 1985 年版，第 284 页。

马克思主义进行阐发和运用，传播和发展了科学社会主义理论。拉法格发表了大量有关科学社会主义方面的著作，比如：《进化—革命》（1880）、《蒲鲁东主义已经过时》（1880）、《阶级斗争》（1880）、《工人政党和资本主义国家》（1880）、《可能主义》（1882）、《工人党的目的》（1882）、《法国工人党纲领绪论部分解说》（1883）、《革命的次日》（1887）、《法国的阶级斗争》（1894）、《在法国各社会主义组织巴黎代表大会上的发言》（1899）、《美国托拉斯及其经济、社会和政治意义》（1903）、《在法国社会党图卢兹代表大会上的发言》（1908）等。拉法格在这些著作中，创造性地运用马克思主义的立场、观点和方法对资本主义制度进行了深刻的揭示，驳斥和清算了以蒲鲁东为首的法国小资产阶级思想学说，彻底批判了P.布鲁斯、B.马隆等可能派的机会主义观点，阐述了实现生产资料公有制的必要性和主要路径。他还进一步分析研究资本主义进入垄断阶段后所出现的新现象、新特征及其重要影响，在无产阶级革命和无产阶级专政理论的指导下，论证了共产主义到来的必然性。

## 一、坚决批判和驳斥各种攻击共产主义的谬论

马克思和恩格斯运用唯物主义历史观来分析人类发展命运，最后分析得出人类社会最终必然会进入共产主义的科学论断。但是，第二国际中的一些人在革命导师逝世后不久，就迫不及待地以社会发展形势出现新情况为借口，大肆攻击反对马克思主义，否定革命导师有关共产主义的论断。修正主义鼻祖伯恩施坦当时就猖狂地叫嚣提出“最终目的是微不足道的，运动就是一切”的修正主义公式，公然指责共产主义仅是人类的一个美好理想，完全是空想，而“历史倒是惯于把这一切空想一笔勾销的”①。P.布鲁斯、B.马隆等法国可能派人物也开始蠢蠢欲动，开始不断攻击共产主义理想和信念，认为共产主义与实践是完全对立的，而他们可能派并不需要一步登天的共产主义原则。这种消极影响进一步扩散。在法国和德国的少数党员心目中甚至也认为共产主义无法实现，是虚无缥缈的理想，失去了信心。就在这些人开始动摇、争论甚至失去信心的时候，拉法格表现出了一个共产党员应有的气节和坚定的理想信念。他挺身而

① 彭树智：《修正主义的鼻祖伯恩施坦》，陕西人民出版社1982年版，第286页。

出，义无反顾地站在斗争的前沿，坚定捍卫马克思主义和共产主义理想。

拉法格还通过辩论和发表演说，进行马克思主义宣传，反驳各种谬论。他和盖得俩人奔走全国各地，冒着坐牢的风险，积极向大众宣传马克思主义理论，批判敌人对科学社会主义理论的各种攻击和歪曲。在1892年1月波尔多的一次演说会上，拉法格和盖得一起对两个所谓基督教社会主义者神甫的反动观点进行了公开批驳，引起了现场听众的热烈反响和支持。同年5月，在巴黎举行的公开演讲中，针对马克思主义的敌人德莫连认为未来社会终将走向个人主义，共产主义只是一种空想，社会主义比什么都坏的种种谬论，拉法格进行了严厉的批驳。拉法格还特别指出这是一场不是学术讨论的严肃的战斗，“我想利用这个机会来击破某些对共产主义者的责难”。① 拉法格依据历史唯物主义的基本原理，从生产的社会性和生产资料的私人占有这个资本主义社会的固有矛盾出发，对社会主义的历史必然性进行阐发和论证，认为以私有制为基础的资本主义必然会被以公有制为基础的社会主义所取代。拉法格还特别强调，共产主义决不是空想，而是一种科学的社会制度。他认为“在共产主义社会里将没有特权的阶级。那里只有劳动者，……一切人都是平等的。”② 拉法格言之有物、论据充分的精彩演说，使得现场的上千名资产阶级上层人物无话可说，彰显出了科学社会主义理论的强大生命力。拉法格极其痛恨那些资本主义制度的卫道士和御用文人，他曾愤怒地说：“应当撕下他们的舌头，并且拿去喂狗。”③

在与修正主义的斗争中，拉法格特别强调共产主义是人类社会发展的必然归宿。他告诉人们：“马克思……没有……设计出乌邦托，而是……分析了资本主义生产的现象，研究了这些现象的起源、发展，指出它们必然导致的终点。这个终点就是共产主义。我们以及我们后代的责任就是要掌握这个过程，迫使它为人类的福利和幸福服务。”④1883年，在《卡尔·马克思的经济唯物主

---

① [法] 拉法格：《财产及其起源》，王子野译，生活·读书·新知三联书店1978年版，第1页。

② [法] 拉法格：《财产及其起源》，王子野译，生活·读书·新知三联书店1978年版，第21页。

③ [法] 拉法格：《唯心史观和唯物史观》，王子野译，生活·读书·新知三联书店1965年版，第94页。

④ 《拉法格文选》下卷，人民出版社1985年版，第176页。

义》一书中，拉法格运用唯物史观，详细阐发了人类社会的发展进程，认为在经历了漫长的原始共产主义的“第一只摇篮”后，“人类社会曾在生产方式各不相同的经济环境中成长，也就是在奴隶制、农奴制和雇佣劳动制中成长”[①]。更高级的共产主义必将取代雇佣劳动制的资本主义，成为人类社会发展的最终归宿。他还向人们展示了人类社会发展的大致经历：原始共产主义、奴隶社会、封建社会、资本主义社会和共产主义社会五个阶段，坚定地捍卫和验证了马克思主义的社会发展理论。

拉法格还着重指出，资本主义社会的发展实际上是在为过渡到共产主义作物质基础上的准备，资本主义必然会向共产主义转变。1892年，在与法国《社会科学》杂志主编、反社会主义联盟的创始人德莫连的一场主题为“赞成共产主义和反对共产主义”的辩论中，拉法格明确告诉人们，“经济现象的发展必然会导致共产主义的重建”。他从两个方面进行了论证。首先，资本主义的经济关系导致阶级矛盾激化，经济危机周期性产生，社会发展日益陷入困境。拉法格分析指出，资本主义所固有的生产的社会性和私人占有方式之间矛盾尖锐，而占有生产资料的少数资本家贪得无厌，相互算计，自私自利，在他们眼里，“只要我能发财，让社会、祖国、人类破灭吧！——这就是资本主义的口号”[②]。“迫使父亲、母亲和儿童争着出卖自己的劳动”[③]，而广大民众却处于水深火热之中，日益贫困。严重的两极分化必然引发无产阶级与资产阶级两者激烈的矛盾对抗和冲突，进而爆发无产阶级革命，推翻资本主义的罪恶统治，最终实现共产主义。与此同时，经过严密分析，拉法格得出乐观的判断：资本主义社会为共产主义的实现奠定了丰富的物质和精神的坚实基础。资本主义社会化的机器大生产为实现共产主义准备好了物质前提，也“是共产主义的生产方式的奇迹之一”。[④] 工人们面对复杂机器的巨大轮子，长期在它的旁边工作，这就培养了他们的集体意识和公有财产观念，“共产主义的鼓动家只不过唤醒这些观念和使它实现”。[⑤] 拉法格认为，资本主义生产方式的内部就孕育着并产生出消灭这种毫无存在理由的资本主义财产制度的力量，也就是说，资本主

① 《拉法格文选》上卷，人民出版社1985年版，第152页。
② 《拉法格文选》上卷，人民出版社1985年版，第373页。
③ 《拉法格文选》上卷，人民出版社1985年版，第374页。
④ 《拉法格文选》上卷，人民出版社1985年版，第373页。
⑤ 《拉法格文选》上卷，人民出版社1985年版，第379页。

义文明自身就担负起这个消灭自身的重担。随着资本主义不断地把社会财富集中在自己手中，剥夺者的数量却日益随之减少。同时资本主义又创造、集合、准备和组织了这样一个阶级，这个阶级必然会最终剥夺剥夺者所攫取的财富，并建立起更高级的社会财富的新形式——共产主义制度。拉法格还特别指出，只有人在进化中达到可以满足人类的一切正常的肉体和精神需要时，共产主义才会出现。原来平等的人类之所以分化为剥削者和被剥削者，正是由于在原始共产主义社会阶段，简陋的工业和农业无法满足因人数增加和社会进步而日益增长的需求。但由于机械学与化学在工业当中的运用，大大提高了人类劳动生产率，在现时代没有一种正常的需要不能满足，甚至绰绰有余。这就为共产主义的实现奠定了物质基础。因此，正是由于资本主义经济现象的发展必然引发生产资料的社会化，而且资本主义大工业自身又孕育了自己的掘墓人，人类终将迈入美好的共产主义社会。

拉法格还认为，共产主义的实现又以阶级对立和阶级差别的完全消灭为前提。当劳动分工存在的时候，这种平等是无法实现的。这种分工曾把人们分成不同阶级。机器消灭了劳动分工。它们的使用，总有一天会造成一种普遍的社会职业，大家都当机械工。男女老少都会使用机器，可以无障碍地既从事缝纫、纺织，又可以生产机械和耕种。这对肉体和精神的健康是非常有益的，可以使人不再终生固定在一种职业里。在拉法格看来，未来的共产主义只能是国际的，并且还会扩大到包括人类家庭的一切成员。这也是由资本的发展准备好了的。因为资本没有祖国，哪里有利可图，它就投向哪里。它不分人种和民族的差别地剥削一切生产者。它把所有的行业结合起来，建立了模式化的文化、风俗和习惯。它以同样的贫困和繁重的劳动来惩罚工人，从而引起了各地工人的同样的反抗情绪，在这种共同意志作用下形成了一个统一的国际阶级——无产阶级，他们会共同行动起来夺取国家政权。因此，共产主义必然是包括一切文明民族的国际现象。"国际的共产主义，像母腹之内的婴儿，在现代社会里成长和运动。经济的和政治的事变（其到来的时机是不可预料的），将打破那隐藏它和束缚它的资本主义外壳，于是它就降生下地并作为一种必然的社会形式确立起来。"①

在宣传共产主义必胜信念的过程中，拉法格突出强调共产主义理论是马克

① 《拉法格文选》下卷，人民出版社1985年版，第148页。

思充分吸收人类历史全部优秀文化成果的基础上概括出来的，必然是科学，决不是空想。他还进一步指出：“我们的敌人中有一部分比较客气，他们把我们看作空想主义者、梦想家”，“然而我们决不是空想主义者”。“我们，空想主义者，梦想家，研究社会环境，我们分析经济现象：我们回溯它们的起源，追踪它们的发展，观察它们对家庭、对政治制度的影响，然后决定既无畏惧也无成见地作出相应的结论。”①

显然，拉法格认为人类必将实现共产主义，资本主义必然灭亡，这既是对人类历史发展的总结，又是基于对资本主义现实科学分析研究的结果。在当时，拉法格严厉批判了教会鼓吹的寄托来生的厌世主义和德莫连之流宣扬的个人主义。在此基础上，他认为这两种思潮的理论核心是利己主义，追求的只是少数人的私利，而我们提倡的则是集体主义，追求的是大众的幸福。如何实现大众的幸福、进入共产主义呢？拉法格告诉人们，共产主义不是天上掉下的馅饼，资本主义更不会自动走向崩溃灭亡，无产阶级必须通过革命斗争，自己去努力追求。接下来，无产阶级首先要做的就是，组建一个能够科学领导自己进行革命的政党，通过无产阶级政党的领导，进行革命夺取政权，实现无产阶级专政，除此之外，不能有任何社会变革和任何新秩序，随着无产阶级取得政权，管理社会、发展社会的任务就摆在无产阶级面前。就必须学会管理生产、发展生产，大力促进生产力的提高，唯有如此，才能为最终消灭阶级、实现共产主义奠定物质基础。然而，“人类的进步不是按直线走的……它的运动描出一个渐次扩大的螺旋形”。② 共产主义不是唾手可得的现成产物，当革命条件不成熟时，无产阶级切忌盲目行动，而要认真考量现实，争取一切有利于无产阶级利益的改良。拉法格指出，有人“指责我们想拒绝改良。恰恰相反，我们希望实现一切改良”。“但这并不意味着我们把全部希望和信念寄托在我们所说的改良上”。③ 我们不是改良主义者，恰恰相反，我们仍然是革命者。“只要不从根本上铲除资本主义，就不能限制资本主义的统治权”。④ 从这里可以发现，拉法格将远大的共产主义理想与现实生活紧密联系起来，他不拒绝任何对工人有利的改革，哪怕再小不过的改革。由此说明，拉法格绝非空想主义者，而是

① 《拉法格文选》上卷，人民出版社 1985 年版，第 364 页。
② 《拉法格文选》下卷，人民出版社 1985 年版，第 143 页。
③ 《拉法格文选》下卷，人民出版社 1985 年版，第 357—358 页。
④ 《拉法格文选》上卷，人民出版社 1985 年版，第 358 页。

胸怀远大志向、脚踏实地的革命实践家。他始终不渝地贯彻恩格斯的教诲：作为一个共产主义者，不要只看到运动和斗争的现状，而忘记运动的未来。

## 二、论证无产阶级革命的历史必然性和无产阶级的历史使命

在论证社会主义革命爆发的历史必然性问题时，拉法格并非坐在书斋里凭空想象，而是通过大量的实例、数据分析概括和丰富的实践经验总结得出问题的最终解答。他认为，经济环境的变革决定了其他一切社会变革。压在无产阶级身上的剥削“不仅是由于生产资料的私有制或资本主义所有制给劳动者阶级带来超额劳动和贫困所引起的”①，而且“它的出现是一种经济必然性”②。因此，拉法格认为，无产阶级要实现社会主义，必须具备两个具体的先决条件：其一，“夺取国家政权”；其二，对资本家实行“经济上的剥夺”。然而这两个条件都必须经过无产阶级革命才能创造出来，“无产阶级只有粉碎资本主义社会的经济形式才能获得解放。人类只有用炸毁对它已变得过分狭隘的经济形式的方法才能发展。”③资产阶级由于其本性决定了它决不会自动放弃私有财产，而总会千方百计地运用各种手段维护资产阶级国家机器。所以，在拉法格眼里，社会主义革命爆发是一件显而易见的不可逆转的事情。任何人和任何政党都无法阻止这场革命的到来。它的出现既是资本主义生产方式的内在矛盾以及无产阶级自身利益诉求的必然结果，也是当前蓬勃发展的世界革命的必然趋势。

拉法格在分析资本主义生产方式的内在矛盾时指出，正是这个内在矛盾从根本上决定了无产阶级革命出现的必然性。在深入考察和深刻分析资本主义社会发展现实的基础上，拉法格得出了一个重要结论：首先，生产资料随着资本主义现代化大生产发展日益转向集中处理，而资本主义社会基本矛盾中的私人占有使得问题更加严峻突出；其次，资本主义的剥削本质迫使从事生产的人除了获得维持个人生存的工资之外，其他毫无所得，“这种毫无保障的贫困生活总有一天会使无产阶级成为社会中曾经存在过的最革命的阶级”④。再次，在资

---

① 《拉法格文选》上卷，人民出版社 1985 年版，第 135 页。

② 《拉法格文选》上卷，人民出版社 1985 年版，第 135 页。

③ 《拉法格文选》上卷，人民出版社 1985 年版，第 151—152 页。

④ 《拉法格文选》上卷，人民出版社 1985 年版，第 47 页。

本主义社会中，无产阶级与贫困如影相随，自始至终无法摆脱贫困和无保障的处境，而且“持续的、令人厌倦的、侮辱性的劳动却并不能保证他们最低限度的生活资料”[①]。第四，如果不从根本上改变这种生产方式，摧毁资产阶级的统治，就无法改变无产阶级的处境。“任何政治变革和社会改良也不可能改变这种状况，除非以集体所有制取代生产资料和产品的资本主义所有制。”[②]拉法格还进一步分析得出了人类的历史就是一部阶级斗争的历史。另外，资产阶级所领导的社会生产具有无政府性质，导致资本主义周期性的经济危机，扰乱社会秩序和社会结构，“震撼整个社会，造成大批人破产，使工人陷入极其可怕的饥饿之中，最后以生产资料和产品被大量侵吞而告终”[③]，比一场大战或一场瘟疫所造成的危害都要大。因此，消灭寄生者资产阶级就成为当前历史所需，也是工业机体和无产阶级的进化绝对所需，革命就成为必然。“只有掌握自己的劳动工具和社会劳动产品的社会才能预防和制止这种危机。”[④]这个社会就是由无产阶级当家作主的社会，“取决于由组成工人党的生产者取得政权”[⑤]。对此，拉法格以法国为例进行分析说明，在法国“唯有革命才能使生产者阶级夺取政权，并使政权服务于从经济上剥夺占少数的法国资本家以及实行生产力的国有化和社会主义化”[⑥]；这场革命是势不可挡，它“将不是靠关于要使用炸药的激烈言论，靠个别一些人物的英勇狂热行为，也不是靠和警察进行地方性搏斗或者局部拿起武器就能引起的。它也不会由于激进派首领或可能派首领的那一套政治经济玩艺儿，或由于连资产阶级国家也不得不实行的那一套工人改革而被制止或推迟。它将由于错综复杂的国际政治形势和欧洲的工业发展以及美洲和大洋洲的农业竞争所造成的不可避免的动荡而爆发。”[⑦]

在拉法格看来，无产阶级革命爆发除了资本主义基本矛盾和无产阶级利益诉求两个原因外，而且还与世界革命形势密不可分。他认为，这场革命也是由于错综复杂的国际政治形势和欧洲的工业发展以及美洲和大洋洲的农业竞争所造成的

① 《拉法格文选》上卷，人民出版社 1985 年版，第 47 页。
② 《拉法格文选》上卷，人民出版社 1985 年版，第 47 页。
③ 《拉法格文选》上卷，人民出版社 1985 年版，第 47 页。
④ 《拉法格文选》上卷，人民出版社 1985 年版，第 135 页。
⑤ 《拉法格文选》上卷，人民出版社 1985 年版，第 135 页。
⑥ 《拉法格文选》上卷，人民出版社 1985 年版，第 137 页。
⑦ 《拉法格文选》上卷，人民出版社 1985 年版，第 137 页。

不可避免的动荡而爆发。这就使得法国社会主义者必须将国内形势和国际形势紧密结合起来，一方面要切实研究国内政治经济形势的变动走向，找准一切可能机会进行革命思想动员宣传，组织和团结广大无产阶级组织；另一方面也要睁眼看世界，紧跟世界发展趋势和动向，找准时机推动法国革命高潮的出现和形成。

必须要澄清的是，尽管拉法格毕生与机会主义和改良主义派别进行毫不妥协的斗争，对革命充满乐观和激情，但这并不能说明他在现实生活中主张彻底放弃和平斗争的革命方式。拉法格承认和赞成，无产阶级要把暴力革命手段作为推翻资产阶级统治和实现生产资料社会化的必要手段。但是，他并没有彻底否定改良在社会主义革命道路上的作用。甚至曾经有段时期，拉法格和他的战友们将革命胜利的希望寄托在改良措施上。当时，欧洲革命形势整体进入低潮，拉法格就认可有人提出社会主义政党可以采用和平合法手段进行革命斗争的主张。他还指出，要充分利用一切可能的条件和机会，积极在资本主义国家发动和平的政治斗争是组织工人阶级和宣传社会主义思想的最好手段，同时也是“工人阶级去进行社会革命的最好手段”①。所以，当社会发展相对安定和相对自由的时候，日常斗争、市政斗争、立法斗争等和平合法手段就应该成为无产阶级政党发动和组织消灭阶级统治和社会对抗的社会革命的重要手段。通过这些斗争为即将来临的社会主义革命做好铺垫。拉法格期待工人们能通过这种合法斗争的行动找到消灭社会对抗的方法。但残酷冰冷的现实让拉法格清醒地发现，“只要不从根本上铲除资本主义，就不能限制资本的统治权”②。后来，拉法格就放弃了这种改良的方案，告诫工人们幻想“和平长入社会主义”是极其危险的。社会主义者决不能把实现革命的希望寄托于改良身上，唯一的革命道路就是无产阶级武装夺取政权。这充分说明，拉法格正确地理解了革命与改良的辩证关系。

除此之外，通过对法国社会发展的深入研究，拉法格突出强调，无产阶级革命唯有在无产阶级政党的领导下才有可能获得最终胜利。这是因为，“能够代表工人阶级利益的，只有组织成政党的工人阶级”③；也只有当无产阶级“从自己的队伍中推举出必定会引导他们去进行革命战斗的领袖们的时候”，它“才

① 《拉法格文选》上卷，人民出版社1985年版，第51页。

② 《拉法格文选》下卷，人民出版社1985年版，第358页。

③ 《拉法格文选》上卷，人民出版社1985年版，第51页。

能得到彻底的解放"[①]。因此，无产阶级必须建立一个拥有统一纲领、统一目标的工人阶级政党，进行科学社会主义理论的传播和实践，并向工人无产阶级提供组织指导。除了强调无产阶级政党在革命实践中的作用外，拉法格还指出，为了保障无产阶级革命取得最终胜利，革命领导者还必须充分发动工人阶级以及其他一切支持社会主义的人民群众一起为革命而努力。他认为，要进行社会主义革命，首先就必须组织好工人阶级并将其充分发动起来，因为"只有合理地和适时地使用组织起来的无产阶级的力量，才能提供某些重大的结果"。[②]特别要指出的是，拉法格从自己的观察和切身体验出发，认为农民阶级对自己艰难处境的认识事实上"比许多产业工人更清楚"，尽管他们"对通过社会主义来解决社会问题的思想并不特别热情"，但他们已逐步意识到"在现存的条件下，实行包括土地在内的一切生产资料的公有化是唯一切实可行的办法"[③]。因此，拉法格呼吁无产阶级政党必须重视农民有关土地、赋税、债务等切身利益问题，并积极制定相应的农民政策，努力将农民阶级团结到革命的大家庭中来。另外，拉法格还关注到了一些特殊群体愿意参加无产阶级革命的团结问题。他分析认为："如果在享有特权的工人队伍里，或在资产阶级的队伍里有些人决心在无产阶级的旗帜下战斗，那么绝不应该推开他们"；"其实，还从来没有一个具有历史意义的运动没有特权阶级的代表人物参加，这些人背弃了那些阶级，要把自己的意愿同那个为争取自身的解放而战斗的阶级的意愿融合在一起，——永远也不要推开这样的叛逆者。"[④]从这点可以发现，与将无产阶级和资产阶级简单对立的那些法国工人党党内人员相比，拉法格的看法和判断是十分值得赞赏和学习的。

## 三、探索无产阶级革命道路和奋斗目标

在第二国际中后期，议会斗争在一些国家和地方取得了一些成绩，一些工人领袖和理论家通过议会斗争加入到资产阶级的议会中，实现了他们所谓的参

① 《拉法格文选》上卷，人民出版社 1985 年版，第 44 页。
② 《拉法格文选》上卷，人民出版社 1985 年版，第 42 页。
③ 《拉法格文选》下卷，人民出版社 1985 年版，第 31 页注释。
④ 《拉法格文选》上卷，人民出版社 1985 年版，第 44 页。

政议政。一些工人党的领袖和理论家开始对合法斗争产生依赖，幻想通过参加议会的和平手段逐步过渡到社会主义，或者通过对资本主义社会进行改良再逐步实现社会主义。与此截然相反，除了短暂对和平手段的不反对外，拉法格对唯有社会革命才是最终实现社会主义的现实途径矢志不渝，坚决主张无产阶级应当通过暴力革命夺取国家政权、实现生产资料公有制。拉法格坚持唯物史观，批判了形形色色的历史唯心主义，并号召无产阶级骨干分子，一旦革命时机成熟，就要“手拿武器”，“起来暴动”，夺取政权。他一再强调“国家政权的夺取成为解放被压迫的、革命的阶级所必需的条件”①。“被压迫的阶级……应当掌握国家机器，按照自己斗争的需要改造它并且把它的全部力量转向对付敌对阶级。”②拉法格实际上维护了马克思主义关于无产阶级革命和无产阶级专政的思想。在他看来，“人类社会只有用炸毁对它已变得过分狭隘的经济形式的方法才能发展”③；除非通过社会革命“以集体所有制取代生产资料和产品的资本主义所有制”④，在资本主义社会，任何政治改革和社会改良都无法彻底改变无产阶级的悲惨命运和苦难生活。对社会主义实现途径的科学正确认知伴随了拉法格的整个人生。在他的所有论著和公开演讲中得到反复强调和体现，拉法格坚信社会革命是无产阶级解放自身、社会主义得以实现的唯一路径，并对社会主义革命的奋斗目标作了宝贵的理论探索。

拉法格强调指出，无产阶级暴力革命仍然是革命手段。在分析资本主义生产方式内在矛盾后，拉法格总结指出：“我们共产主义者才确信雇佣劳动的制度，奴隶劳动的这种最后和最坏的形式必然要灭亡”；而“国际的共产主义，像母腹之内的婴儿，在现代社会里成长和运动。经济的和政治的事变，其到来的时机是不可预料地，将打破那隐藏它和束缚它的资本主义外壳，于是它就降生下地并作为一种必然的社会形式确立起来”。⑤接着，拉法格进一步分析认

① [法] 拉法格：《唯心史观和唯物史观》，王子野译，生活·读书·新知三联书店1965年版，第77页。

② [法] 拉法格：《唯心史观和唯物史观》，王子野译，生活·读书·新知三联书店1965年版，第77页。

③ 《拉法格文选》上卷，人民出版社1985年版，第151—152页。

④ 《拉法格文选》上卷，人民出版社1985年版，第47页。

⑤ [法] 拉法格：《财产及其起源》，王子野译，生活·读书·新知三联书店1962年版，第3、168页。

为，无产阶级要实现社会主义，必须具有两个具体的先决条件：其一，“夺取国家政权”；其二，对资本家实行“经济上的剥夺”。[①] 而这两个条件又离不开无产阶级革命的践行和推动。资产阶级由于其剥削本性注定了它决不会自动放弃私有财产，总是处心积虑、竭尽所能维护资本主义剥削制度，其中最重要的就是维护资产阶级国家机器。国家历来是统治阶级的堡垒，是其施行精神强制和肉体强制的机构，需要用它来保持自己的统治和把劳动群众控制在现存的生产方式所需要的从属的（奴隶的、农奴制的、雇佣劳动的）条件之下。“尽管资产阶级侈言什么平等和博爱，它毕竟是剥夺劳动群众的阶级，因此它不能消灭国家，相反地，它使国家更加强化，而从它取得政权初期，它就利用国家来镇压人民暴动”。[②] 这样“国家政权的夺取成为解放被压迫的、革命的阶级所必需的条件”。[③] 由于国家机器的主要组成部分是军队、警察、法庭、监听、流放所和断头台等暴力手段，因而无产阶级无法通过和平方式来夺取政权和消灭资本家。拉法格“号召文明国家的无产阶级起来暴动”，强调无产阶级只有“粉碎资本主义社会的经济形式时才能解放”，“人类社会只有用炸毁对它已经变得过分狭隘的经济形式的方法才能发展”。[④] 当然，只要阶级存在，国家政权就不可能消灭，无产阶级“摧毁”、“粉碎”资产阶级的国家机器后，还必须学会“掌握国家机器，按照自己斗争的需要改造它并且把它的全部力量转向对付敌对阶级”，[⑤] 包括从经济上剥夺资本家和从政治上镇压阶级敌人的反抗，等等。

暴力镇压仅仅是资产阶级用以维护自己统治的一种方式，除此以外还有另外一种方式，即议会民主制度。在和平时期，资产阶级统治阶层往往更愿意借助议会民主制度来维护资产阶级政权。在议会民主制度虚假的选举幻象中，工

---

① ［法］拉法格：《财产及其起源》，王子野译，生活·读书·新知三联书店 1978 年版，第 18 页。

② ［法］拉法格：《唯心史观和唯物史观》，王子野译，生活·读书·新知三联书店 1965 年版，第 77 页。

③ ［法］拉法格：《唯心史观和唯物史观》，王子野译，生活·读书·新知三联书店 1965 年版，第 77 页。

④ ［法］拉法格：《唯心史观和唯物史观》，王子野译，生活·读书·新知三联书店 1965 年版，第 50 页。

⑤ ［法］拉法格：《唯心史观和唯物史观》，王子野译，生活·读书·新知三联书店 1965 年版，第 77 页。

人运动内部一些人被这种虚伪的民主形式所迷惑，开始认同参与这些议会活动。随着某些权益得到实现，这些人开始忽视、放弃甚至反对群众性的革命斗争。拉法格对这个问题的认识也有一个转变过程。建党早期阶段，他不太重视议会斗争。随着形势进一步发展，他开始发现“普选现在已成为一个有力的武器，因为工人们开始学会如何使用它了”，但他过分乐观地预言，“再过几年以后，工人党将合法地、和平地执掌公共权力”，他甚至把1893年后举行的省议会选举看作“接近最后的胜利”的时机。① 但随之发生的“米勒兰事件”对拉法格震动很大。这一事件使他对资产阶级议会民主制的虚伪本质和党内议会迷的危害性有了更清醒、更深刻的认识。因此他同米勒兰机会主义、改良主义进行了针锋相对的斗争，严厉谴责批判了米勒兰的背叛行为，捍卫了科学社会主义原则。由拉法格等人签署的《法国工人党和革命社会主义党宣言》指出，社会党“作为一个阶级的政党”，“不应该和资产阶级分享政权，国家在资产阶级手中不过是维护他们的统治和社会压迫的工具。社会党的使命就在于从资产阶级手中夺取政权并把它变成谋求解放和进行社会革命的工具”。“我们只能以敌人的身份把我们自己的人派进议会和其他经选举产生的代议机构，其目的是反对敌对阶级和他们形形色色的政治代表”。② 此后，他在1908年召开的法国统一社会党图卢兹代表大会的演说中进一步指出：“议会制是资本家实行社会专政的政治形式，它把国家的财产收入、武装力量、司法力量和政治力量统统交到资本家阶级的手里”。③ 拉法格在议会民主问题上越发接近马克思主义立场。对于无产阶级来说，议会政治作用大小最终还是取决于无产阶级的暴力手段强度如何。因此，议会政治发展的客观历史必然性告诉我们：无论资产阶级的合法性还是无产阶级的合法性均是以暴力作为后盾的。随着新的危机和战争时代的到来，无产阶级已由积蓄力量转变为直接进行革命，马克思主义已由掌握群众转变为直接付诸实践，暴力革命和无产阶级专政已日益摆到了首位。总的来说，在以考茨基为首的第二国际理论家没有根据无产阶级斗争新形势和资本主义时代的新变化，作出符合客观实际的无产阶级策略，没有有效地将民主与革命两手很好地结合起来时，拉法格能够坚持马克思主义立场，坚持暴力是无产

① 转引自《国际共运史研究资料》第5辑，人民出版社1982年版，第167页。

② 《米勒兰事件》，生活·读书·新知三联书店1980年版，第1—2页。

③ 转引自《国际共运史研究资料》第5辑，人民出版社1982年版，第166页。

阶级革命实现的首要手段的同时，能够利用议会同资产阶级作斗争，是非常难能可贵的。同时，拉法格还指出，无产阶级夺取政权以后，不可能立即实行劳动和享受都是自由和公共的共产主义，其间还有一个过渡时期。在这个过渡时期中，无产阶级巩固国家政权的任务主要是：组织革命政权和采取必要措施保卫政权；即刻满足人民各方面的需求；推翻资本主义制度并奠定社会主义制度的基础。无产阶级政党只有很好地完成这些任务，才能避免巴黎公社那样的失败，才可能取得革命的胜利。拉法格还认为，无产阶级实现自己的使命，走向社会主义的道路和行动方式可以是各不相同的，不一定要有一个固定不变的模式。

在总结以往的革命经验教训和论述无产阶级的历史使命与社会主义革命爆发的历史必然性时，拉法格对社会主义革命的主要内容即奋斗目标进行归纳总结。他认为，政治革命和经济革命（又称社会革命）和精神革命（又称文化革命）等构成了无产阶级奋斗目标的主要内容，主张从一切方面剥夺资产阶级。而无产阶级目前要完成的社会主义革命应包括政治革命和经济革命。

首先，无产阶级必须完成政治革命，即要推翻资产阶级政府，从资产阶级手中夺取政权。拉法格深刻地认识到，资产阶级国家只是被资产阶级用来为其服务和镇压、奴役无产阶级的工具，“到目前为止在阶级对立中发展的社会，都是由国家来管理的”①。所以，要推翻资产阶级的阶级统治，无产阶级进行革命的第一步就是要彻底粉碎资产阶级的国家机器，实行无产阶级专政，然后“完全依靠按社会主义方式组织起来的无产阶级群众并奠定新制度的最初基础”②。当无产阶级接纳那些自愿或被迫加入的资产阶级进入革命队伍后，并使所有生产资料实现国有化或社会化，才能彻底消灭普遍的阶级统治，无产阶级专政才能和平接管生产过程。也只有这样，以往对人的政治统治才能被改造成对生产力的行政领导。唯有如此，才能实现把人的政治统治改造成对生产力的行政领导。为了实现无产阶级专政，工人党党员就必须时刻同资产阶级政府作斗争，一点一点占有，而不能像无政府主义者那样采取忽视或回避的态度。因为，“堡垒只有通过猛攻占领后才能加以摧毁”③，工人党“只有进行长期紧张

---

① 《拉法格文选》上卷，人民出版社 1985 年版，第 61 页。
② 《拉法格文选》上卷，人民出版社 1985 年版，第 259 页。
③ 《拉法格文选》上卷，人民出版社 1985 年版，第 66 页。

的宣传准备工作以及一系列革命斗争（在这些斗争中我们中间的许多人将会像上一世纪伟大的资产阶级革命者那样牺牲自己的生命），才能完成这一伟大事业”[①]。不能否认的是，拉法格与马克思在有关政治革命问题上的看法基本是一致的。但拉法格在论述该问题时存在一些自相矛盾的地方。比如，拉法格一边坚决主张粉碎资产阶级国家机器，实行无产阶级专政，与摆脱任何国家机构的无政府主义划清界限；另一边却又要求把邮局、电信局等公共服务部门也作为资产阶级国家机器予以废除，而且还倡导“革命政权不应当使国家继续成为邮局和电信局的主人，铸造货币，管理铁路……而应当使工人们自己成为自己的主人和老板，自己的厂长”[②]，这样无疑又与无政府工团主义趋向一致。

其次，在夺取国家政权后，无产阶级应利用它来开展经济革命（或社会革命），实行生产资料的国有化。拉法格分析指出，阶级分化和阶级对抗随着资本主义生产方式的发展日益严重和尖锐，无产阶级也日益陷入贫困。在此基础上的任何不触动根本社会制度的变革或改良都无法改变现实状况，除非以集体所有制替换资本主义所有制。拉法格认为，唯有彻底摧毁资本主义生产方式才能完全消除资产阶级与无产阶级日益尖锐严重的矛盾对立。因此，工人阶级政党的目标是要通过暴力革命在政治和经济领域彻底剥夺资本家阶级，然后将生产资料转化为集体或国家拥有。在拉法格看来，无产阶级经济革命的主要任务就是要消灭财产的寄生虫，并将财产彻底国有化。随着剥夺资本家阶级的工作完成，生产资料才能真正实现社会化或集体化。随着生产资料和消费资料社会化变成现实，“生产的共产主义组织同劳动工具和劳动产品的个人主义的占有之间的矛盾将得到解决”，“将实现普遍的繁荣，并且同特权阶级的道德家和政治家一再重复和套用基督的话相反，在世界上将不再有贫困者”[③]。

在讨论了剥夺资本家的原因后，拉法格进行了具体研究，并进一步向无产阶级展示了剥夺的内容和策略，以区别对待大产业主和小生产者。“工人党纲领所要求和争取实现的剥夺是剥夺大产业主，为穷苦者谋利益，也就是剥夺少数掠夺者为大多数被剥夺者谋利益；一言以蔽之，就是剥夺剥夺者。”[④]拉法格进一步指出，在无产阶级革命胜利后，那些拥有集体使用的生产资料的所有

---

① 《拉法格文选》上卷，人民出版社 1985 年版，第 62 页。

② 《拉法格文选》上卷，人民出版社 1985 年版，第 260 页。

③ 《拉法格文选》上卷，人民出版社 1985 年版，第 381 页。

④ 《拉法格文选》上卷，人民出版社 1985 年版，第 134 页。

者，如大地主、大工厂主和银行、铁路、矿山、船舶公司等的大股东和债券持有人，他们必须接受无产阶级政府彻底的剥夺，进而被改造成无产阶级专政政权中的自食其力的劳动者，“那些名义上的受损者，即以前的资本家，也和其他人一样，可以享受这些公用事业，而且还会让他们参与掌管全部生产资料和交换资料的公共财产并按照同工同酬的原则分享共同生产的果实。”①而对于那些农民和小生产者，拉法格则认为，革命政府不会也不应该剥夺农民的土地和小生产者的劳动工具，事实上，“一个胜任的革命政府还要让他们摆脱剥削他们的高利贷者和商人，并帮助他们减轻如此繁重而报酬低微的劳动，直至通过事例使他们相信集体生产比个体生产具有优越性的时候为止。”②

经济的变革彻底而又有效。拉法格认为这种变革不可避免地会引起生产交换的共产主义组织的出现，“而这发展本身又创造了解决生产和交换的共产主义方式和占有的个人主义方式之间的矛盾的手段”③。这表明，经济的发展一方面使生产资料和交换资料逐渐具有共产主义的属性，另一方面也为消费资料的共产主义化作着准备。然而，真正要在现实中实现经济现象所揭示出的变革趋势往往困难重重。所以，对于无产阶级来说，拉法格强调，他们只有通过暴力革命夺取政权，建立服务于经济革命的无产阶级专政。据此，剥夺占社会少数的资本家并实行生产资料和交换资料的社会化。这样，“生产的共产主义组织同劳动工具和劳动产品的个人主义占有之间的矛盾将得到解决——无产阶级将使资本主义的财产社会化。这么一来便将建立不仅是生产资料的，而且是消费物品的社会化”④。随着生产力不断提高，发展到一定程度的时候，生产力可以满足人们正常需求的一切必需品，甚至富裕成为人民再正常不过的生活状态。人类将实现普遍的繁荣，这个世界不再存在贫困者。总而言之，拉法格向人们展示，经济现象对资本家阶级判决的死刑将由经济革命所表征的命运必然性来执行。同时，他也指出，“这个社会变革的一般轮廓我们已经可以预见，这是必然的和不可避免的，只是它将没有过去革命的血腥的性质。”⑤

除此之外，拉法格通过研究发现，无产阶级革命除了要依靠政治革命和经

① 《拉法格文选》上卷，人民出版社 1985 年版，第 134—135 页。
② 《拉法格文选》上卷，人民出版社 1985 年版，第 137 页。
③ 《拉法格文选》上卷，人民出版社 1985 年版，第 369 页。
④ 《拉法格文选》上卷，人民出版社 1985 年版，第 381 页。
⑤ 《拉法格文选》上卷，人民出版社 1985 年版，第 378 页。

济革命之外，还要进行精神革命或称文化革命。因为，拉法格分析人类历史发展得出，历史上所有的统治阶级都凭借肉体和精神的暴力来维持自己的统治。资产阶级试图利用一切精神力量把无产阶级永远桎梏在贫穷生活中。在资产阶级的御用文人和政治家借助宗教控制人民的同时，他们又制造出一批新的"神"——民主、进步、自由、正义等麻痹、诱导工人阶级，这些新的"神""比之多神教的和基督教的神话更加荒谬。他们的不合理的和矛盾的实质是引人瞩目的"①，而且，这些新的伟大的"神"将"引导具有资本主义文明的民族走向生理的退化和道德的败坏"②。资产阶级的经济学家则构造出了竞争规律和供给与需求规律这个永恒的经济规律。他们竭力融合起麻醉作用的经济宿命论和宗教宿命论，宣称无产阶级沦落至穷困不堪的境况是竞争规律的必然结果。他们甚至认为，无产阶级有限的需求决定了这个阶级所能享受的产品。他们进而认为，以上情况的存在恰恰是人类社会发展永恒不变的自然规律所导致的，无产阶级必须无条件地接受。资产阶级还打着科学的旗号，甚至利用"种族理论"来对无产阶级进行说服性工作，资产阶级的思想体系"也像以前的耶稣和贞女玛利亚一样，曾经服务于和现在还在服务于欺骗人民的勾当"③。拉法格断言，"这种思想上的招摇撞骗在资产阶级手里是政治欺骗和经济欺骗的最可靠和最有效的手段。"④所以，拉法格强调指出，"下层阶级只有当它消灭统治阶级精神上和肉体上的暴力，当它在开始手拿武器的斗争之前就进行一场预备性的意识形态的斗争的时候，才能达到自己的解放。"⑤他乐观地宣布，随着宣传科学社会主义思想的工作不断展开，无产阶级越来越强烈地感受到和认识到自己的真实利益所在，资产阶级荒谬的思想日益受到质疑和反驳，这个桎梏人的价值体系也终将破产。在新的科学理论武装起来的无产阶级必将成为开启新世界的践行者和主要力量。同时，拉法格认为，精神革命与政治革命、经济革命三者互不可缺，相辅相成，在积极的协同互动中实现人类社会新天地。

拉法格的一生就是践行马克思主义的一生，他坚信人类必将走向共产主义，资本主义必将灭亡。这点可以从他的遗书中得到充分的体现。在遗书中，

---

① 《拉法格文选》上卷，人民出版社1985年版，第145页。
② 《拉法格文选》上卷，人民出版社1985年版，第146页。
③ 《拉法格文选》上卷，人民出版社1985年版，第147页。
④ 《拉法格文选》上卷，人民出版社1985年版，第307页。
⑤ 《拉法格文选》上卷，人民出版社1985年版，第177页。

拉法格写道："我怀着无限欢乐的心情离开人世，深信我为之奋斗了四十五年的事业在不久的将来就会取得胜利。共产主义万岁！国际社会主义万岁！"① 这封遗书也是对那些资产阶级报刊竭力诋毁的回应，一些资产阶级报刊宣称拉法格是由于对共产主义事业失去信心或者精神的堕落而走向自杀的。所以，通过这句话，我们能够想象到，他去世时对他毕生为之奋斗的无产阶级事业依旧充满着必胜的信念。列宁曾满怀信心地说："现在我们特别清楚地看到，拉法格毕生捍卫的那个事业的胜利时刻很快就要到来……受到马克思主义思想教育的有组织的无产阶级进行革命战斗的时代就要到来。无产阶级一定能推翻资产阶级的统治，建立起共产主义制度。"②

① 《社会主义者报》1911 年 12 月 3—10 日。

② 《列宁全集》第 20 卷，人民出版社 2017 年版，第 387 页。

# 第七章　普列汉诺夫的理论和实践及其演变

格奥尔基·瓦连廷诺维奇·普列汉诺夫在国际共产主义运动历史上是一位赫赫有名而又十分复杂的人物。他曾经是俄国马克思主义的先驱、著名的马克思主义理论家、工人运动的领袖和无产阶级政党的创始人之一，对于马克思主义理论在俄国的传播和俄国无产阶级政党的创立做出了不可磨灭的历史贡献，但后来却离开了革命道路，蜕变成为机会主义者、社会沙文主义者。在当时的第二国际领导人里面，他较早运用马克思主义批判伯恩施坦修正主义，是国际社会民主党中“从彻底的辩证唯物主义观点批判过修正主义者在这里大讲特讲的庸俗不堪的滥调的唯一马克思主义者”①。但后期，普列汉诺夫却与第二国际修正主义同流合污，成为修正主义赞成者。政治态度的多变不一和理论上的诸多成就，加剧了普列汉诺夫的复杂性，也使得人们对他的评价褒贬不一，争议颇多。

普列汉诺夫积极参与到与修正主义理论、俄国民粹主义以及其他各种错误思潮的论战中去。从哲学、政治经济学、社会主义理论等领域对伯恩施坦的修正主义作了较为全面、深刻的批判，冷静思考了马克思主义的历史发展命运。普列汉诺夫从 1883 年到 1903 年翻译和出版了马克思和恩格斯的大量著作，并亲自撰写了大量阐述马克思主义基本理论的优秀著作，这些著作“是整个国际马克思主义文献中的优秀作品”②，为捍卫、传播和发展马克思主义作出了重要的贡献。

---

① 《列宁全集》第 17 卷，人民出版社 2017 年版，第 14 页。

② 《列宁全集》第 40 卷，人民出版社 2017 年版，第 295 页。

## 第一节 对马克思主义在俄国传播的杰出贡献

普列汉诺夫作为俄国历史上甚至马克思主义发展史上一位杰出的马克思主义理论家，被认为是联接起马克思恩格斯与列宁之间思想发展脉络的纽带。普列汉诺夫在马克思主义发展史上留下了许多优秀而又富有创见的马克思主义理论论著，从地理环境、社会意识、个人在历史上的作用到美学等等，内容涉猎广泛，他在唯物史观领域贡献尤其巨大。列宁称普列汉诺夫是“精通马克思主义的唯物主义者”①，是“最通晓马克思主义哲学的社会党人”②，赞扬他的全部哲学著作是整个国际马克思主义文献中的优秀著作。毫无疑问，普列汉诺夫为传播、运用和发展马克思主义作出了不可替代的贡献。在革命实践中，他创立并领导了俄国第一个马克思主义团体“劳动解放社”，同列宁一起出版了《火星报》、《曙光》等杂志，参与创建了俄国社会民主工党，参加了第二国际的历次代表大会，用俄文翻译了《共产党宣言》。

1883年，在普列汉诺夫一生中意义重大。正是在这一年，他从一个俄国民粹主义者转变为一个马克思主义者。从此以后，作为马克思主义理论家的普列汉诺夫便活跃在俄国和国际共产主义运动的历史舞台上。处在马克思主义时期的普列汉诺夫，为马克思主义在俄国的传播和发展做出了巨大贡献。他在同民粹主义、第二国际机会主义，特别是伯恩施坦修正主义以及其他形形色色错误思潮的斗争中，撰写了大量优秀的马克思主义理论著作。这些理论著作博大精深，在俄国乃至整个国际共产主义运动史上都产生了广泛而深远的影响。在这一时期，俄国第一个马克思主义团体“劳动解放社”由普列汉诺夫亲自领导创立，为在俄国建立无产阶级政党奠定了基础，后来他还与列宁一道参与俄国社会民主工党的创建工作。在1898年标志着俄国社会民主工党建立的党的代表大会上，他被推选为主席团主席，和列宁共同主持与领导了代表大会的工

① 《列宁全集》第20卷，人民出版社2017年版，第129页。

② 《列宁全集》第23卷，人民出版社2017年版，第153页。

作，代表大会闭幕之前，当选为党的总委员会主席。历史证明，他是俄国无产阶级政党的“创始人和领袖之一”。

## 一、从民粹主义到马克思主义的转变

19 世纪 60 年代，俄国出现了民粹主义，它是当时俄国社会发展的必然产物。民粹主义的产生是俄国社会惧怕发展资本主义以及那些惧怕破产的小生产者阶级利益和阶级心理的在理论上的体现。俄国民粹主义不承认社会发展存在一般规律；否认工人阶级的重要作用；否认人民群众是历史创造的主体，宣扬英雄史观；认为旧的农民村社和生产形势比资本主义制度和生产形势更为高级，是社会主义的胚胎；把资本主义在俄国的出现和发展看成是纯粹“偶然的”或“人为的”现象；革命可以不经资本主义阶段直接过渡到社会主义。

民粹主义的这套理论在富于空想的小资产阶级知识分子中得到了广泛的流传。早期的民粹主义者大都是一些坚决反对封建沙皇制度的民族主义战士。特别是像赫尔岑和车尔尼雪夫斯基这样的先驱人物，他们擅长运用俄国式的空想主义的革命精神对当时俄国的政治事件和社会进程发挥影响；也擅长冲破沙皇书报检查制度来鼓吹宣传农民革命和推翻一切旧政权的群众斗争的思想。不仅如此，他们还毅然放弃比较优越的城市生活，以人民的“精粹”和农民的代表自称，着农民装到农村去（即所谓“到民间”去）身体力行地做这种宣传鼓动工作。他们之所以被称为民粹派，就是因此而得名的。在此期间，民粹主义者把马克思和恩格斯的《共产党宣言》、《资本论》等重要著作译成俄文，提供给了俄国的广大读者，开启了马克思主义在俄国传播的先声。

但是，19 世纪 80 年代以后，革命民粹主义者逐渐发生蜕化，开始同他们曾经斥责为“空谈家、吹牛家和傻瓜”的俄国自由派同流合污，成为自由主义民粹派。与革命民粹派不同，自由主义民粹派在资本主义经济已经成为俄国现实经济生活中不可否认的事实面前，抛弃了过去信奉的关于俄国农民经济结构的独特性和农民村社是社会主义的胚胎和基础的传统看法，相信资本主义在俄国已是既成事实。但他们又认为资本主义在俄国的出现纯粹是“偶然”现象，是因为政府执行错误政策导致的、人为地培植出来的结果，现实中不存在任何基础。在这种错误认识的引导下，民粹主义者将资本主义与“人民生产”即小农经济和手工业对立起来，认为资本主义在俄国的出现是俄国社会发展的倒退和没落，是一场严重的社会灾难。民粹主义者还攻击那些承认俄国资本主义必然出现的马克思主义者是将西方发展资本主义的公式硬套在俄国头上，使俄国劳动人民也陷进资本主义的铁箍。政治上，他们完全抛弃了革命民粹派坚决反抗沙皇专制制度的革命斗争精神，卑微地乞求政府实施改良政策，发展“人民生产”，“保护经济上的弱者”，以使这些人避开资本主义自由竞争的痛苦，而直接获得社会主义的富裕的幸福生活。90年代以后，自由主义民粹派又从伯恩施坦修正主义那里吸取了新的养分，从而成为伯恩施坦在俄国的追随者和信徒。这些人如沃龙佐夫、丹尼尔逊、尼·康·米海洛夫斯基等不仅“认真接受了”伯恩施坦的思想，而且用之实践，走上了为资产阶级改良主义代言和与马克思主义革命学说对立的道路。那个曾经积极在俄国宣传马克思主义的革命民粹派已经消失了，取而代之的是抵制和反对在俄国传播马克思主义的自由主义民粹派。

普列汉诺夫1875年参加民粹派之后，便积极投身于革命活动。1876年年初，作为民粹派的重要成员之一他经常深入工厂进行革命宣传活动。同工人群众的联系，使他大大开阔了自己的视野。同年12月，在彼得堡喀山教堂广场上，普列汉诺夫领导工人并参加了俄国历史上第一次政治示威，发表了反对沙皇专制制度的演说，高呼“土地和自由万岁”，获得了广大工人群众的热切拥护和支持。这是普列汉诺夫一生政治生活的光辉起点。示威遭到了沙皇军警的镇压。在工人群众的帮助下，普列汉诺夫摆脱了军警的追捕，第一次逃亡国外。1877年夏，他又秘密回到俄国，继续进行革命活动。1878年，他开始担任民粹派机关刊物《土地自由》的编辑，并在这个杂志的1879年1、2号上发表了《社会经济发展规律和俄国社会主义的任务》一文。该文虽未脱离民粹派传统理论的束缚，但却已经意识到工人阶级在未来革命斗争中将承担重要作用，在一定程度上表现了他企图突破民粹派忽视和否认工人阶级革命作用错误观点的意愿。

1879年夏天，民粹派发生分裂。一派为“民意党”，被恐怖主义者把持；一派为“土地平分社”，主张坚持到农民群众中继续进行革命斗争。普列汉诺夫被推举为“土地平分社”首领。这一时期，普列汉诺夫虽对民粹派的某些观点有所怀疑，然而他仍然是一个正统的民粹主义者。正如他自己后来所说，在70年代末，他还是一个“彻头彻尾的民粹派”。

1880年，“民意党”人的个人恐怖活动加剧了沙皇政权对民粹派的镇压。“土地平分社”的印刷厂被沙皇军警捣毁。为了躲避沙皇军警的搜捕，普列汉诺夫和“土地平分社”的其他领导人再次逃到国外。从此开始了在西欧侨居长达37年之久的生活。长期的侨居生活，固然使他脱离了国内革命斗争实践，这对他日后的革命活动和理论建树产生了很大的消极影响，但是，当时的西欧毕竟是国际工人运动的中心和马克思主义的发源地，那里聚集着一批最早而且最有影响的马克思主义者，这就使他获得了直接接触西欧最新思潮和广泛了解工人运动和研究马克思主义理论的机会。

1882年至1883年是普列汉诺夫关键性的一年，即从民粹主义者向马克思主义者转变的一年。1882年，他将《共产党宣言》译成俄文并写了导言。他在导言中指出：“《宣言》及其作者们的其他著作开辟了社会主义文献和经济文献史上的新时代——无情地批判现时劳资关系以及与任何乌托邦不同的、科学地论证社会主义的时代。”① 为了清算民粹派错误观点的消极影响，寻求俄国未来发展命运的革命道路，普列汉诺夫开始大量研读马克思恩格斯著作。随着研读马克思恩格斯著作数量的增加，愈使他认清了民粹派在理论上和立场上的错误，促进了他同民粹派的彻底决裂。后来，普列汉诺夫回忆起这段时光时说：“没有同我们一起经历那个时期的人很难设想，我们多么贪婪地攻读社会民主主义的文献，其中德国伟大理论家的作品自然占着首要地位。我们读的社会民主主义文献越多，我们就越清楚我们以前观点的弱点，我们自身的革命经验在我们的眼里就变得越加正确。”② 他还回忆说：马克思的理论像“引路之线”那样，把他从民粹派和巴枯宁的理论迷宫“引导了出来”。由此可见，从理论和实践的结合上研读马克思他们的经典著作，推动和决定着普列汉诺夫从民粹主义者向马克思主义者的转变。

“我成为马克思主义者不是在1884年，而是1882年。”③ 普列汉诺夫在1910年这样回答。很明显，他这里指的是：1882年年初，他通过翻译出版《共产党宣言》，成为科学社会主义世界观的拥护者。后来苏联学者一般都采用这

① 转引自［苏］约夫楚克、库尔巴托：《普列汉诺夫传》，宋洪训译，生活·读书·新知三联书店1980年版，第77页。

② 转引自［苏］约夫楚克、库尔巴托：《普列汉诺夫传》，宋洪训译，生活·读书·新知三联书店1980年版，第78页。

③ 转引自高放、高敬增：《普列汉诺夫评传》，中国人民大学出版社1985年版，第51页。

个说法。实际上，在普列汉诺夫翻译的《共产党宣言》俄文版序言中，民粹派的痕迹还有所残留。他还要求俄国社会主义者在正确借鉴西欧社会发展的过程中要“合理地对待俄国经济制度的特点”①。更为重要的是，普列汉诺夫在1882年《祖国纪事》杂志上发表的《洛贝尔图斯–亚格措夫的经济理论》一文，在文章中他把德国资产阶级经济学家约翰·卡尔·洛贝尔图斯–亚格措夫当作是一位“能够摆脱特殊的阶级观点”，“能够对社会现象采取不偏不倚态度”的经济学家②。1883年春，普列汉诺夫虽然在《阿·普·夏波夫》一文中评论俄国历史学家尼雅阿里斯托夫时，首次宣称同民粹主义在思想上决裂，但还是或多或少存留了民粹主义的观点，认为专制国家能够逐步过渡为“人民国际”。

总结得出，普列汉诺夫应该是在1883年才从民粹主义者向马克思主义者实现了彻底转变。其主要标志就是他在1883年9月正式宣布与民粹主义决裂，建立了俄国第一马克思主义团体——“劳动解放社”，并随即出版了《社会主义和政治斗争》，他的第一部马克思主义著作。普列汉诺夫从民粹主义者转变为马克思主义者，就是从小资产阶级社会主义者转变为无产阶级社会主义者，也可以说是从爱国主义者、民主主义者转变为国际主义者、科学共产主义者。从此，揭开了他革命斗争史、政治活动史的新篇章。此后，普列汉诺夫和他领导的“土地平分社”开展了批判民粹主义的斗争。这一过程中发表的《我们的意见分歧》、《论一元论历史观的发展》和《论个人在历史上的作用》等论著，都是反对民粹主义的力作。但是，真正完成批判民粹派任务的是列宁。他在1894年至1899年写作的《什么是“人民之友”以及他们如何攻击社会民主党人?》和《俄国资本主义的发展》等著作，给了民粹派的理论体系以毁灭性的打击。

## 二、创立“劳动解放社”：马克思主义在俄国传播的先驱

从1883年第一部俄国的马克思主义著作《社会主义与政治斗争》问世，到1903年参加创建俄国无产阶级政党，这整整20年间是普列汉诺夫的马克思

---

① ［俄］普列汉诺夫：《阶级斗争学说的最初阶段》，柳明、石柱译，生活·读书·新知三联书店1965年版，第2页。

② 转引自高放、高敬增：《普列汉诺夫评传》，中国人民大学出版社1985年版，第52页。

主义时期，也是他一生的黄金时期。在这一时期，他作为一个享有盛誉的马克思主义理论家和革命活动家，始终奋战在两个战线上。作为革命活动家，普列汉诺夫在俄国创建和领导了第一个马克思主义团体——劳动解放社，为建立无产阶级政党奠定了基础。对于劳动解放社的活动，恩格斯给予很高的评价。他在 1885 年 4 月 23 日给查苏利奇的信中写道："首先，我再对您说一遍，得知在俄国青年中有一派真诚地、无保留地接受了马克思的伟大的经济理论和历史理论，并坚决地同他们前辈的一切无政府主义的和带点泛斯拉夫主义的传统决裂，我感到自豪。如果马克思能够多活几年，那他本人也同样会以此自豪的，这是一个对俄国革命运动发展将会具有重大意义的进步。"① 列宁则指出："俄国的马克思主义是在上一世纪 80 年代初期的一个侨民团体（'劳动解放社'）的著作中产生的。"② 列宁把劳动解放社社员称作是无产阶级革命的先进战士，他们为俄国无产阶级政党的建立"奠定了基础"。

1883 年 9 月 25 日，普列汉诺夫和他的"土地平分社"的战友查苏利奇、阿克雪里罗得、捷依奇、伊格纳托夫，聚集在日内瓦罗纳河畔的咖啡馆里，一起商谈创立不同于民粹派的新的革命组织问题。普列汉诺夫主张要旗帜鲜明地宣布建立俄国社会民主主义的组织。他指出，我们不能再隐瞒而要大胆地向世人公开我们的信念，我们是社会民主主义者，即使目前人数不多，但只要我们一起努力，大力宣传和传播马克思主义，拥护我们的人就会不断增加。经过一番激烈讨论，大家一致同意建立新的革命组织，并决定出版刊物。

在出版经费得到解决后，接下来就要考虑即将建立的新组织的名称问题。普列汉诺夫认为新组织应该叫"俄国社会民主社"，因为当时西欧已经建立的马克思主义的无产阶级政党习惯上都称为社会民主党，意即要实现社会主义和民主主义双重任务。但查苏利奇坚决不同意这个名字，怕因此脱离俄国广大革命者。当时在俄国，如果同社会民主主义发生关系，就要受到追查。对此，普列汉诺夫耐心细致地加以解释。他以德国社会民主党的成就为例，说明新的革命组织叫作社会民主党，会有利于在俄国有觉悟的无产者中间开展工作。尽管普列汉诺夫的看法正确，但是由于其他人都或多或少有与查苏利奇一样的顾虑和担心，最后就换了一个名字——"劳动解放社"。

---

① 《马克思恩格斯文集》第 10 卷，人民出版社 2009 年版，第 532 页。

② 《列宁全集》第 17 卷，人民出版社 2017 年版，第 378 页。

显然，“劳动解放社”这个名字是普列汉诺夫受当时马克思的影响。马克思在1864年10月给国际工人协会起草的章程中写道：“劳动的解放既不是一个地方的问题，也不是一个国家的问题，而是涉及存在现代社会的一切国家的社会问题，它的解决有赖于最先进各国在实践上和理论上的合作。”①他在1871年4月至5月写的《法兰西内战》中又两次把“劳动解放”作为工人阶级的共同事业和奋斗目标。普列汉诺夫对马克思的这两篇著作熟记于心，并且收入1882年由他翻译出版的《共产党宣言》一书的附录中。在马克思思想的影响下，普列汉诺夫他们把新组织取名为“劳动解放社”。现在来看，“劳动解放社”这个名称是不准确的，因而是不科学的。1875年，马克思在《哥达纲领批判》一文中，批评德国工人党的纲领草案包含了拉萨尔机会主义的杂质，其中回避了资本主义私有制的剥削这一要害问题，好几处空谈劳动的意义和作用。在这里，马克思发现“劳动解放”这个提法含混不清。马克思当初起草的国际工人协会章程的导言中本来提出了“工人阶级的解放应当是工人自己的事情”这一阶级性十分鲜明的著名原理，但德国工人党在纲领草案中却把它修改为“劳动的解放应当是工人阶级的事情”。工人阶级应当解放劳动，这究竟是什么意思？马克思说：“谁能了解，就让他了解吧。”②可惜，德国工人党的领导人并没有接受马克思的正确意见，在1875年哥达代表大会通过的纲领中仍然保留了原来这种不精确的提法。直到1891年《哥达纲领批判》才由恩格斯公布于世，所以普列汉诺夫当时无法知道“劳动解放”这一提法是不准确的，而哥达纲领又是具有广泛国际影响的文献，这就能够理解为什么俄国马克思主义者会用“劳动解放”来作为第一个马克思主义团体的名称。几个月以后，“劳动解放”的成员们已经认识到这个名称不够鲜明，所以又在“劳动解放”之前冠以“社会民主主义的”词语。

在确立了名称之后，普列汉诺夫接着讨论了“劳动解放”的成立声明，最后形成并发表了《关于出版〈现代社会主义丛书〉的通告》。他们在《通告》公开宣布彻底放弃了民粹派理论，以现代科学社会主义作为自己的行动指针。《通告》说：“土地平分社的旧同人现在改变了自己的纲领，就是要同专制制度作斗争并把俄国工人阶级组织成一个具有明确的社会政治纲领的单独政党，现

---

① 《马克思恩格斯文集》第3卷，人民出版社2009年版，第226页。

② 《马克思恩格斯文集》第3卷，人民出版社2009年版，第437页。

在组成‘劳动解放社’，并同旧的无政府主义倾向彻底决裂。”[①]这份声明特别指出了“劳动解放社”的两项基本任务：“一、把马克思和恩格斯学派最重要的著作以及适合不同修养程度的读者的原著译成俄文，用这种办法传播科学社会主义思想。二、批判在我们革命者中间占统治地位的学说，并且从科学社会主义和俄国劳动居民的利益的观点来解释俄国社会生活中最重要的问题。”[②]

第一个马克思主义组织“劳动解放社”在俄国的出现，开启了俄国人民革命斗争史崭新篇章。这个组织在马克思的科学社会主义的思想指导下，在俄国各地展开了多方面的革命活动。“劳动解放社”成为当时俄国第一个以马克思主义为斗争武器向民粹主义开火的战斗堡垒。从它诞生的第一天起，民粹主义就成为其理论和思想斗争的直接对象，为马克思主义的无产阶级政党在俄国的创立铺平了道路。“劳动解放社”在俄国是开天辟地以来首次有目的有计划地在俄国传播马克思主义理论的革命团体。由普列汉诺夫、查苏利奇等人亲自翻译和出版的马克思和恩格斯的许多著作迅速流传到俄国各地。“劳动解放社”的创建标志着在俄国已经有了在思想和组织上完备的俄国的马克思主义派。“劳动解放社”“在国外未经书报检查而印行的著作，首次系统地叙述了马克思主义思想并得出了各项实际结论”[③]。

“劳动解放社”是俄国最早建立的社会民主党人组织。刚成立时，虽然只有一个《通告》，还没有纲领，但普列汉诺夫很快为它先后制定了两个纲领草案。“劳动解放社”的创建，可以说是在俄国建立无产阶级政党的初步实验。它后来还积极为俄国社会民主工党的创建出谋划策。在俄国社会民主工党1898年召开第一次代表大会和正式宣告党成立之后，它已经成了该党的国外组织。列宁有时直截了当地把1883年“劳动解放社”的创建看作是“俄国社会民主党建立”[④]。他指出：“俄国社会民主党的建立，是‘劳动解放社’即普列汉诺夫、阿克雪里罗得和他们的朋友们的主要功绩。”[⑤]又说：“‘劳动解放社’建立了俄国社会民主党。”[⑥]“这些老一辈的同志”“为俄国社会民主党奠定

① 转引自高放、高敬增：《普列汉诺夫评传》，中国人民大学出版社1985年版，第56页。
② 转引自高放、高敬增：《普列汉诺夫评传》，中国人民大学出版社1985年版，第56页。
③ 参见《列宁全集》第25卷，人民出版社2017年版，第100页。
④ 《列宁全集》第4卷，人民出版社2013年版，第216页。
⑤ 《列宁全集》第4卷，人民出版社2013年版，第214页。
⑥ 《列宁全集》第4卷，人民出版社2013年版，第222—223页。

了基础，为党在理论上和实践上的发展做了许多事情”①。

“劳动解放社”是连接俄国工人运动和国际工人运动团结的纽带与桥梁。“劳动解放社”把俄国工人运动的成就与经验介绍给欧洲工人阶级，又把欧洲工人运动的传统和遗产传授给俄国工人阶级。通过“劳动解放社”成员同欧洲工人运动的领导人的交往，加深了相互了解，促进了俄国工人运动与欧洲各国工人运动的国际联系和友谊。因此，“劳动解放社”刚一成立就受到欧洲好些国家工人运动领导人的重视和欢迎。例如，法国工人党领袖保罗·拉法格就对“劳动解放社”的成立表示祝贺。“劳动解放社”在美国的俄侨中还建立分支组织，积极在美俄侨中开展社会主义活动，加强与美国工人运动的联系。例如它在美国的代表谢·米·英格尔曼还担任过美国社会主义者协会的书记。“劳动解放社”代表俄国工人阶级最早参加了第二国际的活动；当第二国际修正主义思潮出笼后，它又参加了反对伯恩施坦主义、米勒主义及其在俄国的变种——合法马克思主义、经济主义等错误思潮的斗争。

自 1883 年“劳动解放社”成立，直到 1903 年在俄国社会民主工党第二次代表大会上宣告解散并正式加入社会民主工党，这一过程长达 20 年之久，“劳动解放社”在俄国无产阶级斗争史上留下了光辉的篇章，做出了巨大贡献。列宁对“劳动解放社”深怀敬意，他在多篇著作中高度颂扬了它的历史贡献，高度赞赏它为俄国无产阶级的革命斗争“提供它所必需的渊博的理论知识、广阔的政治眼界、丰富的革命经验”②。列宁对“劳动解放社”的历史地位予以了中肯全面的评价：“当时‘劳动解放社’只是在理论上为社会民主主义奠定了基础，只走了迎接工人运动的第一步。”“1894—1895 年的鼓动和 1895—1896 年的罢工，才建立了社会民主党同群众性工人运动牢固的密切的联系。”③“劳动解放社”没有完全把马克思主义与俄国工人运动紧密地结合起来，这一方面固然是由于它主要在国外从事理论上的活动，另一方面也由于当时俄国工人运动发展成熟的程度还不够。我们不能以后来俄国马克思主义政党的正式建立来苛求当年的“劳动解放社”。“劳动解放社”在历史上还是取得了辉煌的成就，这些成就归功于这个战斗集体，普列汉诺夫作为这个集体的组织者和领导者

① 《列宁全集》第 4 卷，人民出版社 2013 年版，第 188 页。
② 《列宁全集》第 5 卷，人民出版社 2013 年版，第 332 页。
③ 《列宁全集》第 25 卷，人民出版社 2017 年版，第 140 页。

自然应当分享首要的荣誉。“劳动解放社”存在的20年，恰好就是普列汉诺夫作为马克思主义者进行革命活动的20年，这也正是他一生最光辉的黄金时期。

“劳动解放社”积极翻译和出版马克思恩格斯的著作。自马克思主义诞生之后，马克思恩格斯的著作自从19世纪40年代马克思主义诞生之后，俄国开始零星地个别地陆陆续续出现马克思恩格斯的著作。直到70年代，在俄国翻译、出版马克思和恩格斯的著作仍然是自发、分散进行，有的译文质量很差，而且由于俄国无产阶级还没有形成独立的政治力量，因此作为无产阶级思想体系的马克思主义的文献即便被译为俄文出版，实际上并没有在俄国社会生活中起多大作用。到19世纪80年代初，从普列汉诺夫转变为马克思主义者开始，俄国才开始自觉地有计划地传播马克思主义。1883年建立的由普列汉诺夫领导的“劳动解放社”成了在国外翻译和出版马克思恩格斯著作的第一个马克思主义团体，它把许多马克思恩格斯的著作译成俄文出版并运回国内发行。该社刚一成立，就明确宣布翻译和出版马克思恩格斯的著作是自己的首要任务。普列汉诺夫和查苏利奇等人“劳动解放社”的成员都亲自动手翻译马克思恩格斯的著作。从80年代起，由于近代工人运动的兴起和发展，马克思恩格斯著作的传播才具备了良好的社会条件，从此马克思主义就开始在俄国社会土壤里生根、发芽进而茁壮成长起来。

普列汉诺夫翻译出版的第一部马克思恩格斯的著作就是马克思主义的基本文献《共产主义宣言》。它于1882年在日内瓦以《俄国社会革命丛书》的名义问世。俄文版除了马克思恩格斯写的这个序言以外，还有普列汉诺夫自己写的简短序言和两条注释。在附录中还收入了马克思执笔的《法兰西内战》一文的片断和《国际工人协会章程》。普列汉诺夫把《共产党宣言》看成是俄国无产阶级政党引导俄国革命走向胜利的锐利武器。他指出：“目前，俄国社会主义运动已经终于走上同专制制度进行公开搏斗的道路，而关于我党政治活动的意义和任务问题也成了迫切的实践问题，我们以为，在这个时候来出版《共产党宣言》的俄译本不仅是有益的，而且是必要的。”① 直到1906年，由布尔什维克沃罗夫斯基翻译的《共产党宣言》俄文新译本出版为止，普列汉诺夫的译本

① ［俄］普列汉诺夫：《阶级斗争学说的最初阶段》，柳明、石柱译，生活·读书·新知三联书店1965年版，第1页。

被认为是质量最好的，印数最多的，传播最广的，可以说它武装了俄国第一代马克思主义者。这是普列汉诺夫作为俄国马克思主义奠基人和宣传家立下的不朽功勋。

在1883年3月14日马克思逝世后不久，捷依奇翻译的马克思的著作《雇佣劳动与资本》以《俄国社会革命丛书》的名义出版。1883年9月“劳动解放社”成立后，陆续出版社了一套《现代社会主义丛书》，其中包括马克思恩格斯的许多重要著作。有普列汉诺夫翻译的马克思的著作《关于自由贸易的演说》（1885年出版）、恩格斯的《费尔巴哈与德国古典哲学的终结》（1892年出版），还有查苏利奇翻译的恩格斯的《社会主义从空想到科学的发展》（1884年、1892年、1902年三次出版）、马克思《哲学的贫困》（1886年出版社）、恩格斯《论俄国的社会问题》（1894年出版）。普列汉诺夫和查苏利奇还分别为马克思和恩格斯的这些著作翻译写了注释和译者序言。在马克思和恩格斯著作的这些俄文译本的附录中，还收入了马克思和恩格斯写的其他一些文章。此外，1889年至1892年“劳动解放社”在伦敦和日内瓦编辑出版了《社会民主党人》文集，先后出版过四集。在这些文集中发表了马克思和恩格斯的一些论文和书信。例如恩格斯的名著《论沙皇俄国的对外政策》就是专门为这个文集撰写的。普列汉诺夫领导的“劳动解放社”在19世纪80年代到90年代大量翻译和出版马克思与恩格斯的著作，把马克思主义在俄国的传播推向了新阶段。

“劳动解放社”除了翻译和出版马克思和恩格斯的著作之外，最迫切的任务就是为俄国社会主义者制定一个明确的具体的行动纲领。早在1883年秋天，“劳动解放社”刚建立时，普列汉诺夫就开始起草“劳动解放社”的纲领，这个纲领正式被称作《社会民主主义“劳动解放社”纲领》，并在日内瓦于1884年单行本出版发行。

纲领旗帜鲜明地宣告：“‘劳动解放社’所抱定的目的是在俄国宣传社会主义思想和培养组织俄国工人社会主义政党的一些成分。”① 这表明“劳动解放社”是要为俄国建立无产阶级政党做思想上和组织上的准备。纲领写道：“工人阶级的经济解放将只能通过把生产的一切手段和产品转变为劳动者的集体所有制

① 《普列汉诺夫哲学著作选集》第1卷，汝信等译，生活·读书·新知三联书店1959年版，第410页。

和把社会——经济生活的一切职能组织得符合于社会需要才能达到。”[①]这大体上是符合科学社会主义原则的。纲领中坚持了无产阶级国际主义，明确宣布：“所有国家的社会主义政党都承认现代工人运动的国际性质和宣布生产者们的国际团结原则。”[②]尽管无产阶级的第一个国际联合组织“国际工人协会”已于1876年宣告解散，然而“‘劳动解放社’也承认以前的‘国际工人协会’的伟大原则，而且承认所有文明世界劳动人民的利益是完全相同的”。同时纲领又强调指出，工人阶级组织“要首先注意在各该国以内由工人争取政治的统治地位。‘当然，每一国的无产阶级应当首先清算自己的有产阶级’”[③]。

普列汉诺夫还特别强调，各国无产阶级政党在制定自己的纲领时，必须考虑到本国的社会条件。俄国社会的具体条件就是：俄国工人阶级和劳动人民身受“警察专制国家”和“资本主义生产”的“双重压迫”。“当代的俄国所遭受到的——正如马克思关于欧洲大陆的西部所说的——不仅是资本主义生产发展的痛苦，而且也感到这一发展不够的痛苦。”[④]关于俄国的工人阶级关系，纲领中写明：工人阶级是“作为俄国全体劳动人民的先进代表们”[⑤]，强调“‘劳动解放社’一点也不忽视构成俄国绝大多数劳动人民的部分的农民”[⑥]，在把主要注意力放在产业工人中间的同时，也要注意开展团结农民的工作，“假使在农民中暴露独立的革命运动的时候，我们社会主义者的力量的分配就应当有所改变，而且甚至在现在的时候，一些和农民有直接关系的人们，也能以自己在他们中间的活动对于俄国社会主义运动作重要的效劳。‘劳动解放社’不仅不推开这些人，而且将尽自己的一切力量，使得在政纲的基本诸原理上和他们一

① 《普列汉诺夫哲学著作选集》第1卷，汝信等译，生活·读书·新知三联书店1959年版，第410页。

② 《普列汉诺夫哲学著作选集》第1卷，汝信等译，生活·读书·新知三联书店1959年版，第411页。

③ 《普列汉诺夫哲学著作选集》第1卷，汝信等译，生活·读书·新知三联书店1959年版，第412页。

④ 《普列汉诺夫哲学著作选集》第1卷，汝信等译，生活·读书·新知三联书店1959年版，第412页。

⑤ 《普列汉诺夫哲学著作选集》第1卷，汝信等译，生活·读书·新知三联书店1959年版，第413—414页。

⑥ 《普列汉诺夫哲学著作选集》第1卷，汝信等译，生活·读书·新知三联书店1959年版，第415页。

致。”①应当着重指出的是，纲领中正确地指明了俄国资产阶级由于经济地位决定了它不能主动地同沙皇专制制度作斗争。纲领写道：“生产的这种落后状态的最有害的后果之一，过去和指导现在都是中等阶级的不发达状态，它在我国就不能负起主动地和专制主义进行斗争的责任。”②

普列汉诺夫在上述问题上基本坚持了马克思主义观点。但是这个纲领太抽象，还存在许多民粹主义观点的残余。在吸取了布拉戈耶夫小组和俄国国内其他社会民主党人的建议基础上，他在1887年提出了第二个纲领草案，即《俄国社会民主主义者纲领第二草案》。第二个纲领草案相比于第一个纲领草案，在某些方面观点更正确，态度更明朗，更符合俄国的实际情况，总的看来，无疑前进了一步。新纲领草案指明俄国社会民主党人，终极目标是要实现“共产主义革命”，“致力于使劳动从资本的压迫下获得完全的解放。这样的解放只有把生产的一切手段和产品转化为社会所有才能达到”③。而对于俄国社会民主党人来说，“推翻专制主义应当是他们的第一个政治任务。”④纲领草案写明，工人阶级要想争得解放的“先决条件就是工人阶级在该国内的夺取政权”。纲领指出了俄国的特征是“劳苦群众处在正在发展的资本主义和衰颓着的家长经济的双重压迫”⑤；纲领具体阐述了资本主义在俄国的迅速发展和农民公社的解体。纲领明确提出了在工人中加强马克思主义教育和建立无产阶级政党的重要性：“俄国社会民主主义者们认为工人小组的政治斗争的主要手段是在工人阶级中间进行鼓动和进一步地在他们中间普及社会主义思想和革命组织。”⑥“俄国的社会民主主义者们认为自己的第一和主要的职责就是组织革

① 《普列汉诺夫哲学著作选集》第1卷，汝信等译，生活·读书·新知三联书店1959年版，第415页。

② 《普列汉诺夫哲学著作选集》第1卷，汝信等译，生活·读书·新知三联书店1959年版，第412页。

③ 《普列汉诺夫哲学著作选集》第1卷，汝信等译，生活·读书·新知三联书店1959年版，第416页。

④ 《普列汉诺夫哲学著作选集》第1卷，汝信等译，生活·读书·新知三联书店1959年版，第418页。

⑤ 《普列汉诺夫哲学著作选集》第1卷，汝信等译，生活·读书·新知三联书店1959年版，第417页。

⑥ 《普列汉诺夫哲学著作选集》第1卷，汝信等译，生活·读书·新知三联书店1959年版，第418页。

命的工人党。”①

普列汉诺夫在第二个纲领草案中进一步明确提出的这些重要观点都是符合马克思主义原理的。这两个纲领草案虽然都没有明确提出无产阶级专政的问题，但是第一个纲领草案已说到“工人阶级的政治自我教育和政治统治构成它的经济解放的必需的先决条件”②，第二个纲领草案又写明，工人们解放的先决条件是“工人阶级在各该国内的夺取政权”，建立工人阶级“临时的统治”。③这已经包含有无产阶级专政的思想。如果考虑到当时西欧已建立的各国无产阶级政党的纲领，都没有这么明确的规定，那么就不能把这一点作为错误和缺点来苛求普列汉诺夫。当然，在两个草案中，普列汉诺夫对农民问题、土地问题、俄国资产阶级问题、在个人恐怖手段能否作为革命斗争手段等问题的前后不一、摇摆不定。但是，总的看来，这两个纲领草案是马克思主义普遍原理与俄国实际相结合的产物，为未来的无产阶级政党制定纲领作出了最初的尝试，它代表了当时国际和俄国马克思主义的水平。对于普列汉诺夫起草的这两个纲领草案中所存在的一些缺点和错误，我们不能以当下视角去对待而苛求前人，必须站在当时的时代境况中来考量。有些问题是因为处于初创时期，未能展开写得具体，有些问题受当时整个第二国际思潮的影响，有些问题是自身原有的民粹主义的残留。列宁对此评价中肯：“纲领起草人是初次阐述这些著名的原则，而且远在工人政党成立之前，因此把这个错误归咎于起草人，当然是很荒谬的。”④“因此我们认为，俄国社会民主党人可以而且应该把‘劳动解放社’的草案作为俄国社会民主工党纲领的基础。只要作局部的校订、修改和补充就行了。”⑤

作为一个马克思主义理论家，普列汉诺夫在同民粹主义、马赫主义和各种机会主义的斗争中，写了一系列优秀的马克思主义著作。这些著作不仅在俄国，而且在整个国际共产主义运动中产生了广泛的影响。普列汉诺夫在批判民

① 《普列汉诺夫哲学著作选集》第1卷，汝信等译，生活·读书·新知三联书店1959年版，第418页。
② 《普列汉诺夫哲学著作选集》第1卷，汝信等译，生活·读书·新知三联书店1959年版，第411页。
③ 《普列汉诺夫哲学著作选集》第1卷，汝信等译，生活·读书·新知三联书店1959年版，第417页。
④ 《列宁全集》第16卷，人民出版社2017年版，第221页。
⑤ 《列宁全集》第4卷，人民出版社2013年版，第189页。

粹主义的斗争中发表了《社会主义与政治斗争》（1883年）、《我们的意见分歧》（1885年）、《论一元论历史观之发展》（1895年）和《论个人在历史上的作用问题》（1898年）等著名的马克思主义论著，系统而深刻地清算了民粹派的错误观点，很好地阐明了马克思主义特别是历史唯物主义的基本原则。这些论著不仅对于俄国革命者从民粹主义错误理论的束缚下解放出来起了巨大作用，而且对马克思主义哲学作了重要的发挥和发展。列宁把《社会主义与政治斗争》誉为“俄国社会民主主义的第一个宣言书”①。把《我们的意见分歧》称作俄国“第一本社会民主主义著作”②。他对《论一元论历史观之发展》更是给予了高度评价，是对辩证唯物主义完美的有价值的阐述，熏陶和培养了整整一代俄国马克思主义者。

## 第二节　对马克思主义哲学的研究和贡献

在整个马克思主义哲学发展史上，普列汉诺夫是介于马克思恩格斯和列宁之间的重要人物。他是一个以杰出的马克思主义哲学家著称于世的。他对马克思主义哲学的阐释和发展的贡献是多方面的，但其中最重要、最突出、影响最为久远的是唯物史观、美学和哲学史三个领域。

### 一、批判新康德主义，坚持辩证唯物主义

卢森堡曾总结了第二国际时期存在着“两个回到”思潮：在哲学上“回到康德那里去”；在经济学上“回到亚当·斯密那里去”。这两股思潮实质上都是要攻击和否定马克思主义，是从根本上的对立。因此，运用马克思主义哲学观

---

① 《列宁全集》第4卷，人民出版社2013年版，第275页。
② 《列宁全集》第1卷，人民出版社2013年版，第165页。

批判新康德主义就成为第二国际理论家的重要任务。

唯心主义流派——新康德主义是1848年德国资产阶级革命失败后在德国露头，并在19世纪70年代开始广泛流行。它内部派别庞杂，但这些派别有着共同的理论目的，就是企图通过复活和重新解释康德理论来建立自己的理论体系。代表人物有奥托·李普曼、弗里德里希·阿尔伯特·朗格、赫尔曼·柯亨、路德维希·伏尔特曼和卡尔·伏伦德尔。

新康德主义是一个对工人运动产生过极大毒害的哲学流派。新康德主义者除了以公开的资产阶级自由派身份兜售自己的理论外，还竭力打入工人运动政党内部来宣扬其反动学说。与此同时，第二国际时期的德、奥社会民主党内的修正主义分子伯恩施坦和康拉德·施米特也成为新康德主义的信徒，贩卖新康德主义。

与第二国际其他理论家相比，普列汉诺夫对马克思主义哲学和辩证法的研究和贡献最大。普列汉诺夫系统地研究了历史唯物主义的历史发展，他重点研究了自爱尔维修等18世纪以来的西方思想家对历史唯物主义的贡献。当时流行将马克思主义称为“经济唯物主义”，为了和“经济唯物主义”区别开来，普列汉诺夫宁愿用“辩证唯物主义”或“现代唯物主义”来指称马克思主义学说。在他看来，历史唯物主义只是一种方法。他认为马克思主义应包含经济学说、历史理论（历史唯物主义）和马克思主义哲学，它们才是马克思主义的整体有机部分。普列汉诺夫在马克思主义哲学史上第一次明确提出并深刻地说明了“辩证唯物主义”的含义。他科学地阐明了辩证唯物主义是唯物主义发展的最新阶段，区分了辩证唯物主义与其他唯物主义，论证了“马克思和恩格斯的哲学不仅是唯物主义的哲学，而且是辩证的唯物主义”。① 这是普列汉诺夫对马克思主义哲学做出的重要贡献之一。他进一步告诉人们：“我们用‘辩证唯物主义’这一术语，它是唯一能够正确说明马克思的哲学的术语。霍尔巴赫（原名亨利希·梯特里希）和爱尔维修是形而上学的唯物主义者。他们曾和形而上学的唯心主义斗争过。他们的唯物主义让位于辩证的唯心主义，而后者则为辩证唯物主义所战胜。”② 普列汉诺夫清晰明确地告诉我们，马克思主义哲学

---

① 《普列汉诺夫哲学著作选集》第3卷，汝信等译，生活·读书·新知三联书店1962年版，第79页。

② 《普列汉诺夫哲学著作选集》第1卷，汝信等译，生活·读书·新知三联书店1959年版，第768页。

不仅是唯物主义哲学，而且是辩证的唯物主义哲学。在他眼里，马克思主义全部学说的灵魂就是唯物辩证法，它是观察自然界、人类历史以及人们精神生活的最基本的方法论。普列汉诺夫对黑格尔辩证法与马克思的辩证法作了根本的区分：马克思辩证法实现了唯物主义和辩证法的科学统一，“唯物主义使辩证法‘脚踏实地’地站起来，从而揭去了黑格尔给它穿上的神秘外衣。这样辩证法的革命性质就显露出来了”①。普列汉诺夫凸显了辩证法在整个马克思主义体系中的地位。这样，普列汉诺夫不仅将马克思主义同唯心主义区别开来，而且将之与一切旧唯物主义区别开来。普列汉诺夫强调唯物辩证法促成了唯物史观的确立，使唯物主义成为包括自然观和历史观在内的完整的世界观。马克思改造了黑格尔的辩证法，把唯心主义从它这个最后的避难所中驱逐出去了。马克思的辩证法面向未来，它把唯物主义所发现的自由和必然之间的联系运用到历史中去，用对历史必然性的认识武装了无产阶级，在历史上第一次破天荒地开辟了通向自由和自觉活动的王国的道路。普列汉诺夫一再援引赫尔岑关于辩证法是“革命的代数法”的说法，坚持辩证唯物主义世界观的政治实践意义。

普列汉诺夫还指出，对马克思主义哲学和辩证法的理解关系到马克思主义思想体系的存废。因为是否承认哲学与辩证法的存在直接关系到马克思主义科学性与革命性的根本问题。伯恩施坦修正主义正是抓住了这点来全盘否定马克思主义。普列汉诺夫深知辩证唯物主义与历史唯物主义是马克思主义学说的基础。伯恩施坦等人首先从歪曲马克思主义哲学开始来修正改造马克思主义，所以马克思主义者要击退修正主义的进攻，也要针锋相对，首先从哲学入手。他说：“伯恩施坦和康拉德·施米特以自己的所谓批评攻击整个的现代社会主义。我们且跟着他们检查一下他们的全部论据，让我们从根本问题，即哲学问题开始。”② 伯恩施坦及其信徒施米特，在哲学上提出“回到康德去”的反动口号，大肆吹捧新康德主义，肆意抹杀唯心主义与唯物主义的界限，攻击唯物主义是“宿命论”，否认历史发展的规律性和必然性，宣扬庸俗进化论，否认对立统一规律是宇宙的根本规律，否认事物的发展由量变到质变的规律。普列汉诺夫在文章中以大量篇幅，用哲学史上两军对战的实

① 《普列汉诺夫哲学著作选集》第3卷，汝信等译，生活·读书·新知三联书店1962年版，第87页。

② 《普列汉诺夫哲学著作选集》第2卷，汝信等译，生活·读书·新知三联书店1961年版，第377页。

例，解构和批判了伯恩施坦的修正主义哲学理论，捍卫了马克思主义的辩证唯物主义与历史唯物主义观点。普列汉诺夫指出，伯恩施坦之流提出“回到康德”的反动口号，就是要以康德主义代替马克思主义，“使唯物主义‘归宿于’（这是何等的笨拙和幼稚！）唯心主义。”① 在普列汉诺夫看来，伯恩施坦主义者就是新康德主义者。伯恩施坦等人并没有自己独特的哲学思想，他们翻来覆去只是捡拾新康德主义者的牙慧，以此论证社会主义是可望而不可及的目标。普列汉诺夫在批判伯恩施坦的哲学思想时进一步指出：伯恩施坦的“哲学是如何少得可惊，他关于唯物主义的认识一般地说，是如何错误”，“他对唯物主义历史观的理解是如何欠缺。”② 他还“不惜为反对辩证法而胡说八道，并对它施行最无聊的攻击”。普列汉诺夫嘲笑道：“本文的笔者看到伯恩施坦先生和恩格斯一起生活几年而对于他的（因此也是马克思）哲学还这样不懂，确实是很惊异的。”③ 普列汉诺夫深刻指出伯恩施坦及其信徒反对马克思主义哲学的目的，就是为了麻痹无产阶级斗志，取消无产阶级革命，他说：“如果说伯恩施坦先生抛弃唯物主义是为了不要‘威胁’资产阶级‘意识形态的利益’之一的宗教，那么他抛弃辩证法就是由于他不愿意用‘暴力革命的惨象’来吓坏资产阶级。”④

普列汉诺夫强调指出，伯恩施坦从来没有研究过黑格尔，却敢对他的辩证法发表品头论足的“批评”，认为它如何有害，如果接受了它，“就会妨碍我们清醒地看待现实，会使我们受‘概念的自我发展’的支配”⑤。为什么会这样呢？因为辩证法关于对立面的对立“是——否和否——是”和量变质变全是“模棱两可”的东西，它们只是在思辨的理论中才这样，在现实生活和历史发展中从来不是这样，现实的生活及其历史事实上是按照“是——是和否——否”这个

① 《普列汉诺夫哲学著作选集》第 2 卷，汝信等译，生活·读书·新知三联书店 1961 年版，第 432 页。

② 《普列汉诺夫哲学著作选集》第 2 卷，汝信等译，生活·读书·新知三联书店 1961 年版，第 414 页。

③ 《普列汉诺夫哲学著作选集》第 2 卷，汝信等译，生活·读书·新知三联书店 1961 年版，第 432 页。

④ 《普列汉诺夫哲学著作选集》第 2 卷，汝信等译，生活·读书·新知三联书店 1961 年版，第 440—441 页。

⑤ 《普列汉诺夫哲学著作选集》第 2 卷，汝信等译，生活·读书·新知三联书店 1961 年版，第 432 页。

公式进行的。普列汉诺夫又一次讥讽说："如果伯恩施坦先生对他谈得既幼稚而又笨拙的东西真是知道的，那么，他自然会因为自己对辩证法的责难而感到害羞。"因为"黑格尔说过：'青年人总喜欢驰骛于抽象的概念之中，而把问题放在具体的基础之上'。这一句简单的话可以说很满意地说明了辩证法和伯恩施坦先生所喜爱的'是——是和否——否'这一公式的思维之间的差别"①。所以，真正有害的不是辩证法，而是伯恩施坦先生的形而上学的思维方式。在普列汉诺夫看来，辩证法是马克思主义最重要的基础性要素，是马克思主义哲学体系的灵魂。马克思和恩格斯之所以能够完成社会主义由空想到科学这一革命性变革，与他们的辩证法密不可分。因为空想社会主义之所以具有空想的性质，就在于它的整个体系都浸透着"要就是这——要就是那"的精神，而社会主义理论要摆脱这种空想的性质成为科学，就必须超越这种形而上学的思维方式，而发展到辩证的方法。没有辩证法，马克思恩格斯是无法完成这一变革的。对此，马克思和恩格斯看得最清楚，"他们自己也乐于承认，他们的辩证法的益处很大"②。但是，马克思和恩格斯在公开承认他们的辩证法和黑格尔的辩证法有联系的同时，也多次强调两者有本质的区别。在《资本论》第一卷第二版跋中，马克思明确承认："我的辩证方法，从根本上来说，不仅和黑格尔的辩证方法不同，而且和它截然相反。在黑格尔看来，思维过程，即他称为观念而甚至把它变成对立主体的思维过程，是现实事物的创造主，而现实事物只是思维过程的外部表现。我的看法则相反，观念的东西不外是移入人的头脑并在人的头脑中改造过的物质的东西而已"③。对于这一本质的区别，无知的伯恩施坦是不知道的，他所知道的仅仅是黑格尔的"辩证法的妙论"是有害的，并借此展开对马克思的辩证法作无聊的攻击。当然，从哲学上看，伯恩施坦的这种攻击不会有丝毫的危险，因为它纯属胡说八道，但从社会政治视角而言，这种攻击的危险性就很大，因为在它的背后隐藏着很险恶的目的，那就是劝告无产阶级及其政党，不要用唯物主义来"威胁"资产阶级的意识形态的利益，不要用"暴力革命的惨象"的辩证法来吓坏资产阶级。

---

① 《普列汉诺夫哲学著作选集》第 2 卷，汝信等译，生活·读书·新知三联书店 1961 年版，第 423 页。

② 《普列汉诺夫哲学著作选集》第 2 卷，汝信等译，生活·读书·新知三联书店 1961 年版，第 426 页。

③ 《马克思恩格斯全集》第 23 卷，人民出版社 1972 年版，第 24 页。

在反对第二国际伯恩施坦修正主义包括新康德主义的斗争中，普列汉诺夫贡献颇多，战果丰硕。列宁在《马克思主义和修正主义》一文中就鲜明地指出："在国际社会民主党中，普列汉诺夫是从彻底的辩证唯物主义观点批判过修正主义者在这方面大肆散播的庸俗不堪的滥调的唯一马克思主义者"①。评价可谓中肯。当然我们也必须看到，由于自身哲学知识扎实程度和理论深度的问题，普列汉诺夫在对伯恩施坦修正主义、新康德主义的批判过程中也存在一些不足。主要表现在对待18世纪法国唯物主义优缺点的认知不够清晰上、混淆旧唯物主义和马克思主义哲学的关系问题以及对伯恩施坦修正主义的驳斥上不够充分。比如普列汉诺夫没有彻底反击伯恩施坦鼓吹阶级调和"和平"长入社会主义的谬论，甚至避而不谈伯恩施坦对马克思主义国家学说的歪曲和篡改。列宁在《国家与革命》一书中就指出："许多人都曾驳斥过伯恩施坦，特别是俄国著作界的普列汉诺夫和欧洲著作界的考茨基，但是，无论前者或后者都没有谈到伯恩施坦对马克思的这一歪曲"②。这些不足决定了他没能彻底完成反对伯恩施坦修正主义、新康德主义的历史重任。真正完成它的，是列宁。

## 二、对唯物史观的新贡献

普列汉诺夫对马克思主义哲学的一个重要贡献是对马克思所创立的唯物史观的发挥和发展。可以毫不夸张地说，他的相关主要著述几乎都涉及唯物史观理论。其中尤为突出的是，普列汉诺夫涉及了唯物史观的理论来源、马克思主义地理环境学说、社会结构学说、历史的统一性和多样性学说、历史必然性与人的自由自觉活动以及社会意识等众多内容。他在上述几个方面，不仅深刻地论证了马克思和恩格斯的思想，而且提出了许多独到而精辟的见解。

在普列汉诺夫思想理论中，他特别突出强调唯物主义在马克思主义整个学说中的基础性地位。他认为，唯物史观是在坚持唯物论的基础上批判地吸收唯心辩证法合理内核的基础上创立起来的。因而，与考茨基等人不同，普列汉诺夫一再强调，"马克思的社会主义有自己的哲学"，"现代社会主义的创始人是

---

① 《列宁专题文集　论马克思主义》，人民出版社2009年版，第151页。

② 《列宁专题文集　论马克思主义》，人民出版社2009年版，第224页。

唯物主义的坚决拥护者。唯物主义是他的整个学说的基础。”[①]在这里，唯物主义是作为历史唯物主义或辩证唯物主义、现代唯物主义同义语使用的，是唯物主义发展的新阶段，包含了深刻的发展观和唯物的历史观在内的世界观。他认为，历史唯物主义在马克思主义理论中具有基础性地位，构成了科学社会主义的基础。他说：“唯物主义历史观是科学社会主义的必要基础。”[②]历史唯物主义与政治经济学的关系也是如此。政治经济学与历史唯物主义关系密切。普列汉诺夫指出马克思在政治经济学说史上第一次用历史唯物主义方法来研究政治学，使政治经济学成为一门科学。普列汉诺夫指出：“他在这门科学里是运用了同样的方法，在处理这门科学时是采取了同样的观点，和他说明历史时所采用的一样：人在生产过程中的关系的观点。”[③]

首先，他系统深入地探讨了唯物史观的理论来源，具体论证了唯物史观的创立既是对以往历史理论合理思想的批判继承，又是历史观领域中的革命变革，是继承性和变革性的辩证统一。他的论述不仅颇具特色，而且无论就其系统性和深刻性来说，在马克思主义哲学史上都是独一无二的。普列汉诺夫再三强调，马克思的历史理论是以往历史观长期发展的产物，它“包括了一切有实际价值的历史观念，并且给予这些观念一个非常坚固的基础”[④]。所以，要实现对马克思历史理论的深刻理解，就“应当记住，直接先行于马克思而出现的哲学和社会科学已经得到了什么样的结果”[⑤]。为了全面深入阐发这个理论，普列汉诺夫对 18 世纪法国唯物主义、19 世纪空想社会主义、复辟时期法国历史学家的历史理论、黑格尔历史哲学和费尔巴哈哲学作了较为深入的梳理。

历史发展的动力这个问题成为普列汉诺夫考察唯物史观理论来源的出发

① 《普列汉诺夫哲学著作选集》第 2 卷，汝信等译，生活·读书·新知三联书店 1961 年版，第 377 页。

② 《普列汉诺夫哲学著作选集》第 3 卷，汝信等译，生活·读书·新知三联书店 1962 年版，第 60 页。

③ 《普列汉诺夫哲学著作选集》第 2 卷，汝信等译，生活·读书·新知三联书店 1961 年版，第 209 页。

④ 《普列汉诺夫哲学著作选集》第 2 卷，汝信等译，生活·读书·新知三联书店 1961 年版，第 162 页。

⑤ 《普列汉诺夫哲学著作选集》第 1 卷，汝信等译，生活·读书·新知三联书店 1959 年版，第 676 页。

点。他充分肯定了以往的历史哲学在探究历史动因问题上所做出的贡献，认为从法国唯物主义者到黑格尔、费尔巴哈都对此进行了探讨，也都提出了一些给人以启发的论断。比如，法国唯物主义者所提出的“人是环境的产物”这个命题，不仅是他们革新要求的理论基础，而且包含着唯物史观的萌芽。他十分重视爱尔维修试图用人的肉体需要解释社会发展的努力，认为尽管这个尝试未能获得成功，但它却“宛如一个给那些愿意继续法国唯物主义者事业的下世纪的思想家们的遗嘱”①，提示他们应该到人的观念、意见之外去寻找社会发展的动因。普列汉诺夫对19世纪空想社会主义者和复辟时期法国历史学家关于阶级斗争的理解给予肯定，认为他们关于“阶级斗争在西欧社会现代历史中的作用，投射了极其明亮的光芒，从而为科学地说明社会现象作了准备”②。他们的这些观点后来成了马克思创立唯物史观的“重要材料”。他对复辟时期法国历史学家关于财产关系是政治制度的基础的思想十分重视，认为它已经接近了马克思关于经济基础决定上层建筑的观点。他对黑格尔之所以重视财产关系在社会历史发展进程中的作用的剖析颇为精彩。他指出，当黑格尔用“绝对观念”去说明历史而不可避免地碰壁时，便不得不乞援于财产关系，用财产关系去说明问题，这样，他便“常常不得不从朦胧不清的唯心主义的峰顶降落到经济关系的具体的地基上来”③，而每当他乞援于财产关系时，财产关系也就确确实实地把他从唯心主义使他陷入的暗礁处脱离开来。在此情形下，黑格尔的唯心主义历史哲学便“暗中向我们指出了唯物主义的历史观”④，从而成为他无意中和不自觉地送给唯物主义的贡物。

在肯定以往历史理论在探讨历史动因问题上所提出的合理思想的同时，普列汉诺夫认为在人类思想史上，“马克思和恩格斯的前辈们在这方面的工作，只能当作搜集材料的一种准备工作，虽然这些材料是很丰富而且宝贵的，但还

---

① 《普列汉诺夫哲学著作选集》第1卷，汝信等译，生活·读书·新知三联书店1959年版，第579页。

② 《普列汉诺夫哲学著作选集》第3卷，汝信等译，生活·读书·新知三联书店1962年版，第40页。

③ 《普列汉诺夫哲学著作选集》第1卷，汝信等译，生活·读书·新知三联书店1959年版，第488页。

④ 《普列汉诺夫哲学著作选集》第1卷，汝信等译，生活·读书·新知三联书店1959年版，第482页。

不是系统化了的，还没有被一种普遍的思想所阐明”①。只有马克思和恩格斯运用了彻底的唯物主义观点去对前人的思想材料进行批判的考察，取其精华，弃其糟粕，揭示出历史发展的根本动因和客观规律，从而创立了唯物主义的历史观。唯物史观的创立是人类认识史上的“最伟大的发现”，因为它的出现，唯物主义被提升为一个完整的、首尾一贯的彻底的世界观，从而使人类第一次获得了说明人类历史的唯物主义哲学，实现了历史观领域中的划时代的革命变革。只有清楚马克思恩格斯之前的历史观发展到什么程度，提出过什么任务，解决了哪些问题，得出了哪些积极的结论，存在什么不足。唯有对此熟悉，才能真正认识到，马克思恩格斯的历史观所研究的起点，也才能知晓唯物史观解决了人类在历史领域中认识的困境乃至洞晓人类发展的未来方向。只有了解这些，才能真正理解唯物史观的创立及其伟大意义。否则，对它的理解将是抽象的，空洞的，肤浅的。正是在这个意义上，普列汉诺夫对唯物史观理论来源的探索才显得极具价值。

其次，普列汉诺夫深入具体地阐明了地理环境对社会发展的作用，对马克思主义地理环境学说做出了新的发挥和发展。在地理环境领域，普列汉诺夫提出了以下四个论断：第一，地理环境与人类社会发展相互作用，这也是马克思恩格斯一再强调的观点；第二，地理环境对社会发展的作用是以生产力为中介而实现的，这是其地理环境理论的核心观点；第三，地理环境作为一种“可变的量”，对社会发展作用的变化归根到底取决于生产力的变动，这是他具有独创性的一个极为重要的观点；第四，人类社会存在独立于地理环境的内在逻辑和规律，社会自身的内在矛盾而不是周围的地理环境决定着人类社会的发展。普列汉诺夫主要从第二、第四个方面对马克思主义地理环境学说作了发挥和发展。

普列汉诺夫强调地理环境通过对生产力的制约影响社会发展，他既肯定了地理环境对社会发展的重要作用，又指出了地理环境影响社会发展的方式和途径，这是对马克思主义地理环境学说的一个重要贡献。他强调指出，能否承认地理环境通过生产力对社会发展起作用，是区分马克思主义地理环境学说同“地理环境决定论”的主要标志。在普列汉诺夫看来，“地理环境决定论”的主

① 《普列汉诺夫哲学著作选集》第3卷，汝信等译，生活·读书·新知三联书店1962年版，第134页。

要错误不在于它用变化缓慢的地理环境作为解释变化较快的社会历史的原因，而在于它“仅仅局限于探究人们周围的自然界在心理方面或生理方面对人的影响，而完全忽视了自然界对社会生产力状况，并且通过生产力状况而对人类的全部社会关系以及人类的整个思想上层建筑的影响”①。与此相反，马克思认为“地理环境是通过在一定地方、在一定生产力的基础上发生的生产关系来影响人的，而生产力发展的头一项条件就是这种地理环境的特性”②。普列汉诺夫告诉人们，地理环境不是采用直接的方式来对社会经济、政治制度产生影响，而是以生产力为“中介”，而“这就是科学在研究关于自然界对‘社会人’的影响问题时所得到的结论”③。

在强调地理环境通过生产力对社会发展发生作用的同时，普列汉诺夫还特别指出，地理环境对社会发展的作用不是一个恒定不变的“常数”，而是一个日新月异的“变数”，其变化取决于生产力的发展。这是他对马克思主义地理环境学说的另一个贡献。在他看来，“社会人和地理环境之间的相互关系，是出乎寻常地变化多端的，人的生产力在他的发展中的每一进步，这个关系就变化一次。因此，地理环境对社会人的影响在不同的生产力发展阶段中产生着不同的结果。”④ 接着他进一步分析指出，地理环境对社会的影响“是一种可变的量”。伴随生产力的发展，人类对自然界的改造能力不断提升，人类与自然之间的关系相应就会发生改变。普列汉诺夫深刻地向人们揭示出：人类改造自然的活动会受地理环境的制约，反过来，人类的改造活动会随这种制约发生变化。这就深刻地揭示出了地理环境与社会发展之间复杂辩证的关系，告诉我们，地理环境对人类社会的作用不是地理环境对社会发展的作用不是僵化不变的，而是一个辩证发展的过程。这就警示我们，人类决不可形而上学地对待地理环境，而必须用发展、变化、联系的观点，从不同国家、民族，从不同社会

---

① 《普列汉诺夫哲学著作选集》第1卷，汝信等译，生活·读书·新知三联书店1959年版，第484—485页。

② 《普列汉诺夫哲学著作选集》第3卷，汝信等译，生活·读书·新知三联书店1962年版，第170页。

③ 《普列汉诺夫哲学著作选集》第4卷，汝信等译，生活·读书·新知三联书店1974年版，第293页。

④ 《普列汉诺夫哲学著作选集》第2卷，汝信等译，生活·读书·新知三联书店1961年版，第170页。

发展阶段的生产力状况出发，对地理环境的作用进行具体辩证的考察。显然，以上观点表明普列汉诺夫在更高层面上解答了地理环境为何对社会发展不起决定作用的问题。它之所以不起决定作用，主要的还不在于它比社会历史的变化缓慢得多，因而不能作为变化较快的社会历史的决定性原因，而在于地理环境作用变化的本身是由社会生产力的发展所决定的。这是在更为深刻的意义上对“地理环境决定论”的否定。

然后，普列汉诺夫对马克思主义社会结构理论也进行了令人瞩目的发挥和发展。普列汉诺夫指出，马克思在《〈政治经济学批判〉序言》中提出了他的社会结构理论的基本思想，书里面有被人们誉为历史唯物主义的“经典公式”。普列汉诺夫极其重视这个“经典公式”，认为它“包含着可以称为‘将作为科学出现的各门未来社会学的导论’的东西”①。在他看来，不论《序言》多么简短，它就是“科学社会学的导论”，而这个导论则是科学社会主义的理论基础。根据“经典公式”的基本思想，普列汉诺夫提出了关于社会结构的“五项因素公式”：“(一) 生产力的状况；(二) 被生产力所制约的经济关系；(三) 在一定经济‘基础’上生长起来的社会政治制度；(四) 一部分由经济直接所决定的，一部分由生长在经济上的全部社会政治制度所决定的社会中的人的心理；(五) 反映这种心理特性的各种思想体系”②。他认为这个公式应用相当广泛，它对社会结构中的各项基本因素都给了一个相当的位置。两个基本思想贯穿于普列汉诺夫的“五项因素公式”中：其一，它强调了整个社会结构的客观性，自始至终都体现了唯物主义一元论的原则。公式的前两项说明生产方式是整个社会结构的物质经济基础，属于社会物质生活方面；后三项的社会、政治、思想上层建筑，属于社会政治生活和精神生活领域，也就是说，整个公式自始至终都贯穿着生产力决定生产关系、经济基础决定上层建筑、社会存在决定社会意识、社会物质生活过程决定社会政治生活和精神生活过程的唯物主义原则。其二，它强调社会结构就其整体来说是一个由多种因素构成的活生生的“有完全生命的有机体”，其内部各要素相互依存、相互制约和相互作用。正是它们之间存在的这种关系，塑造出了人类社会所特有的矛盾运动，不断推动人类社会的

---

① 《普列汉诺夫哲学著作选集》第 2 卷，汝信等译，生活 · 读书 · 新知三联书店 1961 年版，第 403 页。

② 《普列汉诺夫哲学著作选集》第 3 卷，汝信等译，生活 · 读书 · 新知三联书店 1962 年版，第 195 页。

发展。

可以说，普列汉诺夫的公式既是对马克思“经典公式”的具体化，它还在多方面对“经典公式”作了进一步的发挥和发展。其一，它把社会结构的基本因素从马克思“经典公式”的三维结构——生产力、生产关系（其总和为经济基础）、上层建筑具体化为五维结构——生产力、生产关系（经济关系）、政治制度、社会心理和思想体系，并对它们之间的层次关系作了一个由下至上的“等级系列”的解读。其二，它首次将社会意识分为两种基本层次，具体表现为“社会心理”和“思想体系”这就把社会意识这一范畴具体化了。其三，它既承认社会经济关系决定社会心理，同时认为社会政治关系也决定着社会心理，社会经济关系和社会政治关系又进一步依托社会心理决定着思想体系的形成和发展。

除了以上具体化维度，普列汉诺夫的公式还提出了一些与“经典公式”不尽一致的地方，而这些不同却能启发人们对“经典公式”作更好的理解。例如，它使用了“基础”这一概念，实际上认为“经济基础”可作狭义和广义两种理解。就狭义而言它是生产关系的总和，就广义而言它是生产力和生产关系的统一。又如，它把社会政治制度看成是介于经济关系和社会心理之间的基本因素，实际上承认它具有二重性：相对于经济关系来说，它是政治上层建筑，其性质和发展变化归根到底是由社会经济关系决定的；相对于社会心理和思想体系来说，它又具有社会存在的性质，它同经济关系一起，决定人们的社会心理并进而对思想体系起决定作用。

当然，普列汉诺夫的公式也存在明显的不足。主要表现在：“经典公式”对社会结构及其矛盾运动的考察，是同论证社会革命尤其是无产阶级社会主义革命的必然性联系在一起的；普列汉诺夫的公式则大为逊色，它只着眼于考察社会结构各项因素之间的关系，而没有把考察同论证社会革命尤其是无产阶级社会主义革命的必然性紧密结合起来。相比之下，他“五项因素公式”不是前进了，而是后退了。究其缘由，正是普列汉诺夫理论与实践相脱离这一致命弱点的体现。另外，普列汉诺夫还对历史唯物主义有关历史必然性与人的自由自觉活动学说进行发挥和发展。普列汉诺夫指出，人的意志自由与历史必然性的关系问题，乃是历史观的一个极为重要的问题，历史唯物主义认为，人的意志自由不仅不排斥历史必然性，恰恰相反，它是建立在承认历史必然性基础上的。“如果在自由的人的活动基础上没有安置着为活动者所理解到的必然性时，那么任何人的自由的（自觉的）活动的可能性就等于零。”[①] 他指出，那种把个人意志自由同历史必然性绝对对立起来，用前者否定后者的观点，无论在理论上还是在实践中都是一个“重大的错误”。而且，唯心主义者“在理论上”愈是给自由以更多的地位，则在“实践领域中愈是将自由归之于无”，因为正是在这里“他们不能掌握那以自由的全部力量武装起来的偶然性”[②]。换言之，唯心主义把意志自由推崇为绝对，就必然抹煞历史必然性，而一旦否弃了历史必然性，无数的偶然性因素就支配着人们的实践活动，这样一来也就谈不上人所谓的意志自由了。

普列汉诺夫还批判人们把历史必然性与人的意志自由绝对对立起来，进而否定人的意志自由和主体作用的论断。他认为：“乍一看来，如果在历史中起支配作用的是必然性，那末，历史中似乎就没有人类活动的地位了。这是一个重大的错误。”[③] 在一些资产阶级学者看来，马克思强调历史必然性就意味着承认人类屈从于这种必然性而不能展现人的主体性。普列汉诺夫驳斥了这种观点，他认为，没有比这种指责更可笑的了，“在庸人们看来，现代辩证唯物主义势必把人类变成自动机械，可是事实上，现代唯物主义在历史上第一次破天荒地开辟了通向自由和自觉活动的王国的道路”[④]。他坚决反对把历史必然性曲解为历史是“自然而然地”发展的观点，这种观点完全歪曲了唯物史观的实质。他指出，唯物史观所论证的历史必然性不仅不会否定人的意志自由而导致人在历史中的无所作为，与此正相反，“正是唯物主义历史观，给人类指出了从必然性的领域引向自由的领域的道路”[⑤]。在人类认识史上，那种不承认人的意志自由和主体作用的唯物主义无疑是有的，但注定不会是马克思的唯物主义，而是旧唯物主义。

---

① 《普列汉诺夫哲学著作选集》第 1 卷，汝信等译，生活·读书·新知三联书店 1959 年版，第 660 页。

② 《普列汉诺夫哲学著作选集》第 1 卷，汝信等译，生活·读书·新知三联书店 1959 年版，第 660 页。

③ 《普列汉诺夫哲学著作选集》第 3 卷，汝信等译，生活·读书·新知三联书店 1962 年版，第 42 页。

④ 《普列汉诺夫哲学著作选集》第 2 卷，汝信等译，生活·读书·新知三联书店 1961 年版，第 343 页。

⑤ 《普列汉诺夫哲学著作选集》第 2 卷，汝信等译，生活·读书·新知三联书店 1961 年版，第 205 页。

在阐释了历史必然性与人的自由自觉活动的关系问题后，普列汉诺夫进而对人在历史上的作用问题进行了精辟的论述。他的阐述有两大显著特点：其一，自始至终将个人在历史上的作用同自由与必然、偶然性与必然性这两对重要范畴契合起来考察，以此来寻求问题解决的立足点和出发点。正是这样一种视角，使得对这个问题的考察站在了新的高度。其二，深入考察了历史人物的个人作用和社会条件之间的关系。普列汉诺夫认为，杰出人物要充分发挥其作用必须具备以下两个条件：一是杰出人物具备比别人更高的才能并且更适合当时的社会发展需要；二是杰出人物应当生活在一个有其“用武之地”的社会制度环境中。显然，这些特性使其关于个人在历史上的作用的阐述更为突出。

再次，普列汉诺夫拓展和丰富了历史的统一性和多样性的论述。普列汉诺夫分析得出，人类社会遵循一定的规律发展前进，各个国家和民族从根本上都要遵循人类社会自身发展规律，这种遵循使得历史具有了共同性即统一性。但是，在历史长河中，各个国家、民族具体的发展样态、路径等又不尽相同，这种差异性使人类历史又具有多样性。普列汉诺夫深入考察了这个现象，并分析了这种多样性产生的原因。关于这个问题，他认为，这是由于各个国家和民族处在不同的地理环境以及不同的“国际社会环境”导致的，但“国际间的关系对这种发展也许有更大的影响”①。正是由于以上两个原因导致按照共同规律发展的各个国家和民族的历史各具特色而呈现出差异性和多样性。

同历史发展的同一性和多样性相联系，普列汉诺夫还对历史发展的原因进行探究。他把历史发展的原因分为“一般原因”、“特殊原因”和“个别原因”，据此分析了三者之间的关联、区别及各自在历史发展中所承担的角色。在他看来，“一般原因”是指决定历史运动的“生产力发展情形”，即人们通常所说的生产力水平与状况，它是历史发展的“终极和最一般的原因，人类社会关系的历次变迁是由这种生产力决定的”②。“特殊原因”是指“某个民族生产力发展进程所处的历史环境”，即某个民族生产力发展进程所处的具体的历史条件。

---

① 《普列汉诺夫哲学著作选集》第 2 卷，汝信等译，生活 · 读书 · 新知三联书店 1961 年版，第 204 页。

② 《普列汉诺夫哲学著作选集》第 2 卷，汝信等译，生活 · 读书 · 新知三联书店 1961 年版，第 372 页。

所谓“个别原因”则指“社会活动家个人特点及其他‘偶然性’的作用”①。它影响历史的“个别外貌”。这三种原因在历史发展进程中的作用各不相同。其中，“一般原因”支配“特殊原因”，二者结合起来决定着历史的趋势和方向；“个别原因”不但无法从根本上改变“一般原因”和“特殊原因”作用，相反，它自身的作用以及它所影响的广度和方向都是受“一般原因”和“特殊原因”的控制。即使这样，人们研究历史发展变化时也不能忽视“个别原因”存在的影响，“如果影响历史的那些个别原因已被别种个别原因所代替，那么这个历史无疑是会具有另一种外貌的”②。普列汉诺夫的上述分析，对于进一步探讨历史的统一性和多样性有不可忽视的价值。

最后，普列汉诺夫对马克思主义社会意识理论也进行了丰富、拓展性的探讨。晚年恩格斯为了反对把唯物主义原则当作“标签”和“套语”和把唯物史观简单化、庸俗化的倾向，曾高度重视社会意识问题的研究。他指出这是一个十分薄弱而又前景广阔的研究领域，在这里面，“谁肯认真地工作，谁就能做出许多成绩，就能超群出众”③。恩格斯逝世后，普列汉诺夫开始重点研究社会意识问题，推动了该问题研究进一步向前发展。

普列汉诺夫研究发现，对唯物史观开展研究，“最重要的是解释意识形态”。他进一步指出：“现在我们比任何时候都需要奋勉地慎重地来研究在一切领域内和一切地方的人类精神发展的历史”，只要承认自己是马克思的追随者，“谁就不能只是简单地重复这句话：不是意识决定存在，而是存在决定意识；相反的，他应当竭力弄清楚，这种存在决定意识事实上是怎样发生的”④。在他眼里，这是一项“最有趣和诱人的”⑤任务。

普列汉诺夫对马克思主义社会意识理论的拓展主要体现在：第一，他深入探讨了社会意识的结构、层次问题，第一次在马克思主义哲学史上提出了社会

---

① 《普列汉诺夫哲学著作选集》第 2 卷，汝信等译，生活·读书·新知三联书店 1961 年版，第 372 页。

② 《普列汉诺夫哲学著作选集》第 2 卷，汝信等译，生活·读书·新知三联书店 1961 年版，第 371 页。

③ 《普列汉诺夫哲学著作选集》第 4 卷，汝信等译，生活·读书·新知三联书店 1974 年版，第 475 页。

④ [俄] 普列汉诺夫：《论西欧文学》，吕荧译，人民文学出版社 1957 年版，第 112 页。

⑤ 《普列汉诺夫哲学著作选集》第 1 卷，汝信等译，生活·读书·新知三联书店 1959 年版，第 754 页。

意识两分说。他把社会意识分为社会心理和思想体系两个层次，并对其各自特点及相互关系作了进一步探讨。第二，他对社会心理的研究成就尤为突出，为马克思主义社会心理学说奠定了理论基础。他认为社会心理不但是唯物史观的重要范畴，而且充当着思想体系和政治制度、社会经济关系之间的“中介”、“桥梁”，既论证了在社会意识范围内，社会心理是思想体系的根源，又揭示出社会经济关系与政治制度对社会心理的决定作用，阐明了社会意识的根源。第三，他从多个视角深刻阐述了社会意识自身的发展规律，提出了一些独到见解，特别是深入论证了社会意识的反作用。他告诉人们，只承认社会存在决定社会意识，“这还不是全部的历史唯物主义，必须补充一句：意识一经在存在的基础上产生，就反过来促进存在的进一步发展”[①]。不难看出，他在这里把社会意识的反作用，提升到历史唯物主义基本原理不可或缺的组成的高度来研究它。普列汉诺夫特别重视理论的伟大作用，他在1883年完成的第一部马克思主义著作《社会主义与政治斗争》中就明确地提出了“没有革命的理论就没有名副其实的革命运动”[②]这一著名论断。在1902年，列宁在《怎么办?》中，几乎逐字逐句地重复了普列汉诺夫的这句名言，他写道：“没有革命的理论，就不会有革命的运动”[③]。

## 三、对马克思主义美学和宗教学的贡献

马克思恩格斯逝世后，普列汉诺夫积极宣传和阐述马克思主义，在马克思主义发展史上做出了卓越的贡献。他研究成就涉猎广泛，不仅在唯物论、辩证法、认识论、历史观、哲学史领域建树颇丰，还在美学和宗教学领域对美学和宗教观进行了深入研究，取得了一系列成果。普列汉诺夫系统阐释和发展了马克思恩格斯的美学思想，取得了巨大成就。相比于梅林、拉法格等人，普列汉诺夫对马克思主义美学的贡献更为显著。他的美学思想和文艺理论曾经造就了

---

① 《普列汉诺夫哲学著作选集》第3卷，汝信等译，生活·读书·新知三联书店1962年版，第346页。

② 《普列汉诺夫哲学著作选集》第1卷，汝信等译，生活·读书·新知三联书店1959年版，第98页。

③ 《列宁专题文集　论无产阶级政党》，人民出版社2009年版，第70页。

一代马克思主义美学家和文艺理论家。包括卢那察尔斯基（Lunacharsky）、弗里契（Fritsch）等苏联早期的著名马克思主义美学家和文艺理论家，都直接受到了普列汉诺夫的重大影响。随着普列汉诺夫的美学理论漂洋过海到其他国家，许多国家的进步的和革命的文艺理论家都曾受益于其美学思想。另外，普列汉诺夫利用马克思主义基本观点、基本方法深入研究了宗教问题，提出了不少独到创见，推动着马克思主义宗教观进一步发展。

普列汉诺夫的美学涉及范围很广，在许多方面都有新的开拓。主要表现在：第一，他十分重视研究历史观与艺术观的关系，力图将唯物史观的基本原理和方法运用于美学和文艺学的研究，将研究建立在科学的理论基础上。普列汉诺夫指出，无论美学家和文艺理论家承认与否，艺术观必然从属于一定的历史观，他们所从事的研究必然会受到一定的社会历史观支配和制约。要进行艺术观的研究就首先要弄清楚“社会发展的规律和社会发展的潜伏力量”①，只要人们意识到艺术史和社会环境史是紧密联系的，社会关系的变化都会引发人们观念随之变化，“社会立刻承认，必须首先辨明那些造成人的关系中的重大变化的原因，然后才能正确地建立艺术演进的规律”②。通过对马克思以前的美学思想历史的梳理，普列汉诺夫得出“历史的美学”必须立足于科学的社会历史观。在他看来，这个科学的历史观就是唯物史观。正如他在《没有地址的信》中所言，“美学科学的理论只有依据唯物史观才能向前迈进。”③

普列汉诺夫的“五项因素公式”既为他研究唯物史观提供了大纲和方法，同时也是他研究美学和艺术问题的总纲。借助这个公式，普列汉诺夫解决了以往困扰美学和艺术理论领域之间的诸多难题，特别是决定艺术发展的最终原因和影响艺术发展的多因素问题。他研究指出，社会生产力是艺术演进的最终原因，同时艺术发展也受到社会心理、社会政治关系、社会经济关系等要素的影响。正如他所说：“文学、艺术、哲学等等表现着社会心理，而社会心理的性质是由构成该社会的人们所处的那些相互关系的特性决定的。这些关系归根到

① 《普列汉诺夫哲学著作选集》第 2 卷，汝信等译，生活·读书·新知三联书店 1961 年版，第 177 页。

② 《普列汉诺夫哲学著作选集》第 2 卷，汝信等译，生活·读书·新知三联书店 1961 年版，第 181 页。

③ 《普列汉诺夫哲学著作选集》第 5 卷，汝信等译，生活·读书·新知三联书店 1984 年版，第 344 页。

底依存于社会生产力的发展程度。生产力的发展的每一个重大的步骤引起人们社会关系的改变，因而也引起社会心理的改变。社会心理所发生的变化，一定也多少鲜明地既影响到文学，也影响到艺术，又影响到哲学等。”①他进一步指出：“社会关系的改变使各种不同的‘因素’行动起来，而哪一个因素当时对文学、艺术等等的影响更为强烈，这决定于许多同社会经济完全没有直接关系的次要的和更次要的原因。经济对艺术和其他意识形态的直接影响一般是极少看得出来的，最常发生影响的是其他因素，即政治、哲学等等。有时候其中一种因素的影响比其他因素的影响更为显著。”②

除此之外，普列汉诺夫对当时比较流行的三种艺术观点进行了批判，包括艺术观中的生物学观点、地理环境决定论观点和人性论观点。对于有学者用达尔文进化论观点来研究艺术这一时髦现象，他认为唯物史观研究的领域恰恰开始于达尔文主义者研究领域的终结，艺术研究必须“从生物学转到社会学”上来。针对艺术观中存在的地理环境决定论，普列汉诺夫认为，自然环境不是艺术发展的根本原因，它只是起着间接的影响，根本原因归根到底还是生产力和在生产力基础上形成的社会经济关系和政治关系。而对于艺术观中的人性论特别是人种论观点，他指出，人性、人种对艺术有影响，但同样不是艺术发展的根本动力，“我们知道有石器时代的艺术和铁器时代的艺术；可是我们并不知道有什么白种人，黄种人等不同种族的艺术”③。

第二，普列汉诺夫运用唯物史观研究美学和艺术理论最有成就的一个领域就是他在马克思主义美学史上第一个系统而又深入地阐明了艺术与审美的起源。他从四个方面论证了艺术与审美起源于劳动的观点。其一，劳动孕育了人类从事艺术活动的最初冲动。他认为，原始人想再度体验狩猎活动中产生的快乐的冲动引发作为艺术萌芽的游戏的诞生。所以，随着狩猎活动的开展，描绘动物形象和动作的舞蹈与绘画也随之产生。其二，劳动不但先于艺术产生，还决定着原始艺术的内容和性质。原始艺术中从不见有关植物的描绘，一般是对

---

① 《普列汉诺夫哲学著作选集》第5卷，汝信等译，生活·读书·新知三联书店1984年版，第245页。

② 《普列汉诺夫哲学著作选集》第5卷，汝信等译，生活·读书·新知三联书店1984年版，第245页。

③ 《普列汉诺夫哲学著作选集》第2卷，汝信等译，生活·读书·新知三联书店1961年版，第276页。

动物形象和动作的模仿以及狩猎场面和过程的简单描绘。这就说明原始狩猎决定着狩猎部队原始艺术的内容。其三，原始人从事艺术活动的能力和审美感是在生产劳动中培养、锻炼和发展起来的。他研究发现，“好的教师”、“忠实描绘自然的才能”、“观察能力”和“手的灵巧”这些正是在原始狩猎活动中得以培养和锻炼出来的。其四，生产劳动决定了人们从实用劳动过渡到审美活动。通过研究，他认为，有用物品的生产先于艺术生产。从前者向后者转变，模仿快感的因素固不可少，但这种模仿在原始狩猎民族中体现，在原始农业民族那里却少见。唯一的理由只能是生产劳动形式的不同。因此，生产劳动是实现有用物品的生产向艺术生产转变的根本原因。他还指出，促成社会分工的生产力的发展导致艺术的最后形成和它对生产活动的直接依赖性的消解。

当然，普列汉诺夫是从归根到底意义上来谈论艺术起源于劳动的，指的是艺术产生的终极原因。同时，他也承认其他一些因素同样会对艺术产生影响，包括原始战争、性爱、原始宗教——图腾崇拜以及实用性因素等。所以，他认为，研究艺术的起源，既要考察原始战争、性爱、图腾崇拜及实用性因素的作用，又要进一步论证生产劳动如何在归根到底意义上制约这些因素作用的发挥，进而揭示出艺术归根到底起源于生产劳动。普列汉诺夫上述论断系统阐述和进一步发展了马克思恩格斯关于艺术起源的理论。

第三，普列汉诺夫对美感的特征也有精彩的论述。主要有两个观点：一是，从人与对象的关系来看，审美特征是主观的非功利性与客观的功利性的统一；二是，从人的心理过程来看，审美的特点是直觉性与非直觉性的统一。

康德对美感的特征作过系统论述。他认为，与感官快感和道德上的赞许所引发的快感不同，审美快感的特别之处在于它与利害关系无关，是唯一一种不计较利害关系的自由快感。显然，康德夸大了审美判断的无功利性乃至把它绝对化，从而人与审美对象之间客观功利性关系的存在。普列汉诺夫对此持批判态度，他指出：“康德的定义（美是没有任何利害关系而喜爱的东西）——是不正确的。”[①]但他又认为，从人对审美对象的主观态度而言，审美判断确实是非功利的，兴趣判断毫无疑问是以作这种判断的个人没有任何功利性的想法为前提。因此，他又认为康德关于“审美判断无利害”的观点是不错的，应该为

① 《普列汉诺夫哲学著作选集》第5卷，汝信等译，生活·读书·新知三联书店1984年版，第409页。

之“留下一席地位”[①]。有人批评普列汉诺夫的上述观点表明他同康德的“审美无功利”论没有划清界限，这种批评难以成立。在他看来，审美的非功利性只是问题的一面，问题在于它还有审美的功利性这面。他认为，审美的“功利性毕竟是存在的”，“它是审美享受的基础”，如果没有功利，“对象也就不见其美了”[②]。从他的理解来看，审美的非功利性指的是人们在审美时主观上没有意识的功利观念，即不“以有意识的实用观点来看待事物”。但这并不表示审美对象与人之间不存在客观的功利关系，而是人们对这种功利性没有自觉地意识到而已。普列汉诺夫告诉人们，东西并非有用对于人就是美的，“但毫无疑问，只有对他们有用的东西，就是说他们向自然界或别的社会的人进行的生存斗争中具有意义的东西，在他们看来才是美的”[③]。这点恰恰是将普列汉诺夫与康德的“审美无功利”论区分的关键所在。总言之，普列汉诺夫在美感问题上是一个坚持功利性与非功利性的统一论者。能够基于马克思的实践观来阐述美感的功利性与非功利性的辩证统一关系，这充分展示出了普列汉诺夫思想的深刻性。

普列汉诺夫在论述审美活动的直觉性与非直觉性的统一性问题上也颇有建树。如果说他把主观上的非功利性与客观上的功利性的统一看成是，美感与非审美感在人与自然的关系方面的显著区别。他接着告诉人们，直觉性则是美感与非审美感在人的主观心理方面的显著区别。普列汉诺夫把审美的直觉性特点概括为三点：一是他是一种不同于逻辑思维的能力；二是它的主要特点是“直接性”；三是它还具非自觉、无意识的特点，因而属于“本能”的领域。虽然强调审美具有直觉性的特性，但这并非表示普列汉诺夫将审美的直观与动物的感性直观一致即赞同审美的非理性主义，而是在肯定审美属人性、社会性的前提下，区分出审美活动和一般认识、理智活动的不同之处。这个不同就是：人在审美活动中采取直观的形式，理性与感性联系密切并直接融入感性之中。

普列汉诺夫在审美特点问题上考察的突出贡献在于，他将马克思主义的实

① 《普列汉诺夫哲学著作选集》第5卷，汝信等译，生活・读书・新知三联书店1984年版，第498页。

② 《普列汉诺夫哲学著作选集》第5卷，汝信等译，生活・读书・新知三联书店1984年版，第497页。

③ 《普列汉诺夫哲学著作选集》第5卷，汝信等译，生活・读书・新知三联书店1984年版，第497页。

践观引入到审美问题的研究中来，进而发现了审美的主观上的非功利性与客观上的功利性相统一、直觉性与非直觉性相统一的基础，并从理论基础上对在美学史上极有影响的康德关于审美特征的学说作出深入的批判性的考察和实事求是的评价。这是马克思主义美学史上为数不多的论述。

第四，普列汉诺夫运用唯物史观的基本观点对艺术的本质与特征作了深入探讨，他的许多论述至今还有参考价值。

普列汉诺夫在他有关艺术的定义中阐述了艺术本质的认知。他告诉人们，“艺术开始于一个人在自己心里重新唤起他在周围现实的影响下所体验过的感情和思想，并且给予它们以一定的形象的表现。不用说，在极大多数场合下，一个这样作，目的在于把他反复思索和反复感觉的东西传达给别人。艺术是一种社会现象。”① 接着，普列汉诺夫还特别指出，“艺术是一种社会现象”，“是人与人之间精神交往的一种手段”②。因此，艺术本质与规律的探讨必须依托于一定的社会关系而进行，而不能就艺术本身来谈论这个问题。那么，艺术究竟是作为一种什么样的社会现象存在呢？普列汉诺夫指出，从社会结构来分析，艺术是在经济基础之上产生和发展起来的“社会意识形态上层建筑”。接着，他进一步分析指出，艺术不是一般的社会意识形态，而是一种高级的社会意识形态。在普列汉诺夫那里，社会意识形态分为“第一级的意识形态”和“高级的意识形态”两个层次，前者指法权、政治、道德观点等，后者则指向艺术、哲学等方面。前者跟经济基础的联系更为直接、紧密，后者相对较远，还需要一定的中间环节来联系。普列汉诺夫还进一步阐述了“高级的社会意识形态”中艺术的两个显著特征。艺术通过作家和艺术家在周围环境的影响下经过体验而生发感情和思想，艺术家“以形象”来思索和体现自己的思想和感情。

普列汉诺夫借助艺术定义来阐发艺术本质，这种路径的优越性在于：其一，与以往把艺术仅仅看作是自我心灵表现的唯心主义表现论的观点不同，他的观点强调艺术家所表现的思想情感是周围现实生活影响的结果，从本质上说是社会生活的反映。其二，与简单的反映论不同，普列汉诺夫认为，艺术对生

---

① 《普列汉诺夫哲学著作选集》第5卷，汝信等译，生活·读书·新知三联书店1984年版，第308页。

② 《普列汉诺夫哲学著作选集》第5卷，汝信等译，生活·读书·新知三联书店1984年版，第837页。

活的反映是艺术家对社会生活认识、理解和情感的折射。不难发现，艺术源于生活高于生活，包含艺术家丰富的思想情感。其三，强调艺术既要表现情感，也要表现思想，强调了情感与思想的统一、感性与理性的统一，凸显其全面性。

第五，普列汉诺夫在探索艺术及其演进规律时着重关注艺术与社会心理关系的研究是其美学理论中颇具特色的一个方面。

在论及社会心理与艺术之间关系时，普列汉诺夫着重强调社会心理是艺术的直接来源，艺术则是社会心理的反映。这里的“根源关系”和“反映关系”跟社会领域的“社会存在”与“社会意识”所蕴含的“根源关系”与“反映关系”不同，前者指的是社会意识范围内艺术对社会心理的依赖关系。普列汉诺夫主要从以下三个方面阐述了艺术对社会心理的依赖关系：其一，社会心理对于文学艺术作品中人物性格的塑造具有极为重要的影响。那些反响较大，引发强烈共鸣的作品一般都是“因为它是整个社会阶级或至少是整个阶层的心理”①的反映。作为现实主义学派代表人物，普列汉诺夫对巴尔扎克的作品赞誉有加。其二，文艺作品题材的选择，也受特定时代、特定阶级或阶层社会心理的强烈制约。普列汉诺夫通过深刻解读 17、18 世纪法国戏剧和绘画题材上的变化与社会心理变化之间的互动关系，生动揭示出社会心理对文艺题材选择强烈的影响。其三，社会心理也影响着艺术的时代风格的塑造。普列汉诺夫梳理研究从法国路易十四、路易十五时代到法国大革命前夕社会心理的变化，具体展示了这一时期法国艺术风格的演变过程，从而揭示了艺术风格对社会心理的依赖关系。

显然，普列汉诺夫对艺术与社会心理的关系作了深刻全面的阐述。他认为艺术是社会生活的反映，同时又强调艺术与社会生活特别是社会物质生活与之间存在着社会心理这个不可忽视的中间环节，这就进一步揭示了艺术反映社会生活的具体途径，从而大大丰富了对艺术演进规律的研究。

由是观之，普列汉诺夫把文学艺术反映社会心理看成是艺术的一个普遍规律，并且强调研究文学艺术必须重视考察社会心理。但是，在分析这个问题时，不能把文学艺术对社会心理的依赖关系简单化，两者关系并非这么简单。

---

① 《普列汉诺夫哲学著作选集》第 5 卷，汝信等译，生活·读书·新知三联书店 1984 年版，第 187 页。

在他看来，一定阶级和“表现这一阶级的志向和趣味的思想家的不和谐，在历史上是屡见不鲜的”①。文学艺术家的创作并非都是自觉去迎合某一阶级或阶层的利益，其作品也并非都能赢得所映现阶级或阶层的普遍理解和同情。例如，法国浪漫主义文学运动是19世纪资产阶级心理的反映，然而它在法国资产阶级中间并没有得到“普遍的同情”，当时法国的资产阶级在诸多方面没有理解作家在文学艺术方面的努力，同时，作为资产阶级的思想代表，法国浪漫主义者却时不时对“愚钝的有产者”表现出种种指责和抨击。此外，普列汉诺夫对艺术与其他社会意识形态的关系、文学艺术发展中的继承性、文学艺术发展与社会经济发展的不平衡性、阶级斗争对艺术发展的影响和文艺批评等问题，也都进行了深入研究，提出了不少精辟的见解，至今仍有重要的价值。

普列汉诺夫在宗教领域也有相当大的成就。哲学唯心主义和宗教历来都是一卵同胞。哲学唯心主义需要将宗教作为自己的最后避难所，而宗教则需要哲学唯心主义作为自己的精神理论支柱。1905年革命失败后，哲学唯心主义在俄国严重泛滥，复活宗教的活动也日益猖獗，主要表现为寻神说和造神说。

寻神说主张神是幸福和自由的源泉，相信神是道德存在的基础。人们要追求幸福、自由和道德，就必须追求神，信仰神。如果失去信仰，否认神，人的道德就会丧失，就会沾上绝对庸俗的习气，就会给人类带来灾难。据此，寻神论者用虚构的“知识分子”概念来攻击唯物主义者和社会主义者是一群丧失了高尚道德、过分追求物质利益而轻视内在价值——精神价值和宗教价值——的庸俗的人，指责他们领导的工人运动消解了人们的宗教信仰，激起了人民欺辱、嫉妒的本能，使社会陷入悲剧性冲突中，是一场“巨大的社会灾难”。他们甚至认为革命的失败是无宗教信仰的社会主义理想的失败，有意掩盖民主革命失败的真正原因，甚至感谢沙皇政府用刺刀和监狱把俄国从人们的怒火中“拯救”出来。寻神论者要求人们通过道德宗教的洗礼，认清自己的罪恶，忏悔不信教的过失，克服理性主义，强迫社会主义者相信：“革命概念是个否定的概念”，人民结合起来不能通过阶级斗争和无产阶级革命，断言革命激情就是“仇恨和破坏”。最后，他们呼吁俄国人民只有寻找一个“共同的神”、“精神上理想的神”、“幸福、美好、完善的神”、寻找新的、“真正的”基督教，用

① 《普列汉诺夫哲学著作选集》第1卷，汝信等译，生活·读书·新知三联书店1959年版，第715页。

它们来代替人们心中“虚假的”社会主义理想，才能恢复俄国社会的和睦与宁静，拯救俄国于灾难之中。俄国工人阶级政党一些人也开始受到俄国自由资产阶级的寻神说的影响。

与寻神说相呼应，造神说在革命队伍中开始出现。造神论者认为，人是唯一的绝无仅有的神，主张通过人类集体的力量来“创造神”。造神论者借着“改善”和“发展”马克思主义的旗号，企图调和社会主义和宗教。他们指出，宗教是道德和美学的理想，宗教感情是人类永恒的固有情感，只有宗教才是社会主义的组织力量。造神论者故意歪曲“爱尔福特纲领”有关“宗教是私人的事情”的本意，呼吁社会民主党要认真处理“宗教是私人的事情”，并鼓吹要创造一个新的“没有神”的“社会主义”的宗教。造神说与寻神说形式有别但本质相同，两者都鼓吹神秘主义；危害性也一样：传播颓废情绪，劝诱人民放弃斗争，沉溺于祈祷和忏悔之中，无条件服从统治者。所以，它们都遭到了普列汉诺夫的无情批判。从 1907 年到 1911 年，普列汉诺夫先后写了《评安·潘涅库克的一本书》、《评弗吕根纳的一本书》、《论俄国的所谓宗教探寻》、《评爱·布特鲁的一本书》等文章，对寻神说和造神说的反动理论进行了严厉的批判和揭露，揭示了宗教的起源与本质。

在普列汉诺夫眼里，寻神派是一群颓废主义者和神秘主义者，在他们的思想中充满了对唯物主义和无神论的仇恨。他们宣扬寻找“精神上理想的神”，表面上看是为了高尚的道德，为了人们的幸福和社会进步。普列汉诺夫指出寻神派的政治目的：就在于通过攻击马克思主义，丑化社会主义思想，宣扬无政府主义，反对无产阶级革命。他们对阶级斗争学说和无产阶级用这一学说来维护自己的生存权利的“庸俗习气”的指责，恰好是对他们自己的资产阶级利己主义精神的辛辣嘲笑，因为他们从来都“不鄙视生活享受，相反地，还因为现代资产阶级社会没有保证他们得到足够的享受而表示愤慨”，他们也丝毫不反对社会分为阶级的现象，只是对无产阶级反对有产阶级的阶级运动感到厌恶。寻神派反对工人阶级开展政治斗争、进行社会主义革命。他们认为，这样做会破坏人们完善的道德，增长人们的仇恨心理和精神自杀①。普列汉诺夫分析揭穿寻神派赞美无政府主义，破坏无产阶级革命团结的真面目。普列汉诺夫指

① 《普列汉诺夫哲学著作选集》第 3 卷，汝信等译，生活·读书·新知三联书店 1962 年版，第 470—471 页。

出，寻神派赞美西欧的无政府主义者，诬蔑马克思主义太“好权”，反对无产阶级在革命斗争中表现出来的自我牺牲精神[①]。寻神派头目明斯基把无政府主义吹得天花乱坠。他说：“自由主义的社会主义者原来是十分激进的，头目既否认私有制同时又否认有组织的政权，因此他们有权认为自己根除了庸俗生活观和庸俗生活方式的毒素”[②]。普列汉诺夫指出寻神派是巴枯宁—克鲁泡特金派的无政府主义者，他们颂扬工人运动中的无政府状态。普列汉诺夫指出无政府主义不利于无产阶级的革命团结。接下来，普列汉诺夫批判了寻神派这种反对无产阶级斗争的理论来源。

在批判寻神说的同时，普列汉诺夫对造神说也进行了批判和揭露。他指出，造神派对宗教的认知与马克思对宗教的看法完全对立。马克思反对宗教，对宗教持辩证批判的态度。造神派则依据费尔巴哈的爱的宗教说，认为宗教是道德的基础和社会进步的力量，而这恰恰是马克思恩格斯早就批判过的；马克思认为宗教是由颠倒了的社会关系所产生的颠倒了的世界观，造神派则认为，即使社会关系没有“颠倒”，我们也要竭力颠倒人的世界观；马克思则把宗教看成是那些还没有获得自己或再度丧失了自己的人的自我意识和自我感觉的产物，造神派则认为，即使当人“获得”自己的时候，宗教也必须存在。普列汉诺夫据此认为，造神派企图结合起宗教和马克思主义，创造一个“无神”的社会主义宗教，这完全是他们自己的臆想。事实上，宗教和社会主义理论截然不同，所谓“无神”的社会主义新宗教，纯粹是一种欺骗，因为无神的宗教是不存在的；哪里有宗教，哪里就一定有神。探究造神派的观点和谎言的缘由，普列汉诺夫指出这表明他们对任何先进社会理想的胜利失去了信心，只能在逃避革命斗争的宗教幻想中寻找对前途悲观失望情绪的精神安慰。很明显，“他们同无产阶级本身，同自为的无产阶级，同达到自我意识的工人阶级，没有丝毫‘共同之点’。他们是俄国最善感的、最肤浅的、因而也最不稳定的知识分子中的典型‘知识分子’”[③]。普列汉诺夫继续指出，造神派的世界观是典型的资产

① 《普列汉诺夫哲学著作选集》第 3 卷，汝信等译，生活·读书·新知三联书店 1962 年版，第 492—493 页。

② 转引自《普列汉诺夫哲学著作选集》第 3 卷，汝信等译，生活·读书·新知三联书店 1962 年版，第 493 页。

③ 《普列汉诺夫哲学著作选集》第 3 卷，汝信等译，生活·读书·新知三联书店 1962 年版，第 432 页。

阶级世界观，造神派“假装是历史唯物主义的拥护者”①，但他们信奉马赫主义哲学，他们是马赫主义的同道者②。他们是丧失革命信心的俄国资产阶级知识分子的典型代表。普列汉诺夫还强调，造神派所谓“无神的”新宗教的理论，是反马克思主义的倒退理论。他认为，造神派和一切机会主义者、修正主义者一样，有一个共同特点，就是背叛马克思主义主张倒退。他说：“我国现在的造神派还不知道西欧思想界在其历史发展过程中所取得的许多极宝贵的成就，包括马克思和恩格斯的成就在内。这是使他们同‘马克思的批评家’相类似的一个特点……‘马克思的批评家’和我国现代造神派为了自己的日常生活而接受的‘进步公式’是‘不要对人说，站在这里（马克思这里），而要说，从这里往后退，退到马克思以前甚至黑格尔以前的人类思想所处的地方，在那里你将作出一系列的光辉的发现’。”③

普列汉诺夫指出寻神派和造神派产生的社会根源一致，它们都是俄国1905年革命失败后资产阶级知识分子消极颓废情绪的一种反映。他指出，寻神派实际上是一群被革命失败吓得丧魂落魄而迷了路的资产阶级知识分子，他们妄图给无产阶级革命运动洒上“新宗教的圣水”，“并点起自己‘新的’神秘主义的神香”④。普列汉诺夫形象地指出，这些迷了路的寻神派“他们在宗教中寻求安慰，正如另外一些人——有时候也就是他们这些人——在酒中寻求安慰一样”⑤。从马克思主义立场出发，普列汉诺夫批判了造神派和寻神派鼓吹的种种谬论，并进一步分析了导致造神派和寻神派的社会根源和思想原因，指出了造神主义和寻神主义对无产阶级革命斗争事业的危害，特别是它们在俄国工人运动中造成的混乱，坚持了马克思主义的科学社会主义理论，推动俄国人民革命斗争迅速向前发展。

---

① 《普列汉诺夫哲学著作选集》第3卷，汝信等译，生活·读书·新知三联书店1962年版，第424页。

② 《普列汉诺夫哲学著作选集》第3卷，汝信等译，生活·读书·新知三联书店1962年版，第225页。

③ 《普列汉诺夫哲学著作选集》第3卷，汝信等译，生活·读书·新知三联书店1962年版，第450—451页。

④ 《普列汉诺夫哲学著作选集》第3卷，汝信等译，生活·读书·新知三联书店1962年版，第481、492页。

⑤ 《普列汉诺夫哲学著作选集》第3卷，汝信等译，生活·读书·新知三联书店1962年版，第489页。

普列汉诺夫在批判寻神说和造神说的过程中，对宗教的起源和本质进行了阐述。普列汉诺夫依据大量的历史文化资料，在深刻理解马克思和恩格斯有关宗教论述的基础上，对宗教的起源和本质进行了分析研究。在《论俄国的所谓宗教探寻》中，他这样定义宗教："宗教是观念、情绪和活动的相当严整的体系。观念是宗教的神话因素，情绪属于宗教感情领域，而活动则属于宗教礼拜方面，换句话说，属于宗教仪式方面。"① 普列汉诺夫根据人类社会的发展过程，仔细地考察了宗教的起源问题。他正确地指明宗教是自然压迫的产物。接着他进一步分析到，宗教中的观念属于万物有灵论，它是由于人们不了解自然现象而产生的。这样产生的观念，后来同人们借以把自然现象间的关系人格化、并借以说明这种关系的万物有灵论观念结合起来了。万物有灵论随着生产力的发展，由于生活生存的需要，产生了对动物、植物的图腾崇拜；接着在家庭产生后，出现了家神和家祭，"父权制家庭的神就是祖宗的神灵"②；到了奴隶社会，奴隶主创造了象征奴隶主至高无上的神，"人们之间的所有这一切关系也在宗教中得到了虚幻的反映。神变成了天国的统治者和天国的法官。……这样，万物有灵论的观念就同道德牢固地结合起来。"③ 把信仰神同遵守奴隶主规定的道德结合起来，产生了所谓灵魂转生的信仰。灵魂转生是人们对社会压迫不满而无力摆脱这种压迫，找不到斗争出路的虚幻反映。普列汉诺夫在考察宗教在封建社会和资本主义社会的发展变化时指出，随着对王权制约的目的，产生了利用自然力量的"自然宗教"和"自然神论"。在考察宗教与道德的关系时，他认为："在道德的观念同神的存在的信念相结合的过程开始以前，道德就已经产生了。宗教并不创造道德。它只是把在一定的社会制度基础上生长起来的道德规范加以神化而已。"④ 于是，他驳斥了寻神派和造神派的谬论。在他看来，寻神派认为万物有灵论构成了道德的基础，如果取消了万物有灵论，

① 《普列汉诺夫哲学著作选集》第3卷，汝信等译，生活·读书·新知三联书店1962年版，第363页。

② 《普列汉诺夫哲学著作选集》第3卷，汝信等译，生活·读书·新知三联书店1962年版，第396页。

③ 《普列汉诺夫哲学著作选集》第3卷，汝信等译，生活·读书·新知三联书店1962年版，第397页。

④ 《普列汉诺夫哲学著作选集》第3卷，汝信等译，生活·读书·新知三联书店1962年版，第401页。

消灭了宗教，人类道德就会堕落。在普列汉诺夫眼里，这无非是寻神派以拯救道德为借口来复活万物有灵论的托辞罢了。他说："我们在研究这些探寻的时候看见，其中一些探寻是企图复活现在垂死的万物有灵论观念。"①与寻神派不同，造神派则意图创造一个排除万物有灵论即没有神的"社会主义的宗教"，惟此，人们才会有高尚的道德。对此，普列汉诺夫指出，"其他探寻的代表人物企图排除宗教中的万物有灵论观念，而保存它的其他因素"②。在他看来，造神派要创造无神的宗教，是永不可能成为现实的反动空想，因为"没有万物有灵论观念的宗教是从来没有，而且是不可能有的，因为宗教观念总是或多或少地带有万物有灵论性质"③。

借助历史唯物主义考察了宗教的产生和演变过程后，普列汉诺夫对自己所作的宗教定义作了合理说明。他指出："宗教中的观念具有万物有灵论性质，它是由于人们不了解自然现象而产生的。这样产生的观念，后来同人们借以把自然现象间的关系人格化、并借以说明这种关系的万物有灵论观念结合起来了。""至于宗教情绪，则根源在于一定的社会关系基础上生长起来的人们的感情和愿望，并随社会关系的变化而变化。""不论观念或情绪，都只有借助于不是意识决定存在而是存在决定意识这一原理才能加以说明。"④他还指出："宗教仪式是由于万物有灵论的思想同一定宗教活动的结合而产生的。"⑤

普列汉诺夫对造神说和寻神说的揭露和批判以及对宗教的本质、起源和作用的分析和阐发，指明了无产阶级及其政党对宗教应持的态度，对于教育无产阶级抛弃宗教的偏见，为自己争取现实的幸福生活起到很大作用，即使在今天，对于我们端正对待宗教的态度也有很大的借鉴意义。

---

① 《普列汉诺夫哲学著作选集》第3卷，汝信等译，生活·读书·新知三联书店1962年版，第403页。

② 《普列汉诺夫哲学著作选集》第3卷，汝信等译，生活·读书·新知三联书店1962年版，第403页。

③ 《普列汉诺夫哲学著作选集》第3卷，汝信等译，生活·读书·新知三联书店1962年版，第411页。

④ 《普列汉诺夫哲学著作选集》第3卷，汝信等译，生活·读书·新知三联书店1962年版，第397页。

⑤ 《普列汉诺夫哲学著作选集》第3卷，汝信等译，生活·读书·新知三联书店1962年版，第366页。

## 第三节 对科学社会主义的理论贡献

马克思主义时期的普列汉诺夫，在同形形色色的机会主义派别的斗争中，特别是在反对民粹主义、经济主义、“合法马克思主义”、无政府主义和伯恩施坦修正主义的斗争中，对宣传和阐释马克思恩格斯的科学社会主义学说做出了不可磨灭的贡献。

普列汉诺夫进一步丰富发展了科学社会主义的理论，重视阶级斗争理论，认为无产阶级必须通过无产阶级革命的暴力手段获得自身解放，实现无产阶级专政。他主要在四个方面对科学社会主义理论作了进一步的发展和阐述：其一，普列汉诺夫正确地阐明了科学社会主义的理论来源。通过英国和法国空想社会主义的比较，得出英国空想社会主义者“在社会上传布了一种伟大的思想，这种思想的传播几乎可以说是空想社会主义的最大的功绩”①。但“他们不停地谈论着这个社会所发生的阶级斗争。他们痛恶这种斗争的存在，力求阶级调和。他们的各色各样体系，就其实践部分而言，无非是结束阶级斗争和建立社会和平的种种措施”②。其二，普列汉诺夫论述了科学社会主义的内容和作用。在他看来，科学社会主义是指导无产阶级推翻资本主义统治、建立共产主义制度的科学理论。其三，普列汉诺夫认为俄国工人阶级要获得解放，就必须建立无产阶级政党。其四，普列汉诺夫驳斥了修正主义者对恩格斯晚年无产阶级革命观点的歪曲，捍卫了马克思主义有关暴力革命的学说。

### 一、深入阐释马克思主义阶级斗争的理论

普列汉诺夫在他的第一部马克思主义著作《社会主义与政治斗争》中，针

① 《普列汉诺夫哲学著作选集》第3卷，汝信等译，生活·读书·新知三联书店1962年版，第678—679页。

② 《普列汉诺夫哲学著作选集》第3卷，汝信等译，生活·读书·新知三联书店1962年版，第616页。

对俄国民粹派否认政治斗争、否认无产阶级的革命作用等错误观点，着重阐明和论证了马克思恩格斯在《共产党宣言》中所提出的“一切阶级斗争都是政治斗争”的重要思想，强调无产阶级必须通过政治斗争才能实现社会主义。他指出，马克思的科学社会主义理论在俄国完全适用，俄国无产阶级是实现社会主义革命的强大力量。无产阶级只要把科学社会主义理论与工人运动结合起来，团结人民群众进行反对沙皇专制制度的政治斗争，就能推翻沙皇政权的反动统治夺取政权，建立自己的政治统治，在俄国实现社会主义。列宁对《社会主义与政治斗争》极为赞赏，曾把它誉为“俄国社会主义的第一个纲领”。

为了深入论证“一切阶级斗争都是政治斗争”和无产阶级必须通过政治斗争建立自己的政治统治来实现社会主义，普列汉诺夫首先揭露出了俄国民粹派否认政治斗争这一错误主张的理论渊源。

普列汉诺夫抓住民粹派否认政治斗争这个要害问题，深刻剖析了其思想体系，指出俄国民粹派否认在人民群众中进行政治教育和革命工作的必要性，崇拜群众的自发性，无视无产阶级的政治斗争，并不是他们的新创造，而是继承了其前辈的衣钵，其理论渊源乃是蒲鲁东、巴枯宁的无政府主义和空想社会主义。普列汉诺夫认为，俄国民粹派把社会主义同政治斗争对立起来，认为社会主义同任何政治斗争都是不相容的，这一错误观念的理论根据，首先是蒲鲁东（Proudhon）和巴枯宁（Bakunin）的国家学说；无论是蒲鲁东或巴枯宁，都把“不干涉政治”视为自己实际获得的基本信条①，他们的观点对俄国民粹派产生了很大的影响。在普列汉诺夫看来，尽管在民粹派中的不同派别如“前进派”（巴甫洛夫的信徒）和“巴枯宁派”（巴枯宁的信徒）之间在很多问题上都存在分歧，但他们“在对待政治持消极态度这一点上却是一致的”②。同时，俄国民粹派否认政治斗争的错误观念也受到了空想社会主义的思想影响。空想社会主义者完全消极地看待工人阶级的政治运动，他们把工人阶级的政治运动和政治斗争看作是对他们所信奉的空想社会主义“新福音”的不信任。普列汉诺夫指出，无政府主义者和空想社会主义者对于“政治”的这一消极态度传给了俄国民粹派，于是便在他们那里形成了这样一种错误的观念：除了把革命胜利的希

① 《普列汉诺夫哲学著作选集》第1卷，汝信等译，生活·读书·新知三联书店1959年版，第60页。

② 《普列汉诺夫哲学著作选集》第1卷，汝信等译，生活·读书·新知三联书店1959年版，第56页。

望寄托于依靠极少数人进行阴谋主义的个人恐怖活动之外，任何政治斗争都是不适宜的。

接下来，普列汉诺夫着重论证了人类社会阶级斗争的历史，充分证明了“一切阶级斗争都是政治斗争”的思想史完全正确的。“在古代东方诸国家，我们看见战士与僧侣之间的斗争；古代世界史的全部戏剧性就是贵族与庶民，望族与平民的斗争；中世纪产生了城市人，他们尽力在自己公社的范围里夺取政治的统治地位；最后，现代的工人阶级同在现代国家内达到了完全统治的有产阶级进行斗争。任何时候和任何地方，政治权力总是一个杠杆，借助于它，已经获得统治地位的阶级来实现为它的繁荣和进一步发展所必须的社会变革。”①普列汉诺夫由此指出，人类社会的发展历史表明，无论何时何地，只要在经济发展过程中出现阶级分化，这种情况严重到一定程度就必然引发夺取政治支配权的阶级斗争。这一斗争不仅发生在统治阶级内部，同时也出现在统治阶级和统治阶级之间。

普列汉诺夫进一步分析指出，马克思把生产力看成是人类社会发展的原初动力，社会历史发展归根到底决定于经济因素；但同时也不能忽视政治因素的影响，特别是处在新旧社会制度交替时期，政治因素的作用就更为突出和重要。他认为，在人类漫长而又曲折社会发展过程中存在诸多转折点，如果用 a、b、c、d 等字母来标识这些转折点，那么人类社会从 a 点发展到 b 点，从 b 点发展 c 点，如此类推，一直发展到 z 点，这种发展，“任何时候都不是在一种经济平面上进行的”。为了从 a 点过渡到 b 点，再从 b 点过渡到 c 点，“每次都必须上升到‘上层建筑’并在那里进行一番改造。只有当完成了这种改造之后，才可能达到预期的点。从一个转折点到另一个转折点的道路，总是要通过‘上层建筑’。经济几乎永远不会自然而然地取得胜利，关于它永远不能说：自然而然的活动”。而是“永远必须通过上层建筑，永远必须通过一定的政治制度”②。这清晰地表明，人类社会过渡到另一种社会形态，决非单纯是社会经济自动发展的结果，而是与变革上层建筑尤其是政治制度密切相关。这就从人类社会发展一般规律的高度深刻地论证了政治斗争在社会生活和社会发展进程中的重要作用。

---

① 《普列汉诺夫哲学著作选集》第 1 卷，汝信等译，生活·读书·新知三联书店 1959 年版，第 77 页。

② 《普列汉诺夫哲学著作选集》第 2 卷，汝信等译，生活·读书·新知三联书店 1961 年版，第 237 页。

普列汉诺夫还进一步以资产阶级同封建阶级斗争的历史和无产阶级同资产阶级斗争的历史，具体地论证了“一切阶级斗争都是政治斗争”。在他看来，资产阶级反对封建阶级的斗争有着既定的经济目的，这种经济目的的最终实现有赖于一定的政治斗争即争夺政治权力。在这个过程中，武器、和平协定、城市共和政体的独立等各种形式的斗争各不相同，但新兴的资产阶级正是通过这些斗争方式最终实现自身阶级地位的确立。新兴资产阶级利用一切可能的条件机会将已实现的经济进步和已获得的经济利益依托法律形式予以呈现，并且总是巧妙地利用自己在政治斗争中所取得的每一成果进而在经济领域中去获得新的胜利。普列汉诺夫指出，当资产阶级走到自己的历史尽头和无产阶级将成为社会进步的唯一代表的时候，同样可以看到与上述情形相类似的现象。在资本主义国家里，工人阶级日益走上政治斗争的舞台前沿，它越是自觉地捍卫本阶级的经济利益，就越要形成自己的政党，为夺取国家的政治权力而斗争。当资产阶级作为统治阶级的初期它还是社会进步理想的代表时，它所创立的社会制度曾经满足过当时社会发展的要求。但是，一旦资本主义制度变成生产力发展的桎梏时，资产阶级的进步影响也就终结了，它就变成了社会进步的对立面。此时，它将变本加厉地利用国家机器来维持阶级统治。这样，政治权力便成了它手中最有力量的反动工具。为了解除束缚在生产力身上的枷锁，就必须彻底废除资本主义的生产关系，进行社会革命。但是，只要国家机器还掌握在旧秩序的代表者手里，改变旧的生产关系是不可能的。在这种情形下，被压迫阶级如果企图从敌人手里夺取国家政权并把它转向自己的敌人，是没有什么可惊奇的。无产阶级在同资产阶级进行斗争的过程中，最后才全面了解自己的阶级地位和历史地位，也便不再向代表剥削阶级的政治机关申述剥削阶级对自己的压迫了。它认识到国家机器是保卫剥削阶级的“要塞”、“屏障和防御物”，为了彻底摆脱压迫和剥削，就必须占领这个“要塞”。由此可见，阶级斗争的逻辑本身必然推动无产阶级走上政治斗争和夺取国家政权的道路。因此，普列汉诺夫得出结论说：“所谓革命只是革命的阶级斗争这个长剧中的最后一幕，这一斗争之所以成为自觉的，只是因为它成为政治的斗争”①。他认为，“一切阶级斗争都是政治斗争”乃是阶级斗争发展规律的概括和总结。

---

① 《普列汉诺夫哲学著作选集》第1卷，汝信等译，生活·读书·新知三联书店1959年版，第85页。

普列汉诺夫把承认无产阶级的政治斗争与否看成是区分科学主义和小资产阶级社会主义的原则区别。他批判了俄国民粹派忽视和否认政治斗争的错误，指出“社会主义者们”如果阻挠工人过问政治，反对无产阶级进行政治斗争，“就会剥夺工人们所赖以进行斗争的据点，使他们没有可能来集中自己的力量并把自己的打击对准他们的剥削者们所创造的社会组织”①。这样，工人们就只得同个别的剥削者们，或者，最多同这些剥削者们的个别集团进行游击战，而国家的有组织的力量则始终是站在资产阶级那一方面。所以普列汉诺夫说，实际上，否认无产阶级进行政治斗争的必要性，就是对沙皇专制制度的“间接支持”。如果社会主义者的纲领正是在需要工人阶级的社会要求做出政治总结的那个“关键地方”把它截断，就无异于在工人的眼里缩小了这些纲领的实际意义，因为工人阶级已经知道对个别剥削者进行散漫的斗争是毫无结果的。他在《无政府主义和社会主义》一书中进一步指出：“任何阶级斗争都是政治斗争。凡是不愿意听到政治斗争的人，他因之也就会拒绝参加任何阶级斗争。”②他说，如同当年蒲鲁东由否认政治斗争进而走向阶级妥协一样，事实上，俄国民粹派后来也由否认政治斗争进而转向与沙皇专制制度的妥协。

普列汉诺夫深刻论证了无产阶级同资产阶级所进行的是一场无法调和的阶级斗争。这场阶级斗争将一直进行到底，就像当年资产阶级同封建阶级之间的斗争一样是不可避免的。为了消灭封建制度，资产阶级当时应当掌握政权；为了埋葬资本主义，无产阶级同样也应当掌握政权。这就是说，无产阶级夺取政权的政治任务是由阶级斗争的发展进程本身所决定的，而不是由任何一些抽象的议论所决定的。普列汉诺夫指出，事实很明显，只有从马克思时代起，社会主义才立足于阶级斗争基础之上，因而也才从空想变成科学。因此，社会主义者如果拒绝理解和掌握无产阶级伟大导师马克思的革命学说，就等于使自己失去了赖以制胜的武器。他在马克思主义理论指导下通过对俄国革命斗争经验教训的总结，指出坚持反对沙皇专制制度和资产阶级的政治斗争，才是能够使俄国工人阶级和劳动人民获得解放的道路。这是对民粹派等否认政治斗争错误主张的有力驳斥，同时也给俄国工人运动指明了方向。然而，正是在这个重大问

---

① 《普列汉诺夫哲学著作选集》第1卷，汝信等译，生活·读书·新知三联书店1959年版，第85页。

② ［俄］普列汉诺夫：《无政府主义和社会主义》，王荫庭译，生活·读书·新知三联书店1980年版，第46页。

题上，后来他放弃甚至背离了马克思主义革命原则，从一个马克思主义的阶级斗争论者蜕变为机会主义的阶级调和论者。

此外，普列汉诺夫还对马克思以前的阶级斗争学说进行了历史的考察，这对人们深刻理解马克思的阶级斗争理论是有一定价值的。普列汉诺夫指出，早在马克思以前，一些思想家就已经对阶级斗争现象予以重视并进行了探讨，人们对阶级斗争的认识是随着社会历史的变迁而不断发展的。19 世纪 20 年代，一些历史学家对于阶级斗争是历史发展的动力的认识已经达到了相当明确的程度，以至于只有《共产党宣言》的作者才超过了他们。

在考察马克思以前阶级斗争学说的发展线索时，普列汉诺夫重点研究了空想社会主义杰出代表圣西门和法国复辟时代历史学家的有关论述。他指出，圣西门非常重视西欧历史中有关第三等级反对封建贵族的斗争，认为工厂主与封建贵族之间的阶级斗争充斥着 15 世纪以来的全部西欧历史，并且决定着西欧历史的进程。圣西门早在 1802 年出版的《一个日内瓦居民的信》里论述了无产者和资产者之间的关系，并用它们之间的阶级斗争去解释法国革命的进程和结局。普列汉诺夫说，如果说这一观点在圣西门的《一个日内瓦居民的信》里还处于萌芽状态，那么在其以后的一些著作中对这一问题的论述就完整得多了。他“对于阶级斗争在西欧社会现代历史中的作用，投射了极其明亮的光芒，从而为科学地说明社会现象作了准备”①。然而，由于空想社会主义的理论体系是在无产阶级同资产阶级之间的斗争尚未发生的时期出现的，他们虽然看到了无产者同资产者之间的对抗，却没有认识到无产阶级在人类社会发展中的历史首创作用。普列汉诺夫指出，正因为如此，所以他们便一视同仁地向现代社会的一切阶级呼吁，他们在宣传自己的社会改革计划时不是把这些阶级分开，而是尽可能地把他们联合起来；不是以历史的客观进程为依据，不是诉诸无产阶级和它的革命斗争，而是诉诸人性，诉诸人们的“善良感情”。这正是空想社会主义者的主张陷于“空想”的关键所在，也是他们的历史局限性的突出表现。

普列汉诺夫指出，圣西门关于阶级斗争的观点对 19 世纪法国复辟时期的历史学家产生很大的影响。复辟时期的史学家，如基佐、米涅、梯叶里对阶级斗争在社会生活和历史发展中的作用都进行了深入考察。在他们看来，封建贵

① 《普列汉诺夫哲学著作选集》第 3 卷，汝信等译，生活·读书·新知三联书店 1962 年版，第 40 页。

族和第三等级是当时欧洲社会最主要的社会力量，它们之间的斗争决定着欧洲历史的发展。第三等级的力量越壮大，它们反对封建贵族的斗争越发展，封建制度就越接近崩溃，革命的时代也就越将临近。他们还试图进一步揭示阶级斗争同相互斗争着的阶级之间的利益关系。17世纪的英国革命是被梯叶里当作第三等级反对封建贵族的斗争来描写的。普列汉诺夫指出："米涅的《法国革命史》比他的其他著作更清楚地表明，他对于阶级斗争的历史意义有多么明确的认识。他清楚地了解到革命时期各种政党的斗争只是表现了各种阶级利益的矛盾。"[①]关注阶级斗争与社会经济利益的关系是法国历史学家对阶级斗争学说发展史的一大推动。

普列汉诺夫对基佐关于阶级斗争的论述给予很高的评价。基佐和米涅、梯叶里一样，也把英国和法国的革命史"描写成资产阶级和贵族阶级之间斗争的历史"[②]。在他看来，这两个国家革命的起源和目的都是一样的。在英国，随着社会关系的变化，资产阶级开始对封建阶级的暴政感到不能容忍，资产阶级财富的增长，迫切需要对暴政加以限制，于是便开始了对封建阶级的革命斗争。尽管这一斗争的进程是曲折复杂的，但最终的结局是资产阶级获得全胜。旧的秩序和新的法兰西之间进行着你死我活的斗争，任何想使它们调和的意图在法国都是幻想，这一斗争实际上就是新兴资产阶级与封建贵族阶级之间的斗争。当法国封建专制制度的代表指责基佐宣传阶级斗争煽起了社会的"邪恶情绪"时，基佐回应说，他不过是概述法国的历史而已。他认为，法国的历史就是一部阶级斗争史；阶级斗争既不是一种理论，又不是一种假定，而是一种再简单不过的事实，能够看到这种事实的人并非多了不起，但否认它则是令人可笑的。

普列汉诺夫指出，基佐在考察阶级斗争在社会生活中的作用时，还十分重视阶级斗争"对社会政治制度以及对'社会阶层'中逐渐形成的思潮的影响"[③]。他以基佐有关阶级斗争影响法国文学发展史的论述为例，说明这位历史学家对"社会关系和思想潮流之间的因果关系"深入了解。例如，基佐认为，戏剧的命

---

① 《普列汉诺夫哲学著作选集》第2卷，汝信等译，生活·读书·新知三联书店1961年版，第523页。

② 《普列汉诺夫哲学著作选集》第2卷，汝信等译，生活·读书·新知三联书店1961年版，第525页。

③ 《普列汉诺夫哲学著作选集》第2卷，汝信等译，生活·读书·新知三联书店1961年版，第526页。

运反映着社会关系的发展。在他看来，在古希腊，人民掌管社会事务，戏剧便成为反映一切社会成员习惯和爱好的“全民娱乐”；人类步入阶级社会后，各种不同阶级开始构建出复杂的结合体——社会，戏剧便成了占统治地位的“上等阶级”的专属品。这种情况的出现严重损害了戏剧的价值和意义，因为“上等阶级”在地位巩固后，往往挖空心思隔离和疏远与自己不同阶级或阶层的人，他们就逐渐丧失了人民传统的淳朴习惯和素质，充斥着矫揉造作、无病呻吟的习气，艺术的创作的视野容易狭窄、思维日益贫乏；英国贵族由于鄙视人民，因而也鄙视莎士比亚，把莎士比亚视为缺乏教养的人；法国悲剧则是由“上等阶级”创造出来的。所以，随着法国旧制度的崩溃，它的时代也就过去了，革命为新的戏剧体系开辟了道路。普列汉诺夫指出，对于基佐的上述意见，尽管在一些“个别的细节”方面可以提出异议，但是却不能不承认他所指出的研究社会关系与思想潮流之间的因果关系的道路是“完全正确的”。他说，事实上，后来法国文学界中最有才华的批评家和历史学家正是走的这条道路，他们“为用唯物主义观点去解释文明人类的思想史准备了很好的基础”[①]。

复辟时期的历史学家虽然意识到了阶级斗争在社会生活和历史变迁的重大影响和作用，但他们终究是资产阶级历史学家。正如普列汉诺夫所说：米涅始终是“‘中等阶级’的一个自觉的、公开的、彻底的代表者”[②]。基佐的政治活动则“更明显地暴露了他的阶级观点”，他自己就公开申明他始终不渝的政治意图是“巩固‘中等阶级’的统治”[③]。这一切都说明，法国历史学家毫不例外都是站在资产阶级立场上来描述阶级斗争的，他们的理想是资产阶级获得社会的政治统治。所以普列汉诺夫说，当资产阶级进行反对封建贵族的革命斗争时，法国历史学家都自觉地、热烈地颂扬其光辉业绩，甚至热情歌颂过它的暴力行动；但是，一旦当无产阶级威胁着资产阶级的统治时，他们便成了无产阶级的敌人，这时，他们便由宣传阶级斗争转而宣传“社会和平”了。普列汉诺夫指出，尽管法国历史学家对阶级斗争的态度发生了上述变化，但他们不仅对

① 《普列汉诺夫哲学著作选集》第2卷，汝信等译，生活·读书·新知三联书店1961年版，第527页。

② 《普列汉诺夫哲学著作选集》第2卷，汝信等译，生活·读书·新知三联书店1961年版，第524页。

③ 《普列汉诺夫哲学著作选集》第2卷，汝信等译，生活·读书·新知三联书店1961年版，第527页。

阶级斗争现象提出了一些颇有价值的见解，而且对阶级斗争历史重要性的信念是那样的强烈，以至于当他们对于无产阶级革命运动的恐惧过去之后，就又用以前的语言来说话了，例如基佐在1858年出版的《回忆录》中就又重申了他对阶级斗争的看法。这说明，法国历史学家的“科学良心胜过了对于‘新战士’的恐惧”①。在普列汉诺夫看来，法国历史学家对阶级斗争的态度，比那些从来不敢提阶级斗争的学者们对于科学真理的尊敬是多得不可比拟的。

这里必须提出，普列汉诺夫虽然对马克思以前阶级斗争学说的发展作了描绘，提出了一些颇为深刻的见解，然而他在阐述它们同马克思的阶级斗争学说的关系时却过分地强调了二者之间的思想联系而在一定程度上忽视了它们之间的区别，这不能不说是一个重大缺陷。

## 二、系统论证无产阶级革命和无产阶级专政

当普列汉诺夫是一个马克思主义者的时候，他曾经对伯恩施坦等人反对马克思无产阶级革命学说的机会主义观点进行了批驳，捍卫了马克思恩格斯关于暴力革命的原则。

他在《阶级斗争学说的最初阶段》中指出，“伯恩施坦先生认为，在现代的民主国家内，工人阶级为了达到自己的目的，没有必要使用暴力。这是一种过于乐观的看法”②。普列汉诺夫指出，伯恩施坦这位马克思主义的“批评家”之所以会有此种“过于乐观的看法”，是由于他对“资产阶级民主主义者不断关怀的结果”，是由于他“害怕惊吓了他们”。普列汉诺夫通过大量事实批驳了伯恩施坦的这种机会主义论调。他说，虽说法国当前拥有民主宪法，但凡熟知法国发展实况的人，谁都不敢保证该国的无产阶级未来不会因为在资产阶级残酷的压迫下，走向暴力革命的道路；美国作为一个民主国家，但该国的黑人也是经过内战才得到解放，所以也无法预料美国无产阶级不会采用暴力来扫清解放道路上的障碍。普列汉诺夫针锋相对地指出，社会民主党确实希望不经过动

① 《普列汉诺夫哲学著作选集》第2卷，汝信等译，生活·读书·新知三联书店1961年版，第536页。

② 《普列汉诺夫哲学著作选集》第2卷，汝信等译，生活·读书·新知三联书店1961年版，第563页。

荡而完成向更高级的社会制度过渡，但这完全不是否认暴力革命和无产阶级专政。因为无产阶级究竟是否通过暴力革命达到自己的目的，这种选择并不决定于他们自己，而是决定于环境。“正因为社会民主党人不可能预见到工人阶级在争取自己的统治权时所遇到的一切情况，所以它在原则上不能放弃行动的暴力手段。它应该铭记着那条金科玉律：要想和平，就得准备战争。”①

恩格斯逝世以后，机会主义者们极力歪曲他在 1895 年为马克思《1848 年至 1850 年的法兰西阶级斗争》所写的导言，硬说恩格斯晚年改变了对暴力革命的态度，主张各国无产阶级政党要利用合法手段进行斗争，避免暴力行动。普列汉诺夫指出，事实并非如此，恩格斯在那篇导言里的确曾建议无产阶级政党应当利用合法手段进行和平斗争，但是并未改变对暴力革命的态度。他认为，恩格斯的建议出于以下三个原因：首先，工人群众觉悟的高度发展是社会主义革命的必要前提，而这需要足够的时间；其次，德国的保守派正竭力引诱德国社会民主党举行起义以便予以粉碎，从而使它在接二连三的胜利中途夭折；最后，现代化装备的军队彻底消灭了任何街头起义的尝试。在普列汉诺夫看来，恩格斯的前两条理由“并不是一般地指责暴力行动，而只是指责过早的暴力行动，因此，这和那些无论怎样也要‘和平发展’的卫道者们的论据是毫无共同之处的”②。至于第三条理由，“只要仔细分析一下，它的意思就并不完全像乍看起来的样子了”③。他说，恩格斯在阐释这条理由时指出，1848 年以前巷战往往使武装起义者取得胜利的原因说明，武装起义者只有在他们能够动摇军队精神上的坚韧性的地方和时候才能取得胜利，但现在并不具备这个条件。这是因为，起义不能像 1848 年那样依靠所有阶层人民的同情，起义者难以得到适当的武器，同时自 1848 年起各大城市都增加了许多新的街区，这对起义者建筑街垒十分不便。所以，恩格斯问道：“现在，读者是否已明白了，为什么统治阶级一定要把我们引到枪响剑啸的地方去？为什么现在人家因为我们不愿贸然走上我们预先知道必遭失败的街头，就指责我们怯懦？为什么他们这样

① 《普列汉诺夫哲学著作选集》第 2 卷，汝信等译，生活 · 读书 · 新知三联书店 1961 年版，第 564 页。

② 《普列汉诺夫哲学著作选集》第 2 卷，汝信等译，生活 · 读书 · 新知三联书店 1961 年版，第 565 页。

③ 《普列汉诺夫哲学著作选集》第 2 卷，汝信等译，生活 · 读书 · 新知三联书店 1961 年版，第 565 页。

坚决恳求我们最终答应去做炮灰?”他接着说:“这些先生们发出的恳求和挑战完全是徒劳的。我们并不这么笨的。”①普列汉诺夫指出恩格斯在这里讲的如此明确，它表明机会主义者硬说他改变了对暴力革命的态度是毫无根据的。普列汉诺夫还特别强调，表面上看，恩格斯的意见似乎带有一般的性质，其实它完全根据德国的特殊情况得出来的，只“具有独特的、局部的意义”②。

普列汉诺夫在全面阐明恩格斯的上述观点之后指出，假如把恩格斯的上述思想和《共产党宣言》的著名结论对照一下，就不难看出他在晚年对公开起义在无产阶级解放斗争中的作用问题部分地改变了自己原有的观点。《共产党宣言》认为公开起义是工人阶级取得胜利的不可缺少的条件，而恩格斯在晚年则承认在一定形式下合法的斗争方式也可以获胜。他认为，恩格斯的这一观念是完全值得重视和尊重的，但是却不能把它同《共产党宣言》的思想对立起来，因为它同工人阶级暴力革命的思想“并不发生任何矛盾”，他“只不过说明了为使这种行动获得成功所具备的条件”③。

反动政治学家和哲学家马萨利克以马克思主义“批评家”的面目出现，攻击恩格斯的导言“完全放弃了革命”。普列汉诺夫批驳道:恩格斯在说暴力行动的方法不适当时，“只是指现代德国而言，而根本为赋予自己的论据和结论以‘批评家’所强加给它的那种一般的意义。”他又说，不久前巴黎《社会党人》杂志所发表的恩格斯给拉法格的信就证明了这一点，在这些信发表以后，“所有关于恩格斯暮年‘变得聪明’和‘不再做革命家’的高谈阔论，都失去了任何意义”④。普列汉诺夫所指的是恩格斯 1894 年 3 月 6 日和 1895 年 4 月 3 日给拉法格的两封信。在前一封信中，他批评了李卜克内西未经他的同意在《前进报》的社论——《目前革命应怎样进行》——中断章取义地摘引了他那篇导言中的话。他说:“李卜克内西刚刚和我开了一个很妙的玩笑。他从我给马克思关于 1848—1850 年的法国的几篇文章的导言中，摘引了所有能为他的、无论如何是和平的

① 《马克思恩格斯文集》第 4 卷，人民出版社 2009 年版，第 549 页。

② 《普列汉诺夫哲学著作选集》第 2 卷，汝信等译，生活·读书·新知三联书店 1961 年版，第 566 页。

③ 《普列汉诺夫哲学著作选集》第 2 卷，汝信等译，生活·读书·新知三联书店 1961 年版，第 568 页。

④ 《普列汉诺夫哲学著作选集》第 2 卷，汝信等译，生活·读书·新知三联书店 1961 年版，第 769 页。

和反暴力的策略进行辩护的东西。……但我谈的这个策略仅仅是针对今天的德国，而且还有重大的附带条件。对法国、比利时、意大利、奥地利来说，这个策略就不能整个采用。就是对德国，明天它也可能就不适用了。”[①] 显而易见，普列汉诺夫对无产阶级暴力革命问题的论述是完全符合恩格斯本人的原意的。

关于社会主义者是否应参加资产阶级政府的问题，马克思主义时期的普列汉诺夫基本上持否定的态度。他认为，要使无产阶级同资产阶级的斗争日益积极和坚决，就必须逐步将无产阶级同资产阶级的利益根本相对立的意识愈来愈多地灌输给无产阶级。一切能够体现这种意识的，都应被称为革命的工具，社会主义者就应当接受；而一切会遮蔽这种意识的，社会主义者则必须谴责和否定。他说，“这就是我们全部策略所根据的主要原则”。“从这种观点出发，我认为社会主义者参加资产阶级政府可能害多利少，因为参加的结果，将会削弱无产阶级的革命意识”[②]。但普列汉诺夫又认为，一切原则都不能绝对化，否则就成为形而上学的东西。据此，他认为无产阶级政党在一定条件下可以同意让自己的代表参加资产阶级政府，但是，在这种情况下，决定权并不属于某个党员，而应当属于党。他一再强调，社会主义者只有在使资本主义制度加速瓦解这一直接而明确的目标下，“才可以决定参加资产阶级的政府”[③]。

“强力和暴力完全不是一回事”[④]。这是普列汉诺夫提出的一个重要观点。他很欣赏米涅的一句话：只有强力才能使自己的权力得到承认，除了强力之外再也没有最高的统治者。他认为，在第三等级与贵族阶级斗争的时代，再没有比米涅这种说法更正确的了。即便在无产阶级与资产阶级进行斗争的时代，事情也仍然是如此。在他看来，如果企图使工人相信在资本主义国家里强力已不具有它在“旧制度”下的那种意义，那就对他们讲了“显然是惊人的谎话”，这只能延长和增加“分娩的痛苦”。他认为，各个阶级的势力“总是决定于它的强力”。但是，强力并不等于暴力，暴力只是强力的一种呈现形式。无产阶

① 《马克思恩格斯全集》第 39 卷，人民出版社 1974 年版，第 436 页。

② 《普列汉诺夫哲学著作选集》第 2 卷，汝信等译，生活·读书·新知三联书店 1961 年版，第 506 页。

③ 《普列汉诺夫哲学著作选集》第 2 卷，汝信等译，生活·读书·新知三联书店 1961 年版，第 562 页。

④ 《普列汉诺夫哲学著作选集》第 2 卷，汝信等译，生活·读书·新知三联书店 1961 年版，第 563 页。

级为了让其他阶级认可他的实力，“并不一定总是需要暴力”，“暴力的作用有时缩小，有时扩大，这要以各个国家的政治制度为转移”①。他一再指出：“无产阶级对于表现自己革命强力的形式的选择不是取决于它的善良的意愿而是取决于环境。能更可靠和更快地导向对敌人胜利的形式就是最好的形式。而假若‘暴力革命’在某一国和一定情形下竟是最便利的行动方式，那么，谁要是提出在原则上反对它的意见，正如伯恩施坦先生提出的‘低级的文化’、‘政治上的返祖现象’等等那样，谁就是可怜的教条主义者，假如不是叛徒的话。”②

普列汉诺夫的上述意见从原则上说是对的，是对马克思恩格斯关于无产阶级革命学说特别是暴力革命思想的阐发。然而，当他演变为机会主义者之后，他就极力反对无产阶级暴力革命的原则，在无产阶级最需要拿起武器推翻资产阶级统治的时候，公然宣扬新社会的“产婆”是“实力”而不是“暴力”，公然反对无产阶级进行暴力革命。

在无产阶级专政的问题上，普列汉诺夫在这一时期也驳斥了伯恩施坦的修正主义谬论。伯恩施坦在攻击和篡改马克思主义的革命原则时，把矛头直接指向无产阶级专政，攻击无产阶级专政是一种历史的“倒退”，是一种“政治遗传”，说什么在文明世界最发达的国家里，无产阶级和资产阶级的斗争现时已不可能导致无产阶级专政，因此，无产阶级专政只能是一种“空谈”。普列汉诺夫批驳了这一论调，他指出：“某一阶级的专政，就是该阶级的统治，这种统治可以使它支配社会上组织起来的力量维护自己的利益，镇压那些直接或间接地威胁它的利益的各种活动，凡是存在着阶级斗争的地方，相互斗争着的阶级都必然力求取得对敌人的完全胜利和彻底统治。”③当资产阶级同封建贵族进行斗争的时候，当它相信无论多么激烈的暴风雨也不会打沉它的航船的时候，资产阶级及其思想家并不反对阶级专政，而是力图以资产阶级专政取代封建阶级的专政。然而，每当无产阶级明显而有力地表露出这种意图时，他们便喋喋

① 《普列汉诺夫哲学著作选集》第 2 卷，汝信等译，生活 · 读书 · 新知三联书店 1961 年版，第 563 页。

② 《普列汉诺夫哲学著作选集》第 2 卷，汝信等译，生活 · 读书 · 新知三联书店 1961 年版，第 442 页。

③ 《普列汉诺夫哲学著作选集》第 2 卷，汝信等译，生活 · 读书 · 新知三联书店 1961 年版，第 561 页。

不休地借口所谓道德、正义而加以责难和反对。普列汉诺夫认为，这不过是资产阶级“自卫”的一种本能罢了。因此，无产阶级不能也不应当去赞扬没落时期的资产阶级所呼吁的那种所谓的道德和正义。他指出：“达到政治统治地位的革命阶级只有当它用国家政权这一有力的武器打击反动势力时，只有在那个时候才能保持得住这一统治，只有在那个时候才能比较安全地避免反动势力的打击。”①“谁擒住魔鬼，谁就不会放它。”普列汉诺夫借用歌德《浮士德》的这句话来说明无产阶级建立自己专政政权的必要性。

普列汉诺夫还进一步揭露了伯恩施坦反对无产阶级专政的实质和要害。他说，如果伯恩施坦抛弃唯物主义，宣扬回到康德去，只是因为康德主义为宗教迷信留有余地；如果伯恩施坦反对唯物主义关于必然性的学说，只是因为它会妨碍无产阶级同资产阶级两个阶级之间的接近。那么，他不喜欢无产阶级专政则仅仅是由于它连最“民主的”资产阶级听起来都“非常刺耳”。伯恩施坦“最关心的是如何不吓坏民主的资产阶级”②。只有像他这样的“完全丧失了‘最终目的’的任何概念，而只想着资产阶级社会主义方面‘运动’的人，才会认为工人们指出建立工人阶级专政的必要性是一句空话”③。

必须指出，马克思主义时期的普列汉诺夫在国家问题上就存在错误的倾向。列宁在评价他出版于1894年的《无政府主义和社会主义》一书时，一方面肯定了其贡献，另一方面又批评了其错误，特别是批评了他“能够论述这个主题而完全回避反对无政府主义的斗争中最现实、最迫切、政治上最重要的问题，即革命对国家的态度和整个国家问题！”④这正是他后来堕入机会主义泥沼的思想理论根源之一。当他蜕变为机会主义者、社会沙文主义者之后，就公开投入了资产阶级的怀抱，背离了无产阶级专政学说，从理论上到实践上背叛了科学社会主义。

---

① 《普列汉诺夫哲学著作选集》第1卷，汝信等译，生活·读书·新知三联书店1959年版，第105页。

② 《普列汉诺夫哲学著作选集》第2卷，汝信等译，生活·读书·新知三联书店1961年版，第560页。

③ 《普列汉诺夫哲学著作选集》第2卷，汝信等译，生活·读书·新知三联书店1961年版，第561页。

④ 《列宁选集》第3卷，人民出版社2012年版，第204页。

# 第四节 对伯恩施坦修正主义批判的功绩和不足

修正主义是帝国主义时代初期的产物，是资产阶级影响在工人运动中的反映。伯恩施坦被修正主义者奉为开山祖师。以普列汉诺夫、列宁为代表的俄国马克思主义者，对伯恩施坦主义的危害的认识十分深刻，并且能够结合俄国革命的实践和历史发展新现象开展批判。因此，俄国马克思主义者对伯恩施坦主义的批判十分彻底，并在批判中进一步发展了马克思主义。

## 一、对伯恩施坦修正主义的批判

伯恩施坦修正主义的出现和散播，在国际共产主义运动中引起了很大的震动。当时作为《新时代》杂志主编的考茨基，一开始只允许刊发伯恩施坦贩卖修正主义理论的论文，不允许发表批判伯恩施坦的文章。在这种情况下普列汉诺夫在要不要马上起来批判伯恩施坦修正主义的问题上，也表现得谨小慎微，犹豫不决。从他在1898年给阿克雪里罗得的信可以看出，他还没有认清伯恩施坦这个修正主义头子的本质和下决心对他宣战。他在信中说："当然，我并不鄙视伯恩施坦，像我鄙视沃龙佐夫那样；他是一个有功绩的同志……而且，我还远没有下定决心要对他进行反击……在这件事情上，我应当极其谨慎和机智。"①他还顾虑伯恩施坦与考茨基之间的深厚交情，写信再三征求考茨基的意见："如果您对于允许我在《新时代》上攻击伯恩施坦哪怕是有一点点（不愉快）的话，那我就不能这样做。……而且是极尊重您和伯恩施坦之间的深交的"②。

① 转引自［苏］福米娜：《普列汉诺夫的哲学观点》，汝信译，生活·读书·新知三联书店1957年版，第112页。译文有修改。

② ［俄］普列汉诺夫：《反对哲学中的修正主义》，刘若水译，人民出版社1957年版，第451页。

这种犹豫和顾虑，说明普列汉诺夫当时正处在思想上的矛盾和斗争之中。后来，德国和欧洲各国无产阶级反对伯恩施坦主义的呼声高涨，给了普列汉诺夫很大的推动，而马克思主义的敌人对伯恩施坦修正主义著作的公开称赞，也从反面提醒了普列汉诺夫：对伯恩施坦主义不能再保持沉默和忍让，否则就是向资产阶级作无原则的让步和投降。同时，考茨基也写信给普列汉诺夫，告诉他"有权发表意见"，并表示想办法刊登他的批判文章，从而打消了普列汉诺夫在思想上的顾虑。

在当时的第二国际领袖里面，普列汉诺夫是第一批用马克思主义观点批判伯恩施坦修正主义的理论家。他先后发表了《伯恩施坦与唯物主义》(1898 年)、《我们为什么感谢他？（给卡尔·考茨基的公开信)》(1898 年)、《康拉德·施米特反对卡尔·马克思和弗里德里希·恩格斯》(1898 年)、《唯物主义还是康德主义》(1899 年)、《再论唯物主义》(1899 年）等论著，集中火力深刻揭露和批判伯恩施坦、施米特等人的哲学修正主义，捍卫了辩证唯物主义和历史唯物主义的基本原则。这些论文的发表，有力地推动了第二国际内部马克思主义者对伯恩施坦修正主义的斗争。同欧洲各国工人政党的领导人相比，普列汉诺夫还是较充分认识到修正主义篡改马克思主义的反动本质，也向人们揭示了开展批驳伯恩施坦修正主义斗争的重要性。1898 年 5 月 12 日，他在给考茨基的回信中指出，"假如伯恩施坦的批评的尝试是正确的，那么，我们可以问：从我们的导师们的哲学思想和社会主义思想中还剩下了什么？从社会主义中还剩下了什么？而实在只有回答说：不多。或者更正确些说：是一点东西也没有"。他认为："这是关系到重要的事情，而且我不能保持学者式的冷静态度。"作为马克思恩格斯学生的普列汉诺夫，决不允许别人任意歪曲他们的伟大学说，他坚定地表示："我的意图是替恩格斯的思想辩护"①。于是，从 1898 年夏初开始，普列汉诺夫先后在日内瓦和罗马作了《所谓马克思主义的危机》的讲演，第一次向伯恩施坦修正主义公开宣战。

在演讲中，普列汉诺夫告诉人们，修正主义者伯恩施坦和康拉德·施米特的出现，令资产阶级感到高兴和充满希望，"资产阶级的理论家们把这两位作家宣扬为有理性的和勇敢的人，说他们懂得了社会主义学说的谬论，而且毫不

---

① ［俄］普列汉诺夫：《反对哲学中的修正主义》，刘若水译，人民出版社 1957 年版，第 449—450 页。译文有修改。

踌躇地抛弃它"[①]。这些理论家时常利用从他们那里抄来的论据来粉碎马克思的学说，并大肆宣扬马克思学派遇到了危机。普列汉诺夫十分肯定地指出，资产阶级理论家们的高兴是过早了。因为伯恩施坦之流在哲学上是贫乏的、无知的，所以"从哲学的观点看，这种所谓危机是并不危险的"[②]。他深信，所谓"马克思学派的危机是很容易根绝的"[③]。

普列汉诺夫在做完这个题目的讲演后，随即根据讲演提纲的第一部分加以整理，于1898年5月底写成了第一篇批判修正主义的理论文章《伯恩施坦与唯物主义》，并在5月30日把文章寄给了考茨基。考茨基开始认为文章写得有些严厉，写信要求普列汉诺夫把批判的语气放缓和些。普列汉诺夫于7月22日回信中语气坚定地回复："我的批判不是温和的，但是它不具有私人性质。其实，应该承认，现在我非常不喜欢伯恩施坦：这是敌人，而如果我爱敌人，那就是基督教的爱"[④]。由于遭到拒绝，考茨基不得不将文章原封不动地发表在《新时代》第十六卷第十一册第四十四期上。这是出现在欧洲社会主义刊物上的第一篇批判伯恩施坦修正主义的论文。从此，普列汉诺夫一发不可收拾，先后在《新时代》、《萨克森工人报》、《曙光》等报刊上发表了《康拉德·施米特反对卡尔·马克思和弗里德里希·恩格斯》、《唯物主义还是康德主义?》、《我们为什么应该感谢他?》、《Cant反对康德或伯恩施坦的精神遗嘱》、《什么是唯物主义》、《再论唯物主义》、《对我们的批判者的批判》等文章，从哲学、政治经济学和社会主义理论等方面对伯恩施坦的修正主义言论做了比较全面的剖析和批判，较为深刻地揭示了伯恩施坦主义的实质和危害性。

普列汉诺夫指出，反对伯恩施坦修正主义的斗争不是私人之间的争吵，而是马克思主义和机会主义之间不可调和的斗争，属于水火不容的性质，不是你战胜我就是我战胜你。他深刻阐述了伯恩施坦修正主义对无产阶级及其政党的腐蚀和破坏作用。他指出，在这个关系到无产阶级政党生死存亡的问题上，"我们必须记住我们所引用过的李卜克内西的话：如果伯恩施坦是对的，我们

---

① 《普列汉诺夫哲学著作选集》第2卷，汝信等译，生活·读书·新知三联书店1961年版，第376页。

② 转引自高放、高敬增：《普列汉诺夫评传》，中国人民大学出版社1985年版，第180页。

③ 转引自高放、高敬增：《普列汉诺夫评传》，中国人民大学出版社1985年版，第180页。

④ 转引自高放、高敬增：《普列汉诺夫评传》，中国人民大学出版社1985年版，第180页。

就只有把我们的纲领和自己的整个过去埋葬掉。”① 他认为，伯恩施坦“鼓吹那种专为安慰资产阶级而‘修正’的马克思主义，来模糊工人的阶级意识。这一手法在如下的意义上是成功的，就是有相当大一部分有教养的资产阶级都清楚地懂得了伯恩施坦先生所谓‘修正的’马克思主义的传播，比起旧的马克思的革命学说来说对他们何等有利。这一部分资产阶级把伯恩施坦先生当作一种救世主来欢迎。”② 普列汉诺夫还引用德国资产阶级经济学家尤利乌斯·沃尔弗夸赞伯恩施坦的话：“对于他（指伯恩施坦）的议论的重要性是怎样评价也不能算高的。这是对现代社会主义理论的当头一棒，是对它的公开宣战。”③ 在普列汉诺夫看来，这些言论无不表明伯恩施坦根本不是一个马克思主义者，而是资本主义制度的辩护人、资产阶级的救世主，是“一个给了社会民主党理论以沉重打击并力图（不管是自觉地或是不自觉地）埋葬这一理论以博得勾结在一起的‘反动帮伙’的欢心的人”④。

普列汉诺夫指出，伯恩施坦对马克思主义的修正和攻击在理论上并没有什么值得重视的东西。因为他的全部观点都来源于资产阶级理论家们对马克思主义的歪曲和篡改。他只是抓住资产阶级的敌人对马克思的理论所作的一些歪曲，并借助于从这些敌人那里抄袭来的论据，得意地进行自己的批判。比如伯恩施坦提出的“著名”公式：“社会主义的最终目的是微不足道的，运动就是一切”，这句话就是从德国资产阶级经济学家舒尔采—格弗尼茨的《论社会和平》一书中照搬照抄来的。该书中有这样一段文字“社会主义由此就丧失了自己的尖锐性，只被用作论证立法要求的根据。因此，一切生产资料的国有化作为最终目的是被接受或是被否决，实质上是无关紧要的；因为这一要求对于革命的社会主义来说固然是必需的，但对于那些把近目标放在较远目标之前的实际政治的社会主义来说就不是必要的

---

① 《普列汉诺夫哲学著作选集》第 2 卷，汝信等译，生活·读书·新知三联书店 1961 年版，第 418 页。

② 《普列汉诺夫哲学著作选集》第 2 卷，汝信等译，生活·读书·新知三联书店 1961 年版，第 443 页。

③ 转引自《普列汉诺夫哲学著作选集》第 2 卷，汝信等译，生活·读书·新知三联书店 1961 年版，第 413 页。

④ 《普列汉诺夫哲学著作选集》第 2 卷，汝信等译，生活·读书·新知三联书店 1961 年版，第 418 页。

了”[①]。所不同的是伯恩施坦有发表批评意见和社会民主党战斗的权利。但是，在发表批评意见和战斗时，他应当抛弃假面具，而不是以社会民主党人和马克思主义者的面目出现。伯恩施坦没有这样做，这就使他那本无新奇的思想带有极大的蛊惑性和破坏作用。因为伯恩施坦这种明里打着“发展”马克思主义旗号而暗中干着毁灭马克思主义的勾当，对于那些缺乏系统的马克思主义理论又无坚定立场的人来说，是很难识别清楚的；而只要接受了伯恩施坦的观点，就必然会使任何一个具有逻辑思想的人与社会民主党的纲领完全决裂，从而走上背离和反对马克思主义的道路。鉴于德国等社会民主党的一些领导人对伯恩施坦修正主义的反动作用认识不足，普列汉诺夫严重地警告说：“机会主义在各国社会民主党的队伍中得到了很多的拥护者。这种机会主义思想的盛行是现实威胁它的一切危险中的最主要的危险。继续忠于自己的纲领的革命精神的社会民主党人——幸而他们几乎到处还是多数——如果不及时地采取坚决的手段和这一危险作斗争，他们就会做出不可挽救的错误。”[②]

伯恩施坦等修正主义者歪曲和篡改马克思主义，首当其冲的就是马克思主义的哲学基础——辩证唯物主义和历史唯物主义。因此，人们要反击伯恩施坦也必须针锋相对，首先从哲学开始。普列汉诺夫指出，从前，当我们还认为伯恩施坦属于马克思学派的时候，就觉得他是一个眼光狭小的人，“对于他当时发表的关于唯物主义的实在幼稚的无价值议论觉得惊异”[③]。现在，当他公开对马克思主义哲学发表“批评”意见时，他的“哲学的无知”就更加“呈现出全部光彩”。因为伯恩施坦曾信誓旦旦地告诉人们：“纯粹的或绝对的唯物主义，正和纯粹的或绝对的唯心主义一样，是唯灵论的。虽然是从不同的观点出发，但两者都简单地假定思维和存在是同一的。归根到底，它们的不同只在于表达方式。新唯物主义者则相反，他们和当代多数最伟大的自然科学家一样，在原则上坚决拥护康德的观

① 转引自《普列汉诺夫哲学著作选集》第2卷，汝信等译，生活·读书·新知三联书店1961年版，第411页。

② 《普列汉诺夫哲学著作选集》第2卷，汝信等译，生活·读书·新知三联书店1961年版，第451页。

③ 《普列汉诺夫哲学著作选集》第2卷，汝信等译，生活·读书·新知三联书店1961年版，第432页。

点”[①]。在这里，伯恩施坦想要说明的是这样两个问题：第一，哲学史上关于唯物主义与唯心主义对立的认识是错误的，纯粹的唯物主义终究要归宿于唯心主义；第二，现代唯物主义（主要指马克思主义的唯物主义）抛弃了纯粹的或绝对的唯物主义而拥护康德的观点，在一定的程度内回到了康德去。对于伯恩施坦的无知议论，普列汉诺夫讥讽道：“本文的笔者（普列汉诺夫本人——引者注）看到伯恩施坦先生和恩格斯一起生活了几年而对于他的（因而也是马克思的）哲学还是这样不懂，确实是很惊异的”[②]。因为第一，马克思和恩格斯从来没有抛弃18世纪法国唯物主义的光荣传统，在物质存在于意识之外并决定意识，意识是物质的反映这一根本问题上始终没有动摇过。第二，马克思和恩格斯的唯物主义与康德主义有着巨大的区别，这种区别全在是否存在有不可知的“自在之物”。依康德的意见，“我们若单就物体自身看，而撇开我们的知觉本身的这种能力，我们就完全不能知道它的本性。对于这些物体，我们所能知道的只是我们怎样知觉到的东西：因此，物体是属于不可认识的范围的。在这点上，唯物主义者是决不同意康德的意见的”[③]。恩格斯在他的《路德维希·费尔巴哈和德国古典哲学的终结》中就曾明确地说过：“对这些及其他一切哲学上的怪论的最令人信服的驳斥是实践，即实验和工业。既然我们自己能够制造出某一自然过程，按照它的条件把它生产出来，并使它为我们的目的服务，从而证明我们对这一过程的理解是正确的，那么康德的不可捉摸的‘自在之物’就完结了”[④]。伯恩施坦不能理解这一点，或者认为唯物主义与康德主义的这一差别无足轻重，然而它异常重要，不仅从理论的观点看，而且（或者说，这是主要的）从实践的观点看，也异常重要。因为康德的“不可认识之物”为神秘主义打开门户，而物质，即我们从它对于我们所发生的影响而认识的那个物质，完全排除了任何神学的解释。第三，说纯粹的唯物主义终究

① 《普列汉诺夫哲学著作选集》第2卷，汝信等译，生活·读书·新知三联书店1961年版，第389页。

② 《普列汉诺夫哲学著作选集》第2卷，汝信等译，生活·读书·新知三联书店1961年版，第432页。

③ 《普列汉诺夫哲学著作选集》第2卷，汝信等译，生活·读书·新知三联书店1961年版，第382页。

④ 《马克思恩格斯文集》第4卷，人民出版社2009年版，第279页。

要归宿于唯心主义，那么唯心主义如费希特和黑格尔的哲学是否要“终究”归宿于唯物主义如拉美特利或霍尔巴赫的哲学呢？只有既不懂唯物主义，又不懂唯心主义；既不懂霍尔巴赫和拉美特利，又不懂黑格尔和费希特的人才能这样说。毫无疑问，唯物主义和唯心主义有一个共同的特征，即都力图给世界以一元论的解释。“但是在唯物主义中实现这一意图的方式和在唯心主义中实现它的方式是完全对立的，因此，唯物主义和唯心主义‘终究’是大不相同的”①。伯恩施坦想把这两个根本对立的派别调和起来，抹杀它们之间的界限，或者使唯物主义“归宿于”唯心主义，这是何等的笨拙和幼稚！是根本不可能的。普列汉诺夫指出，伯恩施坦从来没有研究过黑格尔，却敢对他的辩证法发表品头论足的“批评”，认为他如何有害，如果接受了它，“就会妨碍我们清醒地看待现实，会使我们受‘概念的自我发展’的支配”②。为什么会这样呢？因为辩证法关于对立面的对立、“是—否和否—是”和量变质变全是“模棱两可”的东西、它们只是在思辨的理论中才这样，在现实生活和历史发展中从来不是这样，现实的生活及其历史事实上是按照“是—是和否—否”这个公式进行的。普列汉诺夫又一次讥讽说：“如果伯恩施坦先生对他谈得既幼稚而又笨拙的东西真是知道的，那么，他自然会因为自己对辩证法的责难而感到害羞。”因为“黑格尔说过：‘青年人总喜欢驰骛于抽象的概念之中，而有生活阅历的人则避开抽象的‘要就是这—要就是那’的公式，而把问题放在具体的基础之上’。这一句简单的话可以说很满意地说明了辩证法和伯恩施坦先生所喜爱的‘是—是和否—否’这一公式的思维之间的差别”③。所以，真正有害的不是辩证法，而是伯恩施坦先生的形而上学的思维方式。普列汉诺夫认为，辩证法构成了马克思主义最重要的基础要素，是马克思主义哲学体系的灵魂。马克思和恩格斯之所以能够完成社会主义由空想到科学的这一革命性变革，是同他们精通辩证法分不开的。如果不是借助于辩证的方法，马克思和恩格斯

① 《普列汉诺夫哲学著作选集》第2卷，汝信等译，生活·读书·新知三联书店1961年版，第432页。

② 《普列汉诺夫哲学著作选集》第2卷，汝信等译，生活·读书·新知三联书店1961年版，第423页。

③ 《普列汉诺夫哲学著作选集》第2卷，汝信等译，生活·读书·新知三联书店1961年版，第423页。

要完成这一变革，是根本不可能的。因为空想社会主义之所以具有空想的性质，就在于它的整个体系都浸透着“要就是这—要就是那”的精神，而社会主义理论要摆脱这种空想的性质变为科学，就必须超越这种形而上学的思维方式，而发展到辩证的方法。对此，马克思和恩格斯看得最清楚，“他们自己也乐于承认，他们得辩证法的益处很大”①。但是，马克思和恩格斯在公开承认他们的辩证法和黑格尔的辩证法有着联系的同时，也多次强调他们的辩证法和黑格尔的辩证法有本质区别。马克思在《资本论》第一卷第二版跋中就明确地告诉人们：“我的辩证法，从根本上来说，不仅和黑格尔的辩证方法不同，而且和它截然相反。在黑格尔看来，思维过程，即甚至被他在观念这一名称下转化为独立主体的思维过程，是现实事物的创造主，而现实事物只是思维过程的外部表现。我的看法则相反，观念的东西不外是移入人的头脑并在人的头脑中改造过的物质的东西而已”②。对于这一本质的区别，无知的伯恩施坦是不知道的，他所知道的仅仅是黑格尔的“辩证法的妙论”是有害的，并以此来对马克思的辩证法作无聊的攻击。当然，从哲学上看，伯恩施坦的这种攻击不会有丝毫的危险，因为它纯属胡说八道，但从社会政治的角度看，这种攻击的危险性就很大，因为在它的背后隐藏着很险恶的目的，那就是劝告无产阶级及其政党，不要用唯物主义来“威胁”资产阶级的意识形态的利益，不要用“暴力革命的惨象”的辩证法来吓坏资产阶级。

普列汉诺夫在痛斥伯恩施坦攻击和否认马克思主义哲学的同时，还深刻揭露和批判了伯恩施坦对马克思主义的政治经济学和科学社会主义理论的歪曲和篡改。

伯恩施坦为了否认马克思关于资本主义社会内部矛盾的尖锐化必然引起无产阶级革命的论断的正确性，竭力替资本主义制度进行辩护。他借口资本主义社会关系的尖锐化完全没有像《共产党宣言》中所描写的那样，有产者不是在减少，而是在增加。随着社会财富的巨大增殖，资本巨头不是在迅速减少而是各级资本家的人数在不断增加，由此他得出的结论是：资本主义制度不会被消灭，它只能“和平”地长入社会主义，所谓“灾变论”是没有根据的，暴力革

① 《普列汉诺夫哲学著作选集》第2卷，汝信等译，生活·读书·新知三联书店1961年版，第426页。

② 《马克思恩格斯文集》第5卷，人民出版社2009年版，第22页。

命是“无谓的生存牺牲”，无产阶级专政是“低级文化”，是政治上的“隔世遗传”（意即封建专制的复活）。对此，普列汉诺夫指出，伯恩施坦的这套修正主义观点像他的那一著名公式一样，也不是他自己的发明，而是从资产阶级经济学家那里抄袭来的。因为早在几年之前，舒尔采—格弗尼茨就在《论社会和平》和《大生产是经济和社会的进步》中说过相同的话，伯恩施坦把它拿过来反复咀嚼，并作为他反对无产阶级革命理论的中心论据，实在是令人乏味。普列汉诺夫进一步指出：“不论是马克思、恩格斯或是他们的学生中的任何一个人，谁都没有使自己的希望跟社会财富的减少发生联系。伯恩施坦先生想扯断这样的‘联系’，简直是无的放矢。但是一切马克思主义者都确信，在资本主义社会中，社会财富的增长必然伴随着社会不平等的增长和有产人数的减少。假如伯恩施坦先生能够得出相反的证明，那么就应当承认他给了马克思主义以致命的打击。但是倒霉的是，伯恩施坦先生除了证明自己的不懂外，没有证明任何东西”①。普列汉诺夫最后还非常肯定地指出，“伯恩施坦先生用阶级专政是很低级文化的特征的意见来恐吓革命家是徒劳的。我们今天的伟大的社会问题，即消灭人对人的经济剥削问题，正如以往的伟大的社会问题一样，只能用强力来解决。固然，强力还不是暴力的意思，暴力只是强力的表现形式之一。但是无产阶级对于表现自己革命强力的形式的选择，不是取决于它的善良的意志而是取决于环境。能更可靠和更快地导向对敌人胜利的形式就是最好的形式。而假使‘暴力革命’在某一国和在一定情形下竟是最便利的行动方式，那么，谁要是提出在原则上反对它的意见，正如伯恩施坦先生提出的‘低级的文化’、‘政治上的返祖现象’等等那样，谁就是可怜的教条主义者，假如不是叛徒的话。”②

## 二、对伯恩施坦修正主义批判的局限性

第二国际大多数领导人，包括左派领导人，都有个共同的毛病即缺乏扎实

---

① 《普列汉诺夫哲学著作选集》第 2 卷，汝信等译，生活·读书·新知三联书店 1961 年版，第 444 页。

② 《普列汉诺夫哲学著作选集》第 2 卷，汝信等译，生活·读书·新知三联书店 1961 年版，第 442 页。

的哲学素养和说明问题的理论深度。相比之下，普列汉诺夫在这两个方面都要强得多。也正是他具有这样的优点，决定他能够较早地站出来，承担起批判伯恩施坦主义的历史重任。

从前面的阐述中可以看出，普列汉诺夫的每一篇批判文章都具有非常清晰的针对性和目的性，都是投向伯恩施坦主义的重磅炸弹。它们不仅给了伯恩施坦主义以致命的打击，而且以论战的形式，深入浅出、有针对性地宣传了马克思主义哲学、政治经济学和科学社会主义理论，为在俄国广泛传播马克思主义，为推动马克思主义与俄国工人运动相结合扫清了道路，创造了条件。正因为如此，普列汉诺夫的文章一经发表，立刻受到了社会民主党众多党员和工人群众的热烈欢迎和高度评价。威廉·李卜克内西和倍倍尔因为普列汉诺夫同伯恩施坦的论战而同他热烈地握手，并希望他继续进行反对伯恩施坦的论争，李卜克内西还给普列汉诺夫写信道："继续吧，打击得厉害些，打击得结实些"①。可见，在反对第二国际伯恩施坦修正主义斗争中，普列汉诺夫走在了前头，其功绩是巨大的。在《马克思主义和修正主义》一文中，列宁曾经指出："在国际社会民主党中，普列汉诺夫是从彻底的辩证唯物主义观点批判过修正主义者在这方面大肆散播的庸俗不堪的滥调的唯一马克思主义者"②。列宁的这种评价就是对普列汉诺夫历史功绩的充分肯定。

但是，普列汉诺夫在批判伯恩施坦修正主义的斗争中，也存在着一些明显的不足，这表现在：第一，在评价18世纪法国唯物主义时，分不清它的优点和缺点，把由于形而上学局限性造成的不可知论的观点当作它的肯定的积极的因素加以宣传。他认为在康德的原理里面"所包含的一切正确的东西，都为法国唯物主义者在康德以前说过了：物质的本质是我们所不能认识的，我们之认识物质，只凭它对我们所发生的那种影响"③。这是向唯心主义的不可知论作了让步。结果，本来是要划清18世纪法国唯物主义同康德主义的界限，反对伯恩施坦的"回到康德去"的口号，最后却给人造成相反的印象，似乎18世纪法国唯物主义者同康德是一样的，都是不可知论者，从而向不可知论作了无原

① 转引自《普列汉诺夫哲学著作选集》第2卷，汝信等译，生活·读书·新知三联书店1961年版，第886页。

② 《列宁专题文集　论马克思主义》，人民出版社2009年版，第151页。

③ 《普列汉诺夫哲学著作选集》第2卷，汝信等译，生活·读书·新知三联书店1961年版，第383页。

则的让步。第二，在对待旧唯物主义和马克思主义哲学的关系问题上，过于强调它们之间的联系和一致处，忽视了它们之间的本质差别和对立，结果，在论述马克思主义哲学同康德主义的差别时，其分析和解释都给人造成了这样一种印象：它们的差别只限于“有关不可认识的东西那一方面”；即使在这一方面，它们的差别也只是程度不同，而不是本质的差别。因为普列汉诺夫明确地说过：“物质的本质是我们所不能认识的，我们之认识物质，只凭它对我们所发生的那种影响”①。这样就降低了马克思主义哲学的产生是哲学史上伟大的革命变革的意义。第三，对伯恩施坦修正主义的政治观驳斥得不够充分，没有用大量事实材料反击伯恩施坦鼓吹阶级调和“和平”长入社会主义的谬论，甚至避而不谈伯恩施坦对马克思主义国家学说的歪曲和篡改。列宁在《国家与革命》一书中就曾明确指出：“许多人都曾驳斥过伯恩施坦，特别是俄国著作界的普列汉诺夫和欧洲著作界的考茨基，但是，无论前者或后者都没有谈到伯恩施坦对马克思的这一歪曲。”②

由于普列汉诺夫存在上述不足，决定了他没能彻底完成反对伯恩施坦修正主义的历史重任。直到列宁才真正完成这个艰巨任务。

## 第五节 晚年思想的转变及其严重错误

普列汉诺夫一生复杂多变。自1883年至1903年这整整20年间，是普列汉诺夫一生中最为光辉的时期。但是1903年之后，他便从自己的光辉时期的峰顶跌落了下来，开始了向机会主义者演变的历程。从1903年到1914年，是普列汉诺夫变成机会主义者的转变时期。在这段时期，他反复摇摆于布尔什维克与孟什维克、马克思主义与机会主义之间，但总的趋势是在错误的道路上

① 《普列汉诺夫哲学著作选集》第2卷，汝信等译，生活·读书·新知三联书店1961年版，第383页。

② 《列宁专题文集 论马克思主义》，人民出版社2009年版，第224页。

越走越远，在机会主义泥潭中越陷越深，终于堕落成为机会主义者、沙文主义者。

从 1914 年到 1918 年，这一时期，普列汉诺夫发表了许多鼓吹机会主义和社会沙文主义的论著。除了上面提到的《论战争》外，他在这一时期的许多文章、演说后来被流亡在国外的孟什维克分子辑录在《在祖国的一年》里。在这一阶段，普列汉诺夫仍然做了一些有益的学术研究工作，《俄国社会思想史》便是他未完成的一部社会思想史巨著。1914 年至 1918 年，这是普列汉诺夫一生中最不光彩的时期。在这一阶段，他公然站在机会主义、社会沙文主义一边，积极鼓吹俄国政府的帝国主义战争政策，反对十月社会主义革命，彻底蜕变为机会主义者、社会沙文主义者。随着 1914 年第一次世界大战的爆发，普列汉诺夫成了彻头彻尾的机会主义者和沙文主义者。他支持俄国反动政权推行帝国主义战争政策，反对列宁和布尔什维克领导的俄国十月社会主义革命，成了“社会主义事业的叛徒”①。1917 年“二月革命”胜利后，普列汉诺夫返回了自己的祖国，1918 年 5 月 30 日病逝，以悲剧性的结局了却了自己的一生。

## 一、转向机会主义和沙文主义

从 1903 年到 1914 年，这 11 年是普列汉诺夫不断摇摆于马克思主义和机会主义、布尔什维克和孟什维克之间的时期，情况比较复杂。从普列汉诺夫政治、理论活动的经历来看，他的一生经历了两个重大转变，即从民粹主义者向马克思主义者的转变和从马克思主义者向机会主义者的转变。

1917 年俄国“二月革命”之后，普列汉诺夫回到了阔别达 37 年之久的祖国。他一踏上俄国的土地就立即投入了资产阶级临时政府的怀抱。他不断发表演说，撰写文章，宣扬“阶级和平”和“阶级合作”，鼓吹支持临时政府将帝国主义战争进行到底，反对将资产阶级民主革命转变为社会主义革命。他极力反对以列宁为代表的布尔什维克发动和领导的十月社会主义革命。就在十月革命胜利后的第三天，他在《统一报》上发表了《致彼得格勒工人的公开信》，诬蔑十月革命把俄国工人阶级和整个国家推上了“最大的历史灾难的道路”。这

---

① 《列宁全集》第 26 卷，人民出版社 2017 年版，第 112 页。

明白无误地表明，这一时期的普列汉诺夫已经堕落为社会主义事业的对立面。

普列汉诺夫从马克思主义者向机会主义者转变，这一时期指被称为革命时期的右倾机会主义。它指的是普列汉诺夫对1905年革命持右的立场态度。在如何对待资产阶级的问题上，普列汉诺夫错误地认为，俄国的资产阶级民主革命性质表明资产阶级是革命阶级，呼吁无产阶级在反对沙皇制度的斗争中同资产阶级“并肩行进”，这实际上就是放弃了无产阶级的领导权。在对待农民的问题上，他不了解俄国资产阶级民主革命的重要特点是农民革命，低估了农民在革命中的作用，甚至错误地认为无产阶级在革命斗争中如果不同资产阶级结成联盟而同农民结成联盟，就会吓跑资产阶级，削弱革命力量。在对待武装起义的问题上，他天真地以为，党的主要任务是进行和平宣传和工会工作，主张把工作重点放在培养无产阶级的自觉意识和取得胜利的心理条件上，反对所谓过早地举行武装起义。当武装起义失败后，他竟公然指责布尔什维克，说起义的失败证明了“武装起义游戏的全部冒险性”，“本来就用不着拿起武器”。列宁驳斥普列汉诺夫的机会主义腔调，认为正好相反，无产阶级本来应该更坚决、更果敢和更主动地拿起武器。

普列汉诺夫由马克思主义者向机会主义者的转变，是以他于1903年在《火星报》第52号上发表《不应该这么办》这篇文章为起点的。但这并不意味着他从这时起就“一刀切”式地一下子变成了机会主义者，事实上，他向机会主义者的演变经历了一个很长的曲折复杂的过程。在这个过程中尽管总的倾向是在错误的道路上愈走愈远，但又具有反反复复、摇摆不定的特点。列宁毫不客气地指出：“在我们党内有一些同志被人戏称为‘泥潭派’。他们在党内斗争中经常从一方倒向另外一方。这些倒戈分子中的第一个是普列汉诺夫公民”①。在这一时期，普列汉诺夫最大的摇摆表现在对待1905年革命和“取消派”的态度上。如果说前者是明显地向右转，表现了其对待1905年革命的右倾机会主义立场，那么反对“取消派”则是明显地向左转，表现了他向马克思主义立场和布尔什维克的靠拢。而到了1914年，当他由反对“取消派”转向同“取消派”合流时，就又向右转了。在1903—1914年间，普列汉诺夫从布尔什维克转向孟什维克，甚至充当了孟什维克的思想领袖，故称这一阶段是他的“孟什维克时期”。但就在这一时期，他又有好多次脱离了孟什维主义。列宁曾详细

① 《列宁全集》第45卷，人民出版社2017年版，第54页。

地列举了他好多次脱离孟什维主义的具体表现，如：在1903年党的代表大会上“反对过孟什维克”；代表大会以后，在主编《火星报》第46—51号期间也反对过孟什维克；1905年春天曾经脱离了孟什维克；在1906年第一届杜马解散后，采取了根本不是“孟什维克的立场”；在1907年的伦敦代表大会上则又反对过孟什维克的组织上的无政府主义。掌握普列汉诺夫从马克思主义者向机会主义者转变的上述特点，对于了解他的一生，正确评价他的政治活动和理论活动是至关重要的。

处在马克思主义阶段期间，普列汉诺夫在理论观点上就显现出了某些不彻底性。随着他在政治上转向机会主义，其思想理论中逐渐暴露出某些原则性的错误，甚至恶性膨胀，特别在与现实政治斗争联系较为密切的领域，普列汉诺夫的这种错误就体现得更加明显。

首先，普列汉诺夫转向机会主义者之后，逐渐强调马克思主义哲学同费尔巴哈哲学之间的一致性。在马克思主义时期，普列汉诺夫认为马克思对费尔巴哈的批评是完全正确的。但是到了后来，在1915年完成的长篇论文《从唯心主义到唯物主义》中，普列汉诺夫指出，在马克思看来，人的思维是否具有客观的真理性，这并不是一个理论的问题，而是一个实践的问题，人应该在实践中证明自己思维的真理性，即自己思维的现实性和力量，亦即自己思维的此岸性；其实，“从费尔巴哈那里，我们也可以发现同样的思想，用费尔巴哈的话说，唯心主义的基本缺点在于：‘它仅仅从理论的观点来考察世界的客观性或主观性、现实性或非现实性的问题，而世界之成为论断的对象，只因为它起初成了愿望的对象’”①。普列汉诺夫认为，费尔巴哈这段话的时间虽然晚于马克思的上述论断20年，但时间的先后未必有什么意义，“因为关于哲学理论脱离实践活动对哲学理论有致命影响的思想是与费尔巴哈哲学的整个精神是完全符合的”②。他怕别人误解他，还专门为此作了一个注释：“我认为我有义务指出：在我的小册子《马克思主义的基本问题》中并不是完全这样来叙述马克思和费尔巴哈在上述方法论问题上的关系。我想，现在我把这种关系阐述得比较正确

① 《普列汉诺夫哲学著作选集》第3卷，汝信等译，生活·读书·新知三联书店1962年版，第776页。

② 《普列汉诺夫哲学著作选集》第3卷，汝信等译，生活·读书·新知三联书店1962年版，第776页。

了”[①]。普列汉诺夫的注释意义明显，他用相当浅显的语言告诉人们：七年前他在《马克思主义的基本问题》中曾认为费尔巴哈哲学的主要缺点是不懂得实践，马克思在《提纲》中对他的批评是完全正确的；而七年之后，他认为这样的认识则应该修正了。怎样修正呢？普列汉诺夫认为，在实践问题上，费尔巴哈与马克思“具有同样的思想”，唯有这样理解马克思与费尔巴哈的关系才“比较正确”[②]。这显然是一个重大转变。此后，普列汉诺夫原来支持马克思在《提纲》中有关对费尔巴哈的“完全正确”的批判发生了逆转。他说：“马克思指责费尔巴哈不了解‘实践批判’活动，这是不对的。费尔巴哈是了解它的”[③]。于此，他彻底抹杀了马克思与费尔巴哈关于实践观认知之间的原则区别。在马克思看来，人们的实践活动作为一种具体的历史的最基本的社会活动，能动地改造着自然和社会，人本身也会在这个活动中不断改变。而在费尔巴哈眼里，实践无非是感性的直观罢了，即使有时会灵光一现，表达一些较为深刻的见解，但始终是一些猜测。科学的历史观决定了两者在实践问题上的根本差异，正如恩格斯所言：“当费尔巴哈是一个唯物主义者的时候，历史在他的视野之外；当他去探讨历史的时候，他不是一个唯物主义者。”[④]以上充分说明，当费尔巴哈从马克思主义者彻底演变为机会主义者之后，在实践观上发生了一个倒退，即从马克思主义实践观倒退为费尔巴哈的旧唯物主义的实践观。

其次，庸俗经济决定论的错误观点，构成了普列汉诺夫机会主义路线的主要理论基础。马克思主义时期的普列汉诺夫虽然在历史观领域的某些方面呈现出机械论的倾向，但总体而言，他在相关问题上还是坚持了唯物主义和辩证法，比如社会存在与社会意识、生产力与生产关系、经济基础与上层建筑，历史必然性与人的自由自觉等。但是，随着普列汉诺夫政治上的机会主义转变后，他的机械论倾向日益凸显和严重。

第一次世界大战爆发，帝国主义世界的尖锐矛盾充分暴露。战争给帝国主

---

① 《普列汉诺夫哲学著作选集》第3卷，汝信等译，生活·读书·新知三联书店1962年版，第776页。

② 《普列汉诺夫哲学著作选集》第3卷，汝信等译，生活·读书·新知三联书店1962年版，第776页。

③ 《普列汉诺夫哲学著作选集》第3卷，汝信等译，生活·读书·新知三联书店1962年版，第776页。

④ 《马克思恩格斯选集》第1卷，人民出版社2012年版，第158页。

义带来了政治、经济危机，使俄国无产阶级进行社会主义革命的条件日益成熟。在深刻揭露战争的帝国主义性质基础上，列宁明确指出，帝国主义帮助了革命，开辟了革命的新纪元。在革命条件发生有益变化中，列宁高举无产阶级国际主义和社会主义的旗帜，不失时机地提出了“使本国政府在战争中失败”，“变帝国主义战争为国内战争”的口号，制定了领导俄国无产阶级和广大人民群众反对帝国主义战争和进行社会主义革命而斗争的正确路线。普列汉诺夫对此明确表示反对，并且认为俄国人民要支持本国政府进行帝国主义战争和反对社会主义革命的机会主义、社会沙文主义路线。促使他坚持这种论调的理论基础就是第二国际机会主义领袖们所鼓吹的“庸俗化了的所谓‘生产力论’”。在他看来，当时的俄国，生产力水平很低，经济相当落后，根本不具备社会主义革命的条件。因此，当时无产阶级及其政党的首要任务是要大力发展生产力，促进资本主义经济在俄国的发展，而不是开展社会主义革命。当俄国的资本主义得到充分发展后，进行社会主义革命的条件才会被创造出来。这与普列汉诺夫之前把在俄国实现社会主义当作自己终生奋斗的目标，相信社会主义替代资本主义的必然性的态度南辕北辙。在庸俗经济决定论的理论信条中，普列汉诺夫实际上把在俄国实现社会主义看成是遥远的而不可及的“幻想”了。他甚至主张把这个“幻想”的实现寄托在沙皇帝国侵略战争的胜利上。

“二月革命”的胜利证明了列宁和布尔什维克政治路线的正确性。随之，列宁在《四月提纲》中根据马克思主义的原则，契合当时俄国的革命形势，提出将资产阶级民主革命向社会主义革命转变的正确方针。普列汉诺夫还是坚持所谓的“庸俗化了的所谓‘生产力论’”，反对列宁的正确方针。在《谈谈列宁的提纲以及为什么有时梦话值得注意》一文中，他想当然地宣称列宁在《四月提纲》中提出的实现革命转变的正确主张是“梦话”、“空想”，反之把自己反对把资产阶级民主革命转变为社会主义革命的错误主张看成是正确方针。他认为，一个“无可争辩的真理”是“俄国不仅吃存在着资本主义的苦头，而且也吃资本主义生产方式不够发达的苦头”①，在俄国“资本主义尚未达到阻碍生产力发展的那个高级阶段”，在这样的条件下，“是不可能谈论社会主义变革

---

① ［俄］普列汉诺夫：《在祖国的一年》，王荫庭、杨永译，生活·读书·新知三联书店 1980 年版，第 20 页。

的”①。因此，普列汉诺夫断言，推翻沙皇制度，争取政治自由，只是为“遥远的未来实现社会主义革命”②准备必要的条件；在社会主义革命条件还远不具备的情况下，就“号召城乡工人和最贫苦的农民推翻资本主义，夺取政权，是荒谬的”③。

普列汉诺夫的上述观点与俄国社会当时的实际情况严重脱离。20 世纪 20 年代的俄国已走上了帝国主义的道路，其经济、政治制度已严重阻碍着生产力的发展。当时的俄国矛盾错综复杂，异常尖锐。无产阶级与资产阶级的矛盾、农民阶级与地主阶级的矛盾、沙皇帝国主义与殖民地半殖民地的矛盾以及俄国同其他帝国主义国家之间的矛盾。种种矛盾交织，使得当时的俄国成为世界资本主义链条下的薄弱环节。列宁运用唯物辩证法，科学全面分析了当时俄国的矛盾特征，揭示出帝国主义时代资本主义经济、政治发展不平衡规律，提出了社会主义革命可能在个别资本主义国家首先取得胜利的原理。俄国的实际情况无疑符合了列宁的判断，十月革命于此在俄国这个世界资本主义链条最为薄弱的环节上取得了胜利，人类历史的新纪元得以呈现。十月革命的胜利，无疑就宣告了普列汉诺夫机会主义路线及其理论基础——“庸俗化了的所谓‘生产力论’”的破产。但是，普列汉诺夫还是不甘心，他继续攻击无产阶级革命，对十月革命进行大肆攻击。他把十月革命说成是“令人心痛的事变”，说这一事变使他想起了恩格斯的教导：工人阶级最大的历史灾难莫过于在还没有准备好以前就夺取政权④。他认为，以目前无产阶级专政的经济条件来看这场革命根本就没准备好。十月革命纯粹是把政权“强加给了俄国工人阶级”，“这不仅意味着把它推上了最大的历史灾难的道路”，而且也“把整个俄国推上了最大的历史灾难的道路”⑤。普列汉诺夫的这些观点，充分暴露出他已经彻底脱离了原

① ［俄］普列汉诺夫：《在祖国的一年》，王荫庭、杨永译，生活 · 读书 · 新知三联书店 1980 年版，第 22 页。

② ［俄］普列汉诺夫：《在祖国的一年》，王荫庭、杨永译，生活 · 读书 · 新知三联书店 1980 年版，第 23 页。

③ ［俄］普列汉诺夫：《在祖国的一年》，王荫庭、杨永译，生活 · 读书 · 新知三联书店 1980 年版，第 21—24 页。

④ ［俄］普列汉诺夫：《在祖国的一年》，王荫庭、杨永译，生活 · 读书 · 新知三联书店 1980 年版，第 24 页。

⑤ ［俄］普列汉诺夫：《在祖国的一年》，王荫庭、杨永译，生活 · 读书 · 新知三联书店 1980 年版，第 464—465 页。

来所捍卫的生产力与生产关系、经济基础与上层建筑的辩证统一的原则，而滑向了形而上学机械论的泥潭。正是形而上学机械论，牵引着他一步步走向机会主义的深渊。

再次，当普列汉诺夫开始向机会主义者演变之后，就逐渐离开并最终放弃了马克思主义的阶级斗争的观点，成为阶级调和论的鼓吹者。普列汉诺夫的阶级调和论最初体现在宣扬布尔什维克和孟什维克的无原则调和上。他极力反对布尔什维克同孟什维克之间的原则斗争，无原则地向孟什维克让步。借口所谓“灵活性”，公然鼓吹不要永远仇视修正主义，说否则就会犯“形而上学”、“直线性”的错误。这种言论当然要受到列宁等人的批评。但普列汉诺夫不仅不接受批评，还反而一方面攻击列宁和布尔什维克同孟什维克的原则斗争是“抓住小节不放”，表现了“排他性的宗派精神”①，另一方面又竭力为孟什维克的分裂活动作辩护，把孟什维克首领马尔托夫美化为“地地道道的马克思主义者”②。

普列汉诺夫演变为彻头彻尾的机会主义者和社会沙文主义者是在1914年。此后，他便进入了自己一生中最为灰暗的时期。1914年至1918年，这四年是普列汉诺夫一生中最不光彩的时期。在这一阶段，他公然站在机会主义、社会沙文主义立场上，积极支持本国政府的帝国主义战争政策，反对十月社会主义革命，彻底蜕变为机会主义者、社会沙文主义者。

1914年第一次世界大战一爆发，欧洲大多数社会民主党领袖就纷纷撕毁了第二国际第九次代表大会通过的反对帝国主义战争的《巴塞尔宣言》，支持本国政府进行帝国主义战争。普列汉诺夫紧随其后，极力为沙皇政府的战争政策辩护，公然要求俄国社会民主党人投票支持沙皇政府的军事拨款，甚至在国防大臣创办的《俄罗斯意志报》上发表文章鼓吹沙文主义。他的社会沙文主义立场在其《论战争》（1914年）等著作中得到了充分的暴露。列宁说，这一时期的普列汉诺夫已经成了沙文主义者的典型人物。这种阶级调和论的观点在1905年民主革命时期和后来的社会主义革命时期得到了进一步体现。

普列汉诺夫在1905年俄国民主革命时期提出了“分开走、一起打”的机

---

① 《普列汉诺夫机会主义文选》（上），虚容译，生活·读书·新知三联书店1964年版，第7页。

② 《普列汉诺夫机会主义文选》（上），虚容译，生活·读书·新知三联书店1964年版，第7页。

会主义路线，就是以阶级调和论观点为理论基础的。他主张，在革命进程中，无产阶级应当把政治斗争的领导重担哪怕是部分地转移到资产阶级的肩上，否则，“就会违反革命的直接的和明显的利益”①。从资产阶级是革命的主要动力这一错误认识出发，普列汉诺夫进一步提出了无产阶级在反对沙皇专制制度的斗争中，应跟资产阶级“互相亲善”、“并肩行进”②的错误结论。在他看来，在无产阶级不跟资产阶级走和资产阶级不跟无产阶级走的现实情况下，二者就应“分开走，一起打”。即它们应平起平坐，平行领导，各走各的路，在这个前提下联合起来一起打击沙皇制度。普列汉诺夫的这一机会主义实质，是放弃无产阶级在民主革命中的领导权，片面地强调同资产阶级实行阶级合作，搞阶级投降主义。普列汉诺夫的阶级调和论错误，在社会主义时期发展到了顶峰。1917年“二月革命”胜利后，普列汉诺夫回到了俄国。回国后，他就卖力鼓吹实行阶级合作，支持“由资产阶级和资产阶级化了的地主”的代表所组成的资产阶级临时政府将帝国主义战争进行到底。他发表了一系列文章和演说，呼吁国内各阶级“互相让步”，“实行联合”，并且宣称各阶级的联合和合作是头等重要的革命行动。他甚至还劝说无产阶级不应该提出“显然是资产阶级的经济本性所不能接受的条件”；否则，“就意味着预先有意识地排斥同它达成协议，破坏联合”。为了实行阶级合作，他公然提出无产阶级应坚决放弃夺取政权的企图，说什么“无产阶级夺取政权现在对这个阶级来说是最大的不幸”。把无产阶级痛苦生活和社会地位的改变，寄托在资产阶级的“天良发现”和“开明恩赐”上。

普列汉诺夫鼓吹阶级合作是同他反对进行社会主义革命的机会主义路线紧密联系在一起的，也可以说是其机会主义路线的理论基础之一，而他的阶级调和论观点又是同他以“庸俗化了的‘生产力论’”为主要内容的机械论观点密切相关的。普列汉诺夫不仅提出了上述机会主义路线，加上他善于引经据典，旁征博引，为自己的机会主义路线作系统的理论论证，这就使他的机会主义观点披上了一层马克思主义的外衣，因而更有理论气势，也更有欺骗性，其危害性更大。正是在这个意义上，列宁才一语道破指出，普列汉诺夫的机会主义带给俄国工人阶级的危

① 《普列汉诺夫机会主义文选》（上），虚容译，生活·读书·新知三联书店1964年版，第148—149页。

② 《普列汉诺夫机会主义文选》（上），虚容译，生活·读书·新知三联书店1964年版，第135页。

害，比当年伯恩施坦机会主义给德国工人阶级带来的危害逾百倍。

最后，普列汉诺夫极力宣扬超阶级的国家观，公然用资产阶级的国家理论取代马克思主义的国家理论。普列汉诺夫在国家问题上的机会主义观点，首先在对待沙皇政府的代议机构——国家杜马——的态度上呈现出来。在俄国第一次资产阶级民主革命时期，沙皇政府实行两面手法，一方面武装镇压人民群众的革命运动，另一方面利用国家杜马手段欺骗、利诱工人阶级和广大群众脱离革命斗争。以列宁为首的布尔什维克识破了沙皇统治者的骗局，揭穿了国家杜马是沙皇政权主要统治工具之一的阶级实质，实行了抵制第一届国家杜马的策略。孟什维克和立宪民主党则积极支持国家杜马，企图使群众相信仿佛不必经过武装起义，不必经过革命斗争，就能建立人民所需要的社会制度。在这个关键时刻，普列汉诺夫站在机会主义的路线上连续发表文章，美化国家杜马，散布立宪幻想，实际上起了瓦解人民革命群众斗志的作用。他一方面把作为沙皇政权统治工具的国家杜马说成是以大多数人民代表的信任为依据并受到人民欢迎的“人民代表机关”，号召全国人民“齐心协力地支持杜马”；另一方面则坚决反对工人阶级武装夺取政权，说什么“不要点起阴谋家起义的篝火”，应在“文火”上把官僚制度慢慢地“烤熟”①。列宁指出，普列汉诺夫完全陷入了立宪幻想，热衷于议会制度的幻想，而忘记了争取政权的根本任务，机会主义策略的实质正是放弃无产阶级的根本任务，而迁就自由派不彻底、不明白的任务。

普列汉诺夫在国家问题上的机会主义观点，还突出表现在对待资产阶级临时政府的态度上。“二月革命”后所成立的政府乃是彻彻底底的资产阶级专政政权。它对内镇压人民群众，对外维护其帝国主义战争政策。但普列汉诺夫却极力掩盖其阶级实质，把它说成“不是一个社会阶级的政府”，而是“反映民主派意图和要求的政府。”他顽固地反对布尔什维克提出的“一切政权归工人代表苏维埃”的口号，将人民群众反对临时政府的斗争诬蔑为“无政府主义”，甚至呼吁人们支持临时政府同“无政府主义势力”作斗争，只给自己保留“批评政府某些个别错误的权利”。他特别反对人民群众起来打倒临时政府，说什么用“打倒”的口号反对临时政府，企图把它推翻，无异于“点起内战的火

---

① 《普列汉诺夫机会主义文选》（下），虚容译，生活·读书·新知三联书店1964年版，第26页。

焰”①。正如列宁所说，此时的普列汉诺夫已完全站到了资产阶级一边，充当了“资本的奴仆”。

反对无产阶级通过暴力革命推翻资产阶级统治建立无产阶级专政，这是普列汉诺夫的阶级调和论和对待国家问题上的机会主义观点所得出的必然结论。如果说马克思主义者时期的普列汉诺夫曾在反对伯恩施坦修正主义的斗争中捍卫过无产阶级革命和无产阶级专政学说的话，那么当他转变为机会主义者之后就完全站在这一学说的对立面了。他一再散布在俄国建立无产阶级专政“是不合时宜的，因而是有害的”谬论，极力鼓吹为了“避免无产阶级专政的前途”，俄国社会各阶级必须组织“联合政府”，并把他的上述机会主义观点自诩为“真理”②。十月社会主义革命胜利，俄国工人阶级建立起世界上第一个无产阶级专政国家政权后，普列汉诺夫竟把它说成是“非常悲惨的后果”，并为之感到痛心。他甚至说：“如果工人阶级的觉悟分子不坚决果断地反对由一个阶级或者——比这更糟的是——由一个政党夺取政权的政策，后果将更加悲惨。”所有这些，无不表明，此时的普列汉诺夫在政治上已充当了资产阶级尾巴，走向了马克思主义的对立面。普列汉诺夫在理论和实践中的上述错误，是同他在政治上的机会主义、社会沙文主义紧密联系在一起的，相互作用，互为因果。一方面他的错误理论观点构成了其政治上的机会主义、社会沙文主义的思想理论根源；另一方面他政治上的机会主义、社会沙文主义，又对其理论观点上的错误产生重要影响并进一步导致它恶性发展。弄清楚普列汉诺夫理论观点上的错误，如同弄清楚他对马克思主义的贡献一样，无论对于正确评价他这样一个在国际共产主义运动历史上赫赫有名而又十分复杂的历史人物和他在马克思主义发展史上的地位和作用来说，都是十分重要的。

如何对待帝国主义性质的第一次世界大战，成为识别社会沙文主义者的重要标准。战争爆发后不久，第二国际各国社会党的大多数领导者，特别是那些机会主义头子，悍然撕毁笔墨未干的《巴塞尔宣言》，与本国资产阶级沆瀣一气，对外叫嚷“保卫祖国”，积极支持本国资产阶级政府参加这场罪恶的侵略战争，对内打着“国内和平”的旗号，诱使无产阶级同本国资产阶级合作，放弃革命

---

① ［俄］普列汉诺夫：《在祖国的一年》，王荫庭、杨永译，生活·读书·新知三联书店 1980 年版，第 202—205 页。

② ［俄］普列汉诺夫：《在祖国的一年》，王荫庭、杨永译，生活·读书·新知三联书店 1980 年版，第 71—75 页。

斗争。于是第二国际各国社会党的大多数领导人相继蜕变为社会沙文主义者[①]，即口头上的社会主义者，实际上的沙文主义者。因此，随着第一次世界大战的爆发，在国际共产主义运动中出现了前所未有的机会主义的大背叛。列宁认为："第二国际（1889—1914）大多数领袖背叛社会主义的行为，意味着这个国际在思想上政治上的破产"[②]。普列汉诺夫在大战爆发后，很快就堕落为社会沙文主义者。这是他自1903年俄国社会民主工党第二次代表大会之后，长期坚持机会主义立场的必然结果。那么，为什么他赤裸裸地同英、法等国的社会沙文主义者而不同德、奥、意等国的社会沙文主义者站在一起，为什么公开为英、法、俄等"协约国"的资产阶级政府而不为德、奥、意等"同盟国"的资产阶级政府辩护呢？这主要因为他是俄国人，表面上他是捍卫俄国民族利益，实际上他是支持沙皇政府对外争霸。另外，这也与普列汉诺夫当时在法国巴黎的一些经历见闻有关。当时从报纸上得知德国人侵比利时和卢森堡时制造的暴行，德国和法国的一些社会主义者站在各自国家的立场上支持当时的资产阶级政府，比如法国的盖得和桑巴已担当起资产阶级政府的部长职务。普列汉诺夫站在机会主义立场上，形而上学地对待大战爆发时的所见所闻，相信过去同他交往甚密的盖得等人的社会沙文主义观点，便得出了德、奥、意等"同盟国"进行的是侵略的非正义的战争，而英、法、俄等"协约国"坚持的是防御的正义战争的荒谬结论。后来列宁在1915年谈到普列汉诺夫的社会沙文主义观点时，正确指出："他主要是重复英法沙文主义者海德门及其新信徒的论据。"[③]

普列汉诺夫于8月底回到瑞士，10月初在日内瓦发表了为沙皇政府的侵略战争辩解的演说，这是他在公开场合首次宣传社会沙文主义观点。接着在10月11日，他应邀出席了由侨居在孟什维克小组举办的专题报告会，作了题目为《论社会党人对待战争的态度》的宣扬社会沙文主义谬论的专题讲演。在报告的前半部分，普列汉诺夫严厉谴责了德国帝国主义政府的侵略行径和德国社会民主党的领导人公开支持本国资产阶级政府的机会主义立场。在场倾听报告的列宁和其他布尔什维克对此表示赞赏。但必须看到，普列汉诺夫是出于为

① 沙文是拿破仑一世手下的一个士兵，此人狂热鼓吹并积极支持拿破仑的侵略扩张计划，在战争中多次负伤，曾得到拿破仑的奖赏。从此，人们就把宣扬侵略和奴役其他民族的人，称之为沙文主义者。

② 《列宁全集》第26卷，人民出版社2017年版，第2页。

③ 《列宁选集》第2卷，人民出版社2012年版，第464页。

法国社会党人的社会沙文主义作辩解的目的来批判德国的社会民主党的社会沙文主义立场，并非坚持马克思主义的无产阶级国际主义原则。在他报告的后半部分，则充分暴露了其社会沙文主义的错误立场。在普列汉诺夫看来，无论是比利时，还是法国，这些国家都是受攻击的国家，因此进行的战争是正义的战争，它们在战争中执行的政策是正确的。对此，列宁在会场予以了反驳，他认为现在的战争是由资产阶级社会发展的一切条件造成的。目前一些社会党人对待战争的态度已经违背了第二国际的历次大会所规定的宗旨。列宁严厉批评了法国社会党人参加资产阶级内阁、支持本国资产阶级政府的社会沙文主义立场。

不久之后，普列汉诺夫以在洛桑所作报告为基础，修改和补充后于 10 月 27 日以致保加利亚社会党人扎哈里·彼得罗夫的公开信形式，写成了第一篇宣传社会沙文主义理论的文章《论战争》，同年在巴黎发行了单行本。之后他又陆续写了一些鼓吹社会沙文主义的文章，并把这些文章收入到小册子《论战争》中。普列汉诺夫在他前后出版的两本《论战争》的同名小册子里，系统地完整地阐述了他的社会沙文主义理论。一个版本包括他于 1914 年 10 月 27 日和 1915 年 5 月 8 日写的两封公开信；另一版本包括他 1915—1916 年写的《两条路线》等九篇文章。这两本同名小册子，标志着普列汉诺夫社会沙文主义的形成和发展。普列汉诺夫不仅在理论上为“协约国”进行战争辩护，而且在行动上为“协约国”搜罗人手效劳。他煽动侨民作为志愿兵上前线为帝国主义卖命，这在第二国际社会沙文主义的实践中，还是一个“创造”。列宁谈到这件事时指出：“当把志愿兵作为实现社会主义任务的做法……，只得到普列汉诺夫一个人的拥护。”①

在俄国的各色各样的社会沙文主义者中，普列汉诺夫的理论最完整最系统，因此列宁在说到“俄国的社会沙文主义者”时，强调“以普列汉诺夫为首”②。又因为在欧洲各国的社会沙文主义者中间，普列汉诺夫最露骨最全面地反映了各协约国资产阶级的利益与要求，所以列宁把普列汉诺夫称为“‘四协约国’社会沙文主义者的典型代表人物”③。列宁于 1917 年把他称为“俄国的（和英法的）社会沙文主义即口头上的社会主义实际上的帝国主义的代表普列

---

① 《列宁全集》第 26 卷，人民出版社 2017 年版，第 42 页。
② 《列宁全集》第 26 卷，人民出版社 2017 年版，第 331 页。
③ 《列宁全集》第 27 卷，人民出版社 2017 年版，第 115 页。

汉诺夫先生”①，这个称号全面地概括了普列汉诺夫在第一次世界大战时期的社会沙文主义的理论和实践活动。总之，在第一次世界大战期间，如何对待战争、和平与革命，这是摆在国际社会主义者面前的最重大、最迫切的问题。真正的国际主义者主张变帝国主义战争为国内战争，通过无产阶级革命，实现社会主义，以求得持久的和平。而普列汉诺夫却深陷社会沙文主义泥潭，主张为“保卫祖国”而把帝国主义战争进行到底，抵制任何和平倡议，反对各国人民的革命斗争。普列汉诺夫在第一次世界大战时期的社会沙文主义的言行，是他公开、完全地背叛社会主义事业的开始；后来他极力反对十月革命，则是他反社会主义事业的继续与发展。

## 二、坚持反对十月革命

沙皇政府自从参加第一次世界大战那一天起，就在经济上加紧对人民的剥削与掠夺，在政治上加强人民的压迫和奴役。战争暴露了俄国经济的落后和沙皇政府的政治腐败。社会主义革命运动的洪流冲破了资产阶级临时政府的残酷镇压，不顾普列汉诺夫的“庸俗化了的所谓‘生产力’论”的反动说教，摧枯拉朽般迅速在俄国大地上汹涌澎湃。列宁于10月12日（旧历十月七日）从芬兰秘密回到彼得格勒。10月29日（旧历十月六日）彼得格勒苏维埃成立准备和实现武装起义的领导机关——彼得格勒革命军事委员会。11月6日（旧历十月二十四日）列宁得知临时政府要先动手镇压起义的消息后，决定马上举行武装起义。当天晚上，列宁化装来到斯莫尔尼宫，亲自领导起义。从6日晚到7日晨（旧历二十四日晚和二十五日晨），约有二十万赤卫队员和革命士兵，按照列宁的命令，勇敢迅速地占领了火车站、主要桥梁、国家银行、电话电报局及其他战略要地，保卫了资产阶级临时政府盘踞的冬宫。11月7日（旧历十月二十五日）晚9时，“阿芙乐尔号”巡洋舰炮轰冬宫。当天晚上在斯莫尔尼宫开幕的第二次全俄苏维埃代表大会，通过了列宁起草的《告工人、士兵、农民书》宣言，正式宣布资产阶级临时政府被推翻，全部政权归苏维埃，世界上第一个无产阶级专政的社会主义国家从此诞生了。伟大的十月社会主义革命

---

① 《列宁全集》第29卷，人民出版社2017年版，第92页。

胜利了。

普列汉诺夫对十月革命的胜利却深感不安，痛心疾首。在十月革命胜利后的第三天，普列汉诺夫在11月10日的《统一报》发表了《致彼得格勒工人的公开信》。在信的开头，他宣称："同志们！由于种种事变，亚费克伦斯基的联合政府已经垮台，政权已经转到彼得格勒工兵代表苏维埃手中了。毫无疑问，你们当中许多人对这些事变都感到高兴。""我要坦率地对你们说：这些事变使我痛心。""我之所以痛心，不是因为我不希望工人阶级取得胜利，相反，而是因为我要竭尽全部心力促其实现。"① 十月革命的胜利，彻底打破了普列汉诺夫的"庸俗化了的所谓'生产力'论"笼罩在俄国上空的迷雾。当时俄国的资本主义还相当落后，无产阶级人数不多，但是，"十月革命前的俄国，有严重的封建主义，布尔什维克党因为有广大农民的支持，革命取得了胜利。"② 虽然在公开信中，普列汉诺夫不得不承认十月社会主义革命的胜利是"工人阶级取得胜利"，但是他仍然顽固地封己守残，鼓吹其"庸俗化了的所谓'生产力'论"。他错误地认为，在俄国无产阶级还没有成熟到掌握政权的程度时，"把这样的政权强加给它，就意味着把它推上最大的历史灾难的道路，这样的灾难同时也会是整个俄国的最大灾难。"③ 普列汉诺夫还认为俄国无产阶级占人口的少数，农民又不支持它，它的政权不能巩固，只会遭到瓦解，更不能在俄国建立起社会主义制度。他老调重弹："诚然，工人阶级可以指望得到迄今都占俄国居民绝大部分的农民的支持。然而农民需要的是土地，他们并不需要用社会主义制度代替资本主义制度。其次，将来当农民得到地主的土地以后，他们的经济活动将不是朝着社会主义方向而是朝着资本主义方向发展。"④"如果工人在这一事业中不能指靠农民，那么他究竟能够指靠谁呢？只能指靠自己。但是要知道，像上面所说的，他现在是少数，为了建立社会主义制度却需要多数。由此必然得出一个结论：如果说我国无产阶级在夺取政权以后要完成'社会革命'，

---

① ［俄］普列汉诺夫：《在祖国的一年》，王荫庭、杨永译，生活·读书·新知三联书店1980年版，第462页。

② 《毛泽东文集》第7卷，人民出版社1999年版，第131页。

③ ［俄］普列汉诺夫：《在祖国的一年》，王荫庭、杨永译，生活·读书·新知三联书店1980年版，第464页。

④ ［俄］普列汉诺夫：《在祖国的一年》，王荫庭、杨永译，生活·读书·新知三联书店1980年版，第466页。

那么我国的经济本身就会使它遭到惨重的失败。”[①] 普列汉诺夫既否认俄国无产阶级有能力建设社会主义，又无视俄国农民能够走社会主义道路。

普列汉诺夫在公开信中仍然顽固地坚持沙文主义立场，攻击全俄苏维埃代表大会通过的《和平法令》违背了无产阶级和广大人民。他说：“我们颁布了和平法令。可是，要使德国皇帝服从我们的法令，我们就必须比他更加强大。既然力量在他那边，那么，我们‘颁布’和平‘法令’，就无异于颁布让他胜利的法令，即颁布德帝国主义战胜我们、战胜俄国劳动居民的法令。”[②] 这种言论完全是不分青红皂白、颠倒是非、混淆利害关系的耸人听闻。

普列汉诺夫错误地分析了十月革命胜利后的国内工人阶级、农民的阶级地位和苏维埃政府的对外政策，武断地得出结论：“俄国无产阶级不适时宜地夺取政权之后，决不能完成社会革命，而只会引起内战，这场内战最后将迫使它从今年二月和三月间所占领的阵地上撤退到很远的地方去。”[③] 最后，他提出“使无产阶级防止它很可能遭受到的最大的灾难”的救世良方：通过联合国内各个阶级来代替布尔什维克一个党、无产阶级一个阶级掌握政权。他说：“事变的后果现在已经非常悲惨了。如果工人阶级的觉悟分子不坚决果断地反对由一个阶级或者——比这更糟的是——由一个党夺取政权的政策，后果将更加悲惨。政权应该依靠国内一切生气勃勃的力量的联合，即依靠所有那些不愿意恢复旧秩序的阶级和阶层。”[④]

普列汉诺夫诬蔑十月革命和攻击苏维埃政权的言论，适应了国际帝国主义和国内被打倒的地主资产阶级的反革命的要求。十月革命后，“暴政”、“混乱不堪”、“摇摇欲坠”、“只会破坏，不会建设”等流言、脏水被地主资产阶级用来攻击苏维埃政权。他们制造反革命怠工、罢工，组织反革命暴乱，妄图摧毁布尔什维克党领导的无产阶级专政。布尔什维克领导的苏维埃政府战胜了国内

---

① ［俄］普列汉诺夫：《在祖国的一年》，王荫庭、杨永译，生活·读书·新知三联书店 1980 年版，第 465 页。

② ［俄］普列汉诺夫：《在祖国的一年》，王荫庭、杨永译，生活·读书·新知三联书店 1980 年版，第 466 页。

③ ［俄］普列汉诺夫：《在祖国的一年》，王荫庭、杨永译，生活·读书·新知三联书店 1980 年版，第 465—466 页。

④ ［俄］普列汉诺夫：《在祖国的一年》，王荫庭、杨永译，生活·读书·新知三联书店 1980 年版，第 466 页。

外阶级敌人的破坏活动，先后粉碎了十四个帝国主义国家发动的武装进攻和白卫军策划的反革命武装叛乱。阶级敌人打出了新的反动口号，要求“不要共产党参加的苏维埃”，妄图通过否弃布尔什维克党的领导来达到取消无产阶级专政的苏维埃政权的目的。共同的目的使得普列汉诺夫和形形色色的阶级敌人走到了一起。普列汉诺夫也是第二国际机会主义者和俄国国内的社会革命党人、孟什维克等机会主义分子诬蔑十月革命和苏维埃政权的带头人。继普列汉诺夫之后，第二国际机会主义的另一头目考茨基也跳了出来，在其《无产阶级专政》一书中，大肆攻击苏维埃政权，“独裁”、“专横”、“没有生命的孩子”成为苏维埃的代名词，认为苏维埃必定要灭亡。法国社会党人马赛尔·桑巴则宣称布尔什维克策略不能在一个落后国家获得成功，即使成功后也无法在这个国家建设社会主义。历史证明，十月革命以后，俄国无产阶级及其政权——苏维埃，在布尔什维克党的领导下，不仅没有像普列汉诺夫所鼓吹的那样，将遭到“最大的灾难”、“最惨重的失败”，反而在复杂的革命斗争中，在同国内外的阶级敌人的激烈搏斗中，发展势头越来越好。俄国农民没有像普列汉诺夫所预计的那样，在得到地主土地之后朝着资本主义发展，而是在工人阶级国家领导之下朝着社会主义方向前进。到 1934 年，农业集体化在苏联基本上得以实现，到 1937 年则基本上完成了社会主义工业化。到 30 年代末社会主义制度在俄国建立起来，俄国已由一个落后的资本主义国家变成了一个强大的社会主义国家。不久之后，俄国苏维埃在 1941 年至 1945 年战胜了德国希特勒法西斯百万大军的疯狂进攻。布尔什维克党领导的苏维埃社会主义共和国联盟，成为坚强的社会主义阵地。

普列汉诺夫在十月革命胜利之后，同伯恩施坦、考茨基等第二国际的机会主义者遥相呼应，不遗余力贬低十月革命的伟大历史功绩，否认十月革命道路的普遍意义。普列汉诺夫在《致彼得格勒工人的公开信》中否认十月革命是世界无产阶级解放事业的开端，说什么：“德国人不可能去完成将由俄国开始的事业。无论法国人、英国人、美国人都不可能完成这一事业。”① 他还诬蔑十月革命“破坏所有的历史规律”。事实证明，不懂历史规律、违背历史规律的正是他自己。他孤立地把社会生产力和无产阶级的数量看作是历史发展中唯一起

---

① ［俄］普列汉诺夫：《在祖国的一年》，王荫庭、杨永译，生活·读书·新知三联书店 1980 年版，第 465 页。

作用的决定力量，视而不见俄国无产阶级在布尔什维克党领导下质量上的优势和工农联盟的强大威力。政治理论上的近视使他陷入了庸俗经济唯物主义的泥潭。历史唯物论阐明了历史进程是由多种错综复杂的因素决定的。

十月革命的胜利是马克思主义与俄国实际结合的范例。这是列宁的主要功绩所在。普列汉诺夫不承认列宁为十月革命制定的路线符合马克思主义的原则，反而诬蔑列宁的策略超越了客观历史发展进程，是“布朗基主义”、“巴枯宁主义”，因此便把这也归结为自己在俄国过早地宣传了马克思主义所致，对自己早期对俄国无产阶级革命事业做出的贡献，也产生了怀疑。可见，“庸俗化了的‘生产力论’”的机会主义观点在他的头脑中根深蒂固，达到了颠倒是非、自我否定的地步。在革命人民欢呼十月社会主义革命胜利的时刻，普列汉诺夫已经重病在身，在彼得格勒郊区皇村的住宅里孤独地呻吟。但以社会革命党为首的反革命武装势力邀请普列汉诺夫出面支持武装反对无产阶级政权时，普列汉诺夫义正辞严地表示：“我已经献身无产阶级四十年了，即使当它沿着错误的道路前进的时候，我也不会把它击毙，我劝你也不要这样做。”[①]叛乱者听不进普列汉诺夫的正确规劝，结果在11月13日叛乱被平定之后成为苏维埃政权的阶下囚。而普列汉诺夫的谈话却是他错误的理论观点和正确的政治态度矛盾结合的体现。这充分说明普列汉诺夫虽然从理论上、路线上极力反对十月社会主义革命，错误地认为俄国无产阶级尽管暂时取得了胜利，终究是“沿着错误的道路前进”；但是他又不愿意从组织上站到以列宁为首的布尔什维克和俄国无产阶级的对立面，参加妄图推翻苏维埃政权的反革命武装叛乱。这正是普列汉诺夫的非常可贵之处。他之所以能做到这一点，是和他长期研究和宣传马克思主义理论、组织和领导国际工人运动的革命实践分不开的。这件事还告诉我们：评价一个历史人物，应当把他的理论观点和实践活动统一起来考察，不能简单地认为：顽固坚持机会主义理论观点的人必然在组织上发展成为反革命分子。对历史人物的理论观点和实践活动必须做具体分析，做出实事求是的评价。

---

① 转引自高放、高敬增：《普列汉诺夫评传》，中国人民大学出版社1985年版，第615页。

# 第八章　弗兰茨·梅林对马克思主义理论的研究和传播

弗兰茨·梅林（1846—1919）是德国和国际工人运动的著名活动家，德国社会民主党左派领袖、理论家、历史学家、文艺评论家和德国共产党创始人之一。梅林坚定站在马克思主义立场上同修正主义进行了不懈斗争，在传播马克思主义，捍卫和研究唯物史观以及在马克思主义文艺理论和德国无产阶级革命理论研究等方面做出了突出贡献。因此，梅林在马克思主义发展史上留下了自己不可磨灭的思想印记，产生了较大影响。

## 第一节　马克思主义的不懈传播者

梅林经历了从资产阶级民主主义者到马克思主义者的思想转变过程。他从成为马克思主义者时起，就为研究和传播马克思主义做出了不懈的努力并取得了突出的成就。

### 一、世界观和政治立场的转变过程

1846 年 2 月 27 日，梅林诞生于德国波美拉尼亚的施拉威。他的家庭笃信新教并充满了狭隘的普鲁士爱国主义精神。他曾以《普鲁士对德国的功绩》为题撰写了中学毕业作文。当时，梅林受家庭的影响，不但在政治上站在普鲁士政府一边，而且对宗教的态度也是极为虔诚。在少年时代，他常常被父母安排住在几位乡村牧师的家里学习神学。他当时的理想就是能够通过什切青教区的神学考试，做个神父。但是，随着年龄的增长以及对社会现实理解的深入，梅林的世界观发生了变化，他逐渐开始对宗教产生了怀疑，并逐渐放弃了做神父的想法。

从1860年起，梅林认识了资产阶级民主主义者和人道主义者约翰·雅科比和格维多·魏斯之后，深受其影响。1866年中学毕业后，梅林先后在莱比锡大学（1866—1869年）学习哲学、历史和文学。在大学时代，梅林的世界观逐渐摆脱封建主义思想的桎梏，抛弃了狭隘的普鲁士狂热爱国主义立场，逐步转向了资产阶级民主主义。他刻苦学习，成绩优异，获得哲学博士学位。1870年起他先后在民主派的报纸《未来报》和《天平》周刊担任编辑工作，开始以一个民主主义者的面目活跃在新闻工作舞台上。1875年他写了第一本小册子《冯·特赖奇克先生和自由主义的最终目的》，对德国反动历史学家特赖奇克的观点进行了批判，并且为社会主义者进行了辩护。马克思看了这本书后，指出这本小册子虽然写得枯燥、肤浅，但在某些方面还有点意思。1875年爱森纳赫派与拉萨尔派合并后，梅林写信表示祝贺，但并没有加入德国社会民主党。究其原因，一方面是当时的梅林还认为可以通过改良的道路把专制主义的德国变为民主主义共和国；另一方面是梅林对德国社会民主党的某些领导人抱有成见，甚至是怀有敌对情绪。这是因为他曾经指责《法兰克福报》创办人、银行家、资产阶级民主主义者列奥波特·宗内曼利用职权谋取私利，并与其发生诉讼纠纷。而德国社会民主党的领导人认为梅林的做法不利于联合民主派，故未给予支持，这使梅林相当不满。在1877年发表的《对德国社会民主党史的探索》一文中，梅林表达了自己对德国社会民主党的不满，并鼓吹社会改良主义的观点。他还在资产阶级宣传阵地《威赛尔报》上发表文章，对社会民主党机关报《社会民主党人》进行了抨击，并对马克思和恩格斯散布了一些不实之词，因而受到了马克思和恩格斯的严厉批评。此时的梅林把资产阶级民主理解为人类最完美的国家民主形式，还是一个比较激进的民主主义者。

1878年俾斯麦政府实施了《反社会党人的特别法令》，宣布德国社会民主党为非法组织，并且对无产阶级和革命者采取残酷镇压的政策。统治者的倒行逆施和阶级斗争的残酷性，使梅林清楚地看到资产阶级和封建统治者已沆瀣一气，打破了他对资产阶级改良主义的幻想，认识到资产阶级民主的虚伪性。因此，梅林放弃了资产阶级民主主义立场，并最终走向与之决裂的道路。与此同时，社会民主党人表现出的无畏斗争精神以及所取得的成果，使梅林认识到，马克思主义指导下的无产阶级政党所具有的强大战斗力和顽强的生命力。

1871 年发生的法国巴黎公社革命震惊了欧洲，也对梅林产生了十分深刻的影响。当他与资产阶级民主主义决裂后，就开始了对巴黎公社革命的深入研究。梅林在创作《法国和公社》系列文章时，阅读了马克思的《法兰西内战》等关于公社革命的著作，使他对马克思的思想有了比较深入的了解并深受其启发。为了能够深入和准确理解巴黎公社革命的性质和意义，他写信给马克思和恩格斯，请求他们的指导和帮助，同时还将自己的作品寄去，请他们给予批评指正。在马克思和恩格斯的影响和帮助下，梅林的思想发生了根本性的转变，他公开向资产阶级民主主义宣战，并为工人阶级的利益奔走呼号。1886 年，梅林担任了《柏林人民报》的主编。俾斯麦政府于 1889 年 3 月以触犯《反社会党人的特别法令》为由，查封了《柏林人民报》，解除了梅林的主编职务。经过这个事件，使梅林进一步认清了俾斯麦政府的反动实质，使他更加坚定了自己的无产阶级政治立场。同时，他还对自己过去所持的资产阶级民主主义立场进行了深刻的反思和清算，在他写的《我的申辩》小册子里，恳切希望人们能原谅他在政治上曾经的不成熟，竟然幼稚地相信专制政治制度有可能会发展成为一个公正的民主共和国。

1891 年梅林参加了德国社会民主党，并很快成为党的理论刊物《新时代》的积极撰稿者和编辑，这期间，他认真钻研了马克思和恩格斯的著作，完全接受了马克思主义，真正走上了无产阶级革命的道路。不久，梅林又担任了《莱比锡人民报》的主编，为传播马克思主义做出了不懈的努力。正如托马斯·霍勒著在《梅林走向马克思主义的道路（1869—1891）》一书中指出的那样："梅林的道路是一个严肃的、性格刚强的追求真理的人的道路，他一旦找到真理，就成为真理的热情的宣传者和先锋战士"①。

① ［德］约·施拉夫斯坦等：《梅林传》，邓仁娥等译，人民出版社 1989 年版，第 8 页。

## 二、以传播马克思主义为己任

19 世纪 70 年代起，自由资本主义开始向垄断资本主义转变。与此同时，工人阶级反对资产阶级统治的斗争方式也由暴力革命为主，发展为采用和平、合法斗争方式为主。面对形势的新变化，梅林坚定站在马克思主义的立场上，以传播和捍卫马克思主义为己任，勇敢地同反动统治者及其思想代表进行坚决的斗争。

第一，宣传和阐释马克思的历史唯物主义思想。

梅林作为第二国际重要的马克思主义理论家，深切地意识到唯物史观是马克思主义最重要的哲学基础。因此，从他成为马克思主义者开始就非常注意对唯物史观的宣传和阐释，在他所有关于历史唯物主义的著作和文章中，最有影响的就是《论历史唯物主义》一书，这是一部深入宣传和阐释马克思主义唯物史观的力作。他赞扬马克思“在这不多的几句话里，把人类历史的运动规律那么清晰见底，明白无误地表述出来，这是在任何其他文献中找不到的”。[①] 他有力驳斥了各种对历史唯物主义的偏见和诽谤，阐明了历史唯物主义的科学性，指出，历史唯物主义作为工人阶级的历史观，将使无产阶级成为“人类的领路人和教导者”[②]。

梅林在书中指出，历史唯物主义是马克思主义理论的基石，是社会主义从空想变为科学的依据之一。它科学地向人们阐释了人类历史发展变化的原因和规律，提出社会存在决定社会意识，生产力决定生产关系，经济基础决定上层建筑，阶级斗争是阶级社会发展的直接动力，人民群众是历史的创造者等思想。这些思想理论观点，一旦为人民群众所掌握，就会化作无产阶级革命运动巨大的精神动力和智力支持。工人阶级掌握了历史唯物主义，就会唤醒他们的阶级意识，认清自己的历史使命，从而自觉接受马克思主义的理论指导，为解放全人类而斗争。因此，历史唯物主义对于人类历史进步具有非凡的意义。

梅林不是单纯地从理论上宣传和阐释唯物史观，他更注重在反对修正主义和机会主义，以及各种资产阶级思想的斗争中，坚持和捍卫唯物史观。针对当

---

① ［德］弗·梅林：《保卫马克思主义》，吉洪译，人民出版社 1982 年版，第 7 页。
② ［德］弗·梅林：《保卫马克思主义》，吉洪译，人民出版社 1982 年版，第 75 页。

时德国社会民主党和第二国际的机会主义和修正主义思潮，以及资产阶级思想家对历史唯物主义的歪曲，梅林都坚决地加以反驳和批判。虽然，他对马克思历史唯物主义的理解有时存在一些偏差，但是他对唯物史观的坚持、捍卫和传播所做的努力和成效是显而易见的。首先，梅林同资产阶级哲学家进行了毫不妥协的斗争，批判了瓦格纳和巴特等人对历史唯物主义的诬陷和攻击。他从哲学的基本问题出发，阐述唯心主义与唯物主义的区别，通过阐发历史唯物主义的基本原理，批判揭露了资产阶级哲学历史唯心主义的本质，坚决捍卫了唯物史观的真理性和科学性。其次，梅林针对修正主义和机会主义者对唯物史观基本原理的篡改、歪曲进行了旗帜鲜明的反击。他对伯恩施坦和考茨基进行了严厉的批判，对他们曲解马克思主义唯物史观的行为进行了公开的揭露，捍卫了马克思主义的哲学基础，使德国社会民主党党内同志和广大工人群众更加深入地理解了唯物史观的基本原则和真谛。

第二，宣传马克思和恩格斯的科学社会主义思想。

梅林在大力传播唯物史观的同时，也不遗余力地宣传马克思和恩格斯的科学社会主义思想。在他最重要的著作《德国社会民主党史》中，梅林用大量篇幅介绍马克思和恩格斯的代表性著作，阐述科学社会主义的基本原理，使其成为传播马克思主义的力作。

在《德国社会民主党史》中，梅林运用马克思主义的唯物史观总结了德国工人运动和德国社会民主党的历史及其经验，客观真实地展示了中世纪末以来德国社会变迁的历史，以及德国社会民主党的发展历程。在书中，梅林翔实地论述了马克思主义重要文献产生的时代背景和它产生的社会影响力，着重阐述了马克思恩格斯的一些重要著作和思想及其对德国社会民主党的深刻影响，还设立专门章节阐释和介绍《共产党宣言》中的马克思主义原理。特别需要指出的是，在这部著作中充满了对工人阶级和劳动人民的挚爱之情，充满了对人民创造力的敬仰之情，也充满了对工人阶级革命解放斗争必将胜利的坚定信念。

梅林在书中阐述了工人阶级是进行社会革命的主体力量，强调无产阶级进行革命的客观条件离不开社会化的大机器生产，离不开马克思主义科学理论的指导；阐明无产阶级革命需要工人阶级政党的统一组织和领导；细致阐述了德国社会民主党把马克思主义理论同德国工人运动相结合的历史过程，深入分析了德国社会民主党内部对待马克思主义的不同态度。

可以说，这部著作不仅是梅林运用历史唯物主义的方法撰写的一部以工人运动史为研究对象的历史著作，同时也是一部结合工人运动历史宣传和介绍马克思和恩格斯科学社会主义思想的重要著作。

第三，撰写《马克思恩格斯遗著选》、《马克思传》，为研究、收集和传播马克思恩格斯的著作作出了杰出的贡献。

梅林在完成《德国社会民主党史》之后，又撰写了《马克思恩格斯遗著选》三卷本。在党执行委员会的参与下，分别在1901年和1902年由狄茨出版社出版。梅林的这一重要著作，为研究、收集和传播马克思恩格斯的著作做出了十分杰出的贡献。《遗著选》的序言和注释中含有大量很有价值的有关早期德国工人运动史的资料，尤其是有关马克思主义形成史的资料。这部书对传播马克思主义具有重要的意义，对国际共产主义运动实践产生了深刻影响。

《马克思传》是梅林的晚年之作，写于第一次世界大战期间，到他去世以后（1919年）才出版。在《马克思传》中，梅林深刻阐述了马克思思想理论形成发展的社会历史背景，揭示出了马克思思想发展的历史过程及其内在逻辑。是梅林宣传马克思主义，特别是科学社会主义的又一部力作，产生了深远而又巨大的影响。梅林的《马克思传》不仅是第一部关于马克思生平、思想和革命实践的系统性传记，也是他长期收集、研究、校印马克思主义创始人遗著的成果的集中展示。梅林着重阐述和介绍了马克思每一重要历史时期中的代表性著作，如《神圣家族》、《德意志意识形态》，尤其是《共产党宣言》、《资本论》等。

## 第二节　批判修正主义，捍卫科学社会主义

在第二国际修正主义思潮泛滥的时期，梅林作为一名坚强的捍卫马克思主义的斗士，无情揭露和批判了伯恩施坦和考茨基的修正主义路线，热情支持了俄国十月社会主义革命，为捍卫科学社会主义做出了巨大贡献。

## 一、揭露修正主义产生的根源及其危害

1890—1919年，是德国社会民主党思想和组织发生裂变的历史时期。由于俾斯麦的《反社会党人的特别法令》被废除，德国社会民主党的活动可以公开合法地进行。但德国社会民主党内部也开始出现新的问题，围绕无产阶级革命道路和党的斗争策略产生了严重的分歧，特别是随着修正主义的出现和蔓延，马克思主义的指导地位受到了严重质疑和挑战。

梅林对修正主义采取坚决和彻底的批判态度。他深刻指出了修正主义的本质就是放弃无产阶级革命的资产阶级改良主义。他认为，修正主义制造了工人运动、社会改良和社会革命三者关系的混乱，以“社会改良”取代了工人运动和社会革命，其实质是让无产阶级放弃最终目标，转而成为资产阶级和资本主义制度的拥护者。不过，修正主义是无法达到目的的。这是因为无产阶级作为被压迫者进行革命具有正当性和必然性，不可能放弃社会革命。梅林指出，任何企图“掩盖和调和无产阶级与资产阶级的矛盾”的思想和行为，必然会遭到人民的唾弃。在“人类社会存在着一种简单的真理，它适用于一切时代的社会关系和政治关系”，就是“如果被压迫者的枷锁变得难以忍受，革命者和被压迫者就有权利起来革命”。[①] 站在社会历史发展规律和人类道德制高点上考察工人阶级革命斗争，就会得出无产阶级社会革命是必然的结论。

梅林痛斥“一切向封建统治者谄媚，为资产阶级议会的决议涂脂抹粉的种种企图”[②]，指出这些不良企图对工人阶级是十分有害的。通过梅林和考茨基之间的诸多通信就可以看出，梅林对考茨基迷恋议会斗争的行为一直采取不认同和反对的态度。

1893年6月梅林在《新时代》发表的文章中认为，无产阶级依靠议会政治是无法消灭资本主义制度本身的。只有群众不再对资产阶级的议会政治抱有幻想，社会才能打开走向未来的道路。即便在议会中工人阶级占据了大多数席位，无产阶级控制了议会，但只要军队权力不在议会手中，则简单依靠议会斗争获得解放就是不可能实现的。因为，军国主义是会打垮资产阶级议会政治

---

① ［德］弗·梅林：《论文学》，张玉书等译，人民文学出版社1982年版，第128页。

② ［德］弗·梅林：《论文学》，张玉书等译，人民文学出版社1982年版，第134页。

的，他们可以直截了当地取消普选制。可见，资产阶级议会的作用是极其有限的。梅林进一步分析指出，党必须重视自己的革命目标，不能把资产阶级议会斗争看成是无产阶级革命的最终目标和唯一斗争方式。如果无产阶级把自己的活动范围限定在资产阶级议会方面，那对统治阶级来说是其最愿意看到的局面。同时，梅林指出了德国容克地主和资产阶级联合起来，破坏民主，压迫无产阶级的必然性。他说，容克地主和资产阶级的联盟尽管有许多经济和政治的矛盾，但在共同的剥削阶级利益上有着深厚的基础，因此不能指望资产阶级自由派政党会真正反对保守的统治阶级。资产阶级自由派绝对不可能对德国容克进行"勇敢的战斗"，工人阶级根本无法在议会中获得根本利益，达到自己的目的。

梅林对考茨基痴迷议会作用的改良主义观点进行了激烈的指责。他指出，考茨基认为无产阶级可以通过议会斗争而达到社会革命的成效。在他看来，德国无产阶级的任务应当是：做德国资产阶级由于怯懦而没有做的事，创立一个真正的议会政体。考茨基的观点就其本质而言是以议会斗争取代社会革命，片面夸大议会的作用，避而不谈社会主义的目标和前途。

梅林对考茨基的批判表明，他充分认识到了国家机器和军队的重要作用，并始终对痴迷"议会政治"的危险性保持高度警惕。

为了同修正主义进行有力的斗争，梅林一直坚守党的宣传阵地，反对传播修正主义理论，力图减少其在工人阶级中所造成的恶劣影响。梅林认为，如果修正主义理论在党的报刊上进行传播，将会使党的理论阵地沦为"政治上的无原则流行病的中心，对教育群众来说，是比资产阶级政党的真正的公开机关报还危险得多的敌人"①。

1900 年和 1901 年梅林为《莱比锡人民报》撰稿，在 1902 年 4 月他又担任这家报纸的总编辑。他很快就把这家报纸办成德国最优秀的工人报，成了德国社会民主党反对修正主义的核心。

右派人物维克多·阿德勒评价梅林是"积极地和消极地使形势尖锐化"的人。梅林受到考茨基的排挤，离开《新时代》杂志后，他又在《莱比锡人民报》和《前进报》等编辑部工作，一直坚持反对修正主义的立场。

---

① ［德］约·施拉夫斯坦：《梅林传》，邓仁娥等译，人民出版社 1989 年版，第 41 页。

## 二、捍卫和发展马克思主义的无产阶级革命理论

梅林不仅坚定地批判和反对修正主义否定无产阶级革命，鼓吹资产阶级改良主义的立场和观点，而且通过积极支持和宣传俄国的1905年革命特别是十月社会主义革命，用自己的实际行动坚持和捍卫了马克思主义无产阶级革命理论。

首先，深刻分析1905年俄国革命的社会根源。

梅林运用马克思主义的立场观点来考察分析俄国的1905年革命。梅林指出，俄国发生革命是国内和国外两个矛盾相互作用的结果。在1905年革命爆发之前，俄国就已经存在工人运动，具备了革命的主体力量；而1904年的日俄战争，俄国战败，则是导致革命的外部因素，因此俄国发生革命有其必然性。当俄国革命爆发时，梅林在《莱比锡人民报》发表文章，要求德国工人阶级积极行动起来，反对德国政府干涉俄国革命，尤其要警惕德国政府向俄国沙皇提供武器援助。革命失败后，梅林积极保护流亡德国的革命者，谴责德国警察对俄国革命流亡者的迫害，指出迫害革命流亡者是德国文明的耻辱。

其次，对无产阶级革命发展阶段的理论思考。

梅林基于马克思主义的立场观点，对1905年俄国革命的性质和发展阶段进行了考察分析。梅林在其撰写的《新时代》一篇社论中指出，1905年俄国革命是人类发展新时期的标志，是社会革命的开始，这一革命无论要经过多少阶段，无论要经历怎样的胜利和失败，不达到把文明世界的面貌彻底变个样的目的，就不会终止。

梅林阐释了1905年革命的意义，指出俄国1905年革命的对象是沙皇的封建统治集团，因此，革命的性质应该是资产阶级民主革命。但是，俄国工人阶级已经成为革命的主体部分，他们进行总政治罢工和举行武装起义并且成立了自己的政治组织——苏维埃，充分显示了自己的力量。在梅林看来，这场革命代表了无产阶级革命的一个阶段，未来还会有更大规模和更深刻的革命即真正意义上的无产阶级革命爆发。梅林特别强调，俄国革命不是孤立的，它具有重大的国际意义，当俄国无产阶级在这场革命中取得领导地位时，会唤醒整个文明世界的无产阶级去进行战斗。

对照俄国1905年革命，梅林对同时期德国工人运动进行了深入的思考，对德国社会民主党的蜕变表示了严重的忧虑和不满。1905年德国进行的三级

选举法改革，严重漠视了工人阶级的权利，引起了工人们的极大不满并举行了罢工。然而1906年秋在德国社会民主党曼汉姆代表大会的决议中，社会民主党公然表示拒绝所谓激进的工人运动，表明该党已经完全倒向了改良主义。1908年和1910年群众争取普选权的斗争已经达到了高潮，此时的德国社会民主党仍然没有表示支持群众斗争。在一系列重要问题上，如要求实行法定的八小时工作日，或要求取消普鲁士歧视性的三级选举法等，社会民主党面对敌对集团几乎是无能为力的。①

上述事实，使梅林深刻地认识到，在资产阶级的议会里，无产阶级是不会获得真正权利的。这些事实也使梅林更加坚信马克思的无产阶级革命理论，认为“只有无产阶级才是真正革命的阶级”，因此，它可以领导一切反对资产阶级的运动。“一个国家里的无产阶级，当然应该首先打倒本国的资产阶级”，“无产阶级用暴力推翻资产阶级以建立自己的统治。”②无产阶级的解放只能依靠无产阶级自己。梅林呼吁多个国家的工人阶级联合起来，利用一切国内矛盾，相互支持，进行革命，来实现无产阶级的利益和目标。无产阶级的最高目标就是实现共产主义，人类向着共产主义运动的过程，就是实践马克思主义的过程。

再次，赞同和拥护“十月革命”，捍卫无产阶级专政理论。

1917年11月7日，列宁领导俄国无产阶级推翻资产阶级临时政府，建立了苏维埃政权。十月革命的胜利，创立了世界上第一个工人阶级领导的人民当家作主的新政权，开辟了人类历史的新纪元，掀开了社会主义历史的新篇章。梅林从一开始就认识到十月革命的世界意义，并表示支持和拥护。梅林在《莱比锡人民报》上发表文章、撰写新年社论，积极向德国工人阶级说明和介绍十月社会主义革命的意义，反驳对布尔什维克党和十月革命的诽谤。他高度评价十月革命对人类社会历史的推动作用，认为这是俄国无产阶级伟大力量的体现。以前的一切革命，包括17世纪的英国革命和18世纪的法国革命都无法和俄国十月革命相比。十月革命的发生有着十分深刻的社会根源：在国际方面，帝国主义世界大战正酣，人民生命和财产受到战争威胁；国内方面，经济社会发展极为落后，人民深受本国封建地主阶级、资产阶级和外国资产阶级的多重

① ［德］苏珊·米勒、海因里希·波特霍夫：《德国社会民主党简史（1848—1983）》，刘敬钦、李进军、解健真、赵景福、曹白隽、朱斌等译，求实出版社1984年版，第55页。

② ［德］弗·梅林：《德国社会民主党史》第1卷，青载繁译，生活·读书·新知三联书店1963年版，第370—371页。

压迫。帝国主义的战争使得人民无法继续生存下去，正是在这种条件下，列宁和布尔什维克党才得以领导和发动无产阶级革命并取得胜利。

梅林认为，十月革命的特点是革命对象众多，任务艰巨。十月革命的对象，包括封建王权、外国帝国主义、本国资产阶级等，它们是社会的强势阶级；革命任务的艰巨性在于，无产阶级既要反对封建的王权，也要反对帝国主义，还要反对资产阶级。十月革命的性质是无产阶级革命，十月革命的方向是走向社会主义社会。完成这样的革命任务，需要在党的坚强领导下，不怕牺牲，勇敢战斗。梅林高度评价俄国无产阶级的革命精神，认为西方国家的群众要几年、十几年甚至几十年才能积攒起来的革命热情，在俄国则在极其短暂的时间里就得以形成和充分发挥。十月革命是人类历史上史无前例和难能可贵的无产阶级革命典范。梅林写的《致布尔什维克的公开信》于 1918 年 6 月 13 日在《真理报》上发表。信中他首先代表国际派、德国工人运动的左翼斯巴达克派和德国社会民主主义派向俄国同志们致以兄弟般的敬礼和衷心的祝贺。他指出，布尔什维克的胜利是整个国际工人运动的胜利。德国工人阶级为布尔什维克的胜利倍感骄傲和自豪，并把它看成是自己的胜利。信中高度赞扬布尔什维克取得了远远超越以往工人运动的成就，取得了化国际战争为国内战争，化资产阶级政权为无产阶级政权的历史性胜利。这是伟大的创新，充分体现了工人阶级的伟大力量。信中指出，十月革命的胜利以无可争辩的事实，痛击了第二国际的机会主义思潮，布尔什维克党的理论是对马克思主义的重大发展，极大丰富了社会主义思想史的理论宝库。

梅林认为，十月革命胜利的经验告诉人们：当革命形势和革命条件成熟时，经济文化比较落后的国家可以率先进行社会主义革命；要有马克思主义武装的、具有铁的纪律的、得到人民群众拥护的工人阶级政党；无产阶级政党必须掌握革命的领导权，进行彻底的资产阶级民主革命，并及时将革命推进到社会主义革命阶段。梅林就俄国十月革命问题同考茨基进行了激烈的争论和坚决的斗争。考茨基对俄国十月革命采取敌视态度，认为这是一个早产儿，欧洲的工人阶级是不会支持和援助俄国革命的。梅林在《社会民主党人》上发表文章与考茨基进行了论战，批评考茨基的思想是长期蕴藏在德国社会民主党内部的庸人思想。1918 年秋，梅林专门写了《马克思和布尔什维克》一文，批判考茨基对十月革命的诽谤。文章揭露考茨基是在蛊惑人心，试图通过制造俄国无产阶级专政同德国普遍选举权之间的对立，达到在俄国和德国工人阶级之间对立的目的；通过制造布尔什维克和马克思之间的对立，来达到反对十月革命的目的。

针对修正主义对十月革命和无产阶级专政的攻击，梅林向德国工人阶级着重宣传和介绍了无产阶级专政理论。在梅林一生最后一篇文章《马克思和布尔什维克》中，尖锐地批判了考茨基对无产阶级专政的污蔑和攻击。他指出，考茨基认为无产阶级专政绝对不能被理解为布尔什维克式的“恐怖手段”，而是应该被理解为“民主”，它的真正标志就是普遍的、直接的和秘密的选举权。这就充分暴露了“考茨基主义”的实质就是社会改良主义，他完全歪曲了无产阶级专政的实质。为批判考茨基，梅林论述了无产阶级专政思想的起源、实行的条件及其实质问题。他认为，无产阶级专政一词起源于马克思。从措辞角度来看，“无产阶级专政”不是永恒的原则，而是一种社会转型过程中过渡阶段的阶级关系的状态。这个社会过渡阶段，马克思认为就是由资本主义社会向社会主义社会的过渡阶段，它是一种社会转型，是以无产阶级夺取政权为前提的。无产阶级专政的必要性就在于，新旧社会转型和过渡，必然需要社会整体制度的变迁，这种制度变迁要以实现无产阶级的整体利益为目的，从而为新社会发展开辟道路，这当然就需要实行无产阶级专政，来清除发展道路上的障碍。无产阶级专政的本质是“只有无产阶级的利益可以决定一切”。普选权只是无产阶级表达利益的众多方式之一，它代替不了无产阶级专政本身。梅林还采用历史文献资料为依据，指出“人们查阅300号《新莱茵报》，无法找到一点点关于‘无产阶级专政就是普选权’这种混乱的观念”[①]。因此，梅林认为普选权是选不出无产阶级政权，也选不出无产阶级专政的。他指出，无产阶级专政是指无产阶级经过革命取得政权之后，由资本主义社会向社会主义社会的过渡阶段。无产阶级在这个阶段已经获得了政权，但是要为新社会开辟道路，首先必须清除旧社会的废墟。无产阶级专政是高于资产阶级专政的民主形式，在这个阶段，不是以普选权为特征的民主，而是只有无产阶级的利益可以决定一切，这就是其本质。

梅林公开肯定无产阶级专政的理论与实践，在第二国际的理论家中是比较少见的。梅林明确认识到，列宁和布尔什维克党建立的无产阶级专政政权实现了科学社会主义由理论到现实的飞跃。梅林在“俄国1905年革命”、德国工人

---

① ［德］约·施拉夫斯坦：《梅林传》，邓仁娥等译，人民出版社1989年版，第382页。

运动和俄国十月革命等历次革命中，以自己的思想和行动坚持捍卫马克思主义的无产阶级革命理论，为国际工人运动作出了重要贡献。

## 第三节　对唯物史观的捍卫和阐释

### 一、驳斥资产阶级对唯物史观的攻击

19世纪末，资产阶级掀起一个反马克思主义哲学的思潮，其矛头直接指向了作为马克思主义哲学基础的历史唯物主义。梅林在1893年发表了《莱辛传奇》，在其后面附录了《论历史唯物主义》长文，以犀利的笔触，回击了资产阶级及其学者对唯物史观的诽谤和污蔑。

资产阶级学者路易·布伦坦诺说浪漫历史学派的拉维涅在1838年就已经非常接近唯物主义历史观，因为拉维涅当时就说过："也许，真正的科学进步迄今还是那样的微小，是由于各种不同经济形式没有被好好地划分清楚，因为人们没有认识到各种不同经济形式组成整个社会和国家组织的基础。人们忽视了，生产、产品分配、文化、文化传播、国家立法和国家形式，完全都是从经济形式中得到它们的内容和发展的；那些极重要的社会因素不可避免地产生于经济形式和经济形式的适当使用，一如产品是生产力的相互配合作用的结果一样，并且凡是显现社会病态的地方，照例都可以从社会形式和经济形式间的矛盾中找到它的根源。"① 布伦坦诺据此污蔑马克思抄袭了拉维涅。

针对资产阶级学者提出的马克思的历史唯物主义是抄袭而来的说法，梅林用事实予以坚决的回击。梅林指出，第一，马克思早在《德法年鉴》里，就曾经批判拉维涅颠倒了经济形式和生产、产品分配的关系。马克思从来就不认为生产和产品分配是经济形式中派生出来的现象，而是相反。经济形式是生产和

① ［德］弗·梅林：《保卫马克思主义》，吉洪译，人民出版社1982年版，第10页。

产品分配中派生出来的。第二，“适当使用”的说法是替封建经济形式做辩护。拉维涅—佩吉朗只是想说：封建经济形式应是整个社会和国家组织的基础；国家形式和国家立法都是从封建经济形式中派生出来的；因此在任何情况之下都不要背离封建的经济形式。如果社会背离了封建经济形式，这个社会就要害病了。[①] 关于这两点，马克思在《共产党宣言》中已经早有论述，他毫不留情地批判了封建的社会主义。马克思指出：“你们的利己观念使你们把自己的生产关系和所有制关系从历史的、在生产过程中是暂时的关系变成永恒的自然规律和理性规律，这种利己观念是你们和一切灭亡了的统治阶级所共有的。谈到古代所有制的时候你们所能理解的，谈到封建所有制的时候所能理解的，一谈到资产阶级所有制的时候你们就再也不能理解了。”“封建主说，它们的剥削方式和资产阶级的剥削方式不同，那他们只是忘记了，他们在完全不同的、目前已经过时的情况和条件下进行剥削的。”[②] 梅林批判浪漫历史学派肤浅，只是在自己狭窄的经济利己心的影响下，总是想把一切天上地下的东西，一切法律、政治、宗教等的关系，都用这一个经济形式（封建主义经济形式）贯穿起来，于是就偶然地得出一些论点，远远听来有些像历史唯物主义，而实际上这些论点恰恰远离历史唯物主义，就如阶级利己心之远离科学认识一样。这个学派与历史唯物主义没有任何关系。至多也只能说，它的毫不隐饰的阶级意识形态，可能是促使马克思和恩格斯达到历史唯物主义的酵素之一。[③]

梅林还对唯物主义就是贪婪的物欲，唯心主义就是美好道德信仰的说法，进行了无情批判。认为持这种观点的人，根本就不理解唯物主义，是无知的表现。因为是否唯物主义与道德无关。梅林说，曲解唯物主义的庸人，把唯心主义看成是拥有美好道德的人，则是在世人面前夸耀自己。梅林引用恩格斯的话，指出：“人如果愿意以这样一种转义来使用这两个词，那么他必须说，今天要信仰历史唯物主义，就得有一种高度道德的唯心主义，因为它必定会带来贫困、迫害、毁谤；同时，历史唯心主义则是每一个追求飞黄腾达的人的事，因为它最能帮助人获得现世的好运、肥厚的挂名职位，各种各样的勋章、头衔、地位。”[④]

---

① ［德］弗·梅林：《保卫马克思主义》，吉洪译，人民出版社1982年版，第12页。
② ［德］弗·梅林：《保卫马克思主义》，吉洪译，人民出版社1982年版，第13页。
③ ［德］弗·梅林：《保卫马克思主义》，吉洪译，人民出版社1982年版，第13—14页。
④ ［德］弗·梅林：《保卫马克思主义》，吉洪译，人民出版社1982年版，第17页。

## 二、对唯物史观及其基本原理的阐释

梅林坚信唯物史观的科学性，认为“唯物的历史观是服从于它本身所建立的那个历史的运动规律。它是历史发展的产物；在过去的时代就是最天才的头脑也不能把它硬想出来。只有在人类历史的一定高点上才能揭穿它的秘密”[①]。

梅林深入揭示了唯物史观产生的阶级根源。他对1831年和1834年发生两次法国里昂工人起义，1836—1842年发生的英国宪章运动进行了考察，认为这两大事件表明，大工业的发展并没有解决或者减轻无产阶级与资产阶级矛盾的程度，相反它使资产阶级与无产阶级的阶级矛盾也发展到顶点。资产阶级不但违背了代表工人阶级的许诺，而且加深了对工人阶级的剥削和奴役，这样，资产阶级学者宣扬的资本和劳动的利益一致的观点就破产了；自由竞争可以带来普遍和谐和让人民享有福利的学说也失信了；依靠大资产阶级实现社会主义的空想社会主义，在人民的心中完全坍塌了。这就必然促使人们认识到科学理解社会历史问题的理论基础只能是辩证的历史唯物主义，这也导致了历史唯心主义和形而上学思维方式的彻底破产。

梅林进一步分析了唯物史观产生的客观依据。他认为，在大工业条件下，发生无产阶级的反抗运动，迫使人们对以往的全部历史重新进行研究并得出如下历史唯物主义的结论：阶级斗争是各种阶级社会的总特征，生产关系决定人们在社会中的阶级关系，阶级从来都是经济的范畴，社会的经济结构是由生产关系和交换关系构成的，它是社会关系的现实基础；社会的政治、宗教、法律、文化、哲学、社会意识形态等都建立在这个现实基础之上，并由它来决定。

唯物史观把唯心主义从它最后的避难所历史领域驱逐出去，为人们研究社会历史提供了科学的世界观和方法论，使社会历史研究成为了科学。梅林指出：“历史唯物主义同一切奇门遁甲是针锋相对的，它是一种科学的方法，能依据劳动力及其使用的劳动工具做出比较准确的结论”[②]。

梅林批判了污蔑历史唯物主义是“死板的公式”，而不是科学的方法论的

---

① ［德］弗·梅林：《论历史唯物主义》，李康译，生活·读书·新知三联书店1958年版，第1页。

② ［德］弗·梅林：《德国社会民主党史》第1卷，青载繁译，生活·读书·新知三联书店1963年版，第386页。

观点。他在《论历史唯物主义》中明确指出："历史唯物主义消灭了每一种任意的历史结构：它排斥了每一种想把多变的人类生活视为一律的死板公式。"①

梅林认为，马克思和恩格斯毕生工作都以历史唯物主义为依据，他们的全部思想都建立在这个基础之上。因此把蕴藏在马克思和恩格斯著作中的大量历史唯物主义观点系统地整理出来，是一件很有价值的工作。梅林着重阐述了历史唯物主义的这样一些基本原理和基本观点：

第一，唯物史观科学揭示了人类社会历史发展的基本规律。马克思的《〈政治经济学批判〉序言》集中阐述了唯物史观关于社会历史规律的主要内容："人们在自己生活的社会生产中发生一定的、必然的、不以他们的意志为转移的关系，即同他们的物质生产力的一定发展阶段相适合的生产关系。这些生产关系的总和构成社会的经济结构，即有法律的和政治的上层建筑竖立其上并有一定的社会意识形式与之相适应的现实基础。物质生活的生产方式制约着整个社会生活、政治生活和精神生活的过程。不是人们的意识决定人们的存在，相反，是人们的社会存在决定人们的意识。社会的物质生产力发展到一定阶段，便同它们一直在其中运动的现存生产关系或财产关系(这只是生产关系的法律用语)发生矛盾。于是这些关系便由生产力的发展形式变成生产力的桎梏。那时社会革命的时代就到来了。"②梅林指出，上述话语已经十分清楚明白地把人类历史的运动规律表述出来了。

第二，阶级斗争是阶级社会发展的直接动力，阶级斗争的结果是阶级社会的消亡和无阶级社会的形成。梅林引据马克思恩格斯在《共产党宣言》中的论述指出："至今一切社会的历史都是阶级斗争的历史。自由民和奴隶、贵族和平民、领主和农奴、行会师傅和帮工，一句话，压迫者和被压迫者，始终处于相互对立的地位，进行不断的、有时隐蔽有时公开的斗争，而每一次斗争的结局都是整个社会受到革命改造或者斗争的各阶级同归于尽。"③梅林认为，马克思和恩格斯的论述深刻揭示出，在资本主义社会历史条件下，阶级关系已经简化为两大阵营，无产阶级与资产阶级的矛盾成为社会的主要矛盾并不断激化。这两大阶级斗争的结果将是无产阶级的胜利和无产阶级专政的建立，无产阶级

---

① ［德］弗·梅林：《保卫马克思主义》，吉洪译，人民出版社1982年版，第20页。

② 《马克思恩格斯选集》第2卷，人民出版社2012年版，第2—3页。

③ 《马克思恩格斯选集》第1卷，人民出版社2012年版，第400页。

专政的使命是达到向无阶级社会的过渡，即建立自由人联合体，在这个联合体中，每个人的自由发展是一切人的自由发展的条件。

第三，唯物史观不是经济决定论，它承认精神观念的力量。针对当时普遍存在的关于历史唯物主义是经济决定论，即认为马克思只强调经济对社会发展的决定作用，而否定精神观念作用的误解，梅林深刻地认识到，历史唯物主义完全不否认观念的力量，甚至还要彻底搞清楚观念是如何产生的。他认为，“观念不是从无中产生，而是社会生产过程的产物，所以，一个观念愈精确反映这个过程，这个观念就愈有力量。人的精神并不超乎人类社会的历史发展之上，而是在其中，人的精神是从物质生产里成长的，随着物质生产并和物质生产一同成长的。要到这种物质生产从复杂到极点的机构开始发展为一些简单而巨大的对立物时，人的精神才能认识它的全部关系；要在这种最后的对立死灭或被排除之后，人的精神才能掌握社会生产的统治权。”①

第四，唯物史观揭示了道德的力量以及道德标准的历史性和具体性。梅林认为，历史唯物主义反对那种将某一道德标准永恒化，并以此来评判历史的主观主义做法，“历史唯物主义不但不否认道德的力量，甚至还是最先使人能够解释道德的力量的”，“它对于每一个历史人物都公平对待，因为它懂得怎样去认识决定那些人物的作为的推动力，它因此也就能够细致地、有差别地描写这些作为的道德性，那是唯心主义历史学的粗陋的道德标准绝对办不到的”。②道德及其判定标准是历史的和具体的，是随着社会生产方式和经济基础的变化而变化的。对不同时代的行为做道德评价，必须具体分析，没有什么恒定的、绝对的道德标准。

第五，唯物史观提出了客观评价历史人物作用的科学方法论。梅林批判了彻底否认或者无限夸大历史人物作用的错误做法，驳斥了那种认为唯物史观否认杰出人物在历史上的重要作用的错误说法。他在《中世纪末期以来的德国史》中以较大的篇幅，运用唯物史观深刻分析和揭示了路德、莱辛、马克思、恩格斯等伟大历史人物在历史上的杰出作用。在论及这些伟大人物时，梅林指出，“社会经济发展的过程产生了社会现实的需要和要求，它决定了人们的任务与目的；伟大人物最大胆的思想和最任性、影响范围最大和最广泛的活动，都必

① ［德］弗·梅林：《保卫马克思主义》，吉洪译，人民出版社1982年版，第27页。
② ［德］弗·梅林：《保卫马克思主义》，吉洪译，人民出版社1982年版，第41页。

须服从于社会的条件”。① 例如，“莱辛的写作范围极其广泛，但促使他从事文艺创作的决定性动力，不管他是否意识到，始终是资产阶级的阶级意识”②，体现了他所处时代社会现实的需求。

第六，唯物史观是研究历史学的根本方法论。梅林作为历史学家，先后创作了《德国社会民主党史》4卷本（1898年出版），《中世纪末期以来的德国史》（1910年出版），《马克思传》2卷（1919年出版）等产生过重大影响的历史学著作。采用唯物史观的方法研究历史，在当时的历史学家中梅林堪称翘楚。他将历史唯物主义方法运用于历史研究的方方面面，科学地理解和解决了诸如怎样选择史料，如何确定叙述的排序，如何详略得当等历史研究和叙述方法的问题。梅林将历史唯物主义的方法在历史研究领域具体化，具有其鲜明的独创性。正是因为梅林作为马克思主义的历史学家，自觉地运用历史唯物主义的方法研究历史，并将其转化为研究历史的具体方法，使他在历史研究领域中取得了卓越的成就，得到了恩格斯的高度评价。如1892年3月16日恩格斯在致奥古斯特·倍倍尔的信中，对梅林运用历史唯物主义方法撰写的《莱辛传奇》给予赞扬说：“令人鼓舞的是，二十年来唯物史观在年轻党员的作品中通常只不过是响亮的词藻，现在终于开始得到恰当的应用——作为研究历史的引线来应用。”③ 再如1893年4月11日，恩格斯在致弗兰茨·梅林的信中，高度赞扬梅林运用历史唯物主义的方法研究普鲁士的历史，恩格斯说：“您的巨大功绩是，您在普鲁士历史这一摊污泥浊水里清出一条路来，并指出了事物的真正联系”④，并认为“这是现有的对普鲁士国家形成过程的最好的论述，我甚至可以说，是唯一出色的论述，对大多数事情，甚至各个细节，都正确地揭示出相互联系”⑤。

第七，学习研究历史唯物主义的基本方法，是系统研究在历史唯物主义发展史上作出重大贡献的思想家们的著作。梅林强调，学习历史唯物主义的基本方法是必须研读马克思、恩格斯、摩尔根、考茨基、狄慈根、毕尔克里、拉法

---

① ［德］弗·梅林：《中世纪末期以来的德国史》，张才尧译，生活·读书·新知三联书店1980年版，第7—8页。

② ［德］弗·梅林：《中世纪末期以来的德国史》，张才尧译，生活·读书·新知三联书店1980年版，第69页。

③ 《马克思恩格斯全集》第38卷，人民出版社1972年版，第310页。

④ 《马克思恩格斯全集》第39卷，人民出版社1974年版，第64页。

⑤ 《马克思恩格斯选集》第4卷，人民出版社2012年版，第644页。

格、普列汉诺夫诸人的著作。只有通过这些对历史唯物主义作出重要贡献的思想家的著作，特别是马克思和恩格斯的相关著作，才能了解和把握历史唯物主义的真谛。因为若只通过一些解读历史唯物主义的通俗读物，并不能了解和把握历史唯物主义创立者和发展者的真实想法和创作过程；同时，“历史唯物主义作为理论它具有自己的基础，作为分析问题的方法来使用，也会随着使用材料、使用者的才学能力的不同，而导致许多见解上的差异。”①

## 第四节 对马克思主义文艺理论的独特贡献

### 一、运用唯物史观研究德国文学及其历史

梅林坚持运用唯物史观研究德国文学及其历史，发表了大量的文艺评论文章，产生了很大的影响。罗莎·卢森堡在 1916 年 2 月 27 日，为梅林七十寿辰所写的贺信里这样评述道：……通过你的书和文章，你用牢不可破的纽带，不仅把德国无产阶级同德国古典哲学，而且也同古典文学联系在一起，不仅同康德和黑格尔，而且也同莱辛、席勒和歌德联系在一起。②作为文艺评论家的梅林，通过运用历史唯物主义分析研究德国文学和德国文学史，形成了自己独特的文学思想和文艺批评理论。一方面，梅林提倡以历史唯物主义作为评价作家艺术家的基本原则。梅林认为，历史唯物主义是从事文学评论最重要的科学方法。1892 年 2 月起，梅林在《新时代》杂志分二十一期连续发表了评论莱辛的文章，这就是受到恩格斯热情赞赏和高度评价的文艺评论巨著《莱辛传奇》。之后梅林又连续发表了多篇有关莱辛剧作的评论文章。这些文章是在文学领域运用历史唯物主义方法的典范，不仅从资产阶级“传奇”的思想迷雾中成功地

---

① ［德］弗·梅林：《保卫马克思主义》，吉洪译，人民出版社 1982 年版，第 74 页。

② ［德］弗·梅林：《论文学》，张玉书等译，人民文学出版社 1982 年版，第 3 页。

拯救了一直被歪曲的莱辛，而且为研究德国古典文学提出了科学的方法论原则。梅林提出，只有运用历史唯物主义的基本原则去评价作家艺术家及其作品，才能使文艺评论更加科学和客观公正；同时，也才能达到以文艺评论的形式向工人阶级传播马克思主义，帮助工人阶级接受马克思主义思想的目的。梅林在大量的文艺评论中，一直坚持这一评论原则，而且备受欢迎。

另一方面，梅林提出在具体分析作家本人和其文学作品时，也要体现和运用唯物史观的原则和基本要求。具体说，就是把作家放在当时的社会条件和历史环境中去进行分析，联系当时的阶级斗争，结合当时政治、经济诸多现象进行研究，不允许批评家凭借主观臆断，甚至主观好恶妄加褒贬，更不允许迎合时代时尚，附和潮流，褒则肯定一切，贬则否定一切。①

梅林撰写的《社会主义抒情诗》一文，专门研究了在德国工人运动中几位与社会主义文学相关的作家。他指出，格・赫尔维格、斐・弗莱里格拉特和亨・海涅这三位诗人，严格地说，“都不能称为社会主义抒情诗人。但是他们与德国社会民主党的领导人，特别是马克思和拉萨尔，有着不同程度的亲密关系。这对他们的诗歌创作不无影响”②，这使他们创作出第一批社会主义的抒情诗。从政治身份来看，他们还不能被称为“社会主义抒情诗人”，但他们却可以写出一些社会主义的抒情诗，这是早期社会主义文学中特有的现象。在早期无产阶级革命运动中有一些作家和艺术家虽然表达了对工人阶级的同情，成为社会主义文学的先声，但这些作家和艺术家基本上是从剥削阶级的营垒走到无产阶级方面来的。正如马克思所说：“在至今的统治阶级中也有人归附斗争着的无产阶级并且向它输送教育因素，这是发展的过程所决定的不可避免的现象。”③

梅林在文艺评论上，基本上做到立论公允，分析中肯，不但反映出他拥有渊博的历史知识、高度的文化修养，更反映出他对历史唯物主义科学方法的掌握已经十分纯熟，这在他分析和研究歌德和海涅及其作品时得到了集中体现。④梅林在《歌德和现代》中，指出了歌德对德意志民族和德国文学所起的巨大作用，同时也揭示出歌德受到他出身的阶级及其社会地位的限制所具有

① ［德］弗・梅林：《论文学》，张玉书等译，人民文学出版社 1982 年版，第 12 页。
② ［德］弗・梅林：《论文学》，张玉书等译，人民文学出版社 1982 年版，第 205 页。
③ 《马克思恩格斯选集》第 3 卷，人民出版社 2012 年版，第 738 页。
④ ［德］弗・梅林：《论文学》，张玉书等译，人民文学出版社 1982 年版，第 12 页。

的根本缺陷。他指出，歌德早年作为一名廷臣，曾经与公爵勾结，写一些迎合上流社会趣味的应景诗文。他的出身和生长环境致使他始终没有跳出统治阶级的魔法圈，他的高贵肢体也始终没有摆脱德国封建主义思想的桎梏。歌德对宫廷生活没有强烈的憎恶感。①对于海涅，梅林指出，他是有资格把自己称作人类解放斗争中的一名勇敢战士的人。同时，梅林在《海涅评传》中也指出了他的两个重大错误：一是1828年海涅找国王说情，谋求慕尼黑大学的教授职位，这使他革命的酒浆里掺了水。二是1838年海涅企图与普鲁士政府合作，这在他个人品格上投下了黝黑的阴影。这些都反映出即使是伟大的诗人，他的思想和作品也有着时代和阶级地位的限制。

梅林通过自己的文学评论，不但把德国无产阶级同德国古典文学用不可割断的纽带联系起来，而且也把世界文学介绍给德国工人阶级。他按照历史唯物主义的观点言简意赅地评论和介绍了一系列外国作家和他们的作品：如塞万提斯、莫里哀、伏尔泰、狄更斯、易卜生、托尔斯泰、高尔基等。梅林认为，德国工人阶级是德国古典文学的当然的继承者；作为国际工人阶级一部分的德国工人阶级，也必然是世界文学宝贵财富的继承者。

综上，梅林作为马克思主义的文学艺术评论家，自觉运用历史唯物主义方法研究和评价德国古典哲学、古典文学以及世界上优秀的外国文学作品。提出了文艺评论的马克思主义原则，阐明科学运用唯物史观分析作家及其作品，找到了马克思主义与文学艺术的结合点，开拓了以马克思主义理论研究文学艺术的新领域。这提升了工人阶级欣赏的品位，起到了在文学艺术评论中传播马克思主义唯物史观的作用，达到了文艺为政治服务的客观效果。

## 二、提出文学艺术要为无产阶级服务

梅林站在马克思主义的政治立场上，明确提出文学艺术要为无产阶级服务的重要观点。1896年10月21日，梅林发表在《新时代》杂志的文章《艺术和无产阶级》提出，作为无产阶级的文学艺术工作者，应当明确文学艺术的首要目的就是帮助工人阶级透过资产阶级历史学家和文艺评论家散布的重重迷

---

① ［德］弗·梅林：《论文学》，张玉书等译，人民文学出版社1982年版，第13页。

雾，看清历史的本来面目和文学遗产的真正价值，从而更好地继承人类创造的一切精神财富。具体说，就是要做到文学艺术为无产阶级服务。

首先，指出文学艺术不是剥削阶级的特权，无产阶级也享有对文学艺术的审美权利。梅林认为，物质生活和精神生活是人的双重需求，其中，衣食住行是第一生活需要，艺术来源于生活更高于生活，它不能脱离人的基本生活这个前提而独立存在。梅林指出："人不能只靠面包为生，但也不能只靠艺术活命。在创造一种美好生活之前，首先得保证自己的生存。所以，文学艺术就一直成为那些得天独厚的少数人的特权，并且这些人还引以为荣地铸出一种无耻的信条，认为群众从来不能经受住艺术明亮的阳光，顶多只能经受住这种阳光的几缕暗淡的光束而已。"梅林深信，这种情况迟早要改变。到那时候，艺术不复为特权，而将成为全民的财富。"德国人民在经济上和政治上获得解放的日子，将成为盛会纪念歌德的日子，因为这一天，他的艺术将成为全民族的共同财富。"①

其次，文学艺术为无产阶级服务是无产阶级解放斗争的需要，无产阶级需要自己的艺术家。梅林认为，马克思主义是在资本主义社会中产生的无产阶级解放学说，马克思主义之所以需要文学理论，是因为它需要文学艺术为无产阶级的解放斗争呐喊助威，需要改变资本主义社会精神文化对工人阶级的奴役。完成这一任务，无产阶级的文学艺术家发挥着重要作用。在资本主义社会，文学家、艺术家与工人是不同的职业分工，在其社会身份等级序列中，文学艺术家往往成为资产阶级的文化附庸，与工人阶级的根本利益相对立。但资本主义的压迫，同样也会产生反映工人阶级反抗压迫的思想意识形态，产生加入工人阶级队伍的文学艺术家。作家、艺术家的政治身份超越了其职业分工的分类，而以代表哪个阶级、宣扬哪种意识形态思想，作为其政治身份的依据。马克思恩格斯就热烈欢迎作家、艺术家参加无产阶级革命队伍，宣传社会主义思想。恩格斯曾高度评价德国当代最杰出的诗人亨利希·海涅参加工人阶级代表的队伍，指出他出版的一本政治诗集就收集了宣传社会主义的诗作。恩格斯还为优秀的德国画家许布纳尔、卡尔·莱辛能够站到社会主义阵营表示由衷高兴。

最后，梅林认为，要做到文学艺术为无产阶级服务，要求其作品的内容真实反映工人阶级的社会生活和革命实践活动。1898 年 10 月 11 日至 16 日在哥

① ［德］弗·梅林：《保卫马克思主义》，吉洪译，人民出版社 1982 年版，第 115—116 页。

达代表大会上，梅林提出了现代无产阶级对现代艺术的态度问题。他认为，“工人们对今天资产阶级所感兴趣的艺术是蔑视的”，[①]因为“根据我们实际的观察，这种对立可以归结为：现代艺术有一种极度的悲观主义的特征，而现代无产阶级却有一种深沉的乐观主义特征”。梅林指出，造成这种状况的原因是“无产阶级在奇妙的玫瑰色的微光中看到了未来”，“因为他有坚定的信念，深信他能够推翻一个世界。”“他的希望恰恰产生于环绕在他周遭的悲惨之中。”与此相反，现代艺术“发端于资产阶级的圈子里，是一种不可遏止的堕落的反射”，“是彻头彻尾的悲观主义。”[②]对于工人阶级来说，需要反映乐观的战士情怀的作品。

由上分析，梅林认为，无产阶级的文学艺术家是通过他的作品向人们输出思想。文学艺术家应当富有政治远见，作品内容要具有时代性，在作品中向人们展现出社会发展的方向，不仅要反映今天无产阶级遭受剥削压迫的苦难生活，也要表达无产阶级通过团结一心努力奋斗实现未来理想时的欢乐情怀；不仅要反映今天进行反抗压迫时所遭受的挫折，也要预见到明天的革命胜利。梅林认为，无产阶级的作家要具备三条特质：首先，必须是个革命者；其次，必须是个战士；再次，必须充满乐观主义精神。只有这样他才会在漫漫长夜的沉沉黑暗之中看到必然会喷薄而出的旭日发出的第一道曙光。[③]梅林介绍了这方面的典范——德国诗人海涅，以及他的《西里西亚织工之歌》，高度赞扬他将诗和革命相结合、诗人和革命力量相结合，开创了德国文学史上的新例。[④]当然，梅林还提醒人们必须注意，不应过高估计艺术对无产阶级解放斗争的作用。希望以后自己单独写文章加以论述。[⑤]

总之，梅林作为马克思主义历史学家、文艺评论家和工人运动活动家，坚持以马克思主义理论特别是历史唯物主义理论为文学艺术的指导思想，科学地研究德国文学及其历史，给人以耳目一新的印象；他坚持文艺为无产阶级服务的方向，保持马克思主义的思考状态，以文学艺术的形式传播马克思主义。为丰富无产阶级文艺理论做出了突出贡献。

---

① ［德］弗·梅林：《论文学》，张玉书等译，人民文学出版社 1982 年版，第 260 页。
② ［德］弗·梅林：《论文学》，张玉书等译，人民文学出版社 1982 年版，第 261 页。
③ ［德］弗·梅林：《论文学》，张玉书等译，人民文学出版社 1982 年版，第 26—27 页。
④ ［德］弗·梅林：《论文学》，张玉书等译，人民文学出版社 1982 年版，第 18 页。
⑤ ［德］弗·梅林：《论文学》，张玉书等译，人民文学出版社 1982 年版，第 266 页。

# 第五节　对德国工人运动历史的研究

## 一、对德国工人运动和德国社会民主党历史的研究

1898年梅林发表了《德国社会民主党史》，1910年发表《中世纪末期以来的德国史》等著作，客观分析了德国工人阶级的形成与工人运动的发展过程，研究了德国社会民主党的历史，表明工人运动是工人阶级自身解放和人类解放的有效途径。

梅林对德国工人阶级及其开展的工人运动进行了层次划分，其标准主要有两条：一是生产力发展水平，二是指导思想的哲学基础。他将德国工人阶级具体分为三个层次：早期工人阶级、近代工人阶级和现代工人阶级，这实际也是德国工人阶级发展的三个阶段。同时，他还提出了现代无产阶级的理论层次和实践能力标准，认为，工人阶级只有达到这个标准才可能具备完成历史使命的条件。

梅林对德国早期工人阶级及其特征进行了深入分析。他指出，早期工人阶级主要从事家庭手工业和工场手工业劳动，在封建主义和资本主义的社会关系中，受到封建地主和资本家的双重剥削和压榨。由于手工业劳动的特点是突出工人个人的技术水平，因此，早期工人阶级很难形成联合，无力反抗现存制度。早期工人阶级无法实现联合，力量有限，因此，只能屈从于社会改良主义。所以，德国早期工人阶级具有两大特征：一是在生产力方面，从事手工业劳动；二是在思想文化方面，相信社会改良主义，这也是德国早期工人运动所谓历史局限性。

梅林比较客观地分析了德国早期工人运动，指出了其积极意义和历史局限性。他认为，德国早期工人运动信奉空想社会主义，实行社会改良主义；建立了自己的工人阶级的组织，发动了工人，多次举行起义，给德国封建统治者以打击。以此看来，早期工人运动起到了组织和教育工人的作用。但是，由于统

治阶级的强大以及社会环境的恶劣，使得工人的组织具有分散性和秘密性，没有形成联合行动以扩大影响。由于在思想上还没有科学理论的指导，所以，革命组织内部思想混乱，不能达到统一认识，这也影响到了工人运动的开展。

梅林客观分析了德国早期工人运动失败的必然性，认为主要有四个方面的原因：一是，工业还没有发展，使得他们无法获得新的力量；二是，空想社会主义的社会理想使他也无法认识到工人阶级自身的力量，找到胜利的道路；三是，工人运动中内部领导人思想不统一，目标和认识都不一致，没有形成巨大的合力；四是，时代的局限性决定了工人运动的过程和结果。

梅林对德国近代工人阶级的产生的时代背景及其特征进行了具体分析。他指出，从 19 世纪 30 年代开始，德国社会生产由工场手工业开始向大机器生产方向发展的阶段。德国社会生产力发生突变，突破口是修筑了从纽伦堡到菲尔特的第一条德国的铁路。梅林认为，修建铁路使德国“不可遏止地投身于世界交通的巨流中”①。铁路把沿线德国的大商业中心联系起来，带动莱比锡和马格德堡的商业发展，也把莱茵和萨克森的工业连接起来，直接促进生产力的发展。梅林认为，“铁路网的扩大，给各邦分立偏见的坚固堡垒打开了第一个大缺口”②。铁路所到之处，开发了德国的煤铁资源，推动德国大工业进入到南德地区。随之而来的是机器制造厂的迅速发展，如柏林的博尔济西工厂和纽伦堡的克拉麦尔—科赖特工厂等。19 世纪中叶，德国大工业的发展改变了德国的工厂制度的格局，以大工业为主体的工厂制度取代了以技术为基础的工场手工业。与此同时，德国的工人阶级也由早期工人阶级转变为近代工人阶级。

德国近代工人阶级所处的社会环境极其复杂，存在着资产阶级、无产阶级同封建地主的矛盾，资产阶级和工人阶级的矛盾，以及封建地主阶级与资产阶级的矛盾，现实中还出现了封建地主阶级企图拉拢工人阶级同资产阶级的矛盾。三大阶级势力纠结在一起，工人阶级在资产阶级思想的影响下，受到空想社会主义思潮的影响，把希望寄托在资产阶级的良心发现上，看不到工人阶级的革命性和工人阶级的力量，造成德国近代工人阶级虽然成为一支重要力量，但却无法获得应有的政治地位和经济利益的局面。

---

① ［德］弗·梅林：《德国社会民主党史》第 1 卷，青载繁译，生活·读书·新知三联书店 1963 年版，第 86 页。

② ［德］弗·梅林：《德国社会民主党史》第 1 卷，青载繁译，生活·读书·新知三联书店 1963 年版，第 87 页。

梅林认为，德国近代工人阶级具有两大特征：一是在生产力方面，由手工业向从事大机器生产方向转变；二是在思想文化方面，空想社会主义思想占据工人的头脑。前者可以使工人阶级联合起来，形成力量；后者使工人阶级成为资产阶级的工具，工人阶级的利益无法实现。

梅林对德国近代工人运动的历史意义和局限性进行了分析和评价。他指出，德国近代工人运动的意义在于，德国工人阶级能够面对资本主义剥削而敢于起来战斗。如德国的"三月革命"，工人阶级走上街头，来到王宫向国王请愿，要求出版结社自由和工作保障，为此还付出许多工人的生命。这表明，近代工人阶级已经认识到自己争取生存的权利，提出了初步的政治诉求。梅林指出：无产阶级从"三月革命战士那里受到教育：被压迫阶级不能指望从资产阶级那里得到什么，而只有靠自己的力量从他们那里去夺取"①。其局限性在于，工人阶级在资产阶级革命中虽然表现勇敢，但是却完全受空想社会主义的影响，没有组织起来形成统一的政治力量。由此可以从近代工人运动的历史经验中得出一条很重要的结论：无产阶级应当组织起来，在一个统一政党领导下，它在思想上和在组织上都具有独立性，这种独立性体现在它不依赖于资产阶级民主派的思想。

梅林着重对德国现代工人阶级进行了分析。他指出，德国现代工人阶级是在大机器工业生产不断发展，工人阶级和资产阶级的社会矛盾不断加深的背景下发展起来的。机器大工业提高了生产的社会化、科技化、机械化程度，产业革命势如破竹，生产力发生质的变化，它必然在整个社会发展变化中发挥革命性的作用。在这个过程中，资本主义的生产方式被确定下来了，并占据着统治地位。这种生产方式在显示出巨大优越性的同时，其内在的矛盾也已经全面展开并剧烈爆发出来。这种形势下，无产阶级与资产阶级的矛盾日益尖锐，阶级斗争不断向前发展。社会财富越来越集中到少数人手中，而把大多数人抛到无产阶级的队伍之中去。梅林指出："德国的经济发展培养了大量的无产阶级，从而给共产主义创造实际的前提条件。"②残酷的现实教育了工人阶级，他们认识到，虽然生产力发展了，但是自己依然贫困，处境依然窘迫，空想社会主

① ［德］施拉夫斯坦：《梅林传》，邓仁娥等译，人民出版社1989年版，第241—242页。

② ［德］弗·梅林：《德国社会民主党史》第1卷，青载繁译，生活·读书·新知三联书店1963年版，第242页。

义理论解决不了自己面临的问题。这样，空想社会主义在工人群众中破产了。1848 年 2 月《共产党宣言》发表，标志科学社会主义的诞生，工人阶级从此有了自己的思想武器。德国现代工人阶级具有两大特征：一是生产力是大机器生产；二是思想意识方面强调马克思主义的指导。前者使工人阶级更加走向联合，形成巨大的革命势力；后者使工人阶级意识觉醒，明确未来社会发展目标和方向。显然，这两者的结合统一，就构成了工人运动的重要条件，无产阶级的历史使命就落到现代工人阶级肩上。梅林高度评价了德国现代工人运动的成就和功绩。德国工人阶级从 1848 年革命中总结了深刻的经验教训，认识到资产阶级的虚伪性，事实充分证明，在德国，工人阶级是唯一有能力和有资格领导德意志民族的阶级。德国工人阶级从 50 年代后期重新振兴，并且在 60 年代建立了自己的政党组织，更加强有力地、卓有成效地同资产阶级展开了斗争。梅林指出，德国工人运动的发展壮大及其所进行的斗争的重大成果，是德国工人政党建立。19 世纪 40—90 年代的德国工人运动史，也是一部无产阶级组织产生、发展和壮大的历史。

梅林认为，对于德国现代无产阶级来说，是否应当以阶级斗争的形式来摆脱雇佣奴役的桎梏，已经不再成为问题。现在的问题是，如何才能最迅速地使这种斗争取得可靠的结局，这就需要依靠工人阶级的政党来领导。无产阶级政党所起的作用就是把马克思主义思想的闪电照射到朴素的人民土地上，体现在把马克思主义的基本理论和认识问题的基本方法转化为党的原则，然后直接去指导无产阶级的实践活动。无产阶级政党是无产阶级利益的集中代表。工人阶级只有在马克思主义革命政党的正确领导下，才能完成自己的历史使命。德国社会民主工党就是第一个在民族国家范围内以马克思主义为指导的无产阶级政党。德国社会民主党推进了马克思主义与德国工人运动的结合，制定了工人进行国际革命的斗争策略，积极开展了反对资本主义的斗争。因此，德国社会民主党具有重要历史地位，对国际共产主义运动产生了深远影响。梅林认为，现代工人阶级的解放斗争是世界史上最光荣和最伟大的解放斗争，德国社会民主党率先进行了这一斗争这个事实，可以洗刷德意志数百年的耻辱。

梅林对德国社会民主党的历史进行了深入的研究，指出，按照德国工人运动的形势特点进行划分，德国社会民主党经历了三个发展阶段。

第一个阶段：1869—1874 年，德国社会民主党建党并走向统一的阶段。梅林分析了德国社会民主党产生的历史条件，认为主要有三方面的因素。首先，德国工人运动的发展是成立德国社会民主党的直接原因。梅林认为，1863 年成立的带有政党色彩的“全体德国工人联合会”把工人组织引上政治斗争——直接普选权的议题。它提出工会要参加选举，从而直接参与政治斗争。全体德国工人联合会的成立是德国工人运动中的重要事件，但它奉行的拉萨尔主义却导致了德国工人运动的分裂。纽伦堡的工会组织不赞成拉萨尔的主张，提出要以马克思主义为指导，主张德国在社会主义基础上实现统一，与拉萨尔派的全体德国工人联合会发生了决裂。威廉·李卜克内西和奥古斯特·倍倍尔在 1869 年创建了德国社会主义工人党。该党以纽伦堡工会的纲领为蓝本，把它修改完善作为党纲。这个政党拥有激进的革命目标和革命意识，它一成立就宣布接受第一国际的主张，接受它的领导，是当时德国社会中一个代表无产阶级的重要组织。这就是德国工人运动的政党，也是德国社会民主党幼年时期的基本状况。梅林认为，社会主义工人党的成立，表明无产阶级独立地开展了革命斗争，表明资产阶级和无产阶级的共同行动是不可能的。德国工人运动的发展需要无产阶级政党的领导，是德国无产阶级政党建立的根本原因。

其次，德国社会民主党的建立具备了必要的思想基础和政治原则。梅林指出，无产阶级政党的创立，需要具备自己的思想基础和政治原则。科学的思想理论基础是建立革命的无产阶级政党的首要前提。马克思恩格斯创作的《共产党宣言》为无产阶级政党奠定了建党学说的基础，特别是他们亲自组织和领导了第一国际，起草了《国际工人协会成立宣言》，明确了第一国际的政治原则，这就为德国无产阶级革命政党的建立奠定了科学的思想理论基础和根本的政治原则。

再次，德国社会民主党的建立具备了必要的组织基础。梅林认为，德国在 19 世纪五六十年代并没有实现国家统一，各地小帮林立，各地的工人组织极其分散且指导思想极其复杂，所以，存在工人组织联合的必要性，而第一国际的成立对于德国无产阶级来说，则起到示范作用。第一国际具有政党的性质，但它不是单纯利用恐怖手段的秘密团体，而是一个能够容纳各种不同倾向的工人团体，而且必须把工人阶级利益放在第一位。第一国际的主旨精神和活动，对于德国分散的工会具有引领作用，引导他们逐步在条件成熟的条件下走向联合。德国社会民主党的纲领已经明确表示接受马克思主义的指导地位，在组织上接受第一国际的组织领导。“第一国际”为德国社会民主党培养了干部，做了组织上的准备。威·李卜克内西和倍倍尔就是第一国际帮助培养的。第一国际还为德国社会民主党制定了党的组织原则等。这些都是德国社会民主党得以建立的组织基础。

第二个阶段：1874—1878年，实现了德国工人联合会和爱森纳赫派的联合，形成了在组织上统一的社会民主党。梅林认为，德国工人联合会和爱森纳赫派两派合并有主观原因和客观原因。就主观而言，双方过去关于民族主义的争论已告平息；就客观而言，社会现实促使他们必须整合力量，以便共同反对封建统治者和资产阶级的联合政权。新生的普鲁士德国政权迫害爱森纳赫派领袖，竟然制造了“莱比锡审判案”，把倍倍尔和威廉·李卜克内西以可笑的罪名投入监狱两年，对工人领袖进行政治迫害，打击工人运动。资本家不断加剧对工人阶级的残酷剥削，物价不断上涨，而工人的实际工资不涨，工人组织罢工进行反抗，却遭到资产阶级政党的反对。所以，工人阶级的组织有必要实现联合，增强德国工人运动的力量，更有力地开展革命斗争。同时也是出于选举考虑，两派采取共同行动，可能会增加议席。

梅林的上述分析表明，德国工人运动中两派的联合是基于共同利益，有其必要性。1875年5月22日至27日，哥达代表大会确认了两个组织的合并正式完成，形成组织上统一的德国工人党（社会民主党）。

第三个阶段：1878—1890年，非常法时期德国社会民主党的活动。梅林分析和描述了非常法时期德国社会民主党的活动。1878年俾斯麦政府颁布实行《反社会党人的特别法令》。规定一切旨在推翻“现存国家制度和社会制度”而从事社会民主主义、社会主义和共产主义活动的组织均予禁止。这个法律的实施，旨在镇压德国工人运动和社会民主党的革命活动。为应对《反社会党人的特别法令》带来的严峻形势，德国社会民主党将公开合法斗争与秘密斗争结合起来，有力开展了反对封建政府和资产阶级的革命斗争。反社会党人法阻滞了人们集会结社的自由，党必须利用有限度的言论自由，来发动工人阶级，为工人阶级争得利益。德国社会民主党不仅借助议会选举大力开展宣传攻势，动员工人积极参加选举以争取广泛的支持。同时德国社会民主党还通过创办刊物来宣传自己的主张，如《周刊》和《社会民主党》等刊物在当时起到了凝聚人心的作用。社会民主党还把开展工会的公开活动与进行党的地下活动结合起来，与反动政权进行了不屈的斗争。在环境极其恶劣的情况之下，1881年社会民主党参加国会选举仍能获得30多万票，复选后仍能得到12个议席，这个成绩和《反社会党人的特别法令》实行之前的支持率相当，来之不易。

俾斯麦在对社会民主党人进行严厉镇压的同时，还采取温和手段以收买民心。如 1881 年通过实施了疾病保险法和工伤保险法，还要实行烟草专卖等。针对俾斯麦的两手政策，1882 年召开的德国社会民主党哥本哈根代表大会对此表明了原则态度。指出政府策略的改变不过是未来引诱工人离开正确道路。对俾斯麦政府的这些议案，社会民主党当然要给予坚决反对。1884 年选举，社会民主党获得 55 万票，24 个议席。这次选举小资产阶级和小农阶层都投社会民主党的支持票。俾斯麦把《反社会党人的特别法令》的实施延续到 1890 年 1 月 25 日。1890 年 2 月的选举，工人阶级用 150 万张选票把俾斯麦赶下了政治舞台。梅林指出，由于社会民主党人坚定不移地进行秘密抵抗和利用各种合法方式进行斗争，使得俾斯麦的《反社会党人的特别法令》不但没能阻止德国工人运动的发展，相反，工人运动取得了不断的胜利和发展壮大。社会民主党在 1890 年 2 月 20 日议会选举的伟大胜利把俾斯麦同《反社会党人的特别法令》一起扫除的事实，就是充分的证明。德国社会民主党在《反社会党人的特别法令》时期所遭受的巨大牺牲和付出的巨大代价，也得到了应有的回报，不仅支持社会民主党的人数增加了两倍，而且党的组织也壮大了，工会也得到了迅猛的发展。总之，在德国社会民主党的领导和组织下，德国工人运动得到了蓬勃的发展。

## 二、对马克思生平事业的研究

梅林在《马克思传》、《保卫马克思主义》和《德国社会民主党史》等著作中，对马克思的生平事业进行了深入研究。尤其是《马克思传》不仅详细叙述了马克思和恩格斯创立马克思主义的过程，阐述了马克思在共产主义者同盟创立和发展中发挥的重要作用以及第一国际建立的历史，还向人们展示了一个极具天赋、才华横溢的马克思；不仅高度评价了马克思的思想和著作，还介绍了马克思与恩格斯、海涅、赫斯、拉萨尔、巴枯宁等人的交往与争论，全面生动地展现了马克思生平事业的各个方面。

梅林写作和出版《马克思传》经历了一个十分艰辛的过程。1884 年，梅林筹划《马克思传》的写作未果。酝酿 30 年才得以创作完成。梅林创作《马克思传》的动因，产生于编辑马克思恩格斯通信集的过程中。梅林在《马克思传》的序言中说，“在编辑该通信集的很长一段时期中，由于以往多年研究而在我脑海里已经成型的卡尔·马克思的形象，变得更为鲜明突出了。因此，不由地想写一部传记来刻画这个形象。”① 梅林还说，“当有人提出要出版马克思恩格斯通信集时，马克思的女儿劳拉·拉法格夫人表示同意（这件事必须得到她的同意）这个建议，但是有一个条件，就是一定要我作为她的代理人参加该通信集的编辑工作。1910 年 11 月 10 日，她从德拉伐尔写了一份委托书，全权委托我做一些我认为必要的注释、说明和删节。”② 梅林认为自己得到马克思女儿的信任，得以撰写马克思的传记，绝不是因为自己在她心目中是她父亲最博学最贤明的学生，而是因为在她看来，自己比别人更了解马克思的为人，因而也就能够在这方面描写得更为真实。

梅林提出自己撰写《马克思传》的两条基本原则：其一，坚持赞美与批评的“平衡”，既不过分抬高和夸大马克思理论的价值和历史贡献，也不对马克思的思想妄加批判，尽量做到客观公正地去看待和评价马克思的思想和贡献。其二，在写作手法上，没有以马克思的著作为主线，将马克思的传记写成一部纯学术性的研究专著，而是引入了“实践”的视角，将实践的马克思与作为理论家的马克思结合起来，给人们呈现出一个既有理论深度、又充满生活气息的完整的马克思。从 1913 年开始，梅林大概花费了 3 年多的时间才完成《马克思传》的写作。1914 年 5 月，梅林休假期间在写给卢森堡的信中介绍了他的这部新作，并请她把帮助撰写有关《资本论》第二、三卷的章节一并放入自己的《马克思传》中。卢森堡在看了《马克思传》的初稿后非常激动，认为这本书写得非常好，可以称得上是一部不朽的杰作。她欣然接受邀请撰写了有关章节的内容。

《马克思传》一经问世，便获得了很高的评价并产生了广泛的社会影响，卢森堡认为这部书非常出色，预期会在群众中产生强烈的影响。李卜克内西在监狱中写信说，他怀着激动的心情把《马克思传》第二卷读了两遍，认为这部书的描写手法显示了大师无与伦比的妙笔生辉。后来，梅林的这部《马克思传》被译成多种文字，毫不夸张地说，这是一部在全世界都拥有广大读者的书，是一部很有价值的著作。

---

① ［德］弗·梅林：《马克思传》上册，樊集译，持平校，人民出版社 1972 年版，第 1 页。
② ［德］弗·梅林：《马克思传》上册，樊集译，持平校，人民出版社 1972 年版，第 1 页。

梅林通过《马克思传》、《保卫马克思主义》等著作对马克思生平事业的研究，主要体现在以下几个方面：

第一，梅林在写作过程中，力图给读者呈现一个真实的、完整的马克思。梅林生动地描述了作为理论家和整个国际工人运动的领袖的马克思，展现了马克思从思想到实践，从理论到现实的完整、伟大的形象。尽管梅林没有打算在这部传记中花费过多的笔墨叙述马克思的思想，但是，他在介绍马克思与同时期其他理论家的革命交往、理论交锋过程中，还是对马克思的思想进行了比较深入的阐释，并且对马克思的思想多有批评。在梅林看来，这丝毫不影响马克思作为一位伟大思想家和工人运动领袖的光辉形象。另外，梅林还愤怒地控诉了德国资产阶级对无产阶级伟大导师进行迫害的丑行，动人地描写了马克思和恩格斯两人在长期的革命活动中建立起来的深厚友谊。

第二，梅林再现和研究了马克思恩格斯创立马克思主义的过程。梅林认为，马克思和恩格斯之所以能够创立马克思主义和他们的性格有关系。马克思性格犹如“大理石一样”① 的坚毅，分析问题能力和逻辑思维的能力超群。他的中学毕业证上就已经特别指出，卡尔能很好地翻译和解释古典作品中最艰深的地方，逻辑最复杂的地方。② 恩格斯出身于工厂主之家，从小经商，性格豪放，关心政治，体恤劳工疾苦，肯下苦功夫研究问题。③1844 年 8 月马克思和恩格斯在巴黎第二次见面，他们都各自完成政治立场和世界观的转变，从此建立了伟大的友谊，共同进行大量的理论研究工作并积极参加工人运动，完成了创立科学社会主义的历史任务。

马克思恩格斯以清算各种社会主义思潮为合作的开始，并梳理自己的思想，完善自己的理论体系，将其与工人运动相结合，为着手建立国际无产阶级政党做准备。第一部合著《神圣家族》，对青年黑格尔派进行了全面批判。梅林说，就是马克思的反对者都承认，这部著作包含着某些最辉煌的天才的流露，以形式的精巧和语言的洗练来说，是属于马克思最优秀的著作之列。④ 此后，马克思和恩格斯合著或分别撰写了《英国工人阶级状况》、《关于费尔巴哈的提纲》、《哲学的贫困》、《德意志意识形态》、《雇佣劳动和资本》等一系列著

---

① ［德］弗·梅林：《马克思传》上册，樊集译，持平校，人民出版社 1972 年版，第 8 页。

② ［德］弗·梅林：《马克思传》上册，樊集译，持平校，人民出版社 1972 年版，第 11 页。

③ ［德］弗·梅林：《马克思传》上册，樊集译，持平校，人民出版社 1972 年版，第 120 页。

④ ［德］弗·梅林：《马克思传》上册，樊集译，持平校，人民出版社 1972 年版，第 133 页。

作，分析了无产阶级同资产阶级矛盾的形成和发展过程，指出了无产阶级的历史使命；阐明了科学的实践观，指出人的本质“是一切社会关系的总和”①；阐发唯物主义历史观；科学阐释共产主义理论；阐明剩余价值的来源，揭示资本家剥削工人的秘密；揭示生产力和生产关系发展的客观规律，描绘了人类社会发展的大体轮廓；论证消灭私有制，资本主义必然灭亡，社会主义必然胜利等一系列原理。尤其是唯物史观和剩余价值学说这两大发现，使社会主义从空想变为科学。马克思和恩格斯在创立科学社会主义理论的同时，还努力推进科学社会主义理论与工人运动相结合，积极开展建立革命的无产阶级政党的活动。

第三，梅林叙述了马克思恩格斯在共产主义者同盟的创立活动及其发挥的重大作用。梅林记叙了马克思恩格斯积极和分散于世界各地的工人组织领袖建立联系的事实，其中着重描写了他们与正义者同盟的代表沙佩尔等人建立联系的过程。1847年1月，正义者同盟以“伦敦共产主义通讯委员会”的名义同“布鲁塞尔共产主义通讯委员会”建立联系，马克思恩格斯在这个组织中做了大量工作，力图使他们摆脱蒲鲁东和魏特林的影响。沙佩尔写了委托书，邀请马克思和恩格斯加入同盟，并请求起草同盟宣言。马克思恩格斯接受起草同盟宣言的建议，并把同盟的组织加以民主化，以适应形势需要。同时，他们提出了同盟的任务：推翻资产阶级，建立无产阶级的统治，消灭旧社会，建立一个没有阶级和私有财产的新社会，并将同盟改名为“共产主义者同盟”②。1847年6月共产主义者同盟在伦敦召开第一次代表大会，马克思未出席，恩格斯代表巴黎支部出席，沃尔夫代表布鲁塞尔支部出席。沙佩尔任大会主席，恩格斯主持并参加了大会所有文件的起草和审议工作。大会讨论了恩格斯起草的同盟纲领《共产主义信条草案》，大会根据马克思恩格斯的建议，用“全世界无产者，联合起来”这一新口号取代了“人人皆兄弟”的旧口号。1847年10月，恩格斯受共产主义者同盟巴黎区部委员会的委托，撰写了《共产主义原理》。1847年11月29日至12月8日，共产主义者同盟第二次代表大会在伦敦举行。1848年2月《共产党宣言》以马克思恩格斯名义的德文版在伦敦发表。第一次全面科学地阐释了科学社会主义的基本原理。梅林评价说：“《共产党宣言》的古典

---

① 《马克思恩格斯选集》第1卷，人民出版社2012年版，第135页。

② ［德］弗·梅林：《马克思传》上册，樊集译，持平校，人民出版社1972年版，第185—186页。

形式本身确实使它在世界文献中占有一个巩固的地位。”① 梅林说，这“完全是一部独立的、独创的作品。”并且“只要资产阶级和无产阶级之间的世界历史性的斗争没有结束，这些原理就总会是正确的。”具体而言，“《宣言》的第一章无比精辟地阐述了这一斗争的关键性理论问题。而第二章也以同样完美的文字阐述了现代科学共产主义的基本思想。第三章的内容是对社会主义和共产主义文献的批判”，梅林赞叹：马克思恩格斯如此“深刻地掌握了革命过程的原理”，“第四章和最后一章预言德国革命”会“成为无产阶级阶级斗争蓬勃发展动力”。②

第四，梅林叙述了第一国际建立的历史。1848年欧洲革命后，资本主义在各国得到迅速发展，无产阶级力量不断壮大。到50年代末60年代初，各国工人运动，尤其是欧美国家工人运动重新活跃起来，出现了加强国际联合的需要。马克思恩格斯密切关注欧美工人运动，为维护各国工人阶级的利益和促进工人阶级的国际团结做了大量工作。从50年代起，马克思和恩格斯就为美国进步报纸《纽约每日论坛报》等报刊撰稿，就德国和意大利的民族统一运动、美国国内战争、波兰人民起义、中国太平天国运动以及印度人民抗英斗争等，表明了他们的态度和观点。表示支持这些国家和人民革命斗争，阐明这些革命的世界意义，为欧洲工人运动和世界各国人民的斗争指明了方向，促进了欧洲工人运动的国际联合。为支持波兰人民反抗沙俄压迫和奴役的起义，1863年和1864年，在伦敦召开了两次大会，各国工人组织和代表参会。1864年9月28日，在伦敦圣马力诺大教堂，马克思受到邀请参加会议，并被选入大会主席团。经大家讨论决定成立国际工人组织，在委员会议上，宣布正式成立国际工人协会，简称“国际”。第二国际成立后，始称“第一国际”。可见，第一国际的成立完全是无产阶级运动自然发展的结果。

第一国际从此走上历史舞台，并扮演重要角色。马克思抱病为国际起草了《国际工人协会成立宣言》和《国际工人协会临时章程》，这两个文件体现了原则坚定性和政策灵活性的高度统一，实质坚决，形式温和，考虑到工人的实际水平和接受能力，贯穿了科学社会主义的基本原则，因此受到赞扬并被大会一

---

① ［德］弗・梅林：《马克思传》上册，樊集译，持平校，人民出版社1972年版，第195页。

② ［德］弗・梅林：《马克思传》上册，樊集译，持平校，人民出版社1972年版，第196—200页。

致通过。梅林做出评价："卡尔·马克思在第一国际的纲领性文件《成立宣言》和《章程》中，从参加国际的各派别现有的发展水平出发，巧妙地引导工人运动转向革命斗争，同时指明了工人运动的社会主义解放目标。"梅林还指出，国际是"无产阶级解放斗争最初期的产物"，"当然它很幸运，在它产生的同时，就找到了一个伟大的头脑——卡尔·马克思。"① 在马克思恩格斯的指导下，第一国际采取一系列有力措施，促进各国工人运动的发展和联合，多次召开代表大会、代表会议，通过一系列关于工人开展经济斗争和政治斗争的决议，对各国工人运动给予明确指导。1866 年马克思为国际日内瓦大会起草的《临时中央委员会给代表的指示》，成为第一国际指导工人运动的具体行动纲领。倡导工人阶级联合起来，共同斗争。在具体实践中，把英国、法国、瑞士、德国开展的工人运动组织都联系起来，支持他们的罢工斗争等正义活动。国际还同情和支持被压迫民族争取民族解放的斗争，1867 年 1 月根据马克思的建议，法国巴黎的工人和学生在沙皇亚历山大二世访问巴黎之际，举行了反对沙皇、声援波兰人民的示威游行，高呼"波兰万岁"口号。第一国际的大力支持，鼓舞了波兰人民反抗外来压迫的革命斗争。第一国际还支持了爱尔兰的民族解放运动，领导和组织各国工人参加一切有助于无产阶级解放的民主运动。

第一国际促进了科学社会主义与国际工人运动的结合，并号召工人阶级学习和掌握《资本论》。在《资本论》中，马克思从商品入手，详细阐明了劳动价值理论和剩余价值学说，揭露了资本主义剥削的本质和根源。揭示了资本主义的基本矛盾，论证了资本主义经济危机的必然性和周期性，资本主义社会在无产阶级和资产阶级斗争中，走向灭亡，而社会主义和共产主义必定会实现。

第一国际所进行的反对蒲鲁东主义和巴枯宁主义的斗争，确立了马克思主义在工人运动中的指导地位。梅林说："马克思是整个国际的真正'首脑'"②，梅林还指出，第一国际做了大量的工作，其实是没有回报的，"协会的财务状况是第一年总共收入不过三十三英镑。"多年以后"马克思用沉痛的幽默口吻说，总委员会的财务是不断增长的负数"。而多年之后"恩格斯说，从来也没有过一个组织用这样少的钱做了那样多的事"③。

---

① ［德］施拉夫斯坦：《梅林传》，邓仁娥等译，人民出版社 1989 年版，第 246 页。

② ［德］弗·梅林：《马克思传》下册，樊集译，持平校，人民出版社 1972 年版，第 436 页。

③ ［德］弗·梅林：《马克思传》下册，樊集译，持平校，人民出版社 1972 年版，第 439—440 页。

梅林的《马克思传》极大地促进了马克思主义在全世界范围内的广泛传播，梅林以文学的形式向人们展示了马克思作为无产阶级革命的领袖和思想家的形象，同时也以这种传记的形式向人们介绍了马克思的基本思想，对于马克思主义在全世界范围内的传播发挥了重要作用，这从《马克思传》的译本之多和发行范围之广便可以窥见。

总之，梅林在传播马克思主义，捍卫唯物史观，同修正主义进行斗争，保卫马克思主义，对马克思主义文艺理论，以及对德国无产阶级革命理论的研究等方面的论述和阐释，是对马克思主义理论宝库的贡献，是社会主义思想史上的宝贵成果，也给后人学习和研究马克思主义提供了宝贵的资料和成果。

# 第九章　意大利等国马克思主义者的理论探索

## 第一节　安东尼奥·拉布里奥拉同机会主义的斗争及其理论贡献

安东尼奥·拉布里奥拉（Antonio Labriola，1843—1904年）是意大利著名的马克思主义哲学家、理论家和工人运动活动家。

1843年7月2日，拉布里奥拉出生于意大利南部那不勒斯附近的卡西诺城一个教育背景很好的家庭。他的父亲在当时是一位博学多才的中学校长，具有丰富的数学、哲学和历史知识。同时，他还是一位与自由派和爱国者交往甚密的具有强烈爱国热情的知识分子，这对拉布里奥拉产生了十分积极的影响。拉布里奥拉后来回忆说，他对童年时代与父亲散步时所进行的长时间交谈记忆犹新，认为父亲对自己的影响是不可估量的。1861年，18岁的拉布里奥拉在卡西诺完成了宗教学校的学业后到那不勒斯大学学习。由于家境困难，拉布里奥拉不得不一边学习一边工作，大学学习时断时续长达十年之久。1871年他获得硕士学位并留校担任哲学史教授。1873年底拉布里奥拉迁居罗马，次年担任罗马大学教授。这时期，意大利正处在从君主专制制度向资产阶级民主制度过渡的时期，拉布里奥拉在关注国内的政治形势发展的同时积极参加社会政治活动，进而成为一名激进的民主主义者。19世纪80年代中期，拉布里奥拉开始研读马克思和恩格斯的著作，并受到了恩格斯的指导和鼓励。拉布里奥拉在 19 世纪 90 年代初转向了马克思主义，此后，他积极撰写关于历史唯物主义的文章，阐释马克思主义理论，并在工人和群众中广泛宣传马克思主义。1901 年因患喉癌停止了工作，1904 年 2 月 2 日在罗马逝世。

## 一、成长为马克思主义者的过程

### （一）拉布里奥拉的学生时期

拉布里奥拉的学生时代正是黑格尔主义再次繁荣的时期，那不勒斯大学是当时意大利黑格尔派的研究中心。拉布里奥拉的老师贝·斯巴芬达是意大利黑格尔派学者中的杰出代表，也是一个对黑格尔哲学抱着批判和改造态度的进步哲学家和爱国主义者。他不仅引导拉布里奥拉摒弃黑格尔哲学的保守形式而注重研究它活的辩证法内容，而且用具有明显唯物主义倾向的观点影响了拉布里奥拉。他告诉拉布里奥拉："哲学从来不是某种抽象的东西，也不是同其他实际活动形式没有联系的东西，而是产生于或至少是决定于它活动的一定历史形势。"① 他不仅以崭新的方式向拉布里奥拉介绍了布鲁诺、康帕内拉和维科等思想家的著作，而且还引导拉布里奥拉阅读了伊壁鸠鲁、斯多葛派、笛卡尔、斯宾诺莎、康德、费尔巴哈和海尔巴特等人的许多著作，研究了从古代到现代的哲学史。这一时期的学习生活为拉布里奥拉日后成为杰出的哲学家奠定了基础。

1862 年，未满 19 岁的拉布里奥拉完成了他的第一部著作《反对爱德华·蔡列尔宣扬"回到康德去"》。他用黑格尔关于可知性的绝对知识的思想和关于真理是以主观和客观统一、形式和内容统一、整体和局部统一为前提的辩证过程的学说批判了康德的二元论和不可知论。拉布里奥拉在捍卫黑格尔的辩证法的同时，指出必须克服黑格尔的哲学体系。在他看来，黑格尔的哲学体系已经不能作为新思想的基石，因为它已不符合时代的需要，不能满足现代意识的要求。因此需要建立一种符合时代，并能满足时代意识需要的新哲学。显然，在拉布里奥拉思想发展的最初阶段，他在掌握黑格尔哲学的合理因素的基础上，也展现出了一定的唯物主义倾向。他力图理解意大利和整个欧洲哲学思想发展

---

① ［苏］柳·阿·尼基奇切：《拉布里奥拉传》，杨启潾等译，人民出版社 1987 年版，第 4 页。

的深刻原因，在深入研究科学和历史的基础上，建立一种不仅符合历史发展的内在要求，而且能对现实起改造作用的世界观。从这部作品中，已充分显示出拉布里奥拉善于进行哲学思维和分析研究社会现实问题的才能。

1866 年，拉布里奥拉和罗莎丽亚·斯普莲格尔结为连理。罗莎丽亚·斯普莲格尔是“加里波第”学校的校长。她祖籍德国，具有十分良好的教养，常常帮助丈夫阅读和翻译德文著作。拉布里奥拉在妻子的帮助下学会了德文并阅读了大量德文著作，并把马克思恩格斯等人的著作翻译成意大利文，为在意大利传播马克思主义方面发挥了重要作用。从 1871 年起拉布里奥拉试图进入新闻界，开始为《那不勒斯报》、《民族报》写稿；为了取得历史哲学副教授的职位，他写了《唯心主义能否成为历史哲学的基础？如果能，那是指什么样的唯心主义？如果不能，其他什么样的主义能成为历史哲学的基础？》一书，这是他在通向历史唯物主义的漫长道路上迈出的第一步。拉布里奥拉在这部书中充分肯定黑格尔历史哲学的功绩，认为黑格尔深刻揭示和论证了思想和历史的辩证关系，提供了理解和把握历史观念的最重要的原则。同时，拉布里奥拉批判地分析了黑格尔历史哲学的不足。他指出，对黑格尔来说，历史哲学的意义在于辩证地认识从一个阶段过渡到另一个阶段、从一个范畴过渡到另一个范畴的必然性。拉布里奥拉认为，要认识历史过程，这是不够的，还必须用历史起源的观念来补充对必然性的认识，而作为历史哲学的基础，除了辩证法之外，还有地理、民族学、人类学等科学。“人类思想的部分的实现，不仅要通过一些民族的历史世界，同时还要通过后来最终联合起来的各种倾向的不同形式，例如，希腊和罗马在一段时间里就是平行地发展的，还有东方和西方也是如此。”① 要准确地理解和解释历史长河的真实过程，不仅要把握黑格尔辩证法揭示的历史的必然性，还要弄清共存于一个历史时期范围内的各种现象和状况。

在 19 世纪中叶，产业革命产生的种种问题、自由主义和资产阶级民主主义思潮、欧洲一些统一的独立的国家的形成过程都成为人们关注的中心问题。受海尔巴特“人民心理”研究的影响，拉布里奥拉开始研究心理学和教育学，关注社会问题，开始从社会心理学的视角剖析纷繁复杂的历史关系，探讨人和社会之间的相互关系。他提出在研究社会现实问题时，必须坚持辩证法的分析

---

① ［苏］柳·阿·尼基奇切：《拉布里奥拉传》，杨启潾等译，人民出版社 1987 年版，第 14 页。

方法，既要反对唯心主义非决定论，同时也要避免庸俗唯物主义的机械论。开始研究社会心理学问题，是他脱离黑格尔的重要环节。正如后来他给恩格斯写的一封信里所说的，自己观点的理论来源是“从康德的伦理学通过黑格尔的历史哲学和海尔巴特的民族心理学，最后确信公开宣传社会主义是自己的使命”。①

### （二）从激进民主主义向马克思主义的漫长转变期

1873 年底，拉布里奥拉迁居罗马，次年在罗马法学院获得教职，开始了他人生中的一个新阶段。此时的意大利经历了充满深刻矛盾和尖锐冲突的极端困难，国内经济状况恶化，国家和教会之间的斗争加剧。现实促使拉布里奥拉坚信民主主义观点并向社会主义方向发展，他在许多年以后给恩格斯的信中写道，自己在 1874 年已经是罗马的一名“不自觉的社会主义者”了②。

从 19 世纪 70 年代中期一直到 80 年代末，拉布里奥拉经历了从唯心主义到唯物主义、从激进民主主义到马克思主义立场和思想转变的漫长过程。在接触马克思主义辩证法之后，拉布里奥拉对现实有了更深入的理解。80 年代初期，拉布里奥拉开始钻研法学和经济学问题，对法国革命以来的社会和国家的历史进行极其认真的研究，对社会主义思想有了初步的了解。虽然他在给恩格斯的信中明确表示他在 80 年代初就已经是社会主义观点的坚决拥护者了，但由于屠拉梯、索奇等人的影响，他的社会主义观念中还有许多空想的成分，并没有真正认识到阶级斗争和无产阶级革命学说的伟大意义，也没有完全理解建立社会主义制度的必然性，行动上还带有温和主义的色彩。

1887 年和 1889 年发表的《历史哲学问题》和《论社会主义》两本小册子是拉布里奥拉转向马克思主义的理论标志。《历史哲学问题》是他从 1887 年起在罗马大学讲授历史哲学的导言，在这本著作中，拉布里奥拉着力探讨了这样一个问题，即为了说明在历史上占统治地位的观念，应对形成这些观念基础的事实加以说明。他开始探讨人的实践活动在历史中的作用，并且对于社会主义有了明确的认识和概念。拉布里奥拉在《论社会主义》中首次谈到了“科学社

---

① ［苏］柳·阿·尼基奇切：《拉布里奥拉传》，杨启潾等译，人民出版社 1987 年版，第 16 页。

② ［苏］柳·阿·尼基奇切：《拉布里奥拉传》，杨启潾等译，人民出版社 1987 年版，第 37 页。

会主义”，并指出自由主义的种种观念对资本主义社会经济基础的依赖性，社会主义不是资产阶级民主革命的继续，而是一个崭新的历史时代。

19世纪80年代末期，拉布里奥拉与威廉·李卜克内西建立了直接联系，更重要的是自1890年4月起，他开始同恩格斯通信，这些通信对拉布里奥拉成为马克思主义理论家以及对意大利整个社会主义理论和实践的发展都具有十分重大的作用和影响。

## 二、与机会主义的斗争

### （一）就社会主义原则与激进民主派的斗争

19世纪70年代到80年代末的意大利社会政治突出的特点是多党派并存，有自由派、共和派、激进民主派、“极右派”、“极左派”等，分别代表意大利资产阶级的不同利益和政治倾向。其中的激进民主派打着社会主义的旗号，产生了很大的影响，从而也引起拉布里奥拉的注意。从总体上看，当时的意大利激进民主派的思想和方法论基础是一种保守的实证主义，其政治诉求是在意大利建立安定、富足和有教养的工人民主制度。不论在理论还是政治方面，这种保守的实证主义都存在思想混乱、纲领方针含糊不清的问题，在对社会主义原则的理解上具有明显的投机倾向。

拉布里奥拉敏锐地观察到激进民主派在政治上的投机性，明确提出在社会主义学说上进行理论投机是错误的。为了正确理解社会主义原则、澄清激进民主派造成的思想和理论混乱，拉布里奥拉对其进行了揭露和批判。他指出，虽然意大利的激进民主派提出了许多民主原则，如要求发布关于组成以人民主权为基础的民主国家的第二罗马公约，要求选举产生人民法官、实行普选权等，但这些民主主张都只是形式上的，根本没有涉及民主的本质，其根源在于意大利的激进民主派不懂得经济和政治的关系，也不了解生产方式和民主的关系。

1890年5月5日，拉布里奥拉给激进民主派小组主席索奇写了公开信，这份公开信很快以《无产阶级和激进派》为题出版并广泛传播开来。在信中，拉布里奥拉宣布自己同激进民主派决裂，并且阐述了决裂的原因。他指出：“在面临新的幻想和新的希望的危险之际，我们社会主义者通过对历史现实的严格分析而丰富了自己的思想，我们社会主义者坚决声明：无产阶级没有别的希望和出路，他们只能依靠自己的力量，组织成为工人党，不受花言巧语的蒙骗，也不为改善政治待遇的诺言所迷惑，如果这类诺言出自反动思想家之口，那么这种打算是十分有害，当这类诺言来自雅各宾党人、空论主义者和唯心主义者时，那就更加有害，即使是不自觉的。”①拉布里奥拉认为，激进民主派力求通过政治改革以革新现存制度的诉求有可取之处，但当它想领导无产阶级运动并使运动带有温和色彩，同时又不敢公开反对资本主义制度的做法是十分有害的。

在给索奇的公开信里，拉布里奥拉强调指出，激进民主派为争取自由和巩固复兴运动的民主遗产的斗争具有重要意义；同时也指出，就劳动者彻底解放的观点来看，激进民主派的主张只是最低纲领而且是不彻底的，因为他们只在议会范围内为实现这一纲领而斗争，同时认为议会同君主制、官僚制和代议制是并行不悖的。拉布里奥拉分析道，议会斗争确实有可能发展并发挥重要作用，但对议会斗争持有盲目推崇和狂热心态的激进民主派并没有看到议会活动条件的局限和不可持续性。拉布里奥拉明确指出，资产阶级在取得政权后并未给人民任何民主和自由，相反，为了本阶级的利益，它同过去的统治阶级一样，残酷地镇压工人运动，剥削劳动人民。拉布里奥拉的观点表明，此时他彻底转向了马克思主义的科学社会主义。

### （二）同屠拉梯就社会主义概念和建党原则进行的论战

19 世纪 90 年代初，意大利工人运动开始蓬勃兴起，群众运动、罢工等斗争形式广泛开展。但此时的意大利社会政治生活中党派林立，各种思潮交织，工人运动内部仍然是资产阶级、小资产阶级思想占主导地位，当时社会主义运动的领导人也大多是资产阶级激进主义者。对工人运动发展产生很大的消极影响，造成了巨大的政治障碍。如当时许多社会主义者都认为，群众集会等合法斗争形式是引导工人取得劳动权和社会保障权的有效斗争形式。拉布里奥拉在恩格斯等人的影响下明确提出，争取工人阶级的权利和利益，需要的不是组织群众集会，而是建立一个强大的、具有高度组织性的工人政党。

从 1890 年起，拉布里奥拉与屠拉梯建立起了联系，开始共同创建意大利

---

① ［苏］柳·阿·尼基奇切：《拉布里奥拉传》，杨启潾等译，人民出版社 1987 年版，第 54—55 页。

工人阶级政党。意大利社会党就是由拉布里奥拉在工人群众中进行倡导和准备，并在他的思想影响下，由屠拉梯等人在1892年创立的。但两人在合作初期就在对社会主义的认识等问题上产生了分歧，及至后来在建党原则等重大问题上，两人的分歧更加严重，最后导致两人分道扬镳。

在给恩格斯的一封信中，拉布里奥拉表达了自己对屠拉梯实证主义立场的不满："在这些自发现象和日益增长的对意大利无产阶级革命必要性的认识之间，缺少联结的环节，这就是社会主义文化。我国的工人当然不会是德国古典哲学的继承人，这正是因为，这种哲学只不过渗透了……某个个别的意大利哲学家的头脑。新的一代只知道实证主义者，这些实证主义者对我来说是资产阶级典型的愚蠢退化的代表。"① 他认识到，屠拉梯选择的是一条与他本人根本不同的道路，因此对屠拉梯的错误观点展开了尖锐的批判。他明确表达了对屠拉梯所持的实证主义观点的批判立场。在写给屠拉梯的信中，他旗帜鲜明地指出，我既不是实证主义者，也不是进化论者，而是坚定的社会主义者。他还指出，屠拉梯力图在资产阶级民主的范围内，通过改良建立"自由"国家的企图完全是徒劳的、荒谬的。他指出，在资产阶级民主制内，要求这个社会自己改变甚至放弃权利，那就是向它要求荒谬的东西。他认为，在无产阶级看来，民主决不是什么屠拉梯所认为的"社会联盟"，资产阶级的民主制度和共和国只是最完善的阶级统治手段和形式，它们决不是无产阶级用来实现社会主义的途径和方式。社会主义的根本目标就必须通过打碎用民主的形式伪装的资产阶级国家机器，进而彻底废除资本主义私有制来加以实现。因而，科学社会主义和资产阶级共和主义是根本对立的阶级的思想和运动，是决不容许混为一谈的。

同时，拉布里奥拉深刻揭露和批判了屠拉梯对社会主义的错误理解，指出，屠拉梯从资产阶级共和主义的立场出发，将工人运动的任务规定为只是实现民主，并认为通过所谓的民主就可以实现社会主义，把建立"自由"的国家作为最终目的，并且明确反对工人阶级进行革命和起义的必要性。他还将社会主义与资产阶级的共和主义混为一谈，抹杀了二者的本质区别。拉布里奥拉认为，社会主义是同资产阶级共和主义具有根本区别的新的政治模式和理论。科学社会主义是关于无产阶级阶级斗争的革命理论，其根本目的就是通过无产阶

① [苏] 柳·阿·尼基奇切：《拉布里奥拉传》，杨启潾等译，人民出版社1987年版，第69页。

级革命推翻资本主义制度，建立社会主义制度。科学社会主义与屠拉梯心目中的社会主义是根本不同的。科学社会主义提出的无产阶级革命的目标和任务是无法通过屠拉梯设想的所谓民主或共和主义的途径或手段来实现的。拉布里奥拉义正辞严地表明自己同意大利的许多自命为社会主义者的理论家毫无共同之处，他们自称为社会主义者，但却企图以资产阶级所固有的方法并为资产阶级所固有的目的来领导工人阶级的斗争，在拉布里奥拉看来，屠拉梯也是其中一员。

拉布里奥拉在信中提出的关于无产阶级政党的建党原则成为以后他和屠拉梯之间争论和矛盾的焦点。拉布里奥拉把建立无产阶级政党同科学地领导无产阶级运动的必要性联系在一起，指出，无产阶级应当是社会主义运动的基础，应该由无产阶级的革命政党来领导自己的阶级。屠拉梯则认为不同的工人组织完全可以根据自己的情况和自己的意愿开展活动，社会党没有责任对他们采取一定的立场。他提出的建党原则与拉布里奥拉截然不同，屠拉梯认为党绝不应是工人阶级的先锋队，而是采取不同意识形态方针，并力求实现完全适合于资本主义生产方式的社会改良的各种力量的结合。拉布里奥拉则坚决主张党必须由无产阶级的先进分子所组成，必须以科学社会主义为指导领导工人阶级进行反对资产阶级的革命斗争，用新的社会主义的生产关系取代资本主义的生产关系。工人阶级的政党之所以成为政治上的领导者，并不仅仅因为一个人数不多的小组形成了马克思主义世界观，不仅仅是因为在起义的时刻发挥作用，还在于它能在自己的队伍里把在斗争过程中形成的新的组织形式和力量巩固起来。因此，无产阶级政党不仅在夺取政权的斗争中成为领导力量，还能够在社会主义条件下实现社会领导职能。很明显，拉布里奥拉所坚持的正是马克思主义的无产阶级政党的建党原则，与屠拉梯的建党原则有着原则和本质的分歧和差别。拉布里奥拉很清楚，如果按照屠拉梯的建党原则，意大利社会党就会被改造成小资产阶级共和主义的政党，因此他给予坚决的批判和抵制。后来，作为意大利社会党领导人的屠拉梯由于坚持其小资产阶级共和主义的立场，被开除出党。

拉布里奥拉与屠拉梯为代表的党内机会主义的论战和斗争并没有局限在建党原则这一个问题上。1891 年《社会批判》杂志建议以“民主和社会主义”为主题展开讨论，拉布里奥拉和屠拉梯积极参加了进来。在马克思的《哥达纲领批判》发表之后，各种意见和观点之间的争论开始变得激烈起来。虽然马克思在《哥达纲领批判》里明确指出“自由的人民国家”这个说法是无稽之谈，但屠拉梯在谈到工人阶级政治领导权问题时，仍然坚持采用改良主义的道路达到建立“自由”国家。他提出资产阶级国家还未消灭自身，是因为民主制还未进化到成熟的程度。拉布里奥拉同屠拉梯及其拥护者进行了坚决的斗争和批判。为与屠拉梯的共和主义立场划清原则界限，他在论战中明确提出了“共和主义者”和“社会主义者”的区分标准。他指出，只有那些彻底推翻以资本主义生产关系为基础的社会的人才是社会主义者，共和主义者则以维护资产阶级共和制度和现存的资产阶级生产关系为目的。因为他们竭力维护的共和国建立在私有制的基础之上，它的制度永远不会和社会主义社会的制度相一致。拉布里奥拉尖锐地指出，共和党是政府的党，同君主制对立；社会党是革命的党，同整个资产阶级对立，这就是共和主义与社会主义的本质区别。拉布里奥拉的观点主张得到了恩格斯的充分肯定和支持。

### （三）意大利社会党成立之后拉布里奥拉与机会主义的斗争

1892年8月15日，意大利社会党在前身意大利劳动党的基础上重新建立，并通过了具有社会主义性质的纲领。然而在社会党成立之后，折中主义的可能派立即成为占党内统治地位的意识形态。拉布里奥拉为社会党的成立感到由衷的高兴，因为他看到终于有一定数量的人能够公开传播和积极宣传社会主义原则。同时，他也对党内的折中主义等机会主义意识形态保持清醒的认识。在给恩格斯的信中他指出，党内的折中主义思潮不会迅速消失，这不仅是思想混乱的结果，也是社会发展状况的反映。“当少数人（他们多多少少也是社会主义者）诉诸无知识的、不问政治的，而且相当一部分具有反动情绪的无产阶级时，他们几乎不可避免地要像思想家那样议论、像蛊惑者那样行动。如果处于形成阶段的党这一次也参加了选举（以前这是不可能的），那么这就意味着已经打下了基础。”① 拉布里奥拉清醒地认识到党内思想斗争的长期性和复杂性，是以对意大利的现实情况的了解为基础的。社会主义在意大利产生的时候，意大利还是一个农业国家，工人阶级为争取自己权利的斗争经验缺乏；意大利最初的社会主义小组的成员主要是手工业者和工场手工业工人，只有少数领域的劳动者如印刷工人、建筑工人和铁路工人才在全国范围内联合起来；意大利工人运动

① ［苏］柳·阿·尼基奇切：《拉布里奥拉传》，杨启潾等译，人民出版社1987年版，第78页。

的最初阶段盛行工团主义，而缺少具备马克思主义理论和政治立场的领袖人物，因此实证主义的社会主义者能够大行其道。要清除其消极影响需要长期的斗争和努力。因此，虽然他是社会党实际的筹建者和组织者，但他并没有成为社会党的积极活动家和领导者，而是转回“旧业”——进行理论研究。在给恩格斯的一封信中，拉布里奥拉解释了自己做出这一选择的缘由：“现在在意大利进行实际活动是不可能的。应当撰写著作，以便教育那些希望成为实际活动的导师的人们。意大利比其他国家在科学和经验方面要差半个世纪，必须填上这个空白。”①通过加强理论研究，特别是对马克思主义的历史唯物主义和科学社会主义理论的研究，有助于教育和影响党的领导人，有利于加强党的理论建设，有利于清除各种非马克思主义，特别是实证主义和唯心史观以及以此为基础的机会主义。拉布里奥拉认为，社会主义革命要取得胜利不仅需要必要的客观条件，还必须有相应的主观条件，也就是要有能够看到这些客观条件并利用它们实现自己目的的人。

值得一提的是，拉布里奥拉不仅积极开展对意大利党内机会主义的批判，而且积极参与了反对伯恩施坦修正主义的斗争。当伯恩施坦的《社会主义的前提和社会民主党的任务》一书出版后，拉布里奥拉立即给予了严厉的批判。通过对伯恩施坦修正主义言论的深入剖析，揭露了其对马克思主义的彻底背叛，指出了其对国际工人运动的严重危害。1899 年 5 月，拉布里奥拉发表了一封公开信，除了对伯恩施坦修正主义进行揭露和批判外，还旗帜鲜明地表示对罗莎·卢森堡等坚决反对修正主义的马克思主义理论家的坚定声援和支持。他还表达了对德国党内的“中派”的不满，指责其所持的观点是不涉及利害关系的真理探索者的虚伪的观点。

当拉布里奥拉开始把主要精力集中于理论研究时，也并没有放弃对现实政治问题的关注，没有放弃反对各种机会主义的斗争，他依然积极参加到最尖锐的理论争论和政治争论中，对各种机会主义和修正主义思潮展开深入的批判。因此尽管在他生命中的最后十年，拉布里奥拉没有积极参与政治活动，但他在报刊上发表的关于社会主义革命问题的观点不仅处于理论争论的中心，而且产生了很大的积极影响。

---

① ［苏］柳·阿·尼基奇切：《拉布里奥拉传》，杨启潾等译，人民出版社 1987 年版，第 80 页。

## 三、对历史唯物主义的贡献

拉布里奥拉一生理论活动最杰出的贡献就是对唯物史观的研究和传播，这也是使他成为意大利最杰出的马克思主义理论家的原因。19 世纪 80 年代中期马克思和恩格斯的一些著作在意大利出版并得到广泛传播，同时出现了很多意大利学者、政治宣传家等对这些著作的解释，但这些解释基本上都带有庸俗经济主义的实证主义性质。实证主义的社会主义就是这种对马克思主义的理解在政治上的集中表现，他们不仅把马克思主义理解为经济决定论，在政治实践中还主张采用折中主义的立场来联合工人、农民和小资产阶级甚至资产阶级，建立所谓的“社会联盟”，通过合法的民主的途径实现民主国家。拉布里奥拉基于对马克思和恩格斯思想的深入研究和理解，坚决反对对马克思主义进行实证主义的解释。他指出，科学地理解马克思主义必须基于一些基本原则：第一，认知真正的马克思主义；第二，科学分析意大利社会；第三，科学分析世界资本主义；第四，认识民主主义和社会主义运动的状况和目的。按照这些基本原则，拉布里奥拉认为自己有责任来基于研究意大利社会现实和世界资本主义的发展状况，坚持和发展马克思主义，特别是历史唯物主义，进而为意大利的无产阶级斗争提供理论基础。

### （一）《纪念〈共产党宣言〉》对历史唯物主义的贡献

《纪念〈共产党宣言〉》是以纪念《共产党宣言》（以下简称《宣言》）为契机创作，同时，也在其中展现了拉布里奥拉对共产主义、对唯物主义历史观的深刻思考。

第一，拉布里奥拉充分肯定了《宣言》诞生的划时代意义。他指出，《宣言》的发表是科学社会主义与其他学说的分界线，新理论的诞生标志着共产主义第一次从纯粹的愿望变成了客观必然性在意识中的准确反映，标志着一个新时代的到来。“新时代正从现时代脱颖而出，并由于后者固有的内在结构而向前发展着。因此，这个新时代是必然的，不可避免的，即使今后可能不断发生今天还无法预见的种种变迁。”① 拉布里奥拉对各种空想社会主义进

① ［意］安・拉布里奥拉：《关于历史唯物主义》，杨启潾等译，人民出版社 1984 年版，第 2 页。

行了批判，揭示了科学社会主义与这些空想社会主义思潮的本质区别。他指出，形形色色的空想社会主义从本质上来看，都是反动的、资产阶级的、半资产阶级的和小资产阶级的社会观念。而马克思恩格斯所创立的科学社会主义是一种批判的共产主义，它通过同旧世界的对立来批判现代资本主义社会，并在这种批判中发现新世界。通过对当代资本主义的批判分析，马克思恩格斯揭示了社会发展的客观规律和阶级斗争在人类历史上的作用，使社会主义从空想变成了科学。因此，批判的共产主义是以历史唯物主义为理论基础的，指导无产阶级进行阶级斗争和社会革命的思想武器。在文章的结尾拉布里奥拉指出，资产阶级未来的掘墓人和他们的子孙后代，都不会忘记《宣言》问世的日子。

第二，《宣言》的核心思想是一种新的历史观。拉布里奥拉提出，《宣言》因阐发了新的历史观而富有朝气蓬勃的生命力，"由于有了这一历史观，共产主义不再是一种希望，一种思念，一种回忆，一种猜想，一种出路，它第一次恰当地表现为意识到它的必然性，也就是意识到它是结束或解决当前阶级斗争的办法。"[①] 社会历史是在斗争的基础上发展的，阶级斗争是推动阶级社会发展的动力。拉布里奥拉指出，我们生活的时代的所有斗争都可以归结为一种斗争，即资产阶级与无产阶级的斗争，《宣言》叙述了这一斗争的形成和发展过程，并科学预言了其最终结果。拉布里奥拉进一步指出，科学共产主义的全部学说都可以归结为这种新的历史观：社会一旦发展到了形成现代经济结构的阶段，其内部就必然会产生最终将其打碎、使其解体的矛盾，它就会由于决定它自身未来的规律而过渡到共产主义。这也决定了社会主义政党必须遵循的斗争策略，即无产阶级是当代历史的主体和积极革命力量，无产阶级革命运动必定要把实现共产主义作为自己的革命目标。

第三，强调《宣言》所揭示的历史观对无产阶级运动的重要意义。拉布里奥拉分析道，《宣言》已经揭示了"到目前为止的全部历史是阶级斗争的历史，而且阶级斗争是一切革命和一切反动的原因"[②]。拉布里奥拉认为，《宣言》揭开了现代社会阶级剥削的神秘面纱，从理论上揭示出社会历史发展的规律。"认

① ［意］安·拉布里奥拉：《关于历史唯物主义》，杨启潾等译，人民出版社 1984 年版，第 5 页。

② ［意］安·拉布里奥拉：《关于历史唯物主义》，杨启潾等译，人民出版社 1984 年版，第 24 页。

为阶级和阶级冲突是历史的真正对象，认为阶级的运动是历史的运动，这就是人们当时全力寻找和找到的东西，所有这一切，在理论上必须以确切的用语确定下来。”①《宣言》完成了这一任务，其所揭示的新历史观为从事理论研究和开展无产阶级运动提供了有力的思想武器。

## （二）对唯物主义历史观的深入探索

拉布里奥拉还先后创作了一系列关于历史唯物主义的研究成果，主要有《关于历史唯物主义》、《社会主义和哲学丛谈》、《从一个世纪到另一个世纪》等。在这些理论著作中，拉布里奥拉结合当时社会现实对唯物史观进行了深入探索，丰富和发展了马克思主义唯物史观的基本原理。

第一，反对对唯物主义历史观进行机械式的解读，指出唯物主义史观是有机的历史观。针对当时十分流行的将唯物史观解释成经济决定论，即认为唯物史观只承认经济因素在社会历史发展中作用的“因素论”，拉布里奥拉指出，把单一因素，不论是经济因素还是其他什么因素当作理解全部历史的出发点和基础，是对历史唯物主义一元论一种肤浅的、经验的误解。那种认为只要用单一因素，关键是抓住经济因素就解释历史的观点是大错特错的。这是一种简单化的机械的分析方法，与唯物史观是有本质区别的。因为在唯物史观看来，社会历史是一个复杂的有机整体，它的各个部分、各种因素都处于内在的无法分割的联系之中，同时，社会历史的各个部分和各种因素都处在不断变化和发展的过程中，不会长期保持一种稳定状态，因此不能把它们从相互联系的长链条中简单孤立地抽取出来。因此只强调其中的某一个因素，特别是经济因素是理解历史的关键，忽视或否定其他因素在社会历史中的作用，是机械论和形而上学历史观的集中体现。但是有机的历史观则与此有着根本区别，历史唯物主义不仅强调社会历史是一个由各个部分和因素有机构成的整体，但并不简单地将各个部分和因素在社会历史的作用等量齐观，唯物史观认为经济因素在其中起着决定作用，而且认为经济因素本身融于社会发展的全过程，在不同的发展阶段有不同的表现形态，在每个阶段上，经济是其他因素的基础。但绝不是认为只有经济这个单一的因素在起作

① ［意］安·拉布里奥拉:《关于历史唯物主义》，杨启潾等译，人民出版社 1984 年版，第 42 页。

用，而否定其他因素所发挥的作用。他指出：“我们的态度则完全不同。我们面对的是一种有机的历史观，我们在思想上已觉察到一种统一的社会生活的整体。经济本身深化于发展的过程中，在许多形态不同的阶段上表现出来，而在每个阶段上，经济都成了其余一切东西的基础。总而言之，问题不在于，像我们的对手想象的那样，把用抽象的方法孤立起来的所谓经济因素扩展到所有其他方面去，问题首先在于历史地理解经济，并通过它的变化来阐明其他变化。”①

第二，拉布里奥拉反对将历史过程神秘化，也反对简单化的解释，提出运用综合法来分析历史发展过程。“我们的学说不是要把历史发展的整个复杂进程归结为经济范畴，而只是要用构成历史事实的基础的经济结构（马克思语）来归根到底（恩格斯语）解释每一个历史事实。这样的任务要求分析并找出最简单的因素，然后再把彼此相联系的单个因素连接起来，即综合法。”②拉布里奥拉指出，神秘主义在解释历史的时候往往落在集体精神上，似乎集体精神遵循自己的规律而并不依赖个人的意识及其物质关系。实际上，社会意识是具体的、具有一定形式的，而不是臆造的。马克思提出的社会存在决定社会意识的原理具有无可争辩的真理性。在马克思那里，社会意识是派生的，是一定社会条件的产物，而不是所谓人类精神的发展的抽象过程和一般过程的表现。拉布里奥拉进一步指出，社会意识的形式既然由生活条件决定，也就构成了历史的一部分。换句话说，历史事实不仅依赖于作为基础的经济结构而产生，也以一定的社会意识形式为先导。

第三，深入揭示了唯物史观关于人与自然界的关系问题的基本观点，拉布里奥拉批判了当时在意大利广泛存在的用生物学的方式庸俗解释唯物主义的做法，驳斥了社会达尔文主义对唯物史观的庸俗化解释，辩证地分析了“人—自然界”问题。他指出，唯物主义对物质的认识，并不是用物理、化学或者生物学的解释框架，而在于力图弄清楚人类生存的一定条件。问题不在于根据生物学的资料作出归纳的或者演绎的结论，而在于首先弄清楚人在社会中的生活方式的特征。唯物史观“试图借助一定的方式用思维来再现经历过若干世纪

① ［意］安·拉布里奥拉：《关于历史唯物主义》，杨启潾等译，人民出版社 1984 年版，第 48 页。

② ［意］安·拉布里奥拉：《关于历史唯物主义》，杨启潾等译，人民出版社 1984 年版，第 62 页。

的社会生活的起源和复杂化”①。拉布里奥拉提出，唯物史观认为人类创造了历史，同时创造了自己的社会物质生活条件，即通过自己的劳动创造一种人为的环境，逐渐发展自己的才能，并在这种新的环境中积累和改造自己的活动成果。他进一步分析了人为环境的内涵，提出，这是人用自己的劳动所创造的一切东西，也是改变和削弱物质环境对人的影响的人类生存条件。拉布里奥拉指出，一切历史条件都是先前各种条件变化的结果，而这种变化本身则是人类“人为”的结果。人类并不限于只取得基本的直接生存的手段，而且会逐渐过渡到创造出一些以经济因素和社会因素为主要内容的新的条件，这样就构成了社会发展连续性的基础。另外，自从制造出对自然发生作用的劳动工具和人工手段后，就开始了为占有这些工具和手段的斗争，如奴隶主和奴隶、封建主和农民、占有者和被占有者、剥削者和被剥削者之间的斗争。虽然过程中有倒退或者延缓现象，但人类“从来没有再返回到纯动物的生活，从来没有完全丧失人为环境”②，这样一来，争取生存的斗争就发展成为争取人统治人的斗争，后者表现为阶级斗争。因此，用生物进化规律来解释人类社会和人类历史的社会达尔文主义是错误的，只有唯物史观才科学地揭示了社会历史发展的基本规律，揭示了社会历史的本质。拉布里奥拉说：“在历史进程中所发生的一切都是人干出来的，而除了极少的例外，历史事件过去和现在都不是批判的选择或理性意志的结果。相反，正是由于必要性，由于需要和客观因素促成人的活动创造了经验，并引起外部器官和内部器官，包括智力和理性的发展。对走上历史发展道路的人如何得到全面发展这一问题的解释，已经不是假设，不是单纯的猜想，而是显而易见的真理。……我们的学说坚决地和彻底地否定各种唯心主义。人类行为的整个过程是人们自己借助于在变化的社会生活中积累的经验创造的条件的总和，更确切地说是一系列的条件。但是，它既不意味着接近事先预定的目的，也不意味着放弃完美和幸福这些最初的理想。进步本身只能带来经验论的和由种种情况所决定的关于事物的观念。目前这种观念在我们的头脑中已经明确和清楚了，因为根据以往的发展，我们能够评价过去，而且在一定意义上和一定程度上也能够

① ［意］安·拉布里奥拉：《关于历史唯物主义》，杨启潾等译，人民出版社 1984 年版，第 54 页。

② ［意］安·拉布里奥拉：《关于历史唯物主义》，杨启潾等译，人民出版社 1984 年版，第 66 页。

预见或预测未来。”①

第四，拉布里奥拉充分肯定马克思唯物史观的重大意义，并且创造性地分析了唯物史观的形成基础。拉布里奥拉还指出，由马克思和恩格斯创立的唯物史观的产生，“不是两位作者个人的、可以商榷的意见，而是思维的新的胜利。这种胜利是新世界产生过程即无产阶级革命的必然后果。”②是无产阶级争取自身解放斗争的经验总结，是无产阶级在新的历史环境中产生的，适应其需要的新的思维工具。同时也表明了无产阶级在政治上的日益成熟。拉布里奥拉追述现代社会主义运动历史的基础上，指出无产阶级经历了无数艰难曲折，从经济斗争发展到政治斗争的历史过程，新历史观是无产阶级革命历史发展的必然结果。拉布里奥拉说，“这种历史观赋予新的社会革命（它在一定程度上表现在无产阶级的本能意识和它的激昂的自发运动中）的需要以理论形式，而且承认革命的内在必然性，从而改变了革命的观念。”③无产阶级的革命实践迫切需要一种新的理论来阐释历史发展的趋势，指导无产阶级的斗争。同时，19 世纪 30 年代以后的工人运动，也提供了崭新的、生动的直接材料，使马克思和恩格斯有可能创立新的世界观的理论。

拉布里奥拉指出，唯物史观作为新思维形式的理论，它也是科学发展成果的总括。没有科学的进步，没有对科学发展过程作出全面的考察和总结，唯物史观历史观也不可能产生。随着科学技术的进步，人们的思维能力越来越高，对社会历史问题的认识也越来越深刻，这是唯物史观创立的科学条件。拉布里奥拉说：“唯物史观是科学发展的成果，同时是科学形成的整个过程的完结；唯物史观作为结果和补充，也是整个历史科学和整个社会学的简化。”④唯物史观是人类科学思想和思维方式历史发展的产物，它吸取了各种进步历史观的积极因素，概括总结了自然科学发展的新成果。所以，它能从各种纷繁复杂的社会

---

①［意］安·拉布里奥拉：《关于历史唯物主义》，杨启潾等译，人民出版社 1984 年版，第 66—67 页。

②［意］安·拉布里奥拉：《关于历史唯物主义》，杨启潾等译，人民出版社 1984 年版，第 92 页。

③［意］安·拉布里奥拉：《关于历史唯物主义》，杨启潾等译，人民出版社 1984 年版，第 92 页。

④［意］安·拉布里奥拉：《关于历史唯物主义》，杨启潾等译，人民出版社 1984 年版，第 97 页。

现象中找到社会发展的本质，揭示历史发展的基本规律。

拉布里奥拉指出，唯物史观的创立也是对政治思想史和历史科学发展成果的科学总结。特别是19世纪上半叶以来，阶级斗争的巨大发展开拓了人们的眼界，在法国“历史观已发生了明显的变化，著作界的右翼也好，左翼也好，即从基佐到路易·勃朗直到谦逊的卡贝全都如此”①，他们已经看到阶级斗争在社会发展中的作用。拉布里奥拉从科学史和思想史的角度深入考察了唯物史观这一新思想形式产生的历史必然性和它实现历史观上伟大变革的意义。拉布里奥拉指出了唯物史观是人类思想发展的连续性和继承性的体现，反对了割断历史的虚无主义。他说：“由于存在几乎不间断的传统，我们现在实际上可以从我们的知识的总和中吸取不仅在新时代，而且在以前的历史，从古希腊（因为正是从古希腊开始，整个人类思维的自觉的、一贯的和有系统的发展才无疑开始带有继承性）以来所发现和证明的一切东西中最美好的东西。如果我们不利用早已发现的和经验过的手段，我们在科学研究领域就一步也不能前进；……如果不是这样看问题，那就等于承认，每一代人都应当再返回到人类的童年，一切从头开始。”②他试图从人的认识过程、从思想史的继承性，探索唯物史观的产生，这无疑是深刻的。此外，他也深刻揭示出，马克思和恩格斯善于批判继承人类优秀的科学文化遗产，也是唯物史观成为唯一科学的社会历史观的主要原因之一。

拉布里奥拉对历史唯物主义的研究为后来马克思主义在意大利的传播奠定了坚实的基础。在拉布里奥拉逝世之后二三十年中，意大利的资本主义经济得到进一步发展，政治形势也有了变化，也产生了新一代的马克思主义者，他们对拉布里奥拉的著作进行了整理和出版并学习和讨论，给予拉布里奥拉很高的评价，充分肯定了他的理论贡献和历史地位。

安东尼奥·葛兰西是继拉布里奥拉之后在意大利进行马克思主义思想传播并产生了重大影响的马克思主义者。葛兰西认真研读了拉布里奥拉的著作，他的《狱中札记》的相当一部分被认为是进一步地发展和深化了拉布里奥拉所研究的问题。

---

① ［意］安·拉布里奥拉：《关于历史唯物主义》，杨启潾等译，人民出版社1984年版，第42页。

② ［意］安·拉布里奥拉：《关于历史唯物主义》，杨启潾等译，人民出版社1984年版，第93—94页。

总而言之，拉布里奥拉对历史唯物主义研究作出了巨大的贡献。恩格斯在世的时候就对拉布里奥拉有着很高的评价。恩格斯在读了拉布里奥拉的《纪念〈共产党宣言〉》手稿后，所给予的总体评价是“全部都很好”①。恩格斯给左尔格的信中也讲道：“罗马的拉布里奥拉教授，几年来我和他一直在通信，而且在苏黎世见过他，正在大学里讲授马克思理论产生的历史。他是一个严肃的马克思主义者。”②同时拉布里奥拉对马克思主义抱有坚定的信念，是马克思主义的坚定捍卫者。当修正主义者、资产阶级学者在19世纪末掀起一场所谓“马克思主义的危机”的大合唱的时候，拉布里奥拉对这些从骨子里诅咒马克思主义的主观主义预言家们投以极大的蔑视。他坚定地发声：马克思主义是能够发展的，并不存在什么马克思主义的危机。当然，需要指出的是，拉布里奥拉对马克思主义的理解是针对意大利的，他具有强烈的时代意识。拉布里奥拉密切关注着意大利的政治发展，并对这些政治变化予以很高的期望。

拉布里奥拉虽然为宣传、阐发历史唯物主义作出了重大贡献，但是在理论观点上他也有不少失误的地方。尤为突出的是在民族问题上，存在比较严重的理论错误。拉布里奥拉曾错误地把世界上的民族划分为积极的民族和消极的民族这样两类。他认为积极的民族对消极的民族实行殖民统治是有利于消极的民族进步的。“这一事实在印度得到证实。这个自身还有活力的国家，现在在英国的影响下积极参加国际活动，甚至提供自己的精神创造的成果。”③这实际上是为殖民主义的扩张政策进行了辩护。他还错误地认为，殖民地国家资产阶级的加速发展会导致那里的工人运动发展，这对社会主义也是起着积极作用的，所以意大利的社会主义者应支持政府的殖民政策。拉布里奥拉这一严重的错误，后来曾受到普列汉诺夫、列宁、葛兰西等马克思主义者的严肃批评。列宁认为，拉布里奥拉在实践中没有贯彻马克思主义的理论原则，违背了马克思主义的基本原理。在总结历史经验的基础上，列宁指出，在把马克思主义与解决民族、国家发展过程中的重大问题相结合的过程中，既要把马克思主义的普遍理论结合不同民族与国家的实际情况具体化为具有实践操作性的原则，也要注意不蜕变为民族主义者与沙文主义者。

---

① 《马克思恩格斯全集》第39卷，人民出版社1974年版，第472页。

② 《马克思恩格斯全集》第39卷，人民出版社1974年版，第183页。

③ ［意］安·拉布里奥拉：《关于历史唯物主义》，人民出版社1984年版，第73页。

拉布里奥拉是第二国际时代的一位重要的马克思主义思想家，他的理论中存在的一些缺点错误，与他的成绩和贡献相比是微不足道的。他在意大利所开创的马克思主义理论的事业，为后来的马克思主义者如葛兰西、陶里亚蒂等人所继承和发展。

## 第二节 布拉戈也夫对伯恩施坦和宽广派的批判及对马克思主义的理论研究和宣传

第米特尔·尼古拉耶维奇·布拉戈也夫（1856—1924），马克思主义在保加利亚的最早传播者，保加利亚社会主义运动的第一位组织者，保加利亚工人阶级的马克思主义政党社会民主党(即保加利亚共产党前身）的创始人和领袖。布拉戈也夫的影响不仅仅只局限在保加利亚范围内，更是远播俄国和整个巴尔干半岛。他是俄国第一个社会民主主义小组的组织者，是19世纪末20世纪初国际工人运动的著名活动家。布拉戈也夫在革命生涯中毫不妥协地同党内外各种机会主义作斗争，坚定不移地捍卫了马克思主义的革命理论，对推动保加利亚社会主义运动的健康发展作出了不可磨灭的贡献。

### 一、在保加利亚传播马克思主义

1856年6月14日，布拉戈也夫出生在马其顿南部的科斯图尔县一个贫困的手工业者家庭。在他出生和成长的年代，保加利亚人民争取从土耳其的统治下解放出来的斗争正日趋高涨。因此，在成为马克思主义者之前，布拉戈也夫深受民族解放思想的影响，并且他还实际投身这一蓬勃兴起的时代洪流中。1864年，自幼好学的他进入本村的一所希腊学校，在那里他受到一位宣传民族解放思想的保加利亚教师的深刻影响。1870年，布拉戈也夫到君士坦丁堡，期冀能得到更好的学习机会，但却因父亲破产不得不中断学业，而去当了制鞋学徒。幸运的是，后来他自己找到了一所保加利亚学校，又能继续求学。1875年，布拉戈也夫转学到希罗沃中学。1876年，保加利亚发生大规模的四月武装起义，深刻地震撼着布拉戈也夫。从这一年开始，他积极参加保加利亚人民反对奥斯曼土耳其帝国统治的民族解放运动。这些实际斗争的经历，对他日后接受宣传马克思主义、领导保加利亚工人运动进行社会主义运动产生了深刻的影响。

1878年是布拉戈也夫革命生涯的一个转折点。这一年，他历尽周折来到俄国敖得萨求学。在俄国，布拉戈也夫接受了马克思主义的影响，成为马克思主义者，踏上了传播马克思主义、投身工人革命运动的道路。所以，布拉戈也夫对马克思主义的宣传首先是从俄国开始的。1880年布拉戈也夫进入彼得堡大学学习。在大学期间，系统的理论学习和活跃的大学生革命活动让布拉戈也夫迅速成长起来。1882年冬至1883年春，布拉戈也夫对马克思《资本论》的第一卷的潜心研究，使他认识到了资本主义社会必然要被共产主义社会所代替，开始转向马克思主义的立场。同时，他力图理论结合实际，不仅积极参加大学生的革命活动，而且开始运用马克思主义研究和思考俄国革命问题。思想的发展和革命实践的结合，使得布拉戈也夫深刻意识和体会到了马克思主义的科学性和真理性，促使他走上了传播马克思主义的道路，开始积极参加有组织的革命活动。1883年冬，布拉戈也夫创立了俄国最早的社会民主主义小组，即“布拉戈也夫小组”。这个小组在1885年和普列汉诺夫创立的“劳动解放社”建立了联系，同时还以“俄国社会民主主义者党”的名义创办了《工人报》。《工人报》是第一份面向工人阶级、宣传社会民主主义革命思想的俄文报纸，对于马克思主义在俄国的最初传播起了很大作用。列宁对此曾高度赞扬，认为它“恐怕是1883—1895年这12年中在俄国创办社会民主党工人报刊的唯一的一次尝试”①。在当时的俄国，任何革命活动都会受到沙皇警察的严密监控。当《工人报》影响力扩大时，遭到了沙皇警察和宪兵的查封。1885年2月，布拉戈也夫被沙俄政府逮捕。虽然反动当局在搜查中未找到任何证据，在审讯中未得到任何“口供”，但最后，布拉戈也夫仍然毫无理由地被驱逐出境。可以说，布拉戈也夫侨居俄国的这一段革命生活，对他的革命世界观的形成有着重大影响，对他后来作为保加利亚工人运动和社会主义运动的领导者和组织者，也有着决定性的意义。

---

① 《列宁全集》第25卷，人民出版社2017年版，第101页。

布拉戈也夫于1885年3月回到保加利亚。而正是在这一年，南北保加利亚合并、实现了统一，为资本主义在保加利亚的发展进一步扫清了道路，同时也促进了有组织的工人运动和社会主义运动的发展。也是在这一年，布拉戈也夫开始了在保加利亚传播马克思主义的历程。虽然离开了俄国，但是布拉戈也夫对那里的社会主义小组仍然十分关怀，想方设法同“劳动解放社”和俄国工人运动继续保持联系。同时，他在保加利亚积极也开展了多种形式的传播马克思主义的活动。

首先，创办报刊宣传马克思主义。1885年6月，布拉戈也夫和他的未婚妻在索菲亚创办了《当代指南》刊物，宣传社会主义思想。布拉戈也夫在办刊过程中，团结了一部分青年学生、进步知识分子和小职员，并把他们组成了一个革命团体。这个革命团体，不仅出版了马克思恩格斯的著作以及许多进步书刊，而且培养了一大批青年社会主义思想的骨干，从而为建立保加利亚社会民主党培养了干部，奠定了思想理论和组织基础。除此之外，布拉戈也夫在1886—1889年担任教师工作期间，还加入了一个名叫“基础”的教师协会。布拉戈也夫按照民主的原则改组了这个协会，并发动和组织它向广大劳动群众宣传社会主义思想。当时，随着保加利亚资本主义的迅速发展，社会各阶级正处于急剧分化的状态中，工人运动的规模不断扩大并明确提出建立本无产阶级政党的要求。经过一段时间的思想理论和组织准备工作之后，1891年8月2日在布拉戈也夫领导下建立了保加利亚社会民主党，并创办了党刊《新时代》。自此，《新时代》便成为宣传马克思主义的重要阵地。

其次，大力译介马克思主义经典著作。保加利亚社会民主党成立后，为了进一步传播马克思主义，布拉戈也夫从1894年起，用十多年时间把马克思主义的重要著作翻译成保加利亚文，其中有：1894年翻译的《法兰西内战》、1904年《政治经济学批判》、1905年《法兰西阶级斗争》和《资本论》第一卷，等等。正如列宁指出的那样：“世界上任何地方的无产阶级运动都不是也不可能是‘一下子’就以纯粹的阶级形态诞生，像密纳发从丘比特的脑袋里钻出来那样，一出世就一切齐备。无产阶级的阶级运动只有经过先进工人、所有觉悟工人自己的长期斗争和艰苦工作，才能去掉小资产阶级的各式各样的杂质、局限性、狭隘性和各种病态，从而巩固起来”①，这些著作的翻译出版为马克思主

① 《列宁全集》第25卷，人民出版社2017年版，第105—106页。

义、社会主义在保加利亚的传播发挥了十分巨大的作用。

再次，推动马克思主义通俗化。为了向广大劳动群众宣传马克思主义，推动保加利亚工人运动的工作，布拉戈也夫在翻译经典著作、创办报刊的过程中，尽可能用通俗易懂的语言，将马克思主义学说与保加利亚的具体条件结合，写了许多为劳动群众易于理解新的普及性的作品，推动了马克思主义理论通俗化和大众化。例如在《新时代》这一杂志上，就先后发表了70多篇阐述马克思主义政治、经济、哲学以及关于党纲和工人运动等方面的文章，如《共产国际宣言——致全世界的人们》、《革命3周年》、《欧洲的反革命和苏维埃政府》、《列宁50寿辰》。这些文章为宣传马克思主义，教育保加利亚无产阶级进行革命斗争作出了积极贡献。

当然，马克思主义在保加利亚的传播一开始就是在与各种错误思潮进行理论斗争中不断扩大、深化的。所以，布拉戈也夫对马克思主义的传播也是随着对各种错误思潮的批判而逐渐深入的。他在一系列文章中，抨击了保加利亚国内的民粹主义、社会民主党内和第二国际的机会主义和修正主义，以及各种宗派主义和教条主义，在坚持马克思主义基本原则的同时宣传了马克思主义的科学原理。

首先，批判民粹派，阐释科学社会主义。在保加利亚，当社会主义思想刚开始传播、社会民主党创立之时，就遭受到保加利亚民粹派分子的攻击。他们无视资本主义在保加利亚已经发展起来的实际，硬说保加利亚是纯粹的农业国，既然没有资本主义的基础，也就不可能形成无产阶级，自然也不会有传播和实行社会主义的基础。针对民粹派的谬论，布拉戈也夫在1891年写了《什么是社会主义，它在我国有没有基础?》及其他一些著作，对民粹主义的这种论调予以痛击。布拉戈也夫运用科学社会主义的基本原理，以保加利亚人民生活的具体客观事实证明了保加利亚是有进行社会主义事业的客观基础的，同时还强调了工人阶级进行社会主义革命活动的基本策略。这些理论的阐释为在保加利亚传播马克思主义和开展社会主义运动创造了必要的理论条件。

其次，批判党内机会主义，捍卫马克思主义。保加利亚社会民主党在其建立初期，由于受伯恩施坦修正主义的影响，党内就出现了以扬科·萨克佐夫为首的机会主义派别，后来将党分裂为“紧密派”和“宽广派”。“宽广派”，是党内小资产阶级的机会主义改良主义派别。它在理论上主张要对马克思主义进行“广泛”的解释，对社会主义进行“广泛”的解释和扩大的理解。在政治上，

“宽广派”与俄国孟什维克相类似，主张与资产阶级实行合作，迷恋议会道路，反对马克思主义的阶级斗争和无产阶级革命的理论，追随伯恩施坦修正主义，抹煞科学社会主义的阶级实质，把社会主义说成是工人、资本家、农民、手工业者等各生产阶层的“共同事业”。因为他们出版《共同事业》杂志，故又称“共同事业”派。总之，“宽广派”是保加利亚社会民主党内的修正主义派别，对保加利亚工人运动产生了十分严重而消极的作用。他们指责坚持科学社会主义原则的布拉戈也夫等人对马克思主义作了“狭隘”的理解，因此和“宽广派”相对立的马克思主义革命派又被称之为“紧密派”，也称“狭隘派”。以布拉戈也夫为首并有季米特洛夫参加的“紧密派”同“宽广派”进行了十分激烈的斗争。在批判机会主义的过程中，布拉戈也夫先后发表了《马克思主义还是伯恩施坦主义》、《机会主义还是社会主义》等著作，深刻地剖析了机会主义的理论基础，即伯恩施坦修正主义。布拉戈也夫领导“紧密派”对修正主义的批判，在深刻揭露其实质和错误的同时，还紧密结合保加利亚社会主义运动的实际系统阐发马克思主义，在社会民主党内确立了科学社会主义的革命路线。

布拉戈也夫在传播马克思主义过程中的一个突出特点，就是他特别重视根据国际局势的变化对工人阶级和劳动群众进行有重点和针对性的宣传。不论是在动员保加利亚人民反对资产阶级发动第一次世界大战、大力宣传和支持俄国十月社会主义革命，还是在积极主张参加 1919 年建立的共产国际等革命宣传活动中，布拉戈也夫运用马克思主义的阶级斗争理论、无产阶级革命理论、民族解放理论对上述重大事件进行了深刻的分析和说明，同时他还针对上述问题的改良主义、机会主义和资产阶级的各种主张进行了深刻的批判，为帮助保加利亚人民更好地理解和把握马克思主义的实质、基本原则和基本原理做出了极大的努力，取得了很大的成效。

事实上，马克思主义在保加利亚的传播是比较早的。在布拉戈也夫之前，马克思和恩格斯以及其他一些社会主义者的著作，如《共产党宣言》、《资本论》等就陆续在保加利亚翻译出版了。在西欧和俄国学习的保加利亚年轻知识分子通过到日内瓦、维也纳、柏林、巴黎、圣彼得堡等地学习，接触到了马克思主义，并成立了多个马克思主义研究会和社会主义小组，同时还积极在保加利亚宣传马克思主义的思想。1893 年 6 月 9 日，恩格斯就亲自给保加利亚《社会民主党人》(《社会民主党人》是一家保加利亚的社会、文学季刊，1892 年至 1893 年在塞夫利厄伏市出版。该刊编辑是日内瓦大学学生斯・巴拉巴诺夫和克·拉柯夫斯基，他们在瑞士准备好材料，再寄给保加利亚的出版者去发排）第2期的编辑回了一封信，为他们翻译出版普列汉诺夫的著作感到高兴，赞扬保加利亚等国的革命者“把马克思树立的现代无产阶级的旗帜一直插到黑海和爱琴海岸”，赞扬他们“用俄国无产阶级先进战士的社会主义著作来对抗沙皇的声明，并且以此来回答俄国沙皇政府的利诱和威胁”[①]。但由于理论水平的局限和实际情况的复杂，这些年轻知识分子在传播马克思主义的过程中，也造成了一些理论上的混乱。如《社会民主党人》编辑部试图把西欧工人运动的思想和方法传入保加利亚，然而由于杂志的出版者们的理论观点不明确，且脱离了保加利亚的社会政治生活，这样就导致了理解马克思主义理论方面的混乱，而且还反对布拉戈也夫建立的马克思主义小组。与这些早期传播马克思主义的革命者不同，布拉戈也夫在传播马克思主义的过程中，坚持理论联系实际的根本要求，既捍卫了马克思主义的科学理论，同时使科学的马克思主义在保加利亚扎地生根，成为指导保加利亚无产阶级开展社会主义运动的理论武器，因此布拉戈也夫也被誉为保加利亚“马克思主义之父”。

## 二、对伯恩施坦和“宽广派”修正主义的批判

### （一）对伯恩施坦修正主义的批判

对伯恩施坦的批判是批判“宽广派”的理论前提，因为“宽广派”就是伯恩施坦修正主义在保加利亚的翻版。1901年伯恩施坦的《社会主义的前提和社会民主党的任务》被译为保加利亚文出版。这本书被译者当成“科学的最新发明”。保加利亚社会民主党内的少数党员受到了伯恩施坦对马克思主义的这种“批判”和“修正”的影响，成为伯恩施坦主义的拥护者。为肃清修正主义的影响和党内的错误思想，达致思想上和组织上的统一，布拉戈也夫对伯恩施坦展开了彻底的批判，这集中体现在其《马克思主义还是伯恩施坦主义?》、《机会主义还是社会主义?》等系列论著中。

第一，深刻揭露了伯恩施坦修正主义的本质。在布拉戈也夫看来，伯恩施坦修正主义的出现的确有着一定的客观原因。伯恩施坦当时是打着批判第二

① 《马克思恩格斯全集》第29卷，人民出版社2020年版，第503页。

国际内的教条主义和空想主义残余，特别是针对经济决定论的旗帜来展开批判的。如果这一批判仅仅是对这种对马克思主义僵化机械理解的批判，那么这不仅会引发人们对马克思主义的有益思考，而且还会体现对马克思主义的科学立场和方法论原则的坚持。但伯恩施坦没有停留于此，他从批判教条主义出发，对历史辩证法进行了彻底歪曲，对马克思主义革命理论进行了彻底抛弃，无原则地宣扬屈从资本主义制度的改良主义。这种修正就是彻头彻尾的反马克思主义。对伯恩施坦修正主义的本质，布拉戈也夫在《马克思主义还是伯恩施坦主义?》一文给予了无情的揭露。他在论文一开篇就毫不客气地撕下了伯恩施坦的假面具，指出伯恩施坦所著的《社会主义的前提和社会民主党的任务》一书是“集一切歪曲马克思主义学说的肤浅且无耻的‘批判’之大成”，是“资产阶级思想家和资产阶级社会主义思想家所有‘批判’马克思学说的较有系统的叙述”，“这本书的唯一的功劳仅仅是把这种‘批判’全部集在一起”①。

第二，揭穿了伯恩施坦修正主义的真实意图和根本目的。布拉戈也夫指出，伯恩施坦是以“对工人阶级抱着善意的假面具出现”，“这种假面具后面隐藏着纯粹个人心理的动机”②。其动机和真实意图，就是要证明德国社会民主党的策略是有问题的，以用另一种策略来代替它。而伯恩施坦深知，德国社会民主党的策略是同马克思的学说有着密切联系的，即同唯物主义历史观、同辩证方法、同价值学说，特别是同关于阶级斗争和无产阶级专政的学说不可分割地联系在一起的，马克思主义是德国社会民主党现行策略的理论基础。因此，要抛弃德国社会民主党的革命策略，推行他自己的修正主义策略，首先就要抛弃马克思主义。为此，布拉戈也夫认为，伯恩施坦《社会主义的前提和社会民主党的任务》一书有一个“非常别开生面的绪论”，因为他竟然将任何学说都区分为“基本的”和“应用的”两个部分，前者是不变的，后者是可变的。这对于伯恩施坦来讲是十分必要的，即使他没有在书中对二者有任何可以让人理解的说明。因为，伯恩施坦只要把唯物史观、辩证法归结于“应用的”部分，把他不喜欢的都归结于可变的应用部分，那就很容易地可以达到将其抛弃的目的，从而用自己的结论堂而皇之地加以取代，最终把自己变成不要马克思学说

① ［保］布拉戈也夫：《马克思主义还是伯恩施坦主义?》，生活·读书·新知三联书店 1964 年版，第 2 页。

② ［保］布拉戈也夫：《马克思主义还是伯恩施坦主义?》，生活·读书·新知三联书店 1964 年版，第 2 页。

的“社会民主党人”。针对伯恩施坦这种胆大妄为的行为，布拉戈也夫尖锐地指出，对于伯恩施坦来讲，“马克思的全部学说整个都是‘应用的’，只有社会主义他认为是‘基本’部分，而关于社会主义却又不能谈什么确定的东西”，“在伯恩施坦那里，一切都是社会主义”①，一切向前的“运动”都是社会主义，而“‘运动’、前进运动是最重要的、最本质的东西，要说明运动，既不需要唯物主义历史观，也不需要辩证方法（伯恩施坦把辩证方法说成是马克思学说的主要祸害）；既不需要价值学说，也不需要阶级斗争。照他看来，所有这一切，即马克思学说，不仅是不需要的，而且是前进‘运动’的主要障碍，因为它使自由资产阶级害怕，吓坏了爱好和平的民主分子。”② 所以，伯恩施坦强调“运动”的目的是为了消灭马克思主义，从而好塞进自己的自由主义结论。

第三，对伯恩施坦修正主义的论据展开一一批判。

首先，批判了伯恩施坦对历史唯物主义的歪曲。布拉戈也夫指出，历史唯物主义是理解马克思主义社会发展学说的基石，要否定资本主义必然会被共产主义社会所代替，要抽掉社会主义理论的革命性，就必须否定历史唯物主义。为此，伯恩施坦提出，马克思的历史学说，或者唯物主义历史观，必然是“有限制的”。因为，“今天应用唯物主义历史理论的人有义务按照成熟的形态而不是按照最初的形态应用它，这就是说，他有义务除了对生产力和生产关系的发展和影响、还对每一时代的法权的和道德的概念、历史和宗教的传统、对地理的影响和其他的自然影响（人本身的性质和人的精神素质的性质也属于这一范围）加以充分的考虑。”，“我们今天所见到的唯物主义历史观的形态，和它的创始人起初赋与它的形态是不同的。它在创始人自己那里经历了一个发展过程，在创始人自己那里，它的独断主义的解释也受到了一些限制。”③ 伯恩施坦为了否定马克思强调的生产力决定生产关系、经济基础决定上层建筑的科学理论，把马克思对经济的决定作用的强调归结为独断主义，因为马克思的观点忽视了意识形态的影响，这就显示出唯物主义历史观的局限性。伯恩施坦还将恩

---

① ［保］布拉戈也夫：《马克思主义还是伯恩施坦主义?》，生活·读书·新知三联书店 1964 年版，第 4 页。

② ［保］布拉戈也夫：《马克思主义还是伯恩施坦主义?》，生活·读书·新知三联书店 1964 年版，第 3 页。

③ ［德］伯恩施坦：《社会主义的前提和社会民主党的任务》，生活·读书·新知三联书店 1965 年版，第 53—57 页。

格斯在 1890 年和 1895 年所写的两封关于唯物史观的信搬出来，说恩格斯晚年对唯物史观所作的丰富和发展同马克思和恩格斯一开始所提出的历史学说是完全不同的，恩格斯晚年对意识的反作用的强调才是唯物史观成熟的形态。这样，恩格斯晚年对唯物史观的发展在伯恩施坦那里就变成了其堂而皇之"修正"唯物史观的根据。对这种蓄意歪曲，布拉戈也夫明确指出"马克思（和恩格斯）的学说从来不忽视意识形态的影响和发展。马克思在自己的著作的许多地方非常清楚地着重指出了这种影响。"① 他还指出："科学、艺术、法律、宗教和其他制度和概念会影响发展——这是没有怀疑的、没有问题的。问题在于它们影响至何种程度？'唯物主义历史学说'回答说：它们影响的程度是由'物质运动'决定的。无论怎样的'意识形态形式'的发展和影响都不能超过'物质运动'的程度，都不以脱离'物质运动'而发生。"② 伯恩施坦否认物质运动的决定作用，认为现代社会意识形态更富于独立于"经济"的性质，现代意识形态依赖"经济"较少，技术—经济的发展和社会制度的发展之间的因果联系越来越不直接，越来越成为间接的，技术—经济的发展的自然必然性对建立和形成社会制度越来越没有意义。布拉戈也夫站在唯物主义历史观的立场上指出，伯恩施坦的观点是完全不对的，因为，第一，意识形态是人脑对"物质运动"的反映，凡是没有"物质运动"的地方，就不可能有意识形态，否则，意识形态的产生和发展是不可思议的；第二，现代社会意识形态学说的繁荣，只能说明现在的"物质运动"比过去时代更重要，这一点甚至资产阶级哲学家，如《论艺术》一书的作者泰勒也是承认的。所以，"意识形态的起源、发展和影响是由'经济'和'物质运动'决定的，'技术—经济发展的自然必然性'决不会'对于建立和形成制度'成为'越来越没有意义的'，而是相反地，保持了马克思和恩格斯最初指出的同样的力量。"③

其次，回击了伯恩施坦对马克思主义辩证法的诬蔑。布拉戈也夫指出，对伯恩施坦来说，马克思的历史学说不是马克思学说的"基本"部分，因为它是

① ［保］布拉戈也夫：《马克思主义还是伯恩施坦主义？》，生活·读书·新知三联书店 1964 年版，第 5 页。

② ［保］布拉戈也夫：《马克思主义还是伯恩施坦主义？》，生活·读书·新知三联书店 1964 年版，第 5—6 页。

③ ［保］布拉戈也夫：《马克思主义还是伯恩施坦主义？》，生活·读书·新知三联书店 1964 年版，第 7 页。

“应用的”、改变着的部分，而辩证法则是与马克思的学说完全背道而驰的，是马克思学说的“背叛性”因素，因为马克思主义接受了黑格尔的辩证法而失去了它的科学性。由此可见，歪曲唯物史观只是伯恩施坦系统地“批判”马克思学说的开始，而对辩证法的攻击，才是他“批判”马克思学说的重点。在伯恩施坦眼中，历史辩证法是“马克思恩格斯学说最致命之点”，正是以此为基础才导致社会主义理论落入了黑格尔辩证法的陷阱，从而使自身陷入二元论，导致“贫困的理论”。而且，伯恩施坦还认为，即使有时候马克思恩格斯能认识到自己的问题，但也不能自拔，只能“醉心于自我欺骗”。为何伯恩施坦要将辩证法作为攻击的重点呢？布拉戈也夫分析到，因为辩证的社会发展观就是为社会民主党的革命策略作论证的。布拉戈也夫有针对性地驳斥了伯恩施坦对黑格尔辩证法的歪曲，揭示了黑格尔辩证法的实质：“任何现象都应在它们的发展过程中、在它们的相互联系中来加以考察，而不是像形而上学那样单独的、在停滞的形式中来加以考察。”①任何现象本身都带有其否定性，随着否定的发展这个现象就转变为它的对立面。万物都在流转，万物都在变化。可是，形而上学者对于发展的理解完全不同。在他们看来，发展仅仅在于数量的转化，无论在自然界或人类社会中都是没有飞跃的。殊不知自然界或社会中所发生的变化，不仅在于一种量转化为另一种量，而且在于量转化为质。任何量转化为质都是发展中渐进性的中断，都是飞跃和革命。无论是量转化为质，还是逐渐的量变，都是发展的必要因素。这才是黑格尔的辩证法实质。

在论述了黑格尔辩证法的实质以后，布拉戈也夫进一步指出“马克思接受了黑格尔的辩证法，使它用脚站起来”②。在黑格尔那里，辩证法是头脚倒置的，是概念的辩证法，而马克思把这颠倒了过来，把概念的辩证法看作是现实中所发生的辩证运动在认识上的反映。马克思用这种被改造过的辩证法来说明社会发展，从而揭示了生产力和生产关系的矛盾运动规律，创立了科学的社会发展学说。“马克思主义的社会发展学说以过去和现在的事实为根据，并且是以‘通过经验所获得的’事实为根据的”，“因此，马克思主义的社会发展学说不是简单的概念演绎，也不是热衷于‘类推公式’的结果，而是由观察现实

① ［保］布拉戈也夫：《马克思主义还是伯恩施坦主义？》，生活·读书·新知三联书店1964年版，第8页。

② ［保］布拉戈也夫：《马克思主义还是伯恩施坦主义？》，生活·读书·新知三联书店1964年版，第9页。

和由‘经验’得出来的必然结果”①。为此，布拉戈也夫还专门引用了马克思的《资本论》第3卷和《〈政治经济学批判〉序言》的论述说明马克思主义辩证法与黑格尔辩证法是根本不同的——即黑格尔辩证法是唯心主义的，而马克思的辩证法是唯物主义的。但马克思接受黑格尔的辩证法，不仅丝毫不损其学说的科学性，而且相反，辩证法赋予了马克思的理论以高度的科学性和逻辑的严密性。“恰恰是没有辩证法马克思的学说就不再成为科学理论。”②这有力地回击了伯恩施坦对马克思学说所作的各种攻击和诬蔑，同时也捍卫了恩格斯对马克思主义的丰富和发展。布拉戈也夫强调恩格斯为《法兰西阶级斗争》所作的序言“没有抛弃辩证法，而是作为辩证法论者而死”，“没有作马克思主义理论站不住脚的任何‘善意’承认，它们是伯恩施坦轻举妄动的结果”③。

在攻击唯物史观和辩证法的基础上，伯恩施坦还将马克思主义与布朗基主义类比。对此，布拉戈也夫进一步驳斥了伯恩施坦这种诬蔑马克思主义与布朗基主义相类的观点。布拉戈也夫义正辞严地指出，“把辩证法说成是‘背叛的、背信弃义的因素’，以此来‘驳斥’马克思主义的社会发展学说是如此狂妄，诬蔑马克思主义与布朗基主义也是同样地狂妄。”④布朗基主义鼓吹一小撮组织成为秘密的“革命会社”的勇敢的革命家进行革命阴谋，“革命会社”在方便的时候进攻当局，解除它的武装，并颁布朗基主义法令，宣布布朗基主义为社会主义。布拉戈也夫认为，布朗基主义不知道社会革命的物质条件，不知道把革命的无产阶级组织成为为夺取政权而斗争的单独的阶级政党，因此马克思主义与其毫无共同之处，而伯恩施坦试图详尽地证明马克思主义与布朗基主义相类是完全多余的，是可笑的、侏儒似的头脑简单的产物。

布拉戈也夫还从经济、政治等方面进一步揭露了伯恩施坦关于一些社会问题论述的荒谬性。比如对于财富分配的理解，伯恩施坦认为随着财富的量的增

① ［保］布拉戈也夫：《马克思主义还是伯恩施坦主义?》，生活·读书·新知三联书店1964年版，第12—13页。

② ［保］布拉戈也夫：《马克思主义还是伯恩施坦主义?》，生活·读书·新知三联书店1964年版，第13页。

③ ［保］布拉戈也夫：《马克思主义还是伯恩施坦主义?》，生活·读书·新知三联书店1964年版，第15页。

④ ［保］布拉戈也夫：《马克思主义还是伯恩施坦主义?》，生活·读书·新知三联书店1964年版，第15页。

长，每个贫民也会越来越富，也就是说，财富在公民中间更为广泛分配的意义上的数量增长，将逐渐地、不断地、不经扰乱、不经飞跃、不经革命而缩小不平等，直到这种不平等达到极其微小的程度为止。到那时，资本家会相信财富平等的意义，小商品生产者不会破产，相反，其数量还会增加。这就是社会的发展和“运动”。布拉戈也夫尖锐地指出，“这种畸形的发展观念是在黑格尔之前占统治地位的那种旧观念。伯恩施坦就是用这种旧的、畸形的发展观念来代替马克思主义的社会发展学说的！”①

最后，揭露了伯恩施坦的新策略及其实质。布拉戈也夫指出，伯恩施坦修正主义的主要目的是动摇对马克思主义的社会发展学说的科学性的信心。因为，按照伯恩施坦对发展的理解，发展只是量的增加，没有质变，没有飞跃，那么社会革命就是一种虚构，无产阶级革命、无产阶级专政就变成无稽之谈了，阶级斗争没有意义了，都是不中用的、过时的东西。既然作为制定原有策略的这些理论基础过时了，那么原有策略也就过时了，就需要有新的策略了。伯恩施坦的新策略实质，就是要使社会民主党变为社会改良党，这个党将同自由资产阶级和民主资产阶级结合起来，并将同他们并肩向着所谓越来越民主的方向前进。从此，社会民主党就会彻底背离马克思主义，放弃革命的词句，不再谈社会革命和无产阶级专政，不为工人阶级的利益而斗争。总之，为社会民主党制定的“民主改良”的一般纲领就是伯恩施坦基于发展的“新理论”而提出的新策略。对此，布拉戈也夫表达了极大的愤慨，他深刻揭露说：“伯恩施坦的‘修正’要是不是故意歪曲马克思主义，那就是极端糟蹋马克思主义创始人的智能”，“伯恩施坦的‘批判’是对人类思想的科学成就、无产阶级所作出的成就和获得如此光辉结果的社会民主党斗争的亵渎”，“无论指导伯恩施坦‘批判’马克思主义的社会发展学说的动机如何，可是他向社会民主党所提出的策略，对于无产阶级的阶级利益、对于社会民主党的社会理想、对于它的斗争，确实是背叛的。”② 布拉戈也夫对伯恩施坦的这种公开背叛的揭露，有力地捍卫了马克思主义理论的基本原则和基本立场，也为他深刻批判“宽广派”的机会主义奠定了基础。

---

① ［保］布拉戈也夫：《马克思主义还是伯恩施坦主义？》，生活·读书·新知三联书店 1964 年版，第 16 页。

② ［保］布拉戈也夫：《马克思主义还是伯恩施坦主义？》，生活·读书·新知三联书店 1964 年版，第 18 页。

### （二）对“宽广派”的批判

伯恩施坦修正主义的“新理论”和“新策略”在保加利亚工人的社会民主党队伍中找到了信徒和追随者。以保加利亚社会民主党中央委员会委员扬·萨克佐夫为代表的一伙人接受了伯恩施坦的无产阶级和自由民主资产阶级的“共同事业”的主张，并将其简单地复制在保加利亚，形成了保加利亚的修正主义派别——“宽广派”。伯恩施坦修正主义是“宽广派”的理论基础。因此，在批判了伯恩施坦之后，布拉戈也夫进一步对“宽广派”展开了批判。

第一，揭露了“宽广派”的虚伪面目和实质。

布拉戈也夫指出，扬·萨克佐夫等人为代表的机会主义者实质上接受了伯恩施坦“把‘共同事业’看做无产阶级和资产阶级向增加政治民主主义的‘运动’”的策略，但是他们却没有勇气公开的宣称自己信奉伯恩施坦的主张，反而暴跳如雷地指责揭露和批判他们的马克思主义者说：“不是他离开了马克思主义学说，而是我们狭隘地理解马克思主义学说，把它弄得贫乏了等等”[①]，并将自己装扮成“宽广的”马克思主义者以掩盖自己同伯恩施坦的精神上的亲属关系。对此，布拉戈也夫一针见血地指出，“扬·萨克佐夫的‘共同事业’实质上就是保加利亚土壤上的伯恩施坦的‘共同事业’。这里根本没有什么狭隘的马克思主义，什么宽广的马克思主义。”[②]

布拉戈也夫指出，相比较扬·萨克佐夫的遮遮掩掩，伯恩施坦的《社会主义的前提和社会民主党的任务》保加利亚文的译者则更加露骨，他公开宣称社会民主党员不一定要成为马克思主义者，只要承认“纲领”就够了；他还宣称，社会主义思想和社会科学知识也可以从资产阶级作家那里获得，而不是仅仅从马克思恩格斯等马克思主义者那里得到；他还说社会主义者应当为了资本主义的利益与资产阶级一起行动去争取民主，因为可以通过民主走向社会主义。总之，在该译者看来，要做社会主义者，可以不需要马克思主义，接受资产阶级的理论也可以成为社会主义者，通过民主也可以走向社会主义。这是彻头彻尾的伯恩施坦主义主张，但该译者与伯恩施坦相比，还留有一些不彻底性，因

---

① ［保］布拉戈也夫：《马克思主义还是伯恩施坦主义？》，生活·读书·新知三联书店 1964 年版，第 20 页。

② ［保］布拉戈也夫：《马克思主义还是伯恩施坦主义？》，生活·读书·新知三联书店 1964 年版，第 20 页。

为他毕竟还“承认纲领”，认为承认社会民主党的纲领就可以成为社会民主党党员，即他虽然彻底否定了马克思主义，但还承认可以保留社会民主党纲领。伯恩施坦要比他彻底得多，不仅彻底否定了马克思主义，还彻底抛弃了社会民主党的纲领。布拉戈也夫指出，尽管存在这一不彻底性，但该译者的观点在本质上是伯恩施坦主义。

为了进一步揭露保加利亚的修正主义的虚伪性和自我掩饰，布拉戈也夫进一步对社会民主党的纲领进行了分析论证。他区分了纲领的最低部分和最高部分，认为“最高纲领是从马克思的社会发展理论得出来的直接结论。不承认马克思主义就不能承认最高纲领。谁反对马克思主义，谁也就反对纲领的最本质的部分”①。该译者所谓承认“纲领”实际上只是承认了纲领的最低部分，因为他是对马克思主义和共产主义持彻底否定态度的。然而，如果只承认党纲的最低部分，并不能算是社会主义者，也是不能成为社会民主党党员的。同样，由只承认纲领最低部分的党员所组成的党可以随便自命为什么党，可就只是不能叫社会主义政党，因为这不过是最没有觉悟的一群乌合之众。

第二，揭露了“宽广派”的真实企图。

在布拉戈也夫看来，“宽广的马克思主义”和“宽广的社会主义”只是保加利亚的机会主义分子用来偷运伯恩施坦的“理论”和“策略”的幌子而已，目的在于以此为掩护把无产阶级推到机会主义的道路上去。

“宽广派”的某些人以“党内言论自由”、布拉戈也夫与扬·萨克佐夫“分歧是个人之间的私事，与全党无关”、“代表大会不是学院，理论问题无须在会上讨论”为由，拒绝在党的代表大会上就伯恩施坦主义进行公开谈论，拒绝承认党内存在背弃信仰和叛党行为存在。针对这些企图掩盖“宽广派”真实意图的言论，布拉戈也夫指出，他与扬·萨克佐夫的分歧是原则分歧，而不是党员之间的个人争端。如果不将这个问题提到党的代表大会上讨论，任由背离党的原则和方法的机会主义分子继续留在党内活动，那么这样不可避免地使党的行动一致受到破坏，这将产生极大的危害。因为，如果没有党内行动一致，党就在实际上终止存在，它就已经不是战斗的社会民主党。所以，有必要强调党的无产阶级性质，对机会主义分子采取及时和必要的措施。扬·萨克佐夫代表的

---

① ［保］布拉戈也夫：《马克思主义还是伯恩施坦主义?》，生活·读书·新知三联书店 1964 年版，第 21 页。

"宽广派"和自己代表的"紧密派"分歧的实质是马克思主义和机会主义的原则对立。"紧密派"坚决反对"宽广派"的原因在于，扬·萨克佐夫和"宽广派"的机会主义，他们对党的唯利是图的态度，以及他们把党的事业归结为各种"生产阶级"的"共同事业"，否定了马克思主义关于阶级斗争和无产阶级革命理论的机会主义立场。布拉戈也夫指出，只要看看"宽广派"创办的《共同事业》杂志就会发现，在这上面"党不见了，给他排斥掉了，党的任务为'共同事业'的任务、为机会主义取而代之"了[①]。简言之，布拉戈也夫认为使扬·萨克佐夫与他分道扬镳的原因并非"个人不睦"，而是深刻的原则分歧：其中一方力图把党变为机会主义政党，变为小资产阶级空想主义的党；而另一方则力图维护党，使之成为社会主义的、革命的无产阶级政党。

在揭示了分歧实质的基础上，布拉戈也夫进一步分析了为何"宽广派"害怕公开讨论党内分歧的原因，"因为他们害怕党、党员（主要是雇佣工人、无产阶级出身的党员）在理论上得到成长。只有在党员根本没有理论修养或者理论修养很差的政党内，机会主义和机会主义者的蛊惑手法才可能生根。只有在无产阶级的理论修养比较差的地方，例如在法国，机会主义和机会主义者的蛊惑手法才会在社会主义政党里滋生繁荣，以致使得社会主义政党为无人领导"[②]。对于党的发展而言，理论斗争是必须的。因此，布拉戈也夫阐述了理论斗争对于党的重要意义。"无产阶级的社会主义政党的斗争不仅仅是政治斗争和经济斗争，而且还有理论斗争。假如有组织的无产阶级在进行政治斗争和经济斗争的同时不进行理论斗争，不进行保卫和宣传社会民主党的原则和方法的斗争，那末，政治斗争和经济斗争也是不能取得成效的。仅仅只有政治斗争和经济斗争，而没有通过理论来加以阐明，这些斗争也决不可能是强大有力并能把无产阶级引向胜利的。只有在社会民主党的斗争是由三个方面——理论斗争、政治斗争和经济斗争——所组成的地方，社会民主党的斗争才能强大有力并能引向巩固的胜利。"[③]为突出强调理论斗争的重要性，布拉戈也夫还特意引

① ［保］布拉戈也夫：《马克思主义还是伯恩施坦主义?》，生活·读书·新知三联书店1964年版，第30页。
② ［保］布拉戈也夫：《马克思主义还是伯恩施坦主义?》，生活·读书·新知三联书店1964年版，第31页。
③ ［保］布拉戈也夫：《马克思主义还是伯恩施坦主义?》，生活·读书·新知三联书店1964年版，第31—32页。

用了列宁在《怎么办?》一书曾经引用过的恩格斯《德国农民战争》第三版序言中的一段话，并对其中阐述理论斗争的段落加了着重号，“自从有工人运动以来，斗争是第一次在其所有三个方面——理论方面、政治方面和实践经济方面（反抗资本家）——互相配合、互相联系，有条不紊地进行着。德国工人运动之强有力而不可战胜，也就是由于这一种可说配合举行的攻击。”[①] 布拉戈也夫强调，必须要通过党内公开的理论斗争，才能使广大社会民主党的党员看清“宽广派”观点的机会主义性质，看清党内“紧密派”与“宽广派”的原则分歧。

第三，批判“宽广派”在所有制问题上的错误观点。

布拉戈也夫着重批判了萨克佐夫等人在对待私有制问题上的机会主义思想。萨克佐夫曾公然宣称“当我们说反对私有制的时候，这意味着我们并不否认个人占有自己的财产的权力；我们不否认有自己的衣着、自己的事物、自己的房子，有自己的牲口、自己的田地的权利；我们不否认称之为个人财产的东西；我们反对的是剥削别人劳动、邻人劳动的用于生产的财产；我们反对的是剥削人类劳动的生产中的财产。但是我们不能反对那种用以开发自然力的财产”[②]，并把这包装成社会主义思想，认为这是保加利亚社会民主党应该坚持的。布拉戈也夫指出，萨克佐夫的这一观点本质上只是小资产阶级庸俗民主主义思想的翻版而已，一点社会主义的影子都没有。受到当时列宁《怎么办?》的影响，布拉戈也夫引用了列宁（此时布拉戈也夫错误地将列宁当作普列汉诺夫的笔名）的话来批判：“承认任何形式的（大的、中等的或小型的）劳动工具和生产资料的私有制的人，要是他不是机会主义者的某一变种，也决不是社会民主党人。”[③] 布拉戈也夫强调，“社会民主党的最终目的是把私人占有劳动工具和生产资料变为无一例外地由社会来占有”，至于“实行从私有制向公有制、向社会主义生产过渡的方法问题，则是另一回事”[④]。此外，布拉戈也夫还

---

① [保] 布拉戈也夫:《马克思主义还是伯恩施坦主义?》，生活·读书·新知三联书店 1964 年版，第 33 页。

② [保] 布拉戈也夫:《马克思主义还是伯恩施坦主义?》，生活·读书·新知三联书店 1964 年版，第 38 页。

③ [保] 布拉戈也夫:《马克思主义还是伯恩施坦主义?》，生活·读书·新知三联书店 1964 年版，第 40 页。

④ [保] 布拉戈也夫:《马克思主义还是伯恩施坦主义?》，生活·读书·新知三联书店 1964 年版，第 40 页。

根据考茨基在《社会民主主义原理》一书中的论述指出，小生产是注定非灭亡不可的，注定是要被社会主义大生产代替的，只有这样才不至于降落到无产阶级的水平上。但是，这种代替决不是通过使用暴力剥夺小所有主的办法，而是通过经济发展和社会主义大生产的吸引力。没有一个头脑健全的人会再去拼命保持小生产这种旧的生产形式。他对"宽广派"的热德洛夫在《共同事业》上鼓吹的维护小生产的私有制的观点进行了有力的驳斥。热德洛夫提出，社会主义社会无需触动小生产的私有制，社会民主党现在就不是反对任何私有制，而仅仅反对在其中隐藏着现代社会制度的一切病痛的资本主义私有制。布拉戈也夫反驳道，这跟考茨基的结论和社会民主党的任务毫无共同之处。他强调指出，不剥夺小生产的私有制并不表明社会民主党要赞成它、保护它，而是要公开宣称小生产者的私有制必然消亡。因为和其他形式的生产资料私有制一样，小生产者的私有制既不是从来就有的，也不会永远存在下去，人类社会重新生活在没有私有制的情况下的那一历史时刻必将到来。这就是科学社会主义学说和其他假冒社会主义学说之间的根本区别。

总之，布拉戈也夫通过揭露"宽广派"同伯恩施坦主义的联系，驳斥了萨克佐夫等机会主义者对工人运动中自发力量的赞美和对马克思主义指导作用的否定，使保加利亚社会民主党大多数党员认清了"宽广派"所持观点和立场的实质及其危害性，从而在思想上和组织上捍卫了社会民主党的统一。

### （三）对科学的马克思主义基本原理的阐释和宣传

为解决保加利亚文的社会主义书籍的贫乏和已有译本质量糟糕的状况，同时为满足党内青年同志对马克思主义理论的强烈渴求，布拉戈也夫写了《学习马克思主义！马克思主义学说学习指南》等一系列论著，在批判机会主义通过歪曲马克思主义以鼓吹自己错误观点的同时，全面阐述了什么是马克思主义的本质、如何正确对待马克思主义等基本理论问题，对提高党的理论水平、推动保加利亚社会主义运动发挥了重要作用。

在《学习马克思主义！马克思主义学说学习指南》开篇，布拉戈也夫谈到学习马克思主义著作以及运用马克思主义解决社会实际问题的重要性，"我的学习指南自然既代替不了书目本身，也代替不了对书目的认真钻研。无论如何代替不了！它仅仅是学习指南，读了它以后应当极其认真地研习书目，然后再去比较具体地和广泛地研究马克思主义，运用它来解释我国的社会、经济和政治现象及事件，以及解释其他各国的这种现象和事件。”①按照理论水平的高低，布拉戈也夫为初学马克思主义学说的同志推荐了四个部分的相关书目，即“马克思主义进步观”、“马克思主义哲学原理”、“通过实际运用来解释马克思主义的原理和辩证法”、“通过运用马克思主义分析历史过程来解释马克思主义”。其中，既有大量马克思恩格斯的著作，也有考茨基、普列汉诺夫等人的著作。

在前两个部分，布拉戈也夫注重阐释马克思主义的基本理论；在后两个部分，布拉戈也夫理论结合实践，一方面运用实际来解释马克思主义，另一方面运用马克思主义分析历史过程，从而进一步阐释清楚“什么是马克思主义，如何对待马克思主义”。

他针对当时保加利亚的革命实际和思想状况，重点阐释和宣介了下列马克思主义的基本原理：

第一，阐释了“什么是马克思主义进步观”。

首先，从总体上分析了马克思主义进步观与资产阶级进步观的根本不同。布拉戈也夫认为，“进步”这个词是资产阶级哲学思想的产物，但资产阶级思想家对进步的解答是五花八门，令人如入坠云雾似的。因为资产阶级利用进步的概念掩盖了资本主义社会充满尖锐矛盾和斗争的事实，掩盖了资产阶级关系的本质，长期蒙蔽着对资产阶级统治不满的人的思想。为使人民群众，特别是广大青年弄清社会进步的实质以及资产阶级思想家对进步概念所做的歪曲解释，布拉戈也夫首先着重阐述了马克思主义的进步观。

马克思主义认为，历史发展的动力是作为社会生产力发展及其产生的结果——阶级斗争，在生产力发展和阶级斗争的推动下，社会处在不断的发展和进步之中。社会进步从本质来讲，就是社会形态的不断更替，旧的社会制度为新的社会制度所排斥和取代。任何一个社会制度都有自己所依存的特定的基础，这就是经济基础，它是由生产力的发展所决定的。按照此原理，布拉戈也夫论述了人类社会从原始社会到资本主义社会的历史过程，分析了资本主义社会的基本矛盾及无产阶级革命的必然性，阐释了社会主义这一新社会制度的基础，并指出马克思主义对进步的看法就是对社会发展的看法。他特别强调，马

① ［保］布拉戈也夫：《马克思主义还是伯恩施坦主义?》，生活·读书·新知三联书店 1964 年版，第 126 页。

克思主义的科学社会主义就是关于社会发展进步的科学学说。因为它科学地解释了无产阶级出现的原因、地位、作用、历史任务等，指出了无产阶级革命以及社会主义代替资本主义的必然性，所以“马克思主义社会主义被称为科学社会主义，工人的或无产阶级的社会主义和解放的或革命的社会主义”①。

布拉戈也夫分析了进步即社会发展的动力及其过程。他指出，除了原始社会外，人类社会的所有历史都无非是阶级斗争史。一定历史时代的经济基础上都建立有相应的上层建筑。这些上层建筑的总和构成一定时代的社会组织或社会的秩序、制度，而这都取决于它的经济基础，而经济基础又取决于生产方式和生产力的发展。新的经济基础的条件是在旧的社会组织内部、在其核心中发展起来的。资产阶级生产方式在资产阶级社会内部为新的社会组织、新的社会来代替自己创造了条件，产生了作为自己的掘墓人和新的生产方式，即公有的也就是社会主义的生产方式的体现者的阶级。这个阶级就是无产阶级。无产阶级的阶级斗争必不可免地促使人类社会走向社会革命，走向新的社会组织——社会主义社会组织。也就是说生产力发展带来的社会经济基础的变化是社会发展的动力。

布拉戈也夫具体深入地阐述了社会经济基础变化的原因在于社会生产力的发展。生产力是指劳动以及一切足以增加劳动生产率的东西：劳动工具（操作时用的器具、机器）、材料（劳动的对象）、交通工具等。社会生产力发展的状况或程度决定社会的经济基础。当劳动生产率增长到经济基础（劳动生产率就是在它的范围里发展起来的）已经无法容纳而成为劳动生产率进一步发展的障碍的时候，经济基础就解体了，让位给另一种经济基础。

布拉戈也夫通过分析人类社会历史过程来论证马克思主义的社会进步理论。布拉戈也夫具体列举了几个历史事件以证明马克思主义社会进步理论的科学性。如 15 世纪末期和 16 世纪初期的意大利战争是君主政权强大的结果，是君主政权战胜封建阶级的结果。但为何能取得胜利呢？那就是由于生产力的发展，在城市中出现了争取从封建主的压迫下解放出来的资产阶级。君主政权参与了这场反对封建主的斗争，于是它靠牺牲两个互相斗争的阶级并由于形成新的宫廷贵族或贵族阶级而得到加强。也就是说，生产力和生产关系的矛盾运动

---

① ［保］布拉戈也夫：《马克思主义还是伯恩施坦主义？》，生活·读书·新知三联书店 1964 年版，第 136 页。

所引发的阶级斗争，是16世纪的各种历史事件的隐藏的动力，因而也是推动社会进步的动力。除此之外，那些具有伟大革命意义的，如17世纪的英国革命也是社会矛盾和阶级斗争导致的结果，是英国社会各阶级争取政权，争取实现自己的阶级利益、要求和愿望进行斗争的结果，这一革命推动了英国社会的发展和进步。

第二，布拉戈也夫论述了马克思主义唯物主义和历史唯物主义的基本原理。

布拉戈也夫结合自己对马克思主义经典著作的理解，详细地论述了马克思主义唯物主义和历史唯物主义的基本原理。

首先，阐释了意识和存在的关系。布拉戈也夫坚持了唯物主义的基本立场，指出除了自然界和人，世界上就绝无仅有。自然界和作为自然界的一个部分的人，都是存在。存在决定意识。人是能够意识、思想的动物。但人的概念或人的思想无非是外界事物或现象在人的头脑里的反映。所以，存在决定意识。

其次，社会存在决定社会意识。马克思主义将唯物主义基本原则贯彻于社会历史领域，认为，客观存在不仅指自然界，还包括人类社会。人刚一脱离动物状况、脱离野蛮状态，就始终生活在社会里，即处在各种联系、相互关系、生产关系之中。社会存在包括社会的经济基础、经济结构，即社会的生产方式在内。每一种特定的社会经济结构都决定着这个社会的成员的意识和思维并与之相适合。在社会的一定时期占统治地位的政治、法律、宗教、道德和一般哲学观点以及思想的总和，构成社会的意识形态。在一定的社会的经济基础上产生的感觉、愿望、意向、情绪构成社会的心理状态或社会心理。总之，存在决定意识、决定在社会中占统治地位的意识形态和心理状态。

布拉戈也夫进一步用事实具体阐释了“社会存在怎样决定社会意识”这一历史唯物主义的基本原理。他以原始共产主义思想观念为例，指出原始社会之所以没有法权思想，是因为没有正义思想，而所以没有正义思想，是因为不存在它的反题——非正义，即侵犯某个人的物质的权利。在原始共产主义社会占统治地位的是社会占有生产资料和产品分配手段，因此法权的思想不可能产生。法权的思想只有在出现了这种情况后才有可能，即原始社会中的个别人对生产资料和产品进行私人占有，也就是私有制产生的时候才有可能。私有制是原始共产主义社会生产力的长期发展过程的产物。因而，法权思想（同时也包括正义思想）是在生产力已经发展到社会存在，特别是所有制起了变化的时候才出现的。所以，资产阶级社会的道德、法权以及政治的和哲学的基本思想不是永恒的。此外，布拉戈也夫还以奴隶制社会的思想观念为例进行了分析，以说明某一时代占统治地位的和对社会的全部意识形态发生决定性影响的思想，是由社会存在、这个社会中占统治地位的生产关系所决定的。社会关系和思想不断地产生同时又不断地消失，为新的关系和思想所取代。

除此之外，布拉戈也夫还论述了宗教、哲学等上层建筑中离经济基础更远的，看起来好像仅仅依赖于人类的理想，而不是依赖于社会存在的思想观念，归根到底也都是由社会存在决定的。

第三，深入阐述了马克思主义的辩证法原理。他指出，辩证法是同资产阶级思维和资产阶级科学中占统治地位的形而上学方法相对立的科学方法论。形而上学方法孤立地和片面地考察事物及其在人脑中的反映（即概念），并把它们当作始终如此、固定不变的。反之，辩证法把事物及其在人脑中的反映、事物的精神影像或者概念在其相互联系、普遍的相互作用、运动、生长和消亡的发展过程中加以考察。根据辩证法的观点，任何自然现象或社会事件都是长期的发展过程的结果。他强调，辩证唯物主义是科学社会主义的哲学基础，是马克思和恩格斯关于社会发展、关于进步、关于认识的学说的哲学基础。

当然，在阐述中布拉戈也夫也存在一些局限，如他认为发展的过程中没有什么自由意志，在辩证发展中占统治地位的是必然性，带有机械决定论、宿命论的色彩。

总之，马克思主义学说是无产阶级事业达到胜利的最强大的武器。布拉戈也夫对马克思主义的阐释、宣传和介绍对于帮助更多的革命青年掌握科学的马克思主义基本原理，澄清机会主义对马克思主义的否定和歪曲，使广大革命者成长为真正的社会民主党人，从而推动保加利亚社会主义运动的发展发挥了十分重要的作用。

## 三、运用马克思主义学说指导保加利亚工人运动

19 世纪末和 20 世纪初是马克思主义学说在保加利亚深入传播和确立指导地位的时期，同时也是马克思主义理论和保加利亚工人运动结合的时期。在这

一时期，也是布拉戈也夫运用马克思主义指导保加利亚无产阶级开始开展有组织的社会主义运动的时期。布拉戈也夫不仅是一个马克思主义理论家，同时也是一个马克思主义革命家。他在保加利亚积极传播马克思主义学说的同时，也全身投入了无产阶级社会主义革命事业。他结合保加利亚社会发展现实，运用马克思主义基本原理，积极探索和研究保加利亚无产阶级革命的战略和策略，起草和制定社会民主党的党纲，指导保加利亚工人运动克服了民粹派、机会主义、教条主义和宗派主义的影响，使之沿着正确的道路前进。

1. 阐述保加利亚无产阶级运动的现实基础，为工人阶级开展社会主义革命事业提供了理论前提

地处东南欧的保加利亚地原本是落后的农业国，长期处于奥斯曼封建帝国的统治之下。在 1878 年的民族解放运动中保加利亚部分领土获得独立，成立保加利亚公国，摆脱了土耳其长达 5 个世纪的军事封建束缚，为保加利亚走上资本主义发展道路扫清了障碍。1885 年，保加利亚公国和 1878 年后仍处于土耳其统治下的东鲁梅里亚省合并，实现了保加利亚南北两部分领土的统一，进一步促进了资本主义在保加利亚的发展。同期，社会主义思想也开始在保加利亚传播。究竟此时保加利亚该何去何从？这成为当时诸多探索保加利亚发展道路的知识分子心中思考的首要问题。

由于当时小生产占优势，资本主义只得到初步发展，工人阶级力量比较薄弱，所以保加利亚的民粹派分子和小资产阶级“经济派”分子们不仅反对布拉戈也夫从事的社会主义革命和宣传活动，而且到处宣扬主张保加利亚没有可供资本主义发展的土壤，因而也就不会产生社会主义。1887 年 12 月，查哈利·斯托扬诺夫在《自由报》发表了题为《社会主义在保加利亚》等三篇文章，第一次在保加利亚提出了“社会主义在我国有没有基础”的问题，并试图“证明”在保加利亚甚至考虑一下建立社会主义问题也是不可能的。社会主义是西欧发达社会的事，在保加利亚既没有土壤，也没有成功的机会。他们还中伤丑化社会主义者吃“大锅饭”，想“破坏家庭”、“共产共妻”。为此，革命的手段也是不需要的，和平的、公开的和合法的活动才是最为自然的活动。而且，此时刚成立的社会民主党内也有人对保加利亚能不能搞社会主义持怀疑态度。面对如此的情形，布拉戈也夫认为党从成立之日起，首先必须回答的问题就是：“在保加利亚有没有社会主义的土壤、能不能开展社会主义运动？”于是，就在党成立的同时，他发表了《什么是社会主义？它在我国有没有基础?》的小册子。

在这一小册子中，布拉戈也夫根据马克思主义唯物论的原则，基于保加利亚的现实情况展开具体分析，阐明了保加利亚资本主义发展与无产阶级诞生的必然性。

首先，布拉戈也夫强调关于社会主义在保加利亚有没有基础的问题迫切需要解答。为回答这一问题，首先要弄清楚“什么是社会主义?”布拉戈也夫从“社会化”的角度入手，分析揭示了社会主义的内涵，指出“把全体人民的生活、健康、精神和道德发展所必需的一切资料社会化，即变为公共财产”①是社会主义的一般内容。“把现在的私人资本主义生产变为公共的生产，把一切生产工具——机器、未耕地和已耕地、矿山、交通工具都变成由专门的工业机构管理的公有财产，把现在的私人资本主义占有社会财富转化为由社会来分配这些财富，也就是说，使所有的人（同时也是指每一个人）都可能享受分配，——当前的、现代的社会主义的最主要目的就在于此。”②现在的生产力已经发展到了资本主义生产的狭小范围无法容纳的程度。要消灭现代经济制度中的矛盾，只有到实现向公有生产过渡的时候才有可能。所以，社会主义是人类历史发展的结果，现代的生产方式和交换方式正在使生产资料社会化，就是说正在把生产资料变为公共的，正在把我们引导到社会主义。同时，社会主义还是一门科学，以辩证的思想方法和科学唯物主义为基础。掌握了这一科学理论而又善于思想的人，日益在理论上承认人类的自然发展正在导向社会主义。社会主义作为科学的理论，参透的人越多，承认社会主义的人就越多。此外，社会主义的成功不只是一个民族的事业，因此，现在社会主义运动正在成为国际运动，并且正在按照共同的国际纲领努力追求同一的目标——夺取国家政权，借助于国家政权，社会主义运动就能宣布建立社会主义制度。

在此基础上，布拉戈也夫分析了社会主义在保加利亚是否有基础的问题。布拉戈也夫指出：“既然社会主义是历史发展的规律，我国的发展当然也要受这个规律的支配。既然社会主义运动是一项国际事业，而社会主义制度在某些国家的成功也会使其他国家受这种制度的支配，我国人民当然也必须受这种制度的支配。既然社会主义是一门科学，而一个人如果对这门科学缺乏了解现在就

---

① ［保］布拉戈也夫：《马克思主义还是伯恩施坦主义?》，生活·读书·新知三联书店1964年版，第55页。

② ［保］布拉戈也夫：《马克思主义还是伯恩施坦主义?》，生活·读书·新知三联书店1964年版，第55页。

无法称为完全有学问的人，那末这就是说，对我们保加利亚人说来社会主义也是一门科学，我们要是对这门科学缺乏了解就始终在科学方面是盲目无知的。”①

布拉戈也夫运用马克思主义的基本原理，通过分析保加利亚社会经济正在发生深刻的变化，以保加利亚人民生活的具体客观事实证明了资本主义在保加利亚已有所发展，作为资本主义掘墓人的工人阶级已经产生，而且工人阶级和资产阶级之间的矛盾日益尖锐。因此，在保加利亚是有进行社会主义事业的客观基础的。布拉戈也夫指出，在保加利亚，旧的生产方式正在解体，手工业衰落，农业凋谢，国家通过掠夺农民的财富和国家资源来积累资本，保加利亚正走在资本主义发展道路上。保加利亚“出现的资本主义是最新式的”②。布拉戈也夫指出，随着资本主义的发展，无产阶级贫困和人数与日俱增；政治关系从原来保护小生产和旧生产关系转变为开始支持新的生产方式、资本主义、大工厂工业，并公然庇护资本家阶级；家庭关系和宗教关系也开始失去浪漫的意义而变为致富的手段；思想生活方面的简单淳朴和静止状态也日益消失，人们开始谈论工业、商业、农业、机器、经济学等，视野开阔而非狭隘。随之而来，当然是科学社会主义也成为思想发展的需要。所以，“我们的生活完全处在资本主义生产方式的影响之下”，“社会主义在我国是有基础的”③。

最后，布拉戈也夫论证说，无产阶级是新兴的社会力量，是由历史所命定的资本主义的掘墓人，是社会主义和共产主义的实现者。布拉戈也夫特别针对民粹主义抹煞阶级斗争的情况，着重指出阶级斗争是社会发展的动力，人类社会的历史就是阶级斗争史，资本主义发展的客观进程为向社会主义过渡准备了条件。工人阶级必须积极进行不可调和的阶级斗争，力求掌握政权。而民粹派对这一问题的分析是以形而上学的方法为指导的，暴露了民粹派的小资产阶级本质和局限性。

简言之，在《什么是社会主义，它在我国有没有基础?》的小册子中，布拉戈也夫阐明了科学社会主义的基本原理，阐述了保加利亚无产阶级运动的现

① ［保］布拉戈也夫：《马克思主义还是伯恩施坦主义?》，生活·读书·新知三联书店 1964 年版，第 96 页。

② ［保］布拉戈也夫：《马克思主义还是伯恩施坦主义?》，生活·读书·新知三联书店 1964 年版，第 108 页。

③ ［保］布拉戈也夫：《马克思主义还是伯恩施坦主义?》，生活·读书·新知三联书店 1964 年版，第 118 页。

实基础，这些理论的阐释既回答了社会主义的反对者，又纠正了党内的某些糊涂观念。它给了社会主义者以信心和力量，为工人阶级开展社会主义革命事业提供了理论指导。正如布拉戈也夫在该书中所写到的那样："我国的社会主义者已开始在保加利亚自觉地传播科学社会主义的思想。这是一个值得庆幸的时刻。科学和历史发展的自然规律是我们的忠实的战无不胜的盟友，是我们的伟力之所在，是我们的信念和动力的源泉。"这一著作武装了保加利亚的社会主义者，被称为"保加利亚社会主义的纲领宣言"。后来，保加利亚社会主义运动中的争论仍然是围绕保加利亚有没有社会主义的土壤进行的，并扩展到社会主义理论的其他领域，如经济领域等。

如果说1891年之前科学社会主义的创始人马克思和恩格斯的部分著作在保加利亚翻译出版，对保加利亚社会主义运动的形成起了燕子报春的作用，那么1891年后布拉戈也夫关于社会主义的论述则预示着保加利亚运动的春天来了。① 所以，保加利亚学者在评价布拉戈也夫关于保加利亚社会主义的著作时指出："这是保加利亚第一本马克思主义著作。它代表保加利亚工人运动和社会主义运动发展的一个时代"，这是19世纪末保加利亚社会主义者"创造性地把马克思主义学说运用到保加利亚社会历史发展的例证"②。

2. 建立保加利亚社会民主党，使保加利亚工人运动有了统一的领导核心

布拉戈也夫在俄国进行了初步的科学社会主义活动之后，便成为马克思恩格斯在保加利亚和巴尔干半岛上最杰出的学生。正如契尔文科夫所指出的那样，布拉戈也夫为保加利亚人民利益建立的具有历史意义的首要功绩，就在于他把科学的社会主义和保加利亚工人运动结合了起来，在于他在保加利亚建立了一个独立的工人阶级的政党。

1891年5月，布拉戈也夫提议与社会主义团体代表召开秘密会议，讨论建立社会民主党的问题，但由于与会者意见不一，会议决定另行召开一次更具代表性的大会来讨论这个问题。同年8月2日（保历1891年7月20日）布拉戈也夫等来自保加利亚全国的社会主义团体代表再次召开秘密代表会议，成立了保加利亚社会民主党。这次会议通过了党纲和党章，选举了党的领导机

① 马细谱：《保加利亚共产党人对马克思主义本土化的理解和贡献》，《中国延安干部学院学报》2015年第1期。

② 转引自马细谱：《保加利亚共产党人对马克思主义本土化的理解和贡献》《中国延安干部学院学报》2015年第1期。

构——共同苏维埃（共同会议），并决定出版党的机关周刊和《保加利亚社会民主党文库》，决定以布拉戈也夫的马克思主义著作《什么是社会主义，社会主义在保加利亚有立足点吗?》为《文库》的首篇文章。从此，保加利亚的党便开始了使社会主义同工人运动相结合的有组织的运动。

然而，成立后的保加利亚社会民主党由于内部分歧较大，不到一年就分裂为两个集团："建党派"和"反建党派"。以拉科夫斯基、扬·萨克佐夫、达贝夫、波兹维里耶夫等为代表的"反建党派"宣扬工人阶级仅仅存在经济上组织起来的必要性，在保加利亚组织政党为时过早，并于1893年组成保加利亚社会民主主义同盟，开始出版《同志报》。以布拉戈也夫、格·格奥尔吉耶夫等为代表的"建党派"针锋相对地提出，建立独立的、合法的、根据民主集中制原则组织起来的工人阶级政党的时机已经来临，并且出版了党的机关报——《工人报》，以反对"反建党派"的机会主义观点。尽管从一开始保加利亚社会民主党就分裂为两大派，但布拉戈也夫力求将获得的马克思主义知识和个人的理解与保加利亚的现状相结合，提出了具体的奋斗目标和纲领。

1894年2月在保加利亚社会民主党第三次代表大会上，尽管布拉戈也夫不同意，保加利亚社会民主党仍和保加利亚社会民主主义同盟联合为一个党——保加利亚工人社会民主党，即保加利亚社会民主工党。合并并没有带来真正思想和组织的统一，却为扬·萨克佐夫等人在党内继续从事他们的机会主义活动提供了条件。为了保障党在思想上的马克思主义科学性和纯洁性，布拉戈也夫学习借鉴了与它有着密切联系的俄国社会民主工党的经验，特别学习借鉴了列宁领导《火星报》反对"经济派"的斗争经验，与他的亲密战友格奥尔基等马克思主义者一起，对以扬科·萨克佐夫为首的修正主义展开了深刻的批判。党在纲领和组织章程中接受了马克思主义作为自己的理论基础和行动指南，很快这个党就成长为保加利亚工人阶级战斗的先锋队。

1900年，"宽广派"违背1898年保加利亚社会民主党第五次代表大会关于禁止以党的名义作私人宣传的决定，出版《公共事业》杂志。在杂志上，他们宣称马克思和恩格斯的阶级斗争理论已经"过时"，硬说保加利亚只有农民、手工业者、无产者和资本家的"共同事业"，即他们联合起来共同消灭反动的君主制度和政府，实施民主改革，迷恋议会斗争，试图以小资产阶级民主主义纲领代替社会民主党的无产阶级纲领。1901年，在普列温城举行的保加利亚社会民主党第八次代表大会上，布拉戈也夫和他的战友格·基尔科夫、格·格奥尔吉也夫等人继续展开对“宽广派”的批判和斗争。1902 年，在特尔诺夫举行的保加利亚社会民主党第九次代表大会上，“紧密派”马克思主义者再次对“宽广派”的机会主义错误进行了批判和揭露，大会又一次通过了由瓦·柯拉罗夫提出的谴责“宽广派”的决议，从思想上进一步批判了机会主义。但由于“宽广派”不断从事各种机会主义活动，1903 年保加利亚社会民主党在第十次代表大会上不仅对机会主义者的思想进行批判和清算，而且在组织上对其进行了处理，作出决议将扬科·萨克佐夫、格·达贝夫等人被开除出党，最终实现了组织的统一，建立了由保加利亚社会民主党的革命派所组成的马克思主义政党。这个党便是保加利亚共产党的前身。

3. 根据保加利亚实际和国际形势制定无产阶级运动的正确纲领和策略，指导工人运动，并积极捍卫无产阶级革命成果

布拉戈也夫不仅在保加利亚积极从事无产阶级革命运动，而且将保加利亚无产阶级革命运动与国际无产阶级革命运动联系起来，积极推动世界无产阶级社会主义革命运动发展并努力捍卫其成果。

在领导无产阶级进行革命运动的过程中，布拉戈也夫以国际主义原则解决和处理巴尔干各国的民族矛盾和社会矛盾，提出了建立巴尔干联邦的思想，推动了巴尔干地区社会主义运动的发展。1885 年，布拉戈也夫发表《巴尔干联邦与马其顿》一文，申明建立巴尔干联邦是巴尔干地区所有被压迫民族摆脱土耳其封建制度和各国资产阶级专制统治的正确途径，并指责欧洲大国利用巴尔干的复杂局势推行扩张主义。此后，布拉戈也夫及其领导的社会民主党多次就巴尔干半岛的局势发表见解，尤其是对马其顿的问题进行了思考。1909 年 12 月，由布拉戈也夫和德米特里·杜采维奇（塞尔维亚社会民主党创始人之一）共同倡议，召开巴尔干各国社会民主党代表会议。布拉戈也夫当选为大会主席团主席，他在会议上号召巴尔干各国社会民主党联合起来，对各国资产阶级和封建王朝的沙文主义及好战政策进行斗争。这些活动有力地推动了巴尔干地区社会主义力量的壮大和发展。

在宣传建立巴尔干联邦的革命运动中，以布拉戈也夫为领导的社会民主党还积极推动反战活动，促进国际工人运动朝着健康方向发展。1903 年，布拉戈也夫在俄国社会民主工党中央机关报《火星报》上发表数篇文章谴责俄国在 1877—1878 年的俄土战争后把保加利亚变成俄国一个省的企图的做法。1912—1913 年，巴尔干地区爆发两次战争，面对战争，保加利亚社会民主工

党的“紧密派”通过了反对战争的决议。1914 年第一次世界大战爆发，布拉戈也夫坚定地站在正确的无产阶级国际主义立场上，揭露了这次大战的帝国主义性质，批判了第二国际社会沙文主义者的背叛行径，痛斥普列汉诺夫为社会沙文主义者、考茨基为马克思主义的叛徒，坚决反对保加利亚卷入战争漩涡，并极力清除机会主义在工人运动中的影响。正由于布拉戈也夫的努力，使得保加利亚社会民主党“紧密派”博得了广大劳动阶级的同情，并且成了他们斗争的组织者和领导者。

1917 年十月革命爆发，布拉戈也夫和他领导的保加利亚社会民主党给予了积极支持。布拉戈也夫和全党以欢欣鼓舞的心情欢呼俄国工人和农民的胜利，并坚决驳斥了保加利亚资产阶级对十月革命的攻击。布拉戈也夫把十月革命看作是欧洲和全世界社会主义革命的前哨。在外国干涉苏维埃俄国的时候，他们提出了“不出一个人，不出一支枪”去反对苏维埃和革命人民的口号。在俄国十月革命和欧洲革命形势的直接影响下，在第二国际瓦解的背景下，在布拉戈也夫的领导下，1919 年 5 月保加利亚社会民主工党（“紧密派”）召开第 22 次代表大会。会上，保加利亚社会民主工党（“紧密派”）改名为保加利亚共产党，并成为共产国际的共同发起人。保加利亚共产党在自己的党纲中提出了关于实现无产阶级专政和苏维埃政权的要求。这表明保加利亚共产党开始布尔什维克化，表明布拉戈也夫和党理解了列宁的革命学说，表明保加利亚共产党成为国际共产运动中一支积极的力量。可见，保加利亚社会民主工党之所以能够在巴尔干地区走在社会主义运动的前列，成为国际共产主义运动中坚决地反对第二国际机会主义者叛变的支持力量，绝不是偶然的，这与布拉戈也夫对马克思主义、对无产阶级的社会主义事业、对于国际主义有无限的忠诚，对资产阶级及其改良主义的代理人抱有不妥协的坚定态度，对工人阶级的胜利和前途怀着不可动摇的信心是分不开的。布拉戈也夫不是教条主义的马克思主义者，而是创造性地将马克思主义应用到落后弱小的保加利亚。

1924 年 5 月 7 日，布拉戈也夫因病与世长辞。在他逝世 20 年后，他关于社会主义的理想在保加利亚变成了现实。从 1919 年加入第三国际到 1945 年第二次世界大战结束，保加利亚共产党一直积极参与国内反对资产阶级君主集团和在国际上反对法西斯进攻以及争取统一战线的斗争。布拉戈也夫的学生季米特洛夫，在马克思主义的理论与实践方面作出了十分杰出的贡献。

总之，布拉戈也夫不仅在传播马克思主义、批判修正主义和机会主义的斗争中作出了积极的贡献，而且创造性地运用马克思主义分析了保加利亚的历史现实，促进了马克思主义与保加利亚工人运动的有机结合，为无产阶级革命政党的创立，指导无产阶级革命实践也起到了重要的作用。他无疑是保加利亚和第二国际后半期最杰出的马克思主义者之一。

# 第十章　奥地利马克思主义的产生及其基本观点

第二国际时期，资本主义发生了一系列新变化，马克思主义内部也产生了分化。在奥地利社会民主党内部，以麦克斯·阿德勒、奥托·鲍威尔、鲁道夫·希法亭、卡尔·伦纳等为代表的一批年轻知识分子既反对伯恩施坦等对马克思主义的修正，又反对把马克思主义当成一成不变的教条。他们吸收了当时西方主流思潮的理论观点，从哲学、政治经济学和科学社会主义等方面对马克思主义进行了重新解释，形成了一个具有奥地利特色的马克思主义流派。

## 第一节　奥地利马克思主义的产生

奥地利马克思主义的产生深受19世纪末20世纪初国际共产主义运动的影响，也与奥地利的历史背景、文化氛围，以及工人阶级队伍的壮大、马克思主义的广泛传播紧密相关。尽管奥地利马克思主义者的研究领域各异，观点不尽相同，但共同的科学工作的特点把他们联合在一起，形成了一个紧密的思想一致的团体。

## 一、奥地利马克思主义产生的历史背景和条件

奥地利马克思主义是欧洲共产主义运动分化的结果，与19世纪后半叶资本主义的新发展有着十分紧密的联系。19世纪70年代后，在第二次工业革命的推动下，欧美资本主义各国经济实现了高速发展。在从1870年到1900年的30年间，全世界工业生产平均指数（以1913年为100）从16增长到90，英、法、美、德、俄五国的采煤量从18.2亿吨增长到63.3亿吨，生铁产量从1.08亿吨增长到3.72亿吨，棉花消费量从89.8万吨增长到236万吨。① 资本主义生产力的急剧发展促使生产和资本日益集中，资本主义由自由竞争逐步走向垄断，资本主义经济运行的组织性明显提高。生产技术的进步和竞争的加剧还推动着资本主义国家的“多余”资本走向全世界，掀起了瓜分世界的狂潮。与资本主义经济的发展相对应，工人阶级状况也发生了巨大变化。不仅各国工人阶级人数有了大幅度增长，而且普遍建立起工人组织、团体、政党。这些组织在斗争中普遍接受了科学社会主义，积极领导工人阶级开展反对资产阶级的斗争。为了维护自己的统治，资产阶级采取了一系列缓和阶级矛盾的手段和措施：提高工人的待遇水平，赋予工人一部分民主权利，承认无产阶级政党的合法地位，等等。

资本主义的这些新变化、新现象对无产阶级政党和马克思主义理论提出了新的挑战，引发了关于如何认识和对待马克思主义的激烈争论。各国马克思主义者的论战和对抗，导致了国际社会主义运动的分裂，也影响到了奥地利年轻知识分子对马克思主义研究。他们既反对伯恩施坦等对马克思主义的修正，又反对把马克思主义当成一成不变的教条，主张把马克思主义历史观应用于复杂的，为一切肤浅地、公式化地应用马克思的方法所无法解决的现象，推动马克思主义不断向前发展。

奥地利独特的历史文化，以及工人运动的蓬勃发展也为奥地利马克思主义的产生提供了肥沃的土壤。历史上的奥地利地处欧洲中部，阿尔卑斯山横贯全境。伊利里亚人、凯尔特人、罗马人、日耳曼人先后入侵并占领着今日的奥地利，马扎尔人、斯拉夫人、巴伐利亚人也逐步在这块土地上定居下来。公

① 参见［苏］门德尔逊：《经济危机和周期的理论与历史》（第二册）（下），吴纪先等译，生活·读书·新知三联书店1976年版，第625—626页。

元962年的莱希菲尔德战役对于奥地利乃至中欧历史都有着深远意义。德意志国王奥托一世击败了马尔扎人，并建立了一些边区，以巩固帝国边境，奥地利（Ostarrichi）就是其中的一个边区。作为神圣罗马帝国的一部分，奥地利指的是沿多瑙河的巴奔堡统治区（也许只是其中的一部分），“这个名字最先见于996年和998年奥托三世的文件中，……‘奥地利’这个名字的出现当然并不意味着奥地利历史方才开始。然而，它关系到一个具有历史意义的事实，它宣告了那些自己把自己的国土称为奥地利，并且不久自己也被邻居们称为‘奥地利人’（Osterreicher）的人们的某种休戚与共的关系。”① 1278年是奥地利历史上的重要转折点，哈布斯堡家族获得了奥地利的统治权，开始了对奥地利长达640年的统治。对于哈布斯堡家族而言，奥地利只是构成其王朝统治的组成部分。由于王朝的领地由不同的家族成员分别占据，奥地利也由此成为他们相互争夺的对象，并在分裂、扩张的反复中向前发展。1804年，为了回应拿破仑·波拿巴称帝，弗兰茨二世改尊号为奥地利皇帝，但“采用这个称号实际上是承认失败，它意味着哈布斯堡权力和威望所依赖的传统世界图景的终结”②。1866年普奥战争的失败迫使奥地利永远退出了德意志和意大利，为了挽救即将分崩离析的哈布斯堡王朝，奥地利与匈牙利签署了奥匈协议，奥地利帝国更改为奥地利—匈牙利二元帝国，并一直维持到第一次世界大战结束。对于奥地利的历史发展特点，史蒂芬·贝莱尔有过这样的评价：“奥地利人可以说是个没有历史的民族，奥地利历史则是一段没有民族的历史。……作为一个清晰可辨的历史概念，奥地利甚至远在民族——国家观念诞生之前就出现了。……然而，这段历史很难简单地称为‘民族’历史，因为其中的很多内容涉及今日奥地利边境之外的地区和人民。”③

在哈布斯堡王朝的统治下，奥地利和欧洲其他国家一样经历着从封建主义向资本主义的发展。但在这个由继承和窃得的小块土地拼成的七零八落的君主国里，这个过程又有着自己的特殊性。“哈布斯堡王朝一开始就是欧洲野蛮、保

---

① ［奥］埃里希·策尔纳：《奥地利史：从开端至现代》，杜文棠等译，商务印书馆1981年版，第77—78页。

② ［美］史蒂芬·贝莱尔：《奥地利史》，黄艳红译，中国大百科全书出版社2009年版，第102页。

③ ［美］史蒂芬·贝莱尔：《奥地利史》，黄艳红译，中国大百科全书出版社2009年版，第1页。

守和反动势力的代表。它为了维护自己的统治地位，建立‘稳定的秩序’，便残酷地压迫和奴役各个民族，压制它们的民族要求。”① 尤其是在法国大革命引发的遍及欧洲的大规模政治变革面前，奥地利却力图恢复原有的统治秩序。“哈布斯堡王朝事业的核心是如何统治那么多居住着很多种族群体的领地。一个像革命的法国那样以人民主权为基础的现代民族国家，不仅仅是大国角逐中的对手，而且是奥地利意识形态上不共戴天的仇敌。……法国大革命和拿破仑战争的创痛经历，使得奥地利最终放弃了将其权威奠基于现代性之上，奠基于服务于人民的有效性和能力之上的努力，相反，它退回到几乎一个世纪前就曾试图摆脱的基础上，这个基础就是正统性。”②“革命的激流和拿破仑的三次侵袭对任何国家都没有像对奥地利那样不留丝毫痕迹。……在家长的大棒保护下的封建主义、宗法制度和奴颜婢膝的庸俗气味在任何国家里都不像在奥地利那样完整无损。”③ 尽管如此，反对哈布斯堡王朝统治，争取民族独立的斗争依然风起云涌；资本主义生产方式在奥地利的封建土壤中破土而出并不断发展，与资产阶级共生的无产阶级也逐步壮大起来。埃里希·策尔纳在描述 19 世纪后半叶奥地利的发展状况时指出，这个时代的大工业发展总的说来呈现一派令人印象深刻的兴旺发达的景象，制糖业、造纸业、采矿业和依附它的重工业、纺织工业、建筑业等得到了较快发展；交通、贸易、金融与信贷制度、教育和科学等其他领域也都取得了许多成就。但在同时，帝国内的民族矛盾并没有得到解决，在某个角度上说甚至是有所深化；大资本几乎无处不获胜，小企业求生存的斗争日益尖锐化；工人阶级的生活状况也很难令人欣慰，“除掉个别的例外，劳动条件相当恶劣，对有损健康的劳动的防护工作往往做不到；迅速增涨的大城市无产阶级的居住条件是可怕的。”④ 为了维护自己的利益，各阶层纷纷开始组建社团、协会和政党。基督教社会党和奥地利社会民主党是其中的两个主要政治组织，它们的成立和发展对奥地利马克思主义的理论和实践都产生了深远影响。

基督教社会党是以维护“小人物”的利益、反对大资本和犹太人的面目出

---

① 韩承文主编：《1848 年欧洲革命史》，河南大学出版社 1995 年版，第 161 页。

② ［美］史蒂芬·贝莱尔：《奥地利史》，黄艳红译，中国大百科全书出版社 2009 年版，第 98 页。

③ 《马克思恩格斯全集》第 4 卷，人民出版社 1958 年版，第 516 页。

④ ［奥］埃里希·策尔纳：《奥地利史：从开端至现代》，李澍泖等译，商务印书馆 1981 年版，第 572 页。

现，与奥地利马克思主义有着深厚的渊源。1873 年 5 月 9 日的“黑色星期五”打破了新兴工业资本主义永远繁荣的幻象，商人、小企业主、农民等中等阶层不仅把这种严酷结果归因于大银行家和大工业家的瞒哄欺骗、贪污受贿，而且把它与犹太人联系在一起，掀起了一场同反犹太人结合在一起的基督教社会运动。19 世纪 50 年代，奥地利的犹太人还是处于受迫害地位的、相对贫困的少数民族。但伴随资本主义经济发展，犹太人在银行、商业、工业等诸多领域都确立了声望。“在维也纳，犹太人在具有中等收入的人——律师、医生、小商人和手工业者——当中，比在大资产阶级当中多得多。‘小人物’经常直接同犹太人当中的竞争者发生冲突，所以他们不愤恨自己的真正敌人——大资本，而愤恨自己最接近的犹太人对手，即律师、小商人和医生，因为犹太律师夺去了他们的委托人，犹太小商人在他们的街上开设了自己的店铺，犹太医生夺去了他们的病人。”为了取得“小人物”的信任，但又不愿意反对所有的大资本，犹太人由此成为基督教社会运动反对的对象。基督教社会运动组织首先在维也纳出现，进而将势力扩展到全国。“但是，随着国家的向前发展，基督教社会党的立场越来越接近于其他资产阶级政党的立场，逐渐拒绝工人的一切要求，逐渐背叛了自己的‘保护小人物来抵抗大资本’这个主要的口号。……党的政策已经完全公开维护‘大人物’的利益。”① 同时，由于“中欧民族主义中始终存在种族因素，除了马尔扎人这个主要例外，这里的民族主义运动很早就把犹太人当作一个外来的种族集团。……随着民族主义之间的冲突加剧，这种划分变得更加绝对，而由于伪达尔文主义的生物学用种族概念取代了民族概念，犹太人的地位变得更加不安全”②。思想和现实的双重挤压促使奥地利马克思主义者，以及其他的犹太知识分子更加贴近社会主义，工人运动成为犹太知识分子的天然联盟。

奥地利社会民主党是代表工人阶级利益的政治组织。1867 年 12 月，维亚纳第一个工人教育协会成立，此后各城市的工人委员会相继建立。1868 年召开的工人代表大会宣布成立奥地利社会民主党，通过了以德国社会民主党爱森纳赫纲领为基础的党的纲领，提出了包括结社的绝对权利与集会权利、出版完全自由、宗教完全自由等要求。然而，由于党内不同派别和集团在关于政治斗

---

① ［奥］埃・普里斯特尔:《奥地利简史》（下册），陶梁等译，生活・读书・新知三联书店 1972 年版，第 825—826 页。

② ［美］史蒂芬・贝莱尔:《奥地利史》，黄艳红译，中国大百科全书出版社 2009 年版，第 150 页。

争的目的和方法等问题上存在着分歧，很快就导致了党分裂为激进派和温和派。加之奥地利政府的限制和禁止，工人运动直到80年代末几乎处于瘫痪状态。工人运动发展迫切要求重建一个统一的政党，奥地利的各支社会主义力量也努力寻求团结的机会。维克多·阿德勒、鲁道夫·波科尔内等人加入社会民主党促进了这个问题的解决。作为马克思主义的拥护者，他们坚持用科学社会主义理论武装工人阶级，指出资本主义是社会发展的一定阶段，工人阶级所遭受的剥削和压迫并不是国家和个别人滥用职权的结果，而是资本主义制度造成的；党的主要任务在于竭力使工人认清自己的地位，领导他们推翻资本主义制度，建立社会主义社会。1888年12月30日至1889年1月1日，在海因菲尔德举行的党的代表大会上，社会民主党两派合并，通过了基本上以《共产党宣言》原理为依据的“原则宣言”作为纲领。纲领提出，无产阶级国际主义的原则是党的组织基础和活动基础之一；工人阶级被奴役和贫困的根源在于生产资料私有制，现代国家是代表资产阶级利益的阶级国家，只有消灭了私有制，才能建立起社会主义制度；在社会主义制度下，生产资料将是整个社会的财产；社会民主党应当帮助工人准备争取这样的社会制度，并为此而运用一切有利的并适合于人民法律观念的手段。海因菲尔德大会后，工人运动在社会民主党的领导下蓬勃起来。自1890年第一次公开隆重地庆祝五一节后，社会民主党每年都举行五月庆祝活动。1893年7月，社会民主党人在维也纳和其他城市组织了大规模的工人示威和群众集会，迫使首相爱·塔菲向帝国议会提出了奥地利的选举改革草案。恩格斯对此给予了高度评价，指出“有一点是无疑的，现在奥地利在欧洲的政治运动中占首要位置，而我们大家都跟在它后面慢慢走；即使已经实现普选权的国家，也不能避开奥地利事件的影响。”① 此后，在工会的支持下，有15个社会民主党代表在1897年的奥匈帝国议会选举中被选入议会。依据奥地利国会于1906年颁布的新选举法，1907年5月，“第一次按照普遍、平等、直接和秘密的选举权选出了议会，而三十年前男性人口有选举权的不超过百分之六。……照新选举法举行的头几次选举就使群众性政党获得了预期的进展。”②

---

① 《马克思恩格斯全集》第39卷，人民出版社1975年版，第163页。

② ［奥］埃里希·策尔纳：《奥地利史：从开端至现代》，李澍泖等译，商务印书馆1981年版，第548—549页。

## 二、奥地利马克思主义主要代表人物及其理论特征

奥地利马克思主义是奥地利社会民主党内一批年轻知识分子宣传、研究马克思主义的产物。1903年，麦克斯·阿德勒、卡尔·伦纳和鲁道夫·希法亭共同创办了一所名为“未来俱乐部”的工人学校。1904年，麦克斯·阿德勒和希法亭创办《马克思研究》丛刊，刊载了奥托·鲍威尔的《民族问题和社会民主党》、希法亭的《金融资本》等著作，为马克思主义研究提供了平台。1907年，奥托·鲍威尔、卡尔·伦纳和阿道夫·布劳恩又创办了《斗争》月刊，作为奥地利社会民主党的理论刊物。这些活动和著作在国际共产主义运动中产生了极大影响，逐渐形成了一个新的马克思主义学派，美国社会主义者路·鲍丁把他们称为“奥地利马克思主义”。

奥地利马克思主义的主要代表人物有麦克斯·阿德勒、卡尔·伦纳、鲁道夫·希法亭、弗里德里希·阿德勒以及奥托·鲍威尔等人，他们既是理论家，又是积极的政治活动家。麦克斯·阿德勒和弗里德里希·阿德勒的研究主要集中于哲学领域。麦克斯·阿德勒出生于维也纳的一个犹太商人家庭，在维也纳大学法律系学习期间加入社会民主党的学生组织，被选为维也纳“社会主义学生自由同盟”的第一任主席。大学毕业后，麦克斯·阿德勒把自己的大部分精力投入革命活动和对康德哲学的研究之中，先后发表了《为科学而斗争的因果性和目的论》、《唯物史观读本》等著作，宣扬“康德化的马克思主义”。弗里德里希·阿德勒在大学期间主要学习自然科学，并积极参加工人运动，成为奥地利社会民主党的成员。由于在学习期间深受物理学家马赫的哲学思想影响，他也认为马克思主义缺少自己的哲学基础。在《“马赫主义”与唯物史观》等著作中，弗里德里希·阿德勒阐释了自己关于用马赫主义“补充”马克思主义的认识。鲁道夫·希法亭是奥地利马克思主义经济学的代表人物，毕业于维也纳大学医学院。在参加了奥地利社会民主党和德国社会民主党后，希法亭对政治和经济问题产生了兴趣，《驳庞巴维克对马克思的批判》、《金融资本》是其主要经济著作。在关于民族问题、政治理论问题的研究中，卡尔·伦纳和奥托·鲍威尔是奥地利马克思主义的代表。伦纳在维也纳大学期间攻读法律，并在毕业后的革命活动中对法律、国家、民族等问题进行了深入研究，撰写了《私法制度及其社会功能》、《马克思主

义、战争和国际》等著作，试图用自己的观点“补充”马克思主义。出身于犹太资产阶级家庭的鲍威尔在维也纳大学学习法律期间就对马克思的经济理论产生了浓厚兴趣，并与麦克斯·阿德勒、卡尔·伦纳、鲁道夫·希法亭等人一起参加了奥地利社会民主党。在《资本主义的世界观》、《民族问题和社会民主党》等著作中，鲍威尔系统阐述了自己关于无产阶级革命、民族等问题的认识。

奥地利马克思主义既反对全面修正马克思主义，也反对把马克思主义当作一个僵化体系。它从一开始就立足于“学术基地”，主张把马克思主义的理论和方法与当代学术思想相结合，研究马克思生前未曾考虑或未曾解决的问题，推动马克思主义向前发展。虽然奥地利马克思主义者的研究方向各不相同，理论观点大相径庭，彼此之间也不存在内在的逻辑联系，但共同的思维方式和理论研究方法使他们聚集在一起，形成了一个紧密的思想一致的团体。对于奥地利马克思主义，奥托·鲍威尔有过这样的描述，“使他们联合在一起的，并不是某一种特殊的政治方针，而是他们的科学工作的特点。”① 他进一步写道，“如果说马克思斯和恩格斯是从黑格尔而来的，后来的马克思主义者是从唯物主义而来的，那么，年轻的‘奥地利马克思主义派’部分地来自康德，部分地来自马赫。另一方面，这些年轻的‘奥地利马克思主义派’必须在奥地利的高等学校中同政治经济学中的所谓奥地利学派展开争论；这一争论也对他们的思想方法和思想结构发生了影响。最后，他们在古老的、被民族斗争所震荡的奥地利，都必须学会把马克思主义历史观应用于复杂的、为一切肤浅地、公式化地应用于马克思的方法所无法解决的现象。”②

第一次世界大战爆发后，由于在对待战争问题上存在巨大分歧，奥地利马克思主义者公开发生了分化，他们在国际社会主义内部站到了不同的、往往是敌对的阵营。伦纳同德国的沙文主义者库诺等人站在一起，积极支持本国资产阶级政府的战争政策。他甚至认为战争是有助于进步的，而奥地利参谋本部就是“进步的原动力”。希法亭采取了中派立场，反对库诺之流的沙文主义，支持考茨基的理论观点，鼓吹帝国主义实行和平政策的可能性。弗里德里希·阿德勒则采取了激烈的反战立场，他组织了左倾的“卡尔·马克思俱乐部”，并

① 殷叙彝编：《鲍威尔文选》，人民出版社 2008 年版，第 327 页。
② 殷叙彝编：《鲍威尔文选》，人民出版社 2008 年版，第 327—328 页。

试图通过刺杀内政部长以唤醒处于昏睡状态的政党。① 然而，理论认识的分化和对立并没有发展到使社会民主党发生分裂的程度。“一战”后期，面对德奥集团失败的定局，特别面对俄国十月革命的胜利，奥地利人民反战情绪和民族解放运动高涨起来。奥地利马克思主义者在无产阶级革命和无产阶级专政问题、十月革命及其引起的欧洲革命高潮问题、国际社会主义阵营的分化改组，以及民族殖民地等问题上的基本立场逐渐趋于一致。

奥地利马克思主义在哲学上的特点是信奉新康德主义和马赫主义。麦克斯·阿德勒通过提出“社会化意识”的概念重新解释唯物史观，将康德哲学同马克思主义调和起来，以实现其“依靠康德，超越康德”的目标。弗里德里希·阿德勒被列宁称为“想当马克思主义者的马赫主义者”，他认为对现代科学与马克思主义的关系等问题的认识是必要的和尚未完成的任务，也是马克思主义需要进行“补充”的原因，提出马赫虽然没有直接提出有关历史观的问题，但他对“物质”概念、事物因果性关系，以及物理学发展史的认识都为唯物史观提供了“补充”。奥托·鲍威尔也在论及马克思主义的历史观和哲学问题时指出，马克思主义的历史观是从黑格尔的辩证哲学发展而来的，在它同黑格尔哲学脱离之后与唯物主义发生了联系。但当唯物主义随着机械论的自然观解体而解体的时候，年轻一代的马克思主义就应该将马克思主义历史观同晚近的认识理论结合起来，同新康德主义和马赫主义联系起来。“马赫认为自然科学的历史就是思想相互之间的不断前进的适应和思想对自然事实的不断前进的适应；马克思主义认为必须把它看成思想对社会状况和对由这些状况决定的精神需要的不断前进的适应。因此马克思主义所要求的是马赫和阿芬那留斯、彭加

① 埃·普里斯特尔在《奥地利简史》中提出，弗里德里希·阿德勒虽然对党的政策有着正确估计，却仅仅主张消极地否认战争。他引用了阿德勒在1914年8月向德奥社会民主党领导提出的备忘录中的一段话进行了证明，“当前的主要问题是：我们是否要作战争的拥护者？我们是否让我们被吸引到战争阵营中的一个阵营中去，我们是否要鼓动战争的狂热，或者让统治阶级独自去担负全部责任，而我们则默不作声，忍耐地一直等待到无产阶级又可以说话的时候？对于那些有着国际主义精神的人来说，对于那些把无产阶级的解放事业看成是自己的生活意义的人来说，只有第二条道路是可能的。”普里斯特尔认为阿德勒的反对立场是正直的，就其本身来说也是勇敢的。但阿德勒的反对立场引向了绝路。工人阶级的“沉默和坚持的等待”以及“严守中立”并没有妨害那些进行战争的人，事实上也无助于制止战争。（参见[奥]埃·普里斯特尔：《奥地利简史》（下），陶梁等译，生活·读书·新知三联书店1972年版，第926—927页）

勒和詹姆斯都不能企及的一种认识论：这种认识论必须详尽地指明那种方法，即那种精神过程，人们通过这一精神过程，按照他们自己劳动的样式，按照他们要争取的社会制度的样式，按照他们经济的和社会的、政治的和民族的斗争的需要创立他们的世界观。”① 也就是说，只有用新康德主义和马赫主义补充马克思主义的历史观，才能形成马克思主义的认识论，解决马克思主义没有哲学基础的问题。

在经济理论方面，奥地利马克思主义既坚持和发展了马克思主义经济思想，也由于其哲学基础错误等原因提出了一些错误观点。19 世纪 70 年代，作为近代边际效用学派主要支流的奥地利学派诞生，它以人的欲望及其满足作为研究的对象和出发点，着重运用心理分析方法来分析经济现象。针对奥地利学派以边际效用价值论对马克思主义劳动价值论发起的攻击，希法亭不仅从内容上予以了全面驳斥，而且指出了其主观主义方法论的错误，坚决捍卫了马克思主义劳动价值论。在对工业资本和银行资本融合、卡特尔和托拉斯形成等现代资本主义现象的关注中，奥地利马克思主义形成了自己的帝国主义理论。鲍威尔提出，现代资本主义扩张政策的力量来源于生产力的变化，这种变化在经济上的表现是资本的集中，即工业资本集中在卡特尔和托拉斯，货币资本集中在现代大银行。正是经济的这种发展，即现代帝国主义，促使资产阶级国家用关税、舰队和军队使自己武装起来去反对外国，靠牺牲其他国家来为本国谋利，最终使世界的自由主义者变成了民族的帝国主义者。希法亭的观点与鲍威尔相似，认为资本主义发展新阶段的基本特征就是“金融资本”的形成和统治，帝国主义是金融资本为了自身利益而必然要采取的一种世界政策。但与此同时，希法亭又错误地认为垄断组织的发展能消灭资本主义生产的无政府状态，缓和经济危机，并进而提出战后的资本主义已经从各种力量的自由比赛的经济达到有组织的经济，而有组织的资本主义实际上意味着在原则上用有计划生产的社会主义原则来代替自由竞争的资本主义原则。希法亭的“有组织的资本主义”得到了鲍威尔和卡尔·伦纳的赞同，为他们和平过渡理论的形成提供了理论支撑。

奥地利马克思主义的政治理论深受考茨基中派主义影响，主张推行改良主义和机会主义的政策，这主要体现在他们关于如何解决民族问题、如何实现社会主义等问题的论述中。在民族问题上，伦纳以“民族性格”概念为基础区分

---

① 殷叙彝编：《鲍威尔文选》，人民出版社 2008 年版，第 74—75 页。

了国家和民族，强调民族是一个精神和文化生活的内在共同体，而国家则是通过外在法律关系建立起来的地域共同体，将民族文化与国家政治分开，实行民族文化自治，不仅可以缓和民族间的冲突，保证民族的完整与自我发展，而且可以维护国家的统一。鲍威尔借鉴了伦纳的思想，并把它和社会主义连接起来，提出了民族文化自治的纲领，主张通过成立民族自治机构、发展文化教育、实行民主管理来解决民族问题。然而，这种割裂民族性格与民族生活条件来界定民族内涵的做法是唯心主义的表现；所谓的“民族文化自治”成为一种“最精致、最绝对、最彻底的民族主义”①，它必然破坏世界无产阶级的团结，导致各民族无产阶级的分裂。在实现社会主义的问题上，奥地利马克思主义者几乎都强调走向社会主义有和平和革命两条道路，但他们却往往强调和平道路，而把对革命道路的承认仅仅停留在书面上。伦纳认为，马克思时代的资本主义社会已经不复存在，问题不仅在于使一系列的经济部门实现国有化，而且还在于使国家经济渗入私人经济的骨髓，使国家成为实现社会主义的杠杆。依据国家和资本主义经济日益社会化的现实，伦纳阐述了国家是实现社会主义必不可少的组织的观点。他还把国家的概念扩大为“合作社的国家”、“工会的国家”、“经济的国家”等，认为合作社组织、工会组织、社会保险机构、消费联合会等是社会主义的主要体现者，得出了社会主义正在伴随资本运动而得到巨大发展的观点。鲍威尔也不赞成暴力革命的方式，认为这需要付出包括经年累月的内战、生产工具的无比破坏、多年的悲惨生活，以及比战争带来的困苦还要可怕得多的灾难在内的惊人代价。他提出，“我们所要求的是民主的社会主义，这就是说，由全民自己掌握经济。人民应该通过一系列民主机构自己管理自己的经济生活。”② 伦纳和鲍威尔的观点暴露出了他们对革命的社会主义理论的模糊认识，体现出了浓烈的折中主义倾向。对鲍威尔等人的这种思想，列宁也做出过明确的评价，他认为“他们实际上暴露出自己对无产阶级专政和苏维埃政权一窍不通，他们实际上是市侩民主派，是路易·勃朗和赖德律—洛兰型的‘社会主义者’，他们实际上至多也不过是资产阶级手中的玩物，弄不好就成为直接替资产阶级效劳的奴才”③。

---

① 《列宁全集》第 24 卷，人民出版社 2017 年版，第 136 页。

② 殷叙彝编：《鲍威尔文选》，人民出版社 2008 年版，第 126 页。

③ 《列宁全集》第 37 卷，人民出版社 2017 年版，第 208 页。

## 第二节 用新康德主义和马赫主义补充马克思主义

奥地利马克思主义的成员几乎一致认为马克思主义仅仅是一种社会经济理论，缺乏哲学基础，主张要给马克思主义以哲学的“补充”。麦克斯·阿德勒试图用新康德主义“补充”马克思主义，弗里德里希·阿德勒则是一位想用马赫主义来补充马克思主义的著作者。

### 一、“给马克思主义以哲学基础”

19世纪后半期，在第二次工业革命的推动下，欧美资本主义国家经济取得了长足发展，对各国政治、文化以及人们的思维方式、生活方式带来深刻影响。在对自然科学和社会科学领域中一系列新现象、新问题的思考中，形成了新康德主义、实证主义、实用主义、直觉主义等一批新的理论流派，其锋芒直接指向马克思主义。在资本主义相对稳定发展背景下诞生的第二国际也公开修正马克思主义，忽视、歪曲作为马克思主义哲学理论基础的辩证唯物主义和历史唯物主义。伯恩施坦把马克思的辩证法称为“黑格尔的圈套”，建议把它抛弃。考茨基宣称，“马克思主义不是哲学，而是一种经验科学，一种特殊的社会观。这一社会观固然同唯心主义哲学是互不相容的，但是同马赫的认识论并不是互不相容。——人们是依据十八世纪唯物主义，还是马赫主义，还是狄慈根的辩证唯物主义，还是别的什么来论证这一观点，这对于我们的思想的明确性和统一性来说不是完全无关紧要的，但是对于党的明确性和统一性来说这是一个完全无足轻重的问题。个别同志尽可以作为私人来研究这一问题，就像研究电子问题或魏斯曼的遗传规律一样，他们不应当拿它来麻烦党。”①对此，列

① 中共中央马克思恩格斯斯大林列宁著作编译局国际共运史研究室编:《国际共运史研究资料》第三辑，人民出版社1981年版，第251—253页。

宁写道，“修正主义跟在资产阶级教授的‘科学’的屁股后面跑。教授们‘回到康德那里去’，修正主义就跟在新康德主义者后面蹒跚而行。教授们重复神父们已经说过一千遍的、反对哲学唯物主义的滥调，修正主义者就带着傲慢的微笑嘟哝着（同最新出版的手册一字不差），说唯物主义早已被‘驳倒’了。教授们轻蔑地把黑格尔视作一条‘死狗’，耸肩鄙视辩证法，而自己却又宣扬一种比黑格尔唯心主义还要浅薄和庸俗一千倍的唯心主义；修正主义者就跟着他们爬到从哲学上把科学庸俗化的泥潭里面去，用‘简单的’（和平静的）‘演进’去代替‘狡猾的’（和革命的）辩证法。教授们拿他们那些唯心主义的和‘批判的’体系去适应占统治地位的中世纪‘哲学’（即神学），以酬报官家给的俸禄，修正主义者就向他们靠拢，竭力把宗教变成‘私人的事情’，不是对现代国家来说而是对先进阶级的政党来说的‘私人的事情’”①。

在对待马克思主义的问题上，“奥地利马克思主义”与考茨基站在了同一立场，他们否定了马克思主义的唯物主义，提出要给马克思主义以哲学基础。麦克斯·阿德勒认为，马克思主义是一种全新的社会科学，而不是哲学，它不与任何世界观相联系，也不与任何哲学基础相联系。在《康德和马克思主义》一文中，麦克斯·阿德勒将真理区分为科学真理与哲学真理，认为科学真理在已经获得的事实的基础上形成，具有时代特征。一旦事实随着时间的变化而发生了变化，这种真理就会失去效用。麦克斯·阿德勒认为，马克思主义不过是从其他领域来寻找社会事件的因果关系，正如任何科学在自己的专门领域以内所作的一样，因而属于科学真理。这种真理在精神的本质及精神对物质的关系问题上，即在一切唯物主义的基本问题上，它是完全中立的。但对于哲学真理来说，它对于这个基本问题则必须要作出肯定或否定的回答，而且这种真理不管它多么古老，都不会丧失其精神的生命力。麦克斯·阿德勒提出，由于马克思主义缺乏哲学基础，因而要“从马克思回到康德去”，以康德的哲学补充马克思主义，因为在他看来，康德的实践哲学是道道地地的行动哲学，而它的生命力也就体现于将我们这个时代最有威力的哲学现象即社会主义原则与康德结合在一起。

弗里德里希·阿德勒则试图把马赫主义变成“奥地利马克思主义”的“正式”哲学。弗里德里希·阿德勒断言，马赫的世界观是目前自然科学所能提供的最好的世界观，马克思和恩格斯的唯物主义和辩证法这两个标记可以被马赫

---

① 《列宁选集》第2卷，人民出版社2012年版，第3页。

的这种最新自然科学的“经验和发展”这两个概念完全包容，而马克思和恩格斯的唯物史观也不过是一种偏狭的专门科学，而作为其一般自然科学的论据还应当采用马赫主义。[①] 在《马赫主义与唯物史观》、《马赫克服了机械唯物主义》等著作中，弗里德里希·阿德勒阐述了自己关于用马赫主义“补充”“修正”马克思主义的认识。具体来看，就马克思论述自己思想的方式来看，人们完全可以直接阅读马克思的观点，而不必通过晦涩的黑格尔体系间接地掌握马克思主义，这需要对马克思主义作出许多必要的“补充”；面对科学领域中目的论的批判和达尔文主义者的批判等多次向马克思主义提出的挑战，面对马克思逝世后自然科学的发展为改善唯物史观形式提供的可能，唯物史观必须要得到进一步发展；本体论方面马赫对“物质”概念的阐释、马赫对事物因果性关系的理解与表达也可以为马克思主义的发展作出“补充”；等等。[②] 对于弗里德里希·阿德勒试图用马赫主义“补充”、“修正”马克思主义做法，列宁在《唯物主义和经验批判主义》一书中论及“世界要素的发现”这个问题时指出，弗·阿德勒“几乎是德国唯一想用马赫主义来补充马克思的著作家。我们应当为这位天真的讲师说句公道话，他本想好心好意地帮马赫主义的忙，结果反而弄巧成拙。问题至少是提得明确而尖锐的：马赫是真的‘发现了世界要素’吗？如果是真的，那么，当然只有十分落后和无知的人才会直到现在还要当唯物主义者。或者，这个发现只是马赫对旧的哲学谬误的重复吗？”[③]

奥拓·鲍威尔关于“奥地利马克思主义”部分地来自康德、部分地来自马赫的观点，既指出了麦克斯·阿德勒和弗里德里希·阿德勒在哲学认识上的特点，也体现了他自己对马克思主义哲学基础的态度。“鲍威尔最初倾向于新康德主义，他在《新时代》上发表的纪念马克思主义逝世25周年的文章中宣称，马克思和康德在认识论上是‘接近的’，而后来在20年代初，他又归附于‘维也纳小组’的实证主义者了。”[④] 在《资本主义的世界观》中，鲍威尔指出，马克思主义的历史观是从黑格尔的辩证哲学发展出来的。当它从这个母

① 参见［苏］敦尼克等：《哲学史》第5卷，齐力译，生活·读书·新知三联书店1976年版，第621页。

② 参见殷华成：《奥地利马克思主义研究》，中国社会科学出版社2014年版，第62—65页。

③ 《列宁选集》第2卷，人民出版社2012年版，第48—49页。

④ ［苏］敦尼克等：《哲学史》第5卷，齐力译，生活·读书·新知三联书店1976年版，第623页。

体分离的时候，它同在它的发生时期占统治地位的哲学，即同唯物主义发生联系，它的名称是由于这种联系而获得的。但是当唯物主义也随着机械论的自然观解体的时候，年轻一代的马克思主义者企图把马克思的历史观同晚近的认识理论联系起来，时而同新康德主义，时而同马赫的实证主义联系起来。鲍威尔认为，“在产生马克思主义历史观的时代，对机械论的自然观的信仰是不可动摇的，……只有在机械论的自然观的解体使唯物主义失去基础以后，我们才对唯物主义采取批评的态度。现在我们才领悟到，唯物主义只不过是资本主义竞争制度在宇宙上的投影。这样一来，把社会主义历史观与资本主义最后的教条主义体系联系起来的纽带才断裂了。……在现代人的、首先是马赫的认识论中，机械论的自然观完成了分解。但是当这一分解鼓励我们把以机械论的自然观为基础的那些体系放进它们的社会和历史的联系中去的时候，这一分解就使我们也超越了现代人，也超越了马赫。”①

此外，在希法亭那里，马克思主义也仅仅作为一种具体的科学体系，而不是哲学而存在。他在《金融资本》一书的前言中指出，从逻辑上仅仅作为科学体系来考察，即撇开它的历史作用不论，马克思主义不过是一种社会运动规律的理论，即对马克思主义历史观的一般描述。“马克思作为逻辑上科学的、客观的和摆脱了价值判断的科学，按照自己的历史地位，必然为它以自己的研究成果支持其胜利的阶级的代表所掌握。只是在这种意义上，它才是无产阶级的科学，……始终不渝地坚持一切科学的研究成果的客观的普遍适用性的要求。”② 可见，“奥地利马克思主义”者都主张重新给马克思主义以哲学基础，认为马克思主义可以同任何哲学相容，结果导致了他们在经济、政治、民族等问题的研究上得出了错误的结论。

## 二、用新康德主义补充马克思主义

康德是德国古典哲学的开创者和奠基人，其哲学从总体上来说是一种二元论的先验唯心主义和不可知论哲学。康德承认“自在之物”是不依赖于意识

① 殷叙彝编：《鲍威尔文选》，人民出版社 2008 年版，第 73—74 页。
② ［德］鲁道夫·希法亭：《金融资本》，福民等译，商务印书馆 1994 年版，第 4—5 页。

的客观存在，是刺激我们的感官产生印象与观念的源泉，但在同时，他又认为这种“自在之物”的性质是不可知的，认为只有感觉还不能形成知识。康德把人的认识能力分成感性、知性和理性三个层次，认为感性的印象不过是引起知识能力的机缘而已，处于混乱状态之中的外来的感觉材料只有经过先天知性范畴的综合整理才能成为科学知识。然而，由于经过知性范畴综合整理加工过的知识更加远离了“自在之物”，因而人的认识也就只能停留在现象世界，对“自在之物”的真正认识成为永远也达不到的目标。列宁对康德哲学作出了这样的评价，“康德哲学的基本特征是调和唯物主义和唯心主义，使二者妥协，使不同的相互对立的哲学派别结合在一个体系中。当康德承认在我们之外有某种东西、某种自在之物同我们表象相符合的时候，他是唯物主义者；当康德宣称这个自在之物是不可认识的、超验的、彼岸的时候，他是唯心主义者。康德在承认经验、感觉是我们知识的唯一泉源时，他就把自己的哲学引向感觉论，并且通过感觉论，在一定的条件下又引向唯物主义。康德在承认空间、时间、因果性等等的先验性时，他就把自己的哲学引向唯心主义。”①

新康德主义是对康德哲学的批判、继承与发展，由于相信哲学只要恢复康德的精神和方法就能成为“科学”而得名。1865 年，奥拓·李普曼在其《康德及其后继者》中提出了“回到康德去”的口号，标志着新康德主义的开始。19 世纪末 20 世纪初，新康德主义在德国、奥地利、俄国等资本主义国家广泛流行。新康德主义着力于对康德著作和思想的详细考证，以及运用一些现代科学成就重新思考康德理论提出的问题，这无疑具有积极意义。然而，就其总的倾向来说是唯心主义的。② 柯亨创立的马堡学派和文德尔班创立的弗莱堡学派是新康德主义最具影响的两个支派。马堡学派的哲学家否定康德所承认的自在之物的客观存在，把人的整个认识过程看做主体本身之中发生的过程，把康德调和唯物主义和唯心主义的哲学变成彻底的唯心主义哲学。依据文德尔班的价值论，一切关于社会现象的知识都是价值的知识，因而所有这些科学就完全成了主观主义、唯意志主义以至信仰主义的东西。正是在这样的意义上，恩格斯指出：“这种新康德主义的最终结论就是永远不可知的自在之物，也就是康

① 《列宁选集》第 2 卷，人民出版社 2012 年版，第 161 页。
② 谭鑫田等编：《西方哲学词典》，山东人民出版社 1992 年版，第 533 页。

德哲学中最不值得保存下来的部分。”①

麦克斯·阿德勒继承了新康德主义马堡学派的基本思想，他提出了“社会化意识”这一概念，试图将康德哲学同马克思调和起来。阿德勒把19世纪开始的德国古典唯心主义和唯物主义斗争的历史歪曲为由康德开始的“社会化意识”这个概念形成的统一过程，提出在黑格尔那里，这个概念形成了国家的道德观念；在费尔巴哈那里，它成了人的经验心理学本质的观念；在马克思那里，它借助于人的实践这个范畴而变成为对一切社会学概念的精神性的强调。麦克斯·阿德勒认为，“社会化意识”是一个客观性的概念，它不具有任何伦理的或心理的意义，与人的主观概念及各种评价均无关系，是一种“社会存在”。阿德勒指出，与把人理解为是天生的社会动物，或者像亚里士多德那样把人理解为是政治动物的看法不同，社会化概念包含的只是人之间存在着不可分割的相互联系。由于人与人之间的联系本质上是精神，于是社会存在和社会意识完成了一体化，变成了一个完全统一的东西。麦克斯·阿德勒认为，马克思在《资本论》中已经认识到了意识所具有的先天社会化的特性，提出最蹩脚的建筑师从一开始就比最灵巧的蜜蜂高明的地方，就是他在用蜂蜡建筑蜂房以前，已经在自己的头脑中把它建成了。也就是说，劳动过程结束时得到的结果，在这个过程开始时就已经在劳动者的表象中存在着，即已经观念地存在着。然而，从马克思运用这个例子的实际来看，他不过是为了说明人类的自觉劳动与动物的本能活动的区别，而不是麦克斯·阿德勒所谓的意识具有先天社会化的特性。② 同时，在马克思那里，人是作为社会的人而存在，并且只有在共同的社会实践活动中才能认识自然和社会，才能形成科学的知识。

麦克斯·阿德勒认为，马克思虽然提出了“社会化”的概念，但由于马克思主义本身是一门实证科学，一门关于社会的科学，因而并没有为这一概念奠定理论（哲学）基础，只有康德的“认识批判”理论才能把这一概念从对它的传统习俗和偏颇中解脱出来。麦克斯·阿德勒指出，人们对社会联系或社会化的理解，往往只是停留在、局限于经验阶段，但由于经验总是个人的意识，因而从这个角度出发就必然会把另外一些人看作自我意识之外独立存在的对象，

---

① 《马克思恩格斯文集》第9卷，人民出版社2009年版，第437页。

② 参见刘佩弦等：《第二国际若干人物的思想研究》，中国人民大学出版社1994年版，第388页。

这就必然缺乏双方意识沟通的桥梁。由此，人们的共同意识会成为非必然的现象，成为偶尔出现的奇迹，科学认识也就失去了其普遍性。麦·阿德勒认为，这个困难只有借助康德的认识批判论才能解决。作为一个认识批判论的概念，“社会化”概念不再涉及社会化的历史具体性，而只包含属于社会化中必然的思维先决条件，它的形成原因与过程只能到人类认识中去寻找。虽然批判哲学的研究方法脱离不开个体，是从个体着手的，但由于它把个体看作是处于与自身本质相同的其他个体的普遍联系之中，处于精神的普遍联系之中，处于相互的精神共性之中，因而其结果却是超越个体的。因此，尽管认识最初都呈现为个人的“自我意识”，但是每个人的“自我意识”都不可能是个人的意识。个人的单个意识就其本质来说，就其内容而言，始终是众人的意识，是超越自我的。自我是意识的经验形式，意识也仅仅是就其形式来说表现为自我意识。个人意识同众人意识必然相互联结就是意识的先验社会化，这种意识就是先验的“社会化意识”。而社会科学之成为科学，就在于它是众人的意识，是先验的社会化意识。①

麦克斯·阿德勒认为，“唯物史观的基本问题是物质与观念的关系问题，是两者之间的关系的序列问题。与在其他所有情况下一样，这个问题也只有从认识批判论的观点出发才能得到解答。”②在康德那里，由于人的心理的东西不可能从物理的东西中产生，社会关系也就不可能由物质条件中产生。物质条件对历史过程从而也就是对心理过程产生任何影响的观念都是不可思议的，由人所参与的各种社会过程决不是什么物质过程和关系，它们都是人为的东西，因而也都是精神过程。那个构成人类社会全部基础的经济关系，不是别的东西，而是人的关系，永远包含着人们的一定的、有目的的活动，因而从本质上来讲也是一种精神关系。既然物质的东西事实上就是精神的东西，即社会关系就是精神关系，那么观念对社会关系的关系，事实上就是一种心理的东西对另一种心理的东西的关系。在他看来，甚至连生产力也是精神的东西，因为事实上这种自然力只有当它们被纳入人的关系之中时才成为生产力，否则它就是单纯的自然力。可见，生产力并不是存在于人之外的客观物质因素，而是精神因素。

麦克斯·阿德勒反对把经济关系看做物质关系，认为如果按照这种理论，历史的发展成了与人们精神完全无关的物质过程，历史完全成了纯机械的过

① 参见殷华成：《奥地利马克思主义研究》，中国社会科学出版社2014年版，第54页。

② MaxAdler, *Marxistische Probleme*,Stuttgart 1922,str,1.

程，人的行动变成了客观的物质力量的齿轮。人们也完全不需要具有什么理想及奋斗目标，因为社会主义不必经过人们的奋斗，就可以随着经济的发展，自然而然地从资本主义社会发展、脱胎出来。然而，麦·阿德勒完全割裂物质与精神之间的一切联系的做法，也在事实上取消了他所提出的哲学的基本问题，即物质与观念的关系问题，并把它变成纯粹的精神关系问题，而这也就把唯物史观变成了唯心史观。①"整个马克思主义再一次被颠倒了过来。既然认为意识是第一性的，应该以此作为出发点，那么人之所以是社会性的，就不是因为人生活在社会上，'而是因为人能够生活在社会上，因为人在自己的自我意识中已经直接是社会性的了'"。因此，阿德勒认为，把历史过程划分为物质的因素和观念的因素，完全是一种非批判的态度，所以最后不仅应该摒弃唯灵论，而且应该摒弃唯物主义，但应该坚持认识批判论的意识学说。"这种认识批判论的意识学说'根本不可能提出被恩格斯认为是哲学基本问题那种问题：精神是第一性的还是物质是第一性的？ 相反地，认识批判论的意识学说却是从那种毫无疑问的是第一性的东西出发，也就是从我们的经验出发，而它提出的问题是为什么能够有我们的经验。'" ②

麦·阿德勒还提出了唯物史观并不必然要同唯物主义携手并进的观点，并对唯物史观做了新康德主义的解释和论证。麦·阿德勒提出，唯物主义世界观与唯物史观毫无共同之处，前者是本体论的世界观，是假设，后者则是同生理学或者化学一样的科学。他断言，马克思和恩格斯本人是敌视自然科学唯物主义的实证主义者，马克思主义只是关于社会生活和社会发展的科学，只是寻找社会生活的因果联系。由于它并不探讨事物的本质，因而与哲学并不在一个层次上，把马克思主义和唯物主义联系在一起就混淆了科学与世界观的关系。"唯物"在马克思主义那里只是意味着"现实"，唯物主义在马克思和恩格斯那里只是现实主义的实证的唯物主义，绝不可能是别的东西。马克思和恩格斯之所以使用唯物主义这个概念，只不过是他们要摆脱黑格尔历史哲学的极端唯灵论，而"由唯灵论的升华恢复到社会存在现象的各种经验形式，这就是唯物史观的整个唯物主义"③。因

① 参见刘佩弦等：《第二国际若干人物的思想研究》，中国人民大学出版社 1994 年版，第 390 页。

② ［南斯拉夫］普雷德拉格·弗兰尼茨基：《马克思主义史》第 1 卷，胡文建等译，黑龙江大学出版社 2015 年版，第 382 页。

③ 转引自［苏］敦尼克等：《哲学史》第 5 卷，齐力译，生活·读书·新知三联书店 1976 年版，第 622—623 页。

此，不仅必须摒弃把马克思主义与某种世界观等同起来的做法，而且也必须摒弃因为某种哲学必然地为马克思主义提供依据，从而就把马克思主义与这种哲学联系在一起的一切做法。

## 三、用马赫主义补充马克思主义

马赫主义是以奥地利物理学家恩斯特·马赫的名字命名的哲学流派，由于它打着“批判经验”的招牌，因而又被称为经验批判主义。马赫主义继承了贝克莱、休谟的唯心主义经验论和以孔德为代表的实证主义，标榜自己是独立于唯物主义和唯心主义对立之外的一种中立的、第三条路线的哲学，它把感觉经验看作世界上唯一真实的存在、万物的基础，认为感觉经验以外的“实体”、“物质”是形而上学的“虚构”；把哲学归结为所谓科学的认识论，认为其任务只是为了实践的目的而描绘记号、符号以及它们之间的关系，为自然科学提供指导，而不是研究世界的本质、本源问题。19 世纪末 20 世纪初，马赫主义在德国、奥地利、俄国等国家流行开来，并在奥、俄等国的社会民主党内引发了一股公开把马赫主义和马克思主义“结合”起来的思潮。为此，列宁写了《唯物主义和经验批判主义》一书，对马赫主义进行了系统批判，深刻揭露了其反科学的唯心主义本质，以及作伪的诡辩手法。

在“奥地利马克思主义”者中，弗里德里希·阿德勒明确赞扬马赫的科学方法，并试图将恩格斯描绘成一个马赫主义者的先驱，认为恩格斯与马赫主义者在否认康德的“自在之物”概念、批判机械唯物主义和承认一切科学起源于经验等方面都具有相似性。弗里德里希·阿德勒公开主张以马赫主义补充马克思主义，认为马赫主义是承担补充马克思主义这项任务的最恰当的哲学。弗里德里希·阿德勒认为，唯物史观是关于人类社会历史发展的完整的理论，是一门关于个别学科的科学。面对科学技术进步给马克思主义带来的挑战，用自然观来“补充”唯物史观，建立起一种既适用于自然界，也适用于人类社会的统一的总世界观，已经成为唯物史观本身存在的条件。由于统一的总世界观中的自然观与历史观并非毫不相干地并列在一起，而是有着紧密的联系，因而选择一种恰当的自然观就成为解决这个问题的关键。弗·阿德勒提出，在自马克思第一次阐述唯物史观直到今天的半个多世纪里，自然科学取得了巨大进步。虽然它还无法在科学内容上向唯物史观提供什么新东西，但无疑为改善唯物史观的形式提供了可能。就马赫主义来看，它虽然没有直接提出有关历史观问题，但却在自己研究的边缘上，在不熟悉马克思和恩格斯的情况下，独立地得出了与唯物主义历史观相对应的结论，为唯物史观提供了新的重要的证明，而马赫提出的“经验”和“发展”两个概念则为自然观与历史观的联系提供了理论基础。对此，他在1918年撰写的《恩斯特·马赫对机械唯物主义的克服》中写道，马克思和恩格斯的“唯物主义”和“辩证法”这两个标记，可以被最新自然科学的“经验”和“发展”这两个概念完全包容。

在本体论方面，弗里德里希·阿德勒还批评了以往所有关于物质的概念，认为马赫的物质观才是进步的、科学的，可以对唯物史观做重要补充。弗里德里希·阿德勒指出，马赫之前的“物质”概念都是先验的形而上学的概念，我们既不知道它是如何得出的，也无法凭直觉认识它，但有不少科学家却把它当作一切知识的出发点。马赫则不同，他阐明了我们沿着什么样的道路由经验、由直接的事实上升到物质概念，强调在科学实际上所经历的道路全部走完之前，在物理学概念的自然发展史上作为终极概念提出的物质概念是无法把握的。从前的物理学都是从物质这个假定出发，认为物质是由绝对不变的物体构成，马赫则是由已知的物体出发，重现科学本身无意识地、事实上走过的道路，认为科学的基础不应当是关于绝对不变的物体的假设，只有我们经验中已知的、不断变化着的物体才能充当研究的出发点。这种物体就是“感觉的复合”。马赫认为，人类对世界的任何认识、我们所知道的任何东西，都必须以感觉（即要素）表现出来。一切“物体”只是代表要素复合体（感觉复合体）的思想符号，离开了要素就没有了物体和世界。马赫把要素分为物理要素、生理要素和心理要素三种，整个世界就存在于三类要素的相互联系之中。由此，“自我与世界，感觉（现象）与物体的对立就消失了，只须考虑……这些要素的联系，而那种对立只不过是对于这种联系的不完全的表示。……照这样看，我们就见不到物体和感觉之间，内部和外部之间，物质世界和精神世界之间有以前所指的那种鸿沟了。”① 唯物主义和唯心主义把物质和精神对立起来的“心物二元论”问题得到了解决，一个“统一的、一元论的宇宙结构”就此形成。弗·阿德勒对马赫的“要素一元论”的本体论推崇备至，认为它解决了传统观

① ［奥］马赫：《感觉的分析》，洪谦等译，商务印书馆1986年版，第10—13页。

点中“自在客体”如何作用于主体，并最后怎样在纯心理的作用下“形成纯粹的精神现象”的难题，因为一个客体所具有的要素，也总是包含在主体之中，它们不是主客体关系，而是主客体关系的相互依存性。或者更精确更概括地说，要素之间的相互关系性应该成为科学研究的对象。对主客体关系的研究不是科学研究的使命，也不是科学的目的，这种由要素直接产生的关系是科学的出发点。

弗里德里希·阿德勒认为，马赫主义对事物间因果性关系的理解与表达也是“补充”马克思主义的重要思想因素。马赫指出，在表达事物的因果性关系方面，随着科学技术的发展，一般不再使用“自然必然性”意义上的“原因”和“结果”等概念，而应当用“引致”、“作用”和“明确性”三个能更准确表达事物间因果关系的概念取代这些陈旧的、原始的和僵化的概念。依据马赫的这种认识，弗里德里希·阿德勒认为，唯物史观为了自身的更加科学化和赢得更多的群众，也应当不断吸收自然科学发展中的一些新概念来充实自身。就马克思的唯物史观关于人们的社会存在决定人们的意识的观点来看，应该以生物学中的“适应”概念代替“决定”概念。他在《马赫主义与唯物史观》中明确提出，如果用生物学“适应”概念取代物理学的“决定”概念，就可以避免唯物史观所遭到的大部分误解。弗·阿德勒认为，由于唯物史观这一原理与“决定”一词联系在一起，以致经常被人们错误地理解和运用。然而，马克思在这里所使用的“决定”并不是物理意义上的这种明确性的“决定”，而是指头脑中的变化相对于生产关系的变化来说是第二性的。为了避免所谓的“误解”，就应该用生物学的“适应”概念来取代物理学的“决定”概念。从“适应”这个概念来看，它不是指一种变化决定另一种变化，而是说即使在社会存在不变的情况下，思想也可以变化。也就是说，存在着思维对事实的适应，思维是第二性的，而这样就能从根本上说明了所有经验科学的一个原理。当我们把这种原理应用于人类社会，断言经济关系是思想所适应的一切事实的中心时，那我们就得出了马克思的特殊认识。整个自然界都是思维适应的对象，但经济关系是中心；适应会随着对象的每次变化而获得新的出发点，即使对象不变，适应也在进行，思维也在发展。这样，马克思对思维与社会存在关系的认识就可以得到更准确的表达，从而免遭误解。同时，相比于社会存在与思维间的关系，在自然科学的许多学科中，尤其是在认识论领域，思维适应思维对象的变化从来就不存在作用、决定的关系。因而，“适应”概念比“决定”概念更符合马克思的思想。

弗里德里希·阿德勒多角度论述了运用马赫主义“补充”马克思主义的观点，但其认识显然是错误的。就弗里德里希·阿德勒关于以马赫主义“补充”马克思唯物史观的认识来看，由于马赫主义把世界归结为感觉，把科学的工作看做经济的工作，即把“思维经济原则”当作认识论的基础，一切真正实在的东西都会被视为“不经济”而排除掉。“思维经济原则”“只能导致主观唯心主义，不能导致其他任何东西。只要我们把这样荒谬的概念搬入认识论，那么不用说，‘设想’只有我和我的感觉存在着，是最‘经济’不过的了”①。弗里德里希·阿德勒关于用“适应”代替“决定”的观点也否定了事物之间的客观因果关系，体现了其唯心主义的本质。马克思主义认为，客观事物之间的这种因果联系的存在是确凿无疑的，“原因和结果这两个观念，只有在应用于个别场合时才有其本来的意义；可是只要我们把这种个别场合放在它和世界整体的总联系中来考察，这两个观念就汇合在一起，融化在普遍相互作用的观念中，在这种相互作用中，原因和结果经常交换位置；在此时或此地是结果，在彼时或彼地就成了原因，反之亦然。”② 然而，在马赫主义的自然界中，既没有原因，也没有结果，因果律的一切形式都产生于主观意向之中。马赫主义的因果观“不仅把人类理性与自然界完全隔离开来和对立起来，认为彼岸是不可知的，而且把自然世界作为理性的一小部分，而不是把理性看作是自然世界的一小部分。因此这是哲学唯心主义的典型表现”③。

## 第三节　运用马克思主义经济学研究资本主义的新特征

奥地利马克思主义力图坚持和发展马克思的经济观点。鲁道夫·希法亭驳斥了庞巴维克对劳动价值论的攻击，捍卫了马克思的劳动价值论。立足于资本

---

① 《列宁选集》第2卷，人民出版社2012年版，第132页。

② 《马克思恩格斯全集》第20卷，人民出版社1971年版，第25页。

③ 刘佩弦等：《第二国际若干人物的思想研究》，中国人民大学出版社1994年版，第401页。

主义发展实际，希法亭深入分析了马克思曾经预言但却没有能够详细分析的现象，揭示了资本主义发展新阶段的特点和本质联系。希法亭的“有组织的资本主义”理论得到了鲍威尔、伦纳的赞同和发挥，但却被资本主义经济危机爆发的历史事实所否定。

## 一、希法亭对马克思劳动价值论的捍卫和阐释

面对19世纪后半期资本主义的新变化，不仅伯恩施坦修正主义对马克思经济学说进行了一系列歪曲解释，形形色色的资产阶级经济学派也把斗争的矛头指向马克思经济学。欧根·冯·庞巴维克是奥地利学派的主要代表人物，他以“批判家”的姿态对马克思的劳动价值论，进而对马克思的经济理论体系进行了“批判”。在《资本与利息》中，庞巴维克提出，马克思关于劳动决定商品价值的论断不仅在逻辑上说不通，而且也与社会实际情况不相符合。从逻辑上来看，庞巴维克提出，马克思抽去商品的使用价值，仅从留下的这种劳动生产物的属性来论证劳动是价值本原的路径是错误的。他认为，劳动留下商品除了具有劳动生产物这一属性之外，还具有稀少的属性、作为供求的对象、作为自然的生产物等其他属性。既然如此，价值的本原就应该像存在于作为劳动生产物的属性之中一样存在于这些共同属性之中。同时，原始土地、金矿、煤矿等财货虽然没有劳动这个元素，但却具有交换价值，这同样不能说明劳动是交换价值的共同的一般的本原。从实际生活来看，财货价值决定于其所含有劳动量的法则对很大一部分财货是不适用的，对于其余一部分财货有时也不能应用，而且决不能完全应用。据此，庞巴维克提出，马克思关于劳动决定价值的学说不论用演绎法来证明，还是用经验来证明都是失败的，“论证之不充分，推理之轻率，无有过于此者。”① 在《马克思及其体系的终结》② 中，庞巴维克不仅进一步批判了马克思的价值、剩余价值、生产价格、平均利润、平均利润率等方面的理论观点，还从体系的角度指出了马克思经济学所谓的“理论的症

① ［奥］欧根·冯·庞巴维克：《资本与利息》，何昆曾等译，商务印书馆1959年版，第314页。

② Böhm-Bawerk，Eugen von，Karl *Marx and the close of his system*，或译为《马克思体系的终结》、《马克思及其体系的终结》和《马克思主义体系之崩溃》。

结”所在。庞巴维克提出，“根据以上所述，我相信是显示马克思底一切谬误、矛盾、不明瞭底的 Alpha 并 Omega 的。他底体系，对于事实，并没有保持一种强固的紧密的接触，马克思对与其基础原理，并不是由于健全的经验底帮助乃至坚实的经验心理的分析，而从事实中得到的，只是在不自然的辩证法底不巩固的地盘上，对其体系树立了基础的。……体系，对着某方向树立秩序；事实，取别的方向进行。因而，事实在这里那里，是与体系交叉的。……于是，或者在不明瞭与暧昧中掩覆事实，或者以与在出发点中同样的辩证法的技巧来歪曲事实。”① 针对庞巴维克对马克思经济学的指责和攻击，希法亭在其《驳庞巴维克对马克思的批判》、《金融资本》等著作中予以了坚决反击，并深刻阐述了马克思经济学关于价值、简单劳动与复杂劳动、价值转形，以及方法论等诸多问题的认识，把马克思主义经济学说向前推进了一步。

按照庞巴维克对马克思经济思想进行批判的逻辑，希法亭首先对马克思在分析商品价值时抽去使用价值的做法进行了阐释。希法亭指出，当我们抽去“使用价值可能的特殊形式”，即抽去使用价值具体时，也就抽去了使用价值一般。这时的使用价值对我而言不再是使用价值，只是对其他人具有使用价值，于是我就把它交换出去，而这完全适用于发达的商品生产。所以，使用价值就由交换价值决定，而不是交换价值由使用价值来决定。“事实上，马克思无非是抽取了使用价值的一定表现形式。对于使用价值而言，它仍然是‘价值的承担者’。这是不言而喻的，因为‘价值’不过是使用价值在经济学上的形式规定。只是现代生产方式的无政府状态，才在一定条件（生产过剩）下使得使用价值成为非使用价值，以致成为没有价值的东西，这使得我们承认这个不言而喻的真理成为一件非常重要的事情。”② 在此基础上，希法亭进一步批驳了庞巴维克关于马克思认为价值的本原仅存在于劳动生产物属性的观点。希法亭指出，商品一词是经济学名词，它体现着生产者之间的依赖关系远远大于商品工具性价值的影响。一个物品仅仅是劳动产品还不能成为商品，还必须通过同其他物品进行交换。商品之间物与物的关系，表现为商品所有者之间的个人关系。商品作为使用价值和价值的对立统一，表现为商品的自然形式和社会形式之间的对

① ［奥］欧根・冯・庞巴维克：《马克思主义体系之崩溃》，汪馥泉译，黎明书局 1934 年版，第 132 页。

② Hilferding, Rudolf, translated by Eden and Paul, *Boehm-Bawerk's criticism of Marx*, Glasgow, Socialist Labour Press, 1919, p.5.

立统一。因此，对商品的分析可以从两个方面来考察。作为自然物，它是自然科学研究的对象；作为社会物，它是社会科学研究的对象，特别是政治经济学研究的对象。因此，政治经济学的对象是商品的社会方面的内容，而商品的自然方面的内容，即使用价值不在政治经济学的研究范围之内。既然如此，每一种从使用价值出发，也就是从物的自然属性出发的价值理论，都必然是从物与个人关系出发，而不是从人们之间的社会关系出发，这样就必然要陷入试图从主观的个人与物的关系推断出客观的社会标准的错误。相比于庞巴维克，马克思是从劳动出发的。希法亭指出，劳动是人类社会构成的因素，它的发展最终决定了社会的发展。马克思抓住了劳动，就抓住了价值的质和量的决定，也就抓住了社会生活中的本质的因果联系。于是，经济学的基本观点与唯物史观的基本观点一致起来。并且由于经济活动只是历史活动的一部分，经济学的规律与历史的规律也必然一致起来。社会形式上的劳动成为价值尺度，使得经济学作为一门历史科学和社会科学建立起来。由此可见，劳动之所以成为价值的本质，并不是由于某种技术上的原因，而在于它是把分裂为一个个孤立原子的社会统一起来的契约。坚持劳动决定价值的学说，才能揭示出以商品交换为基础的社会的内在规律。

在简单劳动和复杂劳动关系问题上，希法亭批判了庞巴维克对马克思关于复杂劳动可以还原为一定数量简单劳动观点的指责，弥补了马克思在这个问题探讨上的不足。庞巴维克认为，马克思在论述复杂劳动转化为简单劳动的问题时，并没有解释清楚各种劳动产品按这个比例或那个比例交换的实际原因，因而马克思那种只把“价值”和“社会过程”拿出来进行解释的做法意味着他在做循环论证。希法亭指出，庞巴维克提出的这个问题的确是《资本论》第一卷中留下的一个“空白点”，不仅庞巴维克注意到了这一点，伯恩施坦、施米特和考茨基这些或多或少接受马克思主义的人也都注意到了这一点，甚至任何一个认真思考问题的读者都会感觉到这个问题的存在。然而，庞巴维克以此为依据来否定马克思的价值理论是不对的，因为马克思不是把价值理论看作搞清价格的手段，而是看作揭示资本主义社会运动规律的手段。希法亭认为，解决这个问题不能像伯恩施坦那样从熟练劳动力具有较高的工资推导出复杂劳动创造的价值也较高。如果那样，就是从“劳动的价值”推导出商品的价值。正确的途径应当是到熟练劳动的形成过程去寻找。希法亭提出，平均的非熟练劳动是非熟练劳动力的消耗，熟练劳动是熟练劳动力的消耗。但对于熟练劳动力来说，它的形成需要许多非熟练劳动力的耗费。这些非熟练劳动贮存在熟练劳动者体内，直到他开始劳动时，这些非熟练劳动才成为为社会的流动劳动。技术教育者的劳动不仅传递价值，而且传递创造价值的能力。因此，就社会而言，这些形成性的劳动是潜在的，直到熟练劳动力开始劳动，这些潜在的劳动才体现出来。所以，熟练劳动的耗费意味着所有凝聚在这种劳动力中的各种不同非熟练劳动的同时耗费。由此出发，希法亭认为，非熟练劳动如果运用于生产复杂的或熟练的劳动力，非熟练劳动一方面创造了熟练劳动力的价值，并表现在熟练劳动力的工资中；另一方面又通过它被使用的某种具体方式创造出一个新的使用价值，这一使用价值存在于现在使用的劳动力中，并被他使用全部非熟练劳动所具有的潜在能力来创造价值。因此，熟练劳动所创造的价值，同形成这一熟练劳动力过程中所耗费的全部非熟练劳动分别创造的价值总和一样多，复杂劳动就表现为简单的倍加劳动。“这样，马克思的价值理论就能够使我们认识到复杂劳动归结于倍加的简单劳动的社会过程据以进行的基本方式，从而使得价值成为在理论上可以度量的量。但是，当庞巴维克坚持马克思应当为他的理论提供经验证明的时候，当他所需要的证明是由论证交换价值或价格同劳动量之间的关系构成的时候，他恰好是把理论上和实际上的可度量性混为一谈。”①

在对庞巴维克关于《资本论》第一卷和第三卷之间存在矛盾的观点的批判中，希法亭详细阐发了马克思关于价值转化生产价格的理论，揭开了 19 世纪末以来“转型”问题大争论的序幕。庞巴维克指出，按照《资本论》第一卷的论述，除了暂时的和偶然的因素以外，商品交换都应该是等量劳动的交换。但第三卷却明确告知，不按照等量劳动交换原则进行交换并不是暂时的、偶然的，而是必然的和长久的。为了解释现实的交换过程，马克思在《资本论》第 3 卷中只好“放弃了”劳动价值论，价值理论之船在撞到现实的礁石后沉没了。对此，希法亭首先指出，马克思在《资本论》第三卷中关于价值转化为生产价格的论述是坚持而不是“放弃”了《资本论》第一卷中的劳动价值论。在《资本论》第一卷中，马克思就已经论述了价格同价值的背离，指出价值仅仅是价格波动的中心，只是在从较长一段时期内价格波动的总趋势来看，二者才是一

① Hilferding, Rudolf, translated by Eden and Paul, *Boehm-Bawerk's criticism of Marx*, Glasgow, Socialist Labour Press, 1919, p.26.

致的。但这并不是对劳动价值论的否定，因为商品的总价格等于商品的总价值，价值规律仍然是这种运动的调节者。在《资本论》第三卷中，马克思不仅证明了生产价格总量与价值总量的一致，而且指出由于价值形成过程仅仅是在生产领域内完成的，因而全部利润也就是从生产领域而不是从流通领域产生，不是从由资本家对制成品实行的加价中产生。既然总价格等于总价值，那么总利润也就只能是总社会剩余价值。其次，希法亭批驳了庞巴维克关于马克思的价值理论缺少经济论据的观点，对价值向生产价格转化的过程作出了详细阐述。希法亭指出，在前资本主义局部的、狭小的市场中，竞争只能使不同的个别价值平均化为单一的市场价值，商品按照价值进行交换。但在资本主义经济占据统治地位的情况下，统一市场的形成扫除了妨碍资本和劳动力自由流动的障碍，最初极不相同的利润率有了平均化的可能，同一种商品只能有一个统一的价格，商品交换按照生产价格进行。再次，希法亭批判了庞巴维克否定生产价格是由价值规律间接或最终加以调节的观点，进一步阐明了价值理论和生产价格的关系。希法亭指出，在马克思那里，商品的价值由转移到新产品上的生产资料的价值和新创造的价值两部分构成，新创造的价值又分解为可变资本与剩余价值两部分。但新创造的价值以什么样的比例分摊到可变资本和剩余价值两部分上，完全取决于劳动力的价值。但庞巴维克"依然苑囿于资本家的幻想，把成本价格当作价值或价格的构成因素。准确地说，由于他忽略了不变资本，以至于他完全不可能洞察商品价值的形成过程。……劳动不再表现为商品价值的来源，商品的价值似乎是由成本价格加上利润构成。因此劳动力价格似乎成了生产价格的原因，整个分析也最终陷入了以价格解释价格的恶性循环之中"①。

希法亭还从方法论上对庞巴维克进行了批判，认为其基本错误就在于以个人为出发点，孤立片面地考察商品、资本等社会经济现象。希法亭指出，商品、资本等体现的是社会关系，个别资本作为社会总资本的一部分，其运动受到整个社会经济关系发展变化的制约。但是，政治经济学心理学派的代表却看不到这种社会联系，以至于他们总是曲解以社会为出发点来揭示国民经济现象的理论。这种现象体现于庞巴维克关于马克思经济思想的全部论述中，甚至对

---

① Hilferding, Rudolf, translated by Eden and Paul，*Boehm-Bawerk's criticism of Marx*，Glasgow，Socialist Labour Press, 1919, pp.57~58.

“劳动创造价值”这个马克思经济学基本概念的认识也不例外。庞巴维克把劳动概念等同于“麻烦”、“辛劳”，并从个人对“麻烦”和“辛劳”厌恶的感觉来解释价值的形成。但在马克思那里，个人关系同创造价值的劳动概念毫无关系；劳动不是被看作可以引起人们快感或反感的东西，而是被看作商品所固有的、由社会生产力的发展程度所决定的量。由于劳动成为价值的原则，所以经济现象便从属于不依赖于个人愿望，而受社会关系支配的客观规律。希法亭指出，由于庞巴维克总是从个人关系出发展开论证，因而必然把价值等看作永恒的、非历史的范畴。然而，马克思认为概念的发展与历史的发展完全平行。“因为在马克思主义的体系中，社会生产力的发展一方面表现为历史现实，另一方面也在概念的发展上得到了反映。正是二者的平行为理论的正确性提供了最严格的经验证明。……古典经济学的失败是不可避免的，因为他们认为资本主义生产关系是自然的和永恒不变的。马克思证明了这些生产关系的历史条件，所以他能够在古典经济学家止步的地方作出进一步的分析。”①

## 二、希法亭对帝国主义理论的研究及其贡献

马克思在研究资本主义经济规律时曾经预言，资本主义自由竞争会引起生产集中，而生产集中发展到一定阶段必然形成垄断。历史的发展证明了马克思的预言，19 世纪末 20 世纪初，资本主义进入垄断资本主义阶段。面对资本主义发展的新变化，各个阶级都从自己的立场出发进行了探讨。希法亭是运用马克思主义理论和方法对垄断资本主义进行分析的代表人物，1910 年，他出版了《金融资本》一书，分析了资本主义发展新阶段的特点，抨击了金融资本的统治。在《金融资本》的前言中，希法亭对自己写作的过程、目的和方法作了简短的介绍，提出这部著作的基本要点在四年之前已经大体就绪，只是由于外部的情况一再推迟了它的完成，“本书试图科学地阐明最近资本主义发展的经济现象。即是说，试图把这些现象纳入从配第开始和在马克思那里达到其最高表现的古典政治经济学的理论体系之中。‘现代’资本主义的特点是集中过程，

① Hilferding, Rudolf, translated by Eden and Paul, *Boehm-Bawerk's criticism of Marx*, Glasgow, Socialist Labour Press, 1919, pp.78~79.

这些过程一方面表现为由于卡特尔和托拉斯的形成而‘扬弃自由竞争’，另一方面表现为银行资本和产业资本之间越来越密切的关系。”[①]《金融资本》出版后产生了巨大反响，被誉为继《资本论》之后最伟大的马克思主义政治经济学著作，受到了考茨基、卢森堡等人的称赞。列宁在《帝国主义是资本主义的最高阶段》和《关于帝国主义的笔记》中也多次提到希法亭的这部著作，认为“虽然作者在货币理论问题上有错误，并且书中有某种把马克思主义同机会主义调和起来的倾向，但是这本书对‘资本主义发展的最新阶段’（希法亭这本书的副标题）作了一个极有价值的理论分析。实质上，近年来关于帝国主义问题的论述，特别是报刊上有关这个问题的大量文章中所谈的，以及各种决议，如1912年秋的开姆尼茨和巴塞尔两次代表大会的决议中所谈的，恐怕都没有超出这两位作者所阐述的，确切些说，所总结的那些思想的范围”[②]。在《卡尔·马克思》一书的附录中，列宁还把该书作为“进一步发展马克思的经济观点，将它运用于经济生活中的最新现象的书”。《金融资本》为科学的帝国主义理论奠定了初步基础，进一步丰富和发展了马克思主义经济理论。

在《金融资本》中，希法亭把信用看作促进金融资本产生的有力杠杆，对资本主义信用进行了系统分析。希法亭指出，资本的周期性游离是信用关系发展的一个重要基础。资本闲置与以生产利润为目的的资本职能间的矛盾，要求把那些在个人资本循环中沉淀下来的货币资本通过信用提供给另一个资本家，以便在另一个资本循环中执行货币资本的职能。因此，货币资本的任何游离都意味着这一货币资本通过信用的中介用于把它游离出来的个人资本之外的其他生产目的的可能性，“一切导致资本闲置的原因，现在都同样成了信用关系产生的原因；一切影响闲置资本量的因素，现在都决定着信用的膨胀和收缩”[③]。在马克思将资本主义信用区分为商业信用和银行信用的基础上，依据资本主义的最新发展状况，希法亭又将银行信用按使用目的区分为流通信用和资本信用，将资本信用按资本回流方式区分为流动资本信用和固定资本信用。流通费用是生产资本家之间进行的信用，这种信用的扩大是以商品转移的扩大为基础，也是以再生产过程的扩大为基础。再生产过程扩大了，对机器、原料、劳

---

① ［德］鲁道夫·希法亭：《金融资本》，福民等译，商务印书馆1994年版，第1页。

② 《列宁专题文集 论资本主义》，人民出版社2009年版，第106页。

③ ［德］鲁道夫·希法亭：《金融资本》，福民等译，商务印书馆1994年版，第73—74页。

动力等形式上的资本的需求也就相应增加。资本信用是将闲置的货币转化为职能货币资本作用的信用，它力图为社会资本而消除在个别资本循环过程中某一定时间内的货币资本的闲置。希法亭认为，伴随资本主义信用种类和作用的变化，银行的作用也主要从支付中介向将闲置资本转化为货币资本的中介演变。尤其是用于固定资本投资的资本信用的出现，使得银行的兴趣不再局限于企业的暂时状况和市场的暂时状况，而毋宁说更关注企业的长远命运和未来的市场状况。银行与企业的关系由暂时的利害关系变为长远的利害关系，信用越大，特别是转化为固定资本的比重越大，这种利害关系也就越大和越持久。

资本主义信用扩展已经促进了银行和企业的融合，建立在信用扩展基础上的股份公司的出现进一步密切了银行与企业之间的关系。当希法亭撰写《金融资本》时，股份公司已经得到了充分发展，虚拟资本及其运动日益为人们所关注。结合股份公司发展的新情况、新问题，希法亭对股份公司理论作出了新的探讨。希法亭认为，股份公司的建立虽然没有从根本上改变企业的资本主义性质，但也形成了一些对现代资本主义发展具有决定意义的因素。首先，股份公司的建立改变了产业资本家的职能。在个人企业中只是偶然才能出现的东西，即产业资本家摆脱产业企业家的职能，在股份公司中已经成为基本原则。对于资本家来说，这种职能的变化，赋予投入股份公司的资本以纯粹货币资本的职能。货币资本家作为债权人，同他的资本在生产过程中的利用完全无关。其次，股份公司的发展带来了创业利润，进一步改变了银行和企业的关系。希法亭指出，资本家投入股份公司的资本以股票形式的货币资本出现并获取股息收入。在股份公司还没有占统治地位，股票的买卖还不发展时，股息不仅包含利息，而且包含企业利润。但随着股份公司的发展，买卖股票的竞争使股息逐渐趋于利息水平。基于这种状况，希法亭提出了“创业利润”的概念，指出创业利润是产生平均利润的资本与产生平均利息的资本之间的差额，是仅仅由带来利润的资本向带来利息的资本形式转化而产生的利润的源泉，认为创业利润既不是欺诈，也不是补偿或报酬，而是一种特殊的经济范畴。创业利润的出现，不仅引发了银行对企业的进一步渗透和控制的强烈冲动，而且引起了银行职能的新变化。银行不再通过信用关系向产业资本家提供资本以获得利息，而是通过发行股票向市场提供可以转变为产业资本的货币资本以获得更多的创业利润，银行资本和产业资本的相互渗透得到了进一步加强。再次，股份公司的运行方式密切了银行和企业的关系。希法亭指出，股份公司是资本家的公司，每个资本家参与股份公司建立的程度，他在股份公司中的表决权或支配权力，取决于他所投入资本量的多少。资本家要能够支配股份公司，只需要资本的半数，而不是像私人企业那样需要占有全部资本。“在实践中，足以控制股份公司的资本额通常还要小，只是资本的三分之一到四分之一，甚至比这个数目还小；而股份公司的控制者却支配别人的资本，就像支配自己的资本一样。”[①] 希法亭指出，随着信用和股份制的进一步发展，银行将越来越多的资本投入股份公司。它不仅可以向股份公司提供比对私人企业更多的信用，而且也可以把自己货币资本的一部分在或长或短的时间内投于股票。而在任何情况下，都会产生银行对股份公司的持续的利害关系，造成银行与企业之间的个人联合，促使控制银行的虚拟资本的所有者与控制产业资本的所有者越来越合而为一。

希法亭还将研究从流通领域转到生产领域，阐释了垄断对于金融资本形成的意义。希法亭指出，资本主义生产的目的是获得最大利润，但随着资本主义发展和技术进步，资本有机构成不断提高，不仅利润率呈现下降趋势，利润的平均化过程也受到了阻碍。构成利润率平均化的障碍主要存在于以下几个方面：一是固定资本在总资本中的比例不断提高，其周转方式的特点决定了它需要更长的时间才能转化成货币，从而阻碍了资本向利润高的部门和领域的自由转移。二是技术的进步扩大了生产规模，无论是原有企业扩大生产规模还是建立新的企业，都需要数量更多的资本。单纯依靠剩余价值积累需要经过相当长的时间才能完成，以致资本流入呈现不足和迟滞的趋势。三是在资本主义经济高度发达的领域，一个新建企业从一开始建立就必须具有相当大的规模和很高的有机构成。企业投入生产后往往会急剧增加市场供应量，引起该部门利润率下降，甚至降到平均利润率以下。与此同时，上述条件也使得资本从这一领域退出变得相当困难。此外，银行为了维护自身的利益，也总是试图排除它所参与的那些企业之间的竞争，在一定程度上阻碍了利润率平均化的进程。在对如何克服利润率平均化阻碍的论述中，希法亭指出，股票的发行和股份公司的创立是一种方法，但最好或最重要的方法是联合制。一种是同一生产部门内企业的联合，即横向联合；另一种是邻近的不同生产部门之间的联合，即纵向联合。希法亭认为，联合制企业在经济上具有巨大的优势，“第一，联合制使行情差异持平，从而为联合制工厂提供了更为稳定的利润率。第二，联合制导致

① ［德］鲁道夫·希法亭：《金融资本》，福民等译，商务印书馆 1994 年版，第 120 页。

商业的消除。第三，联合制造成技术进步的可能性，从而与单纯工厂相比获得超额利润。第四，在严重的萧条时期，当原料价格降低与成品价格降低不同步时，联合制加强了联合制工厂对单纯工厂竞争中的地位。”[①] 联合制把诸多企业联合在一起，但只有当利益共同体或者兼并企业足以控制该部门商品的生产，进而控制市场和价格时，才具有垄断的性质，卡特尔、辛迪加和托拉斯是垄断组织的几种主要形式。

希法亭认为，卡特尔、托拉斯等垄断组织的形成离不开银行的推动，垄断组织的发展又反过来助长了银行的联合。正是在银行与垄断组织的相互作用中，形成了归银行支配的和由产业资本家使用的资本，即金融资本。“产业资本对银行的依赖，是财产关系的结果。产业资本的一个不断增长的部分不属于使用它的产业资本家了。他们只有通过代表同他们相对立的所有者的银行，才能获得对资本的支配。另一方面，银行也不得不把它们资本的一个不断增长的部分固定在产业之中。因此，银行在越来越大的程度上变为产业资本家。我把通过这种途径实际转化为产业资本的银行资本，即货币形式的资本，称为金融资本。”[②] 希法亭关于金融资本的定义正确说明了工业资本同银行资本融合为一体的过程，注意到了垄断在金融资本形成中的作用，但却存在着未能从生产和资本集中角度去说明问题的不足。尽管如此，“金融资本无疑是他对马克思主义词汇的最为人熟知的贡献”[③]。在界定金融资本概念的同时，希法亭还对金融寡头等问题进行了分析，认为金融资本的形成过程同时也是金融寡头产生的过程，指出“随着卡特尔化和托拉斯化，金融资本达到了它的权力的顶峰，而商业资本却经历了最严重的衰落。资本主义的循环完成了。……黑格尔派会说这是否定之否定：银行资本是对高利贷资本的否定，而银行资本自身又被金融资本所否定。后者是高利贷资本和银行资本的综合；在一个无限高的经济发展阶段上，它占有社会生产的成果”[④]。

希法亭指出，金融资本对资本主义社会政治、经济等各方面都产生了巨大影响。在经济方面，金融资本使原来处于不同经济领域中的工业资本、商业资

---

① [德] 鲁道夫·希法亭：《金融资本》，福民等译，商务印书馆 1994 年版，第 218 页。

② [德] 鲁道夫·希法亭：《金融资本》，福民等译，商务印书馆 1994 年版，第 252 页。

③ [英] 安东尼·布鲁厄：《马克思主义的帝国主义论》，仇启华等译，求实出版社 1984 年版，第 94 页。

④ [德] 鲁道夫·希法亭：《金融资本》，福民等译，商务印书馆 1994 年版，第 253—254 页。

本和银行资本都被控制在通过紧密的个人联合而结成的金融贵族手中，国家越来越成为少数金融寡头的工具。推行保护关税政策，不仅使卡特尔可以从对由它自己生产的产品实行保护关税中得到好处，而且向卡特尔提供了超过由于卡特尔化所达到的超额利润的超额利润，并赋予卡特尔向国内人口征收间接税的权力；资本输出加速了对国外的开发，在本国也增强了那种必须提供被作为资本输往国外的商品的生产，不仅使资本主义生产进入了一个新的狂飙与突进运动的时期，而且大大加速了所有旧的社会关系的变革并把整个地球包容于资本主义范围之内；推行殖民政策，把外国的一些地区合并入本国版图，加剧了国际市场上的竞争。总之，"金融资本所希望的不是自由，而是统治；它对个别资本家的独立性毫无兴趣，而是要求对后者的束缚。它厌恶竞争的无政府状态，希求组织，当然只是为了能够在越来越高的阶段上展开竞争。"① 与之相适应，金融资本在政治上不是追求民主自由的国家，而是追求一个强大的集权国家，以便在国内加强雇主对工人阶级的阵地，对外实行扩张政策并吞并殖民地。显而易见，不论是在经济方面还是政治方面，无产阶级同金融资产阶级的利益都是对立的。无产阶级对金融资本，即帝国主义经济政策的回答不是自由贸易，而是社会主义。这不仅是无产阶级用来同帝国主义相对立的宣传口号，而且已具有了转化为现实的可能性。"金融资本，在它的完成形态上，意味着经济的或政治的权力在资本寡头手上达到完成的最高阶段。它完成了资本巨头的独裁统治。同时，它使一国民族资本支配者的独裁统治同其他国家的资本主义利益越来越不相容，使国内的资本统治同受金融资本剥削的并起来斗争的人民群众的利益越来越不相容。在这些敌对的利益的暴力冲突中，金融巨头的独裁统治将最终转化为无产阶级专政。"②

希法亭对金融资本，即资本主义发展新阶段的分析，为马克思主义经济学发展作出了贡献。但在同时，其理论分析也存在一些错误。"希法亭研究之初就犯了方法论的错误。他没能正确地理解资本生产和资本流通的关系，他不了解流通对生产虽然有极大的影响，但资本的生产毕竟是第一性的；资本的流通是第二性的，是生产领域中的变化决定了资本流通的形式和规模的变化，而不是相反。因此有人批评他犯了流通决定论的错误是有一定道理的。……而且更

---

① ［德］鲁道夫·希法亭：《金融资本》，福民等译，商务印书馆 1994 年版，第 385 页。

② ［德］鲁道夫·希法亭：《金融资本》，福民等译，商务印书馆 1994 年版，第 429—430 页。

严重地体现在《金融资本》一书的结构，特别是表现在他从流通领域出发研究金融资本问题上。”[①] 具体来看，“希法亭的缺点：(1) 关于货币的理论错误。(2) 忽视（几乎）世界的瓜分。(3) 忽视金融资本与寄生性的关系。(4) 忽视帝国主义与机会主义的关系。”[②] 就希法亭的货币理论来看，他虽然提出了关于货币的根源、职能的认识，但由于没能真正把握马克思的劳动价值论，因而并没有对货币的职能作出全面的分析，没有能够科学揭示纸币的本质及其流通规律。在对信用的研究中，也忽略了对借贷资本的分析，不懂得借贷资本的特点，把借贷资本量与货币量等同起来，忽略了利润率下降对利息率的影响。尤其是希法亭对垄断和危机关系的错误认识，更是导致他提出了“有组织的资本主义”的机会主义理论。

希法亭在《金融资本》中初步提出了关于垄断组织发展将会产生一个总卡特尔，从而结束资本主义生产无政府状态的观点。基于第一次世界大战后资本主义相对稳定的发展，希法亭明确提出了“有组织的资本主义”理论，并在1927年5月德国社会民主党基尔代表大会的报告中作出了系统阐述。他认为“有组织的资本主义实际上意味着在原则上用有计划生产的社会主义原则来代替自由竞争的资本主义原则。这种有计划的、自觉地管理的经济在更大得多的程度上有可能受到社会的自觉影响，也就是说受到社会的唯一自觉的、具有强制力量的组织的影响，即国家的影响”[③]。希法亭还在报告中指出了有组织的资本主义的一些特征，一是在技术上是除了应用蒸汽及电力外，合成化学技术已成熟到可以直接应用于工业生产；二是资本主义工业从一开始就力图通过有组织的方式利用各种新的可能性；三是资本主义工业的国际化，把国家垄断、卡特尔、托拉斯在国际范围内联合起来的企图。希法亭“有组织的资本主义”理论的错误是显而易见的，它把垄断资本主义和社会主义混为一谈，完全抹杀了资本主义的基本矛盾，歪曲了马克思关于资本主义发展趋势的学说。1929年资本主义世界爆发的大危机，宣布了“有组织的资本主义”理论的破产。

① 刘佩弦等：《第二国际若干人物思想研究》，中国人民大学出版社1994年版，第434页。
② 《列宁全集》第54卷，人民出版社2017年版，第201—202页。
③ 《第二国际修正主义者关于帝国主义的谬论》，生活·读书·新知三联书店1976年版，第225页。

# 第四节 对民族问题的新探索

面对奥匈帝国尖锐的民族矛盾，以及各国无产阶级政党在马克思主义民族理论上的分歧和争论，奥地利马克思主义者，尤其是奥托·鲍威尔对民族的概念、民族的发展历史，以及民族问题产生的原因进行了系统阐释，提出把文化自治作为解决无产阶级革命成功后社会主义国家民族问题的纲领和方案。鲍威尔的民族理论得到了欧洲各国社会民主党的欢呼，也受到了以列宁为代表的马克思主义者的批判。

## 一、鲍威尔的民族理论

19世纪末期，伴随资本主义经济的发展，欧洲民族主义浪潮也在不断地高涨。奥匈帝国本来就是一个多民族国家，民族问题更加突出。1897年6月，在奥地利社会民主党第六次维也纳代表大会上，按民族界限来划分社会主义运动的过程得到了充分体现，统一的奥地利社会民主党变成了六个完全独立的民族政党的联盟。1899年9月的布隆会议着重讨论了民族问题，大会否决了南斯拉夫社会民主党人提出的“民族文化自治”的民族纲领，通过了奥地利社会民主党在民族问题方面的“布隆纲领”，提出了奥地利应改组为各民族民主联盟的国家；奥地利应当变成一个民主的联邦国家；应当建立按民族特征划分的自治区来代替历代的皇家领土，自治区的立法和管理应当由根据普遍、平等和直接的选举权选举出来的民族议院实施；同一民族的各个自治区组成统一的民族联盟，有关这个民族的一切事务完全由联盟自行决定；少数民族的权利将由全奥地利议会所颁布的特殊法律来保证；我们不承认任何民族特权，因而也拒绝把某一种语言当作国语的要求；这种共同语言的必要性程度，应该由全奥地利议会决定等主张。“但是，纲领中有一个缺点。在最重要的问题上，它是那样地不明确和措词含糊，以致每个人都能随意对它加以解释。”[①] 奥地利马克思主义者，主要是卡尔·伦纳和奥托·鲍威尔都在他们的著作中清楚地说明了布隆纲领中只作了含糊暗示的问题。“无论鲍威尔或伦纳都是从这种假定出发的，即奥地利国家将按照从前的民族成分继续下去，并暗示（据他们看来，这是不言而喻的）即使在工人阶级领导国家政治或者参加国家管理的时候，国家也应当按照那个样子继续存在下去。因此在这些著作中，一部也没有提出民族自决权的问题以及他们自由地掌握自己命运的问题。”[②] 也就是说，伦纳和鲍威尔都深受一个愿望的影响，“那就是尽可能不让奥地利分裂成为一些各自以民族团结为基础而完全独立的国家，而且两人都由于这一点而强调民族的文化方面和个人方面，不强调政治或经济方面。但是伦纳尔在这一点上比鲍威尔走得更远，力图确定这样一种可能性：把社会的文化方面和政治经济方面明确地区分开来，旨在建立一种极端形式的文化民族主义，同时保留统一的经济结构和一个代表公民的共同因素的凌驾于一切之上的政治权威。鲍威尔至少认识到，要在文化和政治因素之间作出这种鲜明的区分实际上是行不通的，于是便更加深入了一步，分析构成民族的各种因素。”[③]

鲍威尔的民族理论主要体现于 1907 年出版的《民族问题和社会民主党》。在这部著作中，鲍威尔对奥地利马克思主义的民族纲领作了全面系统的阐述。鲍威尔认为，把握民族这个概念只能从民族性格谈起，而不能以血统，或者语言，或者对共同属性的意识来界定民族概念，因为任何单独的一个因素往往无法说明一个民族的形成。鲍威尔指出，英格兰人和爱尔兰人、丹麦人和挪威人、塞尔维亚人和克罗特人说同一语言，却并不因此就是一个民族，而犹太人并没有共同的语言，却仍旧是一个民族。“但是难道提罗尔的农民因为从未意识到同东普鲁士人和波美拉尼亚人、同图林根人和爱尔萨斯人之间有共同的属性就不应当算是德意志人吗？而且，当德意志人想到他的德意志国民性时，他所意识到的又是什么呢？”[④] 相比之下，如果把随便哪一个德国人带到外国，

① ［奥］埃·普里斯特尔：《奥地利简史》（下册），陶梁等译，生活·读书·新知三联书店 1972 年版，第 868—869 页。

② ［奥］埃·普里斯特尔：《奥地利简史》（下册），陶梁等译，生活·读书·新知三联书店 1972 年版，第 872 页。

③ ［英］柯尔：《社会主义思想史》第 3 卷（下册），何慕李译，商务印书馆 1986 年版，第 34 页。

④ 殷叙彝编：《 鲍威尔文选》，人民出版社 2008 年版，第 2 页。

比如带到英国人之中，他立即就会感觉到那是些另外的人，是些用不同的方式思考和感觉的人，这些人对同样的外界刺激的反应和通常在他周围的德国人的反应不同。鲍威尔提出，这个使一个民族区别于另一个民族的身体特征和精神特征的复合体，就是民族性格。然而，民族性格不是绝对的，也不具有可持续性，而是可变的、相对的，因而民族只是一个相对的性格共同体。尽管如此，“科学在确认民族性格的差别时并没有解决民族这一问题，而只是刚刚提出了这一问题。……民族性格本身不是某一个人的行为方式的解释，而只不过是对某一确定时代的民族同胞的行动方式的相对统一性的认识。它不是任何说明，它却需要加以说明。”① 鲍威尔认为，铸就民族性格的因素主要有意志的确定性、表象群和身体特征三个方面。意志表现为注意力，即在大量经验到的现象中只选择某些现象，只是有意识地感觉这些现象，它更为直接地表现在任何一种决策上。不同的民族具有不同的表象群，主要表现为对正义和非正义的理解不同，对道德和不道德、对体面和不体面、对美和不美的观点不同，宗教不同、科学不同。不同的表象和不同的意志趋向不是并列关系，而是因果关系。而身体结构的差别或者直接伴随着在同样情况下作出的决策的差别，或者伴随着认识能力和认识方式的差别，而这一种差别本身又产生决策和意志的差别。由此，鲍威尔得出了比较确切的民族性格的概念，“这就是说，民族性格首先不是指的一个民族所特有的身体特征和精神特征的总和，而仅仅是指意志趋向的差别、也就是指同样的刺激引起不同的运动、同样的外界情况引起不同的决策这一事实。但是，意志趋向的这种差别是由一个民族所获得的表象的差别或者一个民族在生存斗争中所形成的身体特点的差别决定的。”②

鲍威尔指出，由于民族作为性格共同体是由同样的动因造成的，因此可以把民族确定为命运共同体。但由于共同性不是简单地等于同一性，因而民族也不是单纯的命运同一性的产物，而只是产生并存在于命运的共同性即同命运的人们经常的互相影响之中，这一点就使得民族同阶级的性格共同体、职业的性格共同体等其他一切性格共同体区别开来。“因此可以下定义说，民族不是从命运同一性产生的而是从命运共同性产生的性格共同体。”③ 鲍威尔认为，作

---

① 殷叙彝编：《鲍威尔文选》，人民出版社 2008 年版，第 7—9 页。
② 殷叙彝编：《鲍威尔文选》，人民出版社 2008 年版，第 10 页。
③ 殷叙彝编：《鲍威尔文选》，人民出版社 2008 年版，第 12 页。

为命运共同体，民族的形成离不开“自然遗传”和“文化传承”两种手段，并由此相应地形成了自然共同体与文化共同体。其中，自然共同体的形成只是出于同一起源的人们，而文化共同体却包括在经常彼此交互影响的情况下接受共同文化影响的所有的人。因此，民族在本质上并不是自然共同体而是文化共同体，“如果没有文化共同性把出自同一起源的人们联合起来，他们就不会形成民族；民族同胞之间不产生相互影响的民族是不存在，而这种影响只有通过共同的语言这一工具，通过同一文化财富的传统才是可能的”[①]。在这里，鲍威尔突出了文化在构成民族的诸要素中的地位和作用，更为清晰地揭示了民族性格共同体的内涵。

基于对民族是什么的认识，鲍威尔对民族问题，尤其是工人阶级和民族问题，以及帝国主义和社会主义背景下的民族原则等问题进行了分析。鲍威尔依据恩格斯关于非历史民族的认识区分了历史民族与非历史民族，把那些不是靠文化而是靠历史上祖先遗传下来的传统把他们结合在一起的民族称为非历史民族。当然，在鲍威尔那里，这些民族并非没有历史，“只是在只有统治阶级才是文化传承者的时代，他们的民族文化不知道自己的历史，不知道自己的发展。”[②]鲍威尔认为，没有历史的民族的工人阶级的民族观念在它发展的第一阶段是没有经过深思熟虑的，革命的本能唤醒了没有历史的民族的工人阶级对于居于统治地位的历史民族的仇恨和对本民族的民族权力的爱，这是一种朴素的民族主义。在那些民族主义已经得到满足的民族那里，工人阶级眼中的民族差异日渐淡薄，他们要消灭剥削和压迫本身，是一种朴素的世界主义。然而，随着革命本能逐渐发展成关于阶级矛盾、阶级利益的明确意识，朴素的民族主义和朴素的世界主义也逐渐为工人阶级的国际主义所取代。他们的政策根植于这样一个明确的认识，“本民族工人阶级的利益只有在积极支持其他民族的工人斗争的情况下才能得到促进，除此之外没有别的办法。这种国际主义不是起源于人道主义思想，而是起源于对阶级的国际团结互助的认识。”[③]在民族原则问题上，鲍威尔指出，资本主义扩张政策使得世界主义的自由主义者变成了民族的帝国主义者，现代资本主义的理想不再是民族国家，而是多民族国家。在

---

① 殷叙彝编：《 鲍威尔文选》，人民出版社 2008 年版，第 17 页。

② Otto Bauer, *The Question of Nationalities and Social Democracy*, Minneapolis, MN: University of Minnesota Press, 2000, p.159.

③ 殷叙彝编：《鲍威尔文选》，人民出版社 2008 年版，第 40 页。

这样的多民族国家里，只有宗主国的国民在发号施令和进行剥削，其他民族是毫无保障地听任他们宰割。鲍威尔认为，那些在大的资本主义民族国家中被称为工人阶级反民族政策的，无非是它的反帝国主义政策。但工人阶级正是通过"反民族的政策"同民族原则建立了密切关系，"在反对帝国主义的斗争中，正是工人阶级把各民族的自由、统一和自决的重大要求写在它的旗帜上。资产阶级所背叛了的民族原则，在成熟的资本主义时代、在卡特尔、托拉斯、大银行的时代，成了工人阶级的可取财富。"① 社会主义预告了所有民族都将实现对其政治统一和政治自由的要求，导致了民族原则的实现。但是当社会主义社会超越民族共同体而逐渐建立一个由各个民族共同体重新参加的联邦国家时，民族原则就会转变成民族自治，作为国家构成准则的民族原则就会转变成作为国家宪法准则的民族原则。社会主义民族原则是民族原则和民族自治的更高层次的统一体。"所有民族都为共同驾驭自然界而联合起来，但整体又被划分成有资格独立发展和自由享受本民族文化的民族共同体——这就是社会主义的民族原则。"②

## 二、民族文化自治纲领

基于对民族是精神和文化生活的共同体，而不是地域共同体的认识，伦纳提倡通过民族文化自治以缓和各民族之间的冲突，主张把民族文化与国家政治区分开来，以保证民族的完整与自我发展，同时维护国家的统一。鲍威尔借鉴了伦纳的民族自治理论，并在其基础上作出了进一步论述。鲍威尔指出，"在国家人口登记的基础上，根据'个人原则'，每个人都将同时成为两个国家自治机构主体，这两个机构各自独立地处理民族文化事务和为了发展文化向社会成员征税的事务。这些国家自治机构的主体就是各行政区的委员会。在诸如埃格河的单一语言区，行政区委员会既是行政管理机构也是民族管理机构。在诸如布德维斯的双语区域，行政委员会只负责民族中立性管理任务，民族文化事务则由德国人和捷克人组成的代表委

① 《鲍威尔言论》，人民出版社 1978 年版，第 29 页。

② 殷叙彝编：《鲍威尔文选》，人民出版社 2008 年版，第 61 页。

员会负责。”[①] 鲍威尔还把自治与无产阶级革命联系起来，认为自治是全部无产阶级斗争的意义所在，即使是狭义的自治，即自我管理，也是无产阶级获取它所企求的权力的手段和支柱，强调民族自治是多民族国家内的无产阶级必然提出来的要求，而这个要求来源于无产阶级经济与政治斗争的需要，来源于无产阶级关于国家公共事业的思想，最后还来源于他们特殊的意识形态，来源于他们关于文化与工人关系的思想。因此，“民族自治是无产阶级阶级斗争的一个必然目标，……在多民族国家内，所有民族的工人阶级都要用民族自治的要求与有产阶级的民族权力政策对抗。”[②]

紧密联系奥地利的民族状况，鲍威尔修正、完善了奥地利社会民主党在1899年布隆会议提出的民族纲领，形成他的“民族文化自治纲领”。鲍威尔提出，在资本主义社会中，工人阶级被排除在民族文化共同体之外。占统治地位的有产阶级独自地把民族文化财富据为己有。而社会民主工党力求使民族文化，即全民族的劳动成果也成为全民族的财产，从而把所有民族同胞联合成一个民族文化共同体，这样才能使民族成为一种文化共同体。如果工人阶级为较高的工资和较短的工作时间而进行的斗争，为使学校向无产阶级子弟打开大门，为出版、集会、结社自由而进行的斗争，那么它就是为扩大民族文化共同体的条件而进行的斗争。由于劳动者在资本主义社会中不能完全地享受民族文化，因此，它将夺取政权，并且把劳动资料从专有的财产变为社会的财产。只有在以社会财产和合作生产为基础的社会中，全体人民才有资格分享民族的文化财富，有成效地对民族文化作出贡献。民族必须先成为劳动共同体，它才能成为完全的、真正的和自主的文化共同体。

鲍威尔指出，在劳动资料社会化的斗争中，每个民族的工人是把本民族的有产阶级作为不可调和的敌人与之对立的。与此相反，每个民族的工人经济上、政治上、文化上的进步是以一切其他民族的无产阶级在经济上、政治上、文化上的进步为条件的。因此，只有在反对一切民族的有产阶级民族的斗争中并且同一切民族的工人阶级结成紧密联盟的情况下，每个民族的工人阶级才能得到经济上和政治上的解放，才能加入本民族的民族文化共同体。对于奥地利

---

① Otto Bauer, *The Question of Nationalities and Social Democracy*, Minneapolis, MN: University of Minnesota Press, 2000 , p.285.

② 殷叙彝译：《鲍威尔文选》，人民出版社 2008 年版，第 50—51 页。

而言，这一阶级斗争受到既集中又分散的制度的阻挠，这种制度迫使一切民族为国家中的权力而斗争。有产阶级歪曲利用了这种权力斗争，使自己的阶级斗争和竞争斗争披上了民族斗争形式的外衣；它们以此掩盖阶级对立，使被剥削被奴役民族的广大群众为其统治利益服务。因此，这种既集中又分散的制度无论是表现为国家中央集权制还是各联邦合制的形式，对各民族的工人来说都是不能容许的。各民族的工人阶级要求一种可以结束各民族的权力斗争的制度，为此各民族的工人阶级给每个民族确定一个有法律保障的权利范围，确定一种制度，使每个民族有可能自由地进一步发展本身的文化，使一切民族的工人有可能争取到他们在本民族文化中的份额。因此，社会民主工党要求按照一定的原则来彻底改造奥地利，诸如奥地利应改组为各民族民主联邦的国家；应组成以民族为界限的自治团体来代替历来的邦，根据普遍、平等和直接选举基础上成立的民族议院管理；属于同一民族的各自治区域组成单一的民族联盟，每个团体的立法和行政均由该联盟完全按自治原则来处理本民族的事务；每个自治区域内的少数民族应组成为公法团体，这些团体完全按照自治原则来管理少数民族的学校事业，并且在官厅和法院面前给其民族同胞以法律方面的帮助。

鲍威尔认为，工人阶级只能在历史上形成的国家范围内进行它的阶级斗争。它并未期待民族问题会由于一次帝国主义世界性变革的不可靠的胜利而得到解决，因为帝国主义的胜利是以大的资本主义邻国工人阶级斗争的失败为前提的，因为这一胜利在奥地利本身会引起尖锐的民族斗争，而这种斗争必然延缓一切民族的阶级斗争，从而也必然延缓它们的文化发展。只有在无产阶级社会主义革命胜利之后，建立和划分共同体的原则才会彻底得到改变。它将消灭那些今天还支持从封建时代和早期资本主义时代遗留下来的多民族国家的那些势力。它将把人类分为按民族划分的共同体，这些共同体掌握它们的劳动资料，自由地和自觉地掌握本民族文化的进一步发展。但是同时，社会主义社会也将实行国际分工，它也将把独立的民族共同体连接成许多国际性的管理共同体，这些共同体最终将成为组织团体的民族权利共同体的机关。这样，它将逐渐把民族共同体变为一个巨大的新型的国际共同体的自治成员。把整个文明人类联合起来去共同征服自然，并把人类分成享有民族文化财富和自觉地掌握本民族文化的进一步发展的民族自治共同体，这就是国际社会民主党在民族方面的最终目的。

鲍威尔的“民族文化自治”理论凸显了文化在民族范畴中的价值，体现着他对民族主义、社会主义前途和命运的思考，对第二国际各国政党产生了广泛影响。然而，鲍威尔在认识这个问题时所采取的非马克思主义方法决定了其理论必然带有一定的机会主义色彩。列宁批评鲍威尔的“民族文化自治”是用马克思主义理论为维护哈布斯堡家族和奥匈帝国的统治服务，认为它破坏了工人阶级国际主义性，“是最精致的、因而也是最有害的民族主义，……这个纲领同无产阶级国际主义是绝对矛盾的，它只符合民族主义市侩的理想。”① 列宁指出，所谓“民族文化”自治计划或纲领，其实质就是按民族分学校。只要不同民族生活在共同的国家内，它们在经济上、政治上和生活上就必然会有千丝万缕的联系。既然如此，那种企图在文化问题上特别是在教育方面把这些民族一劳永逸地分开的做法就是荒谬的、反动的。相反，无产阶级政党必须努力使各民族在学校教育中联合起来，以便把在实际生活中要做的事在学校中先准备起来。在一个存在着民族不平等及由此造成各民族发展水平十分不齐的情况下，按民族分学校的做法必然会使那些原本较为落后的民族更加落后。因此，马克思主义既要坚决反对任何民族压迫，维护民族平等和语言平等，更要承认各民族都有权自由地决定自己的命运，明确而坚定地提出“民族自决”的纲领。列宁指出，所谓民族自决，就是民族脱离异族集合体的国家分离，就是成立独立的民族国家。“马克思主义者如果不愿背叛民主派和无产阶级，那他们就必须坚持民族问题上的一项特别要求，即民族自决权……也就是政治分离权”。② 在实践中，奥匈帝国的解体宣告了鲍威尔民族文化自治理论的破产，而列宁的“民族自决”极大推动了无产阶级和广大殖民地反对帝国主义革命运动的发展。

## 第五节　关于革命和战争问题的基本观点

奥地利马克思主义在政治上具有浓厚的折中主义色彩，它尽管没有否定无

① 《列宁全集》第24卷，人民出版社2017年版，第239页。

② 《列宁全集》第24卷，人民出版社2017年版，第239—240页。

产阶级专政，但也强调无产阶级应通过议会道路和平地走向社会主义。鲍威尔的“预防性暴力”理论和奥地利的社会化之路，是奥地利马克思主义政治理论的典型观点和具体实践。

## 一、对民主和专政相互关系的探讨

在无产阶级革命和无产阶级专政问题上，奥地利马克思主义尽管承认在一定情况下无产阶级运用暴力和实行专政是可能的，甚至是必要的，但在总体上倾向于无产阶级应通过议会道路和平地走向社会主义。麦克斯·阿德勒在奥地利马克思主义者中处于中间偏左派立场，“一战”爆发后，他同社会沙文主义进行了针锋相对的斗争，坚决反对资产阶级挑起的世界大战。他对俄国十月革命持赞赏态度，但并不主张奥地利工人阶级走俄国道路。在《马克思主义的国家观》和《政治民主还是社会民主》中，麦克斯·阿德勒集中表述了他的政治观点，他认为政治民主永远是一种阶级统治的形式，政治民主永远是同专政联系在一起的。把民主与专政对立起来，这恰恰是资产阶级的政治观，尤其是在德国，正当觉醒起来资产阶级从专政中得到越来越多的利益时，社会民主党却成了民主制的热烈捍卫者。阿德勒指出，政治民主的理论基础是自由主义的社会理论，这种理论从个人角度出发来理解社会，其主要错误是很明显的。阿德勒虽然明确指出了资产阶级国家的法律制度从一开始就具有有产阶级对非有产阶级实行专政的性质，认为专政和政治民主并不矛盾，但却认为专政和社会民主相互矛盾，体现了他在社会主义政权实质认识上的模糊。

卡尔·伦纳也拒绝采用革命斗争方式实现社会主义，认为国家和无产阶级的其他某些组织形式是实现社会主义的途径。在伦纳那里，国家不是阶级压迫的机关，而是一种维护秩序和进行调解的权力，具有某种超阶级的性质。他认为，今天国家从经济上来看是一个经济共同体，是经济实体；国家在地面上所占的各个空间，就成为单独的经济地区，国家在其境内所管辖的那一部分人口，成为经济上的民族。因此，随着国民经济的日益国有化，一个国家的无产阶级的命运和国家的命运也日益一致起来。显然，由于马克思所描绘的资本主义社会已不复存在，因而一切相应的措施也必须改变。伦纳提出，问题不仅在于使一系列的经济部门实现国有化，而且还在于使国家经济渗入私人经济的骨髓。因此，只要有意识地通过法律和经济措施来实现国家的领导，就必然每天与资本家的私有观念发生冲突，就必定能够约束资本家，逐渐排除他们的势力，最后取而代之。为此，伦纳主张把现存的托拉斯和康采恩置于国家的控制之下，主张在没有康采恩的地方由国家建立康采恩。国家由此成为了实现社会主义的杠杆和不可缺少的组织，无产阶级掌握政权也就等于使国家政权摆脱资本的统治。

伦纳还进一步把国家的概念扩大为“合作社的国家”、“工会的国家”、“经济的国家”等，认为合作社经济、工会经济、社会保险机构、消费联合会等，都是资本主义发展内部社会主义的主要体现者。伦纳认为，资本主义生产方式的发展表明，经济上的民主的国家正在全面地成长，一个新的世界在旧世界的卵翼下发展起来。伦纳批评了长期以来社会主义理论盲目地只注意资本主义的发展、资本主义结构的变化、资本主义的扩展和周期性危机的倾向，认为这种理论忽略了在资本主义社会运动内部，社会主义的巨大发展正在一步步地伴随着资本。据此，伦纳提出，在实现社会主义方面主要的实践问题就是在政治民主和经济民主之间实行合理的劳动分工，既要避免那种由于过分地只指望经济过程的自发作用而产生的政治上的无为主义，也要避免那种只考虑无产阶级的政治作用的超能动主义，似乎通过一次打击就能消灭资本主义和实现社会主义。在这里，伦纳虽然没有否定马克思主义的阶级斗争概念，但“他忽略了事物的真相，忽略了现代国家依然具有的明显的阶级实质，忽略了阶级矛盾及其尖锐性，而且散布一种幻想（在有可能发生例外的条件下），认为资产阶级将容许无产阶级通过一般的议会活动取得对国家的政治领导，因而认为对国家应无限尊重——这在法西斯主义日益猖狂的时期就意味着解除工人阶级的武装。说到底，这就是鼓吹国家主义的一些观点，这种观点过去不是而且将来也永远不会是社会主义”①。

## 二、预防性暴力和无产阶级专政

奥托·鲍威尔关于无产阶级革命和无产阶级专政的理论，是奥地利马克思

① ［南斯拉夫］普雷德拉格·弗兰尼茨基：《马克思主义史》第 1 卷，胡文建等译，黑龙江大学出版社 2015 年版，第 399 页。

主义最具代表性的观点。在《布尔什维主义还是社会民主主义？》、《奥地利革命》、《阶级力量的均势》等著作中，鲍威尔通过阐述“社会力量因素论”、“预防性暴力论”等理论观点，集中表达了他关于奥地利只有通过议会道路和平实现社会主义的主张。

鲍威尔为十月革命的胜利热烈欢呼，但同时提出，俄国革命向无产阶级指出了达到目的的另一条道路，即凭借暴力建立不加掩饰的残暴的无产阶级的阶级统治。于是，苏维埃专政还是民主的争论，使无产阶级分成社会民主党人和共产党人，使社会民主党本身发生了分裂，使国际四分五裂。通过分析俄国无产阶级过去和现在进行斗争的经济和社会条件，并把它们同西欧和中欧无产阶级的斗争条件作对比，鲍威尔指出，由于二者的经济前提和社会前提完全不同，他们实现无产阶级革命的形式也必然完全不同。俄国无产阶级占全国很小的少数，它在那里只能暂时维持自己的统治，一旦全国的农民群众在文化上成熟到足以自行承担统治，无产阶级就一定会重新丧失这种统治。相反，在工业的西方，无产阶级本身已经形成为人民的多数，如果工人阶级夺取了国家政权，那么只要还存在着阶级，只要还存在着国家，工人阶级就能够持久地统治国家。工业社会主义在俄国的暂时统治，只是号召工业的西方的无产阶级进行战斗的一个口号。只有当工业的西方的无产阶级取得了政权，工业社会主义的持久统治才能建立起来。“因此，俄国的无产阶级专政并不像布尔什维主义理论所说的那样是俄罗斯国家最后的、最终的形式，将一直存在到国家完全‘消亡’为止。相反，俄国的无产阶级专政是俄国发展中的一个过渡阶段，这个阶段至多将维持到俄国人民群众在文化上成熟到足以建立一个民主国家的时候为止。”①

鲍威尔阐释了关于无产阶级专政还是民主问题的认识，但其理论却是建立在混淆无产阶级专政和民主、无产阶级专政和少数人暴力统治的基础之上。在鲍威尔那里，民主制是一种国家形式，在这种形式下，国家内的权力分配仅仅是由社会力量因素决定的，不会由于运用物质暴力手段而朝着有利于某一阶级的方向转移。其中，决定一个阶级的力量的社会力量因素主要包括五个方面。第一，阶级成员的数量。一个阶级的人数越多，它对选举结果的影响就越大，它在国民中的代表就越多。第二，它的组织的性质、规模、效能。一个阶

① 殷叙彝编：《鲍威尔文选》，人民出版社 2008 年版，第 206 页。

级组织得越好，它对民主议会的组成和活动的影响就越大。第三，它在生产过程和分配过程中的地位，这种地位决定着它所掌握的经济的实力手段。资产阶级的财富许可它在选举中运用自己的报刊和花费大量金钱来影响选民，集中在工厂中的工业无产阶级比分散在庄园和农户中的农村无产阶级可以更好地组织选举，无产阶级通过对社会不可缺少的工作实行罢工可以有效地影响立法。第四，它的政治兴趣、它的灵活性、积极性和牺牲能力的大小。知识分子不管人数多少，作为“舆论”的制造者发挥强大的影响；农民阶级起先总是简单的“投票的牲口”，其他阶级利用它的选票为自己服务，只有经过数十年之久的训练后，它才学会运用选举权为本阶级的利益服务。第五，它的教育水平，它用精神手段影响本阶级成员和其他阶级的能力的程度，它的思想体系的吸引力。对于一个阶级所掌握的物质暴力手段而言，它所指挥的武装部队的数量，它可以用来装备这些军队的武器的数量和完善程度，它能够给予它的武装力量的领导和组织的质量。鲍威尔指出，社会力量因素决定了民主制这种形式是具有资本主义的、农民的内容，还是具有无产阶级的内容。如果工人阶级构成选民的大多数，城乡工人的阶级意识日益强烈，工人不再让资本主义报刊和资本家的选举骗局来影响自己，那么无产阶级就会赢得选举的胜利，使民主制成为无产阶级民主制，成为工人阶级的统治工具。

在论述民主制的同时，鲍威尔提出了关于苏维埃专政的认识。鲍威尔指出，尽管民主制国家和一切国家一样也是以暴力为基础，但民主制国家利用武力仅仅是为了保证贯彻它的法律、命令和规定以反对少数违抗者，而且这种法律、命令、规定的内容不是由某个阶级的暴力决定的，而是仅仅由各阶级的社会力量因素决定的。相反地，在一切非民主制的国家中，一个阶级依靠暴力制定和维持一部宪法，这部宪法赋予它的权力比与社会力量因素相适应的要大，赋予其他阶级的权力比与社会力量因素相适应的要小。因此，一切非民主制的宪法的基础是对社会力量因素横施暴力。鲍威尔认为，苏维埃专政和其他一切非民主制的制度一样，其基础也是由无产阶级用武力强迫社会接受这样一种制度；苏维埃专政也只有在这个专政中所包含的法律的权力分配和社会的权力分配之间的矛盾不太大的时候才能保持下去；苏维埃专政也只有通过暴力镇压被统治阶级，即通过内战才能建立起来。鲍威尔指出，虽然无产阶级通过民主手段取得的政权也可以叫作无产阶级专政，但它是与布尔什维主义专政完全不同的另一种专政。它将采取专政手段，或许是采取恐怖手段来粉碎资产阶级的怠工行为，或许是资产阶级的积极反抗。这不是反对民主制的专政，而是民主制的专政。因为暴力并不企图强迫实行与社会的权力分配相矛盾的法律的权力分配，而仅仅是保障由社会力量因素本身所决定的权力分配以反对少数人的反抗。在这里，暴力的使用表现为迫不得已的行为，作为一种防御的手段而存在。

鲍威尔认为，民主的途径并非无产阶级取得政权的唯一途径，“很可能会出现这样的情况：在无产阶级还不能够用民主手段进行统治的阶段，阶级斗争的发展就迫使无产阶级实行暂时的专政。”① 由于在资产阶级同无产阶级进行力量决战的时期，极度激化的阶级对立可能摧毁民主制，以致资产阶级不再强大到足以采取民主手段来统治无产阶级，而无产阶级也还没有强大到足以采取民主手段来统治资产阶级，无产阶级专政将成为阻止资产阶级粗暴的反革命专政的唯一手段。在这里，无产阶级专政不可能采取民主制专政的形式，而只能采取无产阶级阶级组织的专政的形式，可能是俄国的工人苏维埃，可能是巴黎公社时被无产阶级掌握的地方自治团体，也可能是工会。鲍威尔认为，问题不在无产阶级专政的形式，而在于它的社会内容。如果无产阶级把专政宣布为自己实行阶级统治的长期形式，宣布为战胜资本主义社会制度的政治工具，那么专政就会破坏经济过程和社会管理的整个连续性，而且就会不可避免地出现各种巨大的社会动荡和经济动荡。相反，如果无产阶级把专政仅仅看作和仅仅宣布为从反民主的反革命的直接危险中拯救民主制或解决破坏民主制的冲突的一种手段，而在完成了这次任务之后使国家恢复民主制的形式，那么这种危险在一定情况下就可以避免。由此，鲍威尔认为，西欧和中欧国家的无产阶级可以在民主的基础上通过民主手段夺取政权。专政就是在反对反革命的危险中保障民主制，或者说，在反对少数人的反抗中维护民主制，但专政本身不可能设想解决只有民主制才能解决的任务。

鲍威尔的“社会力量因素论”和“防御性暴力论”虽然没有绝对地排斥暴力革命，但更强调在民主制的基础上用选举手段夺取政权才是无产阶级斗争的主要方面，否定了十月革命道路的普遍意义。鲍威尔的观点受到了列宁的尖锐批判，他在共产国际第二次代表大会上把鲍威尔的《布尔什维主义还是社会民主主义？》称作一部道道地地的孟什维克式的诽谤作品，提出“鲍威尔的书是

① 殷叙彝编：《鲍威尔文选》，人民出版社 2008 年版，第 248 页。

共产主义教科书有益而独特的补充读物。如果要‘测验’是否领会了共产主义，出下面这样的试题是最好不过的：试分析奥托·鲍威尔书中的任何一节或任何一个论点，指出其中的孟什维主义，指出他背叛社会主义以及与克伦斯基、谢德曼等等同流合污的思想根源。”① 奥地利社会民主党垮台的事实也证明了“防御性暴力”理论的虚伪性，打破了通过议会道路实现社会主义的幻想。

## 三、奥地利社会化实现之路

第一次世界大战末期，在十月革命的影响下，欧洲许多国家先后爆发了无产阶级革命，奥匈帝国境内的民族解放运动也蓬勃发展起来。1918 年 11 月 12 日，临时国民议会宣布奥地利共和国成立，哈布斯堡王朝的历史从此完结。1919 年 3 月，议会选出了由社会民主党和基督教社会党联合组成的政府，以卡尔·伦纳为国务总理，奥托·鲍威尔为外交部长及社会化委员会主席。在对奥地利前途的思考中，鲍威尔提出了通过“有计划”和“有条理”的方式向社会主义过渡的思想，并在《到社会主义之路》中作出了集中阐述。

鲍威尔指出，第一次世界大战粉碎了作为两个军国主义专制政权权力手段的军队，剥夺了专制国家的强制手段，因而导致民主主义的胜利。但政治革命只是革命事业的一半，它没有消除经济剥削，毋宁说倒使经济剥削更加露骨。一半的革命事业唤醒了完成整个革命的意愿。政治的革命唤醒了走向社会主义新秩序的意愿。战争还招致了巨大的经济变化，使各族人民陷入了不可言状的贫穷。面对不仅要以战争赔款的形式向外国资本家纳贡，而且还要向国内资本家进贡的现实，没有别的，只有社会主义，才是经济困难中所能找到的唯一出路。然而，社会的变革并不能像政治革命那样迅速和突然地完成，而是必须要开辟别的途径。究其根源，在于任何一种引导我们走向社会主义的措施，不只是要照顾到财富的合理分配，也要照顾到财富生产的改进，同时建立起社会主义的财富生产的组织结构。

鲍威尔认为，和人们的幸福密切关联的有两件事情：第一，整个国家究竟生产多少财富；第二，财富如何分配给社会各阶级的人民。社会主义要首先改

① 《列宁选集》第 4 卷，人民出版社 2012 年版，第 269—270 页。

变整个财富的分配制度，但在改变分配制度的同时，必须不缩减财富生产才能有益于劳动人民群众。“因为，假使在一个社会主义社会中，所生产的财富只有资本主义社会所生产的财富的一半，那么社会主义社会中的工人生活决不会好转，也许甚至比在资本主义统治下的生活更坏得多，这就是说，如果可分配的财富减少了，即便是最公平合理的分配制度也是无济于事的。因此，社会主义在这方面的职责是：必须在不使财富生产受到影响的情况下进行公平合理的财富分配！”① 鲍威尔指出，基于这样的前提，我们很难想象，突然有一天，工人们用暴力占有了所有企业，直截了当地轰走资本家、资本家的经理和管理人员，掌管了企业的领导权。这种变革只能在流血的内战中才可能实现，但内战会不可避免地破坏大量的生产资料、机器、铁路材料，等等。这时，资本主义的外国必然拒绝向我们提供原料和用以购买原料的信用贷款，对我们实行封锁，致使企业由于缺乏原料而继续停闭，具有领导企业的必要知识的大多数经理、工程师、化学家、农庄管理员、技术员、企业职员以及各种商业部门的职员将拒绝和我们合作。从结果上看，财富的分配比之前合理了，但希望通过社会主义来改善处境的人民却会感到很大失望，甚至驱使他们投向资本主义反革命的怀抱。鲍威尔由此得出了自己的结论，走向社会主义不能通过暴力革命的方式，而是必须通过有组织有计划的工作，有目的地、稳步地、逐渐地建设社会主义社会。

依据鲍威尔的设想，奥地利国民经济的社会化首先应从煤矿、金属矿和钢铁工业部门开始。一是因为这些部门的生产早已集中在不多几家大企业，容易集中领导，二是这些也是最迫切需要社会化的工业部门，因为谁拥有煤和铁，谁就能统治整个工业。鲍威尔认为，国家用法律宣布重工业企业主的所有权无效，同时对原业主必须补偿损失。因为如果所有其他资本家仍然保持他们的所有权，而唯独剥夺了煤矿或炼铁厂股东的所有权，这是不公平的。但国家补偿重工业原业主的款项可以通过向所有资本家和地主征收累进财产税的办法筹集，从而既可以使重工业企业的资本家在不受损失的情况下交出企业，又可以使劳动人民毫无损失地获得企业所有权。鲍威尔坚决反对由政府直接管理，主张每个工业化部门都应有一个管理委员来管理，其成员大致应由以下三部分人组成。第一是那些在社会主义化工业部门工作的工人、职员和公务人员；第二

① 殷叙彝编：《鲍威尔文选》，人民出版社 2008 年版，第 97 页。

是消费者的代表；第三是国家财富的代表者；三者各占三分之一。管理委员会承担着领导人的任用、售价的规定、与职工会订立集体合同、盈余的分配以及重要投资的决定等职责。与此同时，鲍威尔对那些不适于采用上述公有化方式的企业部门的处理方式进行了论述，认为对于诸如制皂、制蜡之类的工业企业，国家可以采取剥夺它们私有权之后，再把它们出租给消费合作社的大型收购公司或农业合作社联合组织的方式；对于诸如电车、轻便铁路、运输车辆、发电厂、面粉厂、牛奶场之类的工业企业，主要通过专区和市政府来实行公有化；等等。

鲍威尔还对如何实现大地产的公有化、个体农民经济的社会化、银行的公有化等问题进行了深入分析。在大地产的公有化问题上，鲍威尔提出，把人民的土地共有权归还给人民，是社会主义革命最大的而且也是最重要的任务，但这种变革是不能一下子完成的。首先必须把森林所有权从私人所有转变为社会所有，其次就是对世袭领地、永久管业的地产和其他大地产实行公有化。大地产的公有化是以剥夺它的所有权开始的，可以按照剥夺大企业所有权的办法实行。而那些不适于大生产而适于小生产的被剥夺的农庄，可划分为许多小块耕地，授给小农或农业工人。鲍威尔认为，剥夺个体农民的土地所有权，不仅就社会观点来说不合理，而且在技术上来说也行不通。但是小农经济也要适应社会要求，服从有计划的社会措施，以有利于全民。国家将通过土地所有权关系的改革、专区农业局的领导工作和有计划地提供农田改良贷款等来改良小农经济，使之合理化，并且为了农民本身的利益以及城市消费者的利益来提高土地的产量。与此同时，国家要调整农民的收入额，既不使农民剥削城市，也不使城市剥削农民。这样，社会主义社会在不取消土地私有制的情况下，通过整顿、调整和领导的方式把农村中的劳动群众吸收进来。对于银行而言，鲍威尔认为并不需要使用剥夺的办法，而只需把现在由银行股东选举的管理委员会的权力移转到全民代表的手上。为此，只要通过法律作出决定，每一个大银行的管理委员会成员不得再由股东大会产生，而由法律指定的团体选举。银行的社会化虽然不是伟大的社会化事业的起点，但将是这一伟大运动的最后阶段和完成。

鲍威尔社会化理论的核心就是通过一种有条不紊的方式剥夺剥夺者，其最主要办法就是征税。但在国家机器还掌握在资产阶级手中的时候，这无疑是幼稚的幻想。列宁在谈及鲍威尔的《到社会主义之路》时指出："这是一个满脑子小资产者思想的书呆子的典型。……他忘记了一件很小很小的事：用这种‘整顿’和‘调节’的方式向社会主义过渡（抽象地说，这种过渡无疑对‘人民’是最有利的）的前提是，无产阶级的胜利已绝对巩固，资本家的处境已绝对没有希望，资本家已绝对必须并且也绝对愿意老老实实地服从。”①对于这种用改良主义词句的油来浇熊熊的革命烈火的行为，鲍威尔自己显然没有意识到，他为自己辩解说：“修正主义或改良主义认为，根本不需要暴力革命，社会即可能和平‘长入’社会主义。这种说法当然是错误的，因为无产阶级夺取政权乃是社会革命的先决条件；而且无产阶级夺取政权，从前是、今天仍然是只有通过革命的手段才能实现的。如果已经夺取了政权，那么无产阶级所负的使命就是一个全新的任务，完成这个新任务就不是革命的手段所能胜任的了。因为正如马克思所说的，政治革命永远只能是‘为未来社会基本要素扫清道路’。在这种基本要素的基础上建设新社会正是这样一种任务，它不能通过巷战的方式，也不能通过内战的方式，而只能通过创造性的立法工作和管理工作来完成。”②

① 《列宁全集》第38卷，人民出版社2017年版，第157页。

② 殷叙彝编：《鲍威尔文选》，人民出版社2008年版，第98页。

# 第十一章　克拉拉·蔡特金对马克思主义传播和发展的贡献

克拉拉·蔡特金是德国工人运动、国际妇女运动和国际共产主义运动的杰出领袖和活动家。在长达 60 年的革命生涯中，蔡特金毫不妥协地同革命队伍中的“左”右倾机会主义进行了坚决斗争，阐述了关于妇女解放问题、关于帝国主义战争、关于教育等一系列问题的认识，捍卫俄国十月社会主义革命，对坚持、发展和传播马克思主义作出了巨大贡献。

## 第一节　对伯恩施坦修正主义的批判

针对德国社会民主党出现的以伯恩施坦改良主义为代表的修正主义思潮，克拉拉·蔡特金站在马克思主义立场上予以批驳。她先后撰写了《反社会民主主义的理论和策略》、《目的和途径》等著作，指出伯恩施坦修正主义对革命事业的严重危害，阐述了对伯恩施坦的“运动就是一切”等命题的认识，坚决捍卫马克思主义。

## 一、批判伯恩施坦修正主义鼓吹改良主义，否定无产阶级革命的谬论

19世纪后半期，德国经济迅速发展，一跃成为资本主义强国。在德国社会民主党的领导下，德国工人运动蓬勃发展起来。他们采取灵活的斗争策略，特别是合法的斗争手段，经受了俾斯麦政府反社会党人非常法的考验，在议会选举中不断取得胜利。德国社会民主党在1890年2月的帝国国会选举中得到19.7%的选票，1893年得到23.3%的选票，1898年的选票比例是27.2%。资产阶级政府也在采用“铁血”统治手法的同时，对工人采取“温和的”政策。1883年后，帝国议会先后通过了医疗保险法、伤事故保险法、残废和老年保险法等，改善工人生活条件，豢养一批工人贵族。正是在这样的形势下，德国社会民主党内以伯恩施坦为代表的修正主义思潮蔓延起来，提出在垄断出现以后，资本主义经济危机正在消失，阶级矛盾正在日益缓和，认为马克思主义过时了，无产阶级革命和无产阶级专政已经不必要了，可以通过议会道路和平地“长入”社会主义。伯恩施坦修正主义在德国社会民主党内和国际共产主义运动中激起轩然大波，反对还是拥护伯恩施坦修正主义成为19世纪末20世纪初国际共产主义运动中的原则问题。在德国社会民主党内，以卡尔·李卜克内西、罗莎·卢森堡、克拉拉·蔡特金等为代表的革命左派率先发起了反对伯恩施坦修正主义、捍卫马克思主义的斗争。在德国社会民主党的斯图加特代表大会上，卢森堡、蔡特金等人第一次对伯恩施坦进行了批判，其后召开的汉诺威、卢卑克、德累斯顿等代表大会也都通过了反对伯恩施坦修正主义的决议案。卢森堡、蔡特金等人还撰写文章对伯恩施坦修正主义进行了批判。

蔡特金是德国社会民主党内反对伯恩施坦修正主义的积极战士，她坚持马克思主义的革命立场，与伯恩施坦修正主义进行了坚决斗争。1898年1月，伯恩施坦在其《崩溃论和殖民政策》中提出了“最终目的是微不足道，运动就是一切”公式，引起了许多社会民主党党员的关注。1898年9月，在德国社会民主党斯图加特代表大会召开前夕，蔡特金在《平等报》上撰文指出，参加这次党代会的代表都应当清楚，艰巨的工作在等待着他们，深思熟虑和忠于职守地完成这些工作就是朝着胜利前进。蔡特金在这里所提出的艰巨任务之一就是反对党内各种机会主义思潮，尤其是反对伯恩施坦的这个公式。在斯图加

特、汉诺威等会议上，蔡特金多次阐述了自己对修正主义和改良主义的看法。

针对伯恩施坦提出的关于最终目的的问题，蔡特金认为伯恩施坦是有巨大功绩的，因为他提出了一系列的问题，而且这些问题需要进行详尽的、科学的讨论。但在同时，蔡特金指出，伯恩施坦的“公式”在竭力贬低社会民主党的最终目的，特别是在帝国议会竞选前夕提出这种论断，表明他同德国社会民主党的生活是格格不入的。蔡特金指出：“在伯恩施坦看来，通过对资本主义所有制实行工会的监督和立法的监督而逐步加以限制，有朝一日资本家自己就会对占有失去兴趣，因为资本家的所有制就仿佛仅仅成了法律上虚构的东西了。我们不能认为这种看法是无关紧要的，因为如果我们赞同伯恩施坦的观点，那我们必然要把重点不是放在资本主义社会里夺取政权上，而是放在个别的、细小的社会改良上，伯恩施坦认为通过这种改良可以为社会主义社会作准备，即我们在这儿获得一块社会主义未来国家，在那儿又获得一块，可以说我们只需要把这些块块挤凑在一起就行了。”① 正是由于看清了伯恩施坦最终目的论的实质在于否定无产阶级革命，蔡特金在斯图加特大会上对沃·海涅、格·福尔马尔等为伯恩施坦辩护的机会主义予以了坚决批驳。

沃·海涅提出，一般说来，只是由于性格上的差别，才使某个人比另一个人更多地谈论未来社会。因此，任何人由于受性格推动而着重谈论这一点，都不应加以责怪。基于社会民主党内关于最后目的论的争论现状，海涅认为，出于科学的良心，社会民主党不能也不应该向群众描绘未来的社会主义社会的团圆，也不允许这样做。“能够不断地日新月异地激励群众的东西，能够永远提出新的任务而不使人感到厌倦的东西，就是为当前的日常的具体要求而进行的斗争，就是我们为争取各种改良而进行的斗争，因为它们指明了通向伟大的美好的未来的道路。”② 针对卢森堡对伯恩施坦最终目的论的批判，福尔马尔提出，卢森堡看来是表面上用马克思主义的武器装备起来并借此给人以科学的印象，但她的结论大部分不过是骗人的结论；布朗基主义那种夺取政权的理论只是一种幻想，在德国社会民主党内也是早已过时的观点。福尔马尔认为，社会民主党不想从人民那里骗取政权，也不想强取政权，政权应该根据人民自己的

① 中央编译局编：《德国社会民主党关于伯恩施坦问题的争论》，生活·读书·新知三联书店1981年版，第34页。

② 中央编译局编：《德国社会民主党关于伯恩施坦问题的争论》，生活·读书·新知三联书店1981年版，第19页。

意志落到我们手里。因此，他们整个宣传工作的成就不取决于我们自己的意愿，而符合我们意愿的发展必须根据内在的必然性进行，现代社会主义就是从这一思想出发的。谁在经济上、政治上、精神上，一句话，在文化上提高劳动人民的地位，谁就使劳动人民能够继续进行斗争，增强他们的力量，谁就可以脚踏实地走上导致最后掌握政权的道路。“在我看来，所有那些受攻击的人，海涅、施米特和伯恩施坦由于自己的主动性为党立下的功劳无论如何要比那些只是不断地、一再地向我们发表陈词滥调的人大得多。”①

面对海涅等人的观点，蔡特金指出，社会民主党内出现不同意见并不是不幸，任何人也没有把它看作是堕落的标志，而是把它看作是党富有生命力和继续发展的标志。从无产阶级进行阶级斗争的特定历史条件来看，这种不同意见是很容易解释的。社会民主党不是一个宗派，不是一个依靠信条和迷信的党，因此有必要表述并弄清楚意见分歧。但值得担忧的是，有人企图否认意见分歧，不去充分广泛地、公开地讨论这些分歧，而且有人认为，一切意见分歧只是性格的问题，是使用某些词句的次数多少的问题。然而，最终目的一直是一个科学的认识问题，是一个政治信念问题，而不是性格问题。蔡特金在汉诺威会议的发言中进一步强调说，她举双手赞成社会民主党人必须任何时刻都全力以赴地争取当前的要求，就像这涉及最终目的的实现一样。但是需要补充一句，就是让我们不要在进行这种分期付款时忽略我们的主要目的，让我们向无产阶级进行启蒙，让我们怀着坚定的信念和热情把无产阶级组织起来，就像明天就可能实现我们的最终目的一样。

在尖锐地批驳伯恩施坦最终目的论的同时，蔡特金阐述了自己对改良问题的看法。蔡特金在斯图亚特会议上指出，我们到这里来不是为了教导人们要有信心，而是为了提醒人们注意危险，是希望公开讨论迄今人们回避讨论的那些问题。她认为，社会民主党必须公开地讨论作为一种策略手段的改良问题，社会民主党愿意作为无产阶级的、革命的战斗政党，在不断同政府、同资本主义国家的斗争中实现不可缺少的改良，而资本主义国家到目前为止还从来没有对工人阶级伸出过慷慨之手，而始终只是拿铁拳对着我们。蔡特金强调，我们拒绝伯恩施坦的观点，并不是因为对我们来说教条是神圣的，并不是因为我们把

① 中央编译局编：《德国社会民主党关于伯恩施坦问题的争论》，生活·读书·新知三联书店 1981 年版，第 30 页。

任何批评都看作是一种侵犯，而是因为他的批评在事实面前站不住脚。如果伯恩施坦说，你们在改良工作方面做得不够，你们必须做得更多，那么，谁也不会拒绝这种批评。但是，如果要求我们把这些改良看作是向社会化的一种过渡，并且把我们活动的重点从夺取政权的斗争转移到当前日常工作的范围，那么我们拒绝这种要求。显然，在蔡特金那里，改良不仅是必要的，而且是有益的，它可以在经济、思想和道德方面把工人阶级提高到一个更高的阶段。然而，蔡特金关于改良的认识又与伯恩施坦为代表的修正主义完全不同。

蔡特金指出，德国社会民主党通过工会、立法与合作社能够实现的一切改良当然都是有价值的，但不能像伯恩施坦那样，把这些改良视为社会民主党的主要目的，一切改良工作都不能使我们满足。“改良不是仅仅为了争取群众而是首先为了提高他们。砸碎了自己的锁链的奴隶固然可以举行一次短暂的暴动，但是不能建立一个新的社会。”① 通过分析海涅所主张的“用大炮交换人民的权利”政策，蔡特金揭示了把改良作为目的的危害，提醒无产阶级要警惕资产阶级随时会调转炮口对付大炮的制造者，强调了阶级斗争和无产阶级夺取政权的必要性。蔡特金指出，在海涅那里，资本主义购置新大炮对工人阶级来说应该是无所谓的。然而，在沙皇已经成为和平的调解人之后，购置新大炮多半是用于对付内部敌人，而不是用于对付外部敌人。因此，海涅提出的整个策略是建立在对资本主义社会的本质的错误理解上的。蔡特金强调，“如果海涅能够提供充分的论据，证明他的补偿策略是正确的，那我就要向他保证，尽管我已经这么大年纪，也许有朝一日我还要宣布：爸爸——可能主义，亲爱的妈妈——实际政策，我在天堂里在您二位面前是有罪的。但是，只要提不出论据来证明海涅的观点是正确的，那么党代表大会就必须和同志们一致宣布：在引导我们达到目的的道路问题上，在我们为了把资本主义社会改造成为社会主义社会必须通过工人阶级夺取政权这一问题的观点上，我们将站在迄今引导我们从胜利走向胜利的纲领的立场上，而不是站在海涅同志向我们提供的可能主义的立场上。”②

① 中央编译局编：《德国社会民主党关于伯恩施坦问题的争论》，生活·读书·新知三联书店1981年版，第258页。

② 中央编译局编：《德国社会民主党关于伯恩施坦问题的争论》，生活·读书·新知三联书店1981年版，第24页。

## 二、全面揭露伯恩施坦对马克思主义的背叛

1899年1月，伯恩施坦出版了《社会主义的前提和社会民主党的任务》（以下简称《前提》）一书，进一步阐述了他的机会主义理论，从哲学、政治经济学和科学社会主义三个方面，对马克思主义进行了全面的系统的篡改和修正。《前提》一经出版就在德国社会民主党内外引起强烈反响，引发了更加激烈的斗争。资产阶级思想家认为《前提》驳倒了科学社会主义直到今天认为正确的一系列学说，把伯恩施坦的社会主义等同于资产阶级激进主义。德国社会民主党的修正主义者为之欢呼，提出“从伯恩施坦的书中，我看到的是一个新的斗争世界，传入我耳中的是铿锵的武器碰击声，而不是社会和平的笛子发出的窒息活力的靡靡之音。”① 以蔡特金等为代表的革命左派则对伯恩施坦对马克思主义的全面背叛进行了反击。“如果说，在此之前，蔡特金对伯恩施坦的批判在一定程度上是以讨论问题的方式，那么，在《前提》出笼之后，蔡特金的态度明显发生了变化，认为，伯恩施坦完全投入到资产阶级改良主义者的怀抱，因为《前提》已不是讨论德国社会民主党在新的形势下采取什么策略问题，而是全面地攻击和否定马克思主义，宣扬改良主义。”②

1899年4月12日，蔡特金在《平等报》上发表了《反社会民主主义的理论和策略》一文，阐述了马克思主义的革命原则，对《前提》作了全面而深刻的批判，指出伯恩施坦抛弃了自己以往崇拜过的东西，如今又崇拜起自己过去抛弃了的东西，离开了社会民主党的革命队伍，转到了资产阶级的阵营，变成了平庸的资产阶级改良主义者。在德国社会民主党汉诺威代表大会上，蔡特金同卢森堡、倍倍尔等人一起对伯恩施坦修正主义观点进行了批判。

蔡特金指出，伯恩施坦把科学社会主义看成是乌托邦，抛弃赋予实现社会主义理想的经济上的原则，否定资本主义经济制度和社会制度的崩溃是实现社会主义的必要条件，主张借助于社会改良，通过工人的消费团体和生产

---

① 中央编译局编：《德国社会民主党关于伯恩施坦问题的争论》，生活·读书·新知三联书店1981年版，第146页。

② 孔寒冰：《克拉拉·蔡特金评传》，北京图书馆出版社1997年版，第100页。

合作社逐步地、一点一滴地将资本主义引向社会主义，其理论实质就是反对消灭资本主义，并企图用无产阶级资产阶级化的办法来巩固资本主义。正因为如此，伯恩施坦竭力地把马克思主义的无产阶级革命理论说成是“布朗基主义”；把实现无产阶级历史使命的重任寄托在无产阶级的“正确认识”上，寄托在伦理道德对群众的影响和统治阶级对“公共利益”的理解上；把社会主义变成一种模糊不清的、多重含义和抽象的东西，使任何一个“正派的”和“好心肠的”人都是其拥护者，甚至统治阶级也都能面带微笑地对待它。蔡特金认为，如果按照伯恩施坦所主张的观点，社会主义就变成了货真价实的改良主义神话。德国社会民主党就得取消自身活动中那些哪怕是最小的革命痕迹，投入民族主义的社会主义者、各种各样的改良主义者、学理主义者和资产阶级民主派的怀抱，与他们同流合污。但是，德国社会民主党如果这样做，只会变成敌人的驯服工具，失去无产阶级对它的信任和支持，这无疑等于自杀。

在批判伯恩施坦对无产阶级革命理论错误认识的同时，蔡特金还深刻地剖析了伯恩施坦歪曲和攻击马克思主义的手法。蔡特金指出，伯恩施坦对待马克思主义的做法首先是不遗余力地把马克思恩格斯的思想弄得模糊不清、不合逻辑以及自相矛盾，然后再加以批评。对于马克思恩格斯的科学社会主义理论而言，它绝不是“弱不禁风的温室里的植物”，经不起任何批评。但问题在于，伯恩施坦不是“批评性检查、发展和深化”马克思主义理论，而是肆意否定社会民主党的革命纲领据以制定的马克思主义基本原理。这显然远远超出了批评的范畴，变成了赤裸裸的攻击。蔡特金认为，伯恩施坦《前提》中所有攻击马克思主义的理论观点，不过是早已被优秀的社会主义理论（其中也包括伯恩施坦本人的理论）和客观事实驳倒了的资产阶级改良主义者、讲坛社会主义者曾提出并论证过的陈词滥调，并不是什么新鲜东西。①

基于蔡特金等德国社会民主党内的革命左派对伯恩施坦的批判，倍倍尔在汉诺威大会上的报告中提出，伯恩施坦在《前提》中提出的关于马克思主义唯物史观、辩证法、价值理论以及所谓贫困化理论等的理论观点，在讨论中似乎已经被他的敌人驳得体无完肤了，伯恩施坦走进了一个他不很熟悉的领域。大会通过的决议案拒绝了伯恩施坦把革命党改变为改良党的企图，提出资产阶级

---

① 参见孙寒冰：《克拉拉·蔡特金评传》，北京图书馆出版社 1997 年版，第 101—102 页。

社会迄今为止的发展，没有理由使党放弃或者修改党对资产阶级社会的基本观点。党将一如既往坚持阶级斗争的立场，认为工人阶级的解放只能是工人阶级自己的事情。因此，党认为工人阶级的历史任务就是要夺取政权，以便依靠政权实行生产资料的社会化，实行社会主义的生产方式和交换方式，为一切人的最大限度的幸福奠定基础。为了达到这个目的，党要运用与基本观点相一致并能保证有成效的一切手段。但党决不改变自己的基本原则和基本要求，坚决拒绝旨在掩饰或者改变它对现存的国家制度和社会制度以及对资产阶级政党的态度的任何尝试。

伴随对伯恩施坦修正主义批判的展开，蔡特金还与伯恩施坦修正主义者围绕《新时代》问题展开了论争。在斯图亚特会议上，蔡特金曾经对《新时代》在伯恩施坦问题上所持的调和立场提出了批评，指出《新时代》不仅很少刊登反对伯恩施坦观点的文章，导致伯恩施坦的观点没有得到透彻的争论，而且由于《新时代》不加评注地发表伯恩施坦的系列文章，使人们误认为伯恩施坦文章里的观点是代表编辑部和全党的，但这些文章实际上仅仅反映了少数改良主义分子的看法和主张。然而，伴随《新时代》刊登批判伯恩施坦修正主义的文章，《新时代》成为伯恩施坦指责的对象。伯恩施坦在1902年慕尼黑代表大会上提出，《新时代》是按照它的编辑认为对党最有利的方式编辑的，他批评了《新时代》以讽刺嘲弄的方式使用“修正主义”这个词的做法，指出《新时代》如果要成为党的机关报，那就应当在党内保持一定的分寸，遵守一种使人们彼此之间能作为人与人、同志与同志进行交往的辩论方式，而不是批判。对此，倍倍尔、蔡特金等提出了不同的意见。蔡特金指出，她在许多方面同意对《新时代》的批评，但是《新时代》拒绝发表那些不十分适于参加撰稿的人们的文章，拒绝为这些力量提供广泛活动的场地，是该杂志编辑作为社会民主党正式机关报的领导人对于全党和他自己的良心的责任感。至于对“修正主义”这个词的使用问题，蔡特金认为，《新时代》既承担着整理好马克思恩格斯的遗产以供日常政治斗争需要的任务，也承担着反对一切想要伪造社会主义并缠住无产阶级不放的资产阶级的任务，这使得它在与同志进行斗争时也就会无意地使用尖锐的语调。“既然在党内实际的日常斗争中，在党代表大会上，两种倾向虽有尖锐的斗争却仍旧始终和睦相处，那么在社会民主党的机关报《新时代》上也应当而且能够这样。只有在出现了这样的局面时，那些现在站在一旁感到不满和痛苦的力量才会重新向我们涌来。只有到那时，《新时代》才能够成为它应当而且有能力成为的那个样子。”①

## 第二节　运用马克思主义研究妇女解放问题

克拉拉·蔡特金是无产阶级妇女运动的杰出领袖，被誉为“国际妇女运动之母”。在领导无产阶级妇女运动的过程中，蔡特金运用马克思主义的方法和原理对妇女运动中的问题进行了分析，撰写了大量关于妇女解放的理论著作，阐述了无产阶级妇女解放运动的一系列原则性问题，极大地丰富了马克思主义妇女解放理论。

### 一、无产阶级妇女运动的先驱

克拉拉·蔡特金出生在德国萨克森州一个叫维德劳的小山村，父亲哥特弗里德·埃斯内是乡村小学教师，兼任教堂琴师。母亲约塞芬·维塔勒出生在一个思想开明的资产阶级家庭，笃信法国大革命的自由、平等和博爱的思想，是德国女权运动的支持者。蔡特金从父亲那儿接受了良好的文化和艺术教育，母亲对妇女解放事业的极端热忱激起了她对女权事业的终生兴趣。1874 年，蔡特金免费进入莱比锡女子师范学校。在这里，她不仅认真学习文化知识，而且以极大兴趣参加关于社会问题的讨论。在学校创办者，也是当时资产阶级女权主义者奥古斯特·施密特的指导下，蔡特金对德国女权运动有了更多的了解，对妇女解放问题有了更为深刻的认识。德国社会民主党的活动，尤其是倍倍尔反对资本主义、宣传社会主义的斗争，使蔡特金对社会主义运动有了初步的认识。1878 年，蔡特金以优异的成绩通过了国家女教师的考试。然而，她没有

① 中央编译局编：《德国社会民主党关于伯恩施坦问题的争论》，生活·读书·新知三联书店 1981 年版，第 524 页。

走母亲和老师所期望的成为教师和资产阶级女权主义者的道路，而是决定把自己的知识和才能奉献给无产阶级解放事业。

在蔡特金离开学校的1878年，俾斯麦政府实施了“反社会党人非常法”，德国社会民主党成为非法的政治组织，党的许多领导人被捕、监禁或被驱逐出境。德国社会民主党被迫转入地下继续进行斗争，蔡特金也没有被严酷的现实所吓倒，她积极投身于地下活动，为遭到迫害的社会民主党人募捐，并于1881年正式成为德国社会民主党的成员。1882年，蔡特金来到瑞士的苏黎世，积极参加德国社会民主党的秘密刊物《社会民主党人》的各种工作，这不仅使蔡特金在斗争中得到了锻炼，而且为她后来主编《平等报》积累了大量的经验。在这里她结识了普列汉诺夫、查苏利奇等著名社会主义者，经常到伯恩施坦举办的讲习班去学习。“红色战地邮政局长”尤利乌斯·毛泰勒对他的同胞所遭受苦难和进行斗争的情况，以及对德国早年劳动妇女英勇斗争的事例和代表人物的讲述，坚定了蔡特金改变世界的意志。阅读当时新出版的倍倍尔的《妇女与社会主义》一书，对蔡特金妇女解放观点的形成产生了极大影响。倍倍尔在书中关于“摧毁资本主义社会，工人阶级和妇女才能获得解放”、“妇女组织可以加强无产阶级队伍的力量”等论述，使蔡特金深刻地认识到，实现妇女的解放就必须消灭人剥削人的制度，建立社会主义。

1882年年底，蔡特金移居巴黎。尽管生活非常艰难，但她依然积极参加工人运动，宣传马克思主义。同茹尔·盖得、欧仁·鲍狄埃、路易丝·米歇尔、沙尔·龙格夫妇、保尔·拉法格夫妇等革命者的交往，使蔡特金更加深刻地了解了马克思的理论学说，推动着她参与到社会主义运动之中。与此同时，蔡特金积极为《社会民主党人报》、《新时代》、《社会主义者》、《柏林人民论坛报》等革命报刊撰写文章，阐述自己关于社会主义运动和妇女运动的认识。在《俄国女大学生》、《女工和当代妇女问题》、《为什么妇女必须走进社会生活?》、《妇女的“母亲职业”》等文章中，蔡特金运用马克思主义分析妇女解放问题，提出了妇女在智力方面有与男人一样的能力，也会做出一番事业；广大妇女地位低下的根源是资本主义私有制，要获得解放就必须参加社会生产劳动和社会主义运动等观点。“女读者们都这样说：它们只能是从一位亲身体验到无产阶级妇女苦恼的妇女笔下写出来的。”①

---

① ［德］汉娜·伊尔伯格：《克拉拉·蔡特金》，黄贤俊译，中国青年出版社1959年版，第49页。

1889年7月，蔡特金作为德国社会民主党代表团的成员出席了第二国际成立大会，并发表了“关于妇女劳动问题”的演说。在演说中，蔡特金运用马克思主义政治经济学原理，以严密的逻辑、透彻地剖析了妇女劳动问题，论述了妇女解放的性质和途径，批驳了社会民主党内流行的那种反对妇女参加社会劳动的谬论。蔡特金的演说得到了与会代表的赞同，国际工人运动舞台上第一次响起了表达劳动妇女的愿望、要求重视妇女问题、实现妇女彻底解放的声音。大会接受了蔡特金的要求，在《关于劳工立法的决议》中提出，禁止在有害妇女身体健康的一切生产部门使用女工；禁止妇女和未满18岁的青工上夜班；应当把按平等原则吸收女工加入自己的队伍当作自己的义务，并要求实施不分性别、不分民族的同工同酬的原则；等等。会后不久，蔡特金的这篇讲话以《当前的女工和妇女问题》为题在柏林出版发行，成为刚刚兴起的无产阶级妇女运动的理论纲领。第二国际第一次代表大会在无产阶级革命运动中开辟了妇女运动的新领域，蔡特金就是这个新领域的主要开拓者和领导者。

俾斯麦政府“非常法”的废除，使蔡特金和其他社会民主党的流亡者回到了德国。为了推动德国妇女解放运动的发展，蔡特金积极参加工人运动，坚持运用马克思主义分析妇女解放运动的各种问题。从事《平等报》的编辑工作，是蔡特金开展革命活动的重要平台之一。在蔡特金的心目中，《平等报》的目标应当是这样，“启发和继续提高最革命的、最干练的和最有才能的女工的政治觉悟，同时向她们讲述世界各国妇女——巴黎的女锻工、南美洲的摘棉花女工和俄罗斯大草原的农妇的生活和疾苦。这样，德国女工们就会同情全世界无产阶级的妇女，产生深刻的同盟者的感情。”① 按照蔡特金的办报设想，《平等报》登载了德国服装女工遭受残酷剥削的消息，刊登了德累斯顿烟草女工对罚金制度的控诉，报道了法兰克福洗衣女工联合罢工的斗争。蔡特金也为报纸撰写了《黎明的标志》、《德国女同志在竞选中》等许多文章，奥古斯特·倍倍尔、罗莎·卢森堡等也为报纸写过文章，反击工人运动内部和外部的各种资产阶级思想，鼓舞广大妇女为建立一个幸福、和平的新世界而斗争。《平等报》在斗争中逐渐获得了广大劳动妇女的信任和拥护。“起初《平等报》只发行2000份，仅几年，它变成一个真正群众性的报纸。1908年它有84000个订户，1913年

① ［德］汉娜·伊尔伯格：《克拉拉·蔡特金》，黄贤俊译，中国青年出版社1959年版，第56页。

该报的发行额为112000份。”① 在蔡特金的领导下，德国妇女运动逐渐成为工人阶级斗争的重要组成部分，并被提上了社会民主党代表大会的议事日程。1896年10月，德国社会民主党第二十次代表大会在哥达举行。蔡特金在会上作了《关于妇女鼓动工作》的报告，进一步阐发了对妇女解放运动的认识，提出了斗争中必须运用的组织形式和斗争及鼓动的方法。大会接受了蔡特金提出的关于妇女的各项要求，并把它纳入党的要求里。在这次大会上，蔡特金被选为社会民主党监察委员会的委员。

德国妇女运动的胜利，也大大地推动了国际妇女运动的发展。第二国际成立后，伴随各国工人运动联系的加强，蔡特金关于妇女解放运动的主张也逐渐被更多国家的社会主义者所接受。在1896年第二国际伦敦代表大会上，诸多欧美国家的妇女代表就举行了一次非正式会议，为成立国际妇女组织打下了基础。1907年8月，在蔡特金的积极鼓动和倡议下，第一届国际社会主义妇女代表会议在斯图加特举行，来自15个国家的妇女代表对本国的社会主义妇女运动情况作了汇报。蔡特金建议国际代表大会责成各国社会民主党在争取普选权的斗争中提出妇女选举权的要求，以大量吸收妇女参加工人阶级的群众性行动。会议决定成立国际妇女书记处，一致推举蔡特金为书记处书记，并决定把《平等报》作为它的机关报。由此，蔡特金正式成为国际无产阶级妇女运动的领袖。1910年8月，第二届国际社会主义妇女代表会议在哥本哈根举行。蔡特金提出了一项关于争取妇女选举权基本原则的决议案，并在经过激烈辩论后得以通过。决议的一项重要内容就是要求各国社会主义妇女每年要有一个妇女的节日，但这次会议并没有规定妇女节的具体日期。直到1921年6月的莫斯科第二届国际共产主义妇女代表会议，才将每年的三月八日作为国际妇女节。蔡特金在她晚年著作中对国际妇女节有过这样的描述，“国际共产主义妇女节是团结劳动妇女的革命力量来争取保卫她们的日常利益、通过社会主义而获得自由的一个重要因素。……妇女节应当在无产阶级妇女最重要的日常要求的基础上组织男女无产者进行反对资产阶级制度及其基础——资本主义、争取社会主义的阶级斗争。根据国际妇女节发起人的原意，在国际妇女节那天进行的示威应当动员革命群众既在阶级斗争中反对帝国主义的越来越加强的压迫，同时

① ［德］路易斯·多尔纳曼：《蔡特金传》，北京编译社译，生活·读书·新知三联书店1959年版，第74页。

还要反对修正主义和改良主义潮流越来越无耻地渗入工人运动和反对机会主义领袖对他们所领导的政党和组织的意识和战斗决心的瓦解作用。国际妇女节那天的示威必须是各种群众性罢工和群众性发动的锁链中的新的牢固的一环，而这些罢工和发动的结果必须是向帝国主义进行推翻资本主义和确立社会主义的革命斗争。”①第一次世界大战爆发前后，蔡特金还通过多种方式号召各国妇女团结起来，反对战争。1915 年 3 月，由蔡特金筹备的国际妇女大会在伯尔尼召开。大会通过了蔡特金起草的反对战争的决议和宣言，号召全世界劳动妇女行动起来，打倒战争，向社会主义前进。

十月革命的胜利把国际共产主义运动推进到一个新阶段，也赋予了妇女运动的性质和要求以共产主义的色彩。蔡特金把共产国际的建立看成是有组织的共产主义妇女运动的起点，她依据共产国际的决议精神着手制定新的行动纲领，以便在新的历史条件下开展妇女运动。1920 年年初，蔡特金为共产国际第二次代表大会起草了《关于共产主义妇女运动的提纲草案》，详细论述了无产阶级妇女运动的奋斗目标、行动纲领和组织原则。依据蔡特金关于无论是各国共产党还是共产国际都应建立妇女运动领导机构的主张，共产国际成立了妇女书记处，选举蔡特金为书记处书记。1921 年 6 月，蔡特金代表妇女书记处在共产国际第三次代表大会上作了《关于共产主义妇女运动问题》的报告。大会决定有步骤地开展妇女工作，并责成各国党建立专门委员会负责此项工作。大会还决定在西欧再成立一个妇女书记处，任命蔡特金为书记。

从第二国际到共产国际，蔡特金始终站在妇女解放斗争的前沿，领导着无产阶级国际妇女运动不断向前发展。蔡特金把毕生精力都投入到妇女解放的事业，人们称誉她为“国际妇女运动之母”。

## 二、对马克思主义妇女解放理论的阐发及其理论贡献

蔡特金的妇女解放理论是蔡特金运用马克思主义分析妇女运动得出的结论。在《争取妇女解放》、《妇女工作和工会组织》、《关于女权请愿书》、《只有

---

① ［德］克拉拉·蔡特金：《列宁给全世界妇女的遗教》，魏城译，生活·读书·新知三联书店 1960 年版，第 43—44 页。

联合无产阶级妇女，社会主义才能胜利》等论著中，蔡特金阐述了关于妇女劳动、妇女解放、妇女选举权等问题的认识，丰富和发展了马克思主义妇女解放理论。在《妇女应该感谢马克思什么?》一文中，蔡特金提出了自己对马克思主义与妇女解放理论间关系的认识，认为"诚然，马克思从没有具体地探讨过'这个'或'那个'妇女问题。但是，他为妇女获得全部权利的斗争锻造了无可替代的和最重要的武器。他的历史唯物主义概念虽然没有向我们提供任何现成的关于妇女问题的公式，但是却提供了更重要的东西，即给予我们正确、无误的探索和理解妇女问题的方法。正是历史唯物主义概念，才使我们能够在宇宙和社会的必然、合理的发展中弄清妇女问题。……妇女运动更多归功于马克思的是这样的事实，在此之前，没有人像他为痛苦的妇女发展之路指明方向，这是一条使女性从社会奴役到自由、从软弱的存在到强大、和谐存在的道路。通过对当今社会阶级矛盾及其根源深刻而透彻的分析，马克思让我们看到了把妇女分成为不同阶级的不同利益关系。……马克思不但锻造并教给我们使用可以斩断无产阶级和资产阶级妇女运动关系的利剑，而且锻造了与社会主义工人运动和无产阶级革命斗争密不可分的辨别链条。这样一来，他就给了我们的斗争以清晰、伟大和崇高的目标。"①

运用马克思主义原理和方法，蔡特金分析了关于妇女劳动的问题。蔡特金提出，在当前的经济发展中妇女劳动是必要的。一方面，妇女劳动的趋向或者是减少人均社会必要劳动时间，或者是增长社会财富。妇女劳动的本质与其说是与男性工人竞争而降低了工资，不如说是女工受到资本家的剥削。资本主义以前，使用不完全的劳动手段的旧生产方式把妇女束缚在家庭里。在家庭范围内，妇女生产几乎所有家庭用品，但在家庭之外的生产如果不是不可能的话，也是十分困难的。这种陈旧的生产关系存在到什么时候，妇女在经济上成为生产力的时间也延续到什么时候。机器大生产结束了妇女在家庭中的经济活动，由于它能够比小工业更便宜、更快和更大规模地生产一切消费品，因而使得家庭范围的生产活动所造成的结果是经济上的不合算和精力、时间上的浪费。尽管在家庭范围内进行生产的妇女对某些个人可能有用，但对社会来说，这种活动仍然是一种损失。大工业使妇女的家庭经济活动失去基础，也同时却为妇女

① Pholips. Foner, *Clara Zetkin Selected Writings*, Haymarket BooksChicago, Illinois, 2015, pp.93–97.

参加社会活动创造了基础。节省体力消耗和沉重劳动的机器生产将妇女投入一个大的劳动领域，妇女则带着增加家庭收入这个愿望参加工业生产劳动。也就是说，随着现代工业的发展，妇女参加工业劳动成了一种必然性。由此，蔡特金得出了自己的结论，“社会党人首先应该知道，社会的奴役或自由是建立在经济附属或经济独立之上的。那些在自己的旗帜上写上解放‘全人类’的人，不能因经济不独立就断定人类两性中的一整个性别应该受政治的和社会的奴役。同工人受资本家压迫一样，妇女受男人压迫；而只要她们没有达到经济独立，她们将继续受到压迫。而她们获得经济独立的必不可少的条件就是劳动。如果想让妇女有自由人的人格，成为同男人一样的社会平等的成员，那么除了在极个别的情况之外，既不需要取消也不需要限制妇女劳动。”①

基于对妇女劳动必然性的分析，蔡特金阐述了关于妇女解放性质的认识。蔡特金认为，妇女解放问题，归根到底来说就是妇女劳动问题。机器大工业为妇女参加工业生产提供了必不可少的基础，也孕育了妇女解放问题。妇女解放意味着从根本上彻底改变她们的社会地位，然而资本主义社会中妇女在经济上的独立并没有给她们自己带来好处，反而是给资本家带来了好处。由于资本家垄断了生产资料，从对男人的经济依附中解放出来的妇女被置于资本家的经济统治之下。她们从男人的奴隶变成了雇主的奴隶，仅仅是换了个主人而已。但资本家不满足于单单剥削妇女，他们利用妇女参加工作来尽力压低男工工资，利用童工来压低女工工资，利用机器劳动来减少使用人的劳动力。“正是资本主义制度造成妇女劳动得到与其本来的发展趋势恰恰相反的结果；妇女劳动所起的作用不是大大缩短工作日，而是使工作日变得更长了；妇女劳动没有增加社会财富，也就是说，没有使社会的每个成员得到更多的福利，而只是提高了一小撮资本家的利润，同时却造成越来越多的群众贫困化。”②在资本主义社会中，不存在男工和女工之间利益的真正对立，但在资本和劳动的利益之间却真正存在着不可调和的矛盾。因此，妇女解放既不是靠允许妇女从事所谓的自由职业和同男人享受一样的教育，也不是靠给予政治权利。妇女的解放同全人类的解放一样，最终必将是劳动从资本中解放出来的事业。只有在社会主义社会

---

① 童建挺等编：《第二国际第一次（巴黎）代表大会文献》，中央编译出版社 2012 年版，第 160 页。

② 童建挺等编：《第二国际第一次（巴黎）代表大会文献》，中央编译出版社 2012 年版，第 162 页。

里，才能消灭各种社会歧视和社会奴役的根源以及一个人对另一个人的经济依赖，妇女才能和男工一样获得她们的充分权利。

在从经济方面分析妇女解放的同时，蔡特金从政治层面论述了对妇女解放的认识。蔡特金指出，在以往几个世纪中，女性把她们政治上无权视为天经地义的事。但当她们走出家庭生活小天地，踏上公共生活的舞台后，要求政治上的完全平等成为社会生活中不可少的事情。然而，资产阶级总是力图把妇女排除在政治生活之外，资产阶级女权运动的平等理想也由于缺乏现实基础而成为空中楼阁。蔡特金提出："在资产阶级和无产阶级妇女之间存在着不可逾越的阶级对立。……你们口中的'争取劳动权'只是允许从事高贵的职业，关于普通人权的空话也没有把任何一个资产阶级妇女拖到矿井或工地上受苦十四到十六小时。妇女不是为扩大所谓的女权，而是为消灭剥削的自由而斗争。"① 针对资产阶级女权运动的《女权请愿书》问题，蔡特金提出，随着有产者和无产者之间矛盾的尖锐化，作为职业女工的无产阶级妇女积极参加本阶级的斗争已经成为不可避免的自然现象。无论是酷吏般的严酷，或者小恩小惠的关怀和伦理学的说教，都不能使这种情况有所改变。资产阶级女权主义者要求给予妇女集会和结社的自由和权利，她们的请愿书虽然与无产阶级妇女运动的某些要求一致，但是，"请愿书充满了资产阶级精神，在一些细节上甚至可以说是狭隘的资产阶级精神。……请愿书对于劳动妇女拥有结社、集会这个事关她们切身利益，而且对她们来说也已经变成无可辩驳必要的权利只字不提。请愿书也没能说明无产阶级为什么要支持这个要求的原因。"② 为了避免无产阶级妇女运动走上资产阶级女权运动的轨道，蔡特金提议每个无产阶级妇女都不要在请愿书上签名。

蔡特金还批驳了资产阶级宪法对妇女选举权的限制，着重阐述了关于争取妇女选举权性质和意义的认识。蔡特金指出，无产阶级和妇女享有平等权利息息相关，承认妇女有选举权，是女工们自觉参加无产阶级的阶级斗争的前提。然而，对于社会主义者来说，妇女选举权不像对资产阶级妇女那样是"最终目标"，而只是争取选举权作为一个阶段。因为选举权虽然能帮助资产阶级妇女冲破男性的特权对她们受教育和参加活动的束缚，但由于并未触动私有制这个

---

① 转引自张汉青等：《蔡特金年谱》，北京大学出版社 1992 年版，第 37 页。

② Pholips. Foner, *Clara Zetkin Selected Writings*, Haymarket Books Chicago, Illinois, 2015, pp.62–64.

最深刻的根源，因而并不能消除剥削者和被剥削者的阶级对立，也不能消除冲突，反而会为这种冲突的激化准备土壤。蔡特金认为，社会主义者所要求的妇女选举权并不是妇女生来就有的自然的权利，而是社会的权利。对于不同阶层的妇女来说，不仅争取妇女选举权的目的不同，选举权本身的价值也各异。“无产阶级妇女必须清楚地认识到，在一场不分阶级的女性反对男性的斗争中，她们不可能取得选举权。只有在不分性别的一切被剥削者反对同样的不分性别的一切剥削者的阶级斗争中，她们才能争得选举权。”①蔡特金认为，对于各国社会民主党来说，它只能为妇女普选权，而不是有限选举权而斗争。因为只有妇女的普选权才是全体妇女在政治上一律享有平等权利这个原则生动、具体的表现，而妇女的有限选举权与其说是妇女解放的第一个阶段，不如说是财产的政治解放的最后阶段。毫不犹豫地为争取妇女选举权而斗争，唤起无产阶级妇女投入带有阶级意识的政治生活，对于无产阶级及其解放斗争的现在和将来有着极为重要的意义。

蔡特金提出了关于加强妇女鼓动、教育和培养的观点，阐明了如何引导广大妇女积极参加无产阶级革命斗争的问题。蔡特金指出，妇女不仅在资本主义工业生产中起着巨大作用，而且对工人运动发展也起着决定性的影响，吸收广大妇女参加无产阶级的阶级斗争，是社会主义理想胜利和社会主义社会建设的前提条件。在《妇女工作和工会组织》中，蔡特金考察了资本主义国家劳动妇女的数量变化情况，指出不仅所有工业企业中雇佣妇女的绝对人数持续增长，而且在工商企业总就业人数中所占的比例也在增加。以 1882 年德国为例，在 7340789 工人中，女性工人有 1509167 人，占总人数的 20.6%。也就是说，在每 100 人中有 21 人是女性工人。②把这些力量吸收到德国社会民主党周围，对于无产阶级妇女运动以及无产阶级革命的意义是不言而喻的。在《列宁给全世界妇女的遗教》中，蔡特金通过梳理妇女群众在夺取政权、争取苏维埃存在斗争中的作用，得出了无产阶级革命只有当妇女参加进去的时候才能得到胜利的结论。蔡特金指出，在社会主义建设中，没有妇女自觉、积极地合作同样是不行的。“在苏维埃工业中工作的妇女，不只生产生铁和钢；她们还同工作上的同志一起创造自己的生活条件和劳动条件。她们是工厂委员

① Pholips. Foner, *Clara Zetkin Selected Writings*, Haymarket Books Chicago, Illinois, 2015, p.101.

② 参见 Pholips. Foner, *Clara Zetkin Selected Writings*, Haymarket Books Chicago, Illinois, 2015, p.52。

会、地方委员会和企业里其他社会组织的有全权的成员，是自己的工会的有全权的成员。……好几百万女庄员和几十万女工在集体农庄和国营农组里工作。……妇女常常是‘红色公社’的倡议人和组织者，她们为公社的顺利发展而毅然斗争。”①

蔡特金指出，为了把广大妇女吸引到无产阶级革命斗争中来，需要不断加强鼓动、教育和培养工作。如果不坚决地开展工作，那就会给革命造成意想不到的危害，而且会削弱群众参加革命的积极性。具体而言，就是通过向广大妇女宣传马克思主义革命理论，通过描述广大劳动妇女悲惨状况等途径，启发她们的阶级觉悟，引导她们参加无产阶级革命斗争。针对德国妇女运动现状，蔡特金提出，社会民主党应当提出诸如扩大女工的法律保护、任命女性工厂监督、男女同工同酬、妇女与男子完全平等的政治权利、妇女受教育和自由就业的权利，妇女在私法上的平等地位等与她们切身利益相关的要求，将广大女工吸引到工会组织中来，依靠团结的力量，去取得社会主义革命的胜利。当然，“妇女鼓动是困难和繁重的，需要极大的奉献和巨大的牺牲，但这些牺牲会得到补偿。无产阶级只有不分民族，不分职业，共同斗争才能获得解放。同样，无产阶级只有不分性别的团结在一起，才能获得解放。无产阶级妇女在无产阶级解放斗争中的联合，是社会主义胜利和社会主义社会建设的前提条件之一。”②共产国际成立后，蔡特金联系无产阶级革命的新发展，进一步阐述了对这个问题的认识，要求各国共产党在进行口头上和书面上的宣传鼓动、组织和教育活动时，应有高度的计划性，并要利用一切可以利用的手段。“在进行工作时，它们不应忘记团结和教育广大群众的最重要、最必要的手段，并不是口头上和书面上的宣传，而首先是工作和斗争。因此，它们应当竭力吸引妇女作为独立的积极因素参加共产党的各种活动，吸引她们参加无产阶级群众的一切战斗，以便把那些经常对革命斗争起阻碍作用的妇女变成革命斗争的动力。……共产党领导者应通过妇女部吸引女共产党员既参加合法工作，也参加秘密工作。……应当竭力将广大妇女阶层真正纳入战斗的行列。”③

① ［德］克拉拉·蔡特金:《列宁给全世界妇女的遗教》，魏城译，生活·读书·新知三联书店 1960 年版，第 11—15 页。

② Pholips. Foner, *Clara Zetkin Selected Writings*, Haymarket Books Chicago, Illinois, 2015 , p.83.

③ 《共产国际第三次代表大会文件 II》，中国人民大学出版社 1988 年版，第 833—834 页。

# 第三节　坚决反对帝国主义战争

蔡特金在整个政治生涯中都在进行着反对帝国主义战争的斗争。蔡特金揭露了帝国主义战争的本质，号召全世界无产阶级行动起来，为反对帝国主义战争，争取和平而斗争，主张将反对军国主义和战争同社会主义革命联系在一起，要求无产阶级用革命的战争反对帝国主义的战争。

## 一、揭露帝国主义战争的本质

19 世纪后半叶，资本主义开始从自由竞争资本主义向垄断资本主义过渡。为了重新瓜分殖民地和称霸世界，资本主义各国开展了疯狂的军备竞赛，彼此间的矛盾不断加深和激化，世界面临着战争的威胁。德国是后起的资本主义国家，要求重新瓜分世界市场和殖民地的愿望尤为强烈，其军国主义也是军国主义最富于侵略性、最为野蛮的形式。“铁血宰相”俾斯麦下野后，威廉二世开始执行“世界政策”，力图通过建立起一支强大的军队来追求“阳光下的地盘”。1892 年帝国政府的新军事法案要求将常备军增加到 8.6 万人，总的军队兵员达 57.2 万人。1899 年又通过了将总兵员增加到 61.2 万人的法案，1913 年的新军事法案又把陆军兵员增加到 80 多万人。① 为了掌握制海权，实现争霸世界的目的，帝国议会于 1898 年通过了第一个扩建海军的法案，1900 年提出的第二个造舰法案规定 17 年中把舰队数量翻一番。1906 年、1907 年、1908 年，德国政府又接连提出和通过了进一步扩建海军的提案。② 伴随军事实力的扩张，德国加快了对外战争的步伐。1905 年和 1911 年两次卷入法属摩洛哥危

① 参见殷叙彝等:《第二国际研究》，中央编译出版社 1998 年版，第 457—458 页。

② 参见丁建弘:《德国通史》，上海社会科学院出版社 2002 年版，第 279—280 页。

机，1911年用不正当手段攫取了法属刚果的部分土地。“需要数十年时间来建设的柏林至巴格达的铁路给人印象深刻，它打开了与奥斯曼贸易的大门，并方便地获得了中东石油。冒险的德国人在中国也得到了，一处煤矿，并在那里修建很大的酿酒厂。然而，所有这一切并没有打湿奥匈帝国与塞尔维亚在巴尔干冲突的火药桶，也没有减弱德国在殖民地世界的新挑衅。”① 为支付庞大的军事费用，德国政府更加肆意地搜刮人民，导致人民的生活更加贫困。

面对军国主义带来的灾难，蔡特金和其他许多左翼社会民主党人一起，揭露德国军国主义的侵略本性。当时，尽管蔡特金同别人一样还没有认识到现代大规模毁灭性战争技术的危害性，很少预感到德国帝国主义者把德国人民拖入那可怕浩劫的规模，但她清醒地知道，军国主义像吸血鬼一样吮吸着人民的血，并且首先毒害青年人的心灵。那些大炮、舰队和士兵都将被用来反对他国人民，反对德国工人。在《平等报》以及各种集会演说中，蔡特金反复强调她关于军国主义侵略性的这种认识。她在1893年7月的《平等报》上写道：“几个月以来，一个极其重要的问题摆在社会生活的日程上，德国应该转入较为自由的文化发展的轨道呢，还是在兵营国家和绑腿制度的斜坡上，每况愈下地滑下去呢？这个问题关系到妇女界的切身利益，作为妻子、母亲、姊妹，而且也作为自己本身，妇女们受到目前存在的和将要产生的军事状况的牵连最为深切。增加生命和财产税必将使千百万妇女感到痛心，并掠夺了她们的金钱。被征去当兵的年轻人是妇女们的儿子、兄弟、丈夫，家庭妇女感到间接税使最需要的生活必需品价格上浮，这些收入绝大部分用于军事方面。”② 在对第二国际修正主义的批判中，蔡特金更为深刻地指出，大炮和战舰是必须花钱的，但德国统治阶级却粗暴而毫不顾虑地把炮筒作为他们权力的支柱。蔡特金认为，沃·海涅却认为军费负担对于工人阶级无足轻重，提出了“大炮换人民权利”的主张。然而，对于德国的容克贵族、大工业家、金融家和财阀来说，只有利润才是神圣的，站在这些集团之上的德国皇帝也与他们串通一气，梦想着怎样开拓自己的帝国。“大炮竖起来了，弹药也制造出来了；一队队鱼雷艇、巡洋舰和战斗舰离开了船坞。德皇翘起了好战的胡子，而且在他的讲话里也带着剑

① ［美］史蒂文·奥茨门特：《德国史》，邢来顺等译，中国大百科全书出版社2009年版，第237页。

② ［德］路易斯·多尔纳曼：《蔡特金传》，北京编译社译，生活·读书·新知三联书店1959年版，第55页。

拔弩张、跃跃欲试的口气。改良主义者和机会主义者如爱德华·伯恩施坦之流，居然想用纸制的选票当作武器来战胜像这样凶恶的敌人！他们想通过改良手段和国会的表决权来击败那一帮两眼盯着武器的实力派，这不是活像愁容骑士堂·吉诃德吗？他们跟堂·吉诃德真是一模一样！"①

1905 年，俄国革命给全世界革命指出了新的道路，但它并没能减弱帝国主义战争的威胁。帝国主义国家分裂为两大对立的战争集团，土耳其问题、摩洛哥问题等许多国际问题牵一发而动全身。复杂的局势迫切要求各国社会主义政党紧密团结起来，领导无产阶级进行反对军国主义、殖民主义的斗争。1907 年，第二国际斯图亚特会议通过了《关于军国主义和国际冲突的决议》，这项决议肯定了以前历届国际代表大会关于反对军国主义和帝国主义的各项决议，重申反对军国主义的斗争不能脱离整个社会主义的阶级斗争，认为军国主义是资产阶级进行阶级统治并对工人阶级进行经济和政治压迫的主要工具，战争具有资本主义的性质。只有在消灭资本主义的经济制度之后，或者当军国技术的发展需要牺牲巨大的人力和财力，而扩充军备引起人民的极大愤慨，进而要求消灭这一制度时，才能结束战争。这项决议强调国际不能用一种僵化的形式去束缚各国工人阶级根据自己的特点顺势应时地进行反对军国主义的行动，认为包括俄国 1905 年革命在内的一切努力都证明了无产阶级通过有力的干预来维护和平的日益增长的决心。蔡特金在谈到这项决议时指出，它正式证实了俄国革命及其经验教训对国际无产阶级的意义，"工人阶级的革命毅力和工人阶级对自己斗争能力的坚定信心终于一方面战胜了无能的悲观主义的说教和力图限于旧的、单纯议会斗争方式的观点，另一方面也战胜了法国的半无政府主义者爱尔威之流的愚蠢的反军国主义的狂热。……决议作为一个原则，提出了无产阶级的策略要有灵活性，要能够随着条件的成熟而更加锐利。"②

蔡特金坚定不移地捍卫斯图亚特代表大会的决议，但以古斯塔夫·诺斯克为代表的社会民主党右派却向资本家的战争计划投降，甚至在爱国主义的幌子下要求支持备战。蔡特金同这种错误观点进行了坚决斗争，强调党在战争问题上的立场，决不能由任何边境事件来决定。蔡特金指出，战争挑拨者把祖国和自己及自

---

① ［德］汉娜·伊尔伯格：《克拉拉·蔡特金》，黄贤俊译，中国青年出版社 1959 年版，第 72—73 页。

② 转引自张汉青等：《蔡特金年谱》，北京大学出版社 1992 年版，第 80—81 页。

己的利益等同起来。他们一面以祖国的名义发言，一面为着自己的利益行动，无视那些仍然屈服于他们统治的千百万人的幸福和痛苦。他们既把祖国看成供应奶油的乳牛，又把祖国当作保卫他们掠夺来的财富的神龙。然而，祖国决不能成为被剥削者。她认为，无产阶级仍然保留着阶级斗争的权利，把祖国和祖国文化从国内少数人的垄断变成全民的享受。在那些“无祖国的家伙”看来，他们的国籍也是可贵的，他们的祖国也是宝贵的。只有资产阶级和贵族阶级的爱国主义是反动的，它的目的是要使祖国一直成为她们剥削和统治的领土。① 通过这些论述，蔡特金打破了存在于大多数人头脑中的那种关于祖国的虚假的幻想，明晰了真实的爱国主义所在，揭开了蒙在军国主义头上所谓的“爱国主义”面纱。

在揭露、批判军国主义的同时，蔡特金还对帝国主义战争的根源、本质等问题进行了系统分析。1911 年的摩洛哥危机几乎使德法大动干戈，帝国主义列强剑拔弩张。欧洲活像一个斗牛场，在这里面几乎所有国家都像猛兽一样激动地打自己的腰窝、挖掘沙土，巴尔干的小国家首当其冲。在世界政治极端危险的时刻，修正主义和中派主义采取了“鸵鸟政策”，寄希望于帝国主义各国政府签订协议以避免战争，而蔡特金则通过对战争进行的马克思主义分析，号召世界各国工人用强有力的政治行动来阻止战争。蔡特金提出，战争不过是群众性屠杀的扩大和加剧而已。在错综复杂的社会关系中，资本主义是现代战争、世界战争危险的主犯，在当今时代，资本主义制度是杀人的元凶。即使在所谓的和平时期，资本主义也每日每时地在屠杀无产阶级。在每一个资本主义已经发展的国家里，年复一年，总有几十万人丧生于劳动战场上，比在一个短时期的血腥战争中牺牲的人还要多。在各民族间掀起相互残杀的极其卑鄙的行径，更是资本主义对剥夺了继承权的人民进行残酷剥削的最丑恶和最疯狂的形式。蔡特金指出，战争不可避免地会给人们的心灵带来严重的创伤，威胁着母亲在孩子们的心田播下阳光，威胁着我们当作文化和人类发展的最珍贵的遗产而交给他们的东西，即国际团结和人民友爱的觉悟。战争使这一理想受到嘲笑、玷污和扼杀，但无产阶级要为这一理想而战斗，以坚强的信念为它战斗，而广大妇女就是进行战斗不可或缺的力量。如果我们的母亲们能够教育子女厌恶战争，如果我们的孩子从儿时起就能受到社会主义友爱情感的培养，那么即

---

① 参见［德］汉娜·伊尔伯格：《克拉拉·蔡特金》，黄贤俊译，中国青年出版社 1959 年版，第 115—116 页。

使在最危险的时刻，什么力量也毁灭不了他们心中的理想。如果妇女和母亲们反对对人民的杀戮，我们不会由于自私和怯懦而不为我们的崇高目的和理想去做出巨大牺牲。“只有在大多数妇女出于坚定的信念拥护向战争宣战的口号时，才能保障人民的和平。但是，一旦大多数妇女团结在这个口号下时，她们的力量是不可抗拒的。”①蔡特金指出，帝国主义越是变为资本主义国家的决定性政策，这种斗争就越会变为整个无产阶级解放事业的中心和高潮。这种斗争不仅大大地有助于团结群众，而且有助于更好地教育群众，不断壮大无产阶级的力量。因此，无产阶级的反战斗争将成为日益成熟和力量发展的活的源泉，将加速社会主义代替剥削、奴役和残杀人民的资本主义的进程。她祝愿社会主义国家早日建立，以保证人们有完全实现人性解放的先决条件。

## 二、反对战争，争取和平和社会主义

蔡特金坚持利用各种机会和途径呼吁无产阶级反对军国主义，勇敢地投入反对战争的运动，直至战争爆发的最后一刻。1914 年 6 月，引发欧洲大风暴的枪声在萨拉热窝响起。柏林、巴黎、伦敦等地相继爆发了大规模的反战集会。蔡特金也积极加入到这场斗争，7 月召开的德国社会民主党符腾堡大会通过了她提交的一份关于反对世界大战威胁的议案，提出符腾堡的社会民主党的代表们庄严地保证，要以阶级斗争的革命精神团结和教育群众，让他们准备奋不顾身地保卫和平，发挥自己全部的政治和经济力量。然而，蔡特金和其他社会民主党人的努力并未能阻止战争的步伐。1914 年 8 月 1 日和 3 日，德国先后向俄国和法国宣战。4 日，德国社会民主党议会党团经过激烈的辩论后，一致投票同意政府的战争拨款。在“保卫祖国”的欺骗性口号下，除了列宁和布尔什维克党、塞尔维亚社会民主党和保加利亚的“紧密派”之外，其他各交战国社会民主党的右翼领袖都煽动几天以前还是兄弟般相处的劳动者自相残杀。反对战争的誓言已经忘却，工人阶级的国际团结也抛之脑后，被工人阶级认为是和平保证的第二国际完全破产。

---

① 中国人民大学科学社会主义系编：《国际共产主义运动史文献史料选编》，中国人民大学出版社 1985 年版，第 215 页。

第一次世界大战爆发，德国社会民主党的背叛行为，把以反对帝国主义战争为己任的蔡特金陷入十分困难的境地。军警借口抓捕俄国间谍搜查蔡特金的住宅，对她实行监视，《平等报》也遭受检查。尽管如此，蔡特金依然坚持参加反战活动，公开拥护和平和社会主义。她揭露、控诉社会民主党背叛党的事业的行为，“目前形势中最为严重的一点是，帝国主义已经把无产阶级的一切力量，以及它的战斗先锋队为解放斗争而创造的一切设施和武器夺过去，并利用来为它的目的服务。它之所以能够完全做到这一点，社会民主党要对国际、对历史负主要过失和责任。赞成军事拨款，是德国社会民主党多数的广泛而可耻的叛变的信号。今天这个多数已不再是无产阶级的、社会主义的阶级斗争政党，而是热衷于并吞他国领土，征服殖民地的民族主义的社会改良政党。”① 她和罗莎·卢森堡、卡尔·李卜克内西、弗兰茨·梅林组成“正直的四人小组”，公开宣布反对德国的战争政策，同社会民主党右派的立场划清了界限。她努力协助“斯巴达克小组”（或称“斯阿达克派”、“国际派”）的成立，参与该组织的纲领的起草、刊物的出版等工作，传播它的革命口号。“斯巴达克小组”的纲领提出，在帝国主义战争时期，只有为结束战争而进行革命斗争，才是真正保卫民族自由。尽管“斯巴达克小组”的纲领在政治上是有缺陷的，但“这个由最忠实和最勇于牺牲的马克思主义者组成的真正革命新政党的核心，逐渐形成了。在那陶醉于沙文主义的时代，作为第一个敢于号召社会主义妇女给战争以迎头痛击的克拉拉·蔡特金，也就是这些马克思主义者之一。”②

《平等报》虽然遭到政府检查，但也依然是蔡特金进行斗争的最好武器。蔡特金不仅努力推动《平等报》报道各国社会主义妇女争取和平的消息，还亲自撰写文章进行反战宣传。1914年8月5日，蔡特金在《平等报》上发表题为《无产阶级妇女，准备着》的文章，揭露了帝国主义国家发动战争的目的在于大地主和大资本家对权力和金钱的贪欲，是为了缓和日益激化的阶级矛盾。战争点燃了一场欧洲人民自相残杀的大火，一小撮有权势的人却坐享渔利。她号召全世界劳动妇女行动起来，反对帝国主义战争。“对于工人阶级来说，人民之间的兄弟情谊不是乌托邦，世界和平也不仅仅是一句空话。所有被剥削和被压迫

---

① ［德］路易斯·多尔纳曼：《蔡特金传》，北京编译社译，生活·读书·新知三联书店 1959 年版，第 130 页。

② ［德］汉娜·伊尔伯格：《克拉拉·蔡特金》，黄贤俊译，中国青年出版社 1959 年版，第 143—144 页。

国家的团结，是支撑这个结论的坚实基础。……他们开展斗争的革命能量和激情将会使他们面临危险和牺牲的要求。可这又有什么了不起呢？每个人的生命中都有这样的时刻，当他敢于冒险，一切皆有可能。这样的时刻已经到来。无产阶级妇女，做好准备！”① 在《致各国社会主义妇女》、《我们的母亲》、《不要有幻想》等文章中，蔡特金号召各国人民不要对战争抱有任何幻想，反复强调无产阶级要积极行动起来，反对战争，争取和平。

蔡特金还通过召开国际妇女代表会议来反对战争。1915 年 3 月，国际社会主义妇女代表会议在瑞士伯尔尼召开，蔡特金以国际社会主义妇女书记处书记的身份出席并主持了会议。蔡特金在向大会提交的草案中提出，各国劳动妇女举行示威游行和集会，抗议帝国主义战争；各国妇女的反战和平行动应当成为所有劳动人民和平运动的先导，劳动人民的和平运动必须由社会主义政党在斯图加特、哥本哈根和巴塞尔国际会议决议的基础上领导进行。俄国代表团提交了由列宁起草的草案，提出了“变帝国主义战争为国内战争”的口号，认为女工要缩短帝国主义时代带来的苦难的期限，就必须把对和平的渴望变成愤慨和争取社会主义的斗争，并通过这场斗争达到自己的目的。大会在表决时发生了激烈的辩论，最终否定了俄国代表团的议案，通过了蔡特金的议案。对于会议的这个结果，大致分为对蔡特金予以支持或者批判两种观点。一种具有代表性的观点认为，蔡特金是从德国革命的时机还不成熟这个错误的观点出发的，她没有能够把她从召开妇女代表会议开始时的果敢行动贯彻到底，致使国际工人阶级争取和平的斗争受到了阻碍，而列宁就此对蔡特金的批判是完全正确的。② 列宁在致亚·米·柯伦泰的信中认为，蔡特金在伯尔尼会议上发表的见解是“庸俗的”，回避了谴责社会沙文主义问题。在致卡·伯·拉狄克的信中写道：“在伯尔尼通过的蔡特金的‘行动决议’得到什么结果呢？在行动方面毫无结果！在原则方面毫无结果！……可是蔡特金这帮人，他们掌握着一切（报纸、杂志、同《伯尔尼哨兵报》的联系、去瑞士的可能性等等），在 10 个月中却没有为团结国际左派做任何一点事情。可耻。”③ 另一种观点认为，单从理论上说，俄国代表团的草案体现了无产阶级的长远利益，似乎无可非议。相

---

① Pholips. Foner, *Clara Zetkin Selected Writings*, Haymarket Books Chicago, Illinois, 2015, p.113.

② 参见［德］路易斯·多尔纳曼：《蔡特金传》，北京编译社译，生活·读书·新知三联书店 1959 年版，第 137 页。

③ 《列宁全集》第 47 卷，人民出版社 2017 年版，第 148 页。

比之下，蔡特金的草案较为温和，革命性逊色一点，但比较现实，容易为与会大多数代表所接受。但从本质上说，蔡特金的草案提出要在巴塞尔反战宣言的基础之上进行斗争，体现的还是革命精神。这一点在会议通过的蔡特金起草的《致劳动妇女宣言书》中更加清楚的体现出来。[①]

《致劳动妇女宣言书》谴责了战争的帝国主义性质，揭露了机会主义者鼓吹的“保卫祖国”的谎言，指出：“危害祖国的是这样一些人，他们从广大群众的痛苦中积累财富，把他们的统治建立在压迫的基础之上。战争对谁有利？只对每个国家里的一小撮人有利。……战争的目的并非是要保卫祖国，而是要扩大国家的领土。资本主义制度之所以要这样做，是因为没有人对人的剥削和压迫，它就不能存在下去。工人们在战争中除了失去他们珍爱的一切之外，什么也没有得到。”[②]《宣言书》呼吁各国劳动妇女团结起来，为争取和平和社会主义而斗争，提出：“到目前为止，你们为了你们的亲人而忍耐。现在必须为你们的丈夫，为你们的儿子行动起来。……所有人都在关注好战国家的无产阶级妇女，你们注定是女英雄。是救世主！统一意志，统一行动！……各国劳动人民都是兄弟般的人民，只有人民的统一意志才能阻止屠杀。只有社会主义才能保证人类未来的和平。打倒为了统治阶级的权力和财富而牺牲无数人生命的资本主义！打倒战争！向社会主义前进！”[③]《宣言书》在会后发表在《伯尔尼哨兵报》上，在德国和欧洲其他国家广泛传播，为争取和平运动在欧洲蓬勃开展起到了不可低估的作用。

## 第四节　积极支持和拥护十月革命

蔡特金的一生与俄国无产阶级有着不解之缘。自从投身政治生活以来，蔡特金就热情帮助俄国革命者和拥护俄国革命。她坚定地站在布尔什维克的立场上，欢呼 1905 年革命风暴，坚决拥护十月革命，认为十月革命是一切真正的社会主义政党为争取工人阶级政权而斗争的光辉典范，具有伟大的历史意义。

---

① 参见孔寒冰：《克拉拉·蔡特金评传》，北京图书馆出版社 1997 年版，第 153—155 页。

② Pholips. Foner, *Clara Zetkin Selected Writings*, Haymarket Books Chicago, Illinois, 2015, p.131.

③ Pholips. Foner, *Clara Zetkin Selected Writings*, Haymarket Books Chicago, Illinois, 2015, p.132.

## 一、深入阐述十月革命的伟大历史意义

蔡特金虽然是德国人，但其一生都与俄国革命运动休戚相关。在参加革命活动初期，蔡特金就与普列汉诺夫、查苏利奇等俄国革命者结识，深入研究俄国政治、经济状况，提出关于俄国革命的认识。蔡特金为《火星报》的创办、发行做了大量工作，有力支持了俄国社会民主工党的革命活动。1905 年俄国革命爆发后，蔡特金撰写、发表了《给革命无产阶级的勇士》等诸多文章介绍俄国革命，以俄国革命为题在各种集会中发表演说，号召德国和其他各国的无产阶级与俄国人民团结起来共同斗争。“受托人”事件体现了蔡特金力图弥补布尔什维克和孟什维克之间的裂痕、促进俄国社会民主工党统一的努力，尽管这种良好愿望与列宁在党内斗争问题上的坚决态度发生了矛盾，但这并未影响她对俄国革命的同情和支持。①

1917 年二月革命后，俄国出现了资产阶级临时政府和工兵代表苏维埃两个政权并存的局面。在对俄国革命深入发展的探索中，列宁和布尔什维克领导俄国无产阶级发动了武装起义。“阿芙乐尔”号巡洋舰的炮声宣布了十月社会主义革命的胜利，世界上第一个社会主义国家由此诞生。蔡特金密切关注着俄国二月革命后局势的发展，“当克伦斯基政府在军事进攻失败以后开始迫害布尔什维克时，当它发布逮捕列宁的命令而列宁不得不转入地下活动时，她就明白了以往孟什维克和布尔什维克之间的分歧的真正意义。……在奥古斯特·倍倍尔领导下的党的传统中成长和战斗的克拉拉经过激烈的自我斗争之后认识到：‘抛弃成规’产生了那领导国际工人阶级走向社会主义的力量。因此对她说来，伟大的十月社会主义革命的消息不完全是出乎意外的奇迹，而是一种美好的理想的实现。她一开始就把它看作是不仅善于斗争，而且能够取得胜利，掌握政权，并用它来造福人类的革命者的事业。”②

蔡特金为十月革命的胜利而欢呼，认为它具有伟大的历史意义。1917 年 11 月 16 日，蔡特金在《莱比锡人民报》的妇女副刊上发表了《争取和平》一文，

---

① 参见孔寒冰：《克拉拉·蔡特金评传》，北京图书馆出版社 1997 年版，第 177—178 页。

② ［德］路易斯·多尔纳曼：《蔡特金传》，北京编译社译，生活·读书·新知三联书店 1959 年版，第 152—153 页。

热情宣传十月革命。其后，蔡特金又在《俄国夺取政权与和平的斗争》、《拥护布尔什维克》等文章中，以及共产国际第四次代表大会等各种会议上表达了对十月革命的衷心拥护，高度评价了布尔什维克的历史功绩。蔡特金认为，十月革命是当代世界历史最伟大的事件。蔡特金提出，自 19 世纪 90 年代中期以来，各国工人阶级中出现一种空想的观点，认为资本主义本身不再是产生了一场必要的、不可阻挡的革命的客观因素；革命的社会因素，工人阶级要革命的愿望也不复存在。“一战”期间，虽然交战国的资产阶级用机枪、坦克、潜水艇和制造死亡与毁灭的飞机来进行哲理的探讨，但有组织的工人阶级的最大部分依然同他们所谓的祖国的资产阶级进行了联合。当战争结束，资本主义表明它无能扭转崩溃的结局，资产阶级表明他们没有能力并缺乏信心在自己制造的混乱中重建世界的时候，那些持空想观点的人们又宣称社会主义、共产主义不能由资本主义的崩溃而产生，只能由资本主义的复苏和重新繁荣而产生。在这种令人窒息的气氛中，俄国革命就像一场净化空气的暴风雨，它毫不含糊地、清晰地表明了无产阶级大众要求一劳永逸地结束资本主义的认识和意志。它是世界革命的第一次重大行动，是资本主义的世界法庭。

蔡特金认为，十月革命是无产阶级世界革命伟大事业的一部分。尽管十月革命表现出一种既定的历史状况，迫切要求在俄国土地上消灭沙皇制度，在政治上建立新的国家形式，但不能就此把它看作是一个国家的小事，把它禁锢在一条资产阶级的单纯政治革命的狭窄的河床上。十月革命的爆发是世界经济和世界政治关系盘根错节地交织在一起的不可避免的结果，帝国主义的世界资本主义，不论在俄国本土还是在俄国以外地区所造成的所有那些经济、政治和社会关系都在革命中显露出来，而革命也反映和凝聚了各个国家无产者关于革命的历史性认识和革命意志。“从一开始就可以看出，不论从它最重要的社会支柱无产阶级来看，还是从它的内容来看，都不可能是一场纯粹的资产阶级革命。……通过革命争取和平，土地交给农民，工人监督生产，而首先是这个口号：全部政权归苏维埃，全部政权归工兵代表苏维埃！这些要求跟资产阶级革命是不相容的。”① 十月革命是历史发展的社会因素的生命力、强大力量和不可抗拒性在世界历史的伟大明证，也就是希望战胜资本主义和实现共产主义的无产阶级群众的认识、意志、行动和斗争。

① 《共产国际第四次代表大会文件 I》，中国人民大学出版社 1990 年版，第 302 页。

蔡特金提出，十月革命缔造了唯一的无产阶级专政国家，建立起了新的社会关系。相比于任何资产阶级革命，无产阶级革命要实现的是更加伟大、更加丰富、更加深刻的事业。资产阶级革命只是改变国家机器，改变政治力量的对比关系，以及与此有关联的事物，不会创造性地触及社会的经济，而无产阶级革命则必须彻底改革社会经济以及与之相连的整个社会上层建筑。布尔什维克在无比英勇的进攻中达到了他们的目的，建立了无产阶级专政，更准确地说是劳动人民专政。它改变了各种社会关系，使平等成为发展的力量源泉。十月革命没有退回到它的出发点，而是超越了起点，向着远方大步前进。它用铁扫帚从俄国土地上彻底清除了一切封建机构和封建残余，把很多崭新的、有益的生命幼芽植入各种机构和千百万人的意识中。在苏维埃俄国，根本不能想象沙皇制度还会回来，也难以想象这里会出现一个与小资产阶级民主派联盟的改良主义者所梦想的那种现代资本主义国家。毫无疑问，"没有革命，苏维埃俄国就不会有它那创造性的革命政权，就不会有苏维埃制度、工人国家，就不会有无产阶级专政。没有这个决定性的转折，也就没有一个崭新的生活，高尚的生活，没有解放的、具有历史意义的生活。"①"这场斗争将在历史上留下深刻的、不可磨灭的痕迹。创造性的新生活，不仅从各国无产者所渴望的胜利中，而且从实际中发出光芒。"②

蔡特金提出，十月革命是一切真正的社会主义政党为争取工人阶级政权而斗争的光辉典范，极大鼓舞了其他各国无产阶级的革命斗争。蔡特金指出，十月革命爆发后，各个国家工人阶级的思想和道路比已往任何时候都更加急剧地进行分化。这里是改革，那里是革命，这就是来自各个国家的回答俄国革命的呼声。1918年年初，柏林、汉堡、慕尼黑等地工人相继罢工，掀起了第一次要求结束战争的群众运动，同时也反对德国帝国主义者强迫俄国人民接受和平条件。斯巴达克派也行动起来，号召工人阶级为推翻好战政府而斗争。1918年11月9日，柏林起义取得了胜利，德皇逃亡荷兰，帝制被推翻。12月30日，德国共产党成立。卢森堡在共产党成立大会的演说中提出："今天当我们在我们的纲领上宣告：无产阶级的直接任务不是别的，而只是——用几句话概括起来说——使社会主义成为事实和行动。把资本主义连根拔掉时，我们就站在

① 《共产国际第四次代表大会文件Ⅰ》，中国人民大学出版社1990年版，第334页。
② 转引自张汉青等：《蔡特金年谱》，北京大学出版社1992年版，第127页。

1848 年马克思和恩格斯曾站在那上面而且他们在原则性问题上从没有离开过的这个基础上了。”①其他国家也先后建立了共产党和共产主义团体共产党，并于 1919 年 3 月成立了新的无产阶级国际联合组织即共产国际，有力促进国际共产主义运动的发展。

蔡特金高度评价了布尔什维克在十月革命斗争中的表现，称他们是俄国人民意志的真正代表，是马克思革命精神的真正继承者。蔡特金指出，伟大的历史时代在布尔什维克身上找到了伟大的一代，他们用明亮而尖锐的目光认清了形势。虽然他们处在比冰峰更高更冷酷的困难境地，但却有勇气用夺取政权来领导革命。布尔什维克用这个办法挽救了革命，“我在这种行动中看到坚强的意志变成了行动，看到把抽象的理想变为严酷的现实的社会事件的社会主义观点和原则；看到了用最快的办法有计划地、自觉地确定了伟大的全民族向社会主义制度的发展，并且对这一切作了评价。在目前的形势下，同时进行的世界大战和国内战争造成了空前的严重困难。到现在为止对于国际起决定作用的这个国家的无产阶级和占领导地位的社会主义先锋队已经表明：缺乏把认识变为行动的有理想、有信心和不怕任何牺牲的意志。而布尔什维克的行动是在同样条件下，在同样时间内发生的。”②蔡特金提出，布尔什维克将会在历史上流芳千古，它将来的声望和他们的斗争将成为指路明星。

## 二、坚决驳斥对十月革命的攻击和歪曲

十月革命胜利后，各国资产阶级和社会民主党人对它采取了敌视态度，攻击十月革命进行得过早，认为经济落后的俄国的无产阶级没有能力管理国家，注定要以失败而告终。其中，卡尔·考茨基的言论具有一定的代表性。1918 年 8 月，考茨基发表了第一篇反对十月革命和苏维埃政权的文章，号召各国社会民主党反对俄国布尔什维克“专政独裁”。同月，他在维也纳出版了名为《无产阶级专政》的小册子，对十月革命进行了系统、全面的攻击。考茨基认为，

① 转引自［德］路易斯·多尔纳曼：《蔡特金传》，北京编译社译，生活·读书·新知三联书店 1959 年版，第 167 页。

② 转引自［德］路易斯·多尔纳曼：《蔡特金传》，北京编译社译，生活·读书·新知三联书店 1959 年版，第 153 页。

搞清十月革命和苏维埃政权的性质，关键是搞清民主和社会主义之间的关系。他从“纯粹的民主”、“一般的民主”的概念出发，把无产阶级专政说成是“独裁”、“专横”、“毁灭民主”，认为由于布尔什维克无视民主对社会主义的重要性，以致它所建立的政权是一个军事、官僚、警察的国家机器。考茨基提出，俄国的无产阶级专政无非是一种想要超越或者用法令来取消那些自然的发展阶段的大规模的试验，“如果还想继续用比喻来说明的话，那末这种做法更使我们想起这样一个怀孕妇女，她疯狂万分地猛跳，为了把她无法忍受的怀孕期缩短并且引起早产。这样生下来的孩子，通常是活不成的。”①

针对考茨基等人对十月革命和苏维埃政权的歪曲和攻击，蔡特金通过撰写文章、书信、演讲等形式进行了反击，阐述十月革命和实行无产阶级专政的必然性，表达了要与俄国布尔什维克同呼吸共命运的态度和观点。其中，蔡特金在 1918 年 9 月初写给德国独立社会民主党全国委员会扩大会议的信，被认为是她留下的最有力量、最有价值的文件之一。这封信表明，“她准备把她经过战争的艰苦考验，右派社会民主党人的叛变，布尔什维克的英勇行动之后认为是陈旧的、有缺点的、过时的一切东西都全部抛弃，——丢掉个人的虚荣，只为人类服务——以全部心灵来感受随着十月革命来到世界上的伟大新事物。它还表明，克拉拉·蔡特金不仅知道东方事件的各个细节，而且进行了深入而彻底的研究，为的是能够在德国的条件下运用十月革命的策略。”②

蔡特金认为，十月革命是俄国国内外主客观条件发展的必然结果。十月革命由世界大战而引起，而世界大战是世界政治、经济等矛盾发展的产物，并非是偶然事件。俄国的无产阶级和农民也已经在布尔什维克的领导下日渐成熟，他们要求从政治上改变俄国，消灭私有制、剥削和压迫。因此，那种认为十月革命必须保持在一种纯粹资产阶级革命轨道上的观点，其目的就是要退回到二月——三月革命。那种把无产阶级革命从俄国开始的原因归结于俄国资产阶级软弱的观点，也有所偏颇。因为更有决定意义的因素是力量、热情和坚韧的毅力，简而言之，就是进行十月革命的坚定意志。在革命之前，布尔什维克在群众中进行了数月的最辛勤、最顽强的鼓动宣传和组织工作，这使得无产阶级能

---

① [德] 卡尔·考茨基：《无产阶级专政》，何疆等译，生活·读书·新知三联书店 1963 年版，第 54 页。

② [德] 路易斯·多尔纳：《蔡特金传》，北京编译社译，生活·读书·新知三联书店 1959 年版，第 157 页。

够在民主背叛自己原则的关键时刻果断出击，表现出他们已经不再怀疑自己的力量，已经获得负责摧毁一个旧世界、建设一个新世界所需要的勇气。正是因为这样，十月革命有别于一切充满幻想的冒险暴动。它不是一个跟无产阶级群众没有稳固联系的轻举妄动的小党，在天花乱坠的革命口号和词句指引下的一次行动，而是由一个深深扎根于无产阶级的群众之中的、组织成政党的少数人的英勇行为。同时，蔡特金也认为，一个党的革命行动无论多么英明，在无产阶级群众中准备得不论多么谨慎、周密，也不能够确保胜利。如果说革命的无产者在十月革命中第一次果敢的冲击赢得了胜利，那只是因为他们有勇气，敢于斗争。这是俄国革命的一个教训，各国无产阶级必须牢记这个教训：三思，当然需要，但只能是果敢行动的基础和准备。

在民主和社会主义的关系问题上，蔡特金批驳了那种认为无产阶级专政违背了社会主义原则的观点，认为只有实行无产阶级专政，才能巩固苏维埃政权，实现保障全体人民民主的社会主义。蔡特金指出，民主必须具有双重性质，它既是历史发展的目标，又是实现这个目标的手段。布尔什维克党在夺取和巩固政权过程中，也许违反和牺牲一些民主原则，但如果要使民主成为全体人民的民主，就必须要牺牲某些人和某些社会集团的权利。究其原因，在于作为无产阶级专政的苏维埃政权，只有在同资产阶级、同反革命进行的激烈斗争中才能获得生命力，仅仅写成条款、纸上谈兵是不够的。蔡特金指出，苏维埃政权的第一句话就是和平这个词，但资产阶级不仅通过阴谋、暴动等来摧毁无产阶级政权，还利用他们的全部影响破坏为了恢复经济和社会生活而进行的建设工作。无产阶级专政无非是针锋相对的正当自卫，它并非革命自由选择的任意行为，而是反革命强加给革命的。如果放弃了无产阶级专政，就等于把大炮和子弹交给敌人。“人们对所谓无产阶级专政和恐怖扼杀了‘民主’，扼杀了资产阶级的自由而绝望，而气恼得发疯，但是没有人谈起成为反革命牺牲品的成千上万的人，没有人想到，如果不是革命的暴力摧毁反革命的暴力，同样的命运也会落到另外多少万人头上。”①

围绕立宪会议问题，蔡特金批驳了那些关于苏维埃政权解散立宪会议的指责，认为解散立宪会议不是消灭民主，而是为了扩大民主。蔡特金指出，立宪议会的确是在民主投票基础之上选举出来的，但这次选举是在十月革命之前举

① 《共产国际第四次代表大会文件 I》，中国人民大学出版社 1990 年版，第 312 页。

行的，资产阶级对选举结果有着相当大的影响，因而不能公正地表达工人阶级的意志。“苏维埃政权有理由——他们这样承认——驱散立宪会议，因为那是在另一些前提下选出的，绝不可能再反映广大人民群众的意见和愿望。”①不仅如此，立宪会议还是“纯粹民主派”同苏维埃政权进行斗争的手段。二月革命以来，“纯粹民主派”曾经有近8个月的时间可以用来选举并召开立宪会议，但他们却一直在拖延，不去实现他们称之为最纯粹地表达人民意志的那种东西。究其原因，在于没有无产阶级革命和土地革命这两个咄咄逼人的幽灵。但当无产阶级夺取政权后，要求立宪会议一下子又成为“纯粹民主派”的战旗，似乎只有它才有建立一个具有法律效力的“国家制度”的创造力。然而，由于由社会革命党人、孟什维克和资产阶级组成的立宪会议多数派不跟苏维埃合作，否认苏维埃政权的合法性，因而“如果苏维埃和立宪会议并存，就会出现政权的二元主义，这种双重政权必然很快导致夺权之争，革命的事业就会成问题，就会受到威胁。与苏维埃并存的立宪会议，无非是反革命进行公开煽动和秘密颠覆的一个合法的中心而已。所以，不要立宪会议，全部政权归苏维埃！”②

在关于选举权问题的争辩中，蔡特金批驳了关于剥夺一部分人的选举权是一种胸襟狭窄的手段，不利于推进新制度建设的观点，阐述了这种现象在俄国无产阶级专政时期存在的历史必然性。蔡特金提出，苏维埃选举法是一种有限的选举法。剥削者既没有选举权也没有被选举权，是剥夺资产阶级政治权力的一项必要措施。蔡特金认为，剥削阶级不应该得到苏维埃选举权的原因，首先在于资产阶级手中掌握的社会和经济势力还很大，并试图利用这些力量反对广大工人群众。因此，想建立自己政权的无产阶级没有任何理由把哪怕是一丝一毫的政治权力或权利交还给他们先前的剥削阶层和老爷们。另一方面，由于苏维埃政府建设社会不是建立在资产阶级和无产阶级、劳动与财产之间权力分配的基础之上，而只是建立在劳动的基础之上。因而，除了财产外，劳动、个人对社会的贡献也被看作政治权力和政治权利的基础。谁要是不劳动，不论脑力劳动或体力劳动，谁要是剥削者，谁要是社会上的寄生虫，他们就没有权利直接、间接地参与决定改善政治和社会现状。按照苏维埃国家作为工人国家的性质，按照新社会制度的本质，选举权只能是劳动者的一种选举权，而不能同时

---

① 《共产国际第四次代表大会文件 I》，中国人民大学出版社1990年版，第308页。

② 《共产国际第四次代表大会文件 I》，中国人民大学出版社1990年版，第309页。

是剥削者的选举权。

蔡特金还批驳了那种认为一个国家愈是资本主义化，也就愈接近民主，愈接近社会主义的观点。蔡特金指出，虽然资本主义发展出现了一些值得注意的新现象，工人阶级生活水平也有了一定的提高，但与此同时，无产阶级和资产阶级的矛盾也在加强，腐朽的议会制更加明显地无助于无产阶级争取自由的斗争。因此，十月革命绝不能停留在资产阶级革命的目标上，而是超越资产阶级革命大步前进。对于资产阶级议会民主制而言，它不论多么重要，也不过是胜利的无产阶级不能简单地用来达到自己目的的国家机构之一，新的革命美酒不能盛在旧的议会制破瓶子里。蔡特金认为，布尔什维克必须要用苏维埃政权代替议会制，"谁想达到目标，就不能在走向目标的道路上畏缩不前。一个以社会主义为目标的无产阶级革命，没有专政将一事无成，在俄国现在的历史条件下更是如此。"①

## 第五节 对教育问题的深入研究

蔡特金非常重视教育问题，她将反对资本主义、军国主义、帝国主义的斗争有机地融合在自己的教育理论之中，倡导彻底改造旧的教育制度，重视家庭教育，努力把劳动人民的子女教育成为消灭资本主义和建设社会主义的战士。

### 一、关于无产阶级政治教育的理论

蔡特金对教育问题的关注是与她参与、领导妇女解放运动紧密联系在一起的。在编辑《平等报》期间，蔡特金接触到了许多关于妇女儿童的报道，了解

① 转引自［德］路易斯·多尔纳曼：《蔡特金传》，北京编译社译，生活·读书·新知三联书店 1959 年版，第 159 页。

到他们艰难的生活。一篇来自瓦特斯豪森的报道这样写道：在这里，一群群来回奔跑的孩子同样是被人遗忘的。人们也许会这样想，假如没有一个相当好的学校把他们引上正路的话，这些新生一代是会夭折的。瓦特斯豪森有很多孩子，在上学以前和放学以后就待在小屋子里，在最幼小的儿童时代，就要为比他们幸福的儿童制造玩具，这种劳动使得他们自己没有时间做快乐的儿童游戏。瓦特斯豪森是广大的玩具工业的中心，资本主义的水蛭不仅吮吸成人的鲜血，而且也吮吸孩子们的血液，他们为了生活而被迫从事劳动，生活在死气沉沉，没有生活乐趣的环境中。① 蔡特金感到孩子们的灾难甚至比资本主义剥削给人类带来的灾难更为严重，她批判这种可耻的社会制度，意识到不仅要为实现妇女的迫切要求而斗争，而且要为孩子们的教育而斗争。

蔡特金关注教育问题，不仅在于她意识到妇女儿童及广大工人群众被剥夺了受教育的权利和机会，还在于对德国教育本身的认识。蔡特金指出，国民学校是剥削阶级的一个统治工具，是为他们的政治利益服务的。这使得年轻的无产阶级对于自然界、社会和历史发展的认识得到了一种虚假的印象，使他们的心灵受到毒害和麻痹。19 世纪末期以来，伴随德国军国主义的兴起，学校进一步变为帝国主义和军国主义宣传工具。教师们告诉学生，为“皇帝和帝国”而死是最大的光荣。他们向孩子们称赞德国士兵在敌人面前的“英勇精神”，而这些敌人就是德国士兵的法国或俄国的弟兄。这种教育使孩子们的心灵中充满了种族优越感、排犹主义、沙文主义和民族仇恨。蔡特金指出，无产阶级为了自己的解放斗争需要知识和学问。为此，需要无产阶级完全战胜剥削阶级，建立自由和平等的工人的社会主义制度，只有这样，才能够给无产阶级，给社会里的所有成员以教育自由和活动自由的保证。

1896 年 7 月，蔡特金在伦敦召开的第二国际第四次代表大会上，被选入大会的教育委员会，并在大会的发言中批驳了凯尔·哈弟提出的不用助学金，而用公共资金来支付学生的生活费用的观点，认为穷人孩子尽管有能力却因父母的贫穷而被排斥在学校门外，只要社会不对受教育者承担完全的赡养，任何这方面的企图都是竹篮打水一场空。蔡特金在德国社会民主党第三次妇女代表会议上作了《学校问题》的报告，在德国社会民主党第三十次代表大会作了《让

① 参见［德］路易斯·多尔纳曼：《蔡特金传》，北京编译社译，生活·读书·新知三联书店 1959 年版，第 73 页。

会民主党和国民教育问题》的报告，在德国社会民主党第五次妇女代表会议上阐述了关于社会主义青年运动的认识，等等。蔡特金还在《平等报》上创办了几个副刊，加强了对妇女儿童教育问题的呼吁、宣传，为她们指出了通往知识文化的道路。

蔡特金关于教育问题的论述是依据夸美纽斯、彼斯塔洛济的学说和罗伯特·欧文的教育著作，尤其是马克思恩格斯的著作而形成的，其根本目的是培育和造就一代新人。蔡特金主张教育世俗化，宗教与学校分离。蔡特金认为，宗教与学校无关，它在学校里既没有教育学的根据，也没有伦理学的根据。“从教育的立场出发，我们也要求取消国民学校中的宗教课程。任何其他的东西也不像宗教课程这样严重地同教育学的最起码要求相矛盾的。宗教课程不促进也不鼓励思考，而是扼杀思考；用对圣经的信仰代替探讨和研究，用死的无用的东西给记忆力加重负担，因而降低了学习的兴趣，发展了记忆力而把思考牺牲了。”①蔡特金认为，历史和经验证明，宗教和伦理学可以结合在一起，但也并非不可分割。“社会的义务只在于教孩子们学会为现世的生活所必需的东西。为来世操心应该是父母的私事。”

蔡特金在从学术层面探讨宗教课程的同时，还从对学校开设宗教课程的本质进行了分析。蔡特金提出，宗教课程带有深深的为资产阶级统治服务的烙印。它不是为了加强宗教感情，而是为了维护在经济上和社会上对劳动阶级的奴役。它的目的不是培养宗教感情，而是机械地灌输教条，这些教条同科学的成就、同现实都有最尖锐的矛盾。蔡特金指出，自由党人由于青年人的朝气也曾经一度梦想过实现“宗教退出国民学校”的主张，可是现在却要求在教学计划中给宗教课程以应有的地位。究其原因，在于他们害怕社会主义，企图用对来世的希望来阻止无产阶级进行现世的阶级斗争。此外，还有一个原因，就是资产阶级有世界末日的情绪，他们由于意志颓废而躲进了宗教的神秘主义之中，而这种神秘主义在最近的文学和艺术中也发生了显著的影响。

蔡特金主张全部、彻底地改革各学科的教学。蔡特金指出，历史、德文和自然科学的教学应该在教学计划中获得应有的重视，必须用最完善的方法进行教学，必须与科学研究相一致来传授知识和促进精神的发展。就自然科学课程

---

① ［德］克拉拉·蔡特金：《论青年教育》，柯新译，生活·读书·新知三联书店 1960 年版，第 10 页。

来说，就是将它从圣经的神话和教会的教条的枷锁中解放出来，引入到自然生活中，追求科学，反对宗教。就历史课程来说，就是将它们从杀人的“爱国主义”的桎梏中解放出来，引入真实的社会生活。蔡特金认为，培养青少年的民族自豪感是政治教育的重要内容，应当贯彻到日常的教学活动中，特别是应当体现在历史课程的教学中。但必须要剔除狭隘的民族主义毒素，关注于那些有关进步、和平、真正的爱国主义和各族人民友好的内容。

蔡特金主张将劳动课列入学校计划。蔡特金提出，自由劳动具有崇高的伦理和教育的意义。因而，要填平剥削者和被剥削者之间的灾难性的鸿沟，把社会变成创造物质和精神财富的自由工人的世界，给儿童们提供受社会一切教育的机会，就应该让劳动者在教学计划中占有一定的地位。她强调，劳动课不仅可以使感官发展，身体灵活，而且可以促进独立思考，把意志集中到一件工作上，鼓舞每个儿童身上蕴藏的创造欲，把他们培养成为在任何方面都有思考能力、创造性地劳动的人。同时，劳动课对提高艺术感受和可塑能力有很大影响，可以使工厂式的生产在这方面更有所提高，从而促使孩子们热爱创造性劳动，认识到劳动的光荣和高贵。此外，劳动课还会使孩子意识到自己对社会的义务，促使他们争作自由创作的人，加倍偿还从教养和文化中所得到的东西。

## 二、彻底改造旧的教育制度

蔡特金认为，对于教育事业来说，从最低级到最高级都是人类的共同财富，文化财富。因此，共同体中的每个成员都有绝对共享这些财富的权利，社会有义务无限制地使所有社会成员都能有受教育的机会，这种机会存在于社会本身，并且以千百万被剥削者的劳动为基础的。然而，资本主义社会却把受教育的机会庸俗地变为商品，同其他任何商品一样进行买卖。“正如在印度和埃及的等级统治下一样，今天的教育是一种垄断，有才能和爱好的人不能受到教育，而只有有钱、有财产的人才有受教育的机会。……孩子们不是根据自己的才能和爱好而受到更高的教育，却是根据选择父母时的先见之明。”①蔡特金认

① ［德］克拉拉·蔡特金:《论青年教育》，柯新译，生活·读书·新知三联书店 1960 年版，第 5 页。

为，德国缺乏一种统一的、有机联系和组织严密的国民教育制度，就是资产阶级关于这种教育的认识在现实中的具体表现。与之相对应，德国的学校分为为劳动人民子女而设立的、学费便宜、设备不好的学校，和设备较好、学费较贵、因而劳动群众无法问津的学校。彻底改造这个旧的教育制度，恢复孩子们享受教育和文化的权利，才能为培养一代新人提供必不可少的前提和基础。

蔡特金提出，改革国民学校首先要从幼儿园到高等学校全部实行统一的、义务和免费的教育。蔡特金主张，所有儿童，不论其父母的阶级成分和家庭经济状况如何，都一律上小学，得到丰富的知识和一般的教养。中学是升入比较高级的和高级的学校的准备阶段，男女小学生可以根据自己的才能和爱好进入中学。蔡特金认为，只有任何孩子都必须在国民学校中接受初步教育，统治阶级才会关心国民学校各方面的提高，才会赞成为了国民学校发展而支出更多的经费，也才会赞成采用较好的教学方法，以及反对伪造的教材，等等。只有劳动者和资产阶级的孩子在统一的学校里读书，资产阶级才会主张把有缺陷的、部分的被粗暴地伪造的国民教育加以改善。

蔡特金主张所有学校都是免费的。学生们不仅免交学费，而且能免费得到学习用品。针对那种认为免费教学会侵犯父母的最神圣的权利，会破坏家庭生活的伦理基础的观点，蔡特金提出："免费教学是一种物质的必然性，是文化的必然性，是以劳动人民的成就为最坚固基础的社会所应负的最起码的道义上的义务。实行免费教学，人民的子女才有可能喜爱、享受和获得更高的文化财富。"① 她认为，人民的有天赋的子女，为受教育的热情所驱使，在陡峭的小道上努力前进，希望走进教育的天堂，但有产阶级却拿着火剑挡在门前，不许小天使们进去。这些孩子本不应该在这条荆棘丛生、顽石遍地的恩赐（助学金制）的道路上往上爬。因为拿到助学金的只是很少一部分人，而且也并不总是最有天分和最应得的人。因为接受这种恩赐就毁灭了才能，有利于外表的训练而损害了性格，不是造就自由思想家而是制造奴才和没有主见的人，其最后目的是培养资本主义的唯命是从、精神上的走卒。

蔡特金要求努力改善教学的环境和条件。蔡特金提出，过度拥挤是现有校舍的突出特点，教室里学生人数太多不仅导致空气污浊不堪，而且给传染病的

---

① ［德］克拉拉·蔡特金：《论青年教育》，柯新译，生活·读书·新知三联书店1960年版，第8页。

传播造成了机会，这与学校应该保护和促进学生身心健康的要求相矛盾。她以特拉肯内为例指出，建造马厩付出了120000马克的经费，名贵的马在大理石槽里吃饲料，而62个小学生却在一个教室里挤不下，有一半人不得不拿着书本站在窗边。因此，需要建设与现在的校舍完全不同的校舍，这些校舍必须是美观的、合乎卫生标准的建筑物，灯光、通风、桌椅，以及教科书等教学用品也必须符合卫生的要求。学校还应该建立在一些大花园中间，运动场、游戏场和校园对儿童的健康发展是完全必要的，而且还有利于直观教学和劳动课，有利于艺术的教育和性情的陶冶。与这个要求相联系，需要建立淋浴室和聘请校医。

蔡特金主张在各方面根本改善教师的地位。蔡特金认为，从根本上说，学校的大部分问题是教师问题。一方面，蔡特金要求聘用更多的教师，以保证教学质量。只有教师充足，才能保证教师充分注意每个学生的身体、精神和道德的发展，减轻教师沉重的教学负担。另一方面，要改善教师的生活条件，提高教师的待遇。如果教师们每日都为生计愁眉苦脸和疲于奔命的话，就没有必要的精力以愉快的心情把劳动人民的子女教育成全面发展的人，无法从事教师这一崇高的职业。在这里，蔡特金还提出了对于教师的要求和培养问题，“别让国民学校教师在正统派严密控制下的师范学校里受很不完善的、科学上和社会上伪造的教育，要给他们创造发展成为全面的、坚强的人的条件，使他们做到对下和蔼，对上倔强”。①

此外，蔡特金还主张发展职业教育。蔡特金主张儿童在升入中学之后，还需要准备接受职业教育。根据职业教育的性质，教材的种类和分配也应有所不同，职业教育的重点放在技术、科学和艺术课程方面。职业教育不仅能够教会学生一些生存本领，可以满足社会不同层次上的需要，而且对学生的全面发展也有着重要意义。

## 三、重视家庭教育

蔡特金关于家庭教育的思想同样也是与她对社会主义的信念联系在一起。

① ［德］克拉拉·蔡特金：《论青年教育》，柯新译，生活·读书·新知三联书店1960年版，第14页。

在1904年不莱梅会议上的报告中，蔡特金从学校改革的角度论述了家庭教育问题，认为在进行社会教育改革时，更需要完全保持，甚至进一步加强父母对孩子的影响。在1906年的曼海姆会议讲话中，蔡特金更为深入地从分析家庭在社会主义社会中的意义出发，阐明了家庭教育的价值所在。蔡特金指出，在旧的资产阶级家庭关系中，丈夫是家庭的养育者和主人，妻子的地位处于丈夫之下，在家庭中为丈夫服务。在这种前提下，家庭不可能进行真正的教育。可是由于生产活动的变化，妻子变成了职业女工，在经济上获得了独立，夫妇俩处在平等的地位上。在这种平等权利中形成了丈夫和妻子之间在家庭中的新的伦理关系，也在这个基础上产生了无产阶级家庭中的丈夫和妻子以父母的身份管理家庭的条件，出现了在抚养和教育孩子方面与资产阶级家庭不同的新情况。在无产阶级家庭中，如果妻子由于某种原因不能或不愿亲自教育子女，就会由丈夫来帮助她，毫不考虑什么是男人和女人的工作。“这是伴随妇女离开家庭走进社会做职业女工而来的一种现象。它是妇女在一切社会必要的生产劳动部门，作为丈夫的平等的同志走进社会的前提条件。”①

蔡特金认为，对于家庭教育的变化过程不仅可以从解脱妇女负担这个角度来认识，也可以从家庭教育的完满结果来认识。在家庭这个重要的教育单位中，丈夫和妻子既是子女的生育者，同时也是他们的教育者。然而，正如男人和妇女的身体条件不同一样，他们在精神和道德的特征上也不完全相同，而在这种差别中却存在着一个对子女的教育非常重要、非常有价值的因素。它使得丈夫和妻子能够把他们各自所用的精神和道德力量相互配合起来，共同完成对儿童的第二次创造。蔡特金认为，这种作为父母共同事业的家庭教育不仅与社会教育不矛盾，而且还会补充社会教育，使它更加完善。对此，蔡特金论述了学前期家庭教育的重大意义问题，认为“在六、七岁以前，孩子在身体、精神和道德方面培养、发展和形成起来的东西，大半都会对他后来的全部生活发生重要的作用。在这个时期，孩子所得的印象和教导是不易消失的。”②

基于对家庭教育所处地位的认识，蔡特金阐述了她对家庭教育内容的认识。蔡特金认为，家庭教育首先要教育孩子有正确的意志。健康的意志和智力

---

① ［德］克拉拉·蔡特金：《论青年教育》，柯新译，生活·读书·新知三联书店1960年版，第22页。

② ［德］克拉拉·蔡特金：《论青年教育》，柯新译，生活·读书·新知三联书店1960年版，第24页。

教育的初步，是要使刚生下来的孩子习惯整洁和有规律，而这种习惯又是健康的身体和品质发展的基础，它孕育着将来要发展的、个人和社会的高尚道德的萌芽。蔡特金认为，如果从社会主义观点出发，认为为了集体利益，应该进行意志和智力教育工作，那么社会主义者的父母的义务就是根据他俩的世界观逐渐把社会主义的思想感情灌输给自己的子女。这样一来，当子女进入学校时就已经有了一定的社会主义思想感情的基础。

蔡特金认为集体主义教育也是家庭教育的重要内容。蔡特金指出，教育的目的不仅仅是教育个人，而应该教育个人认识到他同集体的关系，教育他认识到他从集体得到了什么好处，他应为集体做些什么。社会教育似乎总是把重点放在对集体的关心上，而家庭的任务似乎就是照顾个性。然而，以个人为重点的家庭教育归根到底也是为了集体的利益。集体中个人的个性发展得越充分、越强烈，他贡献给集体的东西也越丰富、越有价值。如果从这个观点出发来看待个人教育，那么个人就不是在真空里发展，而是同集体有极其密切的联系，他来自集体，也为集体而受教育。处理好了这种关系，也就能够避免孩子蜕化成妄自尊大的人，使他们永远以友善的情感和思想同大家、同整体结合在一起，使他们理解自己从整体中所得到的一切好处。

蔡特金还阐述了对家庭教育方式方法的认识。蔡特金提出，运用自由的教育是非常必要的，要善于诱导和说服孩子，把孩子当作正在成长的人，当作社会的公民加以尊重，而不是用一种死硬的高压态度对付孩子。蔡特金指出，父母用一种粗暴的方式，强迫孩子背诵和跟着说一些偏激的、政治的、社会主义的、教条的做法会损害儿童的智力和性格，是完全错误的、愚蠢的行为。然而，这绝不是说不能用其他方法把儿童引导到社会主义世界观的思想感情领域。进行生产劳动教育，就是完成这个任务的最重要的手段。蔡特金指出，通过这种方法，可以教育儿童了解劳动对于社会和社会主义的意义，改变对劳动的偏见，热爱劳动。“只要我们是父母，我们就有责任教育我们的孩子在家庭中从事一项劳动，在从事这项劳动的时候，他们的灵魂不是在做短工，而是可以蓬勃成长，可以享受和发展成丰富多彩的创造。”①

---

① ［德］克拉拉·蔡特金：《论青年教育》，柯新译，生活·读书·新知三联书店 1960 年版，第 28 页。

# 参考文献


卡尔·马克思:《国际工人协会成立宣言》,《马克思恩格斯选集》第3卷,人民出版社2012年版。

卡尔·马克思:《法兰西内战》,《马克思恩格斯选集》第3卷,人民出版社2012年版。

弗·恩格斯:《给奥古斯特·倍倍尔的信》,《马克思恩格斯选集》第3卷,人民出版社2012年版。

弗·恩格斯:《反杜林论》,《马克思恩格斯选集》第3卷,人民出版社2012年版。

卡尔·马克思:《给维·伊·查苏利奇的信》,《马克思恩格斯选集》第3卷,人民出版社2012年版。

弗·恩格斯:《家庭、私有制和国家的起源》,《马克思恩格斯选集》第4卷,人民出版社2012年版。

弗·恩格斯:《路德维希·费尔巴哈和德国古典哲学的终结》,《马克思恩格斯选集》第4卷,人民出版社2012年版。

弗·恩格斯:《给〈社会民主党人报〉读者的告别信》,《马克思恩格斯选集》第4卷,人民出版社2012年版。

卡尔·马克思、弗·恩格斯:《马克思恩格斯书信选编》,《马克思恩格斯选集》第4卷,人民出版社2012年版。

卡尔·马克思、弗·恩格斯:《共产党宣言》,《马克思恩格斯文集》第2卷,人民出版社2009年版。

卡尔·马克思:《〈政治经济学批判〉序言》,《马克思恩格斯文集》第2卷,人民出版社2009年版。

卡尔·马克思:《资产阶级和反革命》,《马克思恩格斯文集》第2卷,人民出版社2009年版。

卡尔·马克思、弗·恩格斯:《共产主义者同盟中央委员会告同盟书》,《马克思恩格斯文集》第 2 卷，人民出版社 2009 年版。

列宁：《第二国际的破产》，《列宁选集》第 2 卷，人民出版社 2012 年版。

列宁：《书评：卡尔・考茨基〈伯恩施坦与社会民主党的纲领反批判〉》，《列宁全集》第 4 卷，人民出版社 2013 年版。

列宁：《帝国主义是资本主义的最高阶段》，《列宁选集》第 2 卷，人民出版社 2012 年版。

列宁：《国家与革命》，《列宁选集》第 3 卷，人民出版社 2012 年版。

列宁：《无产阶级革命和叛徒考茨基》，《列宁选集》第 2 卷，人民出版社 2012 年版。

列宁：《马克思主义和修正主义》，《列宁选集》第 2 卷，人民出版社 2012 年版。

列宁：《唯物主义和经验批判主义》，《列宁选集》第 2 卷，人民出版社 2012 年版。

[德] 伯恩施坦：《社会主义的前提和社会民主党的任务》，宋家修等译，生活・读书・新知三联书店 1958 年版。

[德] 伯恩施坦：《一个社会主义者的发展过程》，史集译，生活・读书・新知三联书店 1962 年版。

[德] 伯恩施坦：《社会主义的历史和理论》，马元德等译，东方出版社 1989 年版。

《伯恩施坦文选》，人民出版社 2008 年版。

《伯恩施坦言论》，生活・读书・新知三联书店 1966 年版。

《倍倍尔文选》，人民出版社 1993 年版。

[德] 倍倍尔：《妇女与社会主义》，生活・读书・新知三联书店 1955 年版。

[德] 倍倍尔：《妇女与社会主义》，1895 年、1973 年德文版。

[德] 卡尔・考茨基：《马克思的经济学说》，区维译，生活・读书・新知三联书店 1958 年版。

[德] 卡尔・考茨基：《莫尔及乌托邦》，关其侗译，生活・读书・新知三联书店 1963 年版。

[德] 卡尔・考茨基：《爱尔福特纲领解说》，陈冬野译，生活・读书・新知三联书店 1963 年版。

[德] 卡尔・考茨基：《近代社会主义的先驱》，韦建桦译，商务印书馆 1989 年版。

[德]卡尔・考茨基：《土地问题》，梁琳译，生活・读书・新知三联书店 1955 年版。

[德] 卡尔・考茨基：《社会革命》，何江、孙小青译，人民出版社 1980 年版。

[德] 卡尔・考茨基：《伦理与唯物史观》，董亦湘译，新文化书社 1926 年版。

[德] 卡尔・考茨基：《取得政权的道路》，刘磊译，生活・读书・新知三联书店 1962 年版。

[德] 卡尔・考茨基：《基督教之基础》，叶启芳等译，生活・读书・新知三联书店

1955 年版。

[德] 卡尔·考茨基:《一个马克思主义者的成长》,叶至译,生活·读书·新知三联书店 1973 年版。

[德] 卡尔·考茨基:《无产阶级专政》,何疆、王禺译,生活·读书·新知三联书店 1963 年版。

[德] 卡尔·考茨基:《陷入绝境的布尔什维克主义》,卜启、杨德译,生活·读书·新知三联书店 1965 年版。

[德] 卡尔·考茨基:《恐怖主义和共产主义》,马清槐译,生活·读书·新知三联书店 1963 年版。

[德] 卡尔·考茨基:《民族国家、帝国主义国家和国家联盟》,何疆、王禺译,生活·读书·新知三联书店 1963 年版。

[德]卡尔·考茨基:《帝国主义》,史集译,生活·读书·新知三联书店 1964 年版。

[德] 卡尔·考茨基:《国际主义和战争》,许长卿译,生活·读书·新知三联书店 1964 年版。

[德] 卡尔·考茨基:《国防问题和社会民主党》,何疆、王禺译,生活·读书·新知三联书店 1964 年版。

[德] 卡尔·考茨基:《社会主义对抗共产主义》,李石秦译,生活·读书·新知三联书店 1963 年版。

[德] 卡尔·考茨基:《唯物主义历史观》第一分册,哲学研究编辑部编译,上海人民出版社 1964 年版。

[德] 卡尔·考茨基:《唯物主义历史观》第三分册,哲学研究编辑部编译,上海人民出版社 1983 年版。

《卢森堡文选》上卷,人民出版社 1984 年版。

《卢森堡文选》下卷,人民出版社 1990 年版。

李宗禹编:《卢森堡文选》,人民出版社 2012 年版。

[德]卢森堡:《资本积累论》,彭尘舜等译,生活·读书·新知三联书店 1959 年版。

[德] 卢森堡:《国民经济学入门》,彭尘舜译,生活·读书·新知三联书店 1962 年版。

《普列汉诺夫哲学著作选集》,汝信等译,生活·读书·新知三联书店 1961 年版。

[俄] 普列汉诺夫:《旧"火星报"论文集》,侯成亚、高敬增译,东方出版社 1998 年版。

《拉法格文选》(上、下卷),人民出版社 1985 年版。

[法] 拉法格:《思想起源论》,王子野译,生活·读书·新知三联书店 1963 年版。

[法] 拉法格:《唯心史观和唯物史观》,王子野译,生活·读书·新知三联书店

1965 年版。

[德] 弗・梅林：《论历史唯物主义》，李康译，生活・读书・新知三联书店 1958 年版。

[德] 弗・梅林：《德国社会民主党史》第 1、2 卷，青载繁译，生活・读书・新知三联书店 1965 年版。

[德] 弗・梅林：《德国社会民主党史》第 3、4 卷，青载繁译，生活・读书・新知三联书店 1966 年版。

[德]弗・梅林：《马克思传》(上、下卷)，繁集译，持平校，人民出版社 1972 年版。

[德] 弗・梅林：《中世纪末期以来的德国史》，张才尧译，生活・读书・新知三联书店 1980 年版。

[德] 弗・梅林：《保卫马克思主义》，吉洪译，人民出版社 1982 年版。

[德] 弗・梅林：《论文学》，张玉书、韩耀成、高中普译，人民文学出版社 1982 年版。

《鲍威尔言论》，人民出版社 1978 年版。

[德] 鲁道夫・希法亭：《金融资本》，福民等译，商务印书馆 1994 年版。

殷叙彝译：《 鲍威尔文选》，人民出版社 2008 年版。

[意]安・拉布里奥拉：《关于历史唯物主义》，杨启潾等译，人民出版社 1984 年版。

[苏] 柳・阿・尼基奇切：《拉布里奥拉传》，杨启潾等译，人民出版社 1987 年版。

[保] 布拉戈也夫：《马克思主义还是伯恩施坦主义?》，生活・读书・新知三联书店 1964 年版。

[奥] 埃・普里斯特尔：《奥地利简史》（上、下），陶梁等译，生活・读书・新知三联书店 1972 年版。

[奥] 埃里希・策尔纳：《奥地利史：从开端至现代》，李澍泖等译，商务印书馆 1981 年版。

[奥] 马赫：《感觉的分析》，洪谦等译，商务印书馆 1986 年版。

[德] 克拉拉・蔡特金：《论青年教育》，柯新译，生活・读书・新知三联书店 1960 年版。

[德] 克拉拉・蔡特金：《列宁给全世界妇女的遗教》，魏城译，生活・读书・新知三联书店 1960 年版。

[德] 克拉拉・蔡特金：《回忆列宁》，马清槐译，人民出版社 1957 年版。

[英] 麦克莱伦：《马克思以后的马克思主义》，中国人民大学出版社 2000 年版。

[波] 莱泽克・科拉科夫斯基：《马克思主义的主要流派》（第二卷），黑龙江大学出版社 2015 年版。

[苏] 切尔涅佐夫斯基：《革命马克思主义者反对中派主义的斗争》，李兴耕、李宗

禹译，中国人民大学出版社 1988 年版。

[苏] Л.И.祖波克：《国际史》第 1—3 卷，刘金质、杨光远、高放、李石生译，人民出版社 1984 年版。

[英] 柯尔：《社会主义思想史》第 3 卷（下册），何慕李译，商务印书馆 1986 年版。

[南斯拉夫] 普雷德拉格·弗兰尼茨基：《马克思主义史》第 1 卷，胡文建等译，黑龙江大学出版社 2015 年版。

[奥地利] 尤利乌斯·布劳恩塔尔：《国际史》（上、中、下卷），杨寿国、孙秀民译，上海译文出版社 1985 年版。

[英] 安东尼·吉登斯：《第三条道路：社会民主主义的复兴》，郑戈译，北京大学出版社 2000 年版。

[美] 史蒂芬·贝莱尔：《奥地利史》，黄艳红译，中国大百科全书出版社 2009 年版。

[美] 史蒂文·奥茨门特：《德国史》，邢来顺等译，中国大百科全书出版社 2009 年版。

中共中央编译局：《马列著作编译资料》（1—18），人民出版社 1978—1981 年版。

中共中央马克思恩格斯列宁斯大林著作编译局国际共运史研究室编：《德国社会民主党关于伯恩施坦问题的争论》，生活·读书·新知三联书店 1981 年版。

中共中央马克思恩格斯列宁斯大林著作编译局资料室编：《考茨基言论》，生活·读书·新知三联书店 1966 年版。

中国人民大学国际政治系编：《马克思恩格斯列宁斯大林论科学社会主义》，人民出版社 1986 年版。

中共中央马克思恩格斯列宁斯大林著作编译局译：《无产阶级革命和叛徒考茨基》，人民出版社 1964 年版。

中共中央马克思恩格斯列宁斯大林著作编译局资料室编：《伯恩施坦言论》，生活·读书·新知三联书店 1966 年版。

《米勒兰事件》，生活·读书·新知三联书店 1980 年版。

《社会主义思想史文选》，人民出版社 1995 年版。

《国际共运史研究资料》第 2 辑，人民出版社 1981 年版。

童建挺等编：《第二国际第一次（巴黎）代表大会文献》，中央编译出版社 2012 年版。

中国人民大学科学社会主义系编：《国际共产主义运动史文献史料选编》，中国人民大学出版社 1985 年版。

《共产国际第四次代表大会文件 Ⅰ》，中国人民大学出版社 1990 年版。

《共产国际第三次代表大会文件 Ⅱ》，中国人民大学出版社 1988 年版。

[苏] 列夫·托洛茨基:《我的生平》，娟玉译，上海人民出版社 2014 年版。

[德] 费雷德·厄斯纳:《卢森堡评传》，孔固、李度译，生活·读书·新知三联书店 1964 年版。

[苏] 约夫楚克、库尔巴托:《普列汉诺夫传》，宋洪训译，生活·读书·新知三联书店 1980 年版。

[民主德国] 约·斯拉维夫斯坦:《梅林传》，邓仁娥等译，人民出版社 1989 年版。

[德] 路易斯·多尔纳曼:《蔡特金传》，北京编译社译，生活·读书·新知三联书店 1959 年版。

[德] 汉娜·伊尔伯格著:《克拉拉·蔡特金》，黄贤俊译，中国青年出版社 1959 年版。李兴耕:《拉法格传》，人民出版社 1987 年版。

王学东:《考茨基文选》，人民出版社 2008 年版。

殷叙彝:《伯恩施坦的生平和思想发展过程》，《当代世界社会主义问题》2005 年第 1 期。

葛斯:《倍倍尔与第一国际》，《国际共运史研究资料》1985 年第 2 期。

庄福龄主编:《简明马克思主义史》，人民出版社 1999 年版。

庄福龄主编:《马克思主义史》，人民出版社 1996 年版。

刘佩弦、马健行:《第二国际若干人物的思想研究》，人民出版社 1994 年版。

中国人民大学马列主义发展史研究所:《马克思主义史》，人民出版社 1995 年版。

黄楠森、庄福龄等:《马克思主义哲学史》，北京出版社 1991 年版。

姚顺良主编:《马克思主义哲学史:从创立到第二国际》，北京师范大学出版社 2010 年版。

中国人民大学马列主义发展史研究所编:《马克思主义发展史》，人民出版社 1995 年版。

许征帆等:《马克思主义学说史》第二卷，吉林人民出版社 1987 年版。

郭继严等:《马克思主义发展史》，中国人民大学出版社 1989 年版。

顾海良:《马克思主义发展史》，中国人民大学出版社 2015 年版。

顾海良、张雷声:《20 世纪国外马克思经济思想史》，经济科学出版社 2006 年版。

李兴耕编:《饶勒斯文选》，人民出版社 2009 年版。

彭树智:《修正主义的鼻祖伯恩施坦》，陕西人民出版社 1982 年版。

高放、高敬增:《普列汉诺夫评传》，人民出版社 1985 年版。

张光明编:《普列汉诺夫文选》，人民出版社 2010 年版。

唐正东:《当代资本主义的新变化批判性解读》，经济科学出版社 2016 年版。

张新:《恩格斯传》，当代世界出版社 1998 年版。

张云飞:《跨越“峡谷”马克思晚年思想与当代社会发展理论》，人民出版社 2001

年版。

萧灼基：《马克思恩格斯著作中的若干人物》，河北人民出版社 1981 年版。

殷叙彝：《第二国际研究》，中央编译出版社 1998 年版。

张志军主编：《20 世纪国外社会主义理论、思潮及流派》，当代世界出版社 2008 年版。

张文焕：《拉萨尔和俾斯麦》，生活 · 读书 · 新知三联书店 1981 年版。

周尚文主编：《国际共运史事件人物录》，上海人民出版社 1984 年版。

殷华成：《奥地利马克思主义研究》，中国社会科学出版社 2014 年版。

韩承文主编：《1848 年欧洲革命史》，河南大学出版社 1995 年版。

王海霞：《奥地利社会民主党研究》，北京广播学院出版社 2003 年版。

张汉青等编著：《蔡特金年谱》，北京大学出版社 1992 年版。

丁建弘：《德国通史》，上海社会科学院出版社 2002 年版。

孔寒冰：《克拉拉 · 蔡特金评传》，北京图书馆出版社 1997 年版。

Peter Gay. *The Dilemma of Democratic Socialism: Eduard Bernstein's Challenge to Marx*, New York, 1952.

Horace B.Davis. *The National Question——Selected Writings by Rosa Luxemburg*, New York, Monthly Review Press, 1976.

Dick Howard. *Selected Political Writings of Rosa Luxemburg*, New York, Monthly Review Press,1971.

Georg Adler, Peter Hudis and Annelies Laschitza. *The Letters of Rosa Luxemburg*, Translated by George Shriver, New York, Verso, 2011.

J.P. Nettl.Rosa Luxemburg, Volume 1-2, New York, Oxford University Press, 1966.

Paul Frölich. Rosa Luxemburg: *Her Life and Work*, New York, Monthly Review Press,1972.

Otto Bauer, *The Question of Nationalities and Social Democracy*, Minneapolis, MN: University of Minnesota Press, 2000.

Rudolf Hilferding, Translated by Eden and Paul, *Boehm-Bawerk's Criticism of Marx*, Glasgow, Socialist Labour Press, 1919.

Pholips. Foner, *Clara Zetkin Selected Writings*, Haymarket Books Chicago, Illinois, 2015.

# 大 事 记

## 1843年

7月2日　　拉布里奥拉出生。

## 1848年

2月　　马克思、恩格斯合作起草的《共产党宣言》在伦敦发表。

3月　　在法国、德国、奥地利、匈牙利爆发革命。

4月　　在许多城市成立工人协会。

8月28—9月3日　　在柏林举行德国工人代表大会。会议在斯特凡·波尔恩的主持下创立了“工人兄弟会”。

## 1850年

1月6日　　伯恩施坦生于柏林。

## 1854年

7月　　（德意志）联邦国会颁布结社法，所有工人社团一律被解散。

10月16日　　考茨基生于布拉格（当时所属奥地利帝国）。

## 1857 年

7 月 5 日　克拉拉·蔡特金出生于德国萨克森州维德河畔维德劳村。

## 1863 年

3 月 1 日　斐迪南·拉萨尔对莱比锡委员会作出“公开答复”。主张设独立的工人政党。

5 月 23 日　莱比锡建立“全德工人联合会”，拉萨尔担任主席。

## 1864 年

8 月 31 日　拉萨尔决斗身亡。

9 月 28 日　国际工人协会（第一国际）在伦敦成立。

## 1865 年

12 月　莱比锡成立“全德烟草工人协会”。

## 1866 年

5 月　“德意志印刷工人联合会”成立。

8 月 19 日　倍倍尔、威廉·李卜克内西同资产阶级民主派创建“萨克森人民党”。

12 月　倍倍尔参加第一国际即国际工人协会，以行动表明自己的政治主张。

## 1867 年

2 月　倍倍尔当选北德意志联邦议会议员，成为第一个工人议员。

2 月 12 日　倍倍尔、威廉·李卜克内西和施拉普斯被选入北德意志帝国国会。

9月14日　马克思的著作《资本论》第一卷出版。

10月　倍倍尔当选德国工人协会联合会主席。

## 1868年

5月9日　德意志工人协会联合会代表大会，多数派决定赞同国际工人协会的纲领，支持建立工会。

9月　在纽伦堡举行的德意志工人协会代表大会上，倍倍尔和李卜克内西提议把第一国际章程的要点作为协会的纲领，并使大会作出加入第一国际的决议。

## 1869年

8月　倍倍尔在爱森纳赫城主持召开协会代表大会，通过了他参加起草的党纲，宣布成立德国社会民主工党。倍倍尔此后始终是党的著名领袖。

8月7—8日　在爱森纳赫，成立社会民主党工党。明确宣布自己是国际工人协会的德国分支。

12月　政府以“散布危害国家的学说”的罪名，判处倍倍尔和李卜克内西三周监禁。

## 1870年

7月19日　法国向普鲁士宣战，普法战争开始。

12月17日　倍倍尔被控“图谋和准备叛国罪”被捕入狱。

## 1871年

3月　卢森堡出生于波兰扎莫什奇。

3月　巴黎公社起义。

3月3日　倍倍尔再次当选德意志帝国国会议员。

3月28日　政府被迫释放倍倍尔。

5月25日 巴黎公社起义惨遭镇压。倍倍尔在帝国国会发表演说，抨击统治阶级对巴黎公社革命的诽谤，高度赞扬巴黎公社的革命壮举。

## 1872年

春 伯恩施坦加入德国社会民主工党（爱森纳赫派）。

3月11日 莱比锡法庭再次以“图谋叛国”的罪名，判处倍倍尔等人两年要塞监禁。

7月 倍倍尔又因“渎君罪”被判九个月监禁，直到1875年4月才获释。

秋 伯恩施坦阅读欧根·杜林的《国民经济学和社会主义教程》等著作，成为杜林的忠实信徒和宣传者。

## 1875年

1月 考茨基在维也纳加入奥地利社会民主党，开始为党的机关刊物《平等报》撰稿，同时也为德国社会民主工党中央机关报莱比锡的《人民国家报》撰稿，此后又在给德国社会主义工人党中央机关报《前进报》撰稿过程中与威廉·李卜克内西建立了通信联系。

5月22—27日 “拉萨尔派”和“爱森纳赫派”在哥达举行的代表大会上合并为“德国社会主义工人党”，通过哥达纲领。马克思的《批注》对这一纲领作了严厉批判。

## 1876年

10月1日 社会主义工人党中央机关报《前进报》第一期在莱比锡出版。

12月 在彼得堡喀山教堂广场上，普列汉诺夫领导工人并参加了俄国历史上第一次政治示威，发表了反对沙皇专制制度的演说。

## 1877年

11月 倍倍尔被柏林法院指控犯有“侮辱俾斯麦首相罪”，被判监禁六个月。

## 1878年

7月30日　社会主义工人党尽管在竞选中受到严重阻挠，在帝国国会选举中仍获得四十三万七千一百五十八张选票和九个议席。

10月　帝国首相俾斯麦策划实施反社会民主党人非常法令，亦称“非常法”，对工人运动严酷摧残。在国会辩论中，倍倍尔尖锐地揭露和批驳这个反动法案。

俾斯麦颁布《镇压社会民主党企图危害治安法令》（通称反社会党人非常法）。德国社会民主党被迫转入地下。伯恩施坦辞去银行中的职务，到瑞士担任德国社会民主党党员、改良主义者卡尔·赫希伯格的私人秘书。

10月19日　俾斯麦在5月提出的“镇压社会民主党人企图危害社会治安的法令”在德意志帝国议会以二百二十一票对一百四十九票通过。

## 1879年

7月　伯恩施坦和赫希伯格及施拉姆在苏黎世发表《德国社会主义运动的回顾》一文，提出了一个右倾机会主义和投降主义的纲领，因此遭到马克思和恩格斯的批判。

夏　民粹派发生分裂。一派为“民意党”，被恐怖主义者把持；一派为“土地平分社”，主张坚持到农民群众中继续进行革命斗争。

## 1880年

1月　考茨基迁居到苏黎世，成为卡尔·赫希柏格出版事业的助手，结识了当时是卡尔·赫希柏格秘书的爱德华·伯恩施坦。

8月　在瑞士维登秘密举行的党代表大会上，倍倍尔为党在非常法期间的活动确定了方针和策略。

8月20—23日　社会主义工人党在瑞士的韦登举行代表大会。

12月　倍倍尔第一次到伦敦会见马克思、恩格斯，得到两位导师的亲切指导。

12月　伯恩施坦与倍倍尔同赴伦敦会见马克思和恩格斯，表示拥护马克思和恩格斯的观点。

## 1881 年

1 月　伯恩施坦返回苏黎世接替福尔马尔的《社会民主党人报》的主编职务。

1 月　普列汉诺夫参加了无产阶级革命家路·奥·布朗基的葬礼。

6 月　莱比锡实行戒严，倍倍尔和李卜克内西被驱逐到戒严地区边境，禁止到市区工人中活动。

## 1882 年

晚夏　克拉拉·蔡特金迁居苏黎世，结识了普列汉诺夫、查苏利奇、伯恩施坦等社会主义者。

年底　克拉拉·蔡特金在巴黎结识沙尔·龙格夫妇、保尔·拉法格夫妇等革命者。

## 1883 年

1 月　考茨基创办的德国社会民主党的理论刊物《新时代》，由迪茨在斯图加特出版，并担任主编。

3 月 14 日　卡尔·马克思在伦敦逝世。

9 月　普列汉诺夫正式宣布与民粹主义决裂，建立了俄国第一马克思主义团体——“劳动解放社”，并随即出版了《社会主义和政治斗争》他的第一部马克思主义著作。

## 1887 年

10 月　在瑞士圣加伦秘密举行的党的代表大会后，倍倍尔受派同英国工联就各国工人采取一致行动争取国际工人立法事宜进行谈判。

## 1888 年

12 月 30 日　奥地利社会民主党成立。

## 1889年

1月1日　奥地利社会民主党统一代表大会通过《海因菲尔德宣言》，即奥地利社会民主党的第一个正式纲领。

2月28日　倍倍尔参加了在海牙举行的预备性国际代表会议。参加会议的有德国、瑞士、荷兰、比利时以及法国的马克思主义派的代表，会议决定1889年7月14日到21日在巴黎举行国际代表大会。

7月　国际工人代表大会确定5月1日为争取八小时工作日的斗争日。

7月14日　倍倍尔出席了巴黎国际代表大会即第二国际成立大会，并在报告中强调无产阶级只有依靠自己的团结斗争才能达到目标。大会通过了《劳工法案》、《五一节法案》，决定以同盟罢工作为工人斗争的武器。

7月19日　克拉拉·蔡特金在巴黎召开的国际社会主义者代表大会，即第二国际的成立大会上作关于劳动妇女的发言，即《现代女工和妇女问题》。

## 1890年

1月25日　帝国国会拒绝延长反社会民主党人非常法。

2月20日　德国社会民主党在帝国国会选举中获得一百四十二万张选票，成为拥有党员人数最多的党。

5月5日　拉布里奥拉给激进派小组主席索奇写了公开信，宣布自己同激进派决裂。

9月　反社会民主党人非常法令被废除。德国社会民主党恢复了合法地位。

10月　“反社会党人法”废止，迪茨建议《新时代》杂志改为周刊，考茨基离开伦敦到了斯图加特。

10月后　克拉拉·蔡特金由苏黎世返回德国。

11—12月　成立“德国工会总委员会”。

12月18日　《平等报》第1期在斯图加特出版。

## 1891年

1月 由于德国的社会民主党内机会主义思想抬头，考茨基在《新时代》上发表了已被搁置16年的马克思手稿《哥达纲领批判》。

2月 在《新时代》上考茨基发表了《我们的纲领》。

8月2日 保加利亚社会民主党成立。

8月16—23日 第二国际代表大会。

10月14—20日 （德国社会民主党）在爱尔福特举行代表大会，通过爱尔福特纲领。

12月底 克拉拉·蔡特金在斯图加特为劳动解放社建立了一个通讯点。

## 1892年

8月15日 意大利社会党成立。

## 1893年

8月 在第二国际苏黎世代表大会以后发表《国际大会能力的限度》一文，主张社会民主党同资产阶级实行“妥协”和“联盟”。

8月6—12日 第二国际第三次代表大会在苏黎世举行。

8月6—12日 倍倍尔陪同恩格斯出席第二国际第三次（苏黎世）代表会。根据他的提议，否决了无政府主义者参加大会的要求。

8月6—12日 第二国际第三次代表大会在苏黎世举行，克拉拉·蔡特金第一次见到恩格斯。

11月1日 克拉拉·蔡特金在《平等报》上发表《妇女工作和工会组织》。

## 1894年

2月 保加利亚社会民主党与保加利亚社会民主联盟联合，改名为保加利亚社会民主工党。

9月 法国德福雷斯案。

11 月　倍倍尔被恩格斯指定为他的著作的遗嘱执行者之一。

12 月　在巴黎的集体主义者学生小组集会上，让·饶勒斯系统提出要把唯物史观与唯心史观融合在一起。

1894 年 12 月—1895 年 1 月　拉法格同饶勒斯就唯心史观和唯物史观问题展开了一场激烈的论战。

## 1895 年

1 月 12 日　克拉拉·蔡特金撰写了《关于女权请愿书》一文。

4—5 月　拉布里奥拉完成《纪念〈共产党宣言〉》。

8 月 5 日　弗里德里希·恩格斯在伦敦逝世。

10 月 6 日　德国社会民主党第十九次代表大会在布勒斯劳举行，克拉拉·蔡特金第一次被选入德国社会民主党的中央监察委员会。

## 1896 年

5 月 30 日　米勒兰提出了“圣芒德纲领”的改良主义纲领。

7 月 27 日—8 月 1 日　第二国际第四次代表大会在伦敦举行。

## 1897 年

3 月　卢森堡通过博士学位论文答辩。

5 月　卢森堡获法学博士学位。

## 1898 年

夏初　普列汉诺夫先后在日内瓦和罗马作了《所谓马克思主义的危机》的讲演，第一次向伯恩施坦修正主义公开宣战。

4 月　卢森堡与德国公民假结婚，取得德国国籍。

5月 普列汉诺夫写成了第一篇批判修正主义的理论文章《伯恩施坦与唯物主义》。

9月 卢森堡发表《社会改良还是社会革命?》。

10月 德国社会民主党召开斯图加特代表大会。

10月 德国社会民主党在斯图加特召开代表大会。由于许多党员要求在大会上讨论伯恩施坦问题，伯恩施坦从伦敦给大会寄去一份书面声明，为他的修正主义观点进行辩解。

10月 德国社会民主党在斯图加特召开代表大会，在这次大会中考茨基与倍倍尔、卢森堡以及蔡特金等一些马克思主义者对伯恩施坦的错误观点进行了坚决的批判。

## 1899年

1月 伯恩施坦的《社会主义的前提和社会民主党的任务》一书完成。

2月 在考茨基和维·阿德勒等人的鼓动下，伯恩施坦将他的修正主义观点写成《社会主义的前提和社会民主党的任务》一书出版。这本书对马克思主义的哲学、政治经济学和科学社会主义学说进行了全面的、系统的攻击，成为以伯恩施坦为代表的第二国际修正主义的纲领和宣言。

6月 法国资产阶级温和派共和党人组阁，"约请"社会主义者加入内阁，社会党人米勒兰在未征得党的同意的情况下就欣然接受邀请，即"米勒兰入阁"事件。

6月 法国社会党人米勒兰成为瓦尔德克·卢梭资产阶级政权内阁的工商部长。

7月 卢森堡在《莱比锡人民报》上发表了《一个策略问题》一文，认为米勒兰加入资产阶级政府是一个策略问题，还指明米勒兰加入政府与伯恩施坦修正主义是相符合的。

7月30日 《社会主义者报》发表了由盖得和拉法格签署的法国工人党全国委员会关于召开全国代表大会的呼吁书，其中进一步批判了米勒兰的背叛行为。

8月13日 在《社会主义者报》上，拉法格发表《社会党和资产阶级政府》一文。

10月9—14日 德国社会民主党在汉诺威举行代表大会，就修正主义问题发生争论。

10 月 9—17 日　德国社会民主党代表大会在汉诺威举行，克拉拉·蔡特金同倍倍尔、卢森堡一起批判伯恩施坦的修正主义观点。

12 月　法国各社会主义政党在巴黎召开了统一代表大会。

## 1900 年

4 月　爱德华·伯恩施坦退出《新时代》经常撰稿人集团，同时成为德国社会民主党右派的机关刊物《社会主义月刊》的经常撰稿人，直到 1914 年底。

9 月　第二国际巴黎代表大会针对米勒兰入阁事件通过考茨基决议案。

9 月 23—27 日　第二国际第五次代表大会在巴黎举行。

## 1901 年

2 月　爱德华·伯恩施坦从伦敦回到德国。

5 月　爱德华·伯恩施坦在柏林“社会科学大学生联合会”发表题为《科学社会主义怎样才是可能的?》的演说，否认马克思主义理论的科学性。

9 月　爱德华·伯恩施坦出席德国社会民主党吕柏克代表大会。在大会对上述观点进行批判时两次发言为自己辩解，并且宣称支持米勒兰的背叛行为。

## 1902 年

3 月　爱德华·伯恩施坦当选帝国议会议员，此后连续当选至 1906 年(1912 至 1918 年、1920 至 1928 年都担任议会议员)。

## 1903 年

3 月 25 日　克拉拉·蔡特金在《平等报》上发表《妇女应该感谢马克思什么?》。

9 月 13—20 日　德国社会民主党召开德累斯顿代表大会。修正主义受到批判。

## 1904年

2月2日　拉布里奥拉在罗马逝世。

7月　卢森堡发表《俄国社会民主党的组织问题》。

8月　卢森堡出席第二国际阿姆斯特丹代表大会，阐述国际社会党人在军国主义和战争问题上应采取的原则立场。

8月　爱德华·伯恩施坦代表德国社会民主党出席第二国际阿姆斯特丹代表大会，并参加大会殖民地问题委员会，鼓吹社会民主党应实行“社会主义的殖民政策”。发表《斐迪南·拉萨尔及其对工人阶级的意义》一书，宣称要以该书来“复活”拉萨尔“留给工人阶级的丰富的精神遗产”。

## 1905年

1月22日　俄国1905年革命爆发。

5月22—27日　在科隆举行的第五次工会代表大会围绕大罢工问题展开辩论。大会拒绝对政治大罢工宣传。

5月　爱德华·伯恩施坦发表题为《政治性群众罢工和德国社会民主党的政治状况》的演说，竭力反对举行政治性群众罢工。

7月　爱德华·伯恩施坦发表《今日社会民主党的理论和实践》一书，进一步发挥《社会主义的前提和社会民主党的任务》一书中的修正主义观点。

9月17—23日　德国社会民主党在耶拿举行的代表大会上，仅承认大罢工是一种防御性的斗争手段。

## 1906年

9月23—29日　德国社会民主党在曼海姆召开的代表大会上，继续围绕大罢工问题展开辩论。在“曼海姆协议”中，工会的广泛独立性获得承认。

## 1907年

8月17—19日　第一届国际社会主义妇女代表会议在斯图加特召开，克拉拉·蔡特金当选为国际妇女书记处书记，正式成为国际无产阶级妇女运动的领袖。

8月18—24日　第二国际第七次代表大会在斯图加特召开，列宁率俄国代表团参会，克拉拉·蔡特金第一次与列宁见面。

## 1909年

4月　在阿姆斯特丹发表关于《社会民主党内的修正主义》的演说，伯恩施坦系统地阐述他的修正主义观点的产生和发展过程。

## 1910年

3月中旬　卢森堡发表《下一步怎么办?》。

5—6月　卢森堡发表《疲劳战略还是斗争?》。

8月　考茨基在《新时代》上发表了《在巴登与卢森堡之间》一文，这是他结束和卢森堡围绕群众罢工问题进行辩论的文章，也是他既反对左派又反对右派的代表作之一。

8月26—27日　第二届国际社会主义妇女代表会议在哥本哈根举行，大会提议各国社会主义妇女每年要有一个妇女的节日。

8月28日—9月3日　第二国际第八次代表大会在哥本哈根举行。

## 1911年

7月　德国炮舰"豹号"驶入阿加迪尔港，史称这次战争危机为"豹的跳跃"。

## 1912年

11月9日　第二国际的第九次（非常）代表大会在巴塞尔召开，通过了反战决议《国际局势和反对战争的统一行动》，即著名的《巴塞尔宣言》。

11 月 24—25 日　第二国际巴塞尔非常代表大会召开，克拉拉·蔡特金作了反对帝国主义战争的发言。

## 1913 年

1 月中旬　卢森堡出版《资本积累论》。

8 月 13 日　奥古斯特·倍倍尔在瑞士逝世。

## 1914 年

6 月 28 日　奥匈帝国皇位继承人弗朗茨·斐迪南在萨拉热窝遇刺，成为第一次世界大战的导火线。

7 月 28 日　第一次世界大战爆发。
奥地利对塞尔维亚宣战。

8 月 1 日　德国向俄国宣战。

8 月 3 日　德国向法国宣战。
德国社会民主党帝国国会党团以七十八票对十四票决定赞同所要求的战争拨款。

8 月 4 日　德国社会民主党国会党团在帝国国会上一致赞成关于战争拨款的提案，主席哈泽声明："我们绝不在危险的时刻背叛自己的祖国"。
伯恩施坦在帝国议会投票赞成德国政府的军事拨款，背叛了国际主义和无产阶级革命，成为社会沙文主义者。

8 月 6 日　奥匈帝国对俄罗斯宣战。

8 月 11 日　法国对奥匈帝国宣战。

9 月　考茨基出版《帝国主义》。

12 月 2 日　卡尔·李卜克内西独自一人投票反对第二次战争拨款提案。

## 1915 年

3 月 26—28 日　国际社会主义妇女代表大会在伯尔尼召开，克拉拉·蔡特金作《关于社会主义妇女维护和平的国际行动》的报告。

6月　伯恩施坦从公开的沙文主义立场转到中派立场，和考茨基、哈泽联名发表题为《当务之急》的呼吁书，企图缓和革命情绪。

## 1916年

1月　罗莎·卢森堡和卡尔·李卜克内西为核心组建"'国际'小组"。斯巴达克信札出版。

3月24日　德国社会民主党帝国国会党团分裂，成立"社会民主党工作委员会"。

7月　卢森堡被捕入狱。

## 1917年

1月7日　反对派召开全国会议，党的委员会谴责这一派为"特殊组织"。

3月8日　俄国爆发二月革命。

4月6—8日　"德国独立社会民主党"在哥达宣告成立。

6月29日　克拉拉·蔡特金在《莱比锡人民报》第1期妇女副刊上发表《告别〈平等报〉》一文。

11月　考茨基发表了《布尔什维克的起义》一文。

11月7日　俄国爆发十月革命。

11月10日　普列汉诺夫在《统一报》发表了《致彼得格勒工人的公开信》。

11月30日　克拉拉·蔡特金为《莱比锡人民报》撰写题为《俄国夺取政权与和平的斗争》的社论。

## 1918年

3月3日　德国和俄国签订布列斯特——立托夫斯克条约。

5月18日　克拉拉·蔡特金在《真理报》上发表《拥护布尔什维克》一文。

5月30日　普列汉诺夫病逝。

8月　考茨基在维也纳发表了《无产阶级专政》一书。

9月　卢森堡在狱中撰写《论俄国革命》。

| | |
|---|---|
| 10 月 4 日 | 社会民主党人参加了巴登的马克斯亲王的政府。 |
| 11 月 | 德国革命爆发。伯恩施坦参加由德国社会民主党右派领导的反动政府，担任财政部部长助理，积极参加政府领导核心出卖德国革命的勾当。同时退出独立社会民主党，重新加入社会民主党。 |
| 11 月 7—8 日 | 基尔市工人、水兵与士兵革命起义，并席卷全德国。 |
| 11 月 9 日 | 巴登的马克斯亲王把政府事务移交给艾伯特。谢尔曼共和国成立。 |
| 11 月 9 日 | 柏林人民起义，德皇逃亡荷兰。 |
| 11 月 10 日 | 由德国多数派社会民主党（艾伯特、谢尔曼、兰茨贝格）和德国独立社会民主党（哈泽、迪特慢、巴尔特）组成的人民委员会成立革命政府。柏林工人士兵苏维埃的执行委员会成立。艾伯特接受陆军最高统帅部关于进行合作的倡议。 |
| 11 月 12 日 | 奥地利共和国宣布成立，哈布斯堡王朝从此完结。 |
| 11 月 15 日 | 德国工会与雇主协会达成一项协议，承认工会的大多数要求，并且决定成立一个“中央工作委员会”。 |
| 12 月 | 伯恩施坦在柏林以《什么是社会主义?》为题发表演说，同年写成小册子出版。 |
| 12 月 16—20 日 | 工人士兵苏维埃举行全国会议。苏维埃决定选举国民议会，并要求立即实行社会化措施。 |
| 12 月 29 日 | 德国独立社会民主党退出人民委员会。 |
| 12 月 30 日 | 德国共产党宣告成立。 |

## 1919 年

| | |
|---|---|
| 1 月 4—13 日 | 革命的工人、士兵同艾伯特政府派遣的军队之间展开斗争。 |
| 1 月 15 日 | 罗莎·卢森堡和卡尔·李卜克内西被杀害。 |
| 1 月 19 日 | 德国社会民主党国民议会选举中获得 37.9% 的选票。德国独立社会民主党获得 7.6% 的选票。 |
| 1 月 29 日 | 弗兰茨·林因患肺炎，医治无效逝世。 |
| 2 月 13 日 | 谢尔曼建立由德国社会民主党、德意志民主党和中央党组成的第一届魏玛联合共和国。 |

2月16日　奥地利社会民主党在选举中获胜，成为奥地利最大的议会党团。

3月15日　社会民主党和基督教社会党联合组成政府，卡尔·伦纳为国务总理，奥托·鲍威尔为外交部长。

4月7日　在巴伐利亚宣告成立苏维埃共和国。

5月25日　保加利亚社会民主工党改名为保加利亚共产党。

6月　考茨基出版《恐怖主义和共产主义》。

6月10—15日　德国社会民主党在魏玛召开代表大会。

6月30日　谢尔曼辞职后，古斯塔夫·鲍尔（德国社会民主党）重新同中央党组成联合政府，其后德意志民主党又加入联合政府。

## 1920年

9月中旬　克拉拉·蔡特金开始她的第一次俄国旅行。

11月20日　第一次国际女共产党员代表会议在莫斯科召开。

## 1921年

春　伯恩施坦受政府委派在柏林大学开设《社会主义过去和现在的争论》讲座。

3月21日　德国“三月行动”拉开序幕。

12月　伯恩施坦将讲稿写成《社会主义的过去和现在。过去和现在的社会主义争论问题》一书，于1922年出版。

# 索　引

## 主题索引

E



F



G

H



J



K

L



M

P



S



T



W

X



Y



Z

## 人名索引

F



G



H



J



K



L

# 后　记

本卷是《马克思主义发展史》十卷本中的第四卷，本卷全面系统地叙述了这一时期马克思主义发展与演变的基本过程和基本特点，特别是以伯恩施坦修正主义的出现和马克思主义者对其的批判和斗争为基本线索，全面客观地分析和评价了这一时期重要思想家的思想及其形成和发展过程。重点介绍了伯恩施坦、倍倍尔、考茨基、卢森堡、拉法格、普列汉诺夫、梅林、蔡特金等第二国际主要代表人物的思想及其发展过程和特点，同时也介绍了意大利、保加利亚和奥地利等国马克思主义者的基本思想。写作中的不足之处敬请读者批评指正。

本卷写作分工如下：

卷首语、后记、全卷统稿　张新

第一章　刘娜娜

第二章　宋友文

第三章　赵成

第四章　谢向波

第五章　谭清华

第六章、第七章　沈江平

第八章　李文爽　王静

第九章　第一节　刘娜娜、张新　第二节　王静

第十章、第十一章　李玉峰

本卷的参考文献、大事记、索引均由刘娜娜整理。

张　新

2019 年 10 月

# 编 后 语

马克思主义是不断发展的开放的理论，始终站在时代前沿，引领时代发展。总结自马克思主义诞生以来的发展史，是全部马克思主义理论研究者的一件大事，更是一件难事。中国人民大学作为我国马克思主义教学与研究高地，始终重视这项工作。从 1996 年《马克思主义史》（四卷本）出版，历经了 27 年的光阴，在新时代的呼唤下，这部《马克思主义发展史》（十卷本）终于呈现在各位读者面前。这是一部由中国人民大学组织编写、以推进马克思主义中国化时代化为主旨的巨著，具有科研启动时间早、参研人数多、设计体量大、理论难度高、持续时间长等显著特点。这部书得到了中央有关部门和领导同志的高度重视，先后入选国家出版基金项目和国家出版“十三五”规划项目，受到来自中共中央党校、中国社会科学院、北京大学、中央民族大学等高校和研究机构同人的鼎力相助，更有中国人民大学党委和人民出版社的全力支持。在一路关注和支持下，人大人践行着人民大学的优良传统和红色基因，以高度的理论使命感为指引，以扎实的马克思主义理论功底为支柱，敢于担当、求真务实、团结协作，以“一马当先”精神完成了这部鸿篇巨著。

以责任担当精神书写理论创新的辉煌篇章。时代是思想之母，实践是理论之源，理论之树常青是源于其始终随着实践的变化而发展。人大人想要承担起“十卷本”的编写重任，也一定能够承担起这项历史重任。自学校诞生之日起，一代代人大人紧扣时代脉搏，根据时代变化和实践发展，不断深化认识，不断总结经验，不断推动理论创新和实践创新的良性互动，用思想之力量发社会之先声。我们在 2014 年作出编写这部书的决定绝不是一个偶然，而是历史的必然。党的十八大召开，标志着中国特色社会主义进入新时代。一年多之后，编写这套丛书作为重大科研课题正式获批立项。这一年多的时间虽然短暂，但新时代的精神已经鲜明彰显。此后，一些新理念新思想新战略不断涌现，其中所蕴含着的一些重大而崭新的理论问题已深刻展现出来，我国的社会生活也在发生着深刻变化。特别是党的十九大明确提出习近平新时代中国特色社会主义思想，实现了马克思主义中国化新的飞跃，更加充分证明开展《马克思主义发展史》（十卷本）的编写工作是一项非常正确的决定。这是中国人民大学及其马克思主义理论学者对时代精神强力召唤的真诚回应，是所肩负的崇高历史责任的自觉担当。

以求真务实精神描绘人大学派的精神底色。习近平总书记曾寄语哲学社会科学工作者，要“自觉以回答中国之问、世界之问、人民之问、时代之问为学术己任”。人大人始终以“立学为民、治学报国”为学术追求，以实事求是、求真务实的精神直面“世界怎么了”、“人类向何处去”的时代之题，创作出了一大批经世济民、历久弥新的学术成果。《马克思主义发展史》（十卷本）便是这样一部回应时代需要和现实国情的学术巨著。一方面，习近平新时代中国特色社会主义思想是马克思主义中国化时代化的原创性成果，是马克思主义发展史上又一里程碑式的重大发展。为了推进理论的体系化、学理化，本书在编写过程中坚持“两个结合”，坚守好马克思主义魂脉和中华优秀传统文化根脉，新设专章，从学科角度重点研究阐释我们党提出的新理念新论断中的原理性理论成果，把握相互的内在联系，不断深化对党的理论创新的规律性认识。另一方面，将马克思主义发展史与党的百年历史、党的二十大接轨，充分彰显马克思主义在当代中国的理论进展和思想伟力，系统阐释马克思主义中国化理论在哲学、政治经济学和科学社会主义等相关学科的最新成果，呈现马克思主义理论在中华大地上的勃勃生机。

以团结协作精神汇聚著书立言的磅礴力量。时光荏苒，一瞬九载春秋，这个过程虽然“道阻且长”，但人大人“行则将至”。我们常说，讲团结就是讲政治，服从集体、凝心聚力；讲协作就是讲效率，术业专攻、高效落实。自课题立项之日起，时任中国人民大学党委书记、本书编委会主任靳诺教授就高度关注并全力支持本书的编写工作；年逾八旬的庄福龄教授首倡编写十卷本《马克思主义发展史》，亲自主持本书的筹划和编写大纲的制定，病榻上仍心系本书编写直至逝世；杨瑞森教授临危受命“挑起大梁”，特别是在第十卷的编撰中，亲自召集一批知名专家发挥专长、打磨书稿；更有一大批中青年马克思主义理论学者参与到本书的编写工作之中。中国人民大学党委作为团结协作的“领头羊”，统筹各方面工作，不忘著书立说的初心使命；各位总主编、各卷主编及作者服从安排、相互协作，尽心竭力、数易其稿，才使如此鸿篇巨著得以优质、高效地产出。正是一代代人大人讲团结、重协作，汇聚成了人才荟萃、名家云集的中国人民大学马克思主义理论教学与研究高地，凝结成了《马克思主义发展史》（十卷本）这部心血之作。特别需要提到的是，人民出版社高度重视、全力支持本书出版工作，毕于慧编审全程参与本书的编写、出版等工作，为这套十卷本的高效优质出版提供了重要保证。

本书的编写工作即将告一段落，我们力求将马克思主义发展至今的历程、观点、人物、事件等完整地呈现于此书。这部书立足中国特色社会主义新时代，整合近年来最新的马克思恩格斯著作手稿、马克思主义理论最新研究观点，以整体性的视野详述马克思主义 170 余年来形成、发展和在新的实践中不断深化的历史过程。这既是几代人大人的心血之作，也期待能够成为马克思主义发展史研究的扛鼎之作。新征程上，人大人将以坚持党的领导为根本统领，以传承红色基因为文化血脉，以扎根中国大地为发展根基，以加快建设中国特色、世界一流的社会主义大学为目标使命，继续发扬“一马当先”精神，充分发挥中国人民大学马克思主义理论研究底蕴深厚的优势，始终担当起人大马理学派应有的历史使命，踔厉奋发，笃行不怠，为不断推动当代中国马克思主义和二十一世纪马克思主义发展作出应有的贡献！

本书编委会

2023 年 10 月

项目统筹：毕于慧
责任编辑：毕于慧
封面设计：石笑梦
版式设计：周方亚
责任校对：马　婕

**图书在版编目（CIP）数据**

马克思主义发展史．第四卷，第二国际后半期马克思主义的发展与演变：1895—1917／张新 主编．—北京：人民出版社，2020.12（2025.7重印）
ISBN 978－7－01－021761－1

Ⅰ.①马…　Ⅱ.①张…　Ⅲ.①马克思主义－历史　Ⅳ.①A81

中国版本图书馆CIP数据核字（2019）第293451号

**马克思主义发展史（第四卷）**
MAKESI ZHUYI FAZHANSHI (DISIJUAN)
——第二国际后半期马克思主义的发展与演变（1895—1917）

张 新　主编

人民出版社 出版发行
（100706　北京市东城区隆福寺街99号）

北京中科印刷有限公司印刷　新华书店经销

2020年12月第1版　2025年7月北京第4次印刷
开本：710毫米×1000毫米 1/16　印张：40.25
字数：675千字

ISBN 978－7－01－021761－1　定价：180.00元

邮购地址 100706　北京市东城区隆福寺街99号
人民东方图书销售中心　电话（010）65250042　65289539